* 커리큘럼은 과목별·선생님별로 상이할 수 있으며, 자세한 내용은 해커스공무원 사이트에서 확인하세요.

KB077442

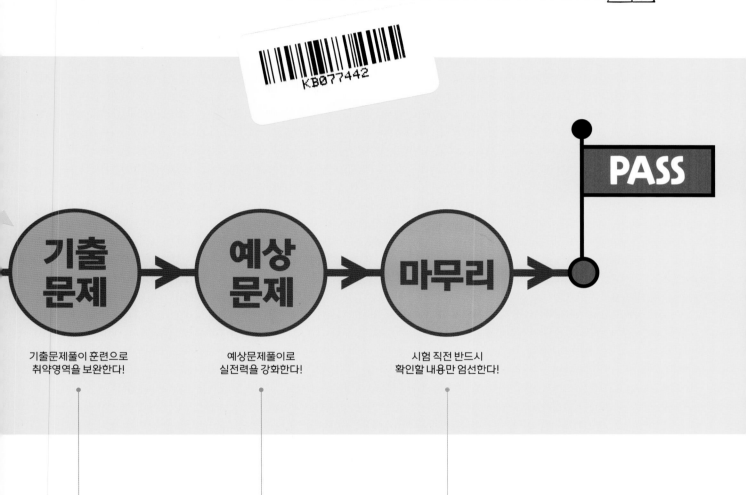

**기출
문제**

기출문제풀이 훈련으로
취약영역을 보완한다!

**예상
문제**

예상문제풀이로
실전력을 강화한다!

마무리

시험 직전 반드시
확인할 내용만 엄선한다!

PASS

강의 기출문제 풀이반

기출문제의 유형과 출제 의도를 이해
하고, 본인의 취약영역을 파악 및 보완
하는 강의

강의 예상문제 풀이반

최신 출제경향을 반영한 예상 문제들을
풀어보며 실전력을 강화하는 강의

강의 실전동형모의고사반

최신 출제경향을 완벽하게 반영한 모의고사를
풀어보며 실전 감각을 극대화하는 강의

강의 봉투모의고사반

시험 직전에 실제 시험과 동일한 형태의
모의고사를 풀어보며 실전력을 완성하는 강의

해커스공무원

패권

국제정치학

기출+적중문제집 | 1권

🏛 해커스공무원

이상구

약력

서울대학교 대학원 졸업
성균관대학교 졸업

현 | 해커스공무원 국제법·국제정치학 강의
현 | 해커스 국립외교원 대비 국제법·국제정치학 강의
현 | 해커스 변호사시험 대비 국제법 강의
전 | 베리타스법학원(5급) 국제법·국제정치학 강의
전 | 합격의 법학원(5급) 국제법·국제정치학 강의

저서

해커스공무원 패권 국제정치학 기본서 사상 및 이론
해커스공무원 패권 국제정치학 기본서 외교사
해커스공무원 패권 국제정치학 기본서 이슈
해커스공무원 패권 국제정치학 핵심요약집
해커스공무원 패권 국제정치학 단원별 핵심지문 OX
해커스공무원 패권 국제정치학 기출+적중 1800제
해커스공무원 패권 국제정치학 실전동형모의고사
해커스공무원 패권 국제법 기본서 일반국제법
해커스공무원 패권 국제법 기본서 국제경제법
해커스공무원 패권 국제법 조약집
해커스공무원 패권 국제법 판례집
해커스공무원 패권 국제법 핵심요약집
해커스공무원 패권 국제법 단원별 핵심지문 OX
해커스공무원 패권 국제법 단원별 기출문제집
해커스공무원 패권 국제법 단원별 적중 1000제
해커스공무원 패권 국제법 실전동형모의고사
해커스공무원 패권 국제법개론 실전동형모의고사

공무원 시험의 해답
국제정치학 시험 합격을 위한 필독서

방대한 공무원 국제정치학의 효율적인 학습을 위해 누적된 기출문제를 분석·분류하고, 최신 출제 경향을 반영한 적중문제를 통해 문제해결 능력을 기를 수 있는 기출+적중문제집을 만들었습니다.

국제정치학 학습에 기본이 되는 기출문제와 심화학습이 가능한 적중문제를 효과적으로 학습할 수 있도록 다음과 같은 특징을 가지고 있습니다.

첫째, 출제 경향을 분석하여 엄선한 기출문제, 적중문제를 단원별로 분류하여 수록하였습니다.
둘째, 문제풀이 과정에서 이론까지 복습할 수 있도록 상세한 해설을 수록하였습니다.
셋째, 다회독을 위한 다양한 학습장치를 제공합니다.

공무원 국제정치학 학습에 최대 효과를 낼 수 있도록 다음의 학습 방법을 추천합니다.

첫째, 기본서와의 연계학습을 통해 각 단원에 맞는 기본 이론을 확인하고 쉽게 암기할 수 있습니다.
둘째, 정답이 아닌 선지까지 모두 학습하여 다채로운 문제 유형에 대처할 수 있는 능력을 기를 수 있습니다.
셋째, 반복 회독 학습을 통해 출제 유형에 익숙해지고, 자주 출제되는 개념을 스스로 확인할 수 있습니다.

더불어, 공무원 시험 전문 사이트인 **해커스공무원(gosi.Hackers.com)**에서 교재 학습 중 궁금한 점을 나누고 다양한 무료 학습 자료를 함께 이용하여 학습 효과를 극대화할 수 있습니다.

부디 <해커스공무원 패권 국제정치학 기출+적중문제집>과 함께 공무원 국제정치학 시험의 고득점을 달성하고 합격을 향해 한걸음 더 나아가시기를 바랍니다.

이상구

차례

2권

이 책의 구성

문제해결 능력 향상을 위한 단계별 구성

---

002 한국의 공공외교에 대한 설명으로 옳은 것은?   2023년 외무영사직

□□□
　① 2016년 「공공외교법」이 제정되었다.
　② 「공공외교법」의 제정으로 평화유지군 파병, 보훈 외교 등의 활동이 추진되었다.
　③ 공공외교의 중요성 대두로 외교부에서 업무가 이관된 '한국공공외교재단'이 설립되었다.
　④ 한국의 공공외교는 케이팝(K-pop) 등 민간 부문이 주도적인 역할을 하고 있으며 하드파워를 중심축으로 해서 추진되고 있다.

정답 및 해설

박근혜정부에서 제정되었다.

☑ 선지분석
　② 평화유지군 최초 파병이 1993년이므로 「공공외교법」 제정으로 평화유지군 파병이 추진되었다고 보기 어렵다.
　③ 공공외교를 위해 설립된 재단은 '한국국제교류재단'이며 외교부 산하 기관이다.
　④ 공공외교는 하드파워 중심이 아니라 소프트파워 중심이다. 소프트파워를 추구하는 정책이다.

답 ①

STEP 1 기출문제로 문제해결 능력 키우기

17개년 공무원 국제정치학 기출문제 중 재출제 가능성이 높은 문제들을 엄선하여, 학습 흐름에 따라 단원별로 수록하였습니다. 이를 통해 각 단원에서 자주 출제되거나 중요한 개념을 파악하여 다양한 기출문제의 출제포인트와 정답을 찾아내는 능력을 키울 수 있습니다.

▼

제1장 총론

001 국제정치이론 발달사에 관한 설명 중 옳지 않은 것은?

□□□
　① 고전적 현실주의는 제1차 세계대전 이후의 베르사유 체제와 전간기 국제관계에 있어서 영국, 미국 등 강대국들의 대외정책을 비판하면서 등장하였다.
　② 행태주의적 현실주의는 1950년대 미국의 보수주의적 흐름을 배경으로 하여 보다 가치중립적인 이론화를 시도하면서 정립되었다.
　③ 왈츠(K. Waltz)에 의해 도입된 국제체제이론은 체제수준의 행태주의적 현실주의 이론을 대표하는 이론이다.
　④ 억지이론은 행태주의라는 이론적 배경과 미국과 소련의 핵군비경쟁이라는 현실적 배경 하에서 탄생한 이론이다.

STEP 2 적중문제로 문제응용 능력 키우기

공무원 국제정치학 기출문제 중 출제 가능성이 높은 핵심 내용들을 기출문제와 유사하게 응용·변형하여 적중문제로 수록하였습니다. 이를 통해 학습한 이론을 응용하고, 심도 깊게 학습하여 실전에 대비할 수 있습니다.

▼

정답 및 해설

ㄱ, ㄴ, ㄹ은 현실주의, ㄷ, ㅁ은 상호의존론에 대한 설명이다.

관련 이론 현실주의와 상호의존론의 제3차 대논쟁

구분	현실주의	상호의존론
행위자	국가	국가 + 비국가
국제체제	무정부	복합적 상호의존
권력의 대체성	긍정(대체 가능)	부정(영역별 특정화)
이슈의 계서(우열)	인정(생존 우위)	부정(모든 이슈가 중요)
상호의존과 평화	비관적(부정적 외부재효과)	낙관적(상호의존시 평화 가능)

답 ①

STEP 3 상세한 해설로 개념 완성하기

문제풀이와 함께 이론을 요약·정리할 수 있도록 상세한 해설을 수록하였습니다. 이를 통해 정답이 아닌 선지와 관련 이론을 함께 확인하여 방대한 국제정치학 이론을 다시 한 번 복습할 수 있습니다.

정답의 근거와 오답의 원인, 관련이론까지 짚어주는 정답 및 해설

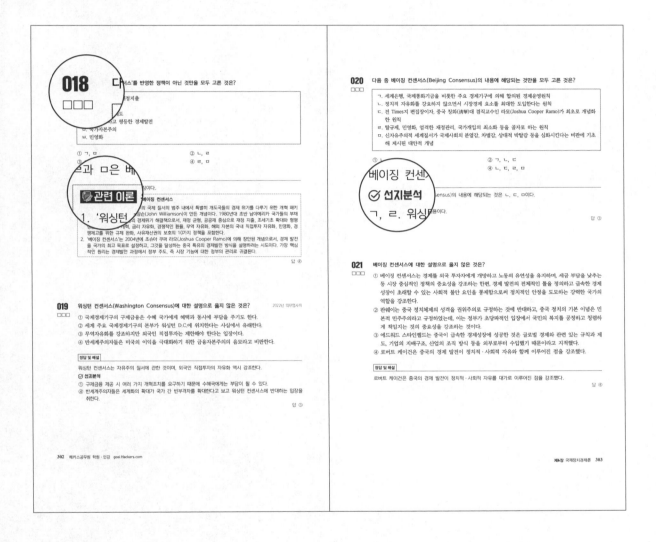

❶ 회독 체크 박스

문제 번호 하단에 수록된 체크 박스를 활용하여 본인이 학습진도나 수준에 따라 반복하여 학습할 수 있습니다.

❸ 선지분석

정답인 선지뿐만 아니라 오답인 선지에 대해서도 상세한 설명을 수록하여 빈틈없이 학습할 수 있습니다.

❷ 관련 이론

문제풀이에 필요한 관련 핵심 이론을 수록하였습니다. 취약한 개념을 바로 확인함으로써 효과적으로 학습할 수 있습니다.

제1편

국제정치학 서설

제1장 국제정치학의 의의

001

☐☐☐ 불(Hedley Bull)이 제시한 국제체제의 역사에 대한 3개의 사상적 전통 중 그로티우스(Hugo Grotius)적 시각과 관련된 내용이 아닌 것은? 2013년 외무영사직

① 현실주의(realism)와 보편주의(universalism)의 중간적 위치에 해당한다.
② 국가들 상호간의 관계가 공통의 규칙 또는 제도에 의해 제한된다.
③ 주권국가들로 구성된 국제체제는 궁극적으로 해체되어 세계 연방을 지향한다.
④ 국가들의 행위가 자기이익과 도덕성 모두에 의해 고려되는 단계이다.

정답 및 해설

그로티우스(Hugo Grotius)적 시각은 주권국가를 전제로 하며, 국가들 간 협력 가능성을 인정한다.

답 ③

002

☐☐☐ 다음은 개별 주권국가의 권한 작용범위를 기준으로 분류한 세 가지 유형의 국제사회관이다. 이를 그로티우스(H. Grotius), 홉스(T. Hobbes), 칸트(I. Kant) 등의 사상가와 바르게 연결한 것은? 2010년 외무영사직

- 주권국가형: 개별 주권국가의 절대적 권한으로 작동되는 국제사회관
- 공동체형: 개별 주권국가의 권한이 소멸되어 하나의 공동체로 운영되는 국제사회관
- 혼합형: 개별 주권국가의 권한과 동시에 국가를 초월하는 규범의 존재를 인정하는 국제사회관

	주권국가형	공동체형	혼합형
①	그로티우스	칸트	홉스
②	홉스	그로티우스	칸트
③	칸트	홉스	그로티우스
④	홉스	칸트	그로티우스

정답 및 해설

- 홉스(T. Hobbes)는 만인의 만인에 대한 투쟁 상태, 즉 자연상태에서 국가로의 이행을 사회 계약이라는 형태로 설명했다. 이러한 계약이 체결되는 순간 인간은 자연상태에서 벗어나 국가라는 틀 안에서 생활하게 되는데, 계약을 집행할 수 있는 힘이 즉시 생겨야만 계약의 구속력이 확보되기 때문에 계약의 성립과 동시에 강력한 통치자가 등장하게 되고 이를 '리바이어던(Leviathan)'이라고 하였다. 개인은 이렇게 등장한 리바이어던(Leviathan)에게 절대적으로 복종해야 한다고 보는 절대주의적 국가관을 갖고 있었다.
- 칸트(I. Kant)는 『영구평화를 위하여』(1795)라는 저서에서 전쟁의 되풀이가 인류를 멸망의 길로 이끌 것이라고 경고하면서, 이와 같은 참극을 막기 위해서는 각국이 주권의 일부를 양도하여 전쟁을 막는 '평화를 위한 연방'을 설치할 것을 주장하였다. 또한 전쟁의 불씨가 되는 비밀조약 및 상비군 등의 폐지 및 폭력에 의한 타국에의 간섭을 금지할 것 등을 역설하고 영구평화를 위한 세계공민법의 확립을 주장하였다.
- 『전쟁과 평화의 법』(1625)을 쓴 그로티우스(H. Grotius)는 '국제법의 아버지'로 불린다.

답 ④

003 불(H. Bull)이 홉스(T. Hobbes)적 관점, 그로티우스(H. Grotius)적 관점, 칸트(I. Kant)적 관점으로 유형화한 국제정치 시각 중에서 칸트의 국제질서관에 대한 설명으로 옳은 것은?

① 국제정치의 주된 실체는 국가이며, 국제법을 통해 국가 간의 분쟁을 통제할 수 있다.
② 국제정치에서 발생하는 국가 간의 분쟁은 기본적으로 제로섬 게임(Zero-sum game)의 성격을 갖는다.
③ 국가를 초월한 개개인 사이의 유대를 통해 인류공동체를 실현시킬 수 있다.
④ 전쟁은 정치적 목적에 종속되어야 한다.

정답 및 해설

국가를 초월한 개개인 사이의 유대를 통해 인류공동체를 실현시킬 수 있다는 것은 칸트(I. Kant)의 국제질서관에 부합하는 설명이다.

✅ 선지분석

① 그로티우스(H. Grotius)적 관점에 부합하는 설명이다.
②, ④ 홉스(T. Hobbes)적 관점에 부합하는 설명이다.

답 ③

004 국제정치관에 대한 설명으로 옳지 않은 것은?

① 홉스적 관점은 이기적 인간관을 전제로 국제정치를 무정부 상태에서 국가들 간 권력투쟁으로 정의한다.
② 칸트적 관점은 성선설을 전제로 개인의 자율성을 최대한 보장하기 위한 규범적·현실적 실체로서 세계연방을 제시한다.
③ 그로티우스 관점은 신자유제도주의 또는 영국사회학파의 입장을 보여주며 국제관계에서 국가들간 협력 가능성과 국제질서의 형성 가능성을 긍정한다.
④ 홉스적 관점을 계승한 모겐소의 입장은 국제체제의 무정부성을 국가의 행동의 근본적 동인으로 보는 신현실주의 입장과 구분된다.

정답 및 해설

칸트(I. Kant)는 세계연방이 개인의 자율성 보장을 위해 바람직한 체제로 보지만, 이는 실현가능성이 없는 '이데아'에 불과하다고 본다. 즉, 현실적 실체로 보는 것은 아니다.

답 ②

001 다음 그림에서 국제정치의 행위자 간 관계와 해당 사례의 연결이 옳지 <u>않은</u> 것은?
2008년 외무영사직

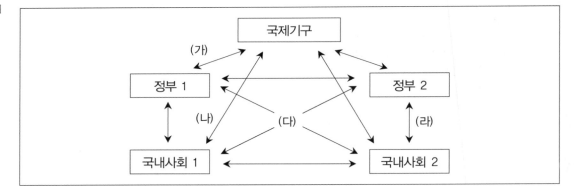

① (가): 한국정부는 국제통화기금(IMF)으로부터 구제금융을 받는다.
② (나): 한국의 농민단체들이 한미 자유무역협정(FTA) 협상장 앞에서 한미 FTA 체결 반대시위를 한다.
③ (다): 일본 정부의 독도 영유권 주장에 대해 한국 시민단체들이 일본 대사관 앞에서 항의시위를 한다.
④ (라): 미국의 석유회사들이 부시 행정부에 대해 기후변화협약 「교토의정서」의 탈퇴를 요구한다.

> **정답 및 해설**

국내사회와 국제기구 간의 관계이므로, 농민단체가 WTO에 직접 영향력을 행사하거나 WTO가 농민단체에 직접 어떤 제의를 하여 찬성하게 하는 것 등이 해당될 것이다. 그러나 지문의 내용은 (라) 국내사회가 정부에 영향력을 행사하는 경우이다.

답 ②

002 비국가행위자에 대한 설명으로 옳지 <u>않은</u> 것은?

① 냉전기에는 이론적으로 현실주의 패러다임이 지배하고 있었으므로 비국가행위자의 역할이 미미하다고 평가되었다.
② 자유주의에서는 비국가행위자들의 영향력을 인정하며, 비국가행위자들이 국제정치 과정에 긍정적인 영향을 줄 것으로 본다.
③ 현실주의에서는 국제기구나 다국적기업 등을 국가의 정치목표달성을 위한 수단으로 간주한다.
④ 자유주의에서는 비국가행위자들이 국가 개별적으로 해결할 수 없는 국제문제를 해결할 수 있도록 해주며, 현 웨스트팔리아 근대국제체제를 유지하는 역할을 한다고 본다.

> **정답 및 해설**

자유주의에서는 비국가행위자들이 국제정치 구조를 현실주의자들이 인식하는 웨스트팔리아 근대국제체제에서 전지구적 시민사회로 변모시키는 역할을 한다고 본다.

답 ④

003 국력(national power)에 해당하는 요소들 중에서 설명이 옳지 않은 것은?

□□□
① 인구가 많은 국가가 인구가 적은 국가보다 강력하다. 인구의 규모뿐만 아니라 연령분포나 인구변화도 고려해야 한다.
② 자연자원이란 인간의 노동이 가미되기 전의 생산에 사용되는 재료를 말하는 것으로, 자연자원이 많을수록 국력이 강해질 것이다.
③ 모겐소(Hans Morgenthau)에 의하면 국력(권력) 평가는 군사력이나 경제력, 인구수 등 양적 지표에 기초하여 평가되어야 하고, 국민의 사기, 애국심, 외교능력 등은 배제되어야 한다고 보았다.
④ 국민의 사기란 집권정부에 대한 지지도를 의미하지만, 애국심과 동일한 것은 아니다.

> **정답 및 해설**

모겐소(Hans Morgenthau)는 국력평가에 있어서 군사력과 같은 유형적 요소뿐 아니라 국민성이나 국민의 사기 등과 같은 무형적 요소도 같이 고려되어야 한다고 보았다.

⊘ 선지분석
④ 국민의 사기는 집권정부에 대한 지지도를 말하는 것으로, 정부나 정부 정책이 바뀜에 따라 변화할 수 있다. 그러나 애국심은 국가에 대한 충성도를 의미하는 것으로 양자 간에 차이가 있다.

답 ③

004 국제정치행위자에 대한 설명으로 옳은 것은?

□□□
① 더닝은 기업특유우위, 내부화유인우위, 입지특유우위라는 세 가지 요소가 모두 충족되는 경우 다국적기업이 활성화한다는 절충이론(OLI 이론)을 제시하였다.
② 제품수명주기이론은 제품의 생산성에 따라 제품생산 지역이 이동하는 것에서 다국적기업 활성화 요인을 찾는다.
③ 마르크스주의자들은 다국적기업이 이윤극대화를 위해 활성화되고, 국가 간 상호의존관계를 형성시켜 국제질서에 긍정적 역할을 할 것으로 전망한다.
④ 현실주의자들은 비국가행위자들의 영향력을 인정하며 국제정치과정에 긍정적 역할을 한다고 본다.

> **정답 및 해설**

⊘ 선지분석
② 제품의 수명주기에 따라 제품생산 지역이 이동한다고 본다.
③, ④ 자유주의자의 입장이다.

답 ①

005 국제정치 행위자에 대한 설명으로 옳지 않은 것은 모두 몇 개인가?

ㄱ. 현실주의는 국제정치의 행위자는 국가이며 국내적 및 대외적으로 분절적이라고 본다.
ㄴ. 자유주의는 세계화 및 민주화의 진전으로 국가의 영향력은 지속적으로 쇠퇴하고 있다고 본다.
ㄷ. 마르크스주의는 국가가 상부구조에 존재하며 높은 자율성을 가지고 노동자계급을 억압하는 역할을 한다고 본다.
ㄹ. 문명충돌론은 국가들은 국가이익보다는 문명이익을 중심으로 행동한다고 본다.
ㅁ. 구성주의는 국가의 선호는 집합정체성에 따라 유동적이라고 본다.

① 1개　　　　　　　　　　　　　② 2개
③ 3개　　　　　　　　　　　　　④ 4개

> **정답 및 해설**

국제정치 행위자에 대한 설명으로 옳지 않은 것은 ㄱ, ㄷ으로 2개이다.
ㄱ. 현실주의에 따르면 국가는 대내적으로 분절적일 수 있으나, 대외적으로는 통합적이라고 본다.
ㄷ. 마르크스주의에 따르면 국가는 상부구조에 존재하나, 자본가계급에 포획되어 있으므로 자율성이 높지 않다.

답 ②

006 다음 설명에 해당하는 비국가행위자로 옳은 것은?

• 국제정치의 주요 행위자로 볼 것인지에 대해 패러다임 간 논쟁이 있다.
• 특정 국가의 국내법에 따라 설립되며 개별시민들을 그 회원으로 한다.
• 자신들의 영향력을 이용하여 자신들의 가치나 목표를 성취하기 위해 국가 정책에 영향을 미치고자 한다.
• 특정 문제를 국제적으로 쟁점화하고 여론을 형성하여 국가에 압력을 가한다.

① INGO　　　　　　　　　　　　② IGO
③ MNC　　　　　　　　　　　　④ TNC

> **정답 및 해설**

INGO(International Non-Governmental Organization, 비정부간국제기구)에 대한 설명이다.

✓ 선지분석

② IGO(Intergovernmental Organization, 정부간국제기구)는 국제 제도의 하나이지만, 국제조약에 따라 설립되며 주권 국가를 그 회원으로 한다.
③ MNC(Multi-National Corperation, 다국적기업)은 한 국가에 본부를 두고 하나 또는 그 이상의 외국에서 영리활동을 하는 기업을 말한다. 즉, 본부의 정책을 그대로 외국에서 자기업들이 수행하는 방식의 기업이다.
④ TNC(Trans-National Corperation, 초국적기업)은 MNC와 유사한 개념이지만, 자기업들이 진출한 국가에 동화되어 그 실정에 맞는 마케팅 전략을 수립하는 등 자기업이 진출한 국가에서 보다 주체적으로 영리활동을 한다는 차이를 보인다. 최근에는 MNC보다 TNC의 개념이 더욱 보편적으로 사용된다.

답 ①

007 다국적기업의 해외직접투자를 설명하는 존 더닝(John Dunning)의 OLI 이론에 대한 내용으로 옳지 않은 것은?

2015년 외무영사직

① 투자대상국이 경제적 자유주의를 채택하고 있어야 한다.
② 어떤 특정 지식의 소유권에 근거하는 시장력이 있어야 한다.
③ 다른 지역들보다 그 지역이 특별히 갖는 우위가 있어야 한다.
④ 수출이나 라이센싱보다 해외직접투자를 선호하는 내부화 전략을 택해야 한다.

정답 및 해설

OLI 이론에 따르면 투자대상국의 경제체제는 상관이 없다.

✓ 선지분석
더닝(John Dunning)의 OLI 이론은 다국적기업의 투자가 발생하기 위한 아래 세 가지 조건을 제시한 것이다.
② Ownership-specific-advantage: 당해 기업이 현지 기업에 비해 비교우위적 요소를 가져야 한다.
③ Location-specific-advantage: 타 지역에 비해 특정 지역이 투자에 있어서 이익이 있어야 한다.
④ Internalization-specific-advantage: 현지에서 직접 투자하여 생산하는 것이 수출이나 대리점 설립보다 우위에 있어야 한다.

답 ①

008 다국적기업의 국제정치적 역할에 대한 설명 중 가장 옳지 않은 것은?

① 다국적기업은 자원배분의 세계적 효율성을 증진시키는 역할을 한다.
② 상호의존론에서는 다국적기업이 국제정치의 주요 행위자 중의 하나이다.
③ 각국은 다국적기업의 활동을 제한하려는 것이 최근의 추세이다.
④ 길핀(Gilpin)은 다국적기업의 해외진출로 미국 내 산업이 공동화우려가 있다고 한다.

정답 및 해설

다국적기업의 투자유치국의 정치·경제 질서를 교란할 우려가 제기됨에도 불구하고, 국가들은 대체로 다국적기업을 유치하기 위해 다양한 인센티브를 주는 것이 일반적이다. 다국적기업의 투자가 경제성장, 실업해소, 기술발전 등에 긍정적이라고 보기 때문이다.

답 ③

009 앤더슨(Benedict Anderson)이 규정한 민족과 민족주의는?

2022년 외무영사직

① 상상된 공동체(imagined community)
② 전승된 공동체(inherited community)
③ 창조된 공동체(created community)
④ 전환된 공동체(transformed community)

정답 및 해설

앤더슨(Benedict Anderson)은 민족과 민족주의를 'Imagined Communities(상상된 공동체)'라고 규정하였다. 구체적인 실체가 존재한다기보다는 영토국가의 통일성 유지 등의 특정 목적을 가지고 만들어진 실체라는 것이다. 이는 기존의 인종주의적 접근 또는 본원적 접근과는 구분되는 입장이다.

답 ①

제3장 외교론

001 「공공외교법」에 대한 설명으로 옳지 않은 것은?

2021년 외무영사직

① 공공외교는 인류의 보편적 가치와 대한민국 고유의 특성을 조화롭게 반영하여 추진되어야 한다.
② 공공외교 정책은 국제사회와의 지속가능한 우호협력 증진에 중점을 두어야 한다.
③ 「공공외교법」의 목적은 국제사회에서 대한민국의 국가 이미지 및 위상 제고에 이바지하는 것이다.
④ 공공외교 활동은 국가이익에 부합하는 지역과 국가를 대상으로 한다.

정답 및 해설

공공외교 활동은 특정 지역이나 국가에 편중되지 아니하여야 한다(제3조 제3항).

✅ 선지분석
① 공공외교는 인류의 보편적 가치와 대한민국 고유의 특성을 조화롭게 반영하여 추진되어야 한다(제3조 제1항).
② 공공외교 정책은 국제사회와의 지속가능한 우호협력 증진에 중점을 두어야 한다(제3조 제2항).
③ 이 법은 공공외교 활동에 필요한 사항을 규정하여 공공외교 강화 및 효율성 제고의 기반을 조성함으로써 국제사회에서 대한민국의 국가이미지 및 위상 제고에 이바지하는 것을 목적으로 한다(제1조).

답 ④

002 한국의 공공외교에 대한 설명으로 옳은 것은?

2023년 외무영사직

① 2016년 「공공외교법」이 제정되었다.
② 「공공외교법」의 제정으로 평화유지군 파병, 보훈 외교 등의 활동이 추진되었다.
③ 공공외교의 중요성 대두로 외교부에서 업무가 이관된 '한국공공외교재단'이 설립되었다.
④ 한국의 공공외교는 케이팝(K-pop) 등 민간 부문이 주도적인 역할을 하고 있으며 하드파워를 중심축으로 해서 추진되고 있다.

정답 및 해설

박근혜정부에서 제정되었다.

✅ 선지분석
② 평화유지군 최초 파병이 1993년이므로 「공공외교법」 제정으로 평화유지군 파병이 추진되었다고 보기 어렵다.
③ 공공외교를 위해 설립된 재단은 '한국국제교류재단'이며 외교부 산하 기관이다.
④ 공공외교는 하드파워 중심이 아니라 소프트파워 중심이다. 소프트파워를 추구하는 정책이다.

답 ①

003
□□□

공공외교에 대한 설명으로 옳지 않은 것은?

① 외교행위의 대상이 정부 단위에서 개인을 포함하여 광범위한 비국가 행위자로 확대되었다.
② 미국은 9·11 테러를 계기로 공공외교의 필요성을 더욱 절감하게 되었다.
③ 강대국들이 주로 사용하는 전략이기 때문에 중견국이나 약소국에게는 적합하지 않다.
④ 정보화 기술의 발달과 다양한 커뮤니케이션 수단의 등장으로 그 중요성이 커졌다.

> **정답 및 해설**
>
> 공공외교가 강대국들이 보다 중요하게 고려하여 시행하고 있는 것은 사실이나 우리나라와 같은 중견국들도 연성권력을 확보한다는 차원에서 중요하게 고려하고 있다. 연성권력의 중요성이 이전에 비해 강화된 현재의 국제관계 현실에서는 중견국이나 약소국도 공공외교가 중요하고 적합한 외교 전략이라고 볼 수 있다.
>
> 답 ③

004
□□□

외교에 대한 설명으로 옳지 않은 것은?

① 절대왕정기에 대사는 파견 군주의 대리자로 외교사절 수용국의 군주와 동격으로 간주되었다.
② 근대적 의미의 상주 외교사절은 1450년 밀라노공국이 피렌체공국에 파견한 상주대사에서 유래되었다.
③ 30년 전쟁 이후 등장한 유럽협조체제(Concert of Europe)는 유럽의 5대 강국을 비롯한 여러 국가들이 함께 모여 유럽 안에서의 문제와 유럽 밖에서의 국가 간 문제를 해결한 체제였다.
④ 공공외교에 대한 정체성 시각은 국가정체성의 어떤 요소를 소통하느냐에 따라 투사형공공외교(projective public diplomacy)와 주창형공공외교(advocacy public diplomacy)로 대별할 수 있다. 투사형 공공외교는 인종, 언어, 한 민족이 오랜 기간 공동 경험을 통해 공유하는 역사, 문화 등 정체성의 본원적 요소, 즉 '우리는 누구인가'를 알리는 데 초점을 맞추는 공공외교이며, 주창형공공외교는 한 국가가 국제사회에서 추구하는 아이디어, 가치, 규범, 정책이나 제도, 이를 실현하기 위한 역할에 초점을 맞추는 공공외교이다.

> **정답 및 해설**
>
> 유럽협조체제(Concert of Europe)는 나폴레옹 전쟁 이후 등장했다.
>
> 답 ③

005 트랙 II (Track II) 외교의 사례로 적절한 것은?

① 미국이 외국 정부 및 국내 이익집단과 동시에 협상하는 것
② 이스라엘과 팔레스타인해방기구 사이의 관계 개선을 위한 노르웨이 사회학자의 노력
③ 미국 윌슨(Woodrow Wilson) 대통령의 14개 평화원칙과 베르사이유 강화조약
④ 북한 비핵화를 위한 6자회담

정답 및 해설

트랙 II (Track II) 외교란 민간차원에서 이뤄지는 외교를 의미한다.

✓ 선지분석

①, ③, ④ 모두 정부차원에서 이뤄지는 트랙 I (Track I) 외교의 사례들이다.

답 ②

006 영사(consul)의 고유한 직무가 아닌 것은?

① 우호, 통상관계의 촉진
② 자국민의 이익보호
③ 공증, 호적 업무
④ 주재국과 외교교섭

정답 및 해설

주재국과 외교교섭 등 정치적인 업무는 외교관의 고유한 업무이다.

답 ④

007 외교관의 특권과 면책권에 관한 설명으로 옳지 않은 것은?

① 대사관은 주재국 관헌의 수색과 강제침입으로부터 면제된다.
② 외교관은 주재국의 법과 규칙을 자의로 지킬 필요는 없다.
③ 외교관은 주재국의 조세법이나 형사, 민사 관할권으로부터 면제된다.
④ 공식외교업무와 무관한 상행위의 경우, 외교관은 주재국의 조세법과 법적 소송의 대상이 된다.

정답 및 해설

1961년 외교관계에 관한 비엔나협약 제41조는 외교관의 접수국 법령 존중의무에 대해 규정하고 있다. 따라서 외교관은 접수국의 법과 규칙을 준수할 법적 의무가 있다.

✓ 선지분석

④ 상업적 활동은 접수국의 민사소송으로부터 면제되지 않는다. 이 밖에 개인소유 부동산 관련 소송이나 개인적인 상속 관련 소송으로부터도 면제되지 않는다.

답 ②

008 근대적 상주외교사절제도가 처음 시작된 국가는?

2004년 외무영사직

① 독일　　　　　　　　　　　　② 영국
③ 이탈리아　　　　　　　　　　④ 프랑스

| 정답 및 해설 |

12~13세기 이탈리아 상업도시가 번창하면서 자국상인의 이익 보호 및 영사재판을 위해 영사제도가 도입되었으며 이때부터 '영사'(consul)라는 명칭이 사용되었다(「국제법」, 채형복, 2009년).

답 ③

009 다음 중 난민에 관한 서술 중 옳지 않은 것은?

2004년 외무영사직

① 난민고등판무관(UNHCR)에서 난민판정을 하면 본국으로 절대로 송환해서는 안 된다.
② 난민협약에 의하면 인종, 종교, 국적, 특정사회집단의 소속, 정치적 의견 등으로 인한 박해받을 우려가 있어야 한다고 규정되어 있다.
③ 본국 내에서는 난민으로 인정될 여지가 제약된다.
④ 국제사회에서 난민 인정노력은 제1차 세계대전 이후 지역별로 전개되어 왔다.

| 정답 및 해설 |

난민판정을 받기 전이라 할지라도, 강제 송환되면 생명이나 자유가 박탈당할 위험이 있는 영역으로 난민을 송환해서는 안 된다. 한편 난민판정은 난민조약 당사국의 권한이고 난민고등판무관의 권한은 아니다.

답 ①

010 다음 중 외교관과 영사에 대한 설명으로 옳지 않은 것은?

① 외교사절제도는 고대 중국, 인도, 이집트, 그리스, 로마 등에 있었으나 상주외교사절제도는 13세기 이탈리아 반도의 도시국가들에 의해 처음 시작되었다.
② 영사제도는 중세유럽 상업도시에 특유한 기술적 · 직업적 동업조합이 조합원 상호 간의 분쟁을 해결하는 자치적인 재판관을 두었던 제도에서 비롯되었다.
③ 외교사절제도는 관습국제법으로 규정되었으나, 1961년 4월 외교관계에 관한 비엔나협약을 통해 외교사절 및 영사에 대한 직무, 특권 및 면제에 대해 법전화하였다.
④ 영사는 외교사절처럼 본국을 대표하는 대표기관이 아니므로 외교사절이 아니고 이에 준하는 기관에 지나지 않는다.

| 정답 및 해설 |

외교사절제도에 관한 법전화를 이룩한 것은 1961년 외교관계에 관한 비엔나협약으로, 이는 외교관의 직무 · 특권 · 면제에 관한 규정을 다루고 있다. 영사의 경우에는 1963년 영사관계에 관한 비엔나협약에 의해 규율되고 있다.

답 ③

011 외교에 대한 설명으로 옳은 것은?

① 니콜슨(H. Nicolson)에 의하면 외교란 협상에 의한 국제관계의 경영이며 그 관계가 대사나 사절에 의해 조정되고 운영되는 것이다.
② 걸리온(Eumund Gullion)에 의하면 외교의 기능은 국가의 정치지도자들 간 커뮤니케이션을 촉진하고 협상을 하며 외국에 대한 정보를 수집하고 국제관계의 마찰을 최소화하는 것이다.
③ 홍보와 공공외교는 양방향 의사소통을 특징으로 하다.
④ 공공외교는 미국 오바마 행정부가 시행한 변환외교를 확대한 것이다.

> **정답 및 해설**
>
> ⊘ **선지분석**
> ② 헤들리 불(H. Bull)의 견해이다.
> ③ 홍보는 일방적이다.
> ④ 변환외교는 부시 행정부 2기에 시행되었다.
>
> 답 ①

012 다음 중 공공외교에 대한 설명으로 옳지 않은 것은?

① 외교상대국가의 일반국민을 대상으로 자국의 이미지 제고, 공감대 형성을 통한 신뢰 구축, 나아가 관계 발전을 추구하는 행위를 의미한다.
② 공공외교는 긍정적 여론 확보를 목적으로 양방향 의사소통을 한다.
③ 외국 정부와의 교류를 통해 국익을 추구하는 전통적 외교와는 상호배타적 관계에 있다.
④ 윤리성, 도덕성을 목표로 하기 때문에 진실성에 기초해야 한다.

> **정답 및 해설**
>
> 전통외교와 달리 공공외교는 정부뿐 아니라 타국 내 정부 외의 모든 행위자를 대상으로 함으로써 전통외교를 측면 지원한다. 즉, 전통외교와 공공외교는 병행적으로 이루어질 때 효과가 극대화되며 서로 상호보완적으로 작동한다.
>
> 답 ③

013 유럽의 전통외교제도와 비교되는 20세기 신외교제도에 대한 내용으로 옳지 않은 것은? 2017년 외무영사직

① 공개외교(open diplomacy)가 국제연맹에 의해 채택되었다.
② 외교에 대한 공적 심사가 강화되었다.
③ 정례적·상설적 다자외교가 쇠퇴하였다.
④ 외교관의 활동에 대한 본국의 통제가 강화되었다.

> **정답 및 해설**
>
> 다자외교는 1815년 11월 4국동맹조약 제6조에 그 효시로서 규정되었다. 20세기에는 전시외교를 비롯한 다자외교가 정례화 및 상설화되었다고 보는 것이 타당하다.
>
> 답 ③

014 공공외교(Public Diplomacy)의 대두 배경에 관한 설명으로 옳지 않은 것은?

□□□

① 9 · 11 테러, 이라크 전쟁 등을 통해 드러난 '하드파워'(hard power)의 한계
② 20세기 후반 이래 정보통신 기술의 혁명적 변화
③ '이중의 의존'(double dependency) 심화
④ 정보의 민주화 및 접속의 자유(freedom to connect)

정답 및 해설

'이중의 의존(double dependency)'은 2000년대 한국 외교의 특징으로 중국에 대한 경제 · 무역의존도가 높아지고 있는 한편, 북핵문제가 악화되면서 미국에 대한 안보의존도가 높아지고 있는 현상을 의미한다.

☑ 선지분석

① 9 · 11 테러와 이라크전쟁, 아프가니스탄전쟁, 세계경제위기 등 21세기 초업의 일련의 사건들은 전통적 국력의 핵심 요소인 '군사력'과 '경제력'을 근간으로 하는 '하드파워'의 한계를 여지없이 노출시켰다.
② 20세기 후반 이래 정보통신 기술의 혁명적 변화는 국경을 넘어서는 전세계적인 정보네트워크의 형성을 가능케 하였다.
④ 일반 개인들조차 공간을 초월하는 사이버 공동체나 네트워크를 구축하여 자신들의 의견을 표출하고 교환할 수 있게 해주었는데, 이는 최근 중동 민주화 물결에서 드러났듯 아래로부터의 자발적 조직화를 가능하게 하였다.

답 ③

015 미국의 공공외교에 대한 설명으로 옳은 것은?

2019년 외무영사직

□□□

① 트루먼 행정부는 공공외교를 위하여 미국해외공보처(USIA)를 설립하였다.
② 클린턴 행정부는 USIA를 국무부 산하로 편입하여 공공외교를 추진하였다.
③ 부시(George W. Bush) 행정부의 공공외교는 세계적으로 반미 여론을 크게 완화시켰다.
④ 오바마 행정부에서 스미스 – 문트법(Smith-Mundt Act)이 제정됨에 따라 미국 거주 외국인에 대한 공공외교 활동이 금지되었다.

정답 및 해설

미국 공공외교의 핵심기관으로 1953년부터 거의 반세기 동안 지속되어 온 USIA는 클린턴 행정부시절 1998년 의회에 제출된 년 외무개혁 · 구조조정법(Foreign Affairs Reform and Restructuring Act of 1998)에 의해 국무부로의 통합이 결정되고 마침내 1999년 10월 1일을 기점으로 역사의 뒤안길로 사라지게 된다. 평균 9억 달러의 예산과 12,000명의 인력으로 운영되던 USIA를 국무부로 통합시키면서 내세운 외양적인 명분은 공공외교를 미국 외교정책의 중심에 둔다는 것이었다. 그러나 실질적인 이유는 1990년대 냉전의 종결과 함께 행정부와 의회에서 공공외교에 대한 관심이 줄어들었고 공공외교의 필요성에 대해 의문을 제기하는 목소리가 커졌기 때문이었다.

☑ 선지분석

① 미국해외공보처(USIA)는 아이젠하워 행정부에서 설립하였다.
③ 부시(George W. Bush) 행정부는 9 · 11 테러 이후 공공외교에도 적극성을 띠었으나 일방주의적이고 공세적인 대외정책으로 인해서 반미감정을 완화시키기에는 역부족이었다는 평가가 지배적이다.
④ 1948년에 제정된 법이다. 정식 명칭은 미국 공보 · 교육교류를 위한 법(U.S. Information and Educational Exchange Act of 1948)이다. 타 국가의 국민들로 하여금 미국에 대한 이해를 높이고 협력적 국제관계를 강화하는데 목적을 두었다. 또한 이 법은 미국의 대외적 공보, 문화활동이 모두 국무부 소관임을 공표하였고, 최초로 공공외교를 법으로 명문화 시켰다는 점에서 의의가 있다. 무엇보다 스미스 – 문트 법은 미국에 거주하는 외국인에 대한 공공외교 활동을 금지한 USIA를 탄생시킨 법적 기반이 되었다.

답 ②

016 공공외교(Public Diplomacy)에 대한 설명으로 옳지 않은 것은?

① 공공외교란 외국 국민들과의 직접적인 소통을 통해 자국의 역사, 전통, 문화, 예술, 가치, 정책, 비전 등에 대한 공감대를 확산하고 신뢰를 확보함으로써 외교관계를 증진시키고, 자국의 국가이미지와 국가브랜드를 높여 국제사회에서 자국의 영향력을 높이는 외교활동을 말한다.

② 공공외교는 주로 외국의 대중을 그 대상으로 하지만, NGO · 대학 · 언론 등도 여론 형성에 중요한 역할을 한다는 점에서 공공외교의 대상에 포함된다.

③ 공공외교라는 용어는 1965년 미국의 에드먼드 걸리온(Edmund Gullion)이 '에드워드 머로우 공공외교센터(Edward R. Murrow Center for Public Diplomacy)'를 설립하면서부터 사용되기 시작하였다.

④ 우리나라는 2010년을 '공공외교의 원년'으로 선포하고, 기존의 군사외교 · 경제외교와 함께 공공외교를 대한민국 외교의 3대축으로 설정하였다.

정답 및 해설

군사외교가 아니라 정무외교이다. 즉, 우리나라 외교의 3대축은 정무외교, 경제외교, 공공외교이다.

답 ④

제4장 국제정치사상

001 생 피에르(Saint Pierre)의 평화구상에 대한 내용으로 옳지 않은 것은?

① 유럽의 영구평화를 위해 국제연맹, 국제재판소 설치를 제창하였다.
② 평화에 최고의 가치를 부여한다.
③ 군주의 선의에 입각한 단결을 통해 국제평화가 달성될 수 있다.
④ 평화를 위한 정치체제로 공화제를 제안했다.

정답 및 해설

생 피에르(Saint Pierre)의 평화구상은 유럽 국가 간 협력에 의한 '유럽연방' 건설에 있었다. 평화를 위한 정치체제로 공화제를 주장한 대표적 사상가는 칸트를 들 수 있다. 칸트는 영구평화를 위한 제1결정조항에서 각국 정치체제의 공화제로의 전환을 주창하였다. 생 피에르(Saint Pierre)는 군주들의 정당한 권위를 서로 인정하는 군주들의 선의에 입각한 단결을 통해 국제평화가 달성될 수 있다고 믿었다. 즉, 군주들의 권위를 인정하는 것을 전제로 하여 유럽연방을 주장한 것이다(영구평화론 연구: 칸트의 이론을 중심으로, 평화학논총 5권 1호, 김강녕). 따라서 군주정의 공화정으로 전환을 제안한 것은 아니다.

답 ④

002 국제정치사상에 대한 설명으로 옳지 않은 것은?

① 마키아벨리에 의하면 강압적인 힘에서 합법성이 발생한다.
② 홉스에 의하면 인간은 지금보다 더 많은 권력을 보유하지 않고서는 그가 현재 갖고 있는 것을 지킬 수 없다는 두려움 때문에 끊임없이 부나 지식을 추구한다.
③ 루소에 의하면 국가는 동정심을 갖고 있지 않으므로 국가 간 생존 경쟁은 치열해지고 자기 편애가 생존의 유일한 원칙이 되어 궁극적으로 일반의지가 형성된다.
④ 생 피에르는 유럽연합의 성립을 통해서만 평화가 이루어질 수 있다고 하였으나 루소는 유럽연합을 선호하면서도 실현가능성은 낮게 보았다.

정답 및 해설

루소는 국제관계에서는 일반의지가 형성될 수 없다고 하였다.

답 ③

003　국제정치사상에 대한 설명으로 옳지 않은 것은?

① 마키아벨리즘을 계승한 헤겔은 차별전쟁관을 주장하였다.
② 홉스에 의하면 인간은 지금보다 더 많은 권력을 보유하지 않고서는 그가 현재 갖고 있는 것을 지킬 수 없다는 두려움 때문에 끊임없이 부나 지식을 추구한다.
③ 루소에 의하면 사회속에 존재하는 인간은 악하고 이기적이며, 교육과 계몽을 통해 자연상태의 선한 인간으로 변화시킬 수 있다,
④ 생 피에르는 유럽연합의 성립을 통해서만 평화가 이루어질 수 있다고 하였으나 루소는 유럽연합을 선호하면서도 실현가능성은 낮게 보았다.

정답 및 해설

헤겔은 모든 전쟁은 정당하다고 보는 견해인 무차별전쟁관을 주장했다.

답 ①

004　마키아벨리의 사상에 대한 설명으로 옳지 않은 것은?

① 마키아벨리는 국제정치에서 보편윤리를 배제하고 철저하게 이익에 기초하여 통치할 것을 설파하였다.
② 마키아벨리는 백성들에게 있어서 애정보다는 공포가 더 효과적으로 작동되며, 폭력과 기만이 합법성보다 통제에 더 효과적이라고 주장하였다.
③ 마키아벨리는 르네상스 시기 사상가들의 견해를 추종하여 군주에게 요구되는 덕으로서 남성다움, 단호함, 상황에 대한 기민한 판단력 등을 강조하였다.
④ 트라이치케는 마키아벨리즘을 계승하여 국가는 그와 동등한 다른 독립적 권력에 대항하여 자신의 권력을 키울 도덕적 의무가 있다고 하였다.

정답 및 해설

마키아벨리는 겸손함, 자선, 경건함, 정직함 등이 군주가 갖춰야 할 덕목이라고 주장한 르네상스 시기 사상가들의 견해를 추종하지 않았다.

답 ③

005　국제정치사상가에 대한 설명으로 옳지 않은 것은?

① 마키아벨리는 정치에서의 비르투를 겸손함, 자선 등 중세적 개념보다는 남성다움, 단호함 등으로 정의하였다.
② 로크에 의하면 정부가 없는 자연상태는 전쟁상태이나 완전한 자유의 상태이기도 하다.
③ 생 피에르는 유럽의 안정을 위해 유럽연합(confederation)의 형성, 국제재판소 설치 등을 제안하였다.
④ 루소는 상호의존이 모든 분쟁의 원천이라고 보고 국가들이 가능한 한 독립적인 상태를 유지해야 한다고 보았다.

정답 및 해설

자연상태는 전쟁상태가 아니며 완전한 자유의 상태이다.

답 ②

006 홉스의 사상에 대한 설명으로 옳지 않은 것은 모두 몇 개인가?

□□□

> ㄱ. 홉스는 플라톤의 전통적인 객관적 선과 악의 구분체계를 수용하여 인간의 본성이 이기적이고 권력지
> 향적이며 사악하다고 규정하였다.
> ㄴ. 홉스는 왈츠와 마찬가지로 자연상태가 필연적으로 전쟁상태이며 또한 만인의 만인에 대한 투쟁상태
> 라고 하였다.
> ㄷ. 홉스의 국제정치관은 권력을 위한 투쟁과 정복을 핵심으로 한다.
> ㄹ. 홉스는 대외적 자연상태는 대내적 자연상태보다는 덜 비참하므로 세계정부와 같은 궁극적 권위체의
> 등장에 대해서는 회의적인 입장을 보였다.

① 1개 ② 2개
③ 3개 ④ 4개

정답 및 해설

홉스의 사상에 대한 설명으로 옳지 않은 것은 ㄱ, ㄴ 2개이다.
ㄱ. 플라톤의 선과 악 구분체계를 배척하였다. 개인적인 욕망을 선과 악의 척도로 삼았다.
ㄴ. 왈츠의 입장과는 다르다. 왈츠는 자연상태를 중앙정부의 부재 상태로 묘사하였다.

답 ②

007 루소의 국제정치 사상에 대한 설명으로 옳지 않은 것은?

□□□

① 루소는 국제관계에서는 일반의지가 형성되기 어렵다고 보았다. 국가는 동정심을 갖고 있지 않으므로
국가 간의 생존 경쟁이 치열해지기 때문이다.
② 루소는 생 피에르가 제시한 연방체가 바람직하나 실현가능성이 낮다고 보았다.
③ 루소는 상호의존성이 모든 분쟁의 원천이므로 국가들이 서로 가능한 한 독립적인 상태를 유지할 것을
주장했다.
④ 루소는 모든 인간은 육체와 정신의 양 측면에서 모두 평등하므로 인간들 사이에 기대치의 평등을 발
생시키나 재화가 한정되어 있기 때문에 서로 충돌을 일으키며 인간들 사이에 불신이 발생한다고 보았
다. 따라서 교육을 통해 자연상태를 회복해야 한다고 하였다.

정답 및 해설

홉스의 견해이다. 교육을 통한 자연상태 회복은 루소의 견해이다.

답 ④

008 존 로크의 정치사상에 대한 설명으로 옳지 않은 것은 모두 몇 개인가?

> ㄱ. 로크는 자연상태를 완전한 자유의 상태로 규정하여 전쟁상태로 규정하는 홉스의 견해와 대별된다.
> ㄴ. 로크는 공동체 구성원의 동의에 의해 설립된 입법부가 제정한 법률이라 하더라도 개인의 자유를 제한한다면 정당하지 않다고 하였다.
> ㄷ. 로크는 국가의 임무는 공동체 구성원들이 국가 발생 이전부터 갖고 있던 자연권을 안전하게 보장하는 것이라고 하였다.
> ㄹ. 로크의 사상을 반영한 1970년대 이후 신자유주의는 국가권력의 시장개입을 완전히 부정하였는데, 이는 국가권력의 시장개입은 경제의 효율성과 형평성을 오히려 악화시킨다고 보기 때문이었다.

① 1개 ② 2개
③ 3개 ④ 4개

정답 및 해설

존 로크의 정치사상에 대한 설명으로 옳지 않은 것은 ㄴ, ㄹ 2개이다.
ㄴ. 입법부가 제정한 법류에 의한 제한은 정당하다고 하였다.
ㄹ. 국가권력의 시장개입을 완전히 부인하는 것은 아니다.

답 ②

009 칸트(I. Kant)의 영구평화론에 대한 설명으로 옳지 않은 것은?

2023년 외무영사직

① 국제법의 이념은 상호 독립적인 수많은 국가의 분리를 전제로 한다.
② 장차 분쟁의 소지를 감춘 비밀조약은 임시적인 휴전조약에 불과하다.
③ 모든 시민은 타국에 대해 방문의 권리뿐만 아니라 체류를 요구할 권리를 가진다.
④ 보편적 우호를 바탕으로 한 자유로운 국가들의 평화연맹을 통해 영원한 평화가 실현될 수 있다.

정답 및 해설

제3결정조항에 대한 것인데, 칸트는 국경을 넘은 여행이나 상거래는 허용되어야 한다고 보았으나 그것을 넘어서는 '체류(이민)'를 요구할 권리를 가지는 것은 아니라고 하였다.

⊘ 선지분석
① 칸트는 제2결정조항에서 국제법에 기반한 국제협력을 주장했다. 국제법은 기본적으로 다수 국가의 존재를 전제로 한다.
② 예비조항 중 하나이다. 기만적 평화조약 체결을 금지한다.
④ 제2결정조항에 해당된다. 국제연맹 창설하여 상호 협력함으로써 항구적 평화를 구현할 수 있다고 하였다.

답 ③

010 칸트의 정치사상에 대한 설명으로 옳지 않은 것은?

① 칸트는 각 개인이 자연상태에서 생존을 두고 서로 전쟁상태에 놓인 것처럼 국가들도 전쟁상태에 처해 있다고 보았다.

② 칸트는 개인의 자유보장을 위한 국제제도로서 세계공화국이 바람직하지만 실현가능성은 없다고 보았다.

③ 칸트는 영구평화를 위한 예비적 조항으로 기만행위 금지, 국가 소유 불가 원칙, 상비군폐지, 국채발행 금지, 내정간섭금지, 특정 적대행위 금지의 6가지를 제시하였다.

④ 칸트는 영구평화를 위한 결정적 조항으로 공화정치체제, 국제법의 지배와 국제연맹창설, 인류상호간 자유로운 통행과 이민을 제시하였다.

정답 및 해설

이민은 영구평화를 위한 결정적 조항에 포함되지 않는다.

답 ④

011 다음 해당사항에 대한 관련 서술이 옳지 않은 것은?

2006년 외무영사직

① 마키아벨리(N. Machiavelli): 도덕성과 필요성 간에 긴장이 해결될 수 있고 또 해결되어야 하는 필요성 을 지지한다. 즉 비도덕적인 필요성에 의해 정치세계가 만들어져야 한다는 것이다. 덕은 필요성에 대한 순응 이외에 아무것도 아니다. 법은 힘의 법칙에 이용당하는 정의의 외관이다.

② 투키디데스(Thucidides): 정의의 기준은 강제할 수 있는 권력의 질에 달려 있다. 동등한 자에게 대항하고 우월한 자에게 존경심을 갖고, 약한 자를 관대하게 대하는 것이 확실한 법칙이다.

③ 카아(E. H. Carr): 국제관계현실을 '야만의 무법상태'로 보고, 인간의 잠재력(이성)이 개인의 태도변화뿐만 아니라 공화주의적 헌정, 국가 간의 연방계약을 가능하게 하여 전쟁을 폐지할 수 있다.

④ 홉스(T. Hobbes): 자연상태의 개인과 마찬가지로 주권국가가 존재하는 자연상태 역시 국가가 공격받을지 모르는 끊임없는 공포 속에서 살아가는 만인의 만인에 대한 투쟁 상태이다.

정답 및 해설

칸트(I. Kant)에 대한 설명이다. 카아(E. H. Carr)는 윌슨 등의 사상가들의 주장을 '이상주의'로 혹평하고 성선설로부터 유추되는 권력정치를 국제정치의 분석대상으로 해야 한다고 주장하였다.

답 ③

012 투키디데스(Thucidides)의 사상에 대한 설명으로 옳지 않은 것은?

① 펠로폰네소스전쟁의 내재적 원인에 대한 투키디데스의 설명은 아테네의 세력 증대와 그것이 가져온 스파르타의 공포인데, 이는 권력의 분포가 국가의 행동에 가져오는 영향의 고전적인 예에 해당한다.

② 투키디데스는 모든 국가가 그렇듯이 스파르타의 국가이익은 생존이며 변화하는 권력의 분포는 그 존재에 직접적인 위협을 제기한다고 강조하였다.

③ 투키디데스는 아테네도 마찬가지로 자신이 획득한 제국을 유지하기 위해 권력을 추구할 충동을 느끼게 된다는 점을 분명히 하였다.

④ 투키디데스는 전형적인 현실주의자로서 도덕적이고 규범적인 원칙을 고려하지 않고 권력과 자기 이익의 기반에서 행동하는 것이 지극히 도덕적 행위라고 하여 마키아벨리의 사상과 유사한 면을 보여준다.

정답 및 해설

투키디데스(Thucidides)는 전형적인 현실주의자로 간주되지만, 그는 도덕적이고 규범적인 원칙을 전혀 고려하지 않고 권력과 자기 이익의 기반에서만 행동하는 것이 흔히 자멸적인 정책을 초래하기도 한다는 것을 분명하게 제시하였다.

답 ④

013 다음과 같은 주장을 한 학자는?

2004년 외무영사직

- 국가 간에도 법이 필요하다는 아이디어를 최초로 제시하였다.
- 전쟁은 정당한 경우에만 허용된다고 하였다.
- 국제사회의 필요성을 제기하였다.
- 자연법에 의한 주권국가의 국제법 원칙과 성서법에 의한 평화의 법원칙을 주장하였다.

① 홉스 　　　　　　　　　　② 헤들리 불
③ 클라우제비츠 　　　　　　④ 그로티우스

정답 및 해설

그로티우스는 주권국가들로 구성된 국제사회에서 국제법을 통해 안정성을 유지할 수 있다고 주장하였다. 한편 전쟁관에 있어서는 '정전(just war)론'을 지지하여 불법을 응징하기 위한 전쟁, 채권회수를 위한 전쟁, 자기 방어를 위한 전쟁을 정당한 전쟁이라고 하였다.

답 ④

014 마키아벨리의 사상과 가장 거리가 먼 것은?

① 군주는 신하들의 충성유지를 위해서는 잔인하다는 비판에 개의치 않아야 한다.
② 국가이성은 종교적 규범에서 해방되어 독자적 정치원리로 자립성을 갖는다.
③ 정치의 본질은 이익을 추구하는 것이다.
④ 정치적 정당성을 위해서는 정치행위가 보편윤리에 의해 제한되어야 한다.

마키아벨리는 보편윤리가 항상 정치적 윤리와 일치하는 것은 아니라고 보며, 보편윤리와 정치적 윤리는 구분되어야 한다고 본다. 즉, 보편적으로 비윤리적인 행위가 정치적으로 윤리적일 수도 있다는 것이다.

답 ④

015 다음에서 설명하는 학자는 누구인가?

- 이상주의와 도덕적 현실주의를 비판하고 전통적 현실주의를 체계화하였다.
- 집단안보 및 사법적 해결과 같은 국제제도의 실효성에 대해 회의를 보였다.
- 인간의 본성이 이기적이고 권력지향적이기 때문에 국제정치에서 국가 역시 권력지향성을 가지며, 국제정치도 권력정치라고 주장한다.
- 현실주의의 여섯 가지 원칙을 제시하였다.

① 모겐소(Hans J. Morgenthau)　　② 왈츠(K. Waltz)
③ 카아(E. H. Carr)　　④ 슈만(Fredrick L. Schuman)

전통적 현실주의의 대표적 학자인 모겐소(Hans J. Morgenthau)에 대한 설명이다.

⊘ 선지분석

② 왈츠(K. Waltz)는 신현실주의의 대표적 학자로, 무정부라는 국제체제변수로 인해 국가행위가 결정된다고 주장하였다.
③ 카아(E. H. Carr)는 전통적 현실주의 학자로, 이상주의를 비판하며 현실주의 사고의 장점을 부각시킴과 동시에 그 한계도 지적하였다.
④ 슈만(Fredrick L. Schuman)은 전통적 현실주의 학자로, 이상주의를 비판하고 현실주의로의 이행을 선도하였으며 국제체제를 약육강식의 원리가 지배하는 세계로 바라보았다.

답 ①

016 칸트의 영구평화론에 대한 설명으로 옳지 않은 것은?

① 영구평화론은 서문, 6개의 예비조항, 3개의 확정조항, 2개의 추가조항, 정치와 도덕의 관계를 다룬 부속서로 구성된다.
② 예비조항 실천으로 획득된 상태는 확정조항의 실현에 필요한 전제조건이 되며, 확정조항은 영구평화 실현에 필수적 조건이다.
③ 예비조항 제6조는 화학전과 같은 국가 간 신뢰회복을 불가능하게 하는 전면전을 금지하는 것이다.
④ 확정조항 제3조는 상거래와 이민을 포함하여 인간의 자유로운 국경 간 이동을 보장하는 것이다.

확정조항 제3조는 상거래와 여행의 자유를 말하고, 이민의 자유를 의미하지는 않는다.

답 ④

017 클라우제비츠(Carl Phillip Gottlieb von Clausewitz)의 전쟁론에 대한 설명으로 옳지 않은 것은?

① 클라우제비츠는 몽테스키외가 적용했던 변증법적 방법을 원용하여 절대전쟁이라는 개념을 제시했다.
② 클라우제비츠는 전쟁을 지배하는 세 가지 요소로, 첫째 맹목적인 본능적 힘으로 간주될 수 있는 원초적 폭력이나 증오, 창조적 정신이 자유롭게 구사될 수 있는 우연성(chance)과 개연성(probability), 전쟁을 비합리적이고 비이성적인 것으로 이끌어 주는 정치에 대한 종속성을 제시했다.
③ 클라우제비츠는 전쟁을 지배하는 세 가지 요소 중 첫 번째 요소는 국민, 두 번째 요소는 지휘관 및 부대, 세 번째 요소는 정부와 관련이 된다고 하였다.
④ 클라우제비츠는 전쟁을 적으로 하여금 우리의 의지대로 이행하도록 강요하는 폭력행위라고 정의하여, 폭력이 전쟁의 필수 요소임을 강조하였다.

정답 및 해설

전쟁을 유일하게 합리적이고 이성적인 것으로 이끌어주는 정책의 도구로서의 성격을 띠는 정치에 대한 종속성을 제시했다.

답 ②

018 클라우제비츠의 전쟁 3위1체에 해당하지 않는 것은?

① 맹목적인 본능적 힘으로 간주될 수 있는 원초적 폭력, 증오, 적개심
② 창조적 정신이 자유롭게 구사될 수 있는 우연성(chance)과 개연성(probability)
③ 전쟁을 유일하게 합리적이고 이성적인 것으로 이끌어주는 정책의 도구로서의 성격을 띠는 정치에 대한 종속성
④ 전쟁의 불확실성과 우연성의 근본 요인이 되는 외부적 환경

정답 및 해설

외부적 환경은 3위1체의 내용이 아니다. 클라우제비츠는 외부적 환경이 불확실성의 근본요인이 아니라 인간의 심리적 요소가 불확실성과 우연성의 근본 요소라고 하였다.
(참고: 클라우제비츠는 총체적 현상으로서의 전쟁을 규정하는 지배적 성향으로 '경이로운 3위1체'를 이야기했다. 첫째, 맹목적인 본능적 힘으로 간주될 수 있는 원초적 폭력, 증오, 적개심. 둘째, 창조적 정신이 자유롭게 구사될 수 있는 우연성(chance)과 개연성(probability). 셋째, 전쟁을 유일하게 합리적이고 이성적인 것으로 이끌어주는 정책의 도구로서의 성격을 띠는 정치에 대한 종속성. 클라우제비츠는 첫 번째 성향은 국민과, 두 번째 측면은 지휘관 및 그의 부대와, 세 번째 측면은 정부와 주로 관련이 되어 있다고 하였다. 전쟁에서 불타오르게 되어 있는 격정은 이미 국민들 마음속에 내재되어 있다. 우연성과 기회의 영역에서 용기와 재능이 발휘될 여지는 지휘관과 그의 부대의 특성에 달려 있다. 그러나 정치적 목적은 오로지 정부만의 독자적인 몫이다.)

답 ④

019 19세기 동아시아 정치사상에 대한 설명으로 옳지 않은 것은?
□□□

① 태평천국의 난(1851) 이후 중국 전통을 고수하면서 서구의 기술을 선택적으로 수용하겠다는 중학위체(中學爲體), 서학위용(西學爲用)의 목표를 내건 중체서용론이 대두되어 이후 양무운동의 이념적 기반이 되었다.

② 양무운동은 해방론에 기반한 운동으로서, 다가오는 서구의 외압을 막아 중국이 전통적으로 지켜 온 통일 제국의 위상을 견지하고 중국의 기존 체제와 지역 영향권을 지키자는 것이 해방론의 국제정치관이었다.

③ 장즈는 해방론적 국제정치관과 양무론적 개혁으로는 중국의 당면과제를 해소할 수 없다고 보고 변법자강운동을 주창하였다.

④ 변법자강운동가인 량치차오는 서구의 사회진화론과 사회계약론은 물론, 국가유기체설과 국가법인설 등 다양한 논리를 수용하여 변법의 필요성과 개혁의 당위성을 설파했다.

정답 및 해설

장즈는 해방론적 국제정치관과 양무론적 개혁의 필요성을 주장한 인물이었다.

답 ③

020 근대 변환기 동아시아 국제정치사상에 대한 설명으로 옳지 않은 것은?
□□□

① 중국의 중체서용론, 조선의 화혼양재론, 일본의 동도서기론은 아시아의 정신을 주축으로 서양의 물질문명을 받아들인다는 절충적 생각에 기반을 둔 것이다.

② 오랑캐를 배척한다는 양이론과 전통을 수호한다는 위정척사의 국제정치관은 서구의 도래를 전면적으로 부정하고, 기존의 질서를 지켜낼 수 있다고 보는 관점이다.

③ 쇄국 · 양이 · 척사의 단계를 거쳐 중체서용 · 양무 · 동도서기의 절충 단계에 이르고, 이후 그 한계가 노정되면서 변법과 적극적 문명개화로 이어졌다.

④ 19세기 후반 동아시아 국가들에서 서구의 기술문명, 서구의 정신과 이념을 받아들여야 한다는 변법 전략이 문명개화파들에 의해 시도되었다. 일본은 메이지 유신을 통해, 중국은 변법자강 운동, 조선은 갑신정변에서 시작된 개화파들의 노력을 통해 개화사상에 기초한 대외 인식을 보여 주었다.

정답 및 해설

조선의 사상이 동도서기론이고, 일본의 사상이 화혼양재론이다.

답 ①

해커스공무원
패권 국제정치학
기출 + 적중문제집

제2편

국제정치이론

제1장 총론

001 국제정치이론 발달사에 관한 설명 중 옳지 않은 것은?

☐☐☐

① 고전적 현실주의는 제1차 세계대전 이후의 베르사유 체제와 전간기 국제관계에 있어서 영국, 미국 등 강대국들의 대외정책을 비판하면서 등장하였다.

② 행태주의적 현실주의는 1950년대 미국의 보수주의적 흐름을 배경으로 하여 보다 가치중립적인 이론화를 시도하면서 정립되었다.

③ 왈츠(K. Waltz)에 의해 도입된 국제체제이론은 체제수준의 행태주의적 현실주의 이론을 대표하는 이론이다.

④ 억지이론은 행태주의라는 이론적 배경과 미국과 소련의 핵군비경쟁이라는 현실적 배경 하에서 탄생한 이론이다.

정답 및 해설

국제체제이론은 왈츠(K. Waltz)가 아니라 카플란(M. Kaplan)에 의해 도입되었다. 국제사회를 하나의 '체제'로 개념화하고, 행위자들이 유형화된 행위패턴에 의해 체제안정화를 추구한다는 것이 체제이론의 요지이다.

✅ 선지분석

① 고전적 현실주의자들은 제2차 세계대전이 권력정치의 속성을 의도적으로 간과하고 법률주의적 정향을 보여준 대외정책의 한계에서 발생했다고 평가하였다.

② 행태주의적 현실주의자들은 실증주의 접근법을 전격적으로 수용하여 사회법칙에 대해 실험과 계량화와 같은 자연과학적 방법론을 적용하여 발견해내는 것을 국제정치학의 학문적 목적으로 설정하였다.

답 ③

002 국제정치이론 발달사에 관한 설명으로 옳지 않은 것은?

☐☐☐

① 국가가 합리적 행위자라는 존재론과 연역적 행태주의 접근법이 결합하여 게임이론이 탄생하였다.

② 억지이론은 행태주의라는 이론적 배경과 미국과 소련의 핵군비경쟁이라는 현실적 배경 하에서 탄생한 이론이다.

③ 오건스키(A. F. K. Organski)는 1950년대 세력전이론을 제시하면서 고전적 현실주의자들의 세력균형론에 도전하였다.

④ 왈츠(K. Waltz) 등 구조적 현실주의자들에 의하면 국제체제의 불안요인은 강대국이 급격한 산업화를 통해 최강대국에 군사적 도전을 가하는 것이라고 보았다.

정답 및 해설

구조적 현실주의가 아니라 오건스키(A. F. K. Organski)의 세력전이론에 대한 설명이다.

✅ 선지분석

① 대표적인 모형으로 '죄수의 딜레마 게임(Prisoner's Dilemma Game)'과 '비겁자 게임(Chicken Game)'이 있다.

② 억지이론은 효과적으로 핵 억지가 달성되기 위해서는 미국과 소련이 모두 제2차 보복공격능력을 갖는 것이 필요함을 확인시켜 냉전체제를 안정화시키는 하나의 요인이 되었다.

③ 오건스키는 세력균형론이 산업화 이전의 19세기 국제정치를 적절하게 설명할 수는 있으나, 대부분의 국가들이 산업화 시기에 접어든 제2차 세계대전 이후의 국제정치를 설명하지는 못한다고 하였다.

답 ④

003 국제정치학 방법론에서 실증주의(positivism) 인식방법으로 볼 수 없는 것은?

① 국제정치현상은 자연현상과 마찬가지로 규칙성을 갖는다.
② 국제정치현상은 과학적 방법으로 설명할 수 있다.
③ 국제정치현상은 가치중립적 방법으로 분석할 수 있다.
④ 국제정치현상은 그것을 인식하는 주체의 주관에 따라 달리 존재한다.

정답 및 해설

실증주의 입장에서는 진리의 절대성, 보편성, 객관성을 긍정한다. 그러나 탈실증주의자들은 진리의 상대적 성격을 강조한다.

답 ④

004 다음은 현실주의와 상호의존론의 논쟁(제3차 대논쟁)이다. 이론별로 바르게 짝지은 것은?

> ㄱ. 국제체제의 주요 행위자는 오로지 국가이다.
> ㄴ. 국제체제는 전쟁상태와 같은 무정부 상태이다.
> ㄷ. 권력은 대체성이 없으며 이슈영역에 따라 특정적이다.
> ㄹ. 상호의존이 심화되면 평화의 가능성이 낮아진다.
> ㅁ. 상호의존이 심화되면 평화의 가능성이 높아진다.

	현실주의	상호의존론
①	ㄱ, ㄴ, ㄹ	ㄷ, ㅁ
②	ㄱ, ㄴ, ㅁ	ㄷ, ㄹ
③	ㄱ, ㄷ, ㄹ	ㄴ, ㅁ
④	ㄴ, ㄷ, ㅁ	ㄱ, ㄹ

정답 및 해설

ㄱ, ㄴ, ㄹ은 현실주의, ㄷ, ㅁ은 상호의존론에 대한 설명이다.

관련 이론 현실주의와 상호의존론의 제3차 대논쟁

구분	현실주의	상호의존론
행위자	국가	국가 + 비국가
국제체제	무정부	복합적 상호의존
권력의 대체성	긍정(대체 가능)	부정(영역별 특정화)
이슈의 계서(우열)	인정(생존 우위)	부정(모든 이슈가 중요)
상호의존과 평화	비관적(부정적 외부재효과)	낙관적(상호의존시 평화 가능)

답 ①

005 국제정치이론에 대한 설명으로 옳지 않은 것은?

① 국제정치이론은 국제정치현상에 대한 기술, 설명, 예측 및 처방을 목적으로 하는 개념 및 명제들의 총체를 말한다.

② 국제정치학에서는 보편이론화를 목적으로 하였으며, 현실주의 패러다임은 보편적 지위를 차지하고 있다.

③ 국제정치학이 하나의 학문으로서 정립된 것은 모겐소, 니버, 카아 등의 고전적 현실주의자들의 노력에 의한 것이었다.

④ 국제정치학은 국제정세의 전개에 따른 맥락적 민감성을 보여주면서 다양하게 경쟁 및 발전해 오고 있다.

정답 및 해설

현실주의 이론이 지배적인 패러다임이라고 볼 수는 있으나, 보편타당성을 인정받고 있다고 보기는 어렵다. 다만 현실주의 내부적으로는 세력균형론이 보편이론의 지위를 차지한다고 주장되기도 한다.

답 ②

---

006 국제정치학의 주요 패러다임에 관한 설명으로 옳지 않은 것은?

① 구성주의 패러다임은 현실주의가 가정하는 무정부체제의 폭력성, 구조의 행위자에 대한 일방적 제약, 무정부성의 불변 등을 받아들인다.

② 자유주의는 현실주의적 비관론과 달리 국가들이 국제관계를 안정화하고 질서를 유지하며 상호이익을 위해 협력할 가능성을 인정한다.

③ 마르크스주의는 국제체제를 전체론적 관점에서 가정하고, 국제관계 중 경제관계가 본질적 영역이라고 본다.

④ 현실주의는 국제정치를 주권국가들 상호 간의 권력정치(power politics)라고 본다.

정답 및 해설

구성주의는 현실주의의 가정이나 명제에 대한 비판적 입장을 취하고 있다. 무정부체제는 사회적으로 구성된 것으로서 반드시 폭력적이라고 보기는 어렵고, 구조와 행위자는 상호구성성을 가지며, 무정부성은 규범의 변화에 따라 변화될 수 있다고 본다.

⊘ 선지분석

② 자유주의는 분석대상을 국가들 간 권력정치에만 국한시키지 않고, 다양한 행위자들의 초국경적 상호작용을 분석대상에 포함시킨다.

③ 마르크스주의는 국가들 간 경제관계는 제로섬(zero-sum)적 관계로서 국력이 강한 국가 또는 중심부 국가가 약한 국가 또는 주변부 국가를 착취하는 관계라고 규정한다.

④ 무정부적 국제체제에서는 자력구제에 의해 생존을 확보할 수 있기 때문에, 모든 주권 국가들은 군사력이나 경제력의 증강을 꾀하거나 동맹을 형성하고자 한다.

답 ①

007 국제정치학의 패러다임(paradigm)에 대한 설명으로 옳은 것은?

☐☐☐
① 패러다임은 어떤 현상에 대해 우리의 사고를 구축해주는 지적인 틀을 말한다.
② 특정시대에 패러다임은 하나만 존재할 수 있다.
③ 패러다임은 현실세계의 본질적 특성을 부각시키면서 현실세계를 질서있게 정돈하고 단순화한 것이다.
④ 국제정치학의 주요 패러다임으로 제시되는 것은 개체론(individualism)과 전체론(holism)이다.

정답 및 해설

 선지분석

② 패러다임은 현상을 바라보는 하나의 관점(point of view)이자 철학이기 때문에 다양한 관점, 다양한 패러다임
이 존재할 수 있다. 현 국제정치학계에도 다양한 패러다임이 경쟁적으로 존재하고 있다.
③ '모형'에 대한 설명이다. 모형은 이론을 형성·평가하는 수단으로서 사용된다.
④ 국제정치학의 주요 패러다임으로 제시되는 것은 일반적으로 이상주의, 현실주의, 급진주의이다. 개체론과 전체
론은 분석단위에 대한 철학적 논쟁이다. 개체론이란 사회는 단지 각 개인들로 이루어진 구성물에 불과하며 사회
현상은 개인들의 행위의 결과라고 보는 관점으로 미시적 수준에서 분석하는 것을 말하며, 전체론은 조직이나
전체는 그 자체 단위로만 의미를 가지는 것이지 그것이 부분으로 나누어지면 의미가 사라진다는 입장이다.

답 ①

008 다음 중 국제정치 패러다임에 대한 설명으로 옳지 않은 것은?

☐☐☐
① 이상주의: 국제법, 국제기구 및 국제제도의 역할을 강조하며, 특히 불완전하나 세력균형을 통해 국제
사회의 평화와 안전을 획득할 수 있다고 보고 있다.
② 현실주의: 이상주의에 반대되는 입장으로, 국가 간의 관계가 힘(power)의 관계에 의해 좌우되기 때문
에 국제법이나 국제기구 및 국제제도의 역할의 한계점을 지적한다.
③ 마르크스주의: 국제정치 현상을 계급갈등의 반영물로 보고, 이러한 계급 간의 착취 현상은 일국내의
현상일 뿐만 아니라 전세계적으로 나타나는 현상으로 바라보고 있다.
④ 구성주의: 국제관계 분석에 있어 규범적 측면을 강조하는 입장으로, 구조와 행위자는 상호 구성성을
갖고 있기 때문에 현실주의가 가정하는 무정부체제의 불변 주장을 비판한다.

정답 및 해설

이상주의가 국제법, 국제기구 및 국제제도와 같은 요소들의 역할을 강조하는 것은 맞으나, 동맹을 통한 세력균형은
이상주의의 수단이 아닌 현실주의에서 중요시 여기는 수단이다. 현실주의에서는 동맹을 통해 힘의 균형, 즉 세력균
형을 달성함으로써 국제사회의 안정과 평화를 정착시킬 수 있다고 보고 있다.

답 ①

009 국제정치이론의 상호 간 논쟁에 대한 설명으로 옳지 않은 것은?

① 행태주의적 현실주의는 고전적 현실주의가 엄밀한 계량적 이론화를 사용하지 않았던 것을 비판하며 등장하였다.

② 세력전이론은 고전적 현실주의자들의 세력균형론이 제2차 세계대전 이후의 국제정치상황을 적절히 설명하지 못한다고 비판하면서 나타났다.

③ 기능주의는 패권안정론 및 왈츠의 신현실주의를 비판하기 위해 제시된 이론이다.

④ 그람시주의는 신현실주의를 포함한 실증주의 전반을 비판하면서 발달하였다.

정답 및 해설

기능주의는 유럽통합사례를 이론적으로 설명하기 위해 제시된 것으로, 패권안정론이나 신현실주의에 대한 비판과는 별 관계가 없다.

☑ 선지분석

④ 그람시주의는 이성과 합리성을 중요시 여기는 실증주의를 비판하였다. 현실주의와 자유주의는 모두 실증주의에 속한다.

답 ③

---

010 국제정치이론에 대한 설명으로 옳은 것만을 모두 고른 것은?

> ㄱ. 자유주의적 정부간주의는 패권이 국제협력 및 국제레짐을 가능하게 하는 변수이므로 패권쇠퇴 이후에는 국제협력이 유지될 수 없다고 주장하였다.
>
> ㄴ. 스미스(S. Smith)에 의하면 실증주의는 자연현상과 사회현상 사이에는 본질적인 차이가 없으며, 자연과학과 사회과학에는 동일한 방법론과 인식론이 적용된다고 본다.
>
> ㄷ. 비판이론의 입장에서 볼 때 실증주의에 기반한 신현실주의나 신자유제도주의는 강대국 지배체제를 유지시켜주는 문제해결이론적 성격을 띤다.
>
> ㄹ. 마르크스주의는 객관적 법칙의 존재를 부정하고, 사회현상은 상대적·주관적·관념적이고 구성된 산물이라고 주장한다.
>
> ㅁ. 역사사회학자 찰스 틸리(C. Tilly)는 기원후 990년부터 유럽에는 제국, 도시국가, 민족국가 등 다양한 유형의 국가가 존재하였으나 결국 하나의 형태, 즉 민족국가 형태로 수렴되었다고 본다.

① ㄱ, ㄴ, ㄷ

② ㄱ, ㄷ, ㄹ

③ ㄱ, ㄷ, ㅁ

④ ㄴ, ㄷ, ㅁ

정답 및 해설

국제정치이론에 대한 설명으로 옳은 것은 ㄴ, ㄷ, ㅁ이다.

☑ 선지분석

ㄱ. 패권안정론자들의 견해이다.

ㄹ. 탈근대론의 입장이다.

답 ④

011 복잡계이론(Complex Systems Theory)에 대한 설명으로 옳지 않은 것은?

① 복잡계이론은 진리가 관찰자와 독립적으로 존재한다고 보는 점에서는 실증주의와 유사하다.
② 복잡계이론은 인간의 관찰 능력에 한계가 있기 때문에 그것을 확실하게 아는 것은 불가능하며, 단지 대략적인 패턴을 파악하는 것이 최선이라고 본다.
③ 복잡계이론에서는 불안정과 불균형을 시스템의 본질적 요소로 본다.
④ 전통이론에서는 질서를 만들어 내는 상향식 논리를 중시하지만, 복잡계이론에서는 구성원들의 상호작용을 통해 질서가 자발적으로 나타나는 하향식 과정을 중시한다.

> **정답 및 해설**
>
> 전통이론에서는 하향식 논리를 중시하고, 복잡계이론에서는 상향식 과정을 중시한다.
>
> 답 ④

012 복잡계이론(Complex Systems Theory)에 대한 설명으로 옳지 않은 것은?

① 과거 국제정치학이 단위체의 '속성'을 설명하는 데 치중했다면, 복잡계 국제정치는 이들 단위체들의 '관계'를 더욱 중시한다.
② 복잡계이론은 국제정치 현상을 하나의 닫힌 시스템이 아니라 끊임없이 변화하는 열린 시스템으로 간주한다.
③ 복잡계이론은 불확실성이라는 세계의 속성을 고려할 때 확률적 접근이 필요하다는 점을 강조한다.
④ 복잡계이론은 진리가 관찰자와 독립적으로 존재하기 어렵다고 보는 점에서 탈실증주의와 유사하다.

> **정답 및 해설**
>
> 복잡계이론은 진리가 관찰자와 독립적으로 존재한다고 보는 점에서는 실증주의와 유사하다.
>
> 답 ④

제2장 현실주의

제1절 | 총론

001 현실주의 이론의 가정으로 옳지 않은 것은? 2021년 외무영사직

① 국가는 국제관계에 있어서 가장 중요한 행위자이다.
② 국가는 국제사회의 무정부 상태라는 특성으로 인해 권력과 안보를 추구하게 된다.
③ 국가는 다양한 이해관계를 가진 조직과 개인 혹은 집단의 합이다.
④ 국가는 냉철한 손익계산을 통해 이익의 극대화를 시도하는 행위자이다.

정답 및 해설

국가는 통합적 행위자라는 것이 현실주의의 입장이다.

ⓧ 선지분석

① 국가가 주요한 행위자라는 가정이다.
② 무정부 상태가 국가의 행동에 중요한 영향요소라고 본다.
④ 국가가 합리적 행위자라는 가정이다.

답 ③

002 현실주의 국제정치이론에 대한 설명으로 옳지 않은 것은? 2023년 외무영사직

① 국가는 상대국의 정확한 의도를 파악하기 어려워 안보 딜레마 상황에 직면할 수 있다.
② 국가의 개입은 질서와 평화를 유지할 필요가 있을 경우에는 정당화될 수도 있다.
③ 국가는 합리적 행위자로 국익을 극대화할 수 있는 방향으로 행동한다.
④ 붕괴된 세력균형을 복원할 수 있는 방법은 존재하지 않는다.

정답 및 해설

붕괴된 세력균형을 복원하기 위해서는 스스로 군비증강을 하거나 동맹을 형성한다. 세력균형 복원 방법이 있다.

ⓧ 선지분석

① 안보딜레마의 원인은 이론에 따라 다양하나 기본적으로 상대방의 의도의 불확실성을 안보딜레마의 주요 요인으로 본다.
② 현실주의는 자국의 안보를 위해 필요한 경우 무력 간섭도 정당화될 수 있다고 본다.
③ 현실주의는 국가가 주요하고 통합적이며 합리적 행위자라고 본다.

답 ④

003 현실주의 국제정치이론의 기본적인 인간관 또는 세계관에 대한 설명으로 옳지 않은 것은?

2015년 외무영사직

① 인간의 본성은 사악하고 이기적이다.
② 경제적 수단에 의한 안보 확보는 한계가 있다.
③ 인간이 잘못 만들어 낸 제도가 인간 갈등의 원인이다.
④ 평화유지에 가장 유용한 방법은 힘을 균형화시키는 것이다.

정답 및 해설

현실주의, 특히 구조적 현실주의는 인간 및 국가 간 갈등의 원인을 무정부 상태에서 찾는다. 고전적 현실주의의 경우 권력의 극대화를 추구하는 인간의 기본적인 속성 때문에 국제관계나 인간관계가 갈등적이라고 본다.

✓ **선지분석**
④ 현실주의자들은 세력균형이 국제안보 달성을 위한 가장 실효적인 방안이라고 본다.

답 ③

---

004 신현실주의 및 신전통현실주의에 대한 설명으로 옳은 것만을 모두 고른 것은?

> ㄱ. 신현실주의가 사회학과 미시경제학의 분석틀에 기반을 두고 있는 반면, 신전통현실주의는 역사학의 전통을 중시한다.
> ㄴ. 신현실주의에서는 안보가 국가의 궁극적인 목적이지만 신전통현실주의에서는 권력이 더 중요하다.
> ㄷ. 신전통현실주의에 의하면 국가는 권력을 극대화함으로써 안보를 추구한다.
> ㄹ. 신전통현실주의는 권력 배분 등 구조적 변수를 우선시하는 신현실주의와 달리 무정부체제의 폭력적 속성이 국가 행위를 결정짓는 핵심 변수라고 본다.
> ㅁ. 신현실주의가 시스템의 구조적 측면을 강조하는 반면 신전통현실주의는 시스템의 구성 요소와 그들 사이의 상호 작용 과정을 더 중시한다.

① ㄱ, ㄴ, ㄷ
② ㄱ, ㄷ, ㄹ
③ ㄴ, ㄷ, ㅁ
④ ㄷ, ㄹ, ㅁ

정답 및 해설

신현실주의 및 신전통현실주의에 대한 설명으로 옳은 것은 ㄴ, ㄷ, ㅁ이다.

✓ **선지분석**
ㄱ. 신현실주의와 사회학은 관련이 없다. 신전통현실주의가 사회학과 역사학적 관점을 중시한다.
ㄹ. 신전통현실주의는 권력과 이익을 강조한다.

답 ③

005 다음 중 'Long Telegram'을 쓴 사람은?

2005년 외무영사직

① 버튼(John Burton)
② 케넌(George Kennan)
③ 애치슨(Dean Acheson)
④ 트루먼(Harry Truman)

정답 및 해설

'Long Telegram'은 1946년 모스크바 주재 미국 대사관에 근무하고 있었던 케넌(George F. Kennan)이 국무장관 번즈(James Byrnes)에게 보낸 5,450 단어로 된 전문을 의미한다. 주된 내용은 제2차 세계대전 이후 대(對)소련 관계형성에 관한 것으로서 강경책을 주문하였다. 1947년 트루먼 대통령은 'Long Telegram'에 기초하여 대소 봉쇄정책을 선언하였다. 한편 케넌(Kennan)은 자신의 대소 강경책을 Foreign Affairs 지(誌)에 본명을 밝히지 않은 채 "The Sources of Soviet Conduct"라는 제목의 글로 게재하기도 하였다.

답 ②

---

006 다음 중 현실주의의 주요 개념에 대한 설명으로 옳지 않은 것은?

① 무정부 상태: 홉스적 자연상태로서 만인의 만인에 대한 투쟁상태를 일컫는다.
② 상대적 이득: 국가는 모든 사람들이 얻을 수 있는 이익이 아니라 다른 누군가보다 자신이 더 이익을 얻을 수 있는가에 관심을 가진다는 것을 의미한다.
③ 안보딜레마: 무정부 상태 하에서 장기이익보다는 자국의 안보와 단기이익을 위해 행동할 수밖에 없는 상황을 지칭하며, 자국의 안보전략이 타국의 위협이 되어 군비증강을 일으켜 오히려 자국의 안보가 예전보다 악화되는 현상을 지칭하기도 한다.
④ 자조: 무정부 상태 하에서 국가는 타국에게 자국의 방위를 위해 도움을 청할 수 있도록 스스로 노력하여 자국의 생존을 확보해야 한다는 것이다.

정답 및 해설

현실주의는 권위적인 중앙정부의 부재를 의미하는 무정부 상태에서 국가는 자국의 방위를 타국에게 의존할 수 없는 자력구제(self-help)의 상황에 처해 있으므로 스스로 노력하여 자국의 생존을 확보할 수밖에 없다고 본다.

답 ④

---

007 현실주의는 이론의 내부에서 각기 그 특성에 따라 구체적인 분류를 할 수 있다. 다음 중 분류가 적절하지 않은 것은?

① 공세적 현실주의: 국제체제는 홉스적 자연상태이므로 국가들은 권력의 최정점에 도달하기 위해 투쟁한다.

② 방어적 현실주의: 국가들은 권력의 극대화를 추구하는 것이 오히려 자국의 안보를 위태롭게 할 수도 있다고 보고, 적정한 권력의 추구를 지향한다.

③ 구조적 현실주의: 구조는 단위들 사이에 존재하는 국가 능력의 배분상황에 의해서 무정부성이 변화할 수 있다.

④ 고전적 현실주의: 국제정치는 모든 정치와 마찬가지로 권력을 위한 투쟁이라고 본다.

정답 및 해설

구조적 현실주의자인 왈츠는 구조가 국가의 능력배분에 의해서 정의되며 서로 다른 국가들 사이에 기능적 차이가 없기 때문에 무정부성은 변화하지 않는다고 주장한다.

답 ③

008 현실주의 패러다임의 주요 개념들에 대한 설명 중 옳지 않은 것은?

① 무정부성(anarchy)이란 국내정부와 같은 가치의 권위적 배분(authoritative allocation of values)을 담당할 중앙정부가 부재하고 힘의 위계질서만이 존재하는 상태를 지칭한다.

② 현실주의자들은 권력의 특정성이 있다고 주장한다. 즉, 권력을 가진 국가는 국제관계의 모든 측면에서 결과를 통제할 수 있다고 본다.

③ 안보딜레마란 무정부 상태 속에서 전체의 장래 이익에 눈을 돌릴 수 없고 자국의 안보와 단기간의 이익을 위해서 행동할 수밖에 없는 상황을 지칭한다.

④ 세력균형의 보편적인 개념은 평형(equilibrium), 즉 여러 개의 독립된 세력으로 구성되어 있는 체제에서의 안정성을 의미하며 이러한 평형이 외부의 충격으로 파괴되는 경우 본래의 평형 상태로 되돌아가거나 새로운 평형 상태로 전이함을 의미한다.

정답 및 해설

현실주의자들은 권력의 대체성(fungibility)을 주장한다. 즉, 권력을 가진 국가는 국제관계의 모든 측면에서 결과를 통제할 수 있다고 본다.

답 ②

009 미·소 간 데탕트 분위기가 최고조에 이르던 1970년대 후반에 안보딜레마 이론이 등장했다. 안보딜레마
□□□ 이론에 대한 설명으로 옳지 않은 것은?

① 안보딜레마란 자신의 안보를 확보하기 위한 조치가 다른 국가들의 안보를 저해하게 되는 현상을 말한다.

② 대표적인 학자는 로버트 저비스(Robert Jervis)이며 『Cooperation under the Security Dilemma』가 대표적인 저서이다.

③ 안보딜레마의 관점에서 냉전은 미국 또는 소련이 현실타파 정책을 펼쳤기 때문에 발생한 것이 아니라 각자 자신의 안보를 확보하기 위해서 취한 조치가 상대의 안보를 위협하는 안보딜레마 상황이었기 때문이었다.

④ 안보딜레마는 신자유주의의 관점에서 협력논쟁의 주요한 근거로 활용되었다.

> **정답 및 해설**
>
> 안보딜레마 때문에 국가들은 불신을 유지할 수밖에 없어 협력이 불가능하다고 주장하는 신현실주의의 관점에서 주요한 근거이다.
>
> 답 ④

010 다음 괄호 안에 들어갈 개념으로 옳은 것은?
□□□

> (   )은/는 무정부 상태에서 자국의 안보를 확보하기 위한 전략이 적대국에게 위협을 가하여 적대국도 군비를 증강하게 만들고, 이로써 군비 경쟁이 심화되어 자국의 안보 상황이 군비 증강 이전보다 더욱 악화되는 현상을 일컫는다.

① 동맹안보딜레마　　　　　　　② 불균등 성장
③ 안보딜레마　　　　　　　　　④ 전쟁상태

> **정답 및 해설**
>
> 안보딜레마는 현실주의에서 설명하는 개념이다. 자국이 방어의 수단으로 군비를 증강하나, 상대국은 무정부체제 하에서 불신과 정보의 부재로 인해 이를 공격의 수단으로 간주하여 덩달아 군비를 증강하고, 이를 목격한 자국이 한 번 더 군비를 증강하고, 이러한 행동의 연쇄로 인하여 결국 군비 경쟁만 심화될 뿐 각국의 안보 상황은 나아지지 않는 현상을 가리킨다.
>
> **⊘ 선지분석**
> ① 동맹안보딜레마란, 동맹 시 발생하는 동맹국의 방기와 연루의 딜레마를 말한다.
> ② 불균등 성장이란, 각국의 정치, 경제, 군사 능력의 발전 속도가 다르다는 가설이다.
> ④ 전쟁상태란, 현실주의자들이 바라보는 국제체제이며, 실제 갈등이 없으나 언제든지 열전이 발생할 수 있는 무정부 상태를 말한다.
>
> 답 ③

011 다음 중 학자와 그의 이론의 연결로 옳은 것은?

① 월트(Stephen M. Walt): 국제체제의 무정부성은 완화될 수 있으며 제도, 통합, 상호의존 등을 통해 국제체제의 안정을 유지할 수 있다.

② 길핀(Robert Gilpin): 국제체제는 역사적으로 패권체제였으며 전쟁을 통해 새로운 패권국이 등장한다.

③ 미어샤이머(J. Mearsheimer): 국제관계에 중요한 영향을 주는 변수는 상호작용하는 행위자들이 내면화하고 있는 규범이나 집합정체성이라고 본다.

④ 왈츠(K. Waltz): 냉전체제는 기본적으로 균형체제이나, 세력균형이라기보다는 위협균형체제이다.

정답 및 해설

✅ **선지분석**
① 자유주의자들의 견해이다.
③ 구성주의자들의 견해이다.
④ 월트(S. Walt)의 견해이다.

답 ②

제2절 | 고전적 현실주의

001 다음 중에서 고전적 현실주의의 기본 전제에 해당하는 것만을 모두 고른 것은?

> ㄱ. 국가가 주요 행위자이다.
> ㄴ. 국제체제는 위계적이다.
> ㄷ. 자력구제는 당연하다.
> ㄹ. 제도를 통한 국제협력에 낙관적이다.
> ㅁ. 인간본성에서 국가의 권력추구의 동기를 찾는다.

① ㄱ, ㄴ, ㄷ   ② ㄱ, ㄴ, ㄹ
③ ㄱ, ㄷ, ㅁ   ④ ㄴ, ㄹ, ㅁ

정답 및 해설

고전적 현실주의의 기본 전제에 해당하는 것은 ㄱ, ㄷ, ㅁ이다.
ㄱ. 국가는 주요하고 통합되어 있으며 합리적 행위자로 간주된다.
ㄷ. 무정부체제에서 국가의 생존은 스스로 지켜야 한다.
ㅁ. 전통적 현실주의자들은 인간성에 있어서 '성악설'을 지지한다. 인간은 이기적이며 권력지향적이라는 것이다. 따라서 국제정치나 국내정치 모두 권력지향적 개인이나 국가에 의한 권력투쟁을 본질로 한다고 본다.

✅ **선지분석**
ㄴ. 최소한 전통적 현실주의자들은 국제체제는 주권국가들의 병존체제로서 무정부적이며 수평적인 체제라고 본다.
ㄹ. 현실주의자들은 제도를 통한 협력은 어렵다고 본다. 배반가능성을 통제할 수 없고, 상대적 이득 문제도 해결할 수 없다고 보기 때문이다.

답 ③

002 고전적 현실주의의 핵심개념으로 옳지 않은 것은?

□□□
① 국제체제의 무정부적 속성은 군사능력의 확보가 필수적 능력이다.
② 자기방어능력이 부족하면 동맹을 통해 그 능력이 보강되어질 수 있다.
③ 어떤 한 국가가 국제적 주도권을 쥐고 있을 때 평화를 달성할 수 있다고 본다.
④ 국제체제는 기본적으로 자조(self-help)체제이다.

| 정답 및 해설 |

전통적 현실주의자들은 기본적으로 세력균형체제를 옹호한다. 보기는 패권안정론의 주장으로서 전통적 현실주의와 달리 어떤 한 국가가 국제적 주도권을 쥐고 있는 체제, 즉 패권체제의 안정성을 주장한다.

답 ③

003 모겐소(Hans Morgenthau)가 『Politics Among Nations』(1948)에서 제시했던 정치적 현실주의 (Political Realism)의 여섯 가지 원칙의 내용으로 옳지 않은 것은?

□□□
① 정치현상은 다른 사회현상과 마찬가지로 객관적 법칙의 지배를 받고 있는데, 이 법칙은 결코 변하지 않는 인간 본성에 근거하고 있다.
② 정치현상의 핵심개념은 권력으로 정의된 이익인데, 이 이익은 주관적 성격을 지닌 정치현상에 합리적 질서를 부여해 준다.
③ 이익개념은 객관적인 것으로 가정되지만 실질적인 내용은 가변적이어서 역사적 시점과 상황에 따라 그 맥락이 달라질 수 있다.
④ 도덕명령은 정치적 성공의 요건이므로 보편적인 도덕원리들은 추상적이고 보편적인 형태 그대로 국가행동에 적용된다.

| 정답 및 해설 |

정치적 행위의 도덕적 중요성을 인정하며 도덕적 요구와 성공적인 정치적 행위의 요구 사이에 불가피한 긴장이 존재함을 인정한다. 그러나 보편적인 도덕적 원리들은 그 추상적이고 보편적인 형태 그대로 국가행동에 적용될 수 없으며, 시간과 공간의 구체적인 상황을 통해 여과되어야 한다(『국제정치패러다임』, 박재영, 2009년).

답 ④

004 모겐소(H. J. Morgenthau)의 '현실주의의 여섯 가지 원칙'의 내용으로 옳지 않은 것은?

□□□
① 정치적 현실주의는 특정 국가의 도덕적 열망과 세계를 지배하는 도덕법칙을 동일시해서는 안 된다.
② 모든 정치현상은 인간의 본성에 근거하는 객관적 법칙의 지배를 받는다.
③ '권력으로 정의되는 국가이익'은 객관적으로 측정가능하며, 권력의 내용은 유사 이래로 변하지 않는다.
④ 정치적 현실주의는 정치 행위의 도덕적 중요성을 인식하고 있다.

| 정답 및 해설 |

권력으로 정의되는 국가이익은 보편적으로 타당하고 객관적인 것이나, 이는 고정불변의 것은 아니다.

✓ 선지분석
① 모겐소(H. J. Morgenthau)의 여섯 가지 원칙 중 다섯 번째에 해당한다.
② 첫 번째 원칙에서 천명된 것이다.
④ 네 번째 원칙으로 현실주의가 인간의 이기적 본성에서 비롯하기 때문에 비도덕적인 것일 뿐이라고 생각하기 쉽지만 모겐소(H. J. Morgenthau)는 도덕적 중요성도 강조하였다.

답 ③

005 **'무정부성(anarchy)'에 관한 설명 중 옳지 않은 것은?**

□□□

① 국내정부와 같은 가치의 권위적 배분(authoritative allocation of values)을 담당할 중앙정부가 부재하는 상태를 지칭한다.

② 무정부성에 관한 고찰은 홉스(T. Hobbes)의 만인의 만인에 대한 투쟁으로부터 비롯하였다.

③ 왈츠(K. Waltz)와 같은 신현실주의자에게 있어 무정부 상태는 독특하게 구별되는 국제체제의 구조(distinct structure)이다.

④ 웬트(A. Wendt)는 무정부 상태는 행위자의 정체성과 독립적이며 언제나 홉스적 자연상태로서의 속성을 지닌다고 본다.

> **정답 및 해설**
>
> 웬트(A. Wendt)에 의하면 국제체제의 무정부성은 행위자의 속성으로부터 비롯된다. 즉 행위자들이 내면화하고 있는 정체성이 홉스(T. Hobbes)적인 경우 홉스(T. Hobbes)적 자연상태가, 행위자들이 친구로서의 정체성을 유지하는 경우 칸트(I. Kant)적 자연상태가 형성된다고 본다. 따라서 무정부 상태는 행위자의 정체성으로부터 독립적이지 않으며, 언제나 홉스(T. Hobbes)적 자연상태로 고정된 속성을 갖는 것도 아니다.
>
> 답 ④

006 **고전적 현실주의의 대표학자 모겐소(Hans Morgenthau)의 이론에 관한 설명으로 옳지 않은 것은?**

□□□

① 신중함(prudence)이 있어야 전쟁을 피할 수 있다.

② 그가 상정한 인간관은 홉스(T. Hobbes)가 제시한 '이기적 인간'이며, 그의 이론의 골자가 된다.

③ '권력으로 정의되는 국가이익(national interest defined in terms of power)'이 그의 핵심 개념이다.

④ 국가의 속성은 인간단위의 속성에서 비롯하지만, 국제정치는 인간의 속성과 무관하다.

> **정답 및 해설**
>
> 국제정치가 권력투쟁의 성격을 갖는 것은 인간의 권력정치적 성향과 관련이 있다고 본다. 국제정치를 실행하는 주체 역시 인간이기 때문이다.
>
> **✅ 선지분석**
>
> ① 인간의 본성에도 불구하고 전쟁이 일어나지 않을 수 있는 것은 '신중함' 때문이며 이것이 지도자들에게 필요한 덕목이다.
>
> ② 인간은 본래 이기적이고 또한 인간은 이 같은 본성상 권력을 추구한다. 그러므로 '정치는 끝없는 권력 투쟁'인 것이고 정치윤리는 결국 악을 행하는 것에 대한 윤리라는 것이 그의 의견이다.
>
> 답 ④

007 고전적 현실주의와 신현실주의와의 관계를 지적한 것들 중 옳지 않은 것은?

① 고전적 현실주의에서는 선험적 인간성을 규정하는 데 홉스(T. Hobbes)의 인간관을 차용한다. 이에 비해 신현실주의는 선험적인 그 무엇을 설정하지 않는다.

② 신현실주의는 고전적 현실주의에서 인간성은 변수가 아니라 상수이고 이는 국가의 행위나 국가 간의 상호작용에 있어서의 차이를 설명할 수 없으므로, 평화와 협력을 무엇으로 설명할 것인가의 문제를 제기하였다. 신현실주의는 분석수준을 인간으로부터 국제체제로 옮겨 이 문제를 해결하고자 하였다.

③ 고전적 현실주의는 자신들이 국제정치적 분석에 대해 '과학적' 접근을 시도했다고 생각하나, 신현실주의자들은 고전적 현실주의자들이 역사에 의존하였으며, 정교한 이론과 방법보다는 정책(policy)에 보다 많은 관심을 가지고 있다고 비판하였다.

④ 신현실주의는 '환원주의'라는 비판을 강하게 받았으며 이는 신현실주의가 개별 국가의 행위를 통해 국제체제를 이해하려는 관점을 견지하였기 때문이다.

정답 및 해설

신현실주의의 왈츠(K. Waltz)는 모겐소의 전통적 현실주의를 환원주의라고 크게 비판했으며, 이것은 모겐소(Morgenthau)의 이론이 인간이라는 부분의 연구를 통해서 전체를 이해하려고 했기 때문이라고 하였다.

답 ④

---

008 현실주의 국제정치이론에 대한 설명으로 옳지 않은 것은? 　　　　2014년 외무영사직

① 권력에 의해 정의되는 이익의 개념을 도입하여 행위자들이 이해관계에 따라 생각하고 행동한다고 가정한다.

② 권력에 의해 정의되는 이익은 보편적으로 타당한 객관적인 범주로 가정하며, 그 개념은 고정불변의 것으로 간주한다.

③ 정치가 인간의 본성에 기초한 객관적 법칙을 따른다고 본다.

④ 카아(Carr)는 현실주의가 이상주의를 대체한다고 생각하지 않고, 양자가 적절히 공존해야 한다고 주장한다.

정답 및 해설

고전적 현실주의자인 모겐소에 의하면 국가가 추구하는 권력으로 정의되는 국가이익은 보편적으로 추구되는 이익이나, 국가이익의 내용 자체는 시대나 상황적 맥락에 따라 변화될 수 있다고 본다.

✓ **선지분석**

③ 고전적 현실주의는 성악설적 인간관에 기초하여 인간의 권력추구성향과 마찬가지로 국가 역시 권력의 극대화를 추구한다고 본다.

④ 카아(E. H. Carr)는 현실주의자로 분류되나, 현실주의에 대해서도 비판적 입장을 취함으로써 현실주의와 이상주의에 대한 절충론자로 평가되기도 한다.

답 ②

009 모겐소(H. Morgenthau)의 국제정치관에 대한 설명으로 옳지 않은 것은?

① 제국주의정책은 현존 권력관계를 변동시키려는 정책을 말한다.

② 19세기 유럽과 같은 다극체제는 동맹형성에 있어서 유연하고, 타국의 동맹 관계에 대한 불확실성 때문에 국가들이 신중하게 행동하므로 안정적이다.

③ 권력의 구성요소에 있어서 군사력과 같은 물질적 요소뿐 아니라 국민의 사기, 국민성과 같은 비물질적 요소도 포함해야 한다.

④ 미어샤이머는 인간성 자체가 권력의 극대화를 추구하는 성향을 보유한다고 보나, 모겐소는 국제체제가 무정부체제이며 홉스적 자연상태이므로 불가피하게 권력의 극대화를 추구할 수밖에 없다고 본다.

정답 및 해설

모겐소(Morgenthau)는 인간성을, 미어샤이머(Mearsheimer)는 국제체제의 특성을 강조하였다.

답 ④

제3절 | 게임이론

001 죄수의 딜레마 상황에서 협력을 이끌어 낼 수 있는 방법으로 TFT(tit-for-tat) 전략이 소개되고 있다. 이에 대한 설명으로 옳은 것만을 모두 고른 것은? 2017년 외무영사직

> ㄱ. TFT 전략은 최초 게임에서 먼저 내가 비협력을 선택하고 이후부터는 바로 직전 게임에서의 상대 선택을 그대로 따르는 전략이다.
> ㄴ. 죄수의 딜레마 게임이 무한정 지속될 때 TFT 전략은 상호 협력의 가능성을 높인다.
> ㄷ. 죄수의 딜레마 게임에서 쌍방 모두 TFT 전략을 채택하고 있을 때 일방이 의도와 달리 한 번 비협력을 선택하면, 상호 협력의 가능성은 낮아진다.

① ㄴ

② ㄱ, ㄴ

③ ㄱ, ㄷ

④ ㄴ, ㄷ

정답 및 해설

TFT(tit-for-tat) 전략에 대한 설명으로 옳은 것은 ㄴ, ㄷ이다.

ㄴ. 티포태 전략은 무한반복게임 상황을 전제로 협력을 유인하는 전략이다.

ㄷ. 티포태 전략에서 상대방이 '배반'을 선택하면 나도 '배반'을 선택하게 되므로, 상대방의 전략에 변화가 없는 한 비협조 상황은 지속하게 된다.

⊘ 선지분석

ㄱ. 최초게임에서는 협력을 유도하고자 하는 국가가 먼저 협조 전략을 구사하고, 이후 상대국의 전략을 답습하게 된다.

답 ④

002 현실주의자들이 주장하는 상대적 이득(relative gains)의 개념과 국가 간 협력 사이의 관계에 대한 설명으로 옳은 것은?

2015년 외무영사직

① 국가들은 협력을 통해 상대적 이득과 무관하게 절대적 이득이 있을 경우에는 협력한다.
② 국가들은 협력을 통해 얻을 것을 확신할 수 없기 때문에 협력하려는 동기를 갖기 어렵다.
③ 국가들은 국가 간 협력 과정에서 상대국으로부터 기만당할 것을 우려하여 협력에 나서지 않는다.
④ 국가들은 이득이 있을지라도 상대국이 더 많은 이득을 얻어서 장기적으로 자국에 위협이 될 것을 우려하여 협력에 나서지 않는다.

| 정답 및 해설 |

⊘ 선지분석
① 현실주의자들은 국가들이 상대적 이득을 추구한다고 본다.
② 현실주의자들은 협력을 통한 이득이 있다고 해도 상대적 이익이나 배반가능성에 대한 우려로 협력을 하지 않는 것이다.
③ 현실주의자들은 상대국의 배반가능성 때문에 협력이 저지된다고 본다. 설문에서는 상대적 이득에 대해 질문하였으므로, 내용 자체의 바름과 무관하게 답으로 할 수 없다.

답 ④

003 루소의 '사슴사냥우화'는 상위권위가 부재한 무정부 상태에서 행해지는 개별 차원의 합리적 선택을 비유한 것이다. 이 우화가 함축하는 내용으로 옳은 것은?

2010년 외무영사직

① 해러리(F. Harary) - 구조균형론(Structural Balance Theory)
② 허즈(J. Herz) - 안보딜레마(Security Dilemma)
③ 퍼트남(R. Putnam) - 양면게임(Two-Level Game)
④ 왈트(S. Walt) - 위협균형론(Balance of Threat Theory)

| 정답 및 해설 |

루소의 '사슴사냥우화'에서 가장 근본적인 문제는 사냥꾼 중 어느 누구도 다른 누군가가 포위망을 이탈하여 토끼를 쫓아갈지를 알지 못한다는 사실이다. 이와 같은 불확실성과 신뢰의 결핍으로 인하여 개개의 사냥꾼은 최악의 경우를 가정하고 그의 장기적이고 계몽적인 진정한 이익 대신에 단기적이고 근시안적인 목전의 현재적 이익을 추구한다는 것이다. 즉 무정부 상태에서 국가 간에는 두려움과 불신이 존재한다는 것이며, 이러한 상황속에서 국가들은 자신의 생존과 안보를 위해 자국의 힘의 증강을 꾀하게 되고 이는 타국의 힘의 증강을 불러와 처음에 힘의 증강을 통해 의도했던 결과가 아닌 더욱 심화된 불안정을 느끼게 되는 상황을 초래하게 된다고 하며 이를 일컬어 '안보딜레마(Security Dilemma)'라고 부른다.

답 ②

004 다음 중 장 자크 루소의 '사슴사냥의 우화(the parable of stag hunt)'가 시사하는 바와 매우 관련있는 이론은?

① 신자유주의
② 신현실주의
③ 이상주의
④ 구성주의

| 정답 및 해설 |

왈츠(K. Waltz)는 루소의 '사슴사냥우화'에 기초하여 무정부 하에서 국가들 간 협력이 발생하기 어렵다는 점을 설명하였다. 사슴은 타국과의 협력을 통해서만 얻을 수 있는 큰 이익을 의미한다. 국가들은 협력을 통해 사슴을 포획하여 공동 이익을 추구하기보다는 자신의 사적 이익을 달성하고자 '토끼'를 쫓기 때문에 협력이 발생하기 어렵다고 해석한다.

답 ②

005 북한에 대한 일방적 포용정책 대신 '티포태(tit-for-tat)' 전략을 구사해야 한다는 견해가 제기되고 있는데, 티포태 전략의 지침으로 옳지 않은 것은?

2008년 외무영사직

① 북한 정부가 비협조적인 행동을 반복할 경우 한국 정부 역시 비협조적으로 대응할 것이라는 확신을 북한 정부에게 심어주어야 한다.

② 쌍방이 협조할 경우 상호 이익을 얻을 수 있다는 점을 북한 정부에게 인식시켜야 한다.

③ 한국 정부가 먼저 비협조적 행동을 취해서는 안 된다.

④ 협상이 단일한 단계로 구성되어 있음을 상기시킴으로써 협상실패가 곧 파국이라는 점을 북한 정부에게 인식시켜야 한다.

정답 및 해설

티포태 전략은 기본적으로 '무한반복게임상황'을 전제로 한 전략이다. 따라서 국가 간 상호작용이 여러 차례에 걸쳐 계속되는 것을 전제로 하며, 상대방의 전략에 맞대응 전략을 펼 것임을 사전에 상대방이 인지하게 함으로써 협력을 유인하는 전략이다.

답 ④

---

006 게임이론에 대한 설명으로 옳지 않은 것은?

① 죄수의 딜레마 게임에서는 파레토개선 자체가 불가능하지는 않으나 배반가능성에 대한 두려움 때문에 실제로 파레토개선이 달성되기는 어렵다.

② 죄수의 딜레마 게임은 상대적 이득의 문제로 무정부하에서 국제협력이 달성되기 어렵다는 점을 보여준다.

③ 치킨게임에서 내쉬균형은 한명이 돌진, 다른 한명이 회피하는 것이며 자신에게 유리한 균형이 달성되도록 하기 위해서는 신빙성 있는 위협을 가할 수 있어야 한다.

④ 사슴사냥게임에서 내쉬균형은 두 개이나 우월전략은 존재하지 않는다.

정답 및 해설

배반가능성의 문제로 국제협력이 달성되기 어렵다는 점을 보여준다.

답 ②

---

007 다음 중 남북한 관계를 TFT 전략으로 판단했을 때 옳지 않은 것은?

① '미래의 투영'을 통해 현재의 효용함수에서 미래가 차지하는 부분을 늘린다.

② TFT의 가상시나리오를 상대편 정책결정자에게 끊임없이 인지시켜야 한다.

③ 협력수단으로 취한 TFT 전략이 자칫 목적이 되어 갈등을 증폭시킬 수 있다.

④ 즉각적인 반응은 불필요하다.

정답 및 해설

티포태(TFT) 전략은 기본적으로 '상호주의전략'이다. 따라서 상대방의 반응에 대한 즉각적인 반응이 요구된다. 즉, 협조에는 협조, 배반에는 배반의 대응이 필요하다. 이러한 전략을 통해 상대방이 협력을 지속할 유인을 부여하는 것이 중요하다.

답 ④

008 죄수의 딜레마 게임에 대한 설명으로 옳은 것은?

① 죄수의 딜레마 게임은 비제로섬게임이며 2인게임, 비협력, 순차게임이라고 볼 수 있다.

② 죄수의 딜레마 게임에서는 우월전략균형과 내쉬균형이 일치한다.

③ 만약 협력이 가능하다고 하더라도 게임의 균형은 변하지 않는다.

④ 죄수의 딜레마 게임으로 냉전기 핵억지 달성에 대해 설명할 수 있다.

정답 및 해설

☑ 선지분석

① 죄수의 딜레마 게임은 순차게임이 아닌 동시게임이다.

③ Tit-for-tat 전략 등을 이용해 협력이 가능해진다면 죄수의 딜레마의 균형은 (묵비, 묵비)로 변하게 되며 보수 역시 증가한다.

④ 핵억지에 대해서는 치킨게임으로 설명한다.

답 ②

---

009 제시문에 나온 죄수의 딜레마(prisoner's dilemma) 게임에 관한 설명 중 옳지 않은 것은?

> 두 명의 용의자 A와 B가 감방에 각기 따로 수감되는데, 경찰은 이들의 범행에 대한 확신은 서나 물증이 부족하다. A와 B를 ① 서로 의사소통을 할 수 없는 상태에서 각각 심문을 하는데 이 때 두 용의자가 각기 택할 수 있는 대안은 범죄를 자백하거나 혹은 부인하는 것이다. 이러한 상태에서는 ② 어느 일방이 게임의 결과를 완전히 결정할 수 없기 때문에 상대방의 선택을 고려하여 최종 선택을 해야만 하는 ③ 비합리적 행위자인 A와 B는 어떠한 선택의 전략을 가질 것인가? 이들은 ④ 상대방의 전략을 주어진 것으로 보고 자신의 보수를 극대화 하는 전략을 선택함으로써 결국 이들은 모두 자백하는 선택을 할 것이다.

① '서로 의사소통을 할 수 없는 상태에서'

② '어느 일방이 게임의 결과를 완전히 결정할 수 없기 때문에'

③ '비합리적 행위자인 A와 B'

④ '상대방의 전략을 주어진 것으로 보고 자신의 보수를 극대화하는 전략을 선택함으로써 결국 이들은 모두 자백하는 선택을 할 것'

정답 및 해설

게임이론에서의 플레이어들은 기본적으로 합리적인 행위자이다. 합리적인 행위자가 합리적인 선택을 했음에도 결국 비합리적 결과가 도출된다는 것이 게임이론의 핵심이다.

답 ③

010 죄수의 딜레마(prisoner's dilemma) 게임이론에 대한 신자유주의적 제도주의의 해석에 대한 설명으로 옳지 않은 것은?

① 자유주의자들은 협력과 갈등의 차이란 구조적인 요인(structural factor)에 기인하는 것이 아니라 상황적 요인(situational factor)에 기인하는 것으로 본다. 즉 상황이 변화하면 갈등하던 행위자들이 협력할 수 있다는 것이다.

② 자유주의자들은 '미래에 대한 우려'(shadow of the future)가 협력을 촉진할 수 있다고 본다.

③ 국가들은 상호협력을 통한 이익이 규칙의 이행을 감독하고 처벌하는 데 투여되는 비용보다 많을 때 무정부 상태에서도 협력을 하고자 하며, 단 시간이 경과함에 따라 감독과 처벌의 비용은 급격히 증가할 가능성을 감수해야 한다.

④ 규칙을 어기면 이에 대한 제재(sanction)를 가함으로써 국제레짐은 하나의 규칙위반이 고립된 하나의 케이스로 취급되지 않고 일련의 흐름 속의 한 케이스로 취급될 것이라는 기대를 만들어 낸다.

정답 및 해설

시간이 경과함에 따라 감독과 처벌의 비용은 감소하게 된다. 보복을 통한 학습이 이루어지기 때문이다.

답 ③

011 죄수의 딜레마(prisoner's dilemma) 게임에 대한 설명으로 옳지 않은 것은?

① 두 죄수들의 의사소통이 불가능한 상황과 검사의 회유
② 상대방의 배신에 대한 위험부담과 상대방의 결정에 따라 상황이 변하는 불리한 상황
③ 명백한 우월전략균형이자 내쉬균형이 존재함에도 불구하고 불리한 선택을 하는 비합리성
④ 동시에 전략을 결정하기를 강요

정답 및 해설

죄수의 딜레마에서는 두 죄수 모두가 침묵을 선택하여 각자의 손해를 최소화 할 수 있으며 이것이 서로의 이득을 합쳤을 때 총이득이 가장 커지는 선택이다(침묵, 침묵). 그러나 양쪽은 배신의 위험을 생각해 (자백, 자백)이라는 우월전략균형 겸 내쉬균형을 취하게 된다. 그리고 이러한 태도는 합리성에 근거한다.

✓ 선지분석

① PD게임은 보통 의사소통이 불가능한 상황으로 가정하는 경우가 많으나, 사실 두 죄수가 서로 의사소통이 가능한지의 여부는 중요하지 않다. 두 죄수 간 의사소통이 가능하여 서로 간에 침묵하기로 합의를 보았다고 할지라도 이러한 합의는 결국 지켜지지 않을 가능성이 높다. 왜냐하면 상대방이 침묵할 것으로 기대한다면 합리적인 행위자는 자신은 자백함으로써 자신의 보수를 더 높일 수 있기 때문이다. 두 죄수 모두 이러한 결론에 도달한다면 묵시적 합의에도 불구하고 결국 균형점은 (침묵, 침묵)이 아니라 (자백, 자백)이 되는 것이다. PD게임에서 (자백, 자백)의 균형이 형성되는 것은 죄수 간 의사소통의 부재 때문이 아니라 보수구조 그 자체에 원인이 있음을 이해하여야 한다.

② 본인이 특정한 선택을 하더라도 이에 대한 보수는 상대방의 선택에 따라 달라질 수 있다.

④ 죄수의 딜레마게임은 동시게임이다. 순차게임이라면 상대의 전략을 보고 결정할 수 있으므로 항상 두 번째로 전략을 선택하는 쪽이 우월한 결정을 하거나 최소한 동등한 보수를 줄 수 있는 결정을 하게 된다.

답 ③

012 게임이론(Game Theory)에 대한 설명으로 옳은 것은?

□□□

① '비겁자게임(chicken game)'에서 이기는 방법은 무조건 상대방을 향해 돌진하는 것이다.
② 게임의 종류는 참가자의 수에 따라 2인 게임과 N인 게임으로 구별할 수 있는데, '죄수의 딜레마 게임(prisoner's dilemma game)'은 N인 게임에 속한다.
③ 게임은 이득의 형태에 따라 '영합게임(zero-sum game)'과 '비영합게임(non zero-sum game)'으로 구분할 수 있는데 '비겁자 게임'은 '비영합게임'이다.
④ '죄수의 딜레마 게임'과 관련해 '벼랑 끝 전술(brinkmanship)'이 존재한다.

013 게임이론 중 치킨게임(Chicken Game)이란, 어느 한 쪽도 양보하지 않고 극단으로 치닫는 상황을 일컫는다. 미·소 간 군비경쟁, 북·미 간 핵문제 등이 치킨게임의 대표적인 예이다. 다음 중 치킨게임의 전략이 될 수 있는 것만을 모두 고른 것은?

□□□

> ㄱ. 상대에게 자신이 절대로 핸들을 꺾지 않는다는 '신빙성 있는 위협'을 가한다.
> ㄴ. 상호협력을 위한 레짐 구축으로 공동의 이익을 확대한다.
> ㄷ. 반복된 게임을 통해 형성한 유리한 평판에 의존하여 미래 행동의 신뢰도를 높인다.
> ㄹ. 충돌 상황의 자국 이익이 자국만 회피하는 상황의 자국 이익보다는 크기 때문에 회피보다는 돌진을 선택하는 것이 바람직하다.

① ㄱ, ㄴ   ② ㄱ, ㄷ
③ ㄱ, ㄹ   ④ ㄱ, ㄴ, ㄷ

014 겁쟁이 게임(chicken game)에 대한 설명으로 옳지 않은 것은?

① 겁쟁이 게임은 1950년대 미·소의 극심한 군비경쟁과 1950년대 이후 남-북한 간 군비경쟁에 적용될 수 있다.

② '돌진'이라는 전략을 고수하겠다고 선언하고 실제로 그렇게 시행함으로써 나은 보수를 얻게 되는 전략을 벼랑끝 전술(brinkmanship)이라고 한다.

③ 비제로섬게임, 2인게임, 비협력게임, 동시게임이다.

④ 내쉬균형이 두 개 존재하며 우월전략 또한 존재한다.

정답 및 해설

내쉬균형(Nash equilibrium)은 게임 이론에서 경쟁자의 대응에 따라 최선의 선택을 하면 서로가 자신의 선택을 바꾸지 않는 균형상태를 말한다. 즉 상대방이 현재 전략을 유지한다는 전제 하에 나 자신도 현재 전략을 바꿀 유인이 없는 상태를 말하는 것이다. 치킨게임에서 내쉬균형은 (돌진, 회피)와 (회피, 돌진) 두 가지가 도출되며 우월전략 (상대방이 어떠한 선택을 하든 나에게 우월한 보수를 주는 전략)은 존재하지 않는다.

✅ 선지분석

② 북한의 벼랑끝 전술(brinkmanship)은 바로 치킨게임에서 나온 말이다. 돌진(혹은 군사적 위협)을 천명하면서 신빙성 있는 위협을 가하면 상대 행위자는 공멸을 피하기 위해 회피하게 된다.

③ 보수의 합이 0이 되지 않으므로 비제로섬게임이며, 협력은 일어나지 않고, 순차적으로 전략을 선택하지도 않는다.

답 ④

---

015 코헤인(R. Keohane)과 악슬로드(R. Axelrod)는 협력을 설명하기 위해 기존의 게임이론에 추가적 요소를 도입하였다. 이에 해당하지 않은 것은?

① 미래의 그림자(shadow of the future)

② 티포태 전략(Tit-For-Tat strategy)

③ 책임전가 전략(Buckpassing strategy)

④ 촉발 전략(Trigger strategy)

정답 및 해설

책임전가 전략은 제3자가 부상하는 패권국을 억제하는 데에 필요한 비용을 부담하는 것을 말한다.

✅ 선지분석

① 유한반복이 아닌 무한반복게임을 실시하게 되면, 배신을 행할 시 다음 게임에서 보복을 당하기 때문에 미래의 그림자가 길어져 협력의 유인이 생긴다.

② 티포태 전략은 '눈에는 눈, 이에는 이' 전략으로, 상대방이 배신을 할 때 보복을 하는 전략을 의미한다. 이러한 전략이 두렵다면 상대 행위자는 배신에 의해 궁극적으로는 이익을 얻을 수 없다.

④ 촉발 전략은 상대 행위자가 협조적이면 나도 협조하지만, 상대 행위자가 한번이라도 배신하면 나도 '영원히' 비협조적인 전략으로 일관하겠다는 것이다. 이 또한 미래의 그림자를 늘리는 결과를 가져올 수 있다.

답 ③

016 A국과 B국 간의 갈등을 다음의 치킨게임으로 설명할 때 A국의 선호도를 바르게 나열한 것은?

2019년 외무영사직

□□□

A국 \ B국	양보(C)	대치(D)
양보(C)	CC, CC	CD, DC
대치(D)	DC, CD	DD, DD

※ 득실 칸 각각의 좌측은 A국의 득실, 우측은 B국의 득실임

① CC > DC > DD > CD
② CC > DC > CD > DD
③ DC > CC > DD > CD
④ DC > CC > CD > DD

정답 및 해설

치킨게임은 비겁자게임이라고도 하며, 편도 차로에서 두 사람이 마주보고 서로를 향해 질주할 것인지 내기하는 것이다. 두 사람의 전략은 돌진과 회피이다. 선호도 순서를 정해보면 자신이 돌진하고 상대방이 회피하는 것(DC)이 가장 좋고, 양자 모두 회피(CC), 상대방이 돌진하고 자신이 회피(DC)하는 순으로 선호도가 낮아지며, 둘 모두 돌진(DD)하는 것이 최악의 상황이다. 치킨게임에서는 내쉬균형이 두 개로서 한 사람이 돌진, 한 사람이 회피하는 것이므로, 각각은 자기에게 유리한 상황을 만들기 위해 위협을 가하나, 신빙성을 충족해야 한다. 신빙성을 위해서는 위협적인 행동을 보이거나(핸들 고정 등), 자신이 한 말은 반드시 지킨다는 평판을 쌓아두는 방법이 있다.

답 ④

제4절 | 억지이론

001 억지이론에 대한 설명으로 옳은 것만을 모두 고른 것은?

2013년 외무영사직

□□□

> ㄱ. 상대방이 취하려는 행위의 비용이나 위험부담이 기대이익보다 크다는 것을 상대방에게 미리 확신시켜 줌으로써 전쟁을 하지 못하게 막자는 것이 억지이론의 주장이다.
> ㄴ. 신뢰도의 확보와 분명한 의사전달은 억지가 성공하기 위한 요건의 일부이다.
> ㄷ. 상호억지는 상호확증파괴(MAD)를 바탕으로 한다.
> ㄹ. 행위자들의 합리성을 가정하지는 않기 때문에 억지의 효과를 높이기 위한 방안으로 적극적 보복능력을 강조한다.

① ㄱ, ㄴ
② ㄴ, ㄹ
③ ㄱ, ㄴ, ㄷ
④ ㄱ, ㄷ, ㄹ

정답 및 해설

억지이론에 대한 설명으로 옳은 것은 ㄱ, ㄴ, ㄷ이다.

✓ 선지분석

ㄹ. 억지의 가장 중요한 조건은 행위자의 합리성이다. 도발시 응징을 당하는 경우 어떠한 피해를 입을 수 있는지에 대한 계산을 할 수 있어야 도발을 자제한다고 본다.

답 ③

002 핵억지이론이나 핵억지전략의 핵심과 거리가 먼 개념은?

① 공포의 균형　　　　　　　　　② 선제공격능력
③ 보복공격능력　　　　　　　　　④ 보장된 공멸

> **정답 및 해설**

- 핵억지전략은 보장된 공멸(Mutually Assured Destruction)체제 또는 확증파괴체제를 형성함으로써 적대국 상호간 제1차 공격능력을 저지하는 것을 말한다. 보장된 공멸체제란 적대국이 모두 제2차 보복공격능력을 확립한 상태로서 적의 제1차 공격으로부터 파괴되지 않는 잔존핵무기를 보유하는 것을 말한다. 보장된 공멸상태에서는 자국의 제1차 공격이 상대방으로부터 제2차 공격(보복공격)을 받을지도 모른다는 공포 때문에 제1차 공격을 할 수 없게 된다. 이러한 상태를 공포의 균형(Balance of Terror)상태라고 한다.
- 핵억지와 선제공격은 대체로 대비되는 개념으로 이해된다. 9·11 테러 이후 미국의 핵전략은 억지에서 선제공격으로 변경된다. 이는 억지전략은 행위자의 합리성을 전제로 하나, 테러세력의 경우 합리적 행위자로 보기 어렵고, 따라서 억지가 가능하지 않기 때문이다.

답 ②

003 미국의 핵독점기(1945~1949)에 관한 설명으로 옳지 않은 것은?

① 강압(compellence)의 관념이 국제정치에 도입되어 유력한 전략개념으로 대두하였다.
② 미국은 소련이 머지않아 핵을 개발할 것임을 인식하고 있었다.
③ 1946년 트루먼 대통령은 미국의 핵계획을 UN원자력에너지위원회에 제시하도록 하였다.
④ 소련은 핵무기를 허용하는 대신 핵사찰 조항을 담고 있는 그로미코 계획으로 대응하였다.

> **정답 및 해설**

소련은 핵무기의 생산, 배치를 금지하고, 모든 핵무기를 협정 3개월 내에 폐기하자면서도, 사찰조항을 결한 그로미코(Andreiv Gromyko)계획으로 대응하였다.

☑ 선지분석

②, ③ 미국은 소련이 머지않아 핵을 개발할 것임을 인식하고 자신의 핵무기를 국제적 관리하에 둠으로써 소련의 핵보유와 미소 핵경쟁을 막고자 했다. 이를 위해 트루먼 대통령은 1946년 바루크(B. Baruch)에게 미국의 계획을 UN원자력에너지위원회에 제시하도록 하였다. 이 계획에서 미국은 자신의 핵무기를 국제기구의 관리하에 두는 대신, 소련 및 다른 핵잠재력을 갖고 있는 국가들이 사찰받아야 한다고 주장했다. 하지만 미국 의회는 바루크 계획이 UN에서 진지하게 검토되기 어렵다는 판단 하에, 1946년 원자력에너지법을 제정하여 미국 핵기술이 비밀리에 타국에 이전되는 것을 방지하게 했다.

답 ④

004 상호확증파괴(Mutual Assured Destruction: MAD)의 논거에 대한 설명으로 옳지 않은 것은?

2009년 외무영사직

① 핵보복능력을 확보함으로써 상대방의 핵공격 의도를 억지할 수 있다.

② 핵무기 방어체제가 전략적 안정에 핵심적인 요소로 부각되었다.

③ 1960년대 미·소 핵경쟁의 결과 대량보복전략의 수정이 불가피했다.

④ 핵전쟁에서는 승자가 없다는 인식이 확산되면 협력의 필요성이 증대된다.

정답 및 해설

- 방어체제가 아닌 제2차 공격능력이 중시된다. MD(Missile Defense)와 같은 방어체제가 강화되는 경우 상호 억지력을 무력화시킬 우려가 있는 것으로 평가된다. 상호확증파괴전략은 미·소 핵억지전략의 중추개념으로서 1950년대 말 미국의 아이젠하워 대통령에 의해 처음으로 채택되었다. 미국이 봉쇄전략과 대량보복전략에 이어 채택한 전략 개념으로, 상대방이 공격을 해 오면 공격 미사일 등이 도달하기 전 또는 도달 후 생존해 있는 보복력을 이용해 상대방도 절멸시키는 전략을 말한다.

- 상호확증파괴전략은 핵전쟁이 일어나면 누구도 승리할 수 없다는 전제 아래 행하는 핵억지전략이다. 따라서 핵무기는 사용하기 위해 생산하는 것이 아니라 사용하지 않기 위해 생산하는 억지 무기로서, 상대국의 국민과 사회 그 자체를 볼모로 삼는 도시대응 무기 전략이다. 이 때문에 합리적이고 이성적인 지도자라면 상호 절멸을 의미하는 핵 공격을 감행할 수가 없게 된다. 그러나 지도자가 핵 공격 의도를 가지고 있지 않더라도 컴퓨터의 실수, 테러 집단에 의한 핵 입수, 과대망상증에 걸린 핵 종사자 등에 의한 핵전쟁 유발 가능성에 대한 대책은 결여되어 있다는 점이 단점으로 지적된다.

답 ②

---

005 미국 아이젠하워 행정부의 '대량보복(mass retaliation)' 전략에 관해 옳지 않은 것은?

2008년 외무영사직

① 유럽에서의 소련에 대한 재래식 전력의 열세를 핵 우위로 상쇄하고자 하였다.

② 국방장관 맥나마라(Robert McNamara)는 확증파괴(assured destruction)와 손실제한(damage limitation)을 추구하였다.

③ 국무장관 덜레스(John Dulles)는 자유세계에 대한 공격이 있을 경우 미국이 선택한 방법과 장소에서 즉각적이고 대량으로 보복하겠다는 것을 천명하였다.

④ 동맹국에 대한 소련공격의 억지(deterrence)를 강조하였다.

정답 및 해설

맥나마라(Robert McNamara)는 케네디 시절의 관료로, 상호확증파괴전략을 내세웠다. 대량보복전략이란 적으로부터 본격적 공격을 받을 경우 핵무기를 적재한 전략폭격기를 출격시켜 스스로 선택한 방법과 장소에서 즉각 거대한 보복력으로 반격한다는 미국의 전략을 의미한다. 1950년대 후반에 핵무기의 독점시대가 막을 내리자 미국이 최초로 채택한 전략으로서 다른 나라에 비해 절대우위의 전략무기를 보유했던 데서 비롯된 것이다. 아이젠하워 대통령 시대에는 한때 뉴룩(New Look) 전략이라 하였으나, 1954년 덜레스(J. F. Dulles) 국무장관의 연설로 인해 대량보복(mass retaliation)전략으로 이름이 바뀌었다. 이후 소련도 핵무기를 보유하게 됨으로써 미국의 전략무기가 절대적으로 우위였던 시대가 지나자 일방적 억지가 상호 억지 관계로 변하여 갔고, 대량보복(mass retaliation)전략은 1958년 이후에는 단계적 억지전략으로 수정되었다.

답 ②

006 핵무기 출현에 따른 국제정치 이론 또는 법칙의 수정 내용으로 옳지 않은 것은?　　2008년 외무영사직

□□□

① 핵무기의 등장은 동맹국의 참전 가능성을 높여 동맹의 신뢰성을 높이는 효과를 가져왔다.

② 핵 시대에는 힘이 열세인 경우에도 억지(deterrence)가 가능하기 때문에 핵보유 국가 간에 군사력의 양적 균형을 꼭 유지할 필요성은 감소하였다.

③ 핵무기는 방어능력과 공격능력을 구분하지 않는 전통적 군사이론의 현실성에 의문을 제기하였다.

④ 핵무기의 등장은 힘 또는 군사력이 사용되기 위해 존재한다는 가정을 바꾸어 놓았다.

> **정답 및 해설**
>
> 재래식 전쟁(conventional war)에서는 동맹국의 사전 억지전력이 곧 사후 방어전력으로 전환되는 경우가 대부분이다. 즉 사전 억지 실패 시 동맹국은 바로 그 억지전력을 위험에 처한 다른 동맹에 대한 방어전력으로 동원한다. 그러나 핵무기 출현에 따라 사전적 억지력과 사후적 방어력 간에 괴리가 나타나게 되었다. 억지가 실패하더라도 만약 동맹국을 침략한 국가가 핵보유국이라면 동맹국을 방어하기 위해 자국의 전력을 동원하기가 쉽지 않게 된다. 핵전쟁 발발의 위험을 무릅써야 하기 때문이다. 즉 핵무기의 등장은 동맹국의 참전 가능성을 높이기보다는 낮추게 된다.
>
> **✓ 선지분석**
>
> ② 핵무기는 leveling weapon이라고 불린다. 즉 국가 간의 군사력을 평준화시키는 무기라는 것이다. 핵무기를 보유하게 된다면 핵이 갖는 특유의 억지력으로 인하여 재래식 전력과는 관계없이 억지가 가능하게 된다. 단 이를 위해서는 핵무기 보유 이외에 제2차 공격능력의 확보가 가장 중요한 문제가 된다. 제2차 공격능력(second-strike capability)이란 적의 핵 선제공격으로 인한 심각한 피해에도 불구하고 보복 핵공격을 가할 수 있는 능력을 말한다.
>
> ③, ④ 핵무기는 가공할만한 파괴력때문에 일반적으로 '사용할 수 없는 무기'라고 한다. 현대 기술로 만들어진 최신 핵무기는 1945년 일본 히로시마에 투하된 핵폭탄(little boy)의 수천~수만 배에 이르는 파괴력을 갖고 있다. 즉 핵무기는 단지 억지력만을 위한 방어무기(전략무기)일 뿐 공격무기는 아니라는 것이다. 사용이 도저히 불가능하다고 여겨지기 때문이다. 이러한 특성을 갖는 핵무기는 방어능력과 공격능력을 구분하지 않는 전통적 군사이론에 의문을 제기하였다.
>
> 답 ①

007 핵억지전략과 관련이 없는 것은?

□□□

① 제1차 공격능력(the first strike capability)

② 제2차 공격능력(the second strike capability)

③ 잠재력 가능성(potential power possibility)

④ 대민간시설공격전략(counter-value strategy)

> **정답 및 해설**
>
> **✓ 선지분석**
>
> ①, ② 군사적 공격에는 제1차 공격능력과 제2차 공격능력이 있다. 제1차 공격능력은 공격국가가 상대방을 공격하여 최소한의 피해만으로 상대방의 제2차 공격능력, 즉 보복공격 능력을 완전히 파괴할 수 있는 능력을 말한다. 반면에 제2차 공격능력은 적의 선제공격으로 인한 심각한 피해에도 불구하고 보복공격을 가할 수 있는 능력을 의미한다. 핵 억지력이 작용하기 위해서는 모든 국가는 확실한 제2차 공격능력을 가져야 한다. 제2차 공격능력은 선제공격을 가하는 국가도 보복공격에 의해 공멸하게 됨으로써, 그리고 선제공격을 가하려고 하는 국가의 공격의도를 저지시킴으로써 전쟁 발발을 억지하게 되는 것이다(『국제정세의 이해』(제3개정판), 유현석, 2010, p.168~169). 핵억지전략에서는 제1차공격능력보다 제2차 공격능력의 보유 여부가 관건이 된다.
>
> ④ 대민간시설공격전략(counter-value strategy)이란 제1차 공격의 목표를 일반시민이나 산업단지로 하는 전략을 말한다. 이 전략의 목표는 한번에 많은 적국 국민을 살상함으로써 적국 지도자로 하여금 반격을 할 의욕을 상실시키는 한편, 참을 수 없을 정도의 피해를 가하는 데 있다. 한편, 대군사시설공격전략(counter-force strategy)이란 제1차 공격의 목표를 적국의 핵무기 파괴에 두는 것이다. 즉 적국의 제2차 공격능력을 상실시키는 데 그 목적이 있다(『국제정치의 이해』, 박상식, 2005, p.291).
>
> 답 ③

008 다음 중 핵억지이론과 핵억지전략에 대한 설명 중 옳지 않은 것은?

① '억지'란 상대국가의 '행동의 중지'를 의미하면서 동시에 공포심을 유발시키는 '심리적 차원'도 동원된다.

② 의사전달, 능력, 합리성, 신빙성이란 억지조건 중 어느 하나라도 불만족시 억지가 실패할 수 있다.

③ MAD란 '대량보복전략'을 의미한다.

④ 핵무기의 3지주체제(TRIAD)란 전술핵, 전략핵, 비핵전력을 의미한다.

> **정답 및 해설**
>
> MAD는 Mutual Assured Destruction의 약자로 '상호확증파괴'를 말한다. 미국이 봉쇄전략과 대량보복전략에 이어 채택한 전략 개념으로, 1950년대 말 아이젠하워 대통령에 의해 채택되었다. 상대방이 공격을 해오면 미사일이 도달하기 전 또는 도달 후 생존해 있는 보복력을 이용해 상대방도 절멸시키는 전략을 말한다. 이 전략 개념은 선제공격으로 완전한 승리를 하기보다는 핵무기를 사용하지 않기 위해 행하는 전략, 즉 핵전쟁이 일어나면 누구도 승리할 수 없다는 전제 아래 행하는 핵억지전략이다. 따라서 핵무기는 사용하기 위해 생산하는 것이 아니라 사용하지 않기 위해 생산하는 억지 무기로서, 상대국의 국민과 사회 그 자체를 볼모로 삼는 도시대응 무기 전략(counter-value strategy)이다. 이 때문에 합리적이고 이성적인 지도자라면 상호 절멸을 의미하는 핵 공격을 감행할 수가 없다.
>
> 답 ③

009 다음 중 억지의 성공조건을 설명한 것으로 옳지 않은 것은?

① 도전국과 방어국은 모두 합리적 행위자로서 개전시의 기대이익과 기대비용 및 확률에 대해 명확하게 계산할 수 있다고 가정한다.

② 상대방이 전쟁을 도발하는 경우 상대방에게 '감당할 수 없는 피해'를 줄 수 있는 능력이 있어야 한다.

③ 억지가 성공하기 위해서는 방어국의 방어 및 보복의지에 대해 도전국이 신뢰해야 한다.

④ 개별 국가의 국내 정치체제가 민주정이어야 한다.

> **정답 및 해설**
>
> 억지의 성공을 위해 개별 국가의 국내 정치체제가 민주정일 필요는 없으며, 이는 민주평화론의 주장이다.
>
> **⊘ 선지분석**
> ① 행위자의 합리성가정이라 한다.
> ② 보복능력이라 하며 상대방이 소중하게 여기는 것을 파괴할 수 있는 능력을 말한다. 억지의 효과를 높이기 위해서는 적극적 보복능력을 갖추어야 한다.
> ③ 즉 도전국이 침략을 강행할 때 상대국이 반드시 이에 상응하는 대가를 치르게 될 것이라는 것을 도전국에게 믿도록 하는 일이 반드시 필요한 것이다.
>
> 답 ④

010 다음 설명에 해당하는 억지전략으로 옳은 것은?

□□□

> 이 억지에는 미국이 일본이나 한국 등 동맹국에 제공하는 '핵우산(nuclear umbrella)'이 해당한다. 평시에 제3국(동맹국)에 대한 공격이 발생할 때 발동하는 억지전략을 뜻한다. 자국의 동맹국에 대해 공격을 가할 경우 이를 자국에 대한 공격으로 간주하겠다고 위협하여 동맹국에 대한 공격을 억지하는 방안이다.

① 직접 - 일반억지

② 확대 - 일반억지

③ 직접 - 긴급억지

④ 확대 - 긴급억지

정답 및 해설

공격 대상이 자국일 경우의 억지를 직접억지, 제3국(동맹국)일 경우를 확대억지라고 한다. 또한 평시의 억지를 일반억지, 위기상황(전시)에서의 억지를 긴급억지라고 한다. 따라서 평시에 동맹국에 대한 공격이 발생할 경우 발동하는 억지는 확대 - 일반억지이다.

답 ②

011 억지의 유형에 대한 설명으로 옳지 않은 것은?

□□□

① 재래식 무기체계를 이용한 억지를 재래식 억지, 핵무기 출현 이후 핵을 이용한 억지를 핵 억지라 한다.

② 잠재적 도전국의 공격 대상이 자국일 경우를 직접억지(direct deterrence)라 하고, 공격의 대상이 제3국인 경우를 확대억지(extended deterrence)라 한다.

③ 평시의 억지를 일반억지(general deterrence), 위기상황에서의 억지를 긴급억지(immediate deterrence)라 한다.

④ 미국이 일본이나 한국 등 동맹국에 제공하는 '핵우산'(nuclear umbrella)은 직접 - 일반억지에 해당한다.

정답 및 해설

직접 - 일반억지가 아니라 확대 - 일반억지에 해당한다.

✓ 선지분석

① 재래식 억지와 핵 억지의 가장 큰 차이는 억지 실패 시 억지에 사용되었던 무기체계를 방어용으로 사용할 수 있는가 하는 점이다. 재래식 억지에서는 재래식 무기체계가 억지 실패시 바로 방어에 투입될 수 있다. 그러나 핵 억지에서는 핵무기의 가공할 파괴력으로 인해 핵의 사용이 곧 상대의 핵보복을 초래하는 자살행위로 인식되기 때문에 억지용 무기체계가 방어용으로 전환되기 어렵다는 특징이 있다.

답 ④

012 확장억지(extended deterrence)에 관한 설명으로 옳은 것만을 모두 고른 것은?

☐☐☐

> ㄱ. 확장억지가 달성되기 위해서는 직접억지와 마찬가지로 행위자의 합리성이 전제되어야 한다.
> ㄴ. 재래식 억지와 핵억지는 신뢰성과 효과성에서 차이가 있다. 재래식 억지는 핵억지에 비해 효과성은 높으나 신뢰성이 떨어진다는 단점이 있다.
> ㄷ. 억지를 위해서는 능력이 요구되며, 거부능력과 보복능력이 있다. 거부능력은 상대방이 소중하게 여기는 것을 파괴할 수 있는 능력이고, 보복능력은 상대방의 의도를 무력화시키는 소극적 능력을 말한다.
> ㄹ. 확대억지의 성공을 위해서는 방어국의 이익이 중요하다. 이익은 실질적 이익과 상황전략적 이익이 있으며 상황전략적 이익은 방어국의 기존 동맹국 수에 비례한다.
> ㅁ. 청중비용(audience cost)이 높을수록 잠재적 침략국에 대한 보복의 신빙성을 높인다.

① ㄱ, ㄴ, ㄷ   ② ㄱ, ㄹ, ㅁ
③ ㄴ, ㄷ, ㅁ   ④ ㄷ, ㄹ, ㅁ

정답 및 해설

확장억지(extended deterrence)에 관한 설명으로 옳은 것은 ㄱ, ㄹ, ㅁ이다.

ㄹ. 상황전략적 이익은 개입상황에서 개입을 회피할 경우 입는 타격의 정도를 말한다. 기존 동맹국의 수가 많을수록 타격을 크게 받을 것이므로 동맹국 수가 많을수록 상황전략적 이익도 확대된다.

ㅁ. 청중비용(audience cost)은 지도자가 자신이 한 공약을 지키지 않았을 때 유권자들로부터 신뢰를 상실하는 정도를 의미한다. 민주국의 지도자에게 있어서 청중비용이 상대적으로 크다. 자신의 공약을 지키지 않을 경우 유권자들로부터 심판을 받아 다음 선거에서 패배할 가능성이 높기 때문이다. 따라서 민주국의 지도자의 발언은 비민주국이나 상대방 지도자에게 신뢰성을 높여줄 가능성이 크다.

✅ 선지분석

ㄴ. 재래식 억지는 효과성은 상대적으로 낮으나 신뢰성이 높다. 즉, 1차 공격을 받을 경우 반드시 공격할 것이라는 확신을 잠재적 침략국에게 보다 확실하게 심어줄 수 있다. 반면, 핵억지의 경우 그 파괴력이 크기 때문에 실제로 사용되지 않을 것이라는 생각을 잠재적 침략국에게 심어주어 신뢰성이 상대적으로 약하다. 반면, 효과성 차원에서 핵무기는 재래식 무기를 압도한다.

ㄷ. 상대방의 의도를 무력화시키는 능력을 거부능력, 상대방이 소중하게 여기는 것을 2차 공격을 통해 파괴할 수 있는 능력을 보복능력이라고 한다.

답 ②

---

013 확대억지의 성공과 방어국의 이익을 설명한 것으로 옳지 않은 것은?

☐☐☐

① 제3국에 대한 확대억지의 성공 여부는 방어국이 유사시 개입하여 피보호국을 성공적으로 방위할 수 있는 능력과 개입하여 지키거나 혹은 개입하지 않음으로써 희생해야 하는 방어국의 국가이익의 함수이다.

② 억지상황에서 방어국의 이익은 크게 실질적 이익과 상황 전략적 이익이 있다.

③ 실질적 이익은 피보호국이 지니는 본질적 가치와 수단적 가치에 의해 결정되며, 상황전략적 이익이란 문제의 사안이 다른 사안에 대해 미치는 영향을 의미한다.

④ 상황전략적 이익은 실질적 이익과 직접적인 관련은 없다고 볼 수 있다.

상황전략적 이익은 실질적 이익에 비례한다. 즉, 실질적 이익이 큼에도 불구하고 개입하지 않는 경우 상황전략적 이익을 크게 손상시킨다는 것이다. 예컨대, 소련이 독일에 대해 공격을 해도 미국이 개입하지 않으면, 잠재적 공격국은 미국이 독일만큼 중요하지 않은 모든 나라에 대한 방위공약 역시 준수하지 않을 것으로 믿게 된다.

☑ 선지분석

① 특히 억지상황에서 방어국이 가지는 이익의 구조가 중요하다.

② 실질적 이익은 피보호국이 지니는 본질적 가치와 수단적 가치에 의해 결정된다. 본질적 가치란 피보호국이 그 자체로서 방어국에 대해 가지는 가치로 정치경제적 유대 등을 말한다. 수단적 가치는 피보호국이 방어국의 기타 본질적 이익을 지키는 데 유용할 수 있는 가치를 말한다.

③ 억지의 상황에서 개입하지 않는 경우 방어국은 두 가지 차원에서 상황전략적 이익을 잃게 된다. 첫째, 잠재적 적국이 다른 상황에서 시도할 수 있는 도전을 억지하지 못한다. 둘째, 동맹국들을 안심시킬 수 있는 정치적 가치를 손상시킨다.

답 ④

014 미국의 핵억지 전략에 대한 설명으로 옳지 않은 것은?

□□□

① 억지이론의 틀을 이루고 있는 기본전제와 가정 및 주요 용어들은 미국적 사고의 산물이며, 억지이론의 발전 역사는 미국의 핵전략의 발전 역사와 궤를 같이해 왔다.

② 단순핵억지(simple nuclear deterrence)란 제2차 세계대전 종결 당시 미국만이 핵을 독점적으로 보유하던 시기의 전략이다.

③ 대량보복전략(Massive Retaliation Strategy)이란 소련이 핵무기를 보유하기 시작한 1950년대 초기 아이젠하워 행정부에서 제시된 전략이다.

④ 1961년 케네디 대통령은 기존의 핵억지전략인 대량보복전략을 폐기하고 '상호확증파괴전략(Mutual Assured Destruction Strategy)'을 제시하였다. 상호확증파괴전략은 분쟁이 발발하는 초기 공격의 수준과 같은 수준으로 대응하는 전략이다.

정답 및 해설

케네디 대통령이 제시한 새로운 핵억지전략은 '상호확증파괴전략'이 아닌 '유연반응전략(Flexible Response Strategy)'이다. 유연반응전략은 분쟁이 발발하는 초기 공격의 수준과 같은 수준으로 대응하는 전략이다. 즉 재래식 공격을 가해 올 경우에는 재래식 군사방식으로, 핵공격을 가해 올 경우에는 핵공격으로 대응한다는 것이다.

☑ 선지분석

② 미국의 핵독점은 1945년부터 1949년까지 지속되었다.

③ 대량보복전략은 미국이 소련에 대해 상대적으로 핵우위에 있던 시기의 전략이었다. 그러나 대량보복전략은 소규모 재래식 공격을 억지하는 데는 미흡하다는 이유로 비판받았다.

답 ④

015 냉전기 핵전략에 대한 설명으로 옳지 않은 것은?

□□□

① 아이젠하워 행정부는 '대량보복전략'을 통해 소련 본토에 대한 대규모 핵공격을 통해 대응한다는 의사를 미리 보여줌으로써 유럽과 기타 주요 지역에서 발생하는 공산진영의 도발을 미연에 방지하고자 하였다.

② 케네디 정부는 '유연반응전략'을 제시하여 도발의 정도에 맞는 수준의 군사력을 신속하게 발동할 수 있도록 하여 다양한 형태의 공산 진영의 도발을 억지하고자 하였다.

③ '유연반응전략'은 존슨 정권에서도 계속 주창되었으나 1967년 NATO는 이 전략이 소련의 도발을 억지하는 데 충분하지 못하다고 보고 유연반응전략을 공식 폐기하였다.

④ 1960년대 후반 미국의 핵전략은 대가치 공격을 기축으로 하는 '확증파괴전략'으로 기울었다. 적으로부터 어떠한 형태의 선제공격을 받더라도 보복 공격에 의해 견디기 힘든 손해를 확실히 주는 능력을 보유하여 소련의 선제공격을 억지하고자 하였다.

정답 및 해설

1967년에 NATO도 유연반응전략을 채용하였다.

답 ③

016 상호확증파괴(Mutual Assured Destruction)전략에 대한 설명으로 옳지 않은 것은?

□□□

① 1960년대 들어 소련의 핵전력이 급격하게 신장되면서 미국의 대소 핵 우위가 사라지고 미국과 소련 모두 상대의 핵전력을 선제공격해서 제압할 수 없는 상황에서 제시된 전략이다.

② 상호확증파괴전략은 미국과 소련이 약 30년간 채택한 전략이었으나 핵군비경쟁을 가속화시켜 냉전체제를 불안정화시킨 주요인으로 평가되고 있다.

③ 상호확증파괴를 위해서는 핵무기의 은닉과 함께 상대방의 핵 공격을 방어할 수 있는 능력의 배제가 필요하다.

④ 미국은 1980년대에 들어서면서 상호확증파괴전략 대신 '전략방위구상'(Strategic Defense Initiative)을 추진하였다.

정답 및 해설

실제로 억지가 약 30년간 성공적으로 유지되었다는 점에서 주목할만한 전략이다.

 선지분석

① 상호확증파괴전략은 상호확증파괴상태를 구축함으로써 상호억지를 달성하는 전략을 말한다. 상호확증파괴상태란 상대방의 선제공격에서 남아있는 핵무기로 상대방에게 감당하기 어려운 피해를 정확히 줄 수 있는 능력을 쌍방 모두가 갖춘 상태를 말한다.

③ 어느 일방이라도 유도탄을 방어할 수 있는 탄도탄 방어시스템을 가지게 되면 공포의 균형(Balance of Terror)은 깨어지며 상호 핵억지 체제는 무너진다.

④ '전략방위구상'의 추진 배경은 미·소 핵균형이 깨져 미국에 의한 단순 핵억지를 가능하게 만드는 상태로 변화되었기 때문이다. 상호확증파괴상태가 붕괴되면서 결국 소련은 굴복하게 되었고 이에 따라 반세기동안 지속되었던 냉전도 종식되었다.

답 ②

017 다음은 미국의 핵억지전략의 변화 과정이다. 순서대로 바르게 나열한 것은?

> ㄱ. 중층적 억지(Layered Deterrence)
> ㄴ. 단순핵억지(Simple Nuclear Deterrence)
> ㄷ. 상호확증파괴전략(Mutual Assured Destruction Strategy)
> ㄹ. 대량보복전략(Massive Retaliation Strategy)
> ㅁ. 압도적 군사목표 타격전략(Prevailing Counterforce Strategy)

① ㄴ - ㄱ - ㄹ - ㄷ - ㅁ   ② ㄴ - ㄱ - ㅁ - ㄷ - ㄹ

③ ㄴ - ㄹ - ㄷ - ㅁ - ㄱ   ④ ㄴ - ㄹ - ㅁ - ㄱ - ㄷ

정답 및 해설

ㄴ. 제2차 세계대전 종전 당시 미국이 독점적으로 핵을 보유한 시기의 전략이다.

ㄹ. 소련이 핵무기를 보유하기 시작한 1950년대에 제시된 전략으로, 다양한 침략을 전면적 핵 보복전쟁 위협으로 억지하겠다는 전략이다.

ㄷ. 1960년대 소련의 핵 전력이 급신장하면서 제시된 전략이다. 상호확증파괴상태란, 상대방의 선제공격에서 살아남은 핵무기로 상대방이 감당하기 어려운 피해를 입힐 수 있는, 즉 제2차 공격 능력을 쌍방 모두가 갖춘 상태를 의미한다.

ㅁ. 1981년 레이건 정부 출범 시 제시된 전략으로, 핵전쟁이 수개월 이상 장기화될 경우를 대비하여 핵전쟁에서 압승하기 위한 전쟁수행전략이다.

ㄱ. 9 · 11 테러 이전 부시 행정부의 억지전략으로, 탈냉전시기 미국의 위협을 핵보유불량국가들로 새롭게 정의함으로써 새로운 시대에 새로운 위협에 대처하는 억지 개념이다.

답 ③

---

018 핵전략과 관련된 내용으로 옳지 않은 것만을 모두 고른 것은?

> ㄱ. 미국의 핵 군비는 자국과 동맹국에 대한 공격의 '억지(deterrence)'를 주요한 역할로 삼게 되었는데, 이에는 '거부적 억지'와 '보복적 억지'가 있다.
> ㄴ. '대량보복(Massive Retaliation)전략'의 한계를 인식한 닉슨 정권은 '유연반응(Flexible Response)전략'을 선택하였다.
> ㄷ. 억지에 주안점을 둔 미국의 핵전략은 케네디 정권의 '대량보복(Massive Retaliation)전략'에서 시작된다.
> ㄹ. 1970년대 미국의 핵전략은 '상호확증파괴'의 상황을 전제로 하면서도 대(對) 군사력 타격 능력을 더욱 적극적으로 추진하는 방향으로 진행되었다.

① ㄱ, ㄴ   ② ㄱ, ㄷ   ③ ㄴ, ㄷ   ④ ㄷ, ㄹ

정답 및 해설

핵전략과 관련된 내용으로 옳지 않은 것은 ㄴ, ㄷ이다.

ㄴ. 대량보복전략의 한계를 인식하고, 유연반응전략을 선택한 정권은 케네디 정권이다.

ㄷ. 대량보복전략을 선택한 것은 아이젠하워 정권이다.

⊘ 선지분석

ㄱ. 거부적 억지는 적이 목표를 달성하는 것을 저지하는 능력을 과시해서, 보복적 억지는 보복에 의해 적에게 막대한 타격을 줄 수 있다는 태세를 명확히 보임으로써 적에게 공격할 의도를 갖지 못하게 하는 것이다.

ㄹ. 1970년대 미국의 핵전략은 닉슨 정권의 '슐레진저 독트린(Schlesinger Doctrine)', 카터 정권의 '상쇄전략(Contervailing Strategy)'으로 구체화된다.

답 ③

019 다음 중 상호 관련성이 가장 낮은 것은?

☐☐☐
① 상호확증파괴(Mutually Assured Destruction)
② 스푸트니크 쇼크(Sputnik Shock)
③ 슐레신저 독트린(Schlesinger Doctrine)
④ 상쇄전략(Countervailing Strategy)

정답 및 해설

스푸트니크 쇼크(Sputnik Shock)는 소련이 1957년 인공위성 발사에 성공함으로써 미국을 비롯한 전 세계를 놀라게 한 것을 말한다. 이는 소련이 탄도미사일 개발에 있어서 앞서있음을 보여준 것이어서 이후 미국은 탄도미사일 개발을 서두르게 되었다.

 선지분석
① 미국과 소련이 모두 제2차 공격능력을 보유하여 상호 1차 공격을 억지하는 것을 말한다.
③, ④ 1970년대 미국의 핵전략으로서 상호확증파괴의 상황을 전제로 하면서도 대 군사력 타격 능력을 더욱 적극적으로 추진하는 것을 말한다.

답 ②

020 억지이론의 한계를 설명한 것으로 옳지 않은 것은?

☐☐☐
① 억지전략은 MD 전략에 비해 국민들로부터 전폭적인 지지를 유도하기가 용이하지만, 실제로 이를 지속하기는 어렵다는 한계가 있다.
② 억지이론은 억지의 성공조건의 하나로서 도전국과 방어국의 합리성을 전제한다. 그러나 인지심리학자들의 연구에 따르면 인간의 합리성에 제약을 가하는 다양한 심리적 기제들이 있다.
③ 억지이론은 기본적으로 근대 국가 상호간 전쟁과 평화를 분석하는 이론이기 때문에 국가행위자 – 비국가 행위자 간 상호작용을 분석하는 이론으로서는 한계가 있다.
④ 핵억지가 달성된 상황에서도 우발적 핵전쟁의 위험을 배제할 수 없다.

정답 및 해설

국민들로부터 지지를 받기가 어렵다는 국내정치적 제약에 직면하여 지속되기 어려운 측면이 있다. 예컨대, 미국의 부시 행정부는 적극적으로 미사일방어(MD)전략을 추진하였는데, 이는 상호확증파괴전략을 무력화시키는 전략이다. 그럼에도 불구하고 적극 추진했던 것은 MD전략에 대한 국민들의 정치적 지지 때문이라 볼 수 있다.

 선지분석
③ 테러세력과 같은 비국가행위자들이 비용과 편익의 분석에 기초하여 행위하는 합리적 행위자라고 보기는 힘들다.
④ 컴퓨터가 핵무기를 통제하는 시스템이 구축되면서, 상대방의 공격에 대한 대응과 보복에 대한 결정은 불가피하게 컴퓨터의 기계적 신속성에 의지하게 되며 이러한 전쟁 발발과 수행의 컴퓨터화는 잘못된 정보에 의한 핵전쟁 발발의 가능성을 높인다. 즉, 컴퓨터가 실제로는 상대방으로부터의 핵공격이 아닌데도 잘못된 공격정보를 띄움으로써 전쟁 상태로 자동 돌입하게 될 가능성이 높다. 또한 컴퓨터는 인간의 감성을 가지고 있지 않기 때문에 인간의 정서나 두려움으로 인한 핵무기 사용의 주저 따위는 있을 수 없다. 무자비하고 기계적인 핵공격 가능성은 인간에 의한 결정체제에서보다 컴퓨터화된 위기관리체제에서 더 높아진다는 것이다.

답 ①

021

핵전쟁을 막기 위해 미국이 사용한 핵억지전략에 대한 설명으로 옳지 않은 것은?

① 대량보복전략: 미국이 소련에 대해 핵우위에 있을 때 사용가능했던 전략
② 유연반응전략: 초기 공격에 대해서 유연하고 다양한 수준으로 보복공격하는 것이다. 같은 수준의 공격이라도 때마다 보복 수준이 변화한다.
③ 상호확증파괴전략: 미국과 소련 모두 제2차 공격능력을 보유하고, 서로의 핵무기의 은닉과 함께 상대방의 제1공격에 모든 것이 파괴되지 않아야 한다.
④ 압도적 군사목표 타격전략: 수개월 이상의 장기적 핵전쟁에 대비한 전략방어구상(SDI)에 기초한 전략

정답 및 해설

유연반응전략은 초기 공격 수준과 같은 수준으로 대응하는 전략을 말한다.

✅ 선지분석

① 대량보복전략은 1950년대 아이젠하워 행정부가 시행한 것으로, 다양한 형태의 침략을 전면적 핵 보복전쟁 위협으로 대처하는 것이다.
③ 상호확증파괴(MAD)전략은 상대방의 선제공격에서 무사히 남은 핵무기로 상대방에게 감당하기 어려운 피해를 정확히 줄 수 있는 능력을 쌍방 모두가 갖춘 상태를 말한다. 이로써 서로 간에 억지가 달성된다.
④ 압도적인 군사목표 타격전략은 80년대 레이건 행정부가 시행한 것으로, 위성체계와 레이저 등을 이용해 미사일을 비행단계에서 파괴하는 것이 목표이다.

답 ②

022

억지이론(deterrence theory)에 관한 설명으로 옳지 않은 것은?   2014년 외무영사직

① 핵전쟁을 억지하기 위해서는 2차 보복능력이 중요하다.
② 확장억지는 핵무기 비보유국이 핵보유국의 동맹국을 공격 하더라도 재래식 무기로만 대응한다는 것이다.
③ 냉전시대 미·소는 핵전쟁 억지를 위해 대륙간 탄도미사일과 잠수함 탄도미사일을 2차 보복능력의 핵심 전력으로 개발했다.
④ 유연반응전략은 핵능력이 있는 적대국이 재래식 무기로 공격 하더라도 상황에 따라 적대국에 핵무기로 대응할 수 있다는 전략이다.

정답 및 해설

확장억지란 동맹국에 대한 적대국의 공격을 억지하는 것을 말한다. 북한의 한국에 대한 공격을 미국이 억지하는 것을 예로 들 수 있다.

✅ 선지분석

④ 유연반응전략은 공격국의 공격수단이나 공격 수준에 따라 유연하게 대응하는 전략이다. 대체로 재래식 공격에 대해서는 재래식 무기를 통해 억지하나, 제한적 핵공격을 통해 억지할 수도 있다.

답 ②

023 억지정책의 핵심 요소에 해당하지 않는 것은?

① 상대방에게 군사적 보복을 가할 수 있는 군사력 보유
② 군사적 보복을 실행할 의지에 대한 상대방의 믿음
③ 상대방의 공격력을 선제적으로 무력화하는 군사력 보유
④ 군사적 보복을 실행할 의지를 상대방이 믿도록 하는 소통 능력

정답 및 해설

억지는 1차 공격을 받는 경우 2차 공격으로 보복을 할 것으로 위협하여 1차 공격을 제어하는 것이다. 따라서 선제적으로 무력화하는 군사력보다는 2차 공격 능력의 보유 여부가 중요하다.

답 ③

024 미국의 핵전략에 대한 설명으로 옳은 것은 모두 몇 개인가?

> ㄱ. 아이젠하워 행정부의 대량보복전략은 소련의 소규모 재래식 공격에 대해서도 소련의 도시에 대해 핵공격을 감행한다는 점을 상정하여 억지의 신빙성을 높였다.
> ㄴ. 케네디 행정부의 유연반응전략은 분쟁이 발발하는 초기 공격 수준과 같은 수준으로 대응하는 전략으로서 핵억지의 신빙성보다는 효과성을 높이는 데 초점을 둔 전략이었다.
> ㄷ. 레이건 행정부의 압도적 군사목표 타격전략(Prevailing Counterforce Strategy)은 거부능력보다는 응징능력을 강화하는 전략이었다.
> ㄹ. 클린턴 행정부는 적응계획을 제시하고 불량국가들을 핵 공격의 표적으로 삼기 시작했다.
> ㅁ. 부시 행정부는 9·11 테러 이후 중층적 억지(Layered Deterrence)전략을 제시하고 대상국가의 핵개발 단계에 맞춰 단념, 좌절, 억지, 선제공격으로 구분하여 대응하였다.

① 1개   ② 2개
③ 3개   ④ 4개

정답 및 해설

미국의 핵전략에 대한 설명으로 옳은 것은 ㄹ로, 1개이다.

✅ **선지분석**

ㄱ. 소규모 재래식 공격에 대해 도시에 대한 대량보복을 상정함으로써 신빙성을 떨어뜨렸다.
ㄴ. 신빙성을 높이고자 한 것이다.
ㄷ. 거부능력를 강화한 것이다. 거부능력이란 상대방의 의도를 무력화시키는 소극적 능력을 말한다. 보복능력은 상대방이 소중히 여기는 것을 파괴할 수 있는 능력.
ㅁ. 중층적 억지는 단념, 좌절, 억지로만 구성된다. 선제공격은 9·11테러 이후 전략이다.

답 ①

제5절 | 국제체제이론

001

□□□

카플란은 변수의 통합 정도에 따라 이론적으로 여섯 가지 국제체제 상태가 가능하다고 분류하고 있다. 다음 설명과 국제체제 모델명을 바르게 짝지은 것은?

> ㄱ. 다수의 강대국이 국제정치행위자로 존재하는 체제로, 18~19세기 유럽에 존재했던 체제이다.
> ㄴ. 모든 인류가 하나의 세계 정부를 수립했을 때 가능한 체제로서, 중앙기구가 국가를 통하지 않고 직접 개인에게 작용하는 체제이다.
> ㄷ. 모든 국가들이 자국 이익만을 추구하지만 이를 규제할 장치가 존재하지 않는 체제이다. 모든 단위국가가 외부위협에 저항할 수 있을 때 체제가 안정된다. 아직 존재한 적이 없으나 핵확산으로 핵보유국이 증가한다면 존재할 수 있는 체제이다.
> ㄹ. 국가단위의 행위자는 물론 권위적인 국제기구 등의 보편적 행위자로 구성되는 체제이다. 블록을 형성하고 있는 2개의 국가군의 대결에 제3의 행위주체가 중재역할을 하면서 전체의 균형을 유지하는 체제이다.

① ㄱ - 경직된 양극체제
② ㄴ - 위계적 국제체제
③ ㄷ - 세력균형체제
④ ㄹ - 단위거부 국제체제

정답 및 해설

카플란의 분류에 따르면, 국제체제는 세력균형체제, 완만한 양극체제, 경직된 양극체제, 보편적 국제체제, 위계적 국제체제, 단위거부 국제체제가 있다.

✅ 선지분석

ㄱ. 세력균형체제에 대한 설명이다.
ㄷ. 단위거부 국제체제에 대한 설명이다.
ㄹ. 완만한 양극체제에 대한 설명이다.

답 ②

002

□□□

'극성(Polarity)'과 '안정성(stability)'에 관한 설명으로 옳지 않은 것은?

① 도이치(K. Deutsch), 싱어(D. Singer), 카플란(M. Kaplan) 등은 다극체계안정론자이다.
② 다극체계안정론자들은 강대국 간 상호연합 형성의 용이, 균형자 존재 용이, 상호작용기회의 증가로 복수적 교차압력 등을 근거로 제시한다.
③ 싱어(Singer)와 도이치(Deutsch)는 상호작용기회의 증가로 '관심수준'이 높아지므로 안정적이라 한다.
④ 왈츠(Waltz)는 강대국 수가 감소하면 '오산' 가능성의 감소, 주변부의 부존재, 경쟁원인 파악의 용이함, 위기상황의 상존으로 오히려 안정적이라 주장한다.

정답 및 해설

싱어(Singer)와 도이치(Deutsch)에 따르면 다극체계는 국가들 간 상호작용기회의 증가로 관심수준(attention)이 낮아져서 안정적이라고 한다. 전쟁을 시작할 정도로 적대적이라면 국가들은 서로에 상당한 정도의 주의를 쏟아야 하나, 다극체계에서 국가들은 서로에 주의를 덜 쏟는다. 다시 말해 관심수준이 낮아진다. 다극체계에서 국가 A는 국가 B뿐만 아니라 국가 C, D, E 등에도 신경을 써야만 하기 때문에 B에만 모든 에너지를 쏟아부을 수는 없다. 이는 전쟁가능성의 하락으로 이어지고 국제체계는 더욱 안정적이 된다고 한다.

답 ③

003 극성(Polarity)과 안정성(Stability)에 대한 학자들의 주장으로 옳지 않은 것은?

① 길핀(R. Gilpin): 패권이라는 단극이 존재할 때가 가장 안정적이라고 주장하였다.

② 왈츠(K. Waltz): 양극체제가 가장 안정적이므로 냉전이 더 길게 지속될 것을 예상했다.

③ 도이치(K. Deutsch): 단극이 안정적인데, 이는 19세기 영국의 패권적 세력균형에서 확인 가능하다고 주장하였다.

④ 로즈크랜스(R. Rosecrance): 양다극체제를 지지하는데, 이는 초강대국 2개국과 그 진영 내 몇 개의 강대국이 존재하는 상황을 말한다.

정답 및 해설

도이치(K. Deutsch)는 다극체제 안정론을 주장하였다.

⊘ 선지분석

① 길핀(R. Gilpin)은 패권안정론을 주장한 대표적 패권이론 학자이다.

② 왈츠(K. Waltz)는 탈냉전 이후에 일시적 단극이 유지되지만 결국 양극으로 돌아갈 것으로 예측한다.

④ 로즈크랜스(R. Rosecrance)가 상정하는 세계는 과거 냉전기와 비슷한 상황을 떠올리면 쉽다.

답 ③

004 양극체제 안정론과 관계있는 것만을 모두 고른 것은?

ㄱ. 1945년 이후의 '긴 평화(long peace)'

ㄴ. '공포의 균형(balance of terror)'에 의해서도 가능하다는 의견

ㄷ. 관념과 행위자의 상호 구성성

ㄹ. 미어샤이머와 담론을 통한 안정의 도모

ㅁ. 왈츠의 '신중함(caution)', '확실성(certainty)'

① ㄴ, ㅁ

② ㄱ, ㄴ, ㄹ

③ ㄱ, ㄴ, ㅁ

④ ㄱ, ㄷ, ㄹ

정답 및 해설

ㄱ. 양극체제 안정론자들은 1945년 이후 소련의 붕괴가 있을 때까지의 기간을 '긴 평화'가 지속된 기간으로 바라보고 무엇이 이를 가능하게 했는가를 연구하고자 했다.

ㄴ. 양극체제는 부단한 압력과 위기로 특징지어지며, 이러한 상황에서는 어떠한 전쟁도 완전한 상호파괴에 이를 수 있는 전면전으로 이어질 수 있기 때문에 초강대국 사이 혹은 그들의 주된 동맹국들 사이에 전쟁이 발생하지 않는데, 이와 같은 상황을 두고 양극체제의 안정은 공포의 균형에 의해 가능하다고 말한다.

ㅁ. 왈츠는 양극체제 안정론의 근거로 '신중함'을 들었는데, 양극체제는 갈등으로 인한 위기의 정도가 강함으로 인해 오히려 양극의 행위자들이 신중성을 갖게 되고 행동이 조심스러워져 큰 전쟁은 결코 일어나지 않는다고 보았다. 또 왈츠는 전쟁은 오인이나 오산에 의해 발생하는데 양극체제는 행위자의 수가 적은 단순한 구조를 가지고 있어서 오인이나 오산의 가능성이 상대적으로 적다고 하였다.

답 ③

005 극성과 안정에 관한 이론들에 대한 설명으로 옳은 것은?

□□□

① 단극체제 안정론: 패권안정론이라고도 불리며, 주요 학자는 길핀(R. Gilpin), 오건스키(A. F. K. Organski), 코헤인(R. Keohane) 등이 있다.

② 다극체제 안정론: 다극 체제에서 개개 국가들은 여러 이해관계가 복잡하게 얽혀 있어 행동이 온건해지며 이를 통해 세력균형이 일어날 수 있다는 이론이다. 모겐소(H. J. Morgenthau) 등이 주장했다.

③ 양극체제 안정론: 대표적인 주장자는 미어샤이머(J. Mearsheimer), 왈츠(K. Waltz)이다. 이들은 양극체제가 너무나 경직되고 경쟁적이어서 긴장을 가져올 수도 있다고 주장했다.

④ 양다극체제 안정론: 호프만(S. Hoffmann)이 주장하였다.

정답 및 해설

☑ 선지분석

① 코헤인(R. Keohane)은 단극체제 안정론에 포함되지 않는다.

③ 미어샤이머(J. Mearsheimer)와 왈츠(K. Waltz) 등은 양극체제가 경직된다는 주장에 맞서 긴 냉전 시기에 이뤄진 평화를 주장하였다.

④ 양다극체제 안정론은 두 개의 초강대국과 다수의 강대국으로 구성된 체제를 일컬으며, 강대국 간의 분쟁을 초강대국이 중재하고, 초강대국 간의 분쟁을 강대국이 협력하여 견제함으로써 전쟁이 일어나지 않는다고 본다. 로즈크랜스(R. Rosecrance)가 주장했다.

답 ②

제6절 | 구조적 현실주의

001 신현실주의에 대한 설명으로 옳지 않은 것은?

2017년 외무영사직

□□□

① 무정부 상태에서 권력(power)이 국가의 궁극적 목표라고 가정한다.

② 국제체제의 구조가 개별 국가의 행동을 비슷하게 만든다고 주장한다.

③ 국가 간 상호 작용이 국제체제를 변화시키기 어렵다고 가정한다.

④ 국제체제 차원에서 능력 분포(distribution of capabilities)를 중시한다.

정답 및 해설

미어샤이머의 입장을 고려하면 반드시 틀리다고 보기 어렵지만, 다른 지문을 보면 대체로 왈츠의 견해를 전제로 하고 있다고 볼 수 있으므로, '안보'를 목표로 한다고 봐야 한다. 오답시비가 있어 보이나, 상대적으로 그리고 출제위원관점에서 보자면 왈츠에 대한 견해가 아닌 것을 골라야 할 것 같다.

답 ①

002 국제정치이론과 그 내용이 바르게 연결되지 않은 것은?

① 신기능주의 – 정치를 다원주의적 관점에서 파악하며, 다원주의적 정치동학이 국가수준 뿐만 아니라 초국가적 수준에서도 발현될 수 있다고 본다.

② 합리적 제도주의 – 기능주의적 통합이론과 신자유주의를 단초로 하는 합리적 제도주의는 구성원들의 행위에 대한 규제적 측면에 초점을 둔다.

③ 신현실주의 – 케네스 왈츠(Kenneth Waltz)에 따르면 무정부적 국제체제 하에서 자조(self-help)를 기본행동원칙으로 하는 국가들은 국가 간 협력의 상대적 이득(relative gains)보다는 절대적 이득(absolute gains) 자체를 우선적으로 고려한다.

④ 게임이론 – 둘 이상의 참가자가 제한된 정보 하에서 승부를 겨룰 때, 상대방의 행동을 예측하고 그에 대항하여 자신에게 가장 유리한 결과를 가져오는 행동을 선택하는 경쟁상태에서 가장 적합한 행동이 무엇인가를 수학적으로 다루는 이론이다.

정답 및 해설

상대적 이득을 고려한다고 본다. 이는 안보에 대한 고려에서 기인하는 것이다.

답 ③

003 국제정치이론 가운데 신현실주의(Neo-realism)의 등장배경으로 옳지 않은 것은?

① 1960년도 후반부터 1970년대에 이르는 국제정치 현실의 변화, 특히 미국과 소련 간의 데탕트로 전통적 현실주의가 타격을 받아 기존 현실주의의 수정이 불가피했다.

② 1970년대 말과 1980년대 초 이란의 미국 대사관 점거와 소련의 아프가니스탄 침공, 윌슨의 민족자결주의 발표 등 일련의 상황변화도 신현실주의 태동에 영향을 미쳤다.

③ 레이건 행정부 들어 본격화된 동서 간의 대립은 현실주의에 큰 힘을 실어주게 되었다.

④ 왈츠(K. Waltz)의 이전과는 다른 현실 인식이 모태가 되었다고 할 수 있다.

정답 및 해설

이란의 미국 대사관 점거, 소련의 아프가니스탄 침공의 예시는 옳지만, 윌슨의 민족자결주의는 신현실주의가 아니라 이상주의(Idealism)와 관련이 있다.

답 ②

004 다음 중 신현실주의의 가정을 설명한 것으로 옳지 않은 것은?

① 국가를 국제관계에 있어서 단일의 가장 중요한 행위자로 본다.

② 국가를 통합된 행위자로 간주한다.

③ 무정부란 정당한 권위가 부재한 상태를 의미할 뿐이라고 본다.

④ 국가는 냉철한 손익계산에 의해 이익의 극대화를 시도하고, 최선의 합리적인 정책을 추구하는 행위자로 본다.

정답 및 해설

신현실주의자들, 특히 공격적 현실주의자들이 가정하는 무정부란 정당한 권위가 부재한 상태를 의미할 뿐 아니라 홉스적 자연상태로서 전쟁상태(a state of war)로 보는 것이다.

⊘ 선지분석

① 이를 국가중심성 가정이라 한다.

② 이를 동질성 가정이라 한다. 즉, 주권국가를 다양한 이해관계를 갖고 있는 조직이나 개인 또는 집단으로 분절된 주체로 보지 않고, 국가는 국가이익을 위해 언제나 일치된 입장을 제시하는 주체로 본다.

④ 이를 합리성 가정이라 한다.

답 ③

005 국제정치학의 신현실주의(Neo-realism)와 관련이 적은 것은? 2011년 외무영사직

① 국가주권의 보전을 위한 최상의 기제는 군사력이며 그것이 타국의 안보에 위협을 주는 것은 불가피하다.

② 국가행위의 결과 얻어지는 이익 중 절대적 이익(absolute gains)보다는 상대적 이익(relative gains)을 중시한다.

③ 국제정치의 본질은 국제체제의 무정부성(anarchy)에 있고 이에 따른 불확실성을 효과적으로 관리하기 위하여 제도 창출은 불가피하다.

④ 국가를 원자적 행위자(atomic actor)보다는 위상적 행위자(positional actor)로 전제한다.

정답 및 해설

신현실주의자들은 국제정치의 불안정성이 국제체제의 무정부성에 있다는 점은 인정하되, 이를 관리하기 위한 제도의 창출은 무정부적 국제체제의 영향으로 보기 어렵다고 전망한다. 무정부체제에서 국가들은 상대방의 배반가능성이나 상대적 이득의 문제를 끊임없이 우려할 수밖에 없으므로 당초부터 국제제도 형성에는 소극적으로 본다.

⊘ 선지분석

② 절대적 이득은 비용을 능가하는 편익 자체를 의미하나, 상대적 이득은 이득의 배분을 의미한다.

④ 원자적 행위자는 국가 자체의 판단에 의해 자신의 행동을 선택한다는 의미이고, 위상적 행위자라는 것은 외부환경, 예컨대 국제구조 등의 영향을 강하게 받는 행위자라는 의미이다.

답 ③

006

신현실주의의 분파로서 방어적 신현실주의와 공격적 신현실주의에 관한 설명으로 옳지 않은 것은?

2010년 외무영사직

① 왈츠(K. Waltz)의 신현실주의는 방어적 신현실주의로 분류가능하고, 미어샤이머(J. Mearsheimer)의 신현실주의는 통상 공격적 신현실주의로 분류된다.

② 방어적 신현실주의가 국가를 힘의 극대화를 추구하는 존재로 보는 것과는 달리, 공격적 신현실주의는 국가를 안보의 극대화를 추구하는 존재로 간주한다.

③ 방어적 신현실주의는 국가가 방어적인 성격을 가지며 이 때문에 균형을 추구한다고 주장하나 공격적 신현실주의는 국가가 공격적인 성격을 가짐으로써 확장을 추구한다고 본다.

④ 공격적 신현실주의는 방어적 신현실주의에 비해 국제사회를 좀 더 경쟁적이고 비관적으로 바라본다.

정답 및 해설

방어적 신현실주의는 국가를 안보(security)의 극대화를 추구하는 존재로 본다. 반면, 공격적 현실주의는 국가가 '권력'의 극대화를 추구한다고 본다.

답 ②

007

다음 중 옳지 않은 것은?

2009년 외무영사직

① 신현실주의자들은 상대적인 힘, 안전보장, 경쟁적 국제체제에서 생존문제에 더 많은 관심을 갖는 반면, 신자유주의자들은 경제적 복지나 국제 정치경제, 국제 환경문제 등 비군사적 의제에 더 많은 관심을 갖는다.

② 콕스(R. Cox)는 신현실주의가 국제질서의 현상유지를 인정함으로써 현 세계질서를 정당화한다고 비판한다.

③ 신현실주의는 국가이익은 외생적으로 이미 주어진 것이라고 보는 유물론적 입장을 취하지만, 신자유주의와 구성주의는 국가이익은 국가 간 상호작용을 통해 내생되는 것이라고 주장하면서 관념론적 입장을 취한다.

④ 신현실주의와 신자유주의는 모두 국제체제가 무정부 상태이며 국제체제에서 국가가 가장 중요한 행위자라고 인정한다.

정답 및 해설

구성주의가 관념론적 입장을 취하며, 신자유주의자는 신현실주의와 같이 유물론적 입장을 취한다.

답 ③

008

국가안보에 관한 신현실주의의 주장과 부합하는 것만을 모두 고른 것은?

> ㄱ. 협력을 지향하는 제도 창출을 통해 국제관계의 무정부성에서 비롯되는 신뢰부재의 문제를 극복할 수 있다.
> ㄴ. 국가주권 보전을 위한 최상의 수단은 군사력이며 그것이 타국의 안보에 위협이 되는 것은 불가피하다.
> ㄷ. 국제분쟁의 본질적 원인은 국제구조보다는 개별국가의 특성에서 비롯된다.

① ㄴ
② ㄷ
③ ㄱ, ㄴ
④ ㄴ, ㄷ

ㄱ. 신자유주의적 제도주의의 주장이다.

ㄷ. 국제분쟁의 본질적 원인이 개별국가의 특성에서가 아니라 국제구조에서 비롯된다고 보았다.

답 ①

009 구조적 현실주의에 대한 설명으로 옳지 않은 것은?

① 왈츠(K. Waltz)의 구조적 현실주의 이론은 국제정치 현상을 분석함에 있어서 무정부라는 구조를 가장 중요한 원인으로 설명하는 이론이다.

② 고전적 현실주의 이론을 비롯한 국제정치이론들은 구조적 접근을 하지 않은 환원주의 이론들로서 보편타당한 설명을 제공해주는 지적 토대가 되지 못한다고 비판하였다.

③ 왈츠(K. Waltz)의 신현실주의에 대한 평가는 칭송보다는 비판이 주류를 이루었으나 이에 대한 다양하고 끊임없는 도전에도 불구하고 여전히 영향력을 유지하고 있다.

④ 국제경제 이슈를 분석에서 배제하고 국제협력이나 국제제도의 영향력을 의도적으로 무시하였다는 비판을 받는다.

국제경제 이슈나 국제협력의 영향력을 무시했다는 비판은 고전적 현실주의가 갖고 있던 문제점이다. 왈츠(K. Waltz)는 이러한 문제점에 대한 상호의존론자들의 비판을 수용하여 경제이슈나 국제협력문제에 있어서도 구조적 접근의 타당성을 보여주고자 하였다.

답 ④

010 다음 중 왈츠(Kenneth N. Waltz)의 주장으로 옳지 않은 것은?

① 왈츠(K. Waltz)는 1959년 『Man, the State and War』이라는 책을 통해 국제정치 현상의 설명에 있어서 국제체제에 초점을 두어야 한다는 점을 주장하였다.

② 왈츠(K. Waltz)는 국가들이 생존을 위해 내외부적으로 노력하는 과정에서 자동적으로 세력균형체제가 형성된다고 본다.

③ 왈츠(K. Waltz)는 국가들이 국제협력에서 상대적 이득(relative gains)이 아닌 절대적 이득(absolute gains)을 추구한다고 본다.

④ 왈츠(K. Waltz)는 상호의존이 증가할수록 국가 간 협력과 국제평화가 촉진될 것으로 보는 상호의존론을 비판한다.

절대적 이득이 아닌 상대적 이득을 추구한다고 본다. 따라서 협력이 두 국가 모두에게 절대적인 큰 이득을 준다고 해도 각자가 증가된 상대방의 능력이 어떻게 사용될 것인가를 우려하는 한 협력이 일어나지 않는다고 본다.

① 왈츠(K. Waltz)는 행위자의 속성이 변화함에도 불구하고 지속적이고 반복적으로 나타나는 국제정치 결과를 설명하기 위해서는 체제수준의 분석이 필요하다고 보았다.

④ 왈츠(K. Waltz)에 의하면 가장 치열한 내전과 가장 잔혹한 국제전은 관계가 매우 긴밀하며 상당한 유사성을 갖는 사람들이 거주하는 지역에서 발생했다.

답 ③

011 왈츠(K. Waltz)의 구조적 현실주의(Structural Realism)에 대한 설명으로 옳지 않은 것은?

□□□
① 전통적 현실주의와 행태적 현실주의를 환원주의(reductionism)로 비판하였다.
② 구조적 현실주의는 전통적 현실주의와 국가중심성, 동질성, 합리성 가정을 공유한다.
③ 체제란 구조와 일련의 상호작용하는 요소들로 이루어져 있으며, 구조는 과정(process)과 구별된다.
④ 국제체제에서 구성요소 간 기능이 분화되어 있으며 이러한 분화 정도는 국가권력능력의 배분에 의해 차이가 난다.

> **정답 및 해설**

국제체제는 구성요소 즉, 국가 간 기능이 분화되어 있지 않으며 이것이 국내 상황과 다른 점이다. 권력능력의 배분 정도는 극성(polarity)이라는 용어로 요약된다.

✅ **선지분석**
① 전통적 현실주의와 행태주의 모두 체제만으로 분석을 시도하지 않았으므로 환원주의로 비판받았다.
② 구조적 현실주의와 전통적 현실주의는 다수의 가정을 공유한다.
③ 구조는 과정과 구별되는데, 과정이란 체제의 구조에 의해 부과된 제약을 반영하는 단순히 정형화된 구성단위 간 관계를 말한다.

답 ④

012 구조적 현실주의에 대한 비판으로 적절하지 않은 것은?

□□□
① 구조의 변화가 없음에도 불구하고 발생하는 행위자의 행위패턴을 설명하지 못하는 한계가 있다.
② 왈츠는 국제체제의 변화에 대해 상당히 비관적이다. 이러한 왈츠의 체제변화의 정태성은 특히 구성주의로부터 비판을 받고 있다. 즉, 같은 무정부적 구조라 하더라도 규범이나 상호 구성된 정체성이 변화하는 경우 그 속성이 바뀔 수 있고, 그러한 변화도 구조의 변화라고 보는 것이다.
③ 왈츠는 국가의 선호는 언제나 고정되어 있다고 본다. 그러나 자유주의자들은 국가의 선호가 국내정치과정을 통해 형성되기 때문에 국내정치적 역학관계에 의해 국가의 선호는 항상 변화될 수 있다고 본다.
④ 콕스(Robert Cox)는 왈츠의 신현실주의 이론이 문제해결이론이라고 공격한다. 즉, 왈츠의 이론은 강대국들의 약소국에 대한 지배체제를 비판하는 이데올로기적 성격을 갖는다는 것이다.

> **정답 및 해설**

왈츠의 이론은 강대국들의 약소국에 대한 지배체제를 비판하는 것이 아니라 옹호하고 있다는 측면에서 콕스의 비판을 받았다. 콕스는 이론의 중립성을 부정하고, 이론이란 항상 누군가와 특정한 목적을 위한 것이라고 본다.

✅ **선지분석**
③ 구성주의자들도 국가들은 공유하는 규범을 통해 정체성이나 선호를 구성할 뿐 아니라, 새로운 규범이나 정체성의 형성을 시도함으로써 자신들의 선호나 정체성을 변화시킬 수 있다고 본다.

답 ④

013

공세적 현실주의(Offensive Realism)에 대한 설명으로 옳지 않은 것은?

① 냉전이 종식된 이후 형성된 미국 중심의 단극질서를 배경으로 미어샤이머는 이른바 공세적 현실주의 이론을 제시하여 미국의 패권전략을 정당화시켜 주고 있다.

② 국제체제의 무정부성에서 분석을 시작한 미어샤이머는 모든 국가들의 권력의 최고 정점을 차지하기 위한 경쟁은 피할 수 없다고 본다.

③ 미어샤이머의 입장은 그의 스승인 왈츠의 '방어적 현실주의'(Defensive Realism)와 대비된다.

④ 왈츠는 국가들이 안보를 최상의 가치로 여기기 때문에 권력의 극대화를 추구한다고 가정하였다.

정답 및 해설

왈츠는 국가들이 '권력의 극대화'를 추구한다고 가정한 것이 아니라 '권력의 적정화'를 추구한다고 가정하였다. '권력의 극대화' 추구를 가정한 것은 미어샤이머이다. 미어샤이머는 국제체제의 무정부성을 보다 비관적으로 바라본다.

답 ④

014

국제협력에 대한 신현실주의의 주장으로 옳지 않은 것은?   2022년 외무영사직

① 국가들은 국제체제의 무정부적 구조 때문에 협력을 달성하기 어렵다.

② 국가들은 절대적 이득보다 상대적 이득을 더 중시하기 때문에 국제협력의 가능성이 낮다.

③ 패권국이 국제규칙 및 규범을 설정함으로써 공공재를 제공하는 경우 국제협력이 촉진되고 지속될 수 있다.

④ 국가의 이익과 정체성이 변하면 국가 간 협력이 가능하고 유지될 수 있다.

정답 및 해설

신현실주의는 무정부성이 국제관계에 지배적인 영향을 주는데, 월츠에 의하면 무정부적 체제는 변화될 가능성이 없다. 따라서 국제협력도 가능하지 않다고 본다.

✓ 선지분석

① 국제체제의 무정부성이 안보불안의 근본원인이므로 국가들은 안보에 대한 우려로 협력에 소극적일 것이라 본다.

② 상대적 이득은 이득의 배분을 말한다. 신현실주의자들은 이익 배분의 불확실성 때문에 국제협력에 소극적일 것이라고 본다.

③ 패권안정론의 입장이다. 이론적으로 패권안정론도 신현실주의로 분류된다.

답 ④

015 국제제도에 관한 신현실주의와 신자유주의의 설명으로 옳지 않은 것은 몇 개인가?

> ㄱ. 신현실주의는 국제제도가 패권국의 리더십에 의해 지속된다는 입장을 취하는 반면, 신자유주의는 국
> 제제도가 일단 만들어지면 패권국의 리더십이 없이도 지속될 수 있다고 한다.
> ㄴ. 신현실주의는 배반 가능성과 상대적 이득의 문제로 국제제도의 형성이 어렵다고 보는 반면, 신자유주
> 의는 무한반복게임과 절대적 이득 등의 요인으로 가능하다고 본다.
> ㄷ. 신현실주의는 국제제도가 권력정치를 반영하는 산물일 뿐이라고 주장하지만, 신자유주의는 공동이익
> 의 달성 수단이라고 주장한다.
> ㄹ. 신현실주의는 국제제도가 국가의 선택에 대해 영향력을 거의 갖지 않는다고 보는 반면, 신자유주의는
> 제도의 영향력과 자율성을 높게 평가한다.

① 없음
② 1개
③ 2개
④ 3개

정답 및 해설

국제제도에 관한 신현실주의와 신자유주의의 설명으로 모두 옳다.
ㄹ. 신현실주의에서는 국제제도에 집권화된 제재조치가 없어서 국가들이 언제든지 제도를 무시하거나 이탈할 수 있
기 때문에 영향력을 낮게 평가한다. 신자유주의는 제도가 국가들의 필요에 따라 자발적으로 형성되었고, 주권이
제약되더라도 그것을 능가하는 이익이 있기 때문에 국가들이 제도의 영향력과 규제력을 인정하게 된다고 본다.

답 ①

016 신현실주의와 신자유주의 간의 논쟁으로 옳지 않은 것은?

2007년 외무영사직

① 신현실주의의 주장에 의하면 국제체제의 무정부 상태가 개별국가의 외교정책을 제약하며, 신자유주
의는 국가 생존 문제를 개별국가의 목표로 축소시킨다.
② 신현실주의자들은 국제협력은 국가들이 의도하지 않으면 일어나지 않는다고 믿으나, 신자유주의자들
은 국가들이 상호 이익을 취하는 영역에서는 국제협력이 달성되기 쉽다고 믿는다.
③ 신자유주의는 국가의 의도나 국가의 이익보다는 국가의 능력 혹은 권력을 강조하며, 신현실주의는 다
른 국가의 의도에 대한 불안감 때문에 국가가 능력 문제를 강조한다고 생각한다.
④ 신자유주의는 제도와 레짐을 국제관계의 중요한 요인으로 다루며, 신현실주의는 신자유주의가 레짐
이나 제도가 국가행위에 미치는 영향을 지나치게 과장한다고 비판한다.

정답 및 해설

신자유주의는 능력, 권력보다 이익을 중시하는 입장이다.

답 ③

017 왈츠의 구조적 현실주의(Structural Realism)와 여타 국제정치이론과의 비교 중 옳지 않은 것은?

① 왈츠는 국제체제를 '무정부 상태(anarchy)'로 보지만, 패권론에서는 '위계상태(hierarchy)'로 본다.

② 왈츠는 국가가 '안보의 극대화'를 추구한다고 보나, 미어샤이머는 '권력의 극대화'를 추구한다고 본다.

③ 왈츠는 국제구조를 '능력의 분포'라는 요소로 정의한 반면, 구성주의는 '자본의 분포'라는 관점에서 해석한다.

④ 왈츠는 국제체제의 속성이 인간성에서 비롯한 것이 아니라고 보고, 전통적 현실주의는 국제체제의 속성은 인간성에서 비롯됐다고 주장한다.

정답 및 해설

구성주의의 웬트(A. Wendt)는 국제구조를 '지식의 분포'라는 관점에서 본다.

☑ 선지분석

② 미어샤이머는 국제체제가 홉스적 자연상태라고 보고, 이러한 체제에서 생존을 확신할 수 있는 길은 패권이 되는 것이므로 강대국들은 권력의 극대화를 추구할 수밖에 없다고 하였다. 반면, 월츠는 권력의 극대화를 추구하는 것이 상대국을 자극하여 스스로의 안보태세를 약화시킬 수도 있으므로 안보의 극대화를 위해 적정한 권력을 추구해야 한다고 하였다.

④ 전통적 현실주의가 상정한 이기적 인간상과 국제체제에 대해 왈츠는 환원주의(reductionism)라고 비판하였다.

답 ③

---

018 절대적 이득(absolute gains)과 상대적 이득(relative gains)에 관한 설명으로 옳은 것은?

① 절대적 이득은 현실주의(Realism)적 개념으로서 기본적으로 원자적 존재에 관한 인간적 본성탐구에서 비롯했다고 볼 수 있다.

② 상대적 이득은 자유주의(Liberalism)적 개념으로서 홉스(T. Hobbes)의 '만인의 만인에 대한 투쟁'이라는 개념과 관련이 있다.

③ 절대적 이득은 코헤인(R. Keohane), 왈츠(K. Waltz)에 의해 주장되었다.

④ 상대적 이득은 그리코(Joseph Grieco)에 의해 주장되었다.

정답 및 해설

☑ 선지분석

① 절대적 이득은 자유주의적 개념이다. 원자적 존재에 관한 인간적 본성탐구에서 비롯한 것은 맞다.

② 상대적 이득은 현실주의적 개념으로, 홉스(T. Hobbes)의 '만인의 만인에 대한 투쟁'이라는 인간관과 관련이 있다. 상대방이 자신보다 더 큰 이득을 가지게 되면 우위를 점하게 되므로 상대보다 큰 이득을 얻었는지 여부가 중요하게 여겨진다.

③ 절대적 이득은 자유주의적 개념이므로 왈츠(K. Waltz)가 주장했다는 것은 옳지 않다. 코헤인(R. Keohane)과 악슬로드에 의해 주장되었다.

답 ④

019 신현실주의와 신자유주의 논쟁에 대한 설명으로 옳지 않은 것은?

① 신현실주의와 신자유주의 간 논쟁의 쟁점은 국제체제의 무정부성과 국가의 주요 행위자성, 그리고 합리성 가정이다.
② 신현실주의자들은 상대적 이득과 배반가능성으로 인해 국제협력의 가능성에 대해 부정적이다.
③ 신자유주의자들은 무정부 상태를 단순히 중앙집권적 정부의 부재로 간주하여 신현실주의자들과는 달리 절대적 이득이 존재한다면 협력이 가능하다고 본다.
④ 패권안정론자들은 패권을 통한 국제협력에는 긍정적이었으나, 패권 쇠퇴 이후의 국제협력에 대해서는 부정적이다.

> **정답 및 해설**
>
> 신현실주의와 신자유주의는 국제체제의 무정부성, 국가의 주요 행위자성, 합리성 가정은 공유하면서도 무정부하에서 국제협력의 가능성과 패권 쇠퇴 이후의 국제협력의 유지 가능성을 중심으로 상반된 결론을 제시하며 논쟁하였다.
>
> 답 ①

020 구조적 현실주의와 패권안정론을 비교한 것으로 옳지 않은 것은?

① 왈츠의 구조적 현실주의와 패권안정론은 미어샤이머의 공세적 현실주의와 함께 신현실주의로 불린다.
② 왈츠는 국제체제를 무정부 상태로 보는 반면, 패권안정론은 힘의 위계체제로 본다.
③ 왈츠는 국가들이 무정부 상태에서 상대적 이득을 고려하기 때문에 협력에 소극적이라고 보는 반면, 패권안정론은 패권국이 제도를 통해 이득을 얻을 수 있기 때문에 자국의 힘을 투사하여 제도를 형성하고자 한다고 본다.
④ 왈츠는 무정부 상태는 거의 상수로 고정되어 있어 변하지 않는다고 보지만, 패권안정론은 국제구조 자체가 사회적 구성물이므로 규범이 변화하거나 국가들의 집합정체성이 변화하는 경우 구조가 변화한다고 본다.

> **정답 및 해설**
>
> 국제구조 자체가 사회적 구성물이라 보는 것은 패권안정론이 아니라 구성주의의 입장이다.
>
> **⊘ 선지분석**
> ① 전통적 현실주의와 신현실주의의 핵심적인 차이는 전통적 현실주의가 국가의 행동 및 국제관계에 대한 설명을 국가변수, 즉 국가의 권력욕으로 설명한 반면, 신현실주의는 국제체제의 구조에 기초하여 설명한다는 점이다.
>
> 답 ④

021 다음 중 구조적 현실주의와 구성주의를 비교한 것으로 옳지 않은 것은?

① 왈츠는 국제구조를 무정부(anarchy)와 능력의 분포라는 물질적 요소로 정의한 반면, 웬트는 국제구조를 '지식의 분포(distribution of knowledge)'라는 관점에서 해석한다.

② 왈츠는 힘의 배분이 바뀌는 경우 국가의 행동이 변화한다고 보는 반면, 웬트는 힘의 배분에 대한 국가들의 인식이 변화할 때 국가의 행동이 변화한다고 본다.

③ 왈츠는 구조가 행위자들의 동시행위에 의해 만들어지지만 일단 만들어진 다음에는 단위들의 의지와 상관없이 단위들에게 강력한 영향력을 행사한다고 본다. 반면 웬트는 구조와 주체의 상호 구성성을 강조하고 구조는 주체의 행위를 제약하는 역할 뿐 아니라 국가의 근본적 성질을 바꾼다고 본다.

④ 왈츠는 국제구조 자체는 사회적 구성물이므로 규범이 변화하거나 국가들의 집합정체성이 변화하는 경우 구조가 변화한다고 보는 반면, 웬트는 무정부 상태는 거의 상수로 고정되어 있으므로 홉스적 자연상태로서의 무정부 상태는 변화하지 않는다고 본다.

정답 및 해설

왈츠와 웬트의 주장이 뒤바뀌었다. 왈츠는 구조변화는 힘의 배분에 있어서의 변화일 수밖에 없고 이로써 국가들의 행동을 변화시킨다고 본다. 반면 웬트는 힘의 배분에 변화가 없어도 홉스적 무정부 상태로부터 로크나 칸트적 무정부 상태로의 변화가 가능하다고 본다.

답 ④

022 다음은 왈츠(K. Waltz)의 구조적 현실주의와 웬트(A. Went)의 구성주의의 비교이다. 옳지 않은 것은?

① 왈츠(K. Waltz)는 국제구조를 물질적 요소로 정의한 반면, 웬트(A. Went)는 국제구조를 관념적 요소로 해석한다.

② 왈츠(K. Waltz)에 의하면 구조는 행위자에 의해 만들어지나, 만들어진 다음에는 통제가 불가능하다. 반면, 웬트(A. Went)에 의하면 구조와 주체는 상호구성적이기 때문에 구조가 주체의 행위를 제약하기도 하고 주체가 구조를 변화시키기도 한다.

③ 왈츠(K. Waltz)에 따르면 구조는 단위들의 행위에만 영향을 미칠 수 있는 반면, 웬트(A. Went)는 구조가 주체의 행위를 제약할 뿐 아니라 근본적 성질까지 변화시킨다고 본다.

④ 왈츠(K. Waltz)는 국가의 선호를 국가가 정하며 가변적이고 국가별로 상이하다고 보았으며, 웬트(A. Went)는 국가의 선호가 국내정치과정을 통해 변화할 수 있다고 보았다.

정답 및 해설

왈츠(K. Waltz)는 국가의 선호가 '생존'으로 고정되어 있다고 본다. 전쟁상태로 표상되는 무정부 상태는 항상성을 지니고, 이 상태에서는 언제나 생존이 최우선의 가치이기 때문에 각 국가들의 선호와 그에 따른 선택은 언제나 고정되어 있다. 반면, 웬트(A. Went)는 국가들이 공유하는 규범을 통해 자신들의 정체성이나 선호를 구성하고 변화시킨다고 주장하며, 국가들의 선호가 고정되어 있지 않다고 주장한다. 한편 자유주의에서는 국가의 선호가 국내정치과정을 통해 형성되기 때문에 국내정치적 역학관계에 의해 국가 선호가 변화될 수 있다고 본다.

답 ④

023 신현실주의자들의 핵에 대한 논의 중 옳지 않은 것은?

① 양극체제 안정론자인 미어샤이머는 독일의 핵무장이 평화에 위협적이라고 한다.

② 억지의 성공으로 핵에 의한 평화를 중시하나 핵 확산에는 반대하므로 모순에 빠져있다는 비판을 받는다.

③ 부에노 데 메스키타와 라이커는 극단적으로 모든 국가가 핵을 가지면 국가 간 갈등이 사라질 것이라고 주장한 바 있다.

④ 핵무기의 정치적 유용성에 깊은 신뢰를 보낸다.

> **정답 및 해설**
>
> 미어샤이머는 전쟁을 피하기 위한 가장 좋은 방법은 핵의 억지력이라고 보며, 유럽에 있어서의 안정을 위해 미국은 제한적이고 잘 관리된다는 것을 전제로 한 핵의 확산을 고무해야 한다고 주장한다. 독일에 핵무기가 확산되는 것을 이상적으로 본다.
>
> 답 ①

024 핵무기에 대해서 학자들의 견해가 대립된다. 신현실주의자인 왈츠(K. Waltz)가 핵무기에 대해서 취한 입장으로 옳지 않은 것은?

① 국가는 스스로의 안보를 지키고 타국을 억지하기 위해 핵무기를 추구하게 된다.

② 핵보유국의 증가는 국제체제의 불안정을 야기한다.

③ 핵무기가 다른 국가들에게 수평적으로 확산되는 것은 매우 느리다.

④ 신생 핵국은 핵무기가 부여하는 제약으로 인해 책임감을 느끼게 되고 그 결과 핵사용에 상당히 주의하게 된다.

> **정답 및 해설**
>
> 왈츠(K. Waltz)는 핵무기가 많이 확산될수록 억지의 균형이 이루어져 국제체제가 안정된다고 보았다. 냉전도 이러한 안정으로 유지되었다고 분석했다.
>
> 답 ②

025 핵무기에 대한 설명으로 옳지 않은 것은?   2022년 외무영사직

① 핵확산금지조약(NPT)에 가입하지 않은 핵보유국으로 인도, 파키스탄, 이스라엘 등이 있다.

② 왈츠(Kenneth Waltz)는 핵무기 확산이 전쟁의 가능성을 높인다고 주장하였다.

③ 제2차 세계대전 이후 핵무기가 전장에서 직접 사용된 적은 없다.

④ 핵확산금지조약(NPT)은 미국, 러시아(소련), 영국, 프랑스, 중국만을 공식적 핵보유국으로 인정한다.

> **정답 및 해설**
>
> 왈츠는 핵무기 확산이 전쟁 가능성을 낮춘다고 주장하였으며, 그 이유는 핵무기의 억지력 때문이라고 보았다.
>
> **☑ 선지분석**
>
> ④ 핵확산금지조약(NPT)에 따르면 1967년 1월 1일 이전 핵폭발을 통해 핵을 보유한 국가가 공식적인 핵보유국이다.
>
> 답 ②

026 왈츠(K. Waltz)의 주장에 따르면, 국제사회에서 개별 국가의 행동을 궁극적으로 결정짓는 요인은?

2014년 외무영사직

① 지도자의 인식
② 국가속성
③ 국제구조
④ 국제교류

정답 및 해설

왈츠(K. Waltz)의 경우 분석수준을 개인, 국가, 국제체제 차원으로 구분하고, 국제체제 차원의 분석을 가장 중요시하였다. 즉, 중앙정부의 부재, 힘의 서열, 극성(polarity)을 국가 행동에 있어서 결정적인 요소로 파악하였다.

답 ③

---

027 왈츠(K. Waltz)의 신현실주의 이론에 대한 설명으로 옳은 것은 모두 몇 개인가?

ㄱ. 구조를 정의함에 있어서 조직원리, 기능의 분화, 권력능력의 배분이라는 세 가지 요소를 제시하고 조직원리가 가장 중요한 요소라고 주장했다.
ㄴ. 국제체제 형성에 있어서 행위자들이 중요한 역할을 한다.
ㄷ. 조직원리의 변화를 체제 내 변화라고 보고, 조직원리의 변동은 불가능하다고 보았다.
ㄹ. 콕스(R. Cox)의 분류에 따르면 왈츠의 이론은 중범위이론으로서 현상유지적이며 보수적이다.

① 1개
② 2개
③ 3개
④ 4개

정답 및 해설

왈츠(K. Waltz)의 신현실주의 이론에 부합하는 설명은 ㄴ으로, 1개이다.

☑ 선지분석

ㄱ. 특정 요소가 중요하다고 언급한 것은 아니다.
ㄷ. 조직원리의 변화를 체제 자체의 변화라고 한다.
ㄹ. 콕스(R. Cox)는 문제해결이론과 비판이론으로 구분하였고, 왈츠(K. Waltz)의 이론은 현상유지적이며 보수적인 문제해결이론에 해당된다.

답 ①

---

028 왈츠(K. Waltz)의 신현실주의에 대한 비판론으로 가장 옳지 않은 것은?

① 패권안정론 – 국제체제는 위계체제이며 패권국의 의지에 따라 국제협력이 가능할 수도 있다.
② 신자유제도주의 – 국가 선호는 고정적이지 않으며 사안에 따라 선호가 다양하게 나타날 수 있다.
③ 구성주의 – 구조는 물질적이기보다는 관념적이며 간주관성에 의해 변동될 수 있다.
④ 그람시주의 – 강대국 상호간 관계 분석에 집중하는 문제해결이론에 불과하다.

정답 및 해설

왈츠(K. Waltz)이론과 신자유제도주의는 모두 국가 선호의 고정성을 가정한다는 점에서 같다.

답 ②

029 현실주의 안보론에 대한 설명으로 옳지 않은 것은 모두 몇 개인가?

> ㄱ. 극성(polarity)은 국제안보에 있어서 결정적인 변수가 될 수 있다.
> ㄴ. 리버(Robert J. Lieber)와 같은 패권안정론자들은 국제체제가 패권체제이며 패권국이 존재할 때 국제
>   체제가 가장 안정적이며, 반면 패권국이 쇠퇴하여 도전국과 힘의 격차가 축소될 때 불안정성이 고조
>   된다고 본다.
> ㄷ. 하우스(Karen Eliot House)는 강대국의 숫자가 5개 정도인 다극체제에서 강대국 간 동맹형성이 신축
>   적이므로 안정성이 가장 높다고 본다.
> ㄹ. 미드라스키(Manus I. Midlasky)는 양극체제에서는 극단적인 힘의 불균형이 발생하기 어렵기 때문에
>   전쟁 확률이 낮다고 본다.

① 1개
② 2개
③ 3개
④ 4개

정답 및 해설

현실주의 안보론에 대한 설명으로 옳지 않은 것은 ㄴ, ㄷ으로, 2개이다.
ㄴ, ㄷ. 리버(Robert J. Lieber)와 하우스(Karen Eliot House)는 양극체제 안정론자이다.

답 ②

030 지구화 현상에 대한 왈츠(K. Waltz)의 주장으로 옳지 않은 것은?

① 지구화 현상은 일시적 현상에 불과하다.
② 지구화는 제2차 세계대전 이후 유럽에서 만들어진 현상이다.
③ 국가는 국내외를 막론하고 사회나 경제를 지배하는 통제권을 확대해 오고 있다.
④ 다른 어떤 조직도 기능면에서 국가의 맞상대가 될 수는 없다.

정답 및 해설

왈츠(K. Waltz)는 지구화는 미국에서 만들어진 현상이며 세계 경제를 촉진하는 현재의 제도나 규칙은 미국의 통제
하에 있다고 주장하였다.

답 ②

031 피터 구레비치(P. Gourevitch)가 제시한 제2이미지 역전이론(second-image reversed hypothesis)에 대한 설명으로 옳은 것만을 모두 고른 것은?

□□□

> ㄱ. 거센크론(Alexander Gerschenkron)은 국제경제적 요인, 특히 산업화의 시점이 국내구조에 영향을 미쳤다고 본다.
> ㄴ. 힌체(Otto Hintze)는 국제경제요인이 국내 정치구조에 영향을 미친다고 주장했다.
> ㄷ. 로고브스키(Ronald Rogowski)는 국제무역 환경의 변화가 서로 다른 생산요소의 보유자에게 어떠한 분배 효과를 주며 이들 간의 정치적 연합에 영향을 미치는가를 분석하였다.
> ㄹ. 왈츠(Kenneth Waltz)의 제3이미지에 따르면 구조적 요인은 국가를 제약하지만 국가의 내부구조를 변화시키는 것은 아니다.
> ㅁ. 제3이미지를 강조하는 신현실주의자들은 세력균형의 의도적 생성, 내부 속성이 다른 나라들이 대외관계에서 유사하게 행동하는 이유 등에 관심을 갖는다.

① ㄱ, ㄴ, ㄷ   ② ㄱ, ㄷ, ㄹ
③ ㄱ, ㄷ, ㅁ   ④ ㄴ, ㄷ, ㅁ

정답 및 해설

제2이미지 역전이론(second-image reversed hypothesis)에 대한 설명으로 옳은 것은 ㄱ, ㄷ, ㄹ이다.

☑ 선지분석

ㄴ. 국제경제요인이 아니라 국제안보 요인을 강조한 학자이다.
ㅁ. 신현실주의자들은 세력균형의 자동적 생성을 주장한다.

답 ②

---

032 제2이미지 역전(Second Image Reversed)이론에 대한 설명으로 옳은 것만을 모두 고르면?

□□□   2022년 외무영사직

> ㄱ. 국가 내의 속성을 통해 대외정책을 설명한다.
> ㄴ. 국내 구조와 정치과정을 주어진 것으로 보지 않는다.
> ㄷ. 왈츠(Kenneth Waltz)가 제1, 제3이미지와 함께 제시하였다.
> ㄹ. 국제적 요인이 어떻게 국내정치 구조와 과정에 영향을 주는가를 설명한다.

① ㄱ, ㄷ
② ㄱ, ㄹ
③ ㄴ, ㄷ
④ ㄴ, ㄹ

정답 및 해설

ㄴ. 국내 구조와 과정은 국제정치 환경에 영향을 받아 변화하는 것이라고 본다.
ㄹ. 국제적 요인, 예를 들어 전쟁이나 타국의 산업화 등이 자국의 국내정치 구조나 과정에 영향을 준다고 본다.

☑ 선지분석

ㄱ. 제2이미지 역전이론은 대외정책 설명에 있어서 국제환경 변수를 강조하는 이론이다.
ㄷ. 왈츠는 국제정치 설명에 있어서 제2이미지로서 국가변수를 제시했다. 제2이미지 역전이론은 왈츠의 제2이미지와 반대로 국제환경이 국내정치에 주는 영향을 분석하는 이론이다.

답 ④

033 제2이미지 역전이론과 월츠(K. Waltz)의 이론에 대한 설명으로 옳지 않은 것은?

□□□

① 제2이미지 역전과 제3이미지는 둘 다 국제체제로부터의 제약을 강조한다는 점에서 유사하나, 제2이미지 역전은 국가 밖으로부터의 영향이 어떻게 국가 안에서의 변화를 가져오는가에 관심을 가진다.

② 월츠의 제2이미지는 국가라는 행위자를 기능적으로 유사한 단위로 가정한 상태에서 국제 무정부상태와 상대적 국력의 분포라는 국제체제의 구조적 요인이 어떻게 국가의 행위를 제약하는가에 초점을 맞춘다.

③ 제3이미지를 강조하는 신현실주의자들은 왜 국가 내부의 속성이 서로 다름에도 불구하고 힘의 위계 측면에서 비슷한 위치에 있는 국가들이 비슷하게 행동하는가와 같은 국제적인 결과에 대해 관심을 갖는다.

④ 월츠가 제시한 세 가지 이미지 중에서 첫 번째 이미지는 국가 지도자 개인의 속성으로 국가의 대외적 행동 또는 국제정치 현상을 설명하는 것이다.

정답 및 해설

월츠의 제3이미지에 대한 설명이다.

답 ②

제7절 | 세력균형론

001 세력균형이론에 대한 설명으로 옳지 않은 것은?   2016년 외무영사직

□□□

① 국제관계에서 세력불균형이 심화될수록 불안정성은 증대된다.
② 국가는 자강(自强), 또는 동맹을 통해 세력균형을 유지하려고 한다.
③ 국가는 일반적으로 최강자의 힘에 편승한다.
④ 제1차 세계대전은 과다동맹, 제2차 세계대전은 과소동맹의 대표적인 예이다.

정답 및 해설

세력균형은 강자에 '대항하여' 동맹을 형성한다.

답 ③

002 세력균형(balance of power) 이론에 관한 설명으로 옳지 않은 것은?

① 모겐소(Hans Morgenthau)의 이론에 따른 세력균형 방법으로는 분할 통치, 비동맹, 중립화 등을 들 수 있다.

② 세력균형은 한 국가 또는 한 국가군이 패권을 행사하는 것을 막고 국가들 사이에 세력의 균형을 유지하려는 국제정치의 상태나 정책 또는 체제를 의미한다.

③ 동맹관계는 고정적이지 않고 변동 가능하다.

④ 어느 한 쪽이 다른 쪽보다 일방적으로 우위에 설 수 없을 때 전쟁의 가능성은 감소된다.

정답 및 해설

모겐소(Hans Morgenthau)는 직접대립형과 경쟁형으로 대별하였다. 직접대립형은 냉전기 국제체제에서 보듯이 상호 적대적인 두 개의 세력이 균형을 취하고 있는 형태를 의미한다. 경쟁형은 제3국을 사이에 두고 두 세력이 경쟁하는 형태로서, 19세기 말 조선을 사이에 두고 청과 일본, 러시아와 일본이 대립하던 시기를 예로 들 수 있다.

답 ①

003 세력균형의 의미에 대한 설명으로 옳지 않은 것은?

① 국가 간의 힘의 분포상태를 기술하는 세력균형은 문자 그대로 대등한 강대국 간에 힘이 균형 있게 분포되어 있는 상태를 의미한다.

② 정책으로서의 세력균형은 '균형의 창출 또는 유지'를 위한 정책을 뜻한다.

③ 전통적으로 영국은 유럽대륙에서의 세력균형을 추구하는 정책을 지속적으로 구사하였으며, 영국이 말한 세력균형은 국가들 간 엄격한 힘의 균형이 이루어지는 것을 의미하였다.

④ 통계적 경향으로서의 세력균형은 세력균형을 역사의 기본적인 법칙 또는 통계학적인 경향으로 인식하는 것이다.

정답 및 해설

영국이 말한 세력균형은 국가들 간 엄격한 힘의 균형이 아니라 자국이 유럽의 국제정치체제에서 우위를 유지하는 것을 의미하였다.

✓ 선지분석

① 이때의 균형은 대체로 "타국에 자국 의지를 일방적으로 강요할 수 없는 상태"로 보고 있다. 에메르 드 바텔(Emmerich de Vattel)은 "어떠한 강대국도 압도적인 우위에서 남을 지배하거나 법을 처방해 줄 수 있는 위치에 갈 수 없도록 힘을 배분하는 것"을 세력균형이라 정의하였다.

② 정책으로서의 세력균형은 힘의 분포상태의 단순한 기술이 아니라 힘이 균등하게 분포되어야만 한다는 원칙을 뜻하는 규범적 의미를 가지게 된다. 그러나 국가들은 자국의 유리한 국제적 지위를 그대로 유지할 수 있도록 타국의 현상 타파에 대한 도전을 저지시키려는 의도를 갖는다. 따라서 정책으로서의 세력균형은 엄격한 힘의 균형보다는 자국이 우위를 유지하는 유리한 균형이 정책목표가 된다.

④ 통계적 경향으로서의 세력균형은 초월적인 권위체가 없는 국제사회에서 여러 나라가 각각 자국의 국가이익을 위해 행동해 나가는 경우 그 행위의 총합으로서 상호견제의 안정질서가 형성되며, 이렇게 형성된 질서를 세력균형체제로 보는 입장이다.

답 ③

004

다음 중 하트만(Hartmann)의 분류에 따른 세력균형의 유형이 아닌 것은?

① 균형자형(balancer form)
② 비스마르크형(the Bismarckian form) 또는 복합형(complex form)
③ 직접대립형(the pattern of direct opposition)
④ 뮌헨시대형(the Munich-Era form)

정답 및 해설

직접대립형과 상호경쟁형은 모겐소(Hans J. Morgenthau)의 분류이다. 직접대립형이란 A국과 B국이 직접적으로 대립함으로써 형성되는 세력균형상태를 말하고, 상호경쟁형이란 세 국가 또는 세 개의 국가군 사이에 형성되는 균형관계를 말한다.

✓ 선지분석

① 균형자형은 두 개의 대립되는 세력에 제3의 세력인 균형자가 개입하여 그 어느 한쪽에 자국의 힘을 보탬으로써 균형을 유지시켜 나가는 형태이다. 19세기의 유럽세력균형체제가 영국의 균형자 역할에 의해 계속 안정을 유지할 수 있었던 것이 그 예이다.
② 비스마르크형 또는 복합형은 예상 침략국을 둘러싼 여러 나라들을 서로의 이해관계를 중심으로 몇 개의 복합적 동맹으로 묶어 그 예상침략국을 고립시켜 견제하는 방법이다. 비스마르크가 대(對) 프랑스 봉쇄 동맹을 형성한 것이 여기에 해당한다.
④ 뮌헨시대형은 예상되는 체제파괴자보다 월등하게 강한 힘을 가진 예상피해국들이 이해가 갈려 협력하지 못함으로써 미약한 침략국의 힘과 균형을 이루는 정도로 약해지는 세력균형이다. 히틀러의 대두를 막지 못했던 영국과 프랑스 등 유럽제국들의 협력실패를 상징하여 붙인 이름이다.

답 ③

005

세력균형의 형성방법과 그 예를 짝지은 것으로 옳지 않은 것은?

① 분할과 지배: 17세기부터 제2차 세계대전 이후까지 지속된 프랑스의 대독정책
② 보상: 1772년 이래 일어난 오스트리아, 프러시아, 러시아 3개국의 폴란드 분할
③ 군비증강과 군축: 제1차 세계대전 전의 영·독 간 해군력 경쟁
④ 완충국가: 1922년 워싱턴해군 군축, 1972년, 1979년 미·소 간 전략핵무기제한회담(SALT)

정답 및 해설

워싱턴해군 군축과 미·소 간 전략핵무기제한회담은 완충국가형이 아니라 군축 유형에 속한다. 완충국가형의 예로는 아프가니스탄이 19세기 말 영국과 러시아의 인도양에서의 직접대결을 완화시켜 준 것을 들 수 있다.

✓ 선지분석

① 분할통치란 세력균형을 실천하는 국가들이 상호 경쟁하는 국가의 영토를 분할하거나 분할한 상태에 둠으로써 경쟁국의 힘의 약화를 목적으로 하는 세력균형정책을 말한다.
② 보상이란 보통 영토의 분할 또는 병합을 의미한다. 즉, 대립하고 있는 국가 중의 한 국가가 새로이 영토나 권익을 취득하였을 때 관계국이 거의 같은 면적의 영토나 같은 권익을 균등하게 분배함으로써 각국의 세력을 전과 같이 유지하는 방법이다.

답 ④

006 세력균형화의 과정에 대한 설명으로 옳지 않은 것은?

① 자동식 세력균형은 국가들의 상호작용 과정에서 자동적으로 생겨난 산물이 세력균형이라는 견해이다.

② 반자동식 세력균형은 개별국가들의 자율적 결정과 정책에 맡겨둘 때 세력균형 현상이 거의 자동적으로 나타나지만 항상 그런 것만은 아니기 때문에 균형자가 필요하다고 주장한다.

③ 왈츠는 수동식 세력균형을 주장하였다.

④ 수동식 세력균형은 세력균형을 지도자들의 의식적인 노력의 산물로 보는 것을 의미한다.

정답 및 해설

왈츠(Waltz)는 자동식 세력균형을 주장하였다. 그는 세력균형은 인간의 의지와는 상관없이 국제정치의 구조적인 특징에 의해 이루어진다고 보았다. 즉, 국가들이 세력균형을 유지하려는 의도로 행동하든 전반적인 지배를 목적으로 행동하든 간에 세력균형은 형성된다는 것이다.

✓ 선지분석

② 19세기 유럽국제체제에서 영국이 고립정책을 취하는 한편, 균형자로서 유럽 대륙의 세력균형이 파괴될 때 개입함으로써 균형을 유지한 것이 반자동식 세력균형에 해당한다.

④ 키신저(H. Kissinger), 불(H. Bull) 등이 수동식 세력균형을 주장하였으며, 이들은 무정부적 국제체제에서 국가의 생존을 책임진 군주나 정치가는 국가의 생존을 위해 끊임없이 노력해야 하고 다수 국가들이 이러한 노력을 하는 과정에서 세력균형 현상이 되풀이되어 나타난다고 하였다.

답 ③

---

007 하트만(Hartmann)에 따른 세력균형체제의 분류이다. 다음의 설명에 해당하는 유형으로 옳은 것은?

> 이 유형은 적대 당사자 간 힘의 균형으로 이루어지는 세력균형이다. 제3의 균형자가 개입하지 않은 상태에서 양 진영 간에 이루어지는 힘의 균형이다. 냉전 초반기의 미·소 관계가 이 유형에 해당한다. 자국의 우위를 정책목표로 삼게 되므로 군비경쟁이 필연적이며, 따라서 지속적 안정을 유지하기 어렵다.

① 뮌헨시대형
② 빌헬름형
③ 비스마르크형
④ 균형자형

정답 및 해설

✓ 선지분석

① 뮌헨시대형은 히틀러의 대두를 막지 못했던 유럽 제국들의 협력실패를 상징한다. 체제파괴자보다 월등하게 강한 예상피해국들이 이해가 갈려 협력하지 못함으로써 침략국과 균형을 이룰 정도로 약해지는 상태이다.

③ 비스마르크형은 예상침략국을 둘러싸고 이해관계가 있는 국가들을 몇 개의 복합 동맹으로 묶어 예상침략국을 고립시키는 방법이다.

④ 균형자형은 두 개의 대립되는 세력에 제3의 균형자가 개입하여 가변적으로 어느 한 쪽에 자국의 힘을 보탬으로써 균형을 유지시키는 유형이다.

답 ②

008

하트만(Hartmann)에 따른 세력균형체제의 분류 중 다음의 설명에 해당하는 유형으로 옳은 것은?

> 이 유형은 히틀러의 대두를 막지 못했던 유럽 제국들의 협력실패를 상징한다. 체제파괴자보다 월등하게 강한 예상피해국들이 이해가 갈려 협력하지 못함으로써 침략국과 균형을 이룰 정도로 약해지는 상태이다. 이런 상황에서는 상대적 약소국에 의해 강대국의 견제를 벗어나 힘을 키울 수 있는 정책이 선택될 수 있다.

① 뮌헨시대형
② 빌헬름형
③ 비스마르크형
④ 균형자형

정답 및 해설

⊘ 선지분석
② 빌헬름형은 적대 당사자 간 힘의 균형으로 이루어지는 세력균형으로, 제3의 균형자가 개입하지 않은 상태에서 양 진영 간에 이루어지는 힘의 균형이다. 냉전 초반기의 미·소관계가 이 유형에 해당한다. 자국의 우위를 정책목표로 삼게 되므로 군비경쟁이 필연적이며, 따라서 지속적 안정을 유지하기 어렵다.
③ 비스마르크형은 예상침략국을 둘러싸고 이해관계가 있는 국가들을 몇 개의 복합 동맹으로 묶어 예상침략국을 고립시키는 방법이다. 상황의 변화에 따라 동맹을 폐기, 수정해나가는 동적 균형의 특성을 갖고 있기 때문에 고도의 외교역량이 전제되어야 한다.
④ 균형자형은 두 개의 대립되는 세력에 제3의 균형자가 개입하여 가변적으로 어느 한 쪽에 자국의 힘을 보탬으로써 균형을 유지시키는 유형이다. 균형자형이 작동하기 위해서는 균형자가 그 어느 일방과도 영구적인 동맹관계를 맺어서는 안 된다.

답 ①

009

하트만(Hartmann)의 세력균형의 유형분류로 옳지 않은 것은?

① 균형자형(balancer form)이란 두 개의 대립되는 세력에 제3의 세력으로서의 균형자가 개입하여 한 쪽에 자국의 힘을 보탬으로써 균형을 유지시켜 나가는 유형이다.
② 비스마르크형(the Bismarckian form)이란 예상되는 침략국을 둘러싼 나라들의 이해관계를 중심으로 복합적 동맹으로 묶어 예상침략국을 고립시켜 견제하는 방식이다.
③ 뮌헨시대형(the Munich-Era form)이란 예상되는 체제파괴자에 대항하여 월등하게 강한 힘을 가진 예상 피해국들이 협력하여 체제파괴자, 즉 침략국과 균형을 이루는 방식이다.
④ 빌헬름형(the Wilhelmian form)이란 적대당사자 간의 힘의 균형으로 이루어지는 세력균형으로 단순형, 혹은 냉전형이라고도 불린다.

정답 및 해설

뮌헨시대형은 예상침략국에 비해 예상 피해국들의 힘의 합이 월등하게 크지만 이해관계가 엇갈려 협력을 하지 못함으로써 미미한 침략국의 세력과 균형을 이루게 되는 방식이다.

답 ③

010 다음 중 세력균형의 한계에 대한 모겐소(Hans J. Morgenthau)의 견해가 아닌 것은?

☐☐☐

① 세력균형의 불확실성

② 세력균형의 비현실성

③ 세력균형의 부적합성

④ 세력균형의 비역사성

정답 및 해설

모겐소(Hans J. Morgenthau)는 비역사성을 언급한 바 없다. 이는 월트나 슈뢰더의 입장이라고 볼 수 있다. 월트는 국가들이 일반적으로 균형을 추구하는 경향이 있으나 특별한 조건하에서는 편승경향이 있다고 주장하였고, 슈뢰더는 유럽근세사에서 편승이 균형보다 더 빈번하게 나타난 동맹정책이라고 주장하였다.

✅ 선지분석

① 모겐소(Hans J. Morgenthau)는 국력의 불가측성과 국력의 상호의존성 때문에 국력의 정확한 비교와 평가가 힘들다는 의미에서 세력균형의 불확실성(uncertainty)을 지적했다.

② 국가들은 힘의 양적인 평가의 곤란함과 상호불신 때문에 세력의 균형에 만족하지 못하고 잘못 판단하는 경우에 대비하여 '안전의 여지'를 추구한다. 모겐소는 이를 세력균형의 비현실성(unreality)이라 하였다.

③ 모겐소(Hans J. Morgenthau)는 17세기에서 20세기 초 유럽 국가들 간에 권력투쟁 외에도 지적인 동질성과 도덕적 합의가 존재하여 이들 간의 관계에 제약적인 영향을 미쳤으나 제2차 세계대전 후의 국제체제는 이러한 특징을 지니고 있지 않다는 부적합성(irrelevance)을 지적하고 있다.

답 ④

---

011 현상유지를 달성하기 위한 정책 중 가장 온건하고 소극적인 정책은?

☐☐☐

① 국제협조정책(Policy of Concert)

② 시위정책(Policy of Demonstration)

③ 유화정책(Appeasement policy)

④ 제국주의정책(Policy of Imperialism)

정답 및 해설

유화정책(Appeasement policy)이란 상대편의 적극적이고 강경한 요구에 양보·타협함으로써 직접적인 충돌을 피하고 긴장을 완화하여 해결을 도모하려는 정책으로서 현상유지를 달성하기 위한 가장 온건하고 소극적인 정책으로 꼽힌다.

답 ③

---

012 다음 중 세력균형과 관련이 없는 것은?

☐☐☐

① 군사동맹

② 자구(self-help)의 원칙

③ 국제연맹

④ 위트레흐트(Utrecht)조약

정답 및 해설

✅ 선지분석

② 모겐소는 자력구제의 원칙이 지배하는 무정부하의 국제체제에서 국가들이 주권과 독립성을 보전하기 위해서는 세력균형이 필수적이라고 보았다.

④ 위트레흐트조약은 스페인 왕위계승전쟁(1701~1714)을 종결시킨 평화조약으로, 프랑스와 영국 등 유럽 각국이 철저한 세력균형을 이루는 계기로 작용하였다.

답 ③

013 다음 중 세력균형론에 대한 설명으로 옳은 것은 모두 몇 개인가?

□□□

> ㄱ. 하트만(Hartmann)의 분류에 따르면 19세기 유럽체제는 빌헬름형에 해당한다.
> ㄴ. 1772년 이래 오스트리아, 프로이센, 러시아 3국의 대 폴란드 정책은 분할과 지배(divide and rule)로 규정할 수 있다.
> ㄷ. 키신저(Henry Kissinger), 불(Hedly Bull) 등은 세력균형은 지도자들의 의도적인 노력의 산물이라고 본다.
> ㄹ. 마스탄두노(Michael Mastanduno)는 세력균형론에 기초하여 미국의 대외정책 기조에 따라 탈냉전기 패권체제의 지속가능 여부가 결정될 것이라고 보았다.
> ㅁ. 적대국의 침략의도를 사전에 봉쇄할 목적으로 이루어지는 동맹을 공격적 편승(offensive band-wagoning)이라고 한다.

① 1개 　　　　　　　　　　② 2개
③ 3개 　　　　　　　　　　④ 4개

정답 및 해설

세력균형론에 대한 설명으로 옳은 것은 ㄷ으로, 1개이다.

✓ **선지분석**
ㄱ. 균형자형에 해당된다.
ㄴ. 보상에 해당된다.
ㄹ. 위협균형론에 기초한 주장이다.
ㅁ. 방어적 편승에 대한 설명이다. 공격적 편승은 전리품 획득을 위한 동맹으로서 패권국과 동맹을 맺어 제3국을 공격한다.

답 ①

---

014 월트(Stephen Walt)는 『The Origin of Alliances』에서 국가들은 일반적으로 균형을 추구하는 경향이 있으나 특별한 조건 하에서는 편승경향이 있다고 주장하였다. 다음 중 월트가 말하는 편승조건으로 옳지 않은 것은?

□□□

① 국가가 약할수록 균형보다는 편승을 선호한다.
② 위협국이 강대국인 경우 균형보다 편승을 선호한다.
③ 동맹국이 있는 경우에 균형보다 편승을 선호한다.
④ 전시에 일방의 승리가 가까이 다가올수록 다른 국가들은 편승경향을 보인다.

정답 및 해설

월트(Stephen Walt)는 동맹국이 있는 경우보다는 없는 경우에 국가들이 균형보다 편승을 선호하는 경향이 강하다고 주장하였다.

답 ③

015 편승이론(bandwagoning)에 대한 설명으로 옳지 않은 것은?

① 슈뢰더(P. Schröder)는 세력균형이 국제체제에서 지배적이라는 패턴을 비판하며 편승이 오히려 지배적이라고 주장한다.

② 편승에는 공격적 편승과 방어적 편승의 두 가지가 있다.

③ 월트(S. Walt)도 국가들은 일반적으로 편승을 추구하는 경향이 있으며 특정한 조건하에서만 균형이 일어난다고 보았다.

④ 일반적으로 일컬어지는 편승은 전리품 획득 등의 이유로 이뤄진다.

정답 및 해설

월트(S. Walt)는 국가들의 일반적 성향은 균형이지만 특정한 조건에서는 편승이 일어날 것으로 보았다.

⊘ 선지분석

④ 일반적으로 일컬어지는 공격적 편승(offensive bandwagoning)에서는 전리품 획득(즉, 전쟁에서 강대국이 승리할 시 주변 편승국가들은 이에 대한 반사적 이득을 얻게 되는데 이를 전리품이라고 표현한다) 및 안보 확보가 주된 이유가 될 수 있다.

답 ③

---

016 세력균형(balance of power)과 편승(bandwagoning)에 대한 설명으로 옳지 않은 것은?

① 편승이 지배적인 경향일 경우에는 다른 국가들을 끌어들이기 위해 강력하고 모험적이며 호전적으로 보이는 것이 중요하다.

② 세력균형과 편승은 서로 상이한 세계관을 설명하는 것 같지만 결국 비슷한 정책적 처방을 제시한다.

③ 월트(S. Walt)는 균형을 추구하는 경향이 보다 일반적이며 특별한 조건 하에서만 편승이 일어난다고 본다.

④ 냉전 중에 미국은 자신이 힘의 증강을 통해 힘의 월등한 우위를 꾀하지 않으면 동맹국들은 믿음을 잃고 공산진영으로 이탈할 것이라고 믿었는데, 이는 '편승'적 사고를 한 것이다.

정답 및 해설

균형이론과 편승이론은 각각 다른 세계를 그리며 이에 따라 양 이론은 정반대의 정책적 처방을 내린다. 균형이 지배적인 경향이라고 할 경우 위협을 가하는 국가는 반대동맹의 형성을 촉구하게 되어 적을 늘리게 된다. 그러므로 강한 국가는 위협적으로 보이지 않도록 주의해야 한다. 그러나 편승이 지배적인 경향일 경우 국가들은 자신의 편으로 유인하기 위해 더욱 강하게 보이려는 전략을 취해야 한다.

답 ②

017 다음의 논리적 추론에 부합하는 이론은?

- 북대서양조약기구(NATO)는 소련으로부터의 안보위협에 대처하기 위해 만들어진 동맹이다.
- 소련은 해체되었고, 이를 계승한 러시아는 서유럽 안보에 위협이 되지 못한다.
- NATO는 조만간 해체될 것이다.

① 구성주의   ② 기능주의

③ 제도주의   ④ 현실주의

정답 및 해설

현실주의자들은 개개 국가의 차원에서 지속적으로 반복되는 국제정치상에 있어서의 패턴을 '권력의 추구' 혹은 '안보의 추구'라고 보며, 국가와 국가 차원에서 보편적으로 반복되고 있는 패턴은 세력균형이라고 본다. 현실주의자들은 주권국가를 단위로 하는 국제체제에서 국가의 주권과 독립성을 보전하는 방법은 세력균형 이외의 다른 어떤 방법도 없다고 본다. 위의 추론에는 소련과 NATO 간 현실주의 세력균형론의 관점이 드러나고 있다.

답 ④

018 다음 중 위협균형의 타당성을 보여주는 사례로 볼 수 있는 것은 모두 몇 개인가?

ㄱ. 독오동맹(1789)   ㄴ. 제1차 세계대전(1914)
ㄷ. 제2차 세계대전(1939)   ㄹ. 탈냉전기 NATO 확대
ㅁ. 탈냉전기 미국, 중국, 러시아 상호관계   ㅂ. NATO 창설(1949)

① 2개   ② 4개

③ 5개   ④ 6개

정답 및 해설

위협균형의 타당성을 보여주는 사례는 ㄴ, ㄷ, ㅁ, ㅂ으로 4개이다.

⊘ 선지분석

ㄱ. 자치안보교환동맹으로 위협균형과 무관하다.
ㄹ. 위협균형론의 한계를 보여준다. 위협이 약화되었음에도 불구하고 동맹이 강화되었기 때문이다.

답 ②

019 위협균형론(Balance of Threat: BOT)에 대한 설명으로 옳지 않은 것은?

□□□

① 월트는 전통적인 세력균형이론을 수정하여 국가는 세력이라는 기준에 근거하여 동맹관계를 수립하는 것이 아니라, 위협이라는 기준에 근거하여 어느 쪽이 더 위협적이고 덜 위협적인가에 대한 판단에 따라 동맹행위를 한다고 본다.

② 위협균형론은 이론적으로 대항동맹이 형성될 수준의 위협이 어느 정도인지를 정확하게 계량화할 수 있다는 장점이 있다.

③ 타국에 위협을 주는 요소는 총체적인 힘뿐만 아니라, 지리적인 인접성, 공격적인 군사능력, 그리고 인지된 공격적인 의도도 포함된다.

④ 월트는 제1·2차 세계대전의 동맹패턴은 위협균형론의 가설을 입증한다고 본다.

정답 및 해설

대항동맹이 형성될 수준의 위협이 어느 정도인지를 계량화할 수 없다는 것이 위협균형론의 한계이다.

✓ 선지분석

① 국가들이 힘을 균형화하는 이유는 바로 힘으로부터 위협을 느끼기 때문이라고 주장한다. 달리 말하자면 힘이 강한 국가로부터 위협을 당하지 않는다면 균형의 필요성을 느끼지 않을 수 있다는 것이다.

③ 즉, 다른 조건이 같다면 멀리 떨어져 있는 국가보다 가까이 근접해 있는 국가가 좀 더 위협적이며, 공격적인 군사력을 보유한 국가가 보다 위험하며, 현상유지를 추구하는 국가보다 공격적인 의도를 가진 국가가 보다 위험하다는 것이다.

④ 즉, 제1·2차 세계대전에서 독일을 패배시킨 연합국이 총체적인 자원 면에서는 압도적으로 우세했지만 독일이 더욱 큰 위협을 가하고 있다고 판단한 국가들이 연합국 측에 합류했던 것이다.

답 ②

020 다음 중 월트(S. Walt)가 제시한 편승조건은 모두 몇 개인가?

□□□

ㄱ. 약소국인 경우
ㄴ. 위협국이 강대국인 경우
ㄷ. 동맹국이 없는 경우
ㄹ. 위협국이 공격적인 군사능력을 보유한 경우
ㅁ. 잠재적 위협국이 성공적으로 유화될 수 있다고 믿을 경우
ㅂ. 위협국이 지리적으로 인접한 경우

① 3개   ② 4개
③ 5개   ④ 6개

정답 및 해설

월트(S. Walt)의 편승조건에 해당하는 것은 ㄱ, ㄴ, ㄷ, ㅁ으로 4개이다.

✓ 선지분석

ㄹ, ㅂ은 위협의 구성요소에 해당된다.

답 ②

021 위협균형론(Balance of threat theory)에 대한 설명으로 옳지 않은 것은?

① 국가는 세력이라는 기준에 근거하여 동맹을 형성하는 것이 아니라 위협(threat)이라는 기준에 근거하여 어느 쪽이 더 위협적이고 어느 쪽이 덜 위협적인가에 대한 판단에 근거하여 동맹을 맺는다는 이론이다.

② 세력균형론에 대한 수정적 접근으로 월트가 제시한 것이다.

③ 냉전 초기 NATO의 형성, 탈냉전기 NATO의 팽창, 19세기 후반 유럽에서 삼국협상의 성립 등은 위협균형의 사례로 볼 수 있다.

④ 지리적 인접성, 공격적인 군사능력, 인지된 공격의도가 중요하다.

> **정답 및 해설**
>
> 탈냉전기 NATO의 팽창은 위협균형론으로 분석하기 어렵다. 소련의 해체로 소련의 위협이 약화되었으므로, 논리적으로 보자면 NATO는 해체되거나 약화되어야 할 것이나, NATO의 가입국은 더욱 증가하여 강화되고 있기 때문이다.
>
> 답 ③

022 21세기 국제체제와 세력균형론의 적실성에 대한 논의로 옳지 않은 것은?

① 왈츠는 냉전의 종식으로 양극체제가 무너지고 현재 단극체제에 머무르고 있으나, 이는 미국이 아직 타 강대국들에게 제공해줄 수 있는 이익이 있기 때문이고 결국은 다극적 세력균형체제로 갈 것으로 본다.

② 위협균형론자들은 장기적인 관점에서 다극체제의 도래를 확신하면서도 현재의 단극체제가 정책 여하에 따라 어느 정도의 기간이 될지는 알 수 없으나 일정한 기간 지속될 수 있다고 본다.

③ 패권안정론자들은 미국이 과거의 패권 추구국과 같이 영토적 야심을 갖고 있기 때문에 미국에 대한 적대적인 동맹이 쉽게 결성될 것이라고 본다.

④ 요페(Josef Joffe)는 미국의 힘 자체가 압도적이기 때문에 균형이 불가능하다고 본다.

> **정답 및 해설**
>
> 패권안정론자들은 미국이 영토적 야심을 갖고 있지 않기 때문에 미국에 대한 적대적인 동맹이 쉽게 결성되지 않을 것이라 주장한다.
>
> ✔ **선지분석**
> ① 탈냉전의 시대를 다극체제로 가는 과도기에 존재하는 일극체제로 본다.
> ② 타국이 미국에 대항하여 균형을 형성할 것인지 그리고 얼마나 빨리 형성할 것인지는 타국이 국제체제를 얼마나 위협적이라고 인식하는가 그리고 미국의 행동이나 야심이 얼마나 위협적인가에 달려있다고 본다.
> ④ 요페는 국력의 요소로서 군사력과 같은 경성권력의 상대적 중요도가 낮아지고 대신 연성권력이 중요하다고 본다. 미국은 정교한 무기 등 군사력에 타의 추종을 불허하는 연성권력이 더해져 타 국가들의 힘의 총합보다 압도적인 우위를 가지고 있으므로 미국에 대한 힘의 균형이 일어나기 힘들다고 본다.
>
> 답 ③

023

연성균형론(soft balancing)에 대한 설명으로 옳지 않은 것은?

① 연성균형론은 냉전 종식 후 군사동맹을 통한 전통적 형태의 균형이 실질적으로 도래하지 않고 있는 것에 대한 현실주의의 학문적 대응으로서 제시되었다.

② 연성균형은 지배적인 국가와 직접적으로 대립하지 않은 채 지배적인 국가로 하여금 군사력을 사용하는 것을 좀 더 어렵게 만드는 것을 목적으로 한다.

③ 연성균형은 영토의 거부, 경제의 강화, 동맹외교 및 협력외교, 균형을 이루겠다는 결의의 신호 등을 통해 추구된다.

④ 연성균형의 사례로 냉전기 대소봉쇄정책으로서의 마셜플랜, 이라크 공격에 관한 안전보장이사회 결의에서 프랑스의 거부권 행사, 북핵문제 해결을 위한 6자회담 등을 들 수 있다.

정답 및 해설

동맹외교는 경성균형의 사례이다. 영토의 거부는 초강대국에게 필요한 영토 제공을 거부하는 것이다. 경제의 강화는 초강대국의 경제력에 대항하여 상대적인 경제력을 강화하거나 달러화의 지위를 약화시키는 행위이다. 협력외교는 국제제도나 외교적 조치를 통해 초강대국의 군사적 행동을 지연, 붕괴, 제거하는 행위이다. 균형을 이루겠다는 결의의 신호는 초강대국의 미래의 야심에 저항하는 것에 참여할 것이라는 신호를 보내는 조치이다.

답 ③

024

다음 ㄱ, ㄴ에 들어갈 중국 고전의 개념을 찾고, 이에 해당하는 현대 국제정치의 개념을 바르게 연결한 것은?

2019년 외무영사직

무릇 (ㄱ)론자들은 제후들이 땅을 떼어 진나라에 바치라고 합니다. … 이에 신이 대왕을 위해 계책을 올린다면 한, 위, 조, 초, 연, 제 등의 여섯 나라가 (ㄴ)하여 진나라에 대항해야 한다는 것입니다. 열국의 재상과 장군에게 명을 내려 서로 인질을 교환하고 다음과 같이 맹세하도록 하십시오. '진나라가 초나라를 공격한다면 제와 위 두 나라가 초나라를 돕고, 만일 진나라가 한과 위 두 나라를 공격한다면 제나라는 한과 위 두 나라를 돕고, …' 여섯 나라가 (ㄴ)을/를 행하여 공동으로 진나라에 대항한다면 진나라는 산동의 나라들에게 해를 끼칠 수 없습니다.

― 사마천, 『사기』(소진열전)에서 ―

	ㄱ	ㄴ
①	합종 – 견제(balancing)	연횡 – 편승(bandwagoning)
②	합종 – 편승	연횡 – 견제
③	연횡 – 견제	합종 – 편승
④	연횡 – 편승	합종 – 견제

정답 및 해설

합종은 견제 또는 균형을, 연횡은 편승을 말한다. 중국 전국 시대 소진은 진나라에 대항하기 위해 한, 위, 조, 연, 제, 초 6개국의 동맹 형성을 제안하였는데, 이를 합종설이라고 한다. 반면, 진나라의 장의는 진나라가 6개국과 각각 동맹을 맺어 6개국을 평정해야 한다고 주장하였는데, 이를 연횡설이라고 한다. 당시 진나라가 패권이었으므로 연횡설은 패권국과의 편승동맹 형성을 종용한 것이라고 볼 수 있다.

답 ④

001 동맹이론 중 연루(entrapment)와 방기(abandonment)에 대한 설명으로 옳은 것은? 2021년 외무영사직

☐☐☐

① 연루란 중립국이 중립을 유지하는 데 실패하고 전쟁에 휘말리는 상황을 의미한다.

② 연루의 위험과 방기의 위험은 비례하는 경향이 있다.

③ 동맹의 중요성을 강하게 느끼지 않는 국가일수록 연루의 위험에 빠지기 쉽다.

④ 동맹 상대국에 대해 강한 지원 의도를 가진 국가일수록 자국이 방기될 가능성을 줄일 수 있다.

> **정답 및 해설**
>
> 동맹 상대국에 대해 강한 지원 의도를 갖는다면 방기의 위험은 낮아지나 반대로 연루의 위험이 높아진다.
>
> **✓ 선지분석**
>
> ① 연루란 동맹관계에서 자국에게 불필요한 사안에 끌려들어가는 것을 말한다. 동맹의 역기능의 하나라고 볼 수 있다.
>
> ② 연루의 위험과 방기의 위험은 반비례한다. 연루를 줄이고자 하면 방기의 위험이 높아지고, 반대로 방기의 위험을 낮추고자 하면 연루의 위험이 높아지는 것이다.
>
> ③ 동맹의 중요성을 강하게 느끼지 않을수록 방기의 위험이 높아질 수 있다.
>
> 답 ④

002 동맹체결 목적에 따른 동맹유형에 대한 설명으로 옳지 않은 것은?

☐☐☐

① 국력집합동맹은 세력균형을 형성하기 위한 동맹으로서 국가들은 상호 군사력을 결집하여 공동의 적에 대응하기 위해 동맹을 형성한다.

② 국력집합동맹은 국력 차이가 큰 국가들 간에 주로 체결되는 동맹이기 때문에 비대칭적 동맹이라고도 한다.

③ 자치안보교환동맹에서 약소국은 강대국 동맹으로부터 군사적 지원을 확보하여 자국의 안보를 확고히 하는 데 목적을 두는 반면, 강대국은 약소국의 정책 결정 과정에 영향력을 행사할 수 있는 이득을 확보하고자 동맹을 체결한다.

④ 월트는 동맹 형성의 목적을 균형을 유지하기 위한 것과 우세한 세력 쪽으로 편승하기 위한 것으로 나눈다.

> **정답 및 해설**
>
> 국력집합동맹은 국력 차이가 큰 국가들 간에 체결되는 것이 아니라 국력이 비슷한 국가들 간에 주로 체결되는 동맹이며 대칭적 동맹이라고도 한다.
>
> **✓ 선지분석**
>
> ③ 약소국은 강대국으로부터 군사적 지원을 통해 자국의 안보를 공고히 할 수 있으나 자국의 자율성은 제약을 받는다.
>
> ④ 힘이 약한 쪽의 동맹에 참여할 경우 동맹국들이 자국의 도움을 필요로 하는 반면, 힘이 우세한 쪽에 참여할 경우 자국의 영향력은 미미해질 수 있다.
>
> 답 ②

003 동맹의 유형에 대한 설명으로 옳지 않은 것은?

① 방위조약은 조약에 서명한 국가들 중 어느 한 국가가 적대국에게 침략을 당했을 경우 다른 모든 서명 국들이 공동방어를 위해서 전쟁에 참전하기를 약속하는 동맹관계를 말한다.

② 중립조약은 서명국들 중 어느 한 쪽이 제3국으로부터 침공을 받았을 때 서명국들이 서로 간에 전쟁을 선포하지 않고 중립을 지킬 것을 약속하는 동맹관계이다.

③ 한미상호방위조약이나 북대서양조약기구는 불가침조약에 해당한다.

④ 협상은 서명국들 중 어느 한 국가가 제3국으로부터 침략을 당했을 경우 서명국들 간에 서로 공조체제 를 유지할 것인지 등에 관한 차후의 대책을 서로 협의할 것에 동의하는 동맹관계이다.

정답 및 해설

한미상호방위조약이나 북대서양조약기구는 방위조약에 해당한다. 중립조약 또는 불가침조약에 해당하는 것으로는 1939년 독일과 소련 간의 독소불가침조약이 있다.

답 ③

004 다음 괄호 안에 들어갈 개념으로 옳은 것은?

> (   )은 조약에 서명한 국가들 중 한 국가가 적대국에 침략을 당할 경우 다른 모든 서명국이 공동 방어를 위해 전쟁에 참전하기를 약속하는 동맹을 말한다. 한미상호방위조약이나 북대서양조약기구가 이 에 해당한다.

① 방위조약　　　　　　　　　　② 중립조약
③ 협상　　　　　　　　　　　　④ 불가침조약

정답 및 해설

방위조약 또는 상호원조조약에 대한 설명이다.

✓ 선지분석

②, ④ 중립조약 혹은 불가침조약이란 서명국 중 일국이 침략을 당할 경우 서명국 상호 간 전쟁을 선포하지 않고 중립을 선언하도록 약속하는 동맹이다. 협상은 일국이 침략을 당할 경우 서명국 상호 간 어떠한 조치를 취할 것인지에 대한 차후 대책을 서로 협의할 것에 동의하는 동맹관계이다.

답 ①

005 동맹이론에 대한 설명으로 옳지 않은 것은?

① 동맹이론은 크게 보면 동맹을 종속변수로 두고 동맹의 형성과 유지 및 와해의 요인을 분석하는 이론과, 동맹을 독립변수로 보고 국제체제의 안정 등의 종속변수에 미치는 영향을 연구하는 이론으로 대별할 수 있다.

② 탈냉전, 민주평화의 시기에 냉전기의 동맹은 와해 또는 약화되고 있으므로 동맹에 대한 연구의 필요성이 감소하고 있다.

③ 일반적으로 동맹은 "두 개 이상의 주권국가 간에 명확하게 맺어진 상호군사 협력의 약속"이라고 정의된다.

④ 동맹은 외부로부터의 위협에 대비하기 위해 가상의 적을 미리 설정하기 때문에 가상의 적을 미리 설정하지 않는 집단안보와 대비된다.

정답 및 해설

동맹에 대한 연구가 필요한 이유는 동맹은 동서고금을 막론하고 국가의 중요한 안보수단으로 기능해 왔고 후쿠야마(F. Fukuyama)가 '역사의 종언'이라고 명명한 탈냉전, 민주평화의 시기에도 냉전기의 동맹은 지속될 뿐 아니라 심지어 강화되고 있기 때문이다.

⊘ 선지분석

③ 동맹은 주권국가 간의 관계에 국한되며 비정부 간 연대는 동맹이라고 볼 수 없다. 한편 월트에 의하면 동맹은 자주국가들 간의 안보 협력을 위한 공식적 또는 비공식적 협정이다.

답 ②

006 동맹이론에 대한 설명으로 옳지 않은 것은?

① 스웰러(Randall L. Schweller)의 이익균형론에 의하면 국가는 현상유지와 현상타파 중 어느 쪽이 더 이익(interest)이 되는지를 계산해본 뒤에 균형성 동맹정책을 취할지 편승성 동맹정책을 취할지를 결정한다.

② 크리스텐센(Christensen)에 의하면 중추적 동반자 역할을 담당하는 행위자는 승자연합에 참여하는 다른 행위자들보다 세력기반이 약함에도 불구하고 연합에 참여하는 다른 행위자들 정도로 그 가치를 인정받는다.

③ 삼국동맹(Triple Alliance, 1882)의 형성에 있어서 이탈리아는 로마문제나 지중해문제로 프랑스와 전쟁을 하는 경우 독일과 오스트리아로부터 원조를 받고자 하였다.

④ 카플란(Kaplan)은 양극체제보다 다극체제에서 동맹이 변화할 가능성이 더 크다고 본다.

정답 및 해설

라이커(William Riker)의 입장이다.

답 ②

007 동맹의 변화요인에 대한 설명으로 옳지 않은 것은?

① 동맹은 국제체제의 무정부적 속성이나 힘의 분포상태가 변화하는 경우에 변할 수 있다. 그 예로 동맹의 중심적 국가가 강해지면 동맹의 결속력이 약화되며, 동맹의 중심 국가가 약해질 때는 결속력이 오히려 강해진다.
② 동맹은 외부의 위협에 대항하기 위해 형성되는데 동맹당사국의 외부위협 존재에 대한 인식이 약화될 경우 기존 동맹관계 역시 약화될 수 있다.
③ 적의 위험이 감소하거나 소멸하는 경우에도 동맹유지 비용이 편익을 넘어서므로 동맹은 와해될 수 있다.
④ 상호간의 집합정체성, 공유하는 가치나 문화 또는 이념에 균열이 생기는 경우 동맹이 와해될 수 있다.

정답 및 해설

동맹의 중심 국가가 강해지는 경우 동맹의 결속력은 강화되며, 약해지는 경우 결속력 역시 약해진다.

답 ①

008 다음 중 '동맹의 형성'으로 인해 '안보'에 영향을 미치는 경로가 가장 옳지 않은 것은?

① 위기 시에 동맹국의 힘 때문에 잠재적 적국들이 침공을 자제하는 것
② 전쟁이 났을 때 동맹국이 원조하여 전쟁을 승리로 이끌어 방어에 성공하는 것
③ 동맹국의 전쟁에 개입되어 자국으로 전쟁이 확대되는 것
④ 가상적국의 기대비용을 기대이익보다 작게 함으로써 도발을 억지시키는 것

정답 및 해설

기대비용을 기대이익보다 크게 만들어야 도발을 억지시킬 수 있다.

답 ④

009 스나이더(Glenn Snyder)의 동맹의 안보딜레마 이론에서 제시하는 명제와 거리가 먼 것은?

2011년 외무영사직

① 동맹공약이 확고할수록 연루의 위협이 커지나 방기의 위험은 적어질 것이다.
② 동맹국이 연루의 우려를 갖는 경우에 동맹파트너가 적대국에 대해 비타협적으로 나오는 것을 방지하기 위해 동맹공약을 보다 강화하려 할 것이다.
③ 동맹공약이 불명확할수록 방기의 위험이 커지나 연루의 위험은 줄어들 것이다.
④ 동맹국이 방기를 우려하는 경우에 동맹파트너의 협력을 유도하기 위해 동맹에 대한 공약을 보다 강화하려 할 것이다.

정답 및 해설

동맹공약을 강화할수록 동맹상대국에 대한 연루위협은 높아진다. 동맹안보딜레마란 동맹관계를 형성하고 있는 국가에 나타나는 '연루와 위협 상충관계'를 의미한다.

답 ②

010 동맹국가 간 안보딜레마를 초래하는 요인에 관한 설명 중 가장 타당성이 없는 것은?

2004년 외무영사직

① 양극체제 하에서 연속적인 패거리짓기(chain ganging) 현상이 빈번하고 다극체제 하에서는 책임전가 (buck passing) 현상이 빈번하다.

② 동맹국 간에는 연루의 위험이나 포기의 위험이 상존한다.

③ 포기의 위험은 동맹상대국에 대한 정치적 공약을 강화함으로써 감소될 수 있다.

④ 연속적인 패거리 짓기(chain ganging; 과다동맹) 현상이나 책임전가(buck passing; 과소동맹) 현상 때문에 전쟁이 발발할 가능성이 높아진다.

정답 및 해설

양극체제 안정론자인 왈츠(K. Waltz)는 왜 다극체제가 불안정한가에 대해 다음의 두 가지 이유를 들고 있다. 첫째, 세력균형의 유지를 위해 꼭 필요하다고 보이는 무모한 동맹국에 조건 없이 자신을 얽어매는 것(chain ganging), 둘째, 책임을 전가하여 제3자로 하여금 부상하는 패권국을 억제하는 데 필요한 비용을 부담하도록 하는 것(buck passing)이다. 즉 패거리짓기 현상과 책임전가 현상은 둘 다 다극체제에서 나타난다.

답 ①

011 스나이더(G. H. Snyder)가 동맹안보딜레마의 형태로 제시한 내용의 설명으로 옳지 않은 것은?

① 동맹상대국에 대한 강한 지원을 할 경우: 방기위험 감소, 연루위험 증가

② 동맹상대국에 대해 약한 지원과 공약을 할 경우: 연루 가능성 감소, 협상력 강화, 적대국의 동맹 약화

③ 적대국에 대한 강경 입장을 취할 경우: 방기위험 약화, 연루위험 강화, 협상력 강화

④ 적대국에 대한 유화 입장을 취할 경우: 방기위험 증가, 동맹상대국의 적국 접근 가능성

정답 및 해설

적대국에 대한 강경 입장을 취할 때는 자국의 입지가 좁아지기 때문에 동맹 변경 가능성에 대한 선택의 폭이 줄어들 며, 그러므로 동맹상대국에 대한 협상력이 약화되게 된다.

✓ 선지분석

① 동맹상대국에 대한 강한 지원을 할 경우에는 서로의 결속이 강해지므로 방기위험은 감소하나, 대신 상대방의 행동에 대한 연루위험은 증가한다.

② 동맹상대국에 대해 약한 지원과 공약을 할 경우에는 서로의 관계가 얕아지기 때문에 연루 가능성이 감소하며, 다양한 동맹 변경가능성에 대한 협상력이 강화되고, 적대국의 동맹을 약화시키는 장점이 있다. 그러나 방기될 위험을 높이고 동맹에 대한 책임감이 약하다는 평판을 얻는 단점이 있다.

④ 적대국에 대한 유화 입장을 취할 경우에는 동맹상대국이 자국을 신뢰하지 못하게 되므로 방기위험은 증가하고, 결국 동맹상대국이 적국으로 접근할 수 있는 가능성이 생기게 된다.

답 ③

012 동맹딜레마에 대한 설명으로 옳지 않은 것은?

□□□

① 동맹관계를 형성하고 있는 국가들이 직면하는 일종의 딜레마 상황을 동맹딜레마라고 한다.

② 동맹국 상호간에는 방기(abandonment)와 연루(entrapment)의 위험이 존재하는데, 방기와 연루는 반비례 관계에 있다.

③ 방기는 동맹에 대한 배반으로서 다양한 형태를 가진다. 한편 연루는 자국의 국가이익과 무관하거나 중요성이 크지 않은 동맹상대국의 이익을 위해 원하지 않는 갈등에 끌려 들어가는 것을 말한다.

④ 스나이더에 따르면 연루와 방기의 동맹딜레마는 양극체제에서 다극체제에 비해 그 발생가능성이 상대적으로 높다.

> **정답 및 해설**
>
> 스나이더는 양극체제에서 다극체제에 비해 동맹딜레마의 발생 가능성이 상대적으로 낮다고 주장하였다. 양극체제에서는 미국이나 소련과 같은 압도적으로 우월한 힘을 가진 국가가 동맹 내에서 동맹을 방기하려는 국가에 대해 제재의 위협을 가함으로써 이러한 딜레마를 극소화시킬 수 있기 때문이다.
>
> **☑ 선지분석**
>
> ② 방기 위험을 고려하여 동맹국에 대한 강한 지원의사를 표명하는 경우 상대국은 지원받을 것을 지나치게 확신하여 도발행위를 쉽게 할 수 있고 이 경우 연루될 가능성이 커진다. 한편 연루 위험을 줄이기 위해 약한 지원의도를 가진 국가는 실제 동맹의 도움을 필요로 하는 상황이 발생해도 도움을 얻지 못할 수 있다.
>
> 답 ④

013 글렌 스나이더(Glenn Snyder)가 주장하는 동맹안보딜레마에 대한 설명으로 옳지 않은 것은?

□□□

2020년 외무영사직

① 동맹국 간 관계의 정도에 따라 발생하는 연루(entrapment)와 방기(abandonment)의 위협은 반비례한다.

② 동맹체결국은 공동의 적과 행하는 '적대적 게임' 뿐만 아니라 동맹 상대 국가와의 '동맹게임'에도 직면하게 된다.

③ 동맹국 A, B 중 A국이 공동의 적에 대해 유화적인 태도를 보이면, 동맹게임에서 A국은 동맹 상대 B국이 초래하는 전쟁에 연루될 위협이 증가한다.

④ 다극체제에서는 양극체제보다 방기의 위험이 커지기 때문에 동맹안보딜레마가 더욱 심해진다.

> **정답 및 해설**
>
> 이 경우 방기의 위협이 증가하고, 연루의 위협은 감소한다. 반대로 공동의 적과 관계가 악화되면 동맹 내부적으로는 동맹관계가 강화될 것이므로 연루의 위협이 높아지는 반면 방기의 위협은 줄어든다. 동맹국 간 협상에서의 협상력은 약화된다.
>
> **☑ 선지분석**
>
> ① 연루의 위협이 증가하면 방기의 위협은 감소한다. 그 반대도 성립한다. 그래서 연루와 방기는 반비례관계라고 볼 수 있다.
>
> 답 ③

014 다음은 한미상호방위조약 제3조이다. 괄호 안에 들어갈 어구로 옳은 것은?

□□□

> 각 당사국은 타 당사국의 행정지배 하에 있는 영토와 각 당사국이 타 당사국의 행정지배 하에 합법적으로 들어갔다고 인정하는 금후의 영토에 있어 타 당사국에 대한 태평양 지역에 있어서의 무력공격이 자국의 평화와 안전을 위태롭게 하는 것이라고 인정하고 공통의 위험에 대처하기 위하여 (   ) 행동할 것을 선언한다.

① 즉시 무조건적으로   ② 일방의 요청에 의해
③ 중립의 원칙에 따라   ④ 각자의 헌법상의 절차에 따라

정답 및 해설

한미상호방위조약상 북한이 한국을 공격하는 상황에서 미국의 '즉각개입'이 규정되어 있는 것이 아니다. 미국 국내 정치적 합의에 따라 개입하도록 규정되어 있는 점에 주의해야 한다.

답 ④

---

015 다음 중 한·미 동맹에 부합되는 요소만을 모두 고른 것은?

□□□

> ㄱ. 방기(abandonment)와 연루(entrapment)의 위험
> ㄴ. 국력집합(capability aggregation)동맹
> ㄷ. 중립조약(neutrality pact)
> ㄹ. 협상(entente)
> ㅁ. 균형(balancing)동맹
> ㅂ. 편승(bandwagoning)동맹

① ㄱ, ㄴ   ② ㄱ, ㅂ
③ ㄷ, ㅁ   ④ ㄹ, ㅂ

정답 및 해설

ㄱ. 방기(abandonment)와 연루(entrapment)의 위험: 한국은 방기의, 미국은 연루의 위험에 노출되어 있다.
ㅂ. 편승(bandwagoning)동맹: 미국이 단극인 것에 편승하는 동맹이라고 할 수 있다.

⊘ **선지분석**

ㄴ. 국력집합(capability aggregation)동맹은 힘이 대등한 국가끼리 맺는 동맹의 형태이다.
ㄷ. 중립조약(neutrality pact)은 제3국에 의한 침공을 받았을 때 상호 간에 전쟁을 선포하지 않고 중립을 지킬 것을 약속하는 동맹관계이다.
ㄹ. 협상(entente)은 서명국들 중 어느 한 국가가 제3국으로부터 침략당했을 때 서로 공조체제를 유지할 것인지 등에 관한 차후 대책을 서로 협의할 것에 동의하는 동맹관계이다.
ㅁ. 균형(balancing)동맹은 북한, 러시아 등에 관계없이 현재 미국이 단극인 상태이므로 한미관계는 타 세력에 대한 균형을 위한 것은 아니다.

답 ②

016 동맹(alliance)과 관련된 학자와 그 주장이 옳게 짝지어진 것만을 모두 고른 것은?

> ㄱ. 슈웰러(Schweller) – 이익균형론(balance of interests)
> ㄴ. 라이터(Reiter) – 학습론(learning theory)
> ㄷ. 올슨(Olson) – 공공재론(public goods theory)
> ㄹ. 월트(Walt) – 위협균형론(balance of threat)

① ㄱ, ㄹ

② ㄱ, ㄴ, ㄷ

③ ㄴ, ㄷ, ㄹ

④ ㄱ, ㄴ, ㄷ, ㄹ

정답 및 해설

ㄱ. 슈웰러(Schweller)는 신고전현실주의자로서, 국가가 대외관계에서 권력의 극대화보다는 이익의 극대화를 추구한다고 보았다. 동맹 형성 역시 이익의 균형 관점에서 설명하였다.

ㄴ. 라이터(Dan Reiter)의 학습이론은 20세기에 있어서 약소국의 동맹 선택이 국가들의 경험으로부터 학습되었다는 것을 골자로 한다.

ㄷ. 공공재이론은 동맹이나 국제제도 형성에 있어서 지배적인 수혜자가 존재하는 경우 동맹이나 제도형성이 가능하다고 보는 이론이다.

ㄹ. 월트(Walt)의 위협균형론은 국가가 대외관계에서 균형을 추구하되, 균형의 존재 여부를 판단하는 기준이 '세력'이 아니라 '위협'이라고 주장하였다. 세력은 위협을 구성하는 한 요인에 불과하기 때문에 세력이 강한 국가가 항상 위협적인 것은 아니라고 보았다.

답 ④

017 다음 중 북대서양조약기구(NATO)가 최초로 집단적 자위권을 행사했던 사건은?

① 이라크전쟁

② 아프가니스탄전쟁

③ 코소보사태

④ 보스니아 내전

정답 및 해설

✓ 선지분석

① 미국이 일방적으로 개입한 것으로 NATO회원국인 프랑스와 독일은 반대했었다.

③ 코소보사태에 NATO가 개입하였으나 이는 집단적 자위권 발동으로 보기 어렵고, 통상 '일방적·인도적 간섭'의 사례로 본다. 집단적 자위권은 무력공격을 당한 제3국을 원조하여 침략국을 공격하는 것인데, 코소보사태는 밀로세비치의 인종청소를 중단시키기 위해 개입한 것이다.

④ 보스니아 내전에서는 영국, 프랑스, 미국이 유엔평화유지군(UNPKF)를 파견하였다.

답 ②

018 NATO 신전략개념(2010)에 대한 설명으로 옳지 않은 것은?

① 신전략개념을 작성하는데 있어 공공외교(public diplomacy)개념이 중시되었다.

② NATO와 비NATO회원국과의 협력강화가 핵심 내용으로 다루어졌다.

③ 기존 안보 범위를 에너지 안보, 사이버 공격, 기후변화, 해적 퇴치 등 비전통 안보 이슈로 범위를 확대시켰다.

④ '방위중심(defence-oriented)'에서 '안보중심(security-oriented)'으로 안보환경에 대한 대응방향을 바꾸었다.

정답 및 해설

안보중심의 대응방향 전환은 이전에 채택한 신전략개념이며 1999년 워싱턴에서 개최된 NATO창설 50주년 기념 정상회의에서 최종 승인된 내용으로 냉전이후 10년간 변화된 안보 환경에 대한 NATO의 대응방향을 설명한 것이다.

답 ④

---

019 냉전기 동맹의 특성에 관한 설명으로 옳지 않은 것은?

① 제2차 세계대전 후 1955년 오스트리아는 영세중립을 선언했다.

② 핵보유국에 의한 위협에 노출된 핵 비보유국은 핵대국에 의한 군사적 비호, 소위 핵우산을 추구하는 경우가 늘어났다.

③ 상대 진영에 대항하는 대국 간 전략적, 대칭적 동맹의 형태를 띠고 있었다.

④ 양자간 동맹이 아닌 다자간 고도로 조직화된 동맹이 출현하였다.

정답 및 해설

냉전기의 동맹은 고전 외교 하에서 나타난 바와 같이 대국 간의 전략적 동맹과는 질적으로 다른, 압도적인 전력을 가진 대국에 대한 비대칭적인 의존관계로서 대국에 대한 종속성도 내포하고 있었다.

✓ 선지분석

④ 북대서양조약기구(NATO)나 바르샤바조약기구(WTO)가 그 예가 될 수 있다.

답 ③

---

020 다음 국가들 중 북대서양조약기구(NATO) 회원국이 아닌 국가는 모두 몇 개인가?

ㄱ. 알바니아	ㄴ. 슬로바키아
ㄷ. 슬로베니아	ㄹ. 조지아
ㅁ. 우크라이나	ㅂ. 캐나다

① 없음(모두 가입)　　　　　　　　　② 1개국

③ 2개국　　　　　　　　　　　　　　④ 4개국

조지아와 우크라이나는 NATO 가입 희망국이나 러시아와의 관계 악화를 우려한 기존 회원국들의 우려 때문에 현재 가입하지 못하고 있다.

🛡️관련 이론 현재 NATO회원국(총 31개국)(스웨덴은 32번째 회원국으로 가입할 예정)

가입연도	가입국
1949	벨기에, 캐나다, 덴마크, 아이슬란드, 이탈리아, 룩셈부르크, 네덜란드, 노르웨이, 포르투갈, 영국, 미국, 프랑스
1952	그리스, 터키
1956	서독
1982	스페인
1999	폴란드, 헝가리, 체코
2004	불가리아, 에스토니아, 라트비아, 리투아니아, 루마니아, 슬로바키아, 슬로베니아
2009	알바니아, 크로아티아
2016	몬테네그로
2020	북마케도니아
2023	핀란드

답 ③

021

북대서양조약기구(NATO)에 대한 설명으로 옳지 않은 것만을 모두 고른 것은?

> ㄱ. 영국, 프랑스, 서독은 1948년 브뤼셀조약을 체결하여 상호 동맹을 형성하였으며, 미국과 캐나다가 이들과 협상을 개시하여 1949년 북대서양조약(워싱턴조약)이 체결되었다.
> ㄴ. 냉전시기 NATO는 구소련을 중심으로 한 동구 사회주의권의 군사적 위협에 대응하는 집단방위체제 성격을 띠었다.
> ㄷ. 2010년 리스본 정상회의에서 '신전략개념'이 채택되어 NATO는 집단방위 대신 위기관리, 협력안보를 핵심 임무로 상정하였다.
> ㄹ. NATO는 설립시부터 회원국으로서 의무와 책임 부담이 가능한 국가에 대해 회원국 가입 개방정책을 추진하고 있으며, 가입 조건의 하나로 OSCE 가이드라인에 따른 소수민족 대우를 요구하고 있다.
> ㅁ. 2020년 보스니아 – 헤르체고비나가 새로 가입하였다.

① ㄱ, ㄴ, ㄷ　　　　　　　　② ㄱ, ㄷ, ㄹ
③ ㄱ, ㄷ, ㅁ　　　　　　　　④ ㄷ, ㄹ, ㅁ

북대서양조약기구(NATO)에 대한 설명으로 옳지 않은 것은 ㄱ, ㄷ, ㅁ이다.
ㄱ. 브뤼셀조약 당사국은 영국, 프랑스, 베네룩스 3국이다.
ㄷ. 신전략개념에 집단방위도 포함된다.
ㅁ. 보스니아 – 헤르체고비나는 가입을 추진하고 있는 국가이다(북대서양조약기구가 2016년 5월 19일 러시아의 강력한 반대에도 몬테네그로를 나토의 29번째 회원국으로 받아들이기로 결정했다. 이로써 나토는 7번째로 회원국을 확대하게 됐다. 그러나 이 같은 결정은 미 상원 및 다른 동맹국 의회의 비준을 거쳐야 최종 효력을 갖게 된다).

답 ③

022
□□□

동맹에 대한 설명으로 옳지 않은 것은?

① 반 에베라의 이익균형론은 균형동맹이나 편승동맹이 사전에 정해진 것이 아니라 자국의 이익을 고려하여 균형이든 편승이든 선택한다는 이론이다.

② 글렌 스나이더에 의하면 적대국과의 관계가 개선되면 동맹국과는 연루위험은 낮아지나 방기위험은 높아진다.

③ 라이터의 학습이론은 국가의 동맹정책은 역사적 경험에 기초하여 성공적인 동맹패턴을 반복한다고 본다.

④ 세력균형론은 상대적 강대국에 대항하여 동맹이 형성된다고 본다.

> **정답 및 해설**
>
> 쉬웰러의 입장이다.

답 ①

023
□□□

동맹에 관한 설명으로 옳지 않은 것은?

① 올슨과 잭 하우저는 방기와 연루의 동맹딜레마를 제시하고 적대국과 관계가 악화될수록 연루위험이 고조된다고 분석하였다.

② 라이터의 학습이론에 의하면 국가의 동맹정책은 초기동맹 형성에 영향을 미치는 역사적 경험에 의해 결정된다.

③ 모겐소와 미어세이머는 국가가 세력균형에 의해 안보를 달성한다고 보는 점에서 공통적이다.

④ 스웰러의 이익균형론에 의하면 국가는 이익을 기준으로 하여 편승동맹 또는 균형동맹을 선택하며, 편승이나 균형 중 일방향으로 편향을 보이는 것은 아니라고 본다.

> **정답 및 해설**
>
> 동맹딜레마론은 글렌 스나이더의 이론이다.

답 ①

024
□□□

북대서양조약기구(NATO) 가입조건은 모두 몇 항목인가?

> ㄱ. 워싱턴조약(1949)의 원칙을 심화하고 북대서양 지역의 안보에 기여
> ㄴ. 시장경제에 기반한 민주주의 체제의 작동
> ㄷ. OSCE 가이드라인에 따른 소수민족 대우
> ㄹ. 주변국과의 주요한 분쟁 해결 및 분쟁의 평화적 해결 약속
> ㅁ. 동맹에 대한 군사적 기여 능력과 의지 및 여타 회원국과 군사작전상의 상호 운용성 확보
> ㅂ. OECD 회원국으로서 NATO회원국 상호 간 경제협력 추진

① 3항목　　　　　② 4항목　　　　　③ 5항목　　　　　④ 6항목

> **정답 및 해설**
>
> 북대서양조약기구(NATO)의 가입조건은 ㄱ, ㄴ, ㄷ, ㄹ, ㅁ으로, 모두 5항목이다.
>
> ⓥ **선지분석**
>
> ㅂ. 북대서양조약기구(NATO) 가입조건과는 관련이 없다.

답 ③

025 북대서양조약기구(NATO)에 대한 설명으로 옳지 않은 것은?

① 영국과 프랑스가 1947년 체결한 던커크(Dunkirk)조약에서 기원한 것으로서, 독일의 재침략에 대비한 상호원조조약이었다.

② 미국은 1948년 반덴버그 결의에 기반하여 유럽안보에 개입하였다.

③ 유럽의 안보제도는 1952년 유럽방위공동체(EDC)가 창설되면서 NATO와 EDC로 이원화되었다.

④ 조지아와 우크라이나는 가입하지 않고 있다.

정답 및 해설

유럽방위공동체(EDC)는 1950년대 초반 설립이 추진되었으나 무산되었다. 유럽방위공동체(EDC)는 1950년대 창설이 추진됐던 유럽 지역 국가의 통합 군대다. 프랑스 정부에 의해 처음 제안됐으나 프랑스 의회의 비준 거부로 실제 부대가 만들어지지는 않았다. 그러나 유럽 국가들이 처음으로 초국가적 군사 기구를 가지려고 시도했다는 점에서 역사적 의의가 있다는 평가를 받는다. 유럽방위공동체는 당시 소련과 대립하고 있던 미국의 입김이 작용해 설립이 추진되기 시작했다. 1949년 미국은 유럽 10개 나라 및 캐나다와 함께 북대서양조약기구[NATO(North Atlantic Treaty Organization)]를 만들어 유럽의 공산 진영에 맞서고 있었다. 미국은 이 기구를 위해 유럽 국가들이 보다 많은 돈을 낼 것을 원했으나 유럽 국가들은 재정적 어려움 등을 이유로 미국의 제안을 거부했다. 이 때문에 미국이 새롭게 추진한 것이 제2차 세계대전 패전국이었던 독일을 군사 공동체에 포함시키는 것이었다. 미국의 이런 의도를 반영해 1951년 프랑스 수상 르네 플레방(Rene Pleven, 1901~1993)이 유럽방위공동체 설립을 제안했다. 이 제안의 핵심은 프랑스, 이탈리아, 네덜란드, 벨기에, 룩셈부르크 등 5개 나라에 서독을 새로 포함시켜 모두 6개 국가로 유럽 통일군을 만들자는 것이었다. 이듬해인 1952년 6개 국가는 유럽방위공동체 설립에 동의하는 협정을 맺었다. 그러나 이 제안은 서독의 재무장을 달가워하지 않았던 프랑스 드골파(Gaullist)의 지지를 얻는 데 실패했다. 또 영국이 공동체에 참여하지 않는다는 사실도 프랑스 내에서 부정적인 여론을 높이는 데 영향을 미쳤다. 이런 이유로 프랑스 국회는 1954년 유럽방위공동체에 대한 비준을 거부했고 결국 이 기구는 현실화하지 못했다.

답 ③

026 동맹 결성을 시기가 이른 순서대로 바르게 나열한 것은?   2023년 외무영사직

> (가) 미일안전보장조약 체결
> (나) 한미상호방위조약 체결
> (다) 조소우호협력 및 상호원조조약(조소동맹) 체결
> (라) 조중우호협력 및 상호원조조약(조중동맹) 체결

① (가) → (나) → (다) → (라)　　　② (나) → (가) → (라) → (다)

③ (나) → (라) → (다) → (가)　　　④ (다) → (가) → (라) → (나)

정답 및 해설

(가) 미일안전보장조약은 1951년 9월 8일에 체결되었다.
(나) 한미상호방위조약은 1953년 10월 1일 체결되었다.
(다) 조소우호협력 및 상호원조조약(조소동맹)은 1961년 7월 6일 체결되었다.
(라) 조중우호협력 및 상호원조조약(조중동맹)은 1961년 7월 11일 체결되었다.

답 ①

001
□□□

오르간스키(Organski)의 세력전이(power transition) 이론에서 '평화적인 세력전이'가 일어날 수 있는
경우에 해당하는 것만을 모두 고른 것은?   2015년 외무영사직

> ㄱ. 성장하는 도전국이 기존 국제질서에 대해 만족도가 높은 경우
> ㄴ. 쇠퇴하는 지배국이 타 강대국과 전쟁 중이어서 성장하는 도전국의 지원이 필요할 경우
> ㄷ. 쇠퇴하는 지배국이 기존 국제체제의 위계구조 변화에 대해 높은 수용태세를 보이는 경우
> ㄹ. 도전국과 지배국이 우호관계이거나, 문화적으로 유사 하거나, 공동의 적에 대항하여 함께 전쟁을 치
>   렀을 경우

① ㄱ, ㄴ, ㄷ   ② ㄱ, ㄷ, ㄹ
③ ㄴ, ㄷ, ㄹ   ④ ㄱ, ㄴ, ㄷ, ㄹ

정답 및 해설

평화적인 세력전이가 일어날 수 있는 경우는 ㄱ, ㄴ, ㄷ, ㄹ 모두이다.
ㄱ. 오르간스키의 세력전이 전쟁 결정 요인 중 하나는 도전국의 불만족도이다. 불만족도가 높을수록 세력전이 전쟁
   의 발발 가능성이 높다.
ㄴ. 쇠퇴하는 지배국이 도전국의 지원을 필요로 하는 경우에도 패권국은 평화적 패권교체를 용인하기 쉽다.
ㄷ. 쇠퇴하는 지배국이 도전국의 부상을 수용하는 경우 전쟁 가능성은 낮아진다.
ㄹ. 영국에서 미국으로의 평화적 패권교체를 설명하는 명제로서, 바람직하다고 보는 국제 질서에 대한 견해가 유사
   할 때 평화적 세력전이 가능성이 높다.

답 ④

002
□□□

세력전이이론에 대한 설명으로 옳지 않은 것은?   2011년 외무영사직

① 세력전이이론은 강대국들 사이의 상대적 국력변화가 세계체제 속의 국가 행위와 전쟁 가능성의 핵심
   요인이라고 설명한다.
② 성장하는 국가와 쇠퇴하는 국가 사이의 상대적 국력 변화가 급속하게 진행될 때 성장하는 도전세력과
   쇠퇴하는 강대국 사이에 전쟁이 발생할 가능성이 높다.
③ 세력전이가 진행되는 과정에서 도전국가의 지도자가 위험회피 성향을 가졌을 때 도전국가는 주도국
   가가 자신을 압박하기 전에 먼저 군사적 갈등을 유발할 가능성이 높다.
④ 경쟁적 국가집단 사이의 정치적, 경제적, 군사적 능력의 균등한 배분은 전쟁의 가능성을 높이므로 평
   화는 힘의 균형이 이루어지는 시기보다는 힘의 불균형이 존재할 때 유지된다.

정답 및 해설

세력전이이론에서 전쟁을 결정하는 요인은 크게 힘의 격차와 불만족도로 나눌 수 있다. 힘의 격차가 좁혀진 상태에
서 도전국의 지배국에 대한 불만족도가 높을 때 세력전이 전쟁이 발발할 가능성이 높다. '지도자의 성향'은 세력전
이이론에서 전쟁과 평화를 결정하는 변수는 아니다. 지도자의 성향은 메스키타에 의해 제시된 기대효용이론에서 변
수로 고려하고 있다. 지도자가 위험선호적일 때 전쟁을 도발할 가능성이 높다.

답 ③

003 다음 설명 중 옳지 않은 것은?

① 헌팅턴(S. Huntington)은 탈냉전기의 갈등이 문화와 문명의 관점에서 야기될 가능성이 높다고 주장했다.

② 국제정치현상을 지정학적 요소로 설명하고 있는 대표적 주장이 오건스키(A. Organski)의 세력전이론이다.

③ '국경없는 의사회'는 전쟁과 재앙, 전염병의 피해자들에게 지원을 제공하는 NGO의 하나이다.

④ 인도주의적 개입은 베스트팔렌 체제의 주권 개념과 충돌하는 부분이 있다.

정답 및 해설

국제정치현상을 지정학적 요소로 설명하는 이론에는 대표적으로 맥킨더(H. MacKinder)의 심장부 이론(Heartland theory), 스파이크만(N. Spykman)의 초승달지대 이론 등이 있다. 오건스키(A. Organski)의 세력전이론(Power Transition Theory)은 산업화로 인해 발생하는 국가 간 경제성장률의 차이가 국제체제에 있어서의 힘의 배분의 변화를 유발하며 이러한 국가 간 동태적인 힘의 배분에 있어서의 변화가 패권국과 도전국 간 세계전쟁의 발발로 이어져 결국 새로운 지배국과 새로운 국제질서가 성립된다는 이론으로, 지정학적 요소로 설명하고 있는 것은 아니다.

답 ②

004 오건스키(A. F. K. Organski)의 '세력전이론(power transition theory)'에 관한 내용으로 옳지 않은 것은?

① 국제체제는 위계적인 것으로서 가장 정상에 단일의 지배적 국가(패권국가)가 있고 바로 밑에 몇 개의 경쟁적인 강대국군이 존재하며 그 밑에 중급국가군, 약소국가군, 종속국가군, 노예국가군이 순차적으로 피라미드 형태를 이룬다고 본다.

② 국가들은 산업능력에 따라 산업화 이전단계, 산업화 단계, 산업화 완성단계를 거치게 되는데 산업화로 인해 발생하는 경제성장률에 있어서의 차이가 국제체제의 힘의 배분에 대한 변화(구체적으로 패권국과 강대국 사이의 힘의 격차의 감소)를 유발한다고 본다.

③ 이러한 동태적 힘의 배분에 의해 지배국에 대한 강대국의 도전으로 세계전쟁이 발생하고 그 결과 새로운 지배국과 새로운 국제질서가 성립된다는 것이다.

④ 세력균형론은 힘이 균등할 때 전쟁이 방지된다고 보는 데 반해, 세력전이론은 오히려 힘이 균등해지려 할 때 전쟁이 발생한다고 본다.

정답 및 해설

종속국가군 이외에 노예국가군이라는 분류는 없다.

답 ①

005 세력전이론(power transition theory)에 대한 설명으로 옳지 않은 것은?

① 오건스키는 국제정치를 설명함에 있어서 시간을 초월하는 보편이론이 존재할 수 있다고 본다.

② 세력전이론은 국제체제 내의 국가들 간의 국력 성장속도가 차이나면서 발생하는 국제관계의 역동적인 변화를 설명하는 대표적인 국제관계이론이다.

③ 오건스키는 1958년 출간한 저서 『World Politics』에서 세력균형이론의 가정들 중 동맹 형성을 통한 국력증대라는 가정이 지나치게 비현실적이라고 지적했다.

④ 국가는 본질적으로 지배권 장악을 위한 상향적 성향을 가지고 있으며, 각국 간의 끊임없는 지배권 탈취를 위한 힘의 투쟁의 결과가 국제정치의 역사라고 보고 있다.

> **정답 및 해설**
>
> 오건스키는 국제정세가 시대에 따라 본질적으로 다른 양상을 띠게 되므로 각 시대의 특질에 맞는 특수이론은 존재해도 보편적 이론은 있을 수 없다고 본다.
>
> ✅ **선지분석**
> ③ 오건스키는 산업화 이전에는 대부분의 국가들이 농업경제를 바탕으로 성장했기 때문에 국가 간 급격한 상대적 국력 변동은 쉽지 않았고 따라서 동맹을 통해서만 힘을 결집시키거나 변화시킬 수 있었다고 보았다. 하지만 산업혁명 이후 국가들 간의 국력의 변동이 심한 동적인 체제를 설명하는 데는 세력균형이론이 적합하지 않다고 주장하였다.
>
> 답 ①

006 세력전이론에 대한 설명으로 옳은 것은?

① 오건스키(A. F. K. Organski)는 국력의 3대 요소로 부와 산업능력, 인구, 군사조직의 크기를 들고 있다.

② 오건스키(A. F. K. Organski)는 국력의 변화를 산업화의 진행에 따라 세 단계로 나누는데, 첫 번째가 잠재적 힘의 단계, 두 번째가 힘의 성숙단계, 그리고 마지막이 힘의 전환적 성장단계이다.

③ 세력전이론에 따르면 전쟁은 현 체제에 불만을 가진 강대국이 산업화를 추진하여 국력을 키우고, 또 불만족하는 많은 국가들의 지지를 확보하여 지배권 쟁취를 위한 도전을 하게 될 때 일어난다.

④ 전쟁은 도전국이 현재 보유한 힘의 크기가 지배국보다 크고 도전국의 국력신장속도가 상대적으로 빠를수록, 지배국이 수용적 태도를 보이지 않고 우호적 관계에 있지 않을수록 가능성이 더 높아진다.

> **정답 및 해설**
>
> ✅ **선지분석**
> ① 국력의 3대 요소로 부와 산업능력, 인구, 그리고 정부조직의 효율성을 들고 있다.
> ② 오건스키(A. F. K. Organski)의 국력의 변화 3단계는 첫째, 잠재적 힘의 단계, 둘째, 힘의 전환적 성장단계, 그리고 마지막이 힘의 성숙단계이다.
> ④ 전쟁은 도전국이 '현재 보유한 힘의 크기'가 지배국보다 큰 것이 아니라 '잠재적 힘의 크기'가 클수록 가능성이 커진다.
>
> 답 ③

007 세력전이론과 세력균형론을 비교한 것으로 옳지 않은 것은?

① 세력균형론은 국제체제를 무정부체제라고 보나, 세력전이론은 패권국을 정점으로 하는 위계적인 체제라고 본다.

② 세력균형론은 국제체제가 국가 간의 세력배분이 균형 상태에 있을 때 안정을 가져온다고 보는 반면, 세력전이론은 지배적인 힘의 우위가 있을 경우 국제체제가 안정된다고 본다.

③ 세력전이론은 국가 간의 동맹을 세력배분의 변화를 가져오는 근본요인으로 간주하는 데 반해, 세력균형론은 국가 간에 존재하는 성장률에 있어서의 격차를 근본요인으로 본다.

④ 세력균형론의 경우 균형을 위해 유연한 동맹형성이 가능해야 하기 때문에 동맹의 결속력이나 지속력이 높지 않다고 본다. 반면, 세력전이론의 경우 동맹의 결성 이유가 힘의 격차 확대나 공공재 획득이기 때문에 결속력과 지속력이 강할 것으로 본다.

> **정답 및 해설**
>
> 세력균형론과 세력전이론의 설명이 바뀌었다. 세력전이론이 동맹의 힘의 배분에 대한 영향력을 낮게 보는 이유는 패권국가와 기타 국가와의 힘의 격차가 압도적으로 크기 때문에 동맹이 기존의 세력배분에 미치는 영향이 크지 않다고 보기 때문이다.
>
> **⊘ 선지분석**
>
> ② 이러한 맥락에서 세력균형론자들은 냉전체제를 양극적 세력균형체제로 보고 탈냉전기 양극체제의 붕괴로 국제체제의 불안정성이 증가하고 있다고 본다. 그러나 세력전이론은 냉전기를 미국 중심의 패권체제에 대해 소련이 도전하던 시기로 보고 냉전시대의 평화를 패권국의 존재로 설명한다. 따라서 소련의 붕괴는 힘의 격차를 확대시켜 국제체제의 안정성이 높아질 것으로 본다.
>
> 답 ③

---

008 다음은 세력전이이론과 세력균형론에 대한 설명이다. 옳은 것만을 모두 고른 것은?

> ㄱ. 세력전이이론은 국제체제가 위계체제라고 보는 반면, 세력균형론은 무정부체제라고 본다.
> ㄴ. 세력전이이론에서는 국가들 간 힘의 불균형도가 심해질수록 평화유지의 가능성이 커진다고 보는 반면, 세력균형론에서는 힘의 균형이 이루어질 때 평화가 유지된다고 본다.
> ㄷ. 세력전이이론에서는 산업화 정도가 국가 간 세력배분에 변화를 가져온다고 보는 반면, 세력균형론에서는 동맹을 통해 세력배분을 변화시킬 수 있다고 본다.
> ㄹ. 세력전이이론에서의 동맹은 주로 균형동맹이고 중요도가 낮으며 수명이 짧은 반면, 세력균형론에서의 동맹은 주로 편승동맹이고 중요도가 높고 수명이 길다.

① ㄱ, ㄴ   ② ㄱ, ㄷ   ③ ㄷ, ㄹ   ④ ㄱ, ㄴ, ㄷ

> **정답 및 해설**
>
> 세력전이이론과 세력균형론에 대한 설명으로 옳은 것은 ㄱ, ㄴ, ㄷ이다.
>
> **⊘ 선지분석**
>
> ㄹ. 세력전이이론에서의 동맹은 주로 편승동맹이고 동맹의 수명이 길다. 약소국은 국익증진을 위해 패권국에 자발적으로 편승하고, 패권국은 힘의 우위를 유지하거나 확대하기 위해 약소국을 포섭하기 때문에 자치안보교환동맹이 이루어지는 것이다. 따라서 이러한 이유로 맺어진 동맹은 결속력과 지속력이 강할 것이다. 반면, 세력균형론에서의 동맹은 주로 균형동맹이며 동맹의 수명이 짧다. 세력균형론에서는 동맹을 견제와 균형을 위해서 맺기 때문에 세력균형의 추이에 따라 유연한 동맹형성이 가능해야 한다. 따라서 동맹의 결속력이나 지속력이 높지 않은 것이다.
>
> 답 ④

009 세력전이 또는 세력균형에 대한 설명으로 옳은 것은?

① 오건스키(A. F. K. Organski)는 '패권전쟁론'을 주장하며 합리적 행위자로서의 국가는 기대되는 이익이 비용보다 클 경우 국제체제의 변화를 시도한다고 본다. 즉 국제정치적 변화란 자신의 이익을 관철시키기 위한 노력의 결과물이라는 것이다.

② 길핀(R. Gilpin)은 '세력전이론(power transition theory)'에서 부(富)와 산업능력, 인구, 정부조직의 효율성을 힘의 3대 요소로 보며, 산업화의 중요성을 역설하였다. 그에 따르면 국제체제는 무정부적인 것이 아니라 위계적인 것이다.

③ 왈츠(K. Waltz)의 세력균형론은 국가 간 힘의 배분 상태를 가지고 국제체제를 산발적 세력균형체제 혹은 초월적 세력균형체제로 특징짓고 이러한 특징을 가지고 국가들의 행위와 국제체제의 안정과 평화를 설명하고자 했다.

④ 모델스키(G. Modelski)는 장주기이론을 전개하며 패권국가의 등장과 쇠퇴는 일정 주기로 반복되며 세계체제의 장기적 변동에 중요한 역할을 한다고 보았다.

정답 및 해설

⊘ 선지분석

①, ② 오건스키(A. F. K. Organski)는 '세력전이론(power transition theory)'을 주장했으며 ①에 제시된 설명은 길핀(R. Gilpin)의 패권전쟁론에 관한 내용이다. 반대로 ②는 오건스키(A. F. K. Organski)의 세력전이론의 내용이다. 이론명과 서술이 서로 뒤바뀌었다.

③ 산발적 세력균형, 초월적 세력균형이라는 용어는 없고 왈츠가 주장한 것은 양극적, 다극적 세력균형이다.

답 ④

---

010 패권안정이론과 세력전이론을 비교한 것으로 옳지 않은 것은?

① 두 이론은 국제체제 변화가 국가들 간 국력증가 속도의 차이에서 비롯된다는 점에서 같다.

② 패권국가와 도전국가 간 세력이 전이되는 시기에 전쟁가능성이 가장 높아진다고 보는 점에서는 같다.

③ 세력전이론은 지역 세력전이 현상에도 적용될 수 있으나, 패권안정이론은 국제체제에만 적용된다는 점에서 다르다.

④ 두 이론은 모두 주기적 관점을 취하고 있으므로 궁극적으로 패권전쟁을 피할 수 없다는 결정론적 주장이다.

정답 및 해설

길핀의 이론은 주기적 관점을 취하고 있으나, 세력전이론의 주장은 순환적이 아니므로 세력전이 전쟁을 회피할 가능성이 있다고 본다.

답 ④

---

011 세력전이이론에 대한 설명으로 옳지 않은 것은?

① 오간스키는 1958년 『World Politics』에서 동맹형성을 통한 세력증가라는 세력균형론의 가정이 비현실적이라고 지적하면서 세력전이이론을 제시하였다.

② 오간스키는 모든 국가의 힘은 잠재적 힘, 힘의 전환적 성장, 힘의 성숙 단계를 거쳐서 변동한다고 보았으며, 힘의 전환적 성장단계는 산업화가 완성된 단계로서 기술혁신과 경제성장은 계속되나 GNP의 증가율은 그전보다 떨어진다고 하였다.

③ 오간스키는 급성장하는 강대국이 체제 내 리더십을 추구하지 않는 경우 세력전이전쟁이 일어날 가능성이 낮다고 하였다.

④ 렘키의 다중위계체제모형에 의하면 지역세력전이 전쟁이 발생하는지 여부를 결정하는 지배적인 변수는 전 세계 패권의 전략이다.

정답 및 해설

힘의 성숙단계가 산업화가 완성된 단계이다.

답 ②

제10절 ㅣ 패권안정론

001 패권안정론(hegemonic stability theory)에 대한 설명으로 옳은 것은?   2021년 외무영사직

① 신자유주의와 구조주의 시각에서만 국제경제질서를 설명하는 이론이다.

② 두 국가가 팽팽한 세력균형을 이룰 때 국제경제질서 또한 안정성을 유지한다.

③ 19세기 중반의 유럽경제는 영국의 패권으로 인하여 안정을 유지하였다.

④ 제2차 세계대전 후 패권의 부재는 20세기 중반 폐쇄적 경제질서의 대두로 이어졌다.

정답 및 해설

19세기는 영국 패권의 세기로서 국제경제질서가 안정성을 유지하였으나, 20세기로 접어들면서 영국의 패권이 쇠퇴하여 국제경제질서의 불안정성이 야기되었다고 본다.

⊘ 선지분석

① 패권안정론은 국제경제질서의 형성과 쇠퇴에 있어서 패권국의 역할을 강조한다. 신자유주의는 '절대적 이익'차원에서, 구조주의(마르크스주의)는 중심부와 주변부의 착취 차원에서 국제경제질서를 설명한다.

② 세력균형론에 대한 설명이다. 패권안정론은 압도적 힘을 가진 국가가 존재할 때 국제경제질서가 안정된다고 본다.

④ 제2차 세계대전 이후에는 미국 패권이 존재하여 1960년대까지 안정적이고 개방적인 국제경제질서가 유지되었다고 본다. 1970년대 이후 미국 패권이 쇠퇴하면서 폐쇄적 경제질서가 전개되었다는 입장이다.

답 ③

002 국제정치이론가에 대한 설명으로 옳은 것만을 모두 고른 것은?

ㄱ. 맥킨더(Halford Mackinder)는 유라시아를 지배하는 자가 세계를 지배한다고 주장
ㄴ. 웬트(Alexander Wendt)는 국가의 이익은 결정되어 있는 것이 아니라 정체성과 상호작용에 따라서 변할 수 있다고 주장
ㄷ. 킨들버거(Charles Kindleberger)는 전간기의 대공황을 분석하면서 영국과 미국 모두 리더십을 행사할 의지는 있었지만 능력이 부족했다고 진단
ㄹ. 미어샤이머(John Mearsheimer)는 방어적 현실주의자로서 부상하는 중국을 미국이 봉쇄해야 한다고 주장

① ㄱ, ㄴ
② ㄱ, ㄷ
③ ㄴ, ㄷ
④ ㄷ, ㄹ

정답 및 해설

국제정치이론가에 대한 설명으로 옳은 것은 ㄱ, ㄴ이다.
ㄱ. 맥킨더(Halford Mackinder)의 '심장지역이론'에 대한 설명이다.
ㄴ. 구성주의 입장이다. 집합정체성에 따라 선호나 이익이 달라진다고 본다.

☑ 선지분석
ㄷ. 영국은 의지가 있었으나 능력이 없었고, 미국은 능력은 있었으나 의지는 없었다고 분석했다.
ㄹ. 미어샤이머(John Mearsheimer)는 공격적 현실주의자이다. 국제체제의 무정부성 때문에 모든 국가는 현상타파적 행동을 할 수밖에 없다고 본다.

답 ①

003 1930년대 세계공황을 설명한 킨들버거(Kindleberger)의 패권안정론에 대한 내용으로 옳지 않은 것은?

① 세계공황은 패권국가가 부재했기 때문이다.
② 당시 미국은 공공재를 제공할 능력은 있었으나 의지가 없었다.
③ 패권적 국제질서 속에서 약소국은 무임승차하려는 의도를 보이지 않는다.
④ 당시 영국은 공공재를 제공할 의지는 있었으나 실질적인 능력이 부족했다.

정답 및 해설

약소국은 일반적으로 무임승차(free-riding)경향을 보이기 때문에 공공재가 원활하게 공급되지 않는다고 본다. 따라서 이러한 상황에서 공공재가 공급되기 위해서는 패권국의 지도력과 능력이 요구된다고 본 것이다.

답 ③

004 패권안정론의 등장 배경으로 옳지 않은 것은?

□□□

① 1960년대 이후 국제무역질서에서 자유무역질서는 점차 퇴조하기 시작하였으며, 국제통화질서에서 트리핀 딜레마(Triffin's dilemma)에 봉착하게 되었다.
② 국제정치질서와 국제경제질서가 심각한 괴리를 보이고 있는 것에 대한 문제의식에서 출발하였다.
③ 미국의 국제수지 적자가 계속되면서 1960년대 초반 해외의 달러 보유고가 미국 연방준비은행의 금 보유고를 초과하기 시작하였으며, 달러의 과잉공급으로 달러의 실질가치는 지속적으로 하락하였다.
④ 독일을 비롯한 유럽경제 및 일본경제의 급속한 성장의 결과 미국경제의 위상은 상대적으로 약화되었다.

정답 및 해설

패권안정론은 국제정치경제론으로서 패권적 국제질서와 국제경제질서가 매우 높은 상관성을 갖는다는 전제에서 출발한 이론이다.

✅ **선지분석**
① 국제무역질서에서 세계 무역량은 계속적으로 증가했으나 점차 비관세 장벽을 수단으로 하는 신보호주의 경향이 강화되기 시작하였다. 국제통화질서에서 트리핀 딜레마란 특정국가의 통화가 국제통화로 사용됨으로써 생기는 딜레마로서 유동성과 신뢰성 간의 상충관계를 말한다.
④ 한편 국제정치적인 면에서도 월남전 수행과정이나 1차 석유파동 당시 미국이 보여준 무력감 등으로 인해 미국의 상대적인 권력 내지 영향력이 약화에 대한 의구심을 불러일으키고 있다.

답 ②

---

005 길핀(R.Gilpin)의 패권안정론에 대한 설명으로 옳지 않은 것은?

□□□

① 국제체제는 위계가 구조화된 무정부 상태로서 패권국을 정점으로 하여 힘의 배분차원에서 위계구조를 형성하고 있다.
② 패권국은 해외시장에서의 이윤을 극대화하기 위해 자유무역주의를 옹호한다.
③ 국가의 힘을 구성하고 있는 군사력과 경제력 및 기술능력이 다른 속도로 성장하는 '점적효과'가 패권전쟁의 근본적 원인이다.
④ 패권국 내부적으로는 패권 획득의 결정적 요인이었던 기술혁신에 대한 동기부여가 약화됨으로써 패권이 쇠퇴하게 된다.

정답 및 해설

불균등성장 법칙에 대한 설명이다. 점적효과는 물질적 풍요로움의 지속으로 사회 저변에 소비재와 서비스재에 대한 수요가 점진적으로 확산되는 현상을 말한다.

답 ③

006 패권안정론(Hegemonic Stability Theory)에 대한 설명으로 옳지 않은 것은? 2007년 외무영사직

① 패권안정론은 국제체제의 구조적 특징을 가지고 국제정치질서의 안정성 여부를 설명하려 했다.

② 패권안정론이 왈츠(Kenneth N. Waltz)류의 신현실주의와 다른 점은 분석의 시각을 국제정치경제적 영역까지 확장시켰다는 점이다.

③ 길핀(R. Gilpin)의 패권안정론은 왈츠의 신현실주의와 마찬가지로 국제체제 변화를 제대로 설명하지 못하는 한계를 지닌다.

④ 1930년대의 세계공황을 전통적인 경제변수를 가지고 설명하지 않고 패권국의 부재라는 변수를 가지고 설명한 킨들버거(Charles Kindleberger)는 패권안정론자이다.

정답 및 해설

왈츠(Kenneth N. Waltz)의 이론에 대한 비판 중의 하나가 바로 지나치게 정태적이라는 것이다. 왈츠(Kenneth N. Waltz)는 체제의 구조를 정의하는 세 가지 핵심요소로 체제의 조직원리(ordering principle), 구성단위들 간의 기능의 분화(division of functions), 구성단위들 간의 권력능력의 배분(distribution of power capability)을 들고 있는데, 홀스티(Ole R. Holsti)에 따르면 이들 세 가지 요소가 너무나 일반적이어서 체제변화의 근원과 동태성에 충분히 민감하지 못하다고 한다. 왈츠(Kenneth N. Waltz)에 따르면 지난 300년 동안 국제체제의 구조적 변화는 단 한 번(즉, 제2차 세계대전 이전 다극체제에서 이후 양극체제로 바뀐 것)밖에 없었기 때문에 왈츠(Kenneth N. Waltz)의 모델은 지나치게 정태적이라고 한다. 반면 길핀(R. Gilpin)의 패권안정론은 왈츠(Kenneth N. Waltz)의 이론이 가지고 있었던 한계인 체제이론의 정태성을 극복하고 동태성을 가지기 위해 패권이 어떻게 순환하는가를 설명하고자 했다.

답 ③

---

007 국제정치에서 패권안정(hegemony stability)에 관해 다음과 같은 견해를 피력한 사람은?

> • 1930년대 세계공황은 패권국가가 부재했기 때문이다.
> • 1930년대 미국은 공공재를 제공할 능력은 있었지만 그 의지가 없었다.
> • 1930년대에 영국은 공공재를 제공할 의사는 있었지만 그 능력이 부족했다.
> • 패권적 국제질서에 약소국은 무임승차를 하게 된다.

① 킨들버거(Charles Kindleberger)　　　② 길핀(Robert Gilpin)
③ 크라즈너(Stephen Krasner)　　　　　④ 코헤인(Robert Keohane)

정답 및 해설

킨들버거(Charles Kindleberger)는 그의 저서 『The World in Depression, 1929~1939』에서 1930년대의 세계공황을 전통적인 경제변수가 아닌 패권국의 부재라는 독립변수를 통해 설명하면서 제시문과 같은 견해를 밝혔다.

답 ①

008 킨들버거(C. Kindleberger)의 패권안정론에 대한 설명으로 옳은 것만을 모두 고른 것은?

□□□

> ㄱ. 킨들버거(C. Kindleberger)의 패권안정론에 따르면 양차 대전 사이에는 영국은 패권국가로서의 역할
>   을 할 의사는 있었으나 능력이 없었고 미국은 능력은 있었으나 의사가 없어서 공황이 발생했다고 본다.
> ㄴ. 패권 국가는 다양한 쟁역에 있어서 국제레짐의 등장을 위한 지도력을 제공한다.
> ㄷ. 패권 국가도 이러한 상황에서 공공재를 공급함으로써 비용에서 이익을 뺄 경우 순이익(net profit)을
>   얻지만 작은 국가들이 보다 많은 이익을 얻는다.
> ㄹ. 킨들버거(C. Kindleberger)의 패권이미지는 악의적 패권(malign hegemon)이다.

① ㄱ   ② ㄱ, ㄴ
③ ㄱ, ㄴ, ㄷ   ④ ㄱ, ㄴ, ㄷ, ㄹ

정답 및 해설

킨들버거(C. Kindleberger)의 패권안정론에 대한 설명으로 옳은 것은 ㄱ, ㄴ, ㄷ이다.

✓ 선지분석

ㄹ. 킨들버거(C. Kindleberger)는 패권국의 지배적인 경제력을 협력을 가능하게 하는 요인으로 간주하며 패권국을
    국제공공재를 기꺼이 제공하고자 하는 선의의 전제자(benevolent despot)로 바라본다. 이는 패권국가의 선의
    를 강조하는 견해(benign view of hegemon)이다.

답 ③

009 패권안정론의 전개에 대한 설명으로 옳지 않은 것은?

□□□

① 국제정치경제 이론으로서의 패권안정론은 크게 공공재론적 패권안정론과 신현실주의적 패권안정론
   으로 대별된다.
② 공공재론적 패권안정론은 킨들버거의 이론을 효시로 하여 올슨(Mancur Olson) 등에 의해 발전되었다.
③ 신현실주의적 패권안정론은 개방적인 무역구조 설명이나 다국적기업의 활동에 대한 설명에서 패권국
   의 힘과 영향력을 설명변수로 사용한다.
④ 크라즈너와 길핀은 국제경제 영역에서의 국제협력을 국가의 선호도라는 행위자 변수로 설명하고자
   하였다.

정답 및 해설

크라즈너, 길핀은 신현실주의적 패권안정론자들로 국제경제 영역에서의 국제협력을 행위자 변수로 설명한 것이 아
니라 국가 간 힘의 분포라는 구조적 변수로 설명하고자 하였다.

답 ④

010 공공재적 패권안정론에 대한 설명으로 옳지 않은 것은?

① 올슨의 공공재이론을 국제정치경제질서에 적용한 이론이 공공재적 패권안정론이다.

② 킨들버거는 1930년대 국제경제의 무질서를 패권적 능력을 가진 영국의 고립주의 전략 때문이었다고 분석하였다.

③ 자유무역은 공공재이며 압도적 경제력을 지닌 국가는 지배적 수혜자의 성격을 지닌다.

④ 국가들은 자유무역을 통해 이득을 보는 동시에 자국 시장은 폐쇄하려는 무임승차의 동기를 지니고 있어 자유무역질서의 수립이 어렵기 때문에 패권국이 필요하다고 본다.

정답 및 해설

킨들버거는 패권적 의사를 지닌 영국의 능력부재와 패권적 능력을 지닌 미국의 의사부재에서 경제대공황이 비롯되었다고 주장하였다.

⊘ 선지분석

④ 그러나 압도적인 경제력을 지닌 지배적 수혜국이 존재하는 경우 자유무역이라는 공공재가 제공될 수 있다고 주장한다. 압도적 경제력을 지닌 국가는 자유무역의 지배적 수혜국이 되기 때문에 자유무역질서를 수립하고 관리하는 비용을 부담하려는 동기와 능력을 갖고 있다.

답 ②

011 공공재적 패권이론과 길핀의 패권이론을 비교한 것으로 옳지 않은 것은?

① 패권의 속성에 있어서 길핀은 패권국이 이기적이고 강압적이라고 보나, 공공재적 패권이론에서는 시혜적이라고 본다.

② 공공재적 패권이론에서 의미하는 패권의 힘은 무역, 자본 등 경제력을 의미한다. 반면 길핀의 이론에서 패권의 힘은 정치, 군사적 힘을 의미한다.

③ 길핀의 패권이론과 공공재적 패권이론은 모두 패권국이 존재하는 경우 자유주의적 국제무역질서가 형성된다고 본다.

④ 공공재적 패권이론과 마찬가지로 길핀의 패권이론은 자유무역질서가 형성되는 것이 패권국이 공공재를 공급하려는 의지 및 능력과는 무관하다고 본다.

정답 및 해설

공공재적 패권이론에서는 자유무역질서가 형성되는 것이 패권국의 의지 및 능력과 관련이 있다고 보고 있다.

⊘ 선지분석

① 따라서 공공재적 패권이론을 '시혜적 패권이론'이라고 하고, 길핀의 이론을 '강제적 패권이론'이라고 한다.

답 ④

012 패권안정론(Hegemonic Stability Theory)에 대한 설명으로 옳지 않은 것은?

① 패권안정론이 왈츠(K. Waltz)의 신현실주의와 다른 점은 기본적으로 국제정치경제 영역을 분석대상으로 삼고 있다는 점이다.

② 패권안정론은 국제체제의 구조적 특징을 가지고 국제정치질서의 안정성 여부를 설명하려 했다.

③ 패권쇠퇴와 자유무역레짐의 쇠퇴를 연계시켜 설명한 패권안정론은 신자유주의적 제도주의에 의해 계승되었다.

④ 킨들버거(Charles Kindleberger)는 1930년대의 세계공황을 전통적인 경제변수가 아닌 패권국의 부재라는 정치변수로 설명하였다.

정답 및 해설

국제레짐과 국제기구를 포함한 국제제도의 자율성을 인정하는 신자유주의적 제도주의 이론은 패권안정론이 패권의 쇠퇴와 국제질서, 국제협력, 국제제도의 쇠퇴를 결부짓는 것을 비판하고 패권의 쇠퇴 속에서도 이러한 것들이 지속될 수 있다는 낙관적인 전망을 제시하였다.

답 ③

---

013 패권안정론에 대한 설명으로 옳지 않은 것은?

ㄱ. 크라즈너는 패권국은 타국들로 하여금 개방적 무역구조를 받아들이도록 유인하거나 강제할 수 있는 정치적 능력, 군사적 능력, 경제적 능력을 갖고 있다고 본다.

ㄴ. 코헤인은 패권의 존재가 자유무역레짐 창출과 유지와는 별 상관이 없다고 지적하였고, 패권 쇠퇴로 자유무역레짐이 쇠퇴한다고 보는 것은 과도하다고 본다.

ㄷ. 던컨 스니달(Duncan Snidal)은 패권국가의 시혜적 성격에 대해 비판을 가하며, 오히려 패권국은 자신의 힘으로 제도유지 비용을 다른 국가들에게 부담시킨다고 본다.

ㄹ. 크라즈너는 국가들이 자국 시장 개방 여부에 대한 판단을 국가의 규모와 발전수준을 고려하여 내린다고 보고, 그 중 중간규모의 국가를 설득하는 것이 개방적 질서 형성에 핵심이라 생각한다.

① ㄱ, ㄴ ② ㄱ, ㄹ
③ ㄴ, ㄷ ④ ㄴ, ㄹ

정답 및 해설

패권안정론에 대한 설명으로 옳지 않은 것은 ㄱ, ㄴ이다.

ㄱ. 크라즈너는 패권국이 상징적 능력, 경제적 능력, 군사적 능력을 가지고 있어, 타국이 개방적 무역구조를 받아들이도록 유인하는 데 용이하다고 본다. 상징적 능력이란, 패권국이 경제발전 달성의 모범사례가 되어 패권국의 정책이 모방될 때 갖는 능력을 의미한다.

ㄴ. 코헤인은 패권의 존재가 자유무역레짐 형성 및 유지에 긍정적인 역할을 하는 것에 대해 동의하나, 패권의 쇠퇴가 자유무역레짐 쇠퇴로 이어진다고 보진 않는다. 패권쇠퇴 이후에도 레짐 유지의 이익이 있다고 판단하는 경우, 자유무역레짐은 유지될 수 있다고 본다.

답 ①

014

길핀(R. Gilpin)의 패권안정론에 대한 설명으로 옳지 않은 것은?

① 패권국가는 광범위한 국가들의 보편적인 이익이 아닌 패권국가 자신의 이기적인 이익(self-interest)에 보다 집중하는 경향을 보인다.

② 패권국이 국제레짐의 규칙을 제재(制裁)를 통해 시행하며 또한 국제레짐을 유지하기 위해 작은 국가들로부터 대가의 지불을 강제한다고 본다.

③ 패권국이 자신의 이익을 위해 자비로운 모습으로 타국을 위해 공공재를 제공한다고 보았다.

④ 패권전쟁에서의 승리와 타국에 자신의 의지를 강요할 수 있는 증명된 능력을 패권국가가 타국에게 협력을 유도할 수 있는 결정적인 요인으로 본다.

정답 및 해설

패권국은 공공재를 공급함에 있어서 하위국가들로부터 공공재를 위한 기여를 강제할 수 있으며 준정부(quasi-government)처럼 공공재를 공급하면서 타국으로 하여금 그가 공급하는 공공재에 과세를 부가한다는 점을 강조한다. 이는 킨들버거의 'other-regarding hegemon'에 비교해 'self-regarding hegemon'이라 불린다.

답 ③

015

길핀의 패권안정론에 대한 설명으로 옳지 않은 것은?

① 압도적인 힘을 가진 패권국이 존재할 때 국제체제가 가장 안정적이다.

② 강대국과 패권국의 국력의 차이가 비슷해지게 되면 전쟁가능성이 높아진다.

③ 쇠퇴하는 패권국과 급성장하는 도전국 간 패권전쟁이 발발한다.

④ 패권전쟁이 순환적인 것은 아니며 강대국과 패권국의 성격에 따라 회피 가능하다.

정답 및 해설

세력전이론의 주장이다. 길핀은 세력전이론과 달리 주기적 관점을 취하고 있기 때문에 궁극적으로 패권전쟁을 피할 수 없다는 결정론적인 주장을 내세운다.

답 ④

016 다음은 제2차 세계대전 이후 형성된 국제경제질서의 혼란과 힘의 분포 변화라는 현실적 맥락에서 제기된 패권안정론에 대한 설명이다. 각각에 대한 설명으로 적절하지 않은 것은?

① 킨들버거(C. Kindleberger): 패권국은 자신의 이기적 이익을 증진시킬 수 있는 국제질서를 강제력을 가진 지도력을 통해 공급한다고 본다.

② 크라즈너(S. Krasner): 분석단위를 국가에 두고, 국제무역구조에서 각 국가가 자국의 국가이익을 추구한다는 전형적인 현실주의 입장을 취하고 있다.

③ 레이크(D. Lake): 일국이 자유무역을 추진할 것인가를 결정하는 핵심변수는 '일국의 상대적 생산성'과 '일국이 세계무역에서 차지하는 몫'이라고 비판한다.

④ 스나이덜(D. Snidal): 패권쇠퇴 이후 자국이익을 추구하는 소수의 국가에 의해 집단행위가 가능하고 이를 통해 패권의 전성기보다 우월한 배분과 협력이 가능하다고 본다.

> **정답 및 해설**
>
> 킨들버거(C. Kindleberger)는 패권국은 안정된 국제체제로부터 이익을 얻기 때문에 국제 공공재를 기꺼이 제공하고자 하며, 이러한 패권국의 일방적인 공공재 공급으로 인해 나머지 국가들은 무임승차의 유인을 받게 되고 실제로도 무임승차를 한다고 본다. 즉 패권국이 약소국을 강압적으로 착취하는 것이 아니라 오히려 약소국이 강대국을 착취·이용한다는 공공재적 패권이론을 전개하였다.
>
> 답 ①

017 크라즈너의 패권안정론에 대한 설명으로 옳지 않은 것은?

① 패권의 성장기에는 개방성이 증가하고 쇠퇴기에는 폐쇄성이 증가한다는 크라즈너의 이론을 대입하면, 현재의 미국은 패권 쇠퇴기에 접어들고 있다고 판단될 수 있다.

② 국제레짐은 패권이론에서 자율적인 변수(autonomous variable)가 될 수 없다.

③ 1차 세계대전 이전 영국은 자국의 이익을 위해서 자유무역을 이용했고 이를 강제할만한 능력을 가지고 있었다.

④ 패권국가는 그 자신에게 유리한 무역체제를 수립하기 위해 그의 패권적 우월성을 이용한다.

> **정답 및 해설**
>
> 크라즈너의 이론에서 국제레짐(크라즈너의 패권안정론에서는 자유무역레짐이라고 봐도 무방)은 자율적 변수로 간주된다.
>
> 답 ②

018 패권안정론에 대한 설명으로 옳지 않은 것은?

① 킨들버거(C. Kindleberger)는 올슨의 공공재이론과 결합해 공공재적 패권안정론을 주장하였다.
② 길핀(R. Gilpin)은 시혜적 패권(other-regarding hegemon)이론을 전개하였다.
③ 크라즈너(S. Krasner)는 패권이 쇠퇴하면 개방적 무역질서가 유지되기 어렵다고 보았다.
④ 코헤인(R. Keohane)은 패권이 없어도 협력이 이뤄질 수 있다고 하며 패권안정론을 비판하였다.

정답 및 해설

길핀(R. Gilpin)은 이기적 패권(self-regarding hegemon)이론을 주장하였다. 그가 상정하는 패권은 자신의 이득만을 위해 패권을 유지하는 국가를 그리고 있다.

⊘ 선지분석
① 킨들버거(C. Kindleberger)가 주장한 것이 시혜적 패권에 속한다.
③ 크라즈너(S. Krasner)는 현재 FTA의 확산 등 WTO 자유무역체제의 쇠퇴가 미국 패권 쇠퇴의 증거라고 본다.
④ 코헤인(R. Keohane)은 『After Hegemony』라는 저서에서 절대적 이익을 추구하는 국가들은 패권 없이도 협력을 일궈낼 수 있다고 주장하였다.

답 ②

019 패권안정론에 대한 비판으로 옳지 않은 것은?

① 코헤인(Robert O. Keohane)은 『After Hegemony』에서 패권쇠퇴 이후의 정치경제 질서에 대한 패권안정이론가들의 비관적 예견과 권력구조의 변수에만 초점을 맞추는 단순논리적 성격을 공격하고, 패권쇠퇴 여부와 관계없이 국가 간에 협력이 이루어질 수 있다고 본다.
② 스나이덜(Duncan Snidal)은 패권국은 공공재의 지배적 수혜자일 뿐만 아니라 정치, 경제, 군사적으로도 상당한 영향력을 가진 국가이므로 자국의 정치·군사적 영향력을 행사하여 그들에게 공공재 제공에 소요되는 비용을 강제로 부과하는 '강압적 패권국가'가 될 수도 있다고 주장한다.
③ 패권안정론자들은 보호무역이 공공재라고 보나, 공공재 개념의 모호성이 지적되기도 한다.
④ 패권안정론에서 핵심개념은 패권(hegemon)이다. 그러나 이는 어느 정도의 힘이 집중되는 경우에 패권국이라고 하는지, 그리고 패권을 경제적 차원에서 정의할 것인지 아니면 정치적, 군사적 차원에서 정의할 것인지가 명확하지 않다.

정답 및 해설

공공재 개념에 비판이 있는 것은 올바른 진술이다. 다만, 패권안정론자들은 '자유무역'이 공공재라고 주장한다. 특히, 공공재적 패권안정론자들은 자유무역이 패권국과 약소국 모두에게 이익을 준다는 점에서 공공재라고 본다.

답 ③

020 패권안정론에 대한 여러 비판으로 옳지 않은 것은?

① 코헤인(R. Keohane): 국가들은 상대적 이익(relative gains)이 아니라 절대적 이익(absolute gains)을 추구한다.
② 코헤인(R. Keohane): 레짐의 존재가 미래의 그림자(shadow of future)를 드리워 패권이 없어도 협력은 지속될 수 있다.
③ 스나이덜(D. Snidal): 강압적 패권이론은 잘못되었다. 약소국들은 강제승차가 아니라 무임승차(free riding)하는 것이다.
④ 레이크(D. Lake): 패권적 구조와 자유무역 질서는 필연적 연관성이 없다.

스나이덜(D. Snidal)은 공공재적 패권이론을 비판하였으며, 약소국들은 무임승차하는 것이 아니라 강압적 승차 (forced riding)를 당하는 것이라고 하였다.

✓ **선지분석**

① 길핀(R. Gilpin)은 상대적 이익을 역설했으나 코헤인(R. Keohane)은 절대적 이익을 주장해 대조를 이룬다.
② 길핀(R. Gilpin)의 주장은 유한반복게임이라고 비판하며 코헤인(R. Keohane)은 무한반복게임으로 인한 협력의 지속을 설명하였다.
④ 크라즈너(S. Krasner)의 패권론에 대한 비판에 해당한다.

답 ③

제11절 | 국제체제변화론

001 국제체제의 변화를 설명하는 이론으로 보기가 가장 어려운 것은?   2008년 외무영사직

① 길핀(Robert Gilpin)의 패권안정론(hegemonic stability theory)
② 로즈노우(James Rosenau)의 연계정치론(linkage politics theory)
③ 모델스키(George Modelski)의 장주기론(long cycle theory)
④ 오건스키(A. F. K. Organski)의 세력전이론(power transition theory)

정답 및 해설

로즈노우(James Rosenau)의 연계정치론은 한 국가의 자원 및 정치체제, 개인의 역할 등의 변수를 통해 각국의 외교정책을 분석한 것이다. 국제체제의 변화와는 관계가 없다.

답 ②

002 국제체제변화론에 대한 설명으로 옳지 않은 것은?

① 국제체제변화이론들이 제기된 것은 1970, 1980년대 미국의 패권이 상대적으로 쇠퇴했다고 평가되던 시기이다.
② 전후 압도적 경제력과 군사력을 자랑하던 미국은 경제적으로는 일본과 독일 경제가 급속히 회복하면서 지배적 지위가 상대적으로 잠식되었고, 정치·군사적으로는 베트남전쟁 패배, 소련과의 핵군사력의 평형 등으로 압도적 패권의 지위가 쇠퇴하였다.
③ 길핀, 모델스키, 월러스타인, 케네디 등의 학자들은 근대국제체제의 변화를 분석하고 패권의 필연적 쇠퇴 명제를 제기하였다.
④ 국제체제변화론자들의 주장에 따르면, 중국의 부상이 지속될 경우 미국은 이를 막기 위해 군사력을 사용함으로써 국제체제의 위기가 발발할 수 있다.

정답 및 해설

국제체제변화론자들의 주장은 힘을 증강시킨 강대국이 쇠퇴하는 패권국을 공격함으로써 국제체제의 위기를 야기한다는 것이다.

답 ④

003 패권순환론에 대한 설명으로 옳지 않은 것은?

① 1970년대 패권안정론에 의해 미국 패권의 쇠퇴에 대한 논쟁이 제시된 이후 미국 중심 패권체제의 안정성과 패권체제 변화에 대한 이론이 지속적으로 제시되었다.
② 길핀, 오건스키, 월러스타인, 모델스키 등 패권순환론자들은 모두 패권이 100년을 주기로 순환한다고 주장하였다.
③ 길핀은 패권전쟁만이 체제불안을 해소하는 유일한 길이라고 보나, 모델스키는 역사적 피드백효과로 패권전쟁이 불가피한 것은 아니라고 본다.
④ 패권순환론은 최근 중국의 부상이라는 현상 때문에 새롭게 주목을 받고 있다.

> **정답 및 해설**
>
> 길핀과 오건스키는 패권의 주기적 교체를 언급하지 않았다. 월러스타인과 모델스키는 패권이 약 100년을 단위로 주기적으로 순환한다고 하였다.
>
> 답 ②

004 모델스키의 장주기론의 세계체제 변동과정을 차례대로 나열한 것은?

ㄱ. 세계대국(world power)	ㄴ. 세계전쟁(global war)
ㄷ. 탈집중화(deconcentration)	ㄹ. 비정통화(delegitimation)

① ㄱ - ㄷ - ㄹ - ㄴ
② ㄱ - ㄹ - ㄷ - ㄴ
③ ㄴ - ㄱ - ㄹ - ㄷ
④ ㄴ - ㄹ - ㄷ - ㄱ

> **정답 및 해설**
>
> 세계전쟁을 통해 등장한 세계대국은 자국에 가장 유리한 질서를 형성하여 세계체제를 유지한다. 그러나, 도전국이 부상하면서 세계대국이 형성한 질서에 문제를 제기하기 시작하며(비정통화), 세계대국과 도전국의 격차가 좁혀질수록 이러한 경향은 강화된다(탈집중화). 결국에는 세계전쟁으로 귀결되어 패권이 교체된다.
>
> 답 ②

005 모델스키의 장주기론(The Long Cycle Theory)에 대한 설명으로 옳지 않은 것은?

① 모델스키는 세계정치의 전개를 분석함에 있어서 분석단위를 세계체제로 설정하고, 세계체제의 역사적 변동원인을 규명하고자 하였다.
② 세계체제 변동에 있어서 가장 중요한 요인은 세계전쟁이며, 세계전쟁은 결정론적이라는 점에서 길핀의 이론과 동일하다.
③ 세계체제는 세계대국과 이에 대항하는 도전국 및 여타의 세계 강국들 간의 상호작용 체제로 구성되어 있다.
④ 모델스키는 세계체제가 약 100년을 주기로 해서 상승과 하강을 거듭한다고 본다.

정답 및 해설

모델스키는 세계전쟁이 결정론적이지는 않다고 주장하며, 이 점에서 길핀의 이론과 구별된다.

⊘ 선지분석

③ 이들 간에는 세계적 질서와 정의라는 공공재를 공급하고 소비하는 관계를 중심으로 광범위한 상호작용이 이루어지는 교환구조가 형성되어 있다.

답 ②

006 모델스키(George Modelski)의 장주기이론(Theory of Long Cycles)에 기초하여 16세기에서 20세기 중반까지의 세계체제 변화를 다섯 시기로 구분할 때, 각 시기에 지배적 위치에 있었던 세계국가(world power)가 시대순으로 바르게 나열된 것은?

① 포르투갈 – 영국 – 네덜란드 – 프랑스 – 미국
② 포르투갈 – 네덜란드 – 영국 – 영국 – 미국
③ 포르투갈 – 네덜란드 – 프랑스 – 영국 – 미국
④ 네덜란드 – 포르투갈 – 영국 – 영국 – 미국

정답 및 해설

장주기이론에서 특징적인 점은 모델스키가 마한의 '해양력설'을 받아들여 주요 패권국을 해양으로의 접근이 용이한 국가로 규정한 점이다. 포르투갈, 네덜란드, 영국, 미국 등은 모두 해양으로 진출이 용이한 지정학적 입지요건을 갖춘 국가들이다.

답 ②

007 모델스키의 장주기이론에 대한 설명으로 옳지 않은 것은?

① 세계체제는 100년을 주기로 하여 세계대국, 비정통화, 분산화, 세계전쟁 순으로 변동한다.
② 세계 지도력의 역할을 하는 국가는 세계적인 보편이익을 증진시키는 협조적이고 시혜적인 국가이다.
③ 도전국은 지리적으로 대륙에 위치하고 군사적인 면에서는 일관된 정치·군사적 조직이 부족하다.
④ 세계체제는 세계적인 문제나 관계를 관리하기 위한 제도나 장치 또는 세계적 상호의존을 관리하기 위한 구조를 말하며 세계체제는 약 17세기경 발생하여 지속되고 있다.

정답 및 해설

모델스키의 장주기이론에 따르면 세계체제는 약 1500년경 발생했다고 보았다.

답 ④

008 길핀의 패권전쟁론에 대한 설명으로 옳지 않은 것은?

① 길핀은 다른 패권이론가들과 마찬가지로 국제체제는 '위계가 구조화된 무정부 상태(ordered anarchy)'로서 패권국을 정점으로 힘의 배분차원에서 위계구조를 형성하고 있다고 본다.

② 패권국은 가장 효율적이고 기술적으로 선진화되어 있는 국가로서 자유주의적이고 안정적인 세계경제 질서로부터 가장 많은 이익을 얻는다.

③ 패권국은 해외시장에서의 이윤을 극대화할 수 있도록 하기 위해 보호무역질서를 형성하고 유지한다.

④ 패권국은 안정적으로 이익을 재생산하기 위해 경제적 게임의 규칙, 투자자본, 국제통화, 세계 차원의 소유권 보호 등 공공재를 공급한다.

> **정답 및 해설**
>
> 패권국은 자유무역질서를 형성하고 유지한다.
>
> 답 ③

---

009 길핀이 지적하는 패권의 쇠퇴요인으로 옳지 않은 것은?

① 패권 하에서는 패권 획득의 결정적 요인이었던 기술혁신에 대한 동기부여가 상대적으로 약화된다.

② 소비가 감소하고 투자는 증가한다.

③ 정치적 지배 비용이 증가하여 패권경제의 기반을 침식한다.

④ 기술이전으로 인해 패권국의 상대적 우위가 잠식된다.

> **정답 및 해설**
>
> 소비가 증가하고 투자는 감소한다. 물질적 풍요로움의 지속이 점적효과(trickle-down effect)를 통해 사회 저변에 소비재와 서비스재에 대한 수요를 확산시킨다.
>
> **☑ 선지분석**
>
> ③ 패권국은 패권체제 유지의 이익보다 더 많은 비용을 지불하게 되어 '과부담'이 축적되고 이는 재정위기로 이어진다.
>
> ④ 기술이전을 막으려는 시도는 성공하지 못하며 장기적으로 자유주의 세계시장경제의 작동으로 인해 기술이 후발 국들에게 확산, 이전된다.
>
> 답 ②

---

010 길핀이 주장하는 패권전쟁에 대한 설명으로 옳지 않은 것은?

① 패권의 절대적, 상대적 쇠퇴로 인해 국제체제는 구조적 불균형 상태에 처하게 되고, 결국은 패권전쟁으로서 불균형이 해소된다. 불균등발전법칙에 의해 비패권국의 능력이 패권국을 초과하면서 체제의 변화가 시작된다.

② 패권전쟁은 총력전의 양상을 띠며 체제 내의 대부분의 국가들이 전쟁에 개입한다.

③ 세계체제가 진행되는 과정에서 학습효과를 가져다주는 긍정적 피드백 효과에 의해 패권전쟁의 회피 가능성이 있다고 본다.

④ 패권전쟁으로 인해서 기존의 패권국 대신 패권전쟁에서 승리한 국가가 새로운 패권국으로 등극하게 된다.

길핀은 패권전쟁은 역사적 우연이라기보다는 내재적 발전논리에 따라 불가피하게 일어난다고 본다. 즉, 패권전쟁을 회피할 수 없다고 본다. 긍정적 피드백 효과에 의해 패권전쟁의 회피가능성이 있다고 본 것은 모델스키이다.

⊘ 선지분석

① 비패권국은 지금까지 현상변경보다는 현상유지의 이익이 크다고 보고 체제에 순응해 왔으나 비패권국의 능력이 패권국을 초과하게 되면 제도변경을 요구하게 되고 체제 변화를 모색하게 된다.

답 ③

---

011 **국제체제변화론자들을 비교한 것으로 옳지 않은 것은?**

① 모델스키는 월러스타인과 마찬가지로 국제관계의 동학을 이해함에 있어서 구조와 역사의 중요성을 강조한다.

② 모델스키는 세계정치체제가 세계경제체제에 종속되는 것으로 보는 월러스타인과 달리, 세계체제에서 정치체제의 독립성을 강조하면서 세계적 차원에서의 정치구조의 변화를 중심으로 근대 세계체제의 형성과 전개과정을 설명하고 있다.

③ 길핀과 모델스키는 패권교체의 주기성을 강조한 점과 체제변화에 있어서 전쟁이 불가피함을 주장한 점에서 입장이 같다.

④ 월러스타인과 모델스키 및 톰슨이 국제체제가 장기간에 걸쳐 주기적으로 순환한다고 보는 것과 달리 케네디는 주기적인 관점은 택하고 있지 않다.

패권교체의 주기성을 강조한 점에서는 공통적이나 전쟁의 불가피성에 대해서는 입장을 달리한다. 길핀은 패권전쟁은 주기성을 가진 불가피한 현상에 가깝다고 보고 있으나 모델스키는 패권전쟁이 반드시 필연적이지는 않다고 본다.

⊘ 선지분석

① 따라서 개체론적 분석단위에 기초해 있는 현실주의나 자유주의적 패권이론과는 달리 세계체제라는 전체론적 분석단위를 상정한다는 공통점을 갖는다.

④ 케네디는 강대국의 쇠퇴를 가져오는 근본적인 원인으로 경제적 능력을 초월하는 과도한 군사적 개입에 따른 군사비의 과잉지출, 즉 '제국주의적인 과도한 확장(imperial over-stretch)'을 들고 있다.

답 ③

---

012 **펠로폰네소스전쟁(B.C 431~404)에 대한 설명으로 옳지 않은 것은?**

① 고대 그리스 세계의 강대국이었던 아테네와 스파르타 사이에서 벌어진 전쟁이다.

② 투키디데스는 '펠로폰네소스전쟁사'에서 전쟁의 원인이 페르시아 침공 이후 급격히 증가했던 스파르타의 힘과 이를 바라보면서 아테나가 가지게 되었던 두려움이라고 보았다.

③ 아테네와 스파르타는 기원전 421년 휴전에 합의하였으나 기원전 415년 아테네가 중립지대인 시칠리아를 공격함으로써 전쟁이 재개되었다.

④ 아테네는 내부 분열과 동맹의 이탈로 기원전 404년 스파르타에 항복함으로써 펠로폰네소스전쟁은 종결되었다.

아테네의 힘의 증가에 따른 스파르타의 두려움이 전쟁의 원인이라고 보았다.

답 ②

013 국제체제변화이론에 대한 비판을 설명한 것으로 옳지 않은 것은?

① 모델스키가 상대적 예외로 인정될 수도 있으나, 국제체제변화이론은 평화적 권력이전의 가능성에 대해 상대적으로 비관적이다.

② 세계적 평화와 발전가능성이 존재함에도 불구하고, 패권과 충돌의 주기를 지나치게 강조함으로써 국가와 지도자들로 하여금 평화적 대안의 존재를 인식하지 못하게 만들어 폭력에만 대비하도록 유도할 수 있다.

③ 포르투갈, 네덜란드, 영국을 패권국으로 보는 데에는 이의가 없다.

④ 국제체계의 구조적 조건에만 주목하는 이론은 국가의 행위와 관련한 제약과 기회만을 설명할 수 있을 뿐, 국가의 특정한 선택을 설명하기 어렵다.

정답 및 해설

패권에 대한 정의는 이론마다 다르나 대체로 '대적할 만한 상대가 없는 정도의 압도적인 힘'이 그것의 공통분모라 할 때 포르투갈, 네덜란드는 물론 19세기 영국을 패권국으로 볼 수 있는가 하는 문제가 제기된다. 로즈크랜스에 따르면 19세기 영국은 "모방자들을 고무하고 국제정치의 향방을 바꾸었으나" 당시 세력균형 상태에 있었던 여섯 개 강대국들 가운데 더욱 강한 하나일 뿐이었다.

✅ 선지분석

① 영국에서 미국으로의 패권이전, 냉전의 종식과 독일 통일 등의 평화적인 권력이양 과정은 폭력적인 세계전쟁을 통해 국제체계 내의 비평형상태가 해소되어 왔다는 패권이론에 대한 중요한 반증을 제시하는 사례들이다.

② 이로 인해 군비경쟁, 안보딜레마, 폭력과 살상의 주기적 경험으로 귀결될 위험이 있다.

④ 즉, 구조주의적 이론은 구조적인 조건에 반응하여 행위자들이 어떻게 그들의 이익을 정의하는지 그리고 인식이나 지식 등과 같은 정신과 아이디어가 어떻게 구조적인 조건과 국가이익의 정의와 선호를 연결하는지를 가려내지 못한다.

답 ③

014 펠로폰네소스전쟁에 대한 설명으로 옳지 않은 것은?

2019년 외무영사직

① 투키디데스는 아테네의 국력 성장이 스파르타에 두려움을 야기하여 전쟁이 발생하였다고 주장하였다.

② 육상 세력인 스파르타와 해양 세력인 아테네 간의 전쟁이었다.

③ 전쟁에서 승리한 스파르타는 페르시아를 정복하여 그리스 도시국가의 번영에 기여하였다.

④ 오늘날 중국의 부상이 미국과 중국 간의 전쟁으로 이어질 수 있다는 주장의 근거가 되기도 한다.

정답 및 해설

펠로폰네소스전쟁에서 스파르타가 승리함으로써 그리스 도시국가들의 황금시대는 막을 내리게 되었다.

✅ 선지분석

④ 이를 투키디데스 함정이라고도 한다. 중국의 부상에 대한 미국의 두려움이 미국의 중국에 대한 전쟁을 야기할 수도 있고, 중국은 지도력을 교체하기 위해 전쟁을 도발할 수도 있다.

답 ③

001
□□□
나이(J. Nye)는 "내가 원하는 것을 상대방이 하도록 하는 힘을 강성권력(hard power)"으로 보았고, "내가 원하는 것을 상대방이 원하도록 하는 것을 연성권력(soft power)"으로 보았다. 다음 중 나이가 말한 (a) 강성권력과 (b) 연성권력을 대표하는 것끼리 옳게 짝지어진 것은?   2007년 외무영사직

	(a)	(b)		(a)	(b)
①	군사력	경제력	②	경제력	문화
③	제도	이데올로기	④	규범	제도

정답 및 해설

군사력, 경제력 등은 강성권력에, 문화, 이념(이데올로기) 등은 연성권력에 해당된다.

답 ②

002
□□□
다음 중 연결 사항이 옳지 않은 것은?   2006년 외무영사직

① 그로티우스(H. Grotius): 국제사회를 위해 국가 간에도 법이 필요하다.
② 클라우제비츠(Clausewitz): 전쟁은 정치적 행위일 뿐 아니라 정치적 도구이며, 피아 간의 정치적 협상의 계속이며 정치에서와는 다른 수단을 사용하여 정치협상을 수행하는 행위이다.
③ 윌슨(W. Wilson): 미국은 무장한 집단 또는 외부세력의 압력에 대항하여 싸우는 자유민을 지지할 것이다.
④ 나이(J. Nye): 하드파워는 전쟁에서 승리할 수 있는 힘이고, 소프트파워는 평화를 달성할 수 있는 힘이다.

정답 및 해설

해당 내용은 트루먼 독트린에 관한 것이다. 1947년 3월 미국의 트루먼 대통령은 미의회 상·하원 합동연설에서 무력으로 국민을 굴복시키려는 소수의 권력자들이나 외세의 압력에 저항하는 자유민을 지원하는 것이야말로 미국의 정책이어야 한다고 하면서, 당시 공산주의 세력의 위협을 받고 있던 그리스와 터키에 대한 즉각적인 경제 및 군사원조의 제공을 의회에 요청하였다. 트루먼 대통령의 연설은 비록 그리스와 터키라는 두 특정국가에 대한 지원을 구체적 정책목표로 삼고 있었지만, 미국 대통령이 최초로 공산주의 위협에 대해 공식적으로 언급하고 그에 대한 대비가 필요함을 주장했다는 점에서 냉전의 시작을 알리는 세계사적 의미를 갖는다.

답 ③

003
□□□
다음 중 모겐소(H. J. Morgenthau)가 주장한 국력의 요소와 무관한 것은?

① 국민성   ② 천연자원
③ 인구   ④ 과학기술

정답 및 해설

모겐소(H. J. Morgenthau)는 국력을 구성하고 있는 유형적 요소와 무형적 요소를 열거하고 있는데 (1) 유형적 요소로 지리, 천연자원, 산업능력, 군비, 인구를, (2) 무형적 요소로 국민성, 국민의 사기, 외교의 질, 정부의 질을 들고 있다.

답 ④

004 권력에 대한 설명으로 옳지 않은 것은?

① 모겐소에 의하면 권력은 타인의 마음과 행동에 대한 지배를 의미한다.
② 미국이 베트남전쟁에서 패배하고 국가 간 상호의존성이 높아짐에 따라 군사력과 정치적 결과에 괴리가 생겼고 이러한 현상을 설명하기 위해 연성권력, 경성권력, 연성국가, 경성국가의 개념이 대두되었다.
③ 국가에 대한 사회세력의 영향력이 큰 국가를 연성국가, 작은 국가를 경성국가라 한다.
④ 정보화시대에는 연성권력 대신 경성권력의 중요성이 강화되고 있다.

정답 및 해설

경성권력 역시 여전히 중요한 권력자원이나, 정보화시대에는 다른 나라나 국민을 사로잡을 수 있는 매력, 즉 연성권력이 보다 중요한 자원으로 부상하고 있다는 것이 일반적 견해이다.

답 ④

---

005 '권력'에 대한 설명으로 옳지 않은 것은?

① 모겐소(H. J. Morgenthau)에게 국력(national power)이란 '국가가 자국의 독립과 안전의 유지 그리고 자국의 번영 등과 같은 국가이익을 위해 타국이 취하는 정책에 영향을 미치거나 타국의 행동을 지배할 수 있는 능력'이라는 입장이다.
② 나이(J. Nye)에 의하면 포섭적 권력(co-optive power)이란 '타국으로 하여금 자신이 원하는 것을 원하게 하는 힘'을 말한다.
③ 경성권력(hard power)과 연성권력(soft power)은 모두 포섭적 권력에 속한다.
④ 경성권력은 의제설정(agenda-making)과정을 통제함으로써 정책결정의 맥락을 규정한다는 합의적(consensual) 권력을 말한다.

정답 및 해설

의제설정(agenda-making)과정을 통제함으로써 정책결정의 맥락을 규정한다는 합의적(consensual) 권력은 연성권력이다.

답 ④

---

006 권력의 종류와 그 개념에 대한 설명으로 옳은 것은?

① 연성권력: 위협이나 보상수단을 동원하지 않고도 원하는 결과를 얻는 힘
② 경성권력: 결과에 영향을 미치려는 국가의 의도 없이, 국제체계에서 차지하는 불평등한 구조적 위치와 역할로 인해 결과에 영향을 미치는 현상
③ 구조적 권력: 국제체계에서의 위치에서 비롯되는 힘으로써 국제적인 이슈나 의제를 사전에 배제할 수 있는 힘
④ 메타권력: 군사력이나 경제력과 같은 가시적이고 물질적인 자원 그 자체를 말하거나, 이러한 자원을 활용한 위협이나 보상의 유인을 통해 상대방으로 하여금 자신이 원하는 바를 하거나, 원하지 않는 바를 하지 못하도록 하는 능력

연성권력은 문화나 이념과 같은 비물질적 자원을 통해 상대방을 매혹하여 자발적으로 마음을 바꾸게 하여 내가 원하는 바를 얻어내는 능력이다.

✓ 선지분석
② 구조적 권력에 대한 설명이다.
③ 메타권력에 대한 설명이다.
④ 경성권력에 대한 설명이다.

답 ①

007 국제정치이론가들의 권력에 대한 설명 중 옳지 않은 것은?

① 월러스타인(I. Wallerstein)은 세계자본주의 체제 내의 위치를 구조적 권력자원이라고 본다.
② 모겐소(H. Morgenthau)는 국력은 무형요소와 유형요소로 구성된다고 보고, 이들 권력은 대체성(fungibility)를 갖는다고 하였다.
③ 웬트(A. Wendt)는 지식의 분포여부와 권력을 동질적으로 여긴다.
④ 나이(J. Nye)는 연성권력과 경성권력을 주장하였는데 경성권력이 연성권력보다 항상 좋은 결과를 낳을 것이라고 본다.

경성권력이 약한 국가라도 연성권력이 강하다면, 강한 경성권력을 가진 나라보다 때로 유리한 결과를 도출할 수도 있다.

✓ 선지분석
① 이는 구조론적 권력개념에 속하며 국제체계에서 차지하는 불평등한 구조적 위치와 역할로 인해 결과에 영향을 미치는 현상을 구조적 권력이라 한다.
② 권력의 대체성이란 무형요소가 유형요소로 혹은 유형요소가 무형요소적 권력으로 변화할 수 있다는 것을 의미한다.
③ 웬트는 물질적인 것이 아니라 정신적인 요소를 중요한 권력자원으로 보았다.

답 ④

008 권력 개념에 대한 설명으로 옳지 않은 것은?

① 모겐소는 무형적 권력요소로서 국민성, 국민의 사기, 외교 및 정부의 질을 언급하였다.
② 스퇴징어는 구조론적 권력개념을 통해 국제체제에서 국가의 위치가 권력의 기본적 요소라고 주장하였다.
③ 월러스타인과 스트레인지는 모두 구조적 권력을 지지하였다.
④ 퍼거슨은 신뢰성과 정당성이라는 도덕적 요소가 권력자원으로서 중요하다고 하였다.

스퇴징어는 응징을 감내하고자 하는 능력과 같은 개체적 요소가 권력에서 중요하다고 보았다.

답 ②

009 권력(Power)에 대한 정의로 옳게 연결된 것만을 모두 고른 것은?

> ㄱ. 러셀: 권력(Power)은 의도한 결과의 산출이다.
> ㄴ. 미어샤이머: 권력(Power)은 다른 주체의 선호를 바꾸어 행동에 간접적으로 작용하는 현상이다.
> ㄷ. 모겐소: 권력(Power)은 사람이 다른 사람들의 마음과 행동에 미치는 제어능력이다.
> ㄹ. 베버: 권력(Power)은 타인의 의사를 자신의 행동에 대해 관철시킬 수 있는 가능성이다.

① ㄱ, ㄴ ② ㄱ, ㄷ
③ ㄴ, ㄷ ④ ㄷ, ㄹ

정답 및 해설

권력(Power)에 대한 정의로 옳게 연결된 것은 ㄱ, ㄷ이다.
ㄱ. 러셀(Russell)이 말한 것으로, 권력(Power)의 가장 일반적인 개념 규정 방법이다.

✅ **선지분석**
ㄴ. 미어샤이머가 아닌 조셉 나이의 연성권력(soft power)에 대한 설명이다. 연성권력은 다른 주체의 선호를 바꿈으로써 행동에 간접적으로 작용하는 권력(power)이다.
ㄹ. 베버에 따르면 권력(Power)은 자기의 의사를 타인의 행동에 대해서 관철시킬 수 있는 가능성이다.

답 ②

010 네트워크권력에 대한 설명으로 옳지 않은 것만을 모두 고른 것은?

> ㄱ. 네트워크권력이라 함은 주위에 내편을 들어 주는 네크워크를 형성함으로 생겨나는 힘이다.
> ㄴ. 네트워크권력은 전통적 권력과 달리 새로운 네트워크를 형성하는 경우에만 보유할 수 있고, 이미 형성되어 있는 네트워크상에서 중요한 위치를 차지한다고 하여 발생하는 것은 아니다.
> ㄷ. 네덜란드, 영국, 싱가포르 등은 자국 중심 네트워크를 형성함으로써 권력을 갖게 된 대적 사례들이라고 할 수 있다.
> ㄹ. 네트워크권력은 네트워크 전체의 프로그램을 설계하는 데에서 비롯되는 힘을 의미한다.

① ㄱ, ㄴ ② ㄴ, ㄷ
③ ㄱ, ㄴ, ㄷ ④ ㄴ, ㄷ, ㄹ

정답 및 해설

네트워크권력에 대한 설명으로 옳지 않은 것은 ㄴ, ㄷ이다.
ㄴ. 이미 형성되어 있는 네트워크상에서 중요한 위치를 차지함으로써 발휘될 수 있다.
ㄷ. 중개자의 역할을 담당함으로써 네트워크 권력을 행사한 국가들이다.

답 ②

011 연성권력론의 등장 배경으로 옳지 않은 것은?

① 미국 패권쇠퇴론 비판 ② 경성권력의 대체성 강화
③ 정보화시대의 도래 ④ 미국 대외정책 실패

경성권력의 대체성이 약화되면서 연성권력론이 등장하였다. 현실주의자들은 특히 군사력이 대체성(fungibility)을 갖는다고 보지만 미국의 베트남전 패배에서 볼 수 있듯이 군사력의 대체성이 점차 약화되어 가고 있다. 연성권력은 경성권력의 대체성 약화의 시대에 대외정책 목표 달성을 위한 새로운 수단으로서 부상하고 있는 것이다.

✓ **선지분석**

① 나이는 모델스키, 길핀, 크라즈너 등의 미국 패권쇠퇴론 주장에 대해 『Bound to Lead』라는 책을 통해 미국의 패권은 지속될 것이라고 전망하였다. 그가 미국 패권지속론의 논거로 제시한 것 중의 하나가 바로 연성권력론이다.

③ 이러한 세계적 상황의 변환으로 국가들은 경성권력의 사용에 있어서 신중을 기할 뿐 아니라, 외교전략의 대상이 되는 시민들의 마음을 사로잡기 위한 전략으로 연성권력을 획득해야 할 필요성이 높아지고 있다.

④ 부시 행정부의 대외정책의 실패는 미국 내에서 경성권력과 연성권력의 동시적 획득을 위한 '스마트 외교'에 대한 담론을 강화시키고 있다.

답 ②

012 다음 중 경성권력(hard power)과 연성권력(soft power)에 대한 설명으로 옳지 않은 것만을 모두 고른 것은?

□□□

> ㄱ. 경성권력의 자원은 군사력이나 경제력 등 물질적인 요소인 반면, 연성권력의 자원은 문화나 이념 등 비물질적 요소에 기초한다.
> ㄴ. 경성권력은 보상과 위협을 통해 상대국을 강제하는 반면, 연성권력은 상대국을 자발적으로 순응하게 함으로써 원하는 바를 얻는다.
> ㄷ. 경성권력은 강제력을 동원하므로 장기적으로 유효한 반면, 연성권력은 단기에만 효력이 있다.
> ㄹ. 경성권력과 연성권력은 자원, 속성, 작동방식 등의 측면에서 차이를 보이나, 대외전략의 수단 또는 목표가 된다는 공통점이 있으므로 동일한 방법으로 측정되어야 한다.

① ㄱ, ㄴ   ② ㄱ, ㄷ   ③ ㄴ, ㄹ   ④ ㄷ, ㄹ

경성권력(hard power)과 연성권력(soft power)에 대한 설명으로 옳지 않은 것은 ㄷ, ㄹ이다.

ㄷ. 경성권력이 단기에 가시적 결과를 얻을 수 있는 자원인 반면, 연성권력은 장기간에 걸쳐 효력이 나타난다. 예컨대, 상대방이 자국의 문화나 제도를 모방하는 데에는 상당히 오랜 시간을 필요로 하며, 자국의 가치를 확산시켜 타국이 자국과 유사한 제도를 갖도록 하는 데에도 많은 시간이 걸릴 것이다.

ㄹ. 경성권력과 연성권력은 자원, 속성, 작동방식 등의 측면에서 차이를 보이기 때문에 작용 결과에서도 차이를 보인다. 따라서 양자는 동일한 방법으로 측정될 수 없다. 구체적으로 연성권력은 상대국이 자국의 문화나 가치를 매력적으로 인식하는 '사회화 과정'을 통해 작용하므로 효용성을 확인하려면 긴 시간이 필요하다. 또한 연성권력은 상대에 따라 효과가 유동적인 권력이므로 상대국의 반응을 중시해야 한다. 따라서 연성권력은 장기에 걸쳐 '여론 조사' 등을 통하여 자국의 문화나 가치에 대한 상대국의 인식과 인지 정도의 변화 및 호감도의 변화를 측정하고, 지지 세력의 증감 및 그 영향력의 변화 정도도 측정해야 한다.

답 ④

013 권력에 대한 설명으로 옳지 않은 것은?

① 모겐소는 권력을 타인의 마음과 행동에 대한 지배로 정의하고, 유형적 및 무형적 권력요소는 상대성, 가변성, 상호의존성 및 대체성을 갖는다고 하였다.
② 볼드윈(D. Baldwin)은 권력의 맥락적 성격을 강조하면서 권력은 대체성이 있다기보다는 특정적이라고 하였다.
③ 홀스티(Ole R. Holsti)는 권력을 능력으로서의 권력과 사용 가능한 선택으로서의 권력으로 구분하였다.
④ 퍼거슨(Niall Ferguson)은 신뢰성과 정당성이라는 도덕적 요소를 강조하였다. 신뢰성은 내부 구성원에 의해 갖는 것이고, 정당성은 외부인에 비춰지는 것을 말한다.

> **정답 및 해설**

신뢰성이 외부인에, 정당성이 내부인에 비춰지는 것이다. 신뢰성과 정당성이 강한 나라일수록 권력도 강해진다.

답 ④

014 나이(J. Nye)의 연성권력론에 관한 설명으로 옳지 않은 것은?

① 『Bound to Lead』라는 책을 통해 연성권력론을 제시했다.
② 연성권력은 비물질적인 자원을 이용하여 원하는 결과를 얻는 힘을 말한다.
③ 부시(George W. Bush) 행정부의 일방적 외교정책으로 미국 전체의 연성권력이 심각하게 훼손되었다고 평가하였다.
④ 연성권력의 구체적인 자원으로 문화, 가치관, 정책 등을 들 수 있다.

> **정답 및 해설**

조셉 나이(J. Nye)는 부시 행정부의 대외정책이 미국의 연성권력을 약화시킨 것은 사실이나, 이것은 부시 행정부에 대한 문제였으므로 미국 전체의 연성권력이 약화된 것은 아니라고 하였다.

답 ③

015 연성권력(soft power)과 경성권력(hard power)의 관계에 관한 내용 설명으로 옳지 않은 것은?

① 경성권력의 연성권력 강화: 경제력을 갖춘 국가가 평화유지를 위한 활동을 할 때
② 연성권력의 경성권력 강화: 매력적인 문화상품을 대거 수출해 경제력을 획득할 때
③ 경성권력의 연성권력 약화: 강한 문화적 경쟁력을 바탕으로 역사 문제를 일으킬 때
④ 연성권력의 경성권력 약화: 국내적 독재나 탄압에 대한 국제적 제재가 일어날 때

> **정답 및 해설**

강한 문화적 경쟁력은 연성권력에 해당하므로 이것은 연성권력이 연성권력을 약화시키는 예이다.

 선지분석
① 서유럽 국가들의 예를 생각하면 쉽다.
② 과거 일본이 경제력을 획득한 방법 중의 하나이다.
④ 북한은 인권 문제, 민주화 문제의 이유 등으로 약한 연성권력을 가지고 있고, 이는 정치적 문제에도 영향을 미쳐 결국 대북 봉쇄가 일어나기도 한다.

답 ③

016 연성권력의 확보방안으로 옳지 않은 것은?

□□□

① 한국의 우수한 문화 콘텐츠를 해외에 수출함으로써 한국에 대한 호감도, 매력을 증대시켜 연성권력을 획득한다.

② 한국의 성공적 경제발전 모델을 동남아 등의 개도국에 제시함으로써 한국의 모델을 성공적 발전사례로 모방하게 한다.

③ 미국의 '선제공격 독트린'과 같은 정권교체전략을 지원한다.

④ 평화유지활동, 공적 개발원조 강화, 평화레짐 창출 전략 등을 지속적으로 추구한다.

정답 및 해설

미국의 정권교체전략은 아프가니스탄, 이라크 공격의 일환으로서 전세계적인 반미감정을 부추기는 데 일조한 것으로, 이를 지원하는 것은 연성권력을 확보하는 전략으로 보기 어렵다.

답 ③

제13절 | 전쟁론

001 월저(M. Walzer)가 주장한 전쟁 또는 군사적 개입의 정당화 상황에 대한 설명으로 옳지 않은 것은?

□□□

2023년 외무영사직

① 대량학살의 위협을 받고 있는 국민을 탈출시킬 필요가 있을 때 인정된다.

② 대표성을 증명한 분리독립 운동가의 분리독립 운동을 지원할 필요가 있을 때 인정된다.

③ 국가의 영토적 존엄성과 정치적 주권에 대해 급박하고 임박한 위협이 존재할 때 인정된다.

④ 정치체제와 경제체제를 변화시키기 위해 개입할 때 인정된다.

정답 및 해설

정치체제와 경제체제 변화를 위한 개입은 정당한 전쟁이 아니다.

☑ 선지분석

① 중대한 인도적 위기가 발생해야 한다.

② 정당한 분리독립에 대한 지원은 정당한 전쟁이다.

③ 국가주권 수호를 위한 전쟁은 정당한 전쟁이다.

답 ④

002 정의의 전쟁(Just War)에서 '전쟁 개시의 정의'(jus ad bellum)에 해당하지 않는 것은?

2016년 외무영사직

① 정당한 대의
② 전투원과 비전투원의 구분
③ 성공에 대한 합리적 희망
④ 최후의 수단

정답 및 해설

'전쟁 개시의 정의'란 어떤 상황에서 전쟁을 개시해야 정당한 것인지에 대한 논의이다. 전투원과 비전투원의 구분은 '전쟁 속에서의 정의(jus in bello)'에 해당된다. 전쟁법이나 전시인도법을 'jus in bello'라고 한다.

답 ②

003 전쟁의 발생원인에 대한 학설과 주요 학자가 바르게 연결되지 않은 것은?

2013년 외무영사직

① 안보딜레마 - 허츠(John Herz)
② 공격본능이론 - 스키너(B. F. Skinner)
③ 오인(誤認) - 저비스(Robert Jervis)
④ 공수이론 - 밴 에버라(Van Evera)

정답 및 해설

공격본능이론은 로렌츠가 제시한 이론이다. 인간이 유전적으로 공격본능을 갖고 있으며, 이의 발현이 전쟁이라는 이론이다.

답 ②

004 "제2차 세계대전 직전 영국의 체임벌린 수상은 히틀러의 의도를 잘못 인식했고, 히틀러는 연합국의 행동에서 항전 의지를 과소평가했다."라고 주장하면서 '오인(misperception)'을 전쟁의 주요 요인으로 파악한 학자는?

① 저비스(Robert Jervis)
② 볼딩(Kenneth Boulding)
③ 메스키타(Bruce Bueno de Mesquita)
④ 러셋(Bruce Russett)

정답 및 해설

저비스(Robert Jervis)가 1976년 그의 저서 『Perception and Misperception in International Politics』에서 제시한 견해이다. 저비스(Robert Jervis)는 오인학파(misperception school)에 속한다. 오인학파란 전쟁의 원인을 인식상의 오류에 기인하는 것으로 파악하는 견해를 갖고 있다.

답 ①

005 전쟁에 대한 기대효용이론에 관한 설명 중 옳지 않은 것은?

① 전쟁의 원인을 개별국가 수준에서 찾는 이론이다.
② 힘을 가능성과 그 효용으로 나누어 파악했다.
③ 부르스 부에노 데 메스키타가 주장하였다.
④ 전쟁에 대한 기대효용이론은 귀납적 특성을 띤다.

| 정답 및 해설 |

전쟁에 대한 기대효용이론이란 부에노 데 메스키타(Bueno de Mesquita)가 1981년 그의 저서 『The War Trap』에서 전개한 이론으로, 국가는 전쟁 개시 여부의 결정에 있어 기대효용이론에 근거한다는 내용이다. 이 이론은 합리적 가설에 근거한 연역적인 이론이다. 기대효용이란 경제학에서 이용되는 개념으로서 어떤 사건의 결과의 효용(utility)과 그 사건이 일어날 확률(probability)을 곱한 값으로 정의된다. 즉 국가는 전쟁 승리 시의 기대효용이 전쟁 패배 시의 기대효용보다 클 경우 전쟁을 개시한다고 본다. 이 이론에 따르면 전쟁에서 승리할 가능성이 낮더라도 보상이 아주 큰 경우나 혹은 보상이 적더라도 승리 가능성이 아주 높을 경우 전쟁이 일어나기 쉽다.

답 ④

006 도미노이론을 설명한 것으로 옳은 것은?

① 만일에 일국이 적화되면 그 인접지역도 적화의 위험성이 많아진다.
② 소련을 포위봉쇄해야 한다는 이론
③ 공산진영의 내부 분열을 획책해야 한다는 것
④ 평화공존이론

| 정답 및 해설 |

도미노이론(domino theory)은 한 나라의 정치체제가 붕괴되면 그 강한 파급효과가 이웃 나라에도 미친다는 이론이다. 미국의 아이젠하워 대통령이 도미노의 첫 번째 말을 넘어뜨리면 전체 말이 전부 쓰러지고 마는 현상을 빌려 베트남에 이은 동남아시아 전역의 공산화 위험을 설명한 데에서 비롯되었다.

답 ①

007 단순히 폭력이나 전쟁의 억제보다는 구조적인 폭력을 극복하여 적극적인 평화(positive peace)를 추구해
□□□ 야 한다고 주장한 사람은?

① 요한 갈퉁(Johan Galtung)　　　　　　② 이니스 클로드(Inis Claud, Jr.)
③ 케네스 볼딩(Kenneth Boulding)　　　　④ 데이비드 싱어(David Singer)

정답 및 해설

• 노르웨이의 평화학자 요한 갈퉁(Johan Galtung)은 폭력을 특정한 인간이나 세력이 다른 사람의 현실을 저해하
는 직접적 폭력과 사회의 구조, 지역 간의 관계 등으로 인해 의도하지 않게 일어나는 간접적 폭력으로 구분하였다.
갈퉁(Johan Galtung)에 따르면 직접적 폭력이 인위적인 폭력이라면 간접적인 폭력은 구조적 폭력이라 할 수
있다. 구조적 폭력은 자원의 배분에 대한 결정권의 불평등 또는 사회적 부정을 말하며 갈퉁은 이러한 구조적 폭력
의 원인으로 억압과 착취를 꼽았다. 갈퉁은 1996년 출간한 그의 저서 『평화적 수단에 의한 평화』에서 직접적 폭
력을 감소시키는 소극적 평화와 함께 갈등을 비폭력적 방식으로 해결하는 적극적 평화를 통해 폭력을 해소하여야
한다고 주장하였다.
• 갈퉁은 폭력을 인체에 내포되어 인간이 주체적으로 의도한 것이 아닌 자연적 폭력, 특정 사람이나 세력이 행위자
로 개입하는 직접적 폭력, 사회, 세계의 구조에 의해 비의도적으로 발생하는 구조적 폭력, 직접적 또는 간접적 폭
력을 정당화하는 문화적 폭력, 지속가능성을 약화시켜 다음 세대에게 해를 입히는 시간의 폭력으로 구분하였다.
특히 직접적 폭력, 간접적 폭력과 문화적 폭력이 삼각 구도를 형성하는 경우 폭력과 보복이 이어지는 폭력의 악순
환이 반복된다고 보았다. 그는 폭력의 행사가 권력을 매개로 이루어진다는 점을 지적하며 정치, 경제, 군사, 문화
적 차원에서 소극적 평화와 적극적 평화를 실현하기 위한 목표를 제시하였다.

답 ①

008 다음은 갈퉁(Johan Galtung)의 평화연구를 정리한 것이다. 괄호 안에 들어갈 개념들이 옳게 짝지어진
□□□ 것은?
2011년 외무영사직

> 갈퉁은 평화학의 연구주제를 전통적인 주제인 전쟁보다는 더욱 광범위한 폭력으로 대체했다. 갈퉁은 기
> 아, 빈곤, 문맹, 인종차별, 의료시설 부족, 성차별, 환경오염, 국제난민, 종교 갈등, 인종 분규 등의 문제를
> (　　　)이라고 지칭하고 이러한 것들이 부재한 상황인 (　　　)의 중요성을 강조했다.

① 구조적 폭력 - 소극적 평화　　　　　② 구조적 폭력 - 적극적 평화
③ 적극적 폭력 - 적극적 평화　　　　　④ 적극적 폭력 - 소극적 평화

정답 및 해설

평화학의 창시자로 알려진 갈퉁(Johan Galtung)은 현실주의 등 이전의 이론들이 제시한 평화를 '소극적 평화'에
관한 것이라고 비판하고 적극적 평화개념을 제시하였다. 소극적 평화는 국가 간 전쟁이 발발하지 않는 상태를 의미
하나, 적극적 평화는 이른바 '인간안보'에 대한 위협이 관리되는 상태를 의미한다. 갈퉁(Johan Galtung)은 적극적
평화를 위협하는 문제들을 '구조적 폭력'이라고 규정하고, 이들을 제거함으로써 궁극적 평화인 적극적 평화를 달성
할 수 있다고 하였다.

답 ②

009 다음 중 연결이 옳지 않은 것은?

□□□

① 로렌츠(Konrad Z. Lorenz) - 공격본능이론

② 로즈노(James N. Rosenau) - 연계이론

③ 룸멜(R. J. Rummel) - 국가조직특성이론

④ 길핀(Robert Gilpin) - 상호의존론

정답 및 해설

상호의존론은 코헤인과 나이가 1977년 『Power and Interdependence: World Politics in Transition』이라는 저서에서 국가 중심적인 현실주의 국제정치이론에 대한 대안이 아닌 보충으로서 제시한 이론이다. 길핀(Robert Gilpin)은 신현실주의자로서 패권안정론을 전개하였다.

답 ④

010 다음은 20세기 이후의 전쟁관에 대한 설명이다. 시간 순서대로 바르게 나열한 것은?

□□□

ㄱ. 부전조약: 체약국 상호간 분쟁해결을 위하여 전쟁에 호소하는 것을 불법화

ㄴ. UN헌장: 전쟁을 포함한 일체의 무력사용과 그 위협을 불법화

ㄷ. 칼보주의와 드라고주의: 금전채무의 회수를 위해 무력을 사용하지 말 것을 규정

ㄹ. 국제연맹규약: 분쟁해결에 대하여 재판소의 판결이나 이사회의 보고가 있을 때 일정 기간 동안 전쟁에 호소하는 것을 불법화

① ㄱ - ㄴ - ㄷ - ㄹ

② ㄱ - ㄹ - ㄷ - ㄴ

③ ㄷ - ㄹ - ㄱ - ㄴ

④ ㄹ - ㄱ - ㄷ - ㄴ

정답 및 해설

중세 로마 및 그로티우스는 정전관을 주장했으며, 19세기에는 무차별전쟁관 사상이 만연했고, 20세기에는 차별적 전쟁관을 거쳐 전쟁의 불법화 단계로 나아가고 있다. 1907년 헤이그 평화회의에서 금전채무 회수를 위한 무력사용을 불법화했던 것을 시작으로 1919년 국제연맹규약과 1928년 부전조약에서 전쟁의 불법화 노력이 있었다. 현재 1945년 UN헌장에 따라 전쟁 및 전쟁에 이르지 않는 모든 무력의 사용 및 위협이 금지된다.

답 ③

011 전쟁의 원인 및 처방에 관한 설명으로 옳은 것은?

① 허츠(John Herz)는 국가들의 오인에서 비롯되는 안보딜레마가 전쟁의 원인이라고 보았다.

② 메스키타(Bruce Bueno de Mesquita)는 기대효용이론을 적용하여 전쟁은 세력균형론자들의 입장과 달리 기득권을 유지하려는 국가들의 공격적 전략에서 비롯된다고 보았다.

③ 윌슨(Woodrow Wilson)은 국내정치적으로 국민들의 통제를 받지 않는 전제정이 전쟁의 원인이라고 보았다.

④ 핵억지이론에 의하면 상호확증파괴체제(MAD)가 형성되는 경우 국가안보가 달성된다고 보고, 이를 강화하기 위해서는 요격미사일체제의 강화가 요구된다고 하였다.

정답 및 해설

◇ 선지분석

① 허츠는 무정부체제에서 비롯되는 안보딜레마가 전쟁의 원인이라고 하였다.

② 메스키타는 국가들이 기대효용을 극대화하려는 차원에서 전쟁을 도발한다고 본다. 기득권 유지를 위한 공격적 전략은 '전망이론'의 입장이다.

④ 핵억지이론에 의하면 요격미사일체제를 배제함으로써 MAD체제를 강화할 수 있다고 본다.

답 ③

012 다음 각 이론들의 전쟁 억지 및 예방 방안 중 옳지 않은 것은?

① 핵억지이론에 따르면, 적대국들이 모두 제2차 보복공격능력을 갖추었을 때 전쟁이 억지된다.

② 제도적 평화론에 따르면, 집단안보나 다자안보 등의 제도를 통하여 국제체제를 안정화할 수 있다.

③ 상호의존론에 따르면, 국가 간 상호의존이 심화될수록 국제질서는 안정적이다.

④ 구성주의에 따르면, 국제체제는 무정부 상태이지만 국가들 간 동맹을 통해 우호관계를 구축한다면 전쟁이 예방될 수 있다.

정답 및 해설

구성주의에 따르면, 국제체제는 무정부 상태로 고정된 것이 아니고 국가들 간 상호작용을 통하여 구성되는 것이다. 다시 말해 현실주의가 주장하는 국제체제의 무정부적 속성은 국가들이 만들어낸 것일 뿐이며, 국가들의 인식과 행위에 따라 협력과 공존의 속성으로 변화되거나 달리 형성될 수 있다. 따라서 국가들이 문화의 교류 등 상호작용을 통해 조화적·집합공동체적 인식을 달성할 수 있다면 전쟁은 근본적으로 제거될 수 있다.

답 ④

013 전쟁에 대한 설명으로 옳은 것은 모두 몇 개인가?

> ㄱ. 드라고 – 포터조약(1907)은 그로티우스(H.Grotius)의 견해와 달리 채무회수를 위한 전쟁이 허용되지 않는다고 규정하였다.
> ㄴ. 블레이니(G. Blainey)에 의하면 전쟁은 다양한 목적을 달성하기 위한 수단으로 발생한다.
> ㄷ. 로렌츠(Konrad Lorenz)에 의하면 갈등과 전쟁의 원인은 행위자 간의 힘의 균형변화와 기존질서와의 부조화이다.
> ㄹ. 럼멜(R. J. Rummel)은 동태적 균형이론을 제시하고 전쟁 억지 조건으로서 국가 간 사회적 및 문화적 유사성, 상호동맹관계, 강한 지배국의 존재 및 세계여론 등을 제시하였다.

① 1개   ② 2개
③ 3개   ④ 4개

정답 및 해설

전쟁에 대한 설명으로 옳은 것은 ㄱ, ㄴ, ㄹ로, 모두 3개이다.

✓ 선지분석

ㄷ. 로렌츠는 공격본능이론을 제시하였다. 설문은 럼멜의 동태적 균형이론에 대한 것이다. 로렌츠는 모든 집단이 갖고 있는 공격본능이 발현되는 것이 전쟁이라고 하였으며, 본능을 바꿀 수는 없으나 스포츠를 통해 정화해줌으로써 전쟁 확률을 낮출 수 있다고 하였다.

답 ③

014 전쟁관의 변천에 대한 설명으로 옳지 않은 것은 모두 몇 개인가?

> ㄱ. 그로티우스는 『전쟁과 평화의 법에 관하여』라는 저서에서 차별전쟁관을 제시하였다.
> ㄴ. 드라고포토주의는 그로티우스의 정전론과 상충되는 측면이 있다.
> ㄷ. 1928년 켈로그 – 브리앙조약에 의하면 국가의 모든 무력사용은 포괄적으로 금지된다.
> ㄹ. 1945년 유엔헌장에 따르면 특별협정체결국이 부재한 경우 안전보장이사회는 회원국들에게 무력사용권을 부여한다.

① 1개   ② 2개
③ 3개   ④ 4개

정답 및 해설

전쟁관의 변천에 대한 설명으로 옳지 않은 것은 ㄷ, ㄹ로, 모두 2개이다.
ㄷ. 전쟁이 포괄적으로 금지된다. 전쟁과 무력사용은 다른 개념이다.
ㄹ. 무력사용권 부여가 헌장에 명시적으로 규정된 것은 아니다.

답 ②

015 평화연구에 관한 설명으로 옳은 것만을 모두 고른 것은?

□□□

> ㄱ. 평화연구의 원류는 탈냉전기 과학자들의 평화운동인 퍼그워시회의에서 찾을 수 있다.
> ㄴ. 래퍼포트는 『전략과 양심』을 저술하고, 핵억지에 전면 도전하였다.
> ㄷ. 갈퉁은 '중심부 – 주변부 수탈구조로 생겨난 구조적 폭력'을 주장하였다.
> ㄹ. 1980년대 이후 레이건과 대처에 의한 신자유주의가 평화연구에 큰 영향을 주었다.

① ㄱ, ㄴ   ② ㄱ, ㄹ
③ ㄴ, ㄷ   ④ ㄷ, ㄹ

정답 및 해설

ㄷ. 갈퉁의 '구조적 제국주의 이론'에 대한 설명이다.

✓ 선지분석

ㄱ. 퍼그워시회의는 냉전기인 1957년 열리기 시작한 회의이다.
ㄹ. 신자유주의가 아니라 '구조적 제국주의 이론'이 평화연구에 영향을 주었다.

답 ③

제14절 | 지정학

001 '동유럽을 지배하는 자는 심장부 지역을 제어하고, 심장부 지역을 지배하는 자는 세계도서를 제어하며, 세계도서를 지배하는 자는 세계를 지배한다.'는 논리를 펴면서 지정학의 중요성을 강조한 학자는?

□□□

① 맥킨더(H. Mackinder)
② 마한(A. T. Mahan)
③ 스파이크만(N. J. Spykman)
④ 라첼(F. Ratzel)

정답 및 해설

맥킨더(H. Mackinder)의 심장부이론(Heartland Theory)에 관한 내용이다.

답 ①

002 다음은 지정학에 대한 학자들의 설명이다. 옳지 않은 것은?

① 하우스호퍼는 생존공간이론에 따르면, 국가가 생존발전하기 위해서는 커다란 영역을 가질 필요가 있다.
② 마한의 해양력설에 따르면, 해로가 육로보다 기동력이 강하기 때문에 해양력이 있는 자가 세계를 지배한다.
③ 맥킨더의 심장지역이론에 따르면, 심장부지역은 동아시아 내륙 지방을 의미하며, 심장부를 지배하는 국가가 세계를 지배한다.
④ 스파이크만의 주변지역이론에 따르면, 주변지역을 지배하는 자가 세계 운명을 지배한다.

> **정답 및 해설**
>
> 맥킨더는 "동유럽을 지배하는 자가 심장부지역을 제어하며, 심장부지역을 지배하는 자가 세계도서를 제어하고, 세계 도서를 지배하는 자가 세계를 지배한다"라고 주장하였다. 세계도서는 유라시아 대륙과 아프리카를 포함하는 지역을 의미하며, 심장부지역은 대륙의 내륙지방을 의미한다.
>
> 답 ③

003 『조선책략(朝鮮策略)』에 대한 설명 중 옳은 것은?

① 조선의 김홍집이 집필하였다.
② 친중(親中), 결미(結美), 연일(聯日)을 주장하였다.
③ 러시아에 대한 견제의도가 있다.
④ 1889년에 소개되었다.

> **정답 및 해설**
>
> 러시아의 남하정책에 대비하기 위하여 조선과 일본, 청나라가 장차 펼쳐야 할 외교정책을 주로 서술하였다.
>
> ☑ **선지분석**
>
> ① 일본 주재 청나라 공사관의 참사관으로 있던 청국인 황준헌(黃遵憲, 황쭌센)이 저술한 것을 김홍집이 수신사로 일본에 갔을 때 가져와서 고종에게 바친 것이다.
> ② 친중(親中), 결일(結日), 연미(聯美)를 주장하였다.
> ④ 1880년에 소개되었다. 그 밖에도, 조선책략이 조선에 유입되면서 정부에서는 찬반 논의가 격렬하게 전개되었고, 재야에서는 보수 유생들을 중심으로 거국적인 위정척사운동이 일어났다. 그럼에도 불구하고 이 책은 당시 고종을 비롯한 집권층에게는 큰 영향을 주어 1880년대 이후 정부가 주도적으로 개방정책의 추진 및 서구문물을 수용하도록 하는 계기를 마련하였다.
>
> 답 ③

004 다음 중 지정학적 고려와 거리가 가장 먼 것은?

① 유럽의 간섭을 피하기 위한 먼로 독트린
② 조선을 이익선으로 보고 침략을 단행한 근대 일본
③ 제2차 세계대전 직후 서방에 의해 형성된 대소 봉쇄정책
④ 냉전시기 미·소 양진영에게 캐스팅보트를 쥘 수 있었던 제3세계 국가들

정답 및 해설

냉전기 제3세계 국가들의 상대적 약진은 그들이 양 진영의 이데올로기 중 어느 것도 고를 수 있다는 입장 때문이었지, 지정학적 위치 때문은 아니었다.

☑ 선지분석

① 먼로 독트린은 미국이 영국 해군의 엄호하에 대륙의 비민주적 왕정체제 국가들의 정치적 간섭을 피하기 위한 대외정책원칙이다. 이는 북미와 남미에의 간섭을 차단, 미국이 남미에 진출하는 데에도 큰 도움을 얻기 위함이었다.
② 일본의 지리적 특성상 팽창하기 위해서는 조선을 거칠 수밖에 없었고, 이는 일본이 조선에 대한 침략을 단행한 가장 중요한 이유 중 하나이다.
③ 제2차 세계대전 직후의 대소 봉쇄정책은, 대륙국가인 소련이 점하고 있는 축지역(pivot area)의 주변지역(rimland), 즉 대륙의 가장자리에 군사기지를 두고 소련의 팽창정책을 제어, 봉쇄해야 한다는 지정학적 고려에서 비롯한 것이다.

답 ④

005 남중국해 영토분쟁에서 중국의 의도가 지역패권국의 위상을 다지는 것이라고 가정한다면, 이를 잘 설명해주는 이론으로 묶인 것은?

ㄱ. 마한(A. Mahan)의 해양력 이론
ㄴ. 미어샤이머(J. Mearsheimer)의 공세적 현실주의
ㄷ. 월트(S. Walt)의 위협균형론
ㄹ. 신(新)국제주의

① ㄱ, ㄴ   ② ㄱ, ㄹ
③ ㄴ, ㄷ   ④ ㄷ, ㄹ

정답 및 해설

중국의 의도를 잘 설명해주는 이론은 ㄱ, ㄴ이다.

ㄱ. 마한(A. Mahan)은 강대국으로 부상하기 위한 필수적인 요소 가운데 하나로 해양력의 중요성을 들고 있다. 해외시장 접근을 위한 해상교통로 확보, 대양해군을 지원하기 위한 보급기지 구축 등을 위해 해양을 지배하는 것이 강대국이 되기 위해서는 필수적이라는 것이다.
ㄴ. 미어샤이머(J. Mearsheimer)는 모든 국가가 권력의 극대화(power maximization)를 추구한다고 주장한다. 따라서 중국의 의도는 지역패권국으로서의 위상을 굳히는 것이며, 자국의 목표 달성을 위해 중국은 이 지역에서의 미국 지위에 도전하며 팽창주의적인 모습을 보일 것이다.

답 ①

001

□□□

1990년대 등장한 신고전현실주의(Neoclassical Realism)에 대한 설명으로 옳지 않은 것은?

2014년 외무영사직

① 국가의 상대적 힘의 배분과 함께 그 힘에 대한 지도자의 인식이 중요하다.

② 국가의 동맹 결정에 있어 중요한 변수는 국가의 선호(preferences)이다.

③ 신고전현실주의의 인과 논리는 국내 정치를 권력배분과 외교정책 행태 사이에 매개변수로 놓는다.

④ 자조(self-help)와 권력정치는 행위자의 축적된 행위로 형성된 관행이다.

정답 및 해설

구성주의에 대한 설명이다. 신고전현실주의는 궁극적으로 국제체제의 영향으로 자조와 권력정치 현상이 발생하는 것으로 본다.

✓ 선지분석

① 상대적 힘의 배분은 국제체제변수이며, 힘에 대한 지도자의 인식은 국가변수로서, 신고전현실주의는 체제변수와 행위자변수가 결합하여 특정 국가행동이 발생한다고 본다.

② 국가의 선호 역시 국가변수로서 신고전현실주의는 이것이 단기적으로 국가행동에 매개변수 역할을 한다고 본다.

③ 권력배분은 국제체제변수, 외교정책은 종속변수, 국내정치는 매개변수 또는 단기적 독립변수 역할을 한다고 본다.

답 ④

002

□□□

신고전적 현실주의에 대한 설명으로 옳지 않은 것은?

2018년 외무영사직

① 국제체제에서 이익의 배분에 초점을 둔 이익균형론(balance of interests)을 주장하였다.

② 국내적 요인의 중요성을 강조하였다.

③ 국가를 현상유지국가와 현상타파국가로 구분하였다.

④ 동맹은 세력균형(balance of power)전략에 따라 형성된다고 주장하였다.

정답 및 해설

신현실주의 입장이다. 신고전현실주의에서는 동맹이 반드시 세력균형 전략의 산물이라고 보지 않는다. 동맹은 균형 동맹일 수도 있고, 편승동맹일 수도 있다고 본다. 이것은 국가의 선호나 성향에 따라 달라진다고 본다.

✓ 선지분석

① 스웰러(R.Schweller)의 견해이다. 국가들은 이익의 극대화를 추구한다고 본다.

② 신고전적 현실주의의 특징은 국가변수를 국가행동에 대한 매개변수로 설정한다는 것이다. 국내적 요인은 지도자의 인식, 국가의 선호나 성향, 여론 등이다.

③ 현상유지국가나 현상타파국가는 국가의 선호나 성향에 대한 것이다. 국제체제의 무정부성에도 불구하고 국가들의 선호에 따라 다른 선택이 발생할 수도 있다고 본다. 이는 왈츠의 견해와 다르다. 왈츠는 국가의 선호가 어떠하든지 무정부체제에서는 모두가 동일한 행동과 전략을 선택한다고 본다.

답 ④

003 신고전현실주의에 대한 설명으로 옳지 않은 것은 모두 몇 개인가?

> ㄱ. 신고전현실주의는 국제체제의 구조적 특징을 독립변수로 하고 국내요인을 매개변수로 설정하여 국가의 대외정책을 설명한다.
> ㄴ. 신고전현실주의는 국가 행위를 설명함에 있어서 국제체제를 주요 요인으로 설정함으로써 고전적현실주의를 계승한 측면이 있다.
> ㄷ. 신고전현실주의는 단기적으로는 국가들이 추구하는 정책을 순수하게 국제체제 수준의 요인만으로는 예측하기 어렵다고 본다.
> ㄹ. 신고전현실주의와 고전적현실주의는 국가의 선호나 성향을 대외정책 요인으로 본다는 점과 국가들의 성향이 모두 동일하다고 보는 점에서 공통적이다.

① 1개　　　　　　　　　　　　② 2개
③ 3개　　　　　　　　　　　　④ 4개

정답 및 해설

신고전현실주의에 대한 설명으로 옳지 않은 것은 ㄴ, ㄹ로 모두 2개이다.
ㄴ. 국제체제를 주요 요인으로 설정한 이론은 신현실주의이다.
ㄹ. 신고전적현실주의는 국가의 선호나 성향이 다를 수 있다고 본다. 고전적 현실주의는 국가가 모두 권력의 극대화를 추구하는 보편적 성향을 가진다고 본다.

답 ②

004 신고전현실주의에 대한 설명으로 옳은 것만을 모두 고른 것은?

> ㄱ. 국가의 장기정책은 국제체제변수의 영향을 받으나, 단기정책은 여론의 영향을 받을 수 있다.
> ㄴ. 스웰러(Randall Schweller)는 이익균형론을 제시하고 국가의 성향에 따라 추구하는 이익이 달라진다고 보았다.
> ㄷ. 크리스텐센(Thomas J. Christensen)에 의하면 국가는 안보나 권력의 극대화가 아니라 영향력의 극대화를 추구한다.
> ㄹ. 신고전현실주의는 국제정치의 주요 행위자는 국가라고 본다.

① ㄱ, ㄹ　　　　　　　　　　② ㄱ, ㄴ, ㄷ
③ ㄱ, ㄴ, ㄹ　　　　　　　　④ ㄴ, ㄷ, ㄹ

정답 및 해설

신고전현실주의에 대한 설명으로 옳은 것은 ㄱ, ㄴ, ㄹ이다.
⊘ 선지분석
ㄷ. 자카리아(Fareed Zakaria)의 견해이다.

답 ③

005 스웰러(R. Schweller)의 국제정치이론에 대한 설명으로 옳지 않은 것은?

① 국가가 과소균형을 형성하는 경우 비효율적 균형에 그침으로써 막을 수 있었던 전쟁을 치르게 되거나 많은 비용을 치르고 전쟁에 임하게 된다.

② 스웰러는 위협에 대한 인식과 대응방법에 대해 정책결정자들이 합의를 볼수록, 정부와 정권이 내부 사회세력의 지지를 받아 덜 취약할수록, 사회와 엘리트 차원의 응집력이 강해 내부 분열을 일으키지 않을수록 적절한 균형에 접근할 것이라고 본다.

③ 국가들은 책임전가나 편승과 같은 비균형정책을 추구할 수도 있다.

④ 스웰러는 국가들이 외부의 위협에 대해 균형정책을 취할 때 외부의 위협은 고려사항이 아니며 국내의 다양한 행위자들과 그들의 인식이 중요하다고 본다.

정답 및 해설

외부의 위협도 중요한 고려사항이라고 본다.

답 ④

006 스웰러(R. Schweller)의 이론에 대한 설명으로 옳지 않은 것만을 모두 고른 것은?

> ㄱ. 스웰러(R. Schweller)는 국가들이 외부의 위협에 대해 균형정책을 취할 때 외부의 위협뿐 아니라 국내의 다양한 행위자들과 인식이 중요하다고 본다.
> ㄴ. 스웰러(R. Schweller)는 적절한 균형이 아닌 다른 모든 정책의 원인이 체제차원의 변수로는 설명되지 않으므로 국내정치 요소를 필연적으로 고려해야 한다고 본다.
> ㄷ. 스웰러(R. Schweller)는 정책결정자들 간의 합의, 정부와 정권의 취약성, 사회적 응집력, 정책결정자들 간의 응집력 등이 중요한 체제차원의 설명 변수라고 본다.
> ㄹ. 스웰러(R. Schweller)는 위협에 대한 인식과 대응방법에 대해 정책결정자들이 합의를 볼수록, 정부와 정권이 내부 사회세력의 지지를 받아 덜 취약할수록, 사회와 엘리트 차원의 응집력이 강해 내부 분열을 일으키지 않을수록 과대균형에 접근할 것이라고 본다.

① ㄱ, ㄴ　　　　　　　　　　　　② ㄴ, ㄷ
③ ㄴ, ㄹ　　　　　　　　　　　　④ ㄷ, ㄹ

정답 및 해설

스웰러(R. Schweller)의 이론에 대한 설명으로 옳지 않은 것은 ㄷ, ㄹ이다.
ㄷ. 국내적인 설명 변수이다.
ㄹ. 적절한 균형에 근접할 것이라고 본다.

답 ④

007 반 에베라(Stephen Van Evera)의 '공격 – 방어 균형이론'에 대한 설명으로 옳지 않은 것은?

① 국제체제의 구조와 더불어 국가의 행동에 영향을 주는 변수로서 공격에 유리한 또는 방어에 유리한 군사기술을 분석하였다.

② 안보딜레마의 원인을 분석함에 있어서 왈츠(K. Waltz), 허즈(John Herz), 저비스(R. Jervis) 등은 국제체제의 무정부적 구조를 강조한 반면, 에베라는 무정부적 국제체제가 안보딜레마의 필연적 요인은 아니라고 본다.

③ 무정부적 국제체제에서 공격무기 체계가 발달한 경우 안보딜레마가 발생할 가능성이 높다고 본다.

④ 양극체제가 다극체제보다 안정적이며, 방어우위의 양극체제가 가장 안정적이라고 본다.

정답 및 해설

저비스(R. Jervis)는 안보딜레마가 체제적 현상이라고 보는 점을 비판하고, 상대방의 의도에 대한 불확실성이나 오인 때문에 안보딜레마가 발생한다고 하였다.

답 ②

008 공격 – 방어균형이론에 대한 설명으로 옳지 않은 것은?

① 반 에베라(Van Evera)는 공격방어균형이론을 통해 국제체제의 구조에 기초한 국가의 대외전략 설명을 비판하고 국가의 행동은 국제체제의 구조와 무관하게 군사기술에 지배적인 영향을 받는다고 주장했다.

② 반 에베라(Van Evera)는 저비스와 달리 안보딜레마 설명에 있어서 공격방어균형만을 변수로 설정하였다.

③ 반 에베라(Van Evera)와 달리 미어샤이머는 모든 무기가 공격과 방어에 사용되기 때문에 공격 우위나 방어우위를 측정할 수 없으므로 공격방어 구분가능성이 무의미하다고 하였다.

④ 반 에베라(Van Evera)는 1914년 7월 위기가 수습되지 못하고 전쟁이 발발한 것은 공격 우위에 대한 믿음과 그에 기초한 군사력 구조 때문이이라고 분석하였다.

정답 및 해설

국제체제의 구조도 중요하다고 보았다. 다만, 군사기술의 성격을 같이 분석해야 국가의 행동을 적절하게 설명할 수 있다고 하였다.

답 ①

009 안보딜레마(Security Dilemma) 개념에 대한 설명으로 옳은 것은?

① 구성주의의 관점에서 안보딜레마는 국제체제의 무정부성이 구조의 구성단위인 국가의 의사와 관계없이 유발하는 결과이다.

② 자신의 안보를 확보하기 위한 조치가 결과적으로 자신의 안보를 저해하게 되는 상황이다.

③ 공격과 방어의 구분이 가능한 군사기술이 발전할수록 안보딜레마는 높아진다.

④ 국가들은 다른 국가가 행하는 군사적 조치의 의도를 잘 알 수 있기 때문에 안보딜레마는 더욱 증가한다.

정답 및 해설

자신의 안보를 위한 조치가 상대방을 위협하고, 상대방도 이에 대한 대응을 하는 과정에서 자국의 안보상황이 이전보다 악화되는 현상을 말한다.

✓ 선지분석

① 신현실주의의 관점이다. 왈츠(K. Waltz), 허즈(J. Herz) 등의 입장이다.

③ 공격 - 방어 구분이 가능할수록 안보딜레마가 발생할 가능성이 떨어진다. 저비스(R.Jervis)의 견해이다.

④ 공격 - 방어 구분가능성 차원에서 보면 타국의 군사적 조치의 의도를 잘 알 수 있는 상황, 즉, 공격 - 방어 구분이 가능한 상황이면 안보딜레마는 약화된다.

답 ②

---

010 안보딜레마(security dilemma)에 대한 설명으로 옳지 않은 것은?

① 안보딜레마는 자신의 안전을 위해 취한 조치가 결국 자신의 안전을 저해하는 현상을 말한다.

② 저비스(R. Jervis)는 공수우위와 국제체제의 무정부성을 결합하여 안보딜레마가 발생 가능한 상황을 제시하였다.

③ 협력안보(cooperative security)는 일방적 안보에서 비롯되는 안보딜레마를 해결하기 위해서는 안보대화를 통해 상대방의 의도를 파악하는 것이 필요하다는 전제에서 제시되었다.

④ 반 에베라는 왈츠와 달리 국제체제의 무정부성이 안보딜레마의 필연적 요인은 아니라고 하였다.

정답 및 해설

저비스(R. Jervis)는 공수우위와 공수 구분 가능성을 기준으로 하여 안보딜레마를 설명하였다. 공격우위 상황에서 공수 구분이 불가능할 때 안보딜레마가 발생할 가능성이 높다고 하였다.

답 ②

011 미어샤이머의 이론에 대한 설명으로 옳지 않은 것은?

☐☐☐ ① 국제체제의 무정부성을 홉스적 자연상태로 규정하고 모든 국가는 상대적 힘의 극대화를 추구한다고 보았다.
② 무정부체제하에서의 국제협력 가능성에 대해 왈츠와 달리 비관적 견해를 제시하였다.
③ 모든 국가는 세계패권보다는 자신이 위치한 지역이나 대륙에서 지역패권을 추구한다.
④ 핵확산과 관련하여 왈츠와 마찬가지로 핵확산이 국제체제의 안정성에 긍정적 역할을 한다고 보았다.

왈츠도 비관론자이다. 상대적 이득이나 배반가능성에 대한 두려움이 국제협력의 장애물이라고 본다.

답 ②

012 공격적 현실주의에 대한 설명으로 옳은 것은?

☐☐☐ ① 왈츠(K. Waltz)와 극성과 안정성에 대한 견해를 달리한다.
② 미어샤이머는 국제체제가 무정부적인 경우 필연적으로 국가들은 안보를 위해 권력을 추구한다고 보았다.
③ 미어샤이머는 탈냉전의 국제체제가 다극체제라고 보고 그 불안정성을 극복하기 위해서는 제한적 핵확산이 필요하다고 보았다.
④ 미어샤이머는 동맹국 상호 간에도 국가이익이 일치하지 않는다면 지원하지 않을 것이라고 보고 동맹은 단기적인 편의를 위해서만 이루어진다고 주장하였다.

✓ 선지분석
① 양자 모두 양극체제 안정론을 주장하는 측면에서 같다.
② 국제체제의 무정부성과 안보 추구 사이에는 필연적 관계가 없다고 보고, 무정부의 속성에 대한 논의가 추가되어야 한다고 보았다.
③ 미어샤이머는 탈냉전기 유럽의 지역체제가 다극체제라고 보고 핵확산이 필요하다고 하였다.

답 ④

013 연성균형론에 대한 설명으로 옳지 않은 것은?

☐☐☐ ① 탈냉전기 패권체제 형성에도 불구하고 중국이나 러시아가 균형화 노력을 보이지 않은 점에 대해 설명하기 위해 제시된 이론이다.
② 연성균형은 지배적인 국가와 직접적으로 대립하지 않은 채 지배적인 국가로 하여금 군사력을 사용하는 것을 좀 더 어렵게 만드는 것을 목적으로 한다.
③ 지역통상블럭의 강화와 같은 협력외교는 패권국을 역외국화함으로써 패권국의 경제력을 약화시키는 효과를 추구하는 연성균형전략이다.
④ 2003년 미국의 이라크 전쟁에서 프랑스, 독일, 터키, 사우디아라비아 등이 보여준 태도는 연성균형의 사례로 볼 수 있다.

지역통상블럭 강화는 경제의 강화에 해당된다. 국제기구나 국제제도를 이용하는 것이 협력외교에 해당된다.

답 ③

014 연성균형론에 대한 설명으로 옳은 것은?

① 연성균형은 국가들이 군사력이나 경제력보다는 연성권력에 기초하여 타국의 위협에 대응해 나가는 전략을 말한다.

② 페이프(R. A. Pape)는 패권안정론에 기초하여 압도적인 힘을 가진 국가가 존재하는 패권체제에서는 연성균형이 불가능하다고 하였다.

③ 연성균형은 힘의 균형을 물리적으로 바꾸기 위해 취해지는 것이 아니라 강한 국가에게 있어서 일방적인 행동을 훼손하거나, 좌절시키거나, 비용을 증대시키는 것을 목적으로 한다.

④ 연성균형수단으로서의 균형을 이루겠다는 결의의 신호는 초강대국의 현재의 행동을 방해하는 것을 목적으로 한다.

정답 및 해설

 선지분석

① 연성균형과 연성권력은 직접적인 관계가 없다. 연성균형은 비군사적인 수단을 통한 균형을 지칭한다.

② 페이프(R. A. Pape)는 연성균형론자이다. 패권체제에서는 새로운 형태의 균형전략으로서 연성균형전략이 시도된다고 하였다.

④ 균형을 이루겠다는 결의의 신호는 초강대국의 미래의 야심에 대한 저항에 참여할 것이라는 신호를 보내는 방식으로 결의를 보이는 것을 말한다.

답 ③

---

015 탈리아페로의 위험균형론(Balance of Risks)에 대한 설명으로 옳지 않은 것은?

① 위험균형론은 신고전현실주의 이론으로서 전망이론과 공격적 신현실주의 이론을 결합하였다.

② 강대국이 자국의 안보에 직접적인 위협이 되지 않는 주변적인 지역에 개입하는 이유를 설명할 수 있다.

③ 1905년과 1911년에 독일이 일으킨 모로코사태는 위험균형론의 적실성을 보여주는 사례이다.

④ 전망이론에 의하면 국가는 자신의 기득권을 유지하기 위해 매우 공격적이고 위험선호적인 행동을 할 수 있다.

정답 및 해설

방어적 신현실주의 이론을 결합한 모형이다. 위험균형론은 전망이론에 기초하여 국가들이 현상유지를 선호할 것이라고 본다. 이러한 점이 방어적 신현실주의와 유사한 점이다.

답 ①

제3장 자유주의

001 자유주의에 대한 설명 중 옳지 않은 것은?

☐☐☐

① 국제정치 행위자는 국가뿐만 아니라 국제기구, NGO, MNC 등 비국가행위자들도 포함된다.

② 국가를 국제정치 과정에서 독립된 행위자의 가능성을 지니고 있는 일단의 관료조직과 제도로서 구성된 분절된 행위자로 가정한다.

③ 경제 및 기술력이 국가 간의 정치적 상호의존을 가져오는 데 중요한 역할을 한다고 보며, 국제체제 내에서 이러한 경제력이나 기술력과 같은 것을 중요한 권력(power)의 형태로 간주한다.

④ 국가 내부가 분절되어 있다 하더라도 정책결정자는 합리적이며 국가이익을 극대화하는 방향으로 정책을 결정한다.

정답 및 해설

비국가적 행위자들의 인정과 국가의 통합성의 부인은 국가의 합리성을 자연스럽게 부인하는 데 이른다. 다양한 비국가행위자들은 국익보다는 자신의 이익을 추구하고, 관료조직 간의 이해관계의 상충으로 합리적 결정을 내릴 수 없다고 본다.

답 ④

002 자유주의 국제정치이론이 기반하고 있는 가정이나 믿음이라고 볼 수 없는 것은?

☐☐☐

① 인간은 본성이 본질적으로 악하지 않기 때문에 서로 협력할 수 있다.

② 전쟁은 잘못된 제도 때문에 일어나는 것이므로 인간의 노력 여하에 따라 방지할 수 있다.

③ 국제정치 현실은 집단적인 노력이나 법의 제정 등을 통해 개혁이 가능하다.

④ 국제정치영역을 군사, 경제, 문화로 세분화할 때 군사영역이 제일 중요하다.

정답 및 해설

현실주의에 관련된 진술이다. 현실주의는 군사력의 대체성을 주장하나 자유주의는 군사력의 비대체성을 주장한다. 따라서 현실주의는 군사력을 가장 중요시하나 자유주의는 반드시 그런 것은 아니라고 한다.

답 ④

003 자유주의의 흐름에 대한 연결로 옳지 않은 것은?

□□□

① 고전적 자유주의: 리카르도(D. Ricardo)의 비교우위론에 따라 자유무역을 통하여 세계의 모든 자원을 효율적으로 이용할 수 있어 모든 국가는 무역을 통한 이득을 얻게 된다.

② 상호의존론: 복합적 상호의존 시대에는 군사력이 모든 국제관계의 결과를 도출하는 변수가 되지 않으며, 각각의 쟁역(issue area)에서 필수적인 요소가 중요한 변수가 된다.

③ 신자유주의적 제도주의: 신현실주의의 국가 및 무정부에 대한 가정을 비판하고, 국제협력 가능성을 논증하였다.

④ 신자유주의: 전후 국제경제질서가 붕괴되면서 보다 시장지향적인 국내 및 국제질서 개편을 시도하기 위해 제시된 이념이다.

> **정답 및 해설**
>
> 신자유주의적 제도주의는 국제레짐이 안보·군축영역에서 보다는 경제영역에서 더욱 잘 작동하며 결국 무정부상태 하에서 협력(cooperation under anarchy)을 달성할 수 있을것으로 보지만, 그렇다고 하여 국제레짐을 통해 세계정부의 구성이 가능할 것으로 보는 것은 아니다.
>
> 답 ③

004 다음 중 자유주의 패러다임의 가정에 해당하는 것만을 모두 고른 것은?

□□□

> ㄱ. 국내정치에서처럼 국제정치에서도 국가와 비국가행위자 등 다양한 행위자들이 존재한다.
> ㄴ. 국가는 분절되고 비합리적인 행위자이다.
> ㄷ. 국제체제는 홉스적 무정부 상태이며 국가들은 생존을 추구한다.
> ㄹ. 행위자들은 다원적 가치를 추구하며 국제체제에서는 항구적 평화가 가능하다.
> ㅁ. 국제체제는 고정불변의 것이 아니며, 구성원들의 집합정체성에 따라 변화한다.

① ㄱ, ㄴ   ② ㄱ, ㄴ, ㄷ
③ ㄱ, ㄴ, ㄹ   ④ ㄱ, ㄴ, ㄹ, ㅁ

> **정답 및 해설**
>
> 자유주의 패러다임의 가정에 해당하는 것은 ㄱ, ㄴ, ㄹ이다.
>
> **☑ 선지분석**
>
> ㄷ. 현실주의에 대한 설명이다. 자유주의에서 국제체제는 무정부적인 전쟁상태가 아니며, 국가들이 서로를 파트너로 인식한다.
> ㅁ. 구성주의에 대한 설명이다.
>
> 답 ③

001 다음 중 이상주의에 대한 설명으로 옳은 것만을 모두 고른 것은?

ㄱ. 인간은 합리적인 존재이며, 전쟁을 원하지 않는다고 본다.
ㄴ. 국가 간에는 근본적으로 이익의 자연스러운 조화가 존재하며, 전쟁은 불가피한 현상이 아니다.
ㄷ. 전쟁은 불완전한 정치제도에서 비롯된다.
ㄹ. 세계질서와 평화는 외교와 힘에 의한 국가 간의 상호작용으로 가능하다.
ㅁ. 전쟁을 방지하기 위해서는 국제정치제도뿐만 아니라 국내정치제도를 전환시켜야 한다.

① ㄱ, ㄴ, ㄷ, ㄹ   ② ㄱ, ㄴ, ㄷ, ㅁ   ③ ㄱ, ㄷ, ㄹ, ㅁ   ④ ㄴ, ㄷ, ㄹ, ㅁ

정답 및 해설

이상주의에 대한 설명으로 옳은 것은 ㄱ, ㄴ, ㄷ, ㅁ이다.
✓ 선지분석
ㄹ. 현실주의자들의 주장이다. 현실주의자들은 전쟁이 인간의 사악한 본성에서 비롯되며, 세계질서와 평화는 외교와 힘에 의한 국가 간의 상호작용으로 가능하다고 본다. 반면, 이상주의자들은 인간이 합리적인 존재이기 때문에 전쟁을 원하지 않으며, 전쟁은 불완전한 정치제도에서 비롯된다고 본다.

답 ②

002 세력균형과 집단안보를 비교 설명한 내용 중 옳지 않은 것은?

① 두 방식 모두 안보를 유지하는 수단이 군사력이다.
② 세력균형에서 상정하는 적은 체제 내부에 존재하는 반면, 집단안보에서 적은 체제 외부에 존재한다.
③ 세력균형은 19세기 유럽협조체제나 20세기 냉전체제 시기 작동했던 반면, 집단안보는 LN출범 당시 주장된 개념이다.
④ 세력균형의 안보대상은 국가에 한정되나, 집단안보의 안보대상은 국가 및 인간안보도 포괄할 수 있다.

정답 및 해설

세력균형에서 상정하는 적은 체제 외부에 존재한다. 동맹과 유사하게 사전에 적을 특정짓고 그 적대 세력과의 세력균형을 위하여 연합하기 때문에 체제 외부에 적이 존재한다고 볼 수 있다. 반면, 집단안보체제에서의 적은 체제 내부에 존재한다. 체제 내부에서 사전에 특정되지 않은 국가가 체제 내부의 다른 국가를 공격할 때 집단안보체제는 그 국가를 적이라고 규정하고 집단적으로 대응하게 된다. 따라서 집단안보체제에서는 적을 체제 내부에 두고 관리하는 형태가 된다.

답 ②

003 다음 중 이상주의와 현실주의에 대한 설명으로 옳지 않은 것은?

2005년 외무영사직

① 이상주의는 국제법, 국제기구, 외교를 중시하나 현실주의는 군사력, 안보를 중시한다.
② 이상주의는 도덕을 중시하나 현실주의는 권력을 중시한다.
③ 이상주의의 대표적 인물로 윌슨, 니버가 있고, 현실주의자는 키신저, 카아를 들 수 있다.
④ 이상주의는 국가이익과 보편적 이익을 혼동한다고 비판되나, 현실주의는 고정된 인과율에 빠진 결정론으로 비판된다.

니버(R. Niebuhr)는 신학자로서 현실주의 이론가이다. 인간은 원죄로 말미암아 더럽혀져 있고 결국 악을 저지르게 되어 있다는 성악설적 인간관을 갖고 있었다. 그는 이상주의자들을 비판하고 국제정치를 권력투쟁으로 보았으며 정치이론은 정치현실로부터 도출되어야 한다는 것을 암시하였다. 그러나 한편으로 현실주의가 국가이익을 지나치게 역설하는 것을 비판하고 권력이 정의의 도구로서 그리고 자신의 이익보다 광범위한 이익을 위해 사용되어야 한다고 주장하였다.

답 ③

004 국제정치 접근방법 중 이상주의에 대한 설명으로 옳지 않은 것은?

① 18세기 낙관주의, 19세기 자유주의, 20세기 윌슨주의의 후계사상이다.
② 자유로운 외교정책의 선택 등 영·미 정치전통의 영향을 많이 받았다.
③ 국제정치에서의 힘의 사용을 부도덕한 것으로 간주하고 있다.
④ 인간이 실제로 어떻게 행동하느냐에 많은 관심을 두고 있다.

이상주의는 인간성에 관한 자유주의적 견해로부터 출발하여 성선설적 입장에서 선한 사람은 결코 전쟁을 원치 않으며 전쟁은 상호간의 오해나 교육을 받지 못한 마음이 지배할 때 발생하는 것으로 본다. 따라서 인간이 실제로 어떻게 행동하느냐에 관심을 두는 것이 아니라 인간이 악한 행동(전쟁 행위)을 하게 되는 이유에 관심을 두고 그 이유를 불완전한 정치제도에서 찾고 있었다. 따라서 전쟁은 인간성으로부터 유래되는 것이 아니므로 제도의 미비점을 보완하거나 새로운 제도의 수립을 통해 세계질서와 평화가 가능하다는 견해를 갖고 있었다.

답 ④

005 이상주의(Idealism)에 대한 설명으로 옳은 것은?

① 이상주의라는 이름은 왈츠에 의해 붙여진 것이다.
② 이상주의는 멀리는 칸트(I. Kant)까지 거슬러 올라가나, 그것이 정책으로서 현실국제관계에 투영된 것은 제1차 세계대전 이후 세계질서 형성 역할을 맡은 윌슨(W. Wilson)에 의해서였다.
③ 윌슨(W. Wilson)은 전후 국제질서에서 세력균형을 보완하는 세계적 경찰기구인 LN을 창설하여 국제질서를 안정화 하고자하였다.
④ 윌슨(W. Wilson)적 자유주의 세계관과 가치 및 제도는 냉전기 국제질서에서 자취를 감추었다.

☑ 선지분석
① 이상주의라는 이름은 카아(E. H. Carr)에 의해 붙여진 것이다.
③ 윌슨(W. Wilson)은 세력균형이 국제질서 불안정의 원인이라 생각하여 이를 금지하는 대신 LN을 창설하여 국제질서를 안정화하고자 하였다.
④ 냉전기 국제질서에서도 다양한 자유주의 이론가들에 의해 계승되어 왔다.

답 ②

006 이상주의에 대한 설명으로 옳지 않은 것은?

① 나폴레옹전쟁 이후 약 100여년간 유럽의 평화를 가져다주었던 세력균형체제는 제1차 세계대전으로 붕괴되고, 윌슨을 중심으로 한 이상주의자들은 세력균형체제의 불안정성을 대신할 새로운 평화체제를 구상하였다.
② 홉스나 루소 류의 비관주의를 수용하여 인간은 합리적인 존재가 아니며 전쟁을 원한다고 주장한다.
③ 이상주의자들은 전쟁이 불완전한 정치제도에서 비롯된다고 보았다.
④ 전쟁을 방지하기 위해서는 국제기구, 국제법, 세계정부 등 국제정치제도를 정비할 뿐 아니라 국내 정치제도를 보다 덜 공격적인 민주주의체제로 전환시켜야 한다고 보았다.

> **정답 및 해설**
>
> 이상주의는 홉스나 루소 류의 비관주의를 거부하고 벤담 류의 자유주의적 낙관적 관점을 수용하여 인간은 합리적인 존재이며 전쟁을 원하지 않는다고 주장한다.
>
> 답 ②

007 이상주의에 대한 카아(E. H. Carr)의 비판으로 옳지 않은 것은?

① 현실보다 당위, 실행 가능한 것보다 바람직한 것에 집착한다.
② 이상주의의 견해는 전승국들의 집단적인 자기중심적 이익을 반영한 것이다.
③ 갈등보다 협력, 자기중심적 이익보다 유대, 불화보다 조화에 경도된 견해이며, 역사와 인간성에 대한 이해를 거의 하고 있지 않다.
④ 세력균형과 외교가 국제체계에 있어서의 질서를 유지하는 데 결정적인 역할을 하는 제도임에도 이상주의는 세력균형을 부인하고, 외교를 불경시하며, 국제기구를 통한 국제행정으로 이를 대체하려고 한다.

> **정답 및 해설**
>
> 이상주의에 대한 비판은 맞지만, 이는 카아(E. H. Carr)의 비판이 아닌 헤들리 불의 비판이다.
>
> 답 ④

008 이상주의(Idealism)와 자유주의(Liberalism)에 대한 설명으로 옳지 않은 것은?

① 윌슨(W. Wilson)의 민족자결주의와 LN(League of Nations)의 설립은 이상주의적 시도로 분류된다.
② 이상주의는 제2차 세계대전의 불행을 딛고 일어서려는 노력 하에서 추구되었다.
③ 자유주의는 로크(J. Locke)의 사회계약설을 바탕으로 하고 있다.
④ 자유주의 계열의 학자인 코헤인(R. Keohane)과 악슬로드(R. Axelrod)는 절대적 이득(absolute gains)을 바탕으로 게임이론을 전개하였다.

> **정답 및 해설**
>
> 이상주의는 제1차 세계대전의 전후 처리 과정에서 실제 국제정치에 적용되기 시작하였다.
>
> **✓ 선지분석**
> ③ 자유주의는 자연상태(무정부 상태)의 평화적 성격, 개인의 자유를 최대한으로 보장, 작은 국가 등의 차원에 있어서 로크(J. Locke)의 사회계약설과 같은 입장을 갖고 있다.
>
> 답 ②

009 이상주의에 대한 설명으로 옳은 것은?

① 윌슨(W. Wilson)을 중심으로 한 이상주의자들은 국제정치의 불안정성을 감소시키기 위해 세력균형체제를 형성하도록 국가의 행동을 규제할 규범과 원칙을 형성하는 데 관심을 두었다.
② 이상주의자들은 전쟁이 인간의 사악한 본성에서 비롯되기 때문에 이를 제어하기 위한 제도가 필요하다고 보았다.
③ 이상주의자들은 집단안전보장제도를 통해 사전적으로 적과 동지를 구별함으로써 평화를 달성하고자 하였다.
④ 세력균형과 집단안전보장은 힘은 힘에 의해서 제어되어야 한다는 인식을 공유하고 있다.

정답 및 해설

집단안보와 세력균형은 힘은 힘에 의해 제어해야 한다는 인식에 동의한다. 하지만 집단안보는 압도적인 힘에 의해, 세력균형은 힘의 균형에 의해 달성된다는 차이를 가지고 있다.

⊘ 선지분석
① 이상주의자들은 세력균형체제의 불안정성을 대체하기 위해 새로운 평화체제를 구상하였다. 세력균형체제의 형성을 통한 국제정치 질서의 안정 추구는 현실주의자들의 입장이다.
② 이상주의자들은 전쟁의 근원이 인간의 사악한 본성이 아닌 불완전한 정치제도에서 비롯된다고 보고 있다. 불완전한 정치제도란 국제정치제도의 미비뿐만 아니라 국내권위주의 정치체제를 의미한다.
③ 집단안보와 세력균형의 차이점으로 집단안보의 경우, 사전에 적과 동지를 구분하지 않으나, 세력균형은 이를 구별한다.

답 ④

010 이상주의(idealism)와 국제연맹(LN)의 집단안보에 대한 설명으로 옳지 않은 것은?

① 집단안보란 '집단안보체제에 속하는 국가들이 일국의 안보가 모든 국가의 관심사임을 수용하고 사전에 정해져 있지 않은 불특정 적국의 침략에 대응하는 집단적인 체제에 공동 참여할 것을 동의한 약정에 의한 안전의 보장'을 가리키는 것이다.
② 미국의 윌슨 대통령은 비밀외교의 폐단을 지적하고 공개적으로 체결된 공개적인 협정의 필요성을 강조하며 LN의 창립을 주도하였다.
③ 집단적 자위(collective self-defense)는 특정의 적국 혹은 가상의 적국을 겨냥하고 결성된다는 점에서 집단안보와 다르다.
④ 국제연맹 규정은 어떤 회원국이든 간에 분쟁을 사법적인 해결이나 이사회의 중재에 의하지 않고 무력에 호소했을 경우, 이를 제재할 수 있는 조직적·집단적인 힘에 대한 지침을 상세히 갖추고 있어 성공을 거둘 수 있었다.

정답 및 해설

국제연맹 규정은 큰 틀의 제시만 있을 뿐, 문제를 제재할 수 있는 구체적인 지침이 결여되어 있다는 점이 실효성을 거둘 수 없는 가장 큰 이유였다.

답 ④

011 자유주의 패러다임에 대한 설명으로 옳지 않은 것은?

① 국제관계의 다양한 이슈에 주목하므로 '다중심견해'라고 한다.
② 개인이나 조직은 합리적이나 국가 전체적으로는 비합리적일 수 있다고 본다.
③ 카아(E. H. Carr)는 자유주의 이론은 국제정치 변화의 방향을 설명할 수 있다는 점에서 현실주의 입장보다 우월하다고 본다.
④ 미트라니의 기능주의 통합이론과 달리 신기능주의 통합이론은 국제정치의 파급효과가 자동적으로 발생하는 것은 아니라고 본다.

정답 및 해설

국제정치 행위자의 다원성을 이유로 다중심견해라고 한다.

답 ①

012 윌슨(W. Wilson)이 제시한 영구평화 4원칙에 해당하는 것만을 모두 고른 것은?

ㄱ. 모든 문제의 해결은 공평의 원칙에 입각하고 본질적인 정의에 기초해야 한다.
ㄴ. 경제적 장벽은 철폐되어야 하고 평등한 통상조건을 확립해야 한다.
ㄷ. 모든 식민지 요구를 공평하게 조정한다.
ㄹ. 세력균형은 영구히 부인되어야 하고 세력균형을 위한 인민의 주권 간의 이전은 금지되어야 한다.
ㅁ. 모든 민족적 희망은 소수민족보호의 원칙에 따라 해결되어야 한다.

① ㄱ, ㄷ
② ㄱ, ㄹ, ㅁ
③ ㄴ, ㄷ, ㅁ
④ ㄴ, ㄷ, ㄹ, ㅁ

정답 및 해설

영구평화 4원칙 중 제3원칙은 "영토귀속에 있어서 주민의 의사를 존중해야 한다는 원칙 속에서 영토문제의 해결은 국가 간의 타협에 의하기보다는 관계인민의 이익과 복지에 따라 결정되어야 한다."이다.

⊘ 선지분석
ㄴ, ㄷ. 14개 조항에 해당된다.

답 ②

013 국제정치의 주요 이론에 대한 설명으로 옳지 않은 것은?

2020년 외무영사직

① 현실주의는 국가이익을 국제적 행위의 기본적인 원칙으로 본다.
② 자유주의는 권력투쟁의 상황에서도 국제사회에서 국가 간 협력이 가능하다고 본다.
③ 현실주의는 세력균형의 원리를 통해서 국가 간의 전쟁을 방지할 수 있다고 본다.
④ 자유주의는 국제질서를 본래 경쟁이 없는 조화롭고 질서 있는 상태로 본다.

> **정답 및 해설**
>
> 자유주의는 국제질서가 '본래' 경쟁이 없거나 조화로운 상태라고 보지는 않는다. 다만, 조화롭고 질서있는 상태로 만들어갈 '가능성'이 있다고 보는 것이다.
>
> 답 ④

제3절 | 외교정책론

001 외교정책 결정과정에 영향을 미치는 국내정치 요인에 대한 설명으로 옳지 않은 것은?

2020년 외무영사직

① 찰스 틸리(Charles Tilly)는 공동연구를 통해, 국제적인 위기 상황에서 대통령에 대한 지지율이 급등하는 현상을 분석하면서 결집효과(Rally round the flag effect) 개념을 제시했다.
② 제임스 피어론(James Fearon)은 청중비용이론(Audience Costs Theory)을 통해, 민주주의 국가가 권위주의 국가보다 국제분쟁에서 물러날 가능성이 적다고 주장한다.
③ 부르스 부에노 데 메스키타(Bruce Bueno de Mesquita)는 선출인단이론(Selectorate Theory)을 제시하면서, 정치체제에 따라 다양한 승리연합이 나타날 수 있다고 분석했다.
④ 로버트 퍼트남(Robert Putnam)의 양면게임이론은 국가 간 협상 결과와 이를 국내에서 비준받는 과정이 서로 관련이 있음을 주장하는 이론이다.

> **정답 및 해설**
>
> 결집효과는 존 뮬러(John Mueller)가 제시한 개념이다. 찰스 틸리(Charles Tilly)는 역사사회학자로서 근대국가의 개념이나 형태가 보편적 형태로서 주어진 것이라기보다는 국가들 간 전쟁의 역사를 통해 만들어진 것이라고 본다.
>
> **선지분석**
> ② 청중비용은 지도자가 공약을 불이행할 때 받는 타격을 말한다. 민주국이 국제분쟁에서 물러날 경우 다음 선거에서 패하는 등의 큰 비용을 지불해야 하므로 물러날 가능성이 더 적은 것이다.
> ③ 선출인단은 지도자를 선출하는 그룹을 말하며, 정치체제에 따라 그 크기가 다를 수 있다. 이와 함께 선출된 지도자를 지지하는 세력을 승전연합이라고 한다. 선출인단과 승전연합의 크기의 차이가 정치체제에 따라 다르고, 이에 따라 대외정책에서 차이점을 가져온다는 것이 선출인단이론의 골자이다.
> ④ 양면게임이론은 국가 간 협상이라는 제1면 게임뿐 아니라, 협상결과가 국내적으로 인정을 받고자하는 제2면 게임이 존재한다고 본다.
>
> 답 ①

002 전망이론에 대한 설명으로 옳지 않은 것은?

2016년 외무영사직

□□□ ① 정책결정자는 현재 상태(status quo)를 준거점으로 삼는다.

② 정책결정자는 새로운 이익을 위해 모험하기보다는 현상유지에 만족한다.

③ 정책결정자는 손실과 관련된 결정에 있어서는 위험회피의 성향을 보인다.

④ 정책결정의 비합리적, 탈균형적, 비일관적 측면을 이해하는 데 도움을 준다.

정답 및 해설

손실과 관련된 결정에 있어서는 '위험선호적'이라고 본다.

✓ **선지분석**

④ 전망이론은 '합리모형'과 달리 국가의 선호가 합리주의모형이 가정하는 것과 같이 고정적이지 않고 문제영역에 따라 유동적이라고 본다.

답 ③

---

003 재니스(Janis)의 집단사고(Group Think)에 대한 설명으로 옳지 않은 것은?

2015년 외무영사직

□□□ ① 상충되는 정보는 배척한다.

② 다른 대안 검토보다는 만장일치를 추구한다.

③ 난공불락의 환상(illusion of invulnerability)을 가진다.

④ 집단 내 강력한 지도자가 부재한 상황에서 이루어진다.

정답 및 해설

집단사고와 강력한 지도자의 부재와는 관련성이 크지 않다. 재니스에 의하면 집단 내 강력한 지도자가 존재하여 참여하는 구성원들의 의견을 압도하는 경우 타 구성원들과의 심도있는 토론이 어려워 비합리적 결정에 이를 수 있다.

✓ **선지분석**

①, ②, ③ 재니스가 집단사고의 오류를 지적한 요소들이다. 소집단 의사결정에서는 자기정당화 경향이 강하고(난공불락의 환상), 상충되는 정보를 충분히 검토하기보다 집단이 지향하는 바와 다르면 배척하는 경향이 있으며(상충되는 정보 배척), 만장일치를 추구하여 돌출자(odd man)를 배제하려는 성향이 강하다.

답 ④

---

004 재니스(Irving Janis)의 집단사고(groupthink)에 대한 설명으로 옳은 것만을 모두 고르면?

2022년 외무영사직

□□□

> ㄱ. 집단사고는 관료집단 내 강력한 지도자가 없을 때 진작되고 유지된다.
>
> ㄴ. 피그만 침공사건은 집단사고에 의해 실패한 정책결정 과정의 사례로 자주 인용된다.
>
> ㄷ. 집단사고는 정책 목표 및 정책안들의 과도한 생략, 미흡하고 선택적인 정보처리 등으로 발생한다.
>
> ㄹ. 집단사고의 징후는 특정 정책안에 대한 의견일치의 추구 및 압박의 존재, 정책안에 대한 집단적 합리화, 반대자에 대한 부정적 압박의 존재 등을 포함한다.

① ㄱ, ㄹ   ② ㄴ, ㄷ

③ ㄱ, ㄷ, ㄹ   ④ ㄴ, ㄷ, ㄹ

ㄴ. 1961년 발생한 피그만 침공작전은 미국이 카스트로에 반대하는 쿠바인들을 동원해서 카스트로 축출을 기도했
으나 실패한 사건이다. 정책결정 과정에서 상륙 지점 등의 문제점 등이 적절히 지적되지 못하고 배척되었다고
평가되는데 이것이 집단사고의 오류라고 해석되었다.

ㄷ. 집단사고의 상황에서 급진적 만장일치의 의사결정 심리가 형성되면서 발생하는 문제점들이다.

ㄹ. 그 밖에도 난공불락의 환상 등이 그 징후로 나타난다.

⊘ 선지분석

ㄱ. 집단사고는 집단 내에 강력한 발언권을 가지고 적극적 발언을 하는 지도자가 있을 때 발생하기 쉽다.

답 ④

---

005 국제정치 이론과 그 내용이 바르게 연결된 것만을 모두 고른 것은? 2015년 외무영사직

☐☐☐

> ㄱ. 합리적 선택 이론: 국가의 선택은 합리성에 기초하여 이익과 손실을 고려한 결과이다. 이익이 손실보
> 다 클 때 특정 정책이 선택된다.
> ㄴ. 웬트의 구성주의 이론: 무정부 상태의 세 가지 문화를 설정한다. 모두가 적으로 만나는 홉스적 문화,
> 모두가 경쟁자로 만나는 로크적 문화, 모두가 친구로 만나는 칸트적 문화가 그것이다.
> ㄷ. 전망 이론: 국가의 선택은 심리적 영향을 받는다. 일반적으로 손실 영역 중에서 선택할 때는 모험 회
> 피적인 안전한 선택을 선호하고, 이익 영역 중에서 선택할 때는 모험 추구적인 도박을 선호한다.
> ㄹ. 공격적 현실주의 이론: 모든 국가는 안보를 위한 최상의 수단으로 자국 힘의 상대적 지위를 극대화하
> 려는 현상 타파 국가들이다.

① ㄱ, ㄷ ② ㄱ, ㄴ, ㄹ
③ ㄴ, ㄷ, ㄹ ④ ㄱ, ㄴ, ㄷ, ㄹ

국제정치 이론과 그 내용이 바르게 연결된 것은 ㄱ, ㄴ, ㄹ이다.

ㄱ. 합리적 선택이론이란 합리적 인간 또는 국가가 비용과 편익에 기초하여 순편익의 극대화를 추구한다고 보는
이론으로서 도구적 합리성에 관한 것이다. 국가의 합리성을 강조하는 현실주의나 신자유제도주의 이론을 합리
주의라 한다.

ㄴ. 웬트의 구성주의이론은 중앙정부의 부재로 규정되는 무정부 상태가 그 속성 차원에서는 세 차원으로 분류할 수
있으며, 그러한 속성은 주어진 것이 아니라 행위자들 간 간주관적 상호작용을 통해 구성된다고 본다.

ㄹ. 공격적 현실주의이론은 미어샤이머(John Mearseimer)에 의해 제시된 것으로서 무정부적 국제체제는 전쟁상
태이므로 모든 국가가 그 생존을 위해서는 권력의 극대화, 즉 현상타파적 전략을 추구할 것으로 본다.

⊘ 선지분석

ㄷ. 전망 이론은 인간이 심리적으로 손실회피성향이 강하여, 손실을 회피하기 위해서 위험 선호적 행동을 한다고 본
다. 즉, 같은 크기의 손실과 이익의 경우 사람은 손실에 보다 민감하게 반응한다고 본다. 이를 '영역 효과'라고
한다.

답 ②

006 외교정책결정에 대한 설명으로 옳은 것만을 모두 고른 것은?

> ㄱ. 개인수준에서 외교정책의 오류를 만드는 요인들로는 외교정책결정자의 지능, 능력, 심리적 긴장감, 열정의 부족 등을 들 수 있다.
> ㄴ. 대안적 선택방안의 가능한 결과들에 대해 외교정책을 결정하는 조직 내의 일원들이 서로 동의하지 않고 합의에 도달하기 어렵다는 사실은 합리적 정책결정을 가로막는 요인이 된다.
> ㄷ. 포괄적 합리성은 행위자가 가질 수 있는 모든 대안들을 검토하고, 이를 바탕으로 가장 큰 효용을 주는 대안을 선택한다는 개념이다.
> ㄹ. 제한된 합리성은 정책 결정자들이 최선의 방안을 선택할 수 있는 능력이 인간적이고 조직적인 여러 장애물들에 의해 제한을 받는다는 개념이다.

① ㄱ, ㄴ
② ㄴ, ㄹ
③ ㄱ, ㄷ, ㄹ
④ ㄱ, ㄴ, ㄷ, ㄹ

정답 및 해설

외교정책결정에 대한 설명으로 옳은 것은 ㄱ, ㄴ, ㄷ, ㄹ 모두이다.
ㄱ. 자유주의자들이 주장하는 요인이다.
ㄴ. 관료정치 모델로 볼 수 있다.
ㄷ. 현실주의 입장이다.
ㄹ. 사이먼의 이론이다.

답 ④

007 외교정책론에 대한 설명으로 옳은 것은 모두 몇 개인가?

> ㄱ. 자유주의 외교정책론은 대외정책의 비합리화 요인 분석을 위해 정책결정과정에 주목한다.
> ㄴ. 현실주의 대외정책론과 관료정치모형은 대외정책이 국가 또는 관료 개인의 의도적 선택의 결과라고 보는 점에서는 일치한다.
> ㄷ. 사이먼의 제한적 합리모형은 정보의 불완전성을 인정하되 제한적인 정보하에서 대외정책의 최적화(optimizing)를 위한 전략을 모색한다.
> ㄹ. 사이먼의 제한적 합리모형과 달리 린드블롬의 점진주의는 포괄적 합리모형을 비판하는 입장이다.

① 1개
② 3개
③ 3개
④ 4개

정답 및 해설

외교정책론에 대한 옳은 설명은 ㄱ으로, 1개이다.

⊘ 선지분석

ㄴ. 관료정치모형은 관료 개인 간 밀고 당기기의 결과이므로 의도적 선택이라고 보기 어렵다.
ㄷ. 대외정책의 적정화(satisficing)를 추구한다.
ㄹ. 사이먼 모형도 포괄적 합리모형을 비판하는 입장이라고 볼 수 있다.

답 ①

008 외교정책 결정모형에 대한 설명으로 옳지 않은 것은 모두 몇 개인가?

□□□

> ㄱ. 조지(Alexander George)의 조작적 코드는 개인차원에서 정책결정을 분석하는 모형으로 조작적 코드는 철학적 신념과 도구적 신념 두 가지로 구분된다.
> ㄴ. 윌다브스키(Aaron Wildavsky)는 미국의 대통령은 대내정책보다 대외정책에서 상대적으로 더 큰 영향력을 지닌다고 분석하였다.
> ㄷ. 저비스(Robert Jervis)는 국가는 상대방의 적의를 과대평가하고 자국의 입장의 정당함에 대해서도 과장하는 경향이 있어서 대외정책 비합리화의 요인이 될 수 있다고 보았다.
> ㄹ. 재니스(Irving L. Janis)에 의하면 참가인원의 수가 많을수록 집단적 사고에 빠지기 더욱 쉽다고 보았다.

① 1개
② 2개
③ 3개
④ 4개

정답 및 해설

외교정책 결정모형에 대한 설명으로 옳지 않은 것은 ㄹ, 1개이다.
ㄹ. 참가인원이 적을수록 집단적 사고에 빠지기 더욱 쉽다고 보았다.

답 ①

009 1961년 미국의 쿠바 피그만(The Bay of Pigs) 침공 실패를 설명하는 가장 적합한 이론은?

□□□

2013년 외무영사직

① 재니스(Irving Janis)의 집단사고(groupthink)
② 메스키타(Bueno de Mesquita)의 기대효용(expected utility)
③ 윌다브스키(Aaron Wildavsky)의 두 개의 대통령직(two presidencies)
④ 조지(Alexander George)의 조작적 코드(operational code)

정답 및 해설

피그만 침공 실패는 재니스(Irving Janis)가 집단사고의 오류를 설명하면서 제시한 하나의 사례이다. 집단사고는 돌출자를 배제하고 자기정당화 경향을 띠게 됨으로써 정책이 비합리적으로 결정되는 것을 설명하는 모델이다.

답 ①

010 외교정책결정이론에 대한 설명으로 옳지 않은 것을 모두 고르면?

ㄱ. 재니스(Irving Janis)는 주요 정책결정자들이 자신이 속한 집단의 합의와 일관성을 유지하는 과정에서 정책결정 과정의 건전성이 악화되는 과정을 연구하고 참가자의 수가 적은 경우 집단사고에 빠지기 쉽다는 가설을 제시했다.
ㄴ. 할페린(Morton Halperin)은 미국의 대외정책이 관료집단의 행태로부터 어떠한 영향을 받았는지를 연구하여 조지(Alexander George)의 관료정치 모델과 유사한 입장을 취했다.
ㄷ. 레이트(Leites)와 앨리슨(Graham Allison)은 '조작적 코드' 개념을 통해 정책결정자의 신념체계가 외교정책에 영향을 미친다는 점을 제시했다.
ㄹ. 허먼(Margaret Hermann)은 리더의 신념, 동기, 결정스타일, 대인관계 스타일 등이 국제정치 사안에서 결정을 내릴 때 영향을 미친다고 보았다.

① ㄱ, ㄴ
② ㄱ, ㄹ
③ ㄴ, ㄷ
④ ㄷ, ㄹ

정답 및 해설

ㄴ. 앨리슨(Graham Allison)의 관료정치 모델과 유사한 입장을 취했다.
ㄷ. 조지(Alexander George)가 조작적 코드 개념을 제시했다.

답 ③

011 외교정책에 대한 설명으로 옳은 것만을 모두 고르면?

2023년 외무영사직

ㄱ. 관료정치모델(Bureaucratic Politics Model)에서는 대통령을 외교정책결정과정에 참여하는 가장 중요한 행위자로 간주한다.
ㄴ. 쿠바 미사일 위기 시에 미 해군이 표준화된 수행절차(SOP)에 따라 봉쇄 절차를 제시한 것은 조직과정모델(Organizational Process Model)에 해당한다.
ㄷ. 모겐소(H. Morgenthau)는 전쟁 수행과 외교정책 수행의 최종 목표가 동일하다고 주장한다.
ㄹ. 로즈노(J. Rosenau)는 개인, 역할, 정부, 사회, 체제를 외교 정책결정에 영향을 미치는 변수로 유형화한다.

① ㄱ, ㄹ
② ㄴ, ㄹ
③ ㄱ, ㄴ, ㄷ
④ ㄴ, ㄷ, ㄹ

정답 및 해설

ㄴ. 조직과정모델은 조직이기주의에 기초하여 행동하거나 표준행동절차(SOP)에 따라 보수적으로 행동하기 때문에 대외정책이 비합리적일 수 있다고 본다.
ㄷ. 모겐소는 전쟁도 권력추구가 목표이고, 외교정책 역시 권력을 극대화하는 것이 최종목표라고 본다. 국가의 이기심 때문에 그러한 목표가 추구된다고 본다.
ㄹ. 로즈노는 비교외교정책론의 선구자로 평가된다. 다섯 가지 영향요소 중 체제란 국제체제를 의미한다.

⊘ 선지분석

ㄱ. 관료정치 모델에서는 대통령도 여러 정책 결정권자 중의 하나로서 사익을 추구한다고 가정된다.

답 ④

012 외교정책 결정이론에 대한 설명으로 옳지 않은 것은?

□□□

① 앨리슨(Graham T. Allison)은 『Essence of Decision』에서 쿠바 미사일 위기를 사례로 하여 합리주의 모형, 조직과정모형, 관료정치 모형을 적용하였으며, 미국의 대응 정책을 설명함에 있어서 합리주의 모델의 설명이 가장 타당하다고 하였다.

② 조직과정 모델은 정부의 대외정책은 표준화된 절차를 따르는 복수 집단의 행위의 결과라고 본다. 각 조직의 대응을 정부가 취합한 것이 최종적인 정책으로 결정된다고 주장한다.

③ 관료정치 모형은 정책결정에 관련된 개인이 정책결정에 영향을 미칠 수 있다고 보며, 정책결정에 참여하는 개인은 각자의 이해관계에 따라 자신의 입장을 결정하고 이를 바탕으로 참가자 사이에 협상을 전개하고 그 결과가 정부 정책이 된다고 본다.

④ 퍼트남(Robert Putnam)은 '양면게임이론(Two-Level Theory)'을 제시하여 국가의 대외정책은 국가 내부 시민이나 이익집단의 압력을 받으면서 결정되며, 국가가 대외협상에서 승리하기 위해서는 이러한 상황을 적절하게 활용할 수 있어야 한다고 보았다.

정답 및 해설

앨리슨(Graham T. Allison)은 합리주의 모델에 대한 비판적 관점에서 조직과정모형과 관료정치 모형을 제시하였다. 그러나 그는 각각의 모델은 장단점이 있으므로 같은 사례에 대해서도 문제의 성격에 따라 각각 적용되는 모델을 달리 선택할 필요가 있다고 주장했다.

답 ①

013 로즈노(J. Rosenau)와 케글리(C. Kegley)는 외교정책 결정요인들을 개인, 정책결정집단, 사회, 국가, 국제체제의 5가지 분석수준으로 분류한다. 동일한 분석수준별로 바르게 짝지은 것은? 2012년 외무영사직

□□□

① 세력균형 – 종속

② 정부 유형 – 국가 간 상호의존

③ 정책결정자 개인 특성 – 관료정치

④ 집단사고 – 사회적 요구

정답 및 해설

로즈노(J. Rosenau)와 케글리(C. Kegley)의 외교정책 결정요인은 첫째, 개인차원 – 정책결정자 개인 특성, 신념체계, 성장경험 등, 둘째, 역할차원 – 조직행태, 관료정치 등, 셋째 정부차원 – 정부유형, 국회의 여소야대 여부, 행정부와 입법부의 관계, 집단사고 등, 넷째 사회차원 – 국민성, 사회적 가치, 이익집단의 영향과 역할, 사회적 요구 등, 다섯째 국제체제차원 – 세력균형, 종속, 상호의존 등으로 분류한다.

답 ①

014 로즈노(James Rosenau)의 연계정치 모형은 대외정책 결정 요인으로 개인, 역할, 사회, 정부, 체제 5가지 요인을 제시하고, 이러한 요인은 국가유형에 따라 영향력이 다르다고 하였다. 다음 중 국가유형을 결정하는 요소가 아닌 것은?

① 국가의 영토와 천연자원의 보유량
② 경제발전 정도
③ 지도자의 통치 스타일
④ 체제의 개방성 여부

정답 및 해설

로즈노(James Rosenau)가 제시한 국가유형 결정 요소는 세 가지로서 국가의 영토와 천연자원의 보유량, 경제발전 정도, 체제의 개방성 여부 세 가지이다. 즉, 영토나 천연자원에 따라 대국과 소국으로, 경제발전 상태에 따라 선진국과 후진국으로, 체제의 개방성 여부에 따라 개방 및 폐쇄로 구분하였다.

답 ③

015 로즈노(J. Rosenau)의 대외정책론에 대한 설명으로 옳지 않은 것은?

① 국제정치와 국내정치가 연계되어 있음에 주목하고 연계정치이론을 예비이론으로 제시하였다.
② 대외정책 결정 변수를 개인, 역할, 정부, 사회, 국제체제로 구분하고 국제체제 차원의 변수가 대외정책의 과학화를 위해 가장 유효한 요인이라고 평가하였다.
③ 국가 내부적 갈등과 국가의 대외분쟁 행위간 연계를 분석한 일켄펠트(Jonathan Wilkenfeld)의 이론은 로즈노(J. Rosenau)의 대외정책 결정 변수 구분으로 볼 때 정부차원에 해당된다.
④ 국가의 규모가 큰 대국은 소국에 비해 국제체제차원의 변수의 영향력이 적다고 본다.

정답 및 해설

특정 변수를 더 중요하게 평가하지 않았다.

답 ②

016 외교정책 결정과정에 있어 합리적 행위자 모델에 관한 설명으로 옳지 않은 것은?

□□□
① 가용한 정책수단을 염두에 두어야 한다.
② 특정 상황에 직면했을 때 국가가 지향하는 목표를 명확히 할 필요가 있다.
③ 문제해결을 위한 정책대안을 비교 검토하는 절차가 필요하다.
④ 정책결정에 참여하는 행위자의 수를 고려해야 한다.

정답 및 해설

정책결정에 참여하는 행위자의 수를 고려하는 것은 '위기 시 정책결정 이론'이다. 찰스 허만(Charles Hermann)은 위기의 특징으로서 예상하지 않은 기습적인 사태, 짧은 대응시간, 그리고 중대가치에 대한 위협을 든다. 이러한 특징은 정책결정에 참여하는 사람의 수, 적과 사태에 대한 인식, 그리고 입수된 정보의 처리방식에 영향을 미친다고 보았다. 구체적으로 위기 시에는 극히 제한된 수의 사람만이 정책결정에 참여하고, 위기가 심각할수록 적을 더욱 적대적으로 인식하며, 위기 시에 자신의 정책대안의 수는 적고 적의 선택범위는 넓다고 인식한다고 보았다.

✅ 선지분석

①, ②, ③ 합리적 행위자 모델은 외교정책 결정과정을 다음과 같이 개별적 의사결정자에 의한 명백히 정의된 지적 과정(intellectual process)으로 본다.
첫째, 하나 혹은 복수의 목표를 설정한다.
둘째, 이러한 목표를 달성할 수 있는 모든 정책대안을 나열한다.
셋째, 대안이 가져올 모든 결과를 예측한다.
넷째, 각각의 정책결과가 일어날 확률을 계산한다.
다섯째, 각각의 정책결과가 미리 선정된 정책목표에 어느 정도의 효용(utility)을 갖는가를 득실면에서, 즉 비용과 이득에 기초하여 계산한다.
여섯째, 확률에 효용을 곱한 기대효용(expected utility)이 제일 큰 것을 고른다.

답 ④

017 현실주의 외교정책결정론에 대한 설명으로 옳지 않은 것은?

□□□
① 외교정책은 결정자의 합리적 결정에 의한 의도된 선택의 산물이라고 주장한다.
② 합리적 외교정책 결정이론은 복잡성을 최소화시켜 현상을 이해할 수 있는 경제성이 있다.
③ 완벽한 정보에 대한 가정은 비현실적이며 비용과 편익 자체도 문화에 따라 달라지는 가치지향적인 행동이라는 한계가 있다.
④ 정책결정과정에서 참여자 간의 정치적 힘에 의해 최적대안이 아닌 결정에 이를 수도 있다는 사실을 잘 반영한다는 장점이 있다.

정답 및 해설

합리적 외교정책 결정이론은 정책결정과정에서 참여자 간의 정치적 힘에 의해 최적 대안이 아닌 결정에 이를 수도 있다는 사실을 간과하고 있다는 문제점이 있다.

✅ 선지분석

① 현실주의 외교정책결정론에서는 결정자의 합리적 결정을 가정하므로 결정자는 처해 있는 상황, 정책대안, 대안들이 초래할 결과와 확률에 대해 완벽한 지식과 정보를 가지고 있으며, 정책대안 간 선호를 분명히 정할 수 있는 일관된 가치체계를 가지고 있다.

답 ④

018 다음 괄호 안에 들어갈 개념으로 옳은 것은?

> 외교정책 분석에 있어 (　　　　)는 개인이 가지고 있는 주관적 원칙을 의미하는 것으로, 이것은 특정상황에 직면하여 행동을 지시하는 것으로 정의된다. 특히 국가 지도자가 목표를 추구하는 데 있어 활용할 수 있는 수단과 스타일, 국제정치에서 갈등의 불가피성에 대한 지도자의 정치적 믿음, 그리고 상황을 변화시키는 본인의 능력에 대한 지도자의 주관적 평가를 의미한다.

① 집단사고(group think)
② 틀짜기(framing)
③ 행동경로(action channels)
④ 운영코드(operational code)

정답 및 해설

✓ **선지분석**

① 집단사고(group think)는 응집력 있는 집단들의 조직원들이 갈등을 최소화하며, 의견의 일치를 유도하여 비판적인 생각을 하지 않는 것을 뜻한다. 1972년 제니스(Irving Janis)는 그의 저서 『Victims of Groupthink』에서 집단사고를 '응집력이 높은 집단의 사람들이 만장일치를 추진하기 위해 노력하며, 다른 사람들이 내놓은 생각들을 뒤엎으려고 노력하는 일종의 상태'로 규정하고 있다. 집단사고가 이루어지는 그룹에 속한 사람들은 외곽부분의 사고를 차단하고 대신 자신들이 편한 쪽으로 이끌어가려고 한다. 또한 집단사고가 일어나는 동안에는 반대자들을 바보로 보기도 하며, 혹은 조직내의 다른 사람들을 당황하게 하거나 화를 낸다. 집단사고는 조직을 경솔하게 만들며, 불합리한 결정을 내리며, 주변사람들의 말을 무시하며, 조직내에서 소란을 일으키는 것을 두려워한다.
② 틀짜기 이론(framing theory)은 인식의 틀(framework)에 따라서 의사결정과 행동이 달라진다는 이론을 말한다.

답 ④

---

019 외교정책론에 관한 설명 중 옳지 않은 것은?

① 정책결정자의 오인(misperception)이 외교정책결정에서 비합리성의 중요한 요인으로 작용한다고 밝힌 사람은 저비스(R. Jervis)였다.
② 소집단 내에서 집단사고(groupthink)의 폐해를 지적했던 사람으로 제니스(I. Janis)를 들 수 있다.
③ 왈츠(K. Waltz)는 앨리슨(G. Allison)의 모델Ⅱ와 모델Ⅲ의 결합을 시도하였다.
④ 로즈노우(J. Rosenau)는 비교외교정책론의 효시를 이룬 분석틀을 제시했다.

정답 및 해설

왈츠(K. Waltz)는 구조적 현실주의자로서 외교정책론과는 무관하다. 한편, 앨리슨(G. Allison)은 쿠바 미사일위기의 분석에서 합리주의모델, 조직과정모델, 관료정치모델을 적용하였다.

답 ③

020 외교정책결정 모델 중 합리적 선택이론(rational choice theory)에 가장 가까운 것은?

2008년 외무영사직

① 린드블롬(Charles Lindblom)의 단편적 점진주의(disjointed incrementalism) 모델
② 부에노 데 메스키타(Bruce Bueno de Mesquita)의 기대효용(expected utility) 모델
③ 앨리슨(Graham Allison)의 관료정치(bureaucratic politics) 모델
④ 조지(Alexander George)의 인식지도(cognitive map) 모델

| 정답 및 해설 |

부에노 데 메스키타(Bruce Bueno de Mesquita)의 기대효용 모델은 하나 또는 그 이상의 정책 목표를 달성할 수 있는 모든 정책 대안에 대하여 이러한 대안이 가져올 결과의 효용(utility)과 그러한 결과가 일어날 확률(probability)을 곱한 기대효용(expected utility)을 계산하여 외교정책을 결정한다는 것으로, 합리적 선택이론에 근거한 합리적 외교정책 결정이론에 속한다.

답 ②

021 외교정책에 관한 이론 중에서 자유주의 입장에 서 있는 외교정책 결정이론(foreign policy decision theory)이 갖는 특징과 의의로 옳지 않은 것은?

① 외교정책 결정이론은 외교정책의 결과적 측면보다는 외교정책에서 '투입'이나 '요인'과 같은 '과정'의 문제를 주된 관심주체로 삼는다.
② 외교정책 결정이론은 외교정책을 합리적인 의사결정의 결과로 보고 정부 내에서 수립되는 정책결정 과정은 명확하게 파헤칠 수 없기 때문에 암상자(Black-boxing)로 개념화한다.
③ 외교정책 결정이론은 외교정책을 결정하는 데 국가만이 유일한 행위자가 아니라 개인, 집단 그리고 조직도 정책결정상의 실제적인 행위자가 될 수 있다는 점을 분명히 한다.
④ 외교정책 결정이론은 외교목표, 외교수단, 외교주체에서 어떤 영향력으로 누가 대외정책을 실질적으로 결정하는가에 대한 일반화된 진술을 만드는 것에 그 목표를 둔다.

| 정답 및 해설 |

이는 현실주의 입장이다. 현실주의는 국가는 통합된 합리적인 행위자로서 국가의 행동을 설명할 때 국가의 내부적 특성은 들여다볼 필요가 없다고 가정하기 때문에, 현실주의 외교정책 결정이론을 흔히 '암상자 이론'이라 부른다.

답 ②

제2편

해커스공무원 패권 국제정치학 기출 + 적중문제집

022 스나이더(Richard C. Snyder), 부룩(H.W.Bruck), 샤핀(B.Sapin)의 '정책 결정 작성 모델(Decision-Making Model)'에 대한 설명으로 옳지 않은 것은?

① 국가중심모델로서 행정학의 조직이론을 국제정치에 적용하여, 각 나라의 대외정책연구에 있어서 개별적인 특수성을 찾고자 하였다.

② 국제정치를 국가의 이름으로 행해지는 모든 상호작용으로 파악하였으며, 국가를 둘러싼 상황요인으로 내적구조, 외적구조, 및 사회적 구조와 행위 세 가지로 구분하였다.

③ 분석에 있어서 먼저 결정단위를 정하고, 정책결정자를 규정하는 국내정치, 여론, 지리적 위치, 도덕과 태도, 압력단체, 생산관계, 정당 등을 포함한 내외적 요인을 분석하였다.

④ 정책결정변수로는 권한의 영역, 통신과 정보, 동기 세 가지를 설정하였다. 권한은 조직목표의 달성에 필요한 정책결정자의 활동전체를 의미하며, 통신과 정보는 정책결정자가 갖는 정보의 종류와 수신되는 과정을, 동기는 환경의 여러 국면에 대해 에너지가 동원되고 사용되어지는 심리적 상황을 의미한다.

> **정답 및 해설**
>
> 개별적인 특수성보다는 시·공간을 초월하여 반복적으로 나타나는 대외정책의 패턴을 찾고자 하였다.
>
> 답 ①

023 다음 중 관료정치 모델의 주요 내용으로 옳지 않은 것은? 2004년 외무영사직

① 정치적 결과로서의 정책을 고려한다.

② 구성원들은 국가지도자에게 면죄부를 줄 수도 있다.

③ 국가적 합리성에 따른 정책결정이다.

④ 어떤 입장을 취하는 것은 어떤 자리에 앉아 있는가에 따라 다르다.

> **정답 및 해설**
>
> 국가적 합리성에 따른 정책결정은 합리적 행위자 모델(Rational Actor Model)에 관한 내용이다.
>
> ⊘ **선지분석**
>
> ① 관료정치 모델은 다양한 이해관계를 가지고 있는 다양한 관료조직 간에 있어서의 '밀고 당기기(pulling and hauling)'에 주안점을 두는 모델로서, 최종적인 결정은 정치적인 결과물, 즉 다양한 참여자들 간의 협상과 타협의 결과물이라고 본다.
>
> ② 관료정치모델에 따르면 특정정책을 대통령이 일방적으로 결정하는 것이 아니므로 대통령의 정치적 책임을 약화시킬 수도 있다.
>
> ④ 관료정치 모델은 관료조직의 정책결정자들이 각기 하부조직을 거느리고 있기 때문에, 이들은 편협한 조직의 이익에 따라 그리고 조직의 표준행동절차에 근거하여 문제에 접근한다. '어떤 태도를 취하는가는 어느 자리에 앉아 있는가에 의해 결정된다(Where you stand depends on where you sit)'는 말이 관료정치 모델의 특성을 극명하게 보여준다.
>
> 답 ③

024 어빙 제니스(I. Janis)의 집단사고이론에 나타난 집단사고의 증상이 아닌 것은?

☐☐☐

① 집단의 편견에 이의를 제기하는 개인은 그룹 전체의 의견에 따르도록 압력을 받는다.

② 집단은 항상 자신은 옳고, 다른 그룹은 그르다고 생각하는 경향이 있다.

③ 집단은 자신이 하는 일은 결코 실패하는 법이 없다고 생각하는 경향이 있다.

④ 돌출자(odd man)는 그 집단의 응집력을 유지하고 만장일치로 정책을 합리화하려는 욕구에 사로잡힌 나머지 자발적 지도자를 배제하는 경향이 있다.

정답 및 해설

'돌출자'와 '자발적 지도자'의 위치가 바뀌었다. 옳은 지문은 다음과 같다. "자발적 지도자(people-centered leader)는 그 집단의 응집력을 유지하고 만장일치로 정책을 합리화하려는 욕구에 사로잡힌 나머지 돌출자(odd man)를 배제하는 경향이 있다."

답 ④

025 다음 중 제니스(Irving L. Janis)가 제시한 집단적 사고의 오류가 발생할 가능성이 높아지는 조건으로 옳지 않은 것은?

☐☐☐

① 집단이 공유하고 있는 과정을 비판하는 비판자가 존재할 경우

② 정책결정자들의 사고, 가치관, 규범이 동일하고 출신배경, 경험체계, 신념체계 등이 동일할 경우

③ 지도자의 신념이 강하고 의지를 관철하려는 노력이 강할 경우

④ 참가인원의 수가 적고 사안별로 참가해야 할 인원이 소외될 경우

정답 및 해설

제니스(Irving L. Janis)는 집단적 사고의 오류가 발생할 세 가지 조건(②, ③, ④)을 제시하였다. 이에 대한 대응방안으로는 리더가 자신의 입장을 강력하게 표명하지 않을 것, 정책결정 과정을 분산시켜 토론할 것, 객관적 정책평가그룹에게 결정내용을 검증받을 것, 집단이 공유하고 있는 과정을 비판하는 비판자를 상정하여 상황을 검증받을 것 등이 있다.

답 ①

026 제니스(Irving L. Janis)의 외교정책 모형에 따를 때 집단적 사고의 위험을 피하기 위한 방안은 모두 몇
□□□ 개인가?

> ㄱ. 최고 정책 결정자의 입장 표명 자제
> ㄴ. 상향식 의사결정 확대와 정책 결정 과정의 집권화
> ㄷ. 정책 결정에 대한 재검증
> ㄹ. 비판자의 상정과 검증

① 1개 ② 2개
③ 3개 ④ 4개

정답 및 해설

집단적 사고의 위험을 피하기 위한 방안에 해당하는 것은 ㄱ, ㄷ, ㄹ로, 모두 3개이다.

◎ 선지분석

ㄴ. 상향식 의사결정 확대로 집단사고 오류를 피할 수 있다. 그러나 정책결정과정의 집권화는 포함되지 않는다. 오히려 정책결정과정을 분산하는 경우 집단사고 오류를 피할 수 있다.

답 ③

027 앨리슨의 관료정치 모델에서 외교 정책의 핵심적 결정 요인은?
□□□ ① 개인의 합리적 사고방식
② 조직들의 표준화되고 일상화된 업무 규정
③ 조직의 산출로서의 정책
④ 고위관료 및 정치인의 권력과 협상 기술

정답 및 해설

관료정치 모델은 다양한 이해관계를 가지고 있는 다양한 관료조직 간에 있어서의 '밀고 당기기(pulling and hauling)'에 주안점을 두는 모델이다. 따라서 동 모델에서는 고위관료 및 정치인의 권력과 협상기술이 외교정책 결정에 있어 핵심 요소가 된다.

답 ④

028 외교정책에 관한 주요 학자와 이론이나 모델의 연결이 옳은 것은?

① 스나이더(Richard Snyder) - 연계이론   ② 로즈노우(James Rosenau) - 게임이론
③ 앨리슨(Graham Allison) - 관료정치모델   ④ 도이치(Karl Deutsch) - 양면게임이론

> **정답 및 해설**
>
> 앨리슨(Graham Allison)은 쿠바 미사일 위기를 설명하는 모델로서 합리적 행위자 모델과 더불어 이에 대한 대안적인 모델로서 조직과정모델과 관료정치모델을 제시했다.
>
> **선지분석**
> ① 연계이론은 로즈노우(James Rosenau)가 제시한 이론이다.
> ② 게임이론은 쉘링(Thomas Schelling), 래파포트(Anatol Rapoport), 카플란(Morton Kaplan) 등이 제시한 이론이다.
> ④ 양면게임이론은 푸트남(Robert Putnam)이 제시한 이론이다.
>
> 답 ③

029 앨리슨에 의해서 발전된 관료정치 모델의 내용으로 옳지 않은 것은?

① 정부의 정책결정은 정부부처 간의 이해의 산물로 본다.
② 정부의 관료는 자기가 속해 있는 부서의 이해를 가장 우선시한다.
③ 쿠바의 미사일 위기 분석이 대표적인 사례이다.
④ 정부는 행위의 주체로서 합리성을 가진 것으로 인정된다.

> **정답 및 해설**
>
> 합리적 행위자 모델(Rational Actor Model)에 대한 설명이다. 합리적 행위자 모델은 '국가는 통합된 행위자이다'와 '국가는 합리적 행위자이다'라는 두 가지를 핵심 가정으로 하고 있다.
>
> 답 ④

030 앨리슨은 쿠바 미사일 위기 설명에 있어 세 가지 모델을 병용하여 종합적으로 분석해야 한다고 주장한 바있다. 다음 중 앨리슨이 적용한 모델로 옳지 않은 것은?

① 합리적 행위자 모델   ② 점진주의 모델
③ 조직과정 모델   ④ 관료정치 모델

> **정답 및 해설**
>
> 점진주의 모델은 앨리슨이 아니라 린드블롬이 주장한 것이다. 점진주의 모델은 정책이 단일한 행위자에 의해 단 한번에 합리적으로 결정되는 것이 아니라, 여러 중간 단계의 작은 결정들이 수정되고 보완되는 점진적인 과정을 통해 최종적으로 이루어진다고 보는 것이다.
>
> 답 ②

031 관료정치 모델은 관료조직 간 또는 관료개인 간의 밀고 당기기에서 비합리적 정책 결정 원인을 찾는다. 다음 중 관료정치 모델의 분석결과로 옳지 않은 것은?

① 정부는 수많은 개인과 조직으로 구성되어 있으며 이들이 추구하는 가치는 다원적이다.
② 지배적인 정책결정자가 존재한다.
③ 최종적인 정책은 참여자들 간의 협상과 타협의 의도하지 않은 산물이다.
④ 관료정치는 결정 과정뿐 아니라 집행 과정에서도 나타나는 현상이다.

정답 및 해설

관료정치 모델에서는 지배적인 정책결정자는 존재하지 않는다고 본다. 따라서 대통령도 참여자의 하나로 상정한다.

답 ②

032 다음은 앨리슨(G. Allison)의 조직과정 모델(Organizational Process Model) 및 관료정치 모델(Bureaucratic Politics Model)이다. 이에 관한 내용으로 옳지 않은 것만을 모두 고른 것은?

> ㄱ. 앨리슨의 모델들은 일반적인 합리적 행위자 모델의 '국가는 통합된 행위자다'라는 명제를 비판한다.
> ㄴ. 마찬가지로 '국가는 합리적 행위자이다'라는 명제도 비판한다.
> ㄷ. 의사결정이란 '의도된 조직의 결과물' 또는 관료들 간의 협력을 통한 최적의 판단 등으로 여겨진다.
> ㄹ. 관료정치 모델에서는 일상적인 절차와 표준행동 절차(SOPs)가 정책 결정에 미치는 영향을 중요시 여긴다.

① ㄱ, ㄴ   ② ㄱ, ㄷ   ③ ㄴ, ㄹ   ④ ㄷ, ㄹ

정답 및 해설

앨리슨(G. Allison)의 조직과정 모델(Organizational Process Model) 및 관료정치 모델(Bureaucratic Politics Model)에 대한 설명으로 옳지 않은 것은 ㄷ, ㄹ이다.
ㄷ. 앨리슨은 의사결정이란 통합된 행위자의 의도된 합리적인 선택(intended rational choice)의 결과물이 아니라, 의도되지 않은 조직의 결과물 혹은 관료들 간의 정치적 결과물(political outcome) 등으로 간주한다.
ㄹ. 일상적인 절차와 표준행동 절차가 중요한 것은 조직과정 모델이다.

답 ④

033 외교정책 결정과정에서 조직행위자 모델에 대한 설명으로 옳지 않은 것은?   2018년 외무영사직

① 국가의 외교정책결정은 조직과정의 결과물이다.
② 조직은 편협성과 타성이 있기 때문에 변화에 대응하기 어렵다.
③ 조직은 표준실행절차(SOPs)를 외교정책 결정과정에 적용하므로 대안이 제한될 수 있다.
④ 조직은 국가이익의 극대화를 위하여 합리성을 추구한다.

조직은 '조직이익의 극대화'를 추구하는 존재라고 가정한다. 이러한 조직의 특성으로 인해서 국가 전체적으로 비합리적 결정을 야기하게 된다고 본다.

☑ **선지분석**

① 외교정책은 외교정책을 담당하는 조직을 통해 결정되는데 조직은 자기 이익을 추구하는 존재라고 본다.
② 편협성은 조직 이익을 추구함을 말한다. 타성은 관료조직이 보수적이고 변화를 싫어함을 의미한다. 이것도 정책의 비합리성의 원인이 된다.
③ SOP에 따른 대응은 합법성을 확보하나, 합리성을 확보한다고 보기는 어렵다.

답 ④

---

034 외교정책이론에 관한 설명 중 옳은 것은?

① 스나이더(Richard Snyder)는 비교외교정책론의 효시를 이룬 예비이론(Pre-theory)을 제시하였다.
② 크라즈너(Stephen Krasner)는 관료정치 모델의 대표적 주창자로서 앨리슨(Graham Allison)의 관료정치 모델과 조직과정 모델의 결합을 시도하였다.
③ 도이치(Karl Deutsch)는 점진적 정책결정 모델을 통해 외교정책에 사회적 요인이 미치는 영향을 분석하였다.
④ 싱어(David Singer)는 외교정책의 유용한 분석을 위해 분석수준(level of analysis) 개념을 도입하였다.

☑ **선지분석**

① 예비이론을 제시한 학자는 로즈노우(James Rosenau)이다.
② 크라즈너(Stephen Krasner)는 관료정치 모델이 대통령의 권력을 부각시키지 않음으로써 잘못되었고 고급관리들에게 책임을 덜어줌으로써 민주정치의 가정을 손상시키고 있다고 보아 위험하다고 비판하였다.
③ 도이치(Karl Deutsch)가 아니라 린드블롬(Charles Lindblom)에 대한 설명이다.

답 ④

---

035 허만(Charles F. Hermann)은 국가위기의 특징으로 예상하지 않은 기습적인 사태, 짧은 대응시간, 그리고 중대가치에 대한 위협을 들고 있다. 이와 관련하여 그가 제시하고 있는 위기 시의 외교정책 결정과정의 특징만을 모두 고른 것은?

> ㄱ. 극히 제한된 수의 사람만이 정책결정에 참여한다.
> ㄴ. 위기가 심각할수록 정책결정자는 적이 더욱 적대적으로 된다고 인식한다.
> ㄷ. 위기가 심각할수록 정책결정자는 자신은 물론 적의 정책대안의 선택범위가 좁아진다고 인식한다.
> ㄹ. 정책결정자는 위기의 초기에 많은 정보를 구하고자 하나 위기가 지속될 경우 현재 가지고 있는 정보가 충분하다고 인식한다.

① ㄱ, ㄴ   ② ㄴ, ㄷ   ③ ㄱ, ㄴ, ㄹ   ④ ㄱ, ㄷ, ㄹ

허만이 제시하고 있는 위기 시의 외교정책 결정과정의 특징은 ㄱ, ㄴ, ㄹ이다.

☑ **선지분석**

ㄷ. 위기 시에 정책결정자는 자신의 정책대안의 수는 적고 적의 선택범위는 넓다고 인식한다.

답 ③

036 위기 시 정책결정과정에 대한 설명으로 옳지 않은 것은?

① 위기 시 정책결정자는 신념에 지나치게 의존하는 경향이 있다.
② 위기가 지속되면 정책결정자는 정보가 불충분하다고 생각하는 경향이 있다.
③ 위기 시 사태를 결정하는 사람의 수는 적은 경향이 있다.
④ 위기가 지속되면 상대가 더욱 적대적으로 보인다.

정답 및 해설

정책결정자는 처음 위기에 접했을 때 많은 정보를 구하나 위기가 지속될 경우 현재 가지고 있는 정보가 충분하다고 생각하는 경향이 있다고 본다.

답 ②

037 다음 중 위기정책 결정이론의 설명으로 옳지 않은 것은?

① 위기적 사태를 결정하는 그룹은 사태의 중요성에 비례하여 많은 인원이 참가하는 경향이 있다.
② 정책결정의 참가자가 적을수록 각 결정자의 성격이 정책결정에 영향을 미칠 가능성이 높아진다.
③ 위기적 상황에서는 자기에게 가능한 정책의 선택범위가 좁으나, 적에게는 넓다는 인식을 갖게 된다.
④ 정책결정자는 위기시에 보다 많은 정보를 구하나 위기가 지속시에는 현재 가진 정보가 충분하다고 생각하는 경향이 있다.

정답 및 해설

허만(Charles F. Hermann)에 따르면, 위기 시에는 극히 제한된 수의 사람만이 정책결정에 참여한다고 한다.

답 ①

038 개인이 어떠한 단체에 참가할 때 거기서 얻는 이득과 참가시 소요되는 손실을 비교하여 자기 행동을 결정할 때 적용되는 모델로 옳은 것은?

① 개인주의 – 이기주의 모델
② 합리적 결정 모델
③ 사회심리주의 모델
④ 대중심리주의 모델

정답 및 해설

합리적 결정 모델은 합리적 선택 이론(Rational Choice Theory)에 바탕을 두고 있는 모델이다. 1950년대와 60년대에 걸쳐 사회과학 전반에 걸친 과학주의 운동이 국제정치 분야로까지 영향을 미쳐, 자연과학과 사회과학 모두 동일한 방법론과 인식론이 적용된다는 가정 하에 개념화에 있어서 논리적·수학적 증명과 엄밀하고 경험적인 변수를 중시하는 등 연역적인 방법을 도입하고, 특히 경제학으로부터 합리적 선택(rational choice), 기대 효용(expected utility), 게임이론 등을 차용하여 실증주의에 기초한 비역사적인 국제정치학을 추구하였다.

답 ②

039 미국이 베트남 개입과 파병을 결정함에 있어서, 어떤 사람이 대통령이 되었더라도 결정이 같았을 것이라는 정책결정이론은?

① 엘리트갈등 모델

② 합리적 정책결정 모델

③ 점진적 정책결정 모델

④ 지도자 정책결정 모델

정답 및 해설

합리적 정책결정 모델은 간단히 말해 정책결정자는 합리적이며 적절한 정보에 기초한 냉철하고 명백한 수단과 목적에 대한 계산을 통해 국가이익을 추구한다는 것이다. 합리적 정책결정 모델은 합리적 결정의 절차를 개별적 의사결정자에 의한 명백히 정의된 지적과정(intellectual process)으로 본다. 즉, 목표를 설정하고 목표에 대한 모든 정책대안을 나열하여 각각의 정책결과가 일어난 확률을 계산한 후 여기에 효용을 곱한 기대 효용(expected utility)이 제일 큰 것을 고른다. 동 모델에 따르면 미국의 베트남 개입과 파병 결정 시 어떤 사람이 대통령이 되었더라도 동일한 의사 결정 절차를 따르는 한 동일한 결정이 도출되었을 것이라고 본다.

답 ②

040 다음 중 로즈노우(J. Rosenau)의 연계이론에서 상정하고 있는 연계의 대상은? 2004년 외무영사직

① 전쟁과 평화의 연계

② 국내정치와 국제정치의 연계

③ 외교와 전쟁과의 연계

④ 국내시민사회와 국제기구와의 연계

정답 및 해설

국내정치와 국제정치의 상호관련성은 일찍부터 논의되어 왔지만 전통적인 분석 모델이 명시적인 형태로 도약받기 시작한 것은 1960년대 중반부터였다. 이 시기에 등장한 이론이 로즈노우(J. Rosenau)의 연계이론이다. 이 이론에서 연계(linkage)의 정의는 한 마디로 일방의 체제에서 발생하는 어떤 행태의 반복적 결과가 타방의 체제 속에서 반응을 얻는 반복되는 행위계기를 말하는 것이다. 여기서 말하는 두 체제는 물론 국내체제(national system)와 국제체제(international system)이다.

답 ②

041 로즈노우(J. Rosenau)가 분류한 외교정책 결정요인으로 옳지 않는 것은?

① 개인 차원

② 정부 차원

③ 사회 차원

④ 국내체제 차원

정답 및 해설

로즈노우(J. Rosenau)는 분석수준을 개인(individual), 역할(role), 정부(government), 사회(society), 체제(system)의 다섯 가지로 구분하고 있다. 많은 학자들이 이러한 구분을 외교정책을 설명하는 전형적인 수준으로 수용한다.

답 ④

042 전망이론(Prospect Theory)에 대한 설명으로 옳지 않은 것은?

① 정책결정자는 단순히 위험수용적이거나 위험회피적이지 않고 사안의 성격에 따라 위험수용적일 수도 있고 위험회피적일 수도 있다.
② 정책결정자의 위험인지성향(risk-taking propensity)을 중심으로 정책이 결정된다.
③ 정책결정자는 흔히 이익(gain)의 영역에서는 위험회피적이고 손실(loss)의 영역에서는 위험수용적이다.
④ 위기상황에서 정책결정자는 중요한, 그러나 제한된 규모의 손실을 본 경우 이를 만회하고자 전쟁을 감수할지도 모른다는 추론이 가능하다.

정답 및 해설

기대효용이론(Expected Utility Theory)에 대한 설명이다.

> **관련 이론 전망이론(Prospect Theory)**
> 1. 정책결정자는 단순히 위험수용적이거나 위험회피적이지 않고 사안의 성격에 따라 위험수용적일 수도 있고 위험회피적일 수도 있다.
> 2. 카너먼(Kahneman)과 트버스키(Tversky)의 경제심리학적 실험에서 비롯된 이론이다. 흔히 이익(gain)의 영역에서는 위험회피적이고 손실(loss)의 영역에서는 위험수용적이다.
> 3. 이 경우 선택은 기대효용이론에서 설명하는 바와 같이 순전히 기댓값에 의존하는 것이 아니라 선택하는 사람의 준거점(reference point)이 무엇이냐가 중요하다. 이익 혹은 손실의 관점, 덧붙여 정책결정자에게는 항상 현재 상황이 준거점이 된다.
> 4. 즉, 정책결정자는 이익(positive value)의 영역에서는 위험회피적이고, 손실(negative value)의 영역에서는 위험수용적이다.
> 5. 결론적으로 위기상황에서 정책결정자는 중요한, 그러나 제한된 규모의 손실을 본 경우 이를 만회하고자 전쟁을 감수할지도 모른다는 추론이 가능하다.

답 ②

043 전망이론에 대한 설명으로 옳지 않은 것은 모두 몇 개인가?

> ㄱ. 레비(Jack S. Levy)를 비롯한 일단의 학자들은 1980년대 이후 경제학과 심리학에서 발전된 가설을 도입하여 외교정책 결정 과정을 연구하였다.
> ㄴ. 전망이론에 의하면 인간의 위험에 대한 태도는 선험적으로 고정되어 있으며, 사람에 따라 위험선호적, 위험중립적, 또는 위험기피적이다.
> ㄷ. 전망이론은 인간이 현상유지적이라고 보는 점에서 왈츠(K. Waltz)의 신현실주의와 대비된다.
> ㄹ. 신자유제도주의는 국가행동 분석에 있어서 이익측면만 본다는 면에서 전망이론과 대비된다.
> ㅁ. 전망이론에 의하면 인간은 이익영역에서는 안전한 선택을, 손실영역에서는 위험한 선택을 선호한다.

① 1개
② 2개
③ 3개
④ 4개

정답 및 해설

전망이론에 대한 설명으로 옳지 않은 것은 ㄴ, ㄷ으로 모두 2개이다.
ㄴ. 위험에 대한 태도가 고정되어 있는 것이 아니라, 문제가 되는 영역이 이익의 영역이면 위험기피적, 손실영역이면 위험선호적으로 행동한다.
ㄷ. 인간이나 국가가 방어적, 현상유지적이라고 보는 점은 전망이론과 왈츠의 신현실주의가 같은 부분이다.

답 ②

044

외교정책 결정요인을 식별하기 위해 사용하는 분석수준에 대한 설명으로 옳지 않은 것은?

2014년 외무영사직

① 왈츠(Waltz)는 전쟁의 원인을 개인, 국가구조, 국제체제라는 3가지 분석수준으로 상정했다.

② 조지(George)는 조작적 코드(operational code)라는 개념을 사용하여 정책 결정자의 개인 특성과 외교정책의 관계를 설명하였다.

③ 싱어(Singer)는 일반 사회과학 연구에 있어서 개인수준에 대한 연구가 가장 유용하다고 주장하였다.

④ 로즈노(Rosenau)는 '예비이론과 외교정책이론'이란 논문을 통해 외교정책 분석수준의 유형화를 시도하였다.

정답 및 해설

싱어(Singer)는 분석수분을 구조적 수준과 행위자 수준으로 구분하고 양 수준의 통합연구는 불가능하다고 주장하였다.

☑ 선지분석

② 조작적 코드란 정책결정자의 철학을 의미하며, 대외정책 결정에 있어서 인지오류를 유발함으로써 비합리적 정책을 야기할 수 있다고 본다.

④ 로즈노(Rosenau)는 연계이론을 통해 국제정치와 국내정치가 연계되어 있음을 주장하는 한편, 외교정책에 대한 예비이론을 통해 인구, 국가규모, 정치체제 등의 요소에 따라 대외정책결정 패턴이 달라질 수 있다고 주장하였다.

답 ③

045

여론의 대외정책에 대한 영향을 연구한 이론가로서 그 입장이 다른 학자는 누구인가?

① 페이지(Benjamin Paige)와 사피로(Robert Shapiro)

② 알몬드(Almond)와 리프만(Lippmann)

③ 유진 위트코프(Eugene Wittkopf)

④ 존 알드리치(John Aldrich)

정답 및 해설

알몬드(Almond)와 리프만(Lippmann)은 여론의 대외정책에 대한 부정적 영향을 주장하였으나, 나머지 학자들은 여론의 긍정적 기능을 주장하였다. 알몬드(Almond)와 리프만(Lippmann)은 여론은 매우 불안정하기 때문에 효과적인 외교정책의 기반이 될 수 없다고 보았다(알몬드 – 리프만 컨센서스).

☑ 선지분석

① 페이지(Benjamin Paige)와 사피로(Robert Shapiro)는 약 50년에 걸친 여론 조사 자료를 토대로 한 분석에서 여론은 안정적이며 여론에 변화가 발생할 경우 이러한 변화와 국제 상황의 변화 사이에 논리적 패턴이 나타나게 된다고 하였다.

③ 위트코프(Eugene Wittkopf)는 대중의 대외정책에 대한 태도에 있어서 일관된 이념적 인식구조가 나타난다고 하였다.

④ 대통령 선거에 있어서 외교정책 이슈가 유권자의 투표에 큰 영향력을 행사한다고 하였다.

답 ②

046 알몬드 - 리프만(Almond-Lippmann) 컨센서스에 대한 설명으로 옳은 것은?

① 여론 변화와 국제상황 변화는 논리적으로 연결된다.
② 일반인은 대외관계 정보에 자유롭게 접근할 수 있다.
③ 외교 문제에 관한 대중의 태도는 일관성이 결여되어 있다.
④ 외교정책 이슈는 유권자의 투표 선택에 큰 영향을 준다.

> **정답 및 해설**

✅ **선지분석**
① 알몬드 - 리프만(Almond-Lippmann) 컨센서스는 여론의 대외정책에 대한 영향을 설명하는 것으로서 대체로 여론의 대외정책 영향에 대해 부정적으로 평가한다. 즉, 여론의 변화와 국제 상황 변화는 논리적 연결이 없다.
② 일반인은 대외관계 정부에 자유롭게 접근할 수 없어 합리적 의사 형성이 어렵다.
④ 외교정책 이슈가 유권자의 투표 선택에 별다른 영향을 주지 않는다고 본다.

답 ③

047 외교정책결정이론에 대한 설명으로 옳지 않은 것만을 모두 고른 것은?

ㄱ. 스나이더(Richard Snyder), 브룩(Bruck), 사핀(Burton Sapin)은 국가의 대외정책이 통합적 행위자로서의 국가의 합리적 선택이라고 보았다.
ㄴ. 해롤드 스프로우트(Harold Sprout), 마가렛 스프로우트(Margaret Sprout)는 정책결정의 주관적 측면을 강조하여 주어진 객관적 조건을 분석하는데 그쳐서는 안 되고 이러한 객관적 조건이 행위자들에 의해 어떻게 인식되는지가 중요하다고 보았다.
ㄷ. 재니스(Irving Janis)는 주요 정책결정자들이 자신이 속한 집단의 합의와 일관성을 유지하는 과정에서 정책결정 과정의 건전성이 악화되는 과정을 연구하고 참가자의 수가 다수인 경우 집단사고에 빠지기 쉽다는 가설을 제시했다.
ㄹ. 할페린(Morton Halperin)은 미국의 대외정책이 관료집단의 행태로부터 어떠한 영향을 받았는지를 연구하여 앨리슨(Graham Allison)의 관료정치 모델과 유사한 입장을 취했다.
ㅁ. 리베라(Joseph de Rivera)는 기대효용이론을 외교정책 결정 연구에 도입하여 국가의 합리적 선택을 강조하였다.

① ㄱ, ㄴ, ㄷ
② ㄱ, ㄷ, ㄹ
③ ㄱ, ㄷ, ㅁ
④ ㄴ, ㄷ, ㅁ

> **정답 및 해설**

외교정책결정이론에 대한 설명으로 옳지 않은 것은 ㄱ, ㄷ, ㅁ이다.
ㄱ. 실제로 외교정책이 어떻게 결정되는지에 집중하고 어떤 국가가 왜 그러한 결정을 내렸는지를 심층적으로 이해하고자 했다.
ㄷ. 참여자가 소수인 경우 집단사고에 빠지기 쉽다고 하였다.
ㅁ. 심리학과 사회심리학 이론을 외교정책론에 적용한 선구적 연구자이다.

답 ③

048 대외경제정책에 대한 이론적 설명으로 옳지 않은 것은?

① 킨들버거(Charles P. Kindleberger)는 1930년대 경제공황의 장기화 연구에 있어서 경제공황과 같은 사건은 주기적으로 발생하며 1930년대 경제공황의 발생 자체는 예외적인 현상은 아니나 장기화된 이유가 수습 능력을 가진 미국은 의지가 없었고, 수습의지를 가진 영국은 수습 능력이 없었기 때문이라고 보았다.

② 길핀(Robert Gilpin)은 영국과 미국이 강력한 패권국으로 존재하던 시기의 경제는 안정적이고 개방적이었으나 패권이 존재하지 않았던 시기에 세계경제는 혼란에 휘말렸다고 하였다.

③ 크라스너(Stephen D. Krasner)는 패권쇠퇴기인 1920년대에는 보호무역이, 1970년대에는 상대적으로 자유무역체계가 형성되었으므로 패권과 무역체제의 개방성은 관련이 없다고 보고, 기업이 어느 정도로 국제적인 연계를 갖고 있는가에 따라 무역정책에 대한 선호가 달라진다고 하였다.

④ 파레토(Vilfredo Pareto)는 자유무역의 이익은 다수의 사회 전체에 퍼지지만 보호무역의 이익은 소수에게 집중되기 때문에 소수의 사람들이 보호무역을 관철하기 위해 행동에 나서게 되어 보호무역이 등장한다고 하였다.

정답 및 해설

밀러(Helen V. Milner)의 견해이다.

답 ③

049 대외경제정책에 대한 이론적 설명에 대한 설명으로 옳지 않은 것은?

① 파레토(Vilfredo Pareto)는 자유무역의 이익은 다수의 사회 전체에 퍼지지만 보호무역의 이익은 소수에게 집중되기 때문에 소수의 사람들이 보호무역을 관철하기 위해 행동에 나서게 되어 보호무역이 등장한다고 하였다.

② 로고브스키(Ronald Rogowski)는 불가능성 정리(Impossibility Theorem)에 기초하여 무역량이 변화하는 경우에 어떠한 국내집단이 이익을 보고 손해를 보는가를 설명하고 국내정치적 대립 양상을 예측하였다.

③ 프리든(Jeffry A. Frieden)은 환율제도와 환율수준에 따라 각 사회집단이 다른 선호를 가진다고 보았다.

④ 밀너(Helen V. Milner)는 패권쇠퇴기인 1920년대에는 보호무역이, 1970년대에는 상대적으로 자유무역체계가 형성되었으므로 패권과 무역체제의 개방성은 관련이 없다고 보고, 기업이 어느 정도로 국제적인 연계를 갖고 있는가에 따라 무역정책에 대한 선호가 달라진다고 하였다.

정답 및 해설

비교우위론을 적용한 설명이다.

답 ②

050 국가의 무역정책에 대한 설명으로 옳은 것은?

□□□

① 클라인(W. Cline)의 수입침투이론에 의하면 통상분쟁은 증가된 수입 침투로 인한 악화된 무역수지 적자에 의해 야기된 자유주의적인 국내적 요구에 근거한다.

② 오델(J. Odell)은 일국의 시장으로의 수입 침투가 증가하면 할수록 상대국과의 시장개방과 관련한 통상분쟁의 기회가 감소한다고 하였다.

③ 해밀턴(A. Hamilton)은 수입제한조치를 통해 수입수요를 국내적으로 전환하여 국내산업을 확대하고 고용수준을 향상할 수 있다는 고용증대론에 기반하여 보호무역을 주장했다.

④ 더필드(J. Duffield)는 회원국들의 압력 및 국제기구의 규범이 개별 국가의 경제 외교 수행에 크게 별다른 영향을 주지 않는다고 하며 신현실주의자들의 주장을 반박했다.

정답 및 해설

☑ 선지분석

① 보호주의적 국내적 요구에 근거한다.

② 통상분쟁 기회가 증가한다고 하였다.

④ 신자유제도주의에 대한 반박이다.

답 ③

---

051 외교정책결정론에 대한 설명으로 옳은 것만을 모두 고른 것은?

□□□

> ㄱ. 레이트(Leites)와 조지(Alexander George)는 '조작적 코드' 개념을 통해 정책결정자의 신념체계가 외교정책에 영향을 미친다는 점을 제시했다.
>
> ㄴ. 허먼(Margaret Hermann)은 리더의 신념, 동기, 결정스타일, 대인관계 스타일 등이 국제정치 사안에서 결정을 내릴 때 영향을 미친다고 보았다.
>
> ㄷ. 저비스(Robert Jervis)와 코탬(Richard Cottam)은 정책결정자의 '오인'이 대외정책 결정의 비합리성을 야기한다고 주장했다.
>
> ㄹ. 카스파리(Caspary)와 아헨(Achen)은 베트남전쟁기에 수집한 자료를 중심으로 1970년대 미국의 정당정치가 전쟁결정과 수행에 어떠한 영향을 미치는지를 연구했다.
>
> ㅁ. 코헤인(Robert Keohane)은 'national role conception'이라는 개념을 설정하여 한 민족이 자신의 역할을 어떻게 설정하는가가 외교정책에 영향을 미치며, 이는 그 민족의 사회화 과정과 연결된다는 점을 보여주었다.

① ㄱ, ㄴ, ㄷ   ② ㄱ, ㄴ, ㅁ   ③ ㄱ, ㄷ, ㄹ   ④ ㄴ, ㄷ, ㄹ

정답 및 해설

외교정책결정론에 대한 설명으로 옳은 것은 ㄱ, ㄴ, ㄷ이다.

☑ 선지분석

ㄹ. 카스파리(Caspary)와 아헨(Achen)은 여론과 전쟁의 관계를 연구한 학자들이다.

ㅁ. 홀스티(Holsti)의 입장이다.

답 ①

052 외교정책결정이론에 대한 설명으로 옳지 않은 것은?

① Margaret Hermann은 고위정책결정자의 리더십 스타일이 외교정책 결정과 행동에 영향을 미친다고 보고 지도자들의 특성을 7가지로 구분했다.

② 민츠(Alex Mintz)가 제시한 폴리휴리스틱 모델(Polyheuristic model)은 외교정책 결정이 두 단계로 이뤄지는데, 제1단계는 대외정책 선택지들을 합리적 선택에 의해 고려하는 과정이고, 제2단계는 정책결정자가 국내정치를 고려할 때 수용가능한 선택지의 범위를 결정하는 단계라고 하였다.

③ Robert Jervis와 Richard Cottam은 리더의 오인이 대외정책 결정에서 매우 중요하게 작용한다고 하였다.

④ David Singer는 국제관계를 정확히 밝히기 위해 국제체제와 민족국가라는 두 가지 분석수준을 제시하였는데, Singer는 일반 사회과학의 목적을 기술, 설명, 그리고 예측이라고 볼 때 기술의 측면에서는 국제체제에 대한 연구가, 설명의 측면에서는 국가수준의 연구가 더 유용하다고 보았다.

> **정답 및 해설**
>
> 제1단계는 정책결정자가 국내정치를 고려할 때 수용가능한 선택지의 범위를 결정하는 단계이고, 제2단계는 첫 번째 단계를 통과한 선택지들을 합리적 선택에 의해 고려하는 과정이라고 한다.
>
> 답 ②

053 대외정책에 대한 국내변수의 영향에 대한 설명으로 옳은 것을 모두 고른 것은?

> ㄱ. 자카리아(Zakaria)는 20세기 들어 미국 입법부가 대외팽창을 위한 충분한 권한을 보유함으로써 필리핀, 쿠바, 파나마 등으로 팽창하였다고 본다.
> ㄴ. 반 에베라(Van Evera)는 국제적 무정부 상태는 항상 위험한 것이 아니라 공격 또는 수비 가운데 무엇이 상대적으로 더욱 유리한가로 결정되는 공격 - 수비균형(offense-defense balance)에 의해서 그 위험도가 달라진다고 보았다.
> ㄷ. 프리드버그(Aaron Friedberg)는 국가의 행동을 설명하기 위해서는 국가의 객관적인 힘뿐만 아니라 국가 내부의 다양한 집단들이 만들어내는 정책변수에 대한 인식이 중요하다고 본다.
> ㄹ. 올드리치(Aldrich)는 미국과 중국이 여론에 영향을 미쳐 상호 견제정책을 구사하였으나, 추후 여론이 과열되면서 예상한 수준보다 더 강경한 정책을 구사할 수밖에 없었다고 하였다.

① ㄱ, ㄴ
② ㄴ, ㄷ
③ ㄴ, ㄹ
④ ㄷ, ㄹ

> **정답 및 해설**
>
> 대외정책에 대한 국내변수의 영향에 대한 설명으로 옳은 것은 ㄴ, ㄷ이다.
>
> ✓ **선지분석**
> ㄱ. 미국 행정부가 대외팽창을 위한 충분한 자원을 확보함으로써 필리핀, 쿠바, 파나마 등으로 팽창하였다고 본다.
> ㄹ. 크리스텐센(Christensen)의 입장이다.
>
> 답 ②

054 민츠(Alex Mintz)가 제시한 폴리휴리스틱 모델(Polyheuristic model)에 대한 설명으로 옳지 않은 것은?
☐☐☐

① 외교정책결정자가 정책을 결정할 때 국내정치적 고려를 반드시 함께할 수 밖에 없다는 점을 강조하는 모델이다.

② 민츠(Alex Mintz)는 국내정치 상황을 고려할 때 행위자는 국익을 고려할 수밖에 없으므로 국익을 유지하거나 강화하는 대안들을 우선 선택지의 집합으로 설정할 수밖에 없다고 하였다.

③ 민츠(Alex Mintz)는 외교정책 결정과정이 두 단계로 이뤄지는바, 첫 번째 단계에서는 대안을 탐색하고, 두 번째 단계에서는 그중에서 최적대안을 선택하는데, 첫 번째 단계는 합리적 선택이 아니나 두 번째 단계에서는 합리적 선택이 이뤄진다고 하였다.

④ 민츠(Alex Mintz)는 정치지도자들이 그들의 정책에 대한 정치적 결과를 인식하는 것이 대외정책 수단을 결정할 때 결정적인 역할을 한다고 주장했다.

정답 및 해설

행위자는 자신의 국내정치 입지를 고려할 수밖에 없으므로 국내적 입지를 유지하거나 강화하는 대안들을 우선 선택지의 집합으로 설정한다고 하였다.

답 ②

제4절 | 통합이론

001 지역통합에 대한 신기능주의적 설명으로 옳은 것만을 모두 고른 것은?
☐☐☐
2021년 외무영사직

> ㄱ. 다원주의적 시각에서 초국가적 집단의 역할을 중요하게 여긴다.
> ㄴ. 정치적 기구의 설립이 경제통합보다 우선해야 한다.
> ㄷ. 경제적 유대가 긴밀해지면 정치적 조정의 필요성이 없어진다.
> ㄹ. 한 분야에서의 통합이 다른 분야로 파급, 확산될 것을 기대한다.

① ㄱ, ㄷ   ② ㄱ, ㄹ   ③ ㄴ, ㄷ   ④ ㄴ, ㄹ

정답 및 해설

지역통합에 대한 신기능주의적 설명으로 옳은 것은 ㄱ, ㄹ이다.

ㄱ. 다원주의란 정치적 의사결정이 다수 집단 간 경쟁을 통해 이뤄진다는 것이다. 신기능주의는 다원주의 정치체제를 전제로 한다. 따라서 초가적 집단이나 이익집단이 정치적 파급효과를 가져오는 주요 세력이라고 본다.

ㄹ. 신기능주의는 파급효과를 통해 점진적으로 더 큰 통합으로 나아간다고 본다.

✓ 선지분석

ㄴ. 신기능주의는 경제통합 등 비정치적 분야에서 통합이 궁극적으로 정치적 통합을 가져온다고 본다. 따라서 경제통합이 정치적 기구 설립보다 우선한다고 본다.

ㄷ. 신기능주의는 경제적 유대가 긴밀해지면 이를 관리하기 위한 정치적 조정이 반드시 필요하다고 본다.

답 ②

002 국제정치이론에 대한 설명으로 옳지 않은 것은?

① 공격적 현실주의는 국가들이 생존을 위해 권력의 극대화를 추구한다고 주장한다.

② 구성주의는 현존하는 무정부적 국제환경을 행위자들과 환경의 상호작용 결과로 전제한다.

③ 마르크스주의는 주권국가보다는 계급을 주요 행위자로 전제한다.

④ 신기능주의는 정치적 통합이 경제통합으로 이어질 수 있다고 주장한다.

정답 및 해설

신기능주의는 경제통합을 먼저하고, 이후 정치적 통합으로 파급된다고 본다. 즉, 비정치 영역의 통합이 정치적 힘에 의해 정치적 영역의 통합으로 확대된다고 주장하는 것이다.

☑ 선지분석

① 공격적 현실주의는 미어세이머의 주장이다. 국가의 권력의 극대화 추구는 국제체제의 무정부적 성격에서 비롯된다고 본다.

② 구성주의는 무정부체제에서 국제관계는 주체들 간 상호작용을 통해 구성된다고 본다. 따라서 갈등적일 수도 있고, 협력적일수도 있다고 본다.

③ 마르크스주의는 국가는 상부구조에 존재하는 행위자로서 하부구조에 존재하는 계급의 지배를 받는다고 본다. 따라서 국가보다는 계급이 주요한 행위자라고 주장한다.

답 ④

003 통합이론에 대한 설명으로 옳지 않은 것은?

① 통합이론은 미트라니(D. Mitrany)의 기능주의에 의해 최초로 제시되었다.

② 냉전체제 하에서 현실주의 이론의 적실성이 높아졌지만, LN의 실패를 분석하고 제도평화를 구현하고자 하는 자유주의자들의 열망에 기초하여 탄생한 이론이다.

③ 통합이론은 1950년대 유럽통합의 시작과 함께 이를 분석한 하스(E. Haas)의 신기능주의에 의해 계승, 발전되었다.

④ 탈냉전기 경제통합이 완성되고 정치통합을 추구하여 통합이 활성화되고 있음에도 불구하고 자유주의에 대한 대안적 패러다임 진영에서는 통합을 설명하기 위한 이론적 노력에 소극적이다.

정답 및 해설

자유주의 계열 이외의 패러다임으로부터도 통합에 대한 분석론이 제시되고 있다. 연방주의, 기능주의, 신기능주의, 거래주의 등과 같은 자유주의 계열 통합이론들은 유럽통합을 직접적인 분석대상으로 한 이론들이나 현실주의 통합이론들은 대체적으로 유럽통합 혹은 통합현상 전반을 설명하기 위한 특수한 목적을 가지고 등장한 이론은 아니다. 그러나 이러한 이론들도 국제정치학의 기본적인 테마인 국가 간의 갈등과 협력에 대한 기본적인 인식을 바탕으로 하여 통합에 대한 이론적 분석을 행하고 있다.

답 ④

004 지역통합이론에 대한 설명으로 옳지 않은 것은?

① 1952년에 유럽석탄철강공동체(ECSC)가, 1957년에 유럽경제공동체(EEC)가 설립되면서 지역기구와 지역주의에 대한 관심이 생겼다.

② 지역통합이론의 주요 주창자로는 하스(E. Haas)와 도이치(K. Duetsch)가 있다.

③ 1970년대에 이르러 기대와는 달리 통합이 지지부진해지자 통합에 대한 학문적 관심이 저조해졌으며, 그 결과 통합이론의 대표자라 할 수 있는 하스 자신이 1976년에 통합이론이 현실을 설명하기에 적합하지 않다는 선언을 하기에 이른다.

④ 1986년의 단일유럽의정서(Single European Act: SEA)의 채택과 1995년 마스트리히트조약(Treaty of Maastricht)을 필두로 2005년 단일 통화의 출범에 이르기까지 일련의 과정을 통해 유럽의 통합이 보다 진전되자 많은 학자들이 본격적인 연구를 재개하고 있다.

> **정답 및 해설**
>
> 마스트리히트조약은 1993년, 단일 통화의 출범은 2002년이다.
>
> 답 ④

005 통합이론에 대한 설명으로 옳지 않은 것은?

① 지역통합이론은 독립된 주권국가들이 통합된 정치체제를 만들어가는 과정을 설명하는 것을 목적으로 한다.

② 지역통합이론의 역사는 바로 유럽통합의 역사라 할 수 있을 정도로 유럽통합의 부침과 함께 변천해 왔다.

③ 탈냉전기 들어서도 지역통합은 여전히 유럽적 현상에 지나지 않는다.

④ 통합이론은 더 이상 자유주의 패러다임의 전유물이 아니며, 그동안 통합에 비관적이거나 관심을 두지 않았던 패러다임 측에서도 자신의 이론적 가정을 유지하면서 통합현상을 설명하는 데 지대한 관심을 보여주고 있다.

> **정답 및 해설**
>
> 탈냉전기 들어 지역 통합은 유럽에만 국한된 것이 아니라 거의 모든 지역에서 보편적 현상으로 자리잡아 가고 있고, 동아시아 지역도 예외가 아니다. 이러한 통합현상이 활성화됨에 따라 통합이론도 다시 활기차게 진행이 되고 있는 상황이다.
>
> **⊘ 선지분석**
>
> ② 유럽통합이 순항할 때는 낙관론이 지배적이었고, 침체할 때는 비관론이 지배적이었다. 1986년 단일유럽법안이 통과된 이후 약 20여년간 유럽통합은 그 확대와 심화의 역사를 보여주었고, 현재 유럽헌법 제정 절차가 진행 중에 있다.
>
> 답 ③

006 기능주의 통합이론에 대한 설명으로 옳지 않은 것은?

□□□

① 미트라니는 1943년 그의 저서 『A Working Peace System』에서 새로운 국제평화달성 방안으로 기능주의 접근법을 제시하였다.
② 미트라니는 1920년대와 1930년대의 혼란과 국제연맹의 실패는 이상주의자들의 잘못된 접근전략 때문이었다고 비판하였다.
③ 미트라니는 국가주권의 문제를 건드리지 않고 기능적인 국제기구의 설립을 통해 비정치적인 기능적 분야에서 협력을 시작함으로써 서서히 정치적 통합에 이르는 우회적인 방식으로서 기능주의를 제안하였다.
④ 기능주의는 정치적 문제와 비정치적 문제는 분리될 수 없다고 주장한다.

> [!note] 정답 및 해설
>
> 기능주의는 정치적 문제와 비정치적 문제는 분리될 수 있으며, 통합에서 중요한 것은 비정치적 영역에서 인간의 필요와 욕구라고 주장한다.
>
> ✅ **선지분석**
> ② 특히, 이상주의자들이 급진적인 정치적 통합전략을 시도한 것이 문제가 있다고 비판하였다.
> ③ 세계평화를 위해 비정치적 문제의 해결에 주력함으로써 궁극적으로는 정치적 안정과 평화를 유지할 수 있다고 본다.
>
> 답 ④

007 신기능주의에 대한 설명으로 옳지 않은 것은?

□□□

① 신기능주의는 기본적으로 기능적 접근법, 즉 비정치적 영역에서부터 통합을 시작하여 점진적으로 보다 높은 차원의 정치적 통합을 이루어간다는 전략을 공유하고 있다.
② 기능주의가 배제한 정치변수의 역할을 복원함으로써 보다 현실적합성이 높은 통합전략을 제시하였다.
③ 하스(E. Haas)에 의해 제시된 신기능주의이론은 유럽통합의 이론적 기초를 형성하였으며, 지금도 가장 영향력 있는 이론의 하나로 평가받고 있다.
④ 통합의 진전은 기능적 확산효과의 압력에 의해 자동적으로 이루어진다고 본다.

> [!note] 정답 및 해설
>
> 신기능주의는 통합의 진전이 기능적 확산효과의 압력에 의해 자동적으로 이루어지는 것이 아니라, 자기이익을 추구하는 행위자의 적극적인 개입이 필요하다고 주장한다.
>
> 답 ④

008 기능주의(functionalism)와 신기능주의(neo-functionalism)에 관한 비교로 옳지 않은 것은?

☐☐☐

① 기능주의는 미트라니(D. Mitrany)에 의해, 신기능주의는 하스(E. Haas)에 의해 주장되었다.

② 기능주의적 관점에서는 통합은 자연히 파급되는 것이나, 신기능주의적 관점에서는 정치행위자들의 의도나 선호에 의한 것이다.

③ 기능주의에서는 통합이 자발적 비정치적인 기술전문가에 의하나, 신기능주의는 통합에 의해 이익을 얻는 이익단체와 정부가 중요한 통합의 행위자가 된다.

④ 기능주의는 지역적 규모로 조직된 국제기구와 회원국의 지역성을 강조하나, 신기능주의는 세계적 규모로 조직된 국제기구와 회원국의 보편성을 강조한다.

정답 및 해설

기능주의는 세계적 규모로 조직된 국제기구와 회원국의 보편성을 강조하나, 신기능주의는 지역적 규모로 조직된 국제기구와 회원국의 지역성을 강조한다.

⊘ 선지분석

② 기능주의에서는 통합이 조건없이 확산될 수 있으나, 신기능주의는 정책결정자들의 '의도'가 중요하다고 판단하였다.

③ 신기능주의의 주요 행위자는 이익집단, 정당, 정부기관, 초국가적 관료들이다.

답 ④

---

009 기능주의와 신기능주의를 비교한 것으로 옳지 않은 것은?

☐☐☐

① 파급효과에 있어서 기능주의 이론은 학습과정을 통해 자연적으로 파급되어 갈 것으로 전제하나, 신기능주의는 정치행위자들의 파급을 위한 선호나 의도가 중요한 변수라고 본다.

② 주된 행위자에 있어서 기능주의는 통합에 의해 그들의 이익이 영향을 받게 되는 압력단체, 정당, 초국가적 관료들을 주요 행위자로 보나, 신기능주의는 사적이고 자발적인 비정치적 그룹, 즉 기술전문가를 주된 행위자로 본다.

③ 미트라니는 세계적 규모로 조직된 국제기구와 회원국의 보편성을 강조하나, 하스는 지역적 규모로 조직된 국제기구와 회원국의 지역성을 강조한다.

④ 비정치적 영역에서 시작된 통합은 다른 비정치적 영역으로, 그리고 궁극적으로는 정치적 영역으로 점진적으로 확산될 것으로 가정한다는 공통점이 있다.

정답 및 해설

기능주의와 신기능주의가 바뀌었다. 즉, 기능주의가 기술전문가를 주된 행위자로 보고, 신기능주의가 압력단체, 정당, 정부기관, 초국가적 관료들을 주요 행위자로 본다.

답 ②

010 하스(E. Haas)가 제시한 통합의 성공조건에 해당하지 않는 것은?

□□□
① 통합 지향적 성격의 국제체제
② 다원주의적 사회구조보유
③ 높은 경제 및 산업 발전수준
④ 상당한 이념적 정향성의 존재

정답 및 해설

현실주의자들은 하스(E. Haas)가 통합의 성공요건에 있어 첫째, 다원주의적 사회구조보유(pluralistic social structure), 둘째, 높은 경제 및 산업 발전수준(substantial economic and industrial development), 셋째, 상당한 이념적 정향성의 존재(common ideological patterns) 이외의 변수를 고려하지 않는다고 비판하면서, 냉전기에 양극적 세력균형이 통합에 기여한 측면을 반례로 제시했다.

답 ①

011 거래주의(transactionalism) 통합이론에 대한 설명으로 옳지 않은 것은?

□□□
① 거래주의에서는 통합을 안보공동체의 형성으로 정의한다.
② 통합을 위해서는 특정 제도의 설립이 중요한 것이 아니라 사람과 사람 관계의 광범위한 사회적 과정이 중요한 역할을 한다고 본다.
③ 신기능주의는 통합을 '과정'으로 보나, 거래주의는 통합을 안보공동체가 형성된 상태 또는 결과로 간주한다.
④ '융합된 안보공동체'(amalgamated security community)는 국가들이 NATO에 가입하는 것처럼 협력을 이룰 수 있는 동맹체를 이루는 것을 의미한다.

정답 및 해설

다원적 안보공동체(pluralistic security community)에 대한 설명이다. 다원적 안보공동체는 각 정부가 법적으로 분리되어 독립을 유지하고, 융합된 안보공동체는 두 개 혹은 그 이상의 독립국이 영국처럼 단일적이거나 미국처럼 연방정부 하에 통합되는 경우를 일컫는다.

✓ 선지분석
② 도이치는 정치, 경제, 사회, 문화적 커뮤니케이션이나 거래를 통한 사람들의 접촉의 증가는 사회심리적 과정을 거쳐 국민들을 동화시키며 이것이 통합을 이끈다고 본다.

답 ④

012 다음 괄호에 해당하는 용어와 이를 주장한 학자가 바르게 연결된 것은?

□□□

> (   )은/는 서로 통합된 사람들의 집단을 말한다. 통합이란 한 영토 안에서 '공동체 의식'이 형성되고, 공동체 성원 사이에 '평화적 변화'의 기대를 보장할 정도로 충분한 제도와 관행이 형성될 때 이룩된다. '공동체 의식'이란 공통된 사회문제가 '평화적 변화'의 과정으로 해결될 수 있고 또한 그렇게 되어야 한다는 믿음을 말한다.

① 안보레짐(security regime) - 저비스(Robert Jervis)
② 안보공동체(security community) - 저비스(Robert Jervis)
③ 공동안보(common security) - 도이치(Karl Deutsch)
④ 안보공동체(security community) - 도이치(Karl Deutsch)

정답 및 해설

도이치(Karl Deutsch)의 안보공동체에 대한 설명이다. 도이치(Karl Deutsch)는 통합을 안보공동체의 형성이라는 상태 차원에서 정의하였다. 안보공동체는 다원안보공동체와 융합안보공동체로 구분된다. 전자는 주권이 분리된 상태에서 형성된 안보공동체를, 후자는 주권이 통합된 상태에서의 안보공동체를 뜻한다.

답 ④

013 도이치(Karl Deutsch)의 통합이론에 관한 설명으로 옳지 않은 것은?

□□□

① 안보공동체의 형성에는 폭력이 수반된다고 보았다.
② 국가가 사실상 통합되지 않았더라도 분쟁의 평화적 해결을 목표로 한다.
③ 국가 간 정보의 유통량 증대로 통합이 촉진된다고 본다.
④ 국가 상호간 신뢰를 기초로 사회심리적 공동체의 형성을 목표로 한다.

정답 및 해설

안보공동체(security community)는 기능적인 연계가 있어 거래가 증가하고 이로 인해 사회적인 동화가 일어나서 생겨나는 것이지 폭력에 의해 달성되는 것은 아니다.

답 ①

014 정부 간 협상론에 대한 설명으로 옳지 않은 것은?

① 호프만의 정부 간 협상론은 신기능주의에 대한 현실주의의 대응차원에서 본격적으로 이론화되었다.

② 정부 간 협상론이 본격적으로 부상하게 된 계기는 1965년 프랑스 드골 대통령에 의해 촉발된 '공석의 위기(empty chair crisis)'이다.

③ 정부 간 협상론은 유럽통합을 주권국가에 의한 자국의 이익의 극대화 행위라는 관점에서 이해한다.

④ 탈냉전기 유럽통합이 가속화 된 것은 미국의 패권이 쇠퇴하면서 점차 약탈적으로 변화한 패권국에 대응하기 위해 유럽국가들이 차별적 무역협정을 체결한 것으로 이해할 수 있다.

정답 및 해설

정부 간 협상론이 아닌 패권안정론에 대한 설명이다.

✅ 선지분석

① 호프만은 신기능주의가 정확하다면 정치는 죽어야 한다고 역설하면서 유럽연합의 정책결정과 제도화는 유럽의 초국가 기구가 주도하는 것이 아니라 국가들이 주도하는 것으로 이해해야 한다고 주장했다.

② 공석의 위기란 당시 유럽경제공동체의 집행위원장이었던 할슈타인에 의해 시도된 유럽의회의 기능과 권한 강화 시도를 무산시키기 위해 EEC의 모든 각료이사회에서 프랑스가 자국의 대표단을 철수시킨 사건을 말한다.

③ 즉, 정부 간 협상론의 관점에서 볼 때 유럽의 통합은 근본적으로 국가이익의 수렴이 이루어졌을 때 그 실현을 위한 정책도구의 일환으로 사용되어 왔다.

답 ④

---

015 다음은 지역통합에 관한 하스의 신기능주의와 호프만의 정부 간 협상론적 관점을 비교한 것이다. 옳지 않은 것은?

① 신기능주의는 초국가관료와 초국가행위자를 강조하는 반면, 정부 간 협상론은 국민국가의 역할을 강조한다.

② 신기능주의는 파급효과가 발생한다고 보는 반면, 정부 간 협상론에서는 단선적으로 파급효과가 확대되지는 않을 것으로 본다.

③ 신기능주의는 통합을 결과로 보나, 정부 간 협상론에서는 통합을 안보공동체가 형성된 상태 또는 과정으로 본다.

④ 신기능주의는 궁극적으로 경제통합이 정치통합으로 귀결될 것으로 보는 반면, 정부 간 협상론은 국가들이 정치통합에는 소극적일 것으로 본다.

정답 및 해설

신기능주의는 통합을 과정으로 본다. 통합에 대한 설명에 있어서 현실주의를 대변하는 정부간 협상론과 자유주의를 대변하는 신기능주의는 다양한 차이점이 있다. 한편, 구성주의 통합이론 중 하나인 거래주의는 통합을 안보공동체가 형성된 상태 또는 결과로 본다.

답 ③

016

다음은 지역통합에 대한 이론적 접근을 표로 정리한 것이다. 빈 칸에 들어갈 이론을 차례로 바르게 나열한 것은?

구분	(ㄱ)	(ㄴ)	(ㄷ)	(ㄹ)
목적	거래비용 삭감	거래비용 삭감	전략적 필요	공동의 문제해결
주체	초국가적 사회 및 제도	국가(행정부)	국가	엘리트
성공 조건	민주주의, 발전된 자본주의	국가 간 선호도 공유	양극체제, 공동의 안보위협	정체성, 의식, 규범의 공유
안정성	안정적, 점진적 발전	제도화 여부에 좌우 (lock-in effect)	낮다	높다

	ㄱ	ㄴ	ㄷ	ㄹ
①	현실주의	구성주의	신기능주의	자유주의적 정부간주의
②	구성주의	자유주의적 정부간주의	현실주의	신기능주의
③	신기능주의	구성주의	현실주의	자유주의적 정부간주의
④	신기능주의	자유주의적 정부간주의	현실주의	구성주의

정답 및 해설

통합이론은 통합주체, 통합요인, 정치적 통합의 가능성 등에 대해 상반되는 견해를 제시하고 있다. 대체로 자유주의 계열의 이론들은 국가 이외 행위자의 행동을 강조하고 정치적 통합 가능성을 높게 보는 경향이 있다. 반면, 현실주의자들은 통합의 국가의 전략적 선택으로 보며, 정치적 통합가능성에 대해서는 대체로 부정적이다.

답 ④

017

신기능주의와 기능주의에 대한 설명으로 옳지 않은 것은?

2014년 외무영사직

① 하스(Hass)의 신기능주의는 더 큰 정치연합으로 귀결되기 위해 기술적 요소에 정치적 요소를 더해야 한다고 주장한다.
② 기능주의는 사적이고 자발적인 비정치적 그룹 즉, 기술 전문가를 통합의 주된 행위자로 본다.
③ 신기능주의는 공적이고 정치적이며 관료적인 그룹을 통합의 주된 행위자로 본다.
④ 미트라니(Mitrany)의 기능주의는 지역적 규모로 조직된 국제 기구와 회원국의 지역성을 강조한다.

정답 및 해설

미트라니(Mitrany)의 기능주의는 전 세계적 차원의 통합을 강조하며, 지역적 차원의 통합이론가인 하스(Hass)의 입장과는 구분된다.

✓ 선지분석

③ 신기능주의에서 통합의 주도세력은 정부라기 보다는 시민사회 또는 이익집단으로 본다. 다만, 이익집단은 정부와 구분되는 시민사회만을 포함하는 것이 아니라, 초국가관료, 국회의원 등 입법기관 내 행위자 등도 포함한다.

답 ④

018 통합이론에 대한 설명으로 옳지 않은 것은 모두 몇 개인가?

□□□

> ㄱ. 도이치(Karl Deutsch)에 의하면 통합이란 안보공동체를 형성해 나가는 과정을 말한다.
> ㄴ. 미트라니(D. Mitrany)에 의하면 분기효과(ramification effect)가 발생하기 위해서는 사익을 추구하는 이익집단의 적극적인 개입이 있어야 한다.
> ㄷ. 하스(E. Haas)의 신기능주의 통합이론은 기능주의 통합이론과 달리 지역적 차원의 통합을 설명하는 모형이다.
> ㄹ. 고와(Joanne Gowa)는 통합이란 국가이익을 추구하는 국가들 간 일시적인 협력관계로서 통합은 국가 또는 행정부가 주도하는 것이라고 보았다.

① 1개
② 2개
③ 3개
④ 4개

정답 및 해설

통합이론에 대한 옳지 않은 설명은 ㄱ, ㄴ, ㄹ로 모두 3개이다.
ㄱ. 안보공동체가 형성된 상태를 말한다.
ㄴ. 이익집단의 개입은 신기능주의가 중시하는 변수이다.
ㄹ. 호프만(Hoffman)의 정부 간 주의 입장이다.

답 ③

제5절 | 상호의존론

001 상호의존이론(interdependence theory)에 대한 설명이다. 괄호 안에 들어갈 개념들이 바르게 짝지어진 것은?

□□□

2012년 외무영사직

> 상호의존의 비용에는 단기적 (ㄱ) 또는 장기적 (ㄴ)이 포함될 수 있다. (ㄱ)은 의존효과의 양과 속도를 가리키는 개념이다. (ㄴ)은 상호의존 체제의 구조를 변화시킬 때 드는 상대적 비용을 가리킨다.

	ㄱ	ㄴ
①	민감성(sensitivity)	효용성(utility)
②	효용성(utility)	민감성(sensitivity)
③	민감성(sensitivity)	취약성(vulnerability)
④	취약성(vulnerability)	민감성(sensitivity)

정답 및 해설

상호의존을 설명하는 개념으로서 민감성과 취약성이 있다. 코헤인과 나이는 복합적 상호의존의 시대에는 군사력이 강대국의 기준이 아니라 민감성과 취약성이 기준이라고 주장하였다. 민감성이란 의존관계를 맺고 있는 국가 상호관계에 있어서 외부적 파급효과에 대한 민감도를 의미한다. 특히, 일국이 정책적 대응을 하기 전에 받는 파급효과를 지칭한다. 반면, 취약성은 정책적 대응조치를 취한 이후에도 지속되는 파급효과를 의미하는 것으로서 구조적 성격을 띤다. 코헤인과 나이는 민감성과 취약성이 낮은 국가일수록 강대국이라고 하였다.

답 ③

002 상호의존이론에 대한 설명으로 옳지 않은 것은?

① 모스(Edward L. Morse)는 국가들이 상호의존관계를 맺고 있는 상황에서 각국이 공통의 이익을 얻고 있는 현상을 타파하게 되면 이익을 얻을 수 없으므로, 상호의존적인 관계에서는 각국이 국제관계의 문제를 군사적으로 해결하려고 하지 못할 수 있다고 주장했다.

② 코헤인(Robert Keohane)은 민감성과 취약성 개념을 제시하고 상호의존의 정도가 높으면 그 관계를 변화시키거나 단절할 때 드는 비용이 높아지기 때문에 협조적인 관계가 유지될 것으로 보았다.

③ 왈츠(Kenneth Waltz)는 국제체제에서 국가들의 일차적 관심은 생존이므로 국가들은 시장이나 자원을 통제하려고 할 것이므로 상호의존 상태에서 국가들 간 분쟁 가능성이 높아진다고 전망하였다.

④ 그리코(Joseph M. Grieco)에 의하면 국제관계에서 국가들은 '절대적 이득'에 민감하게 반응하기 때문에 비대칭적 상호의존 상황에서는 국가들 간 대립의 가능성을 높인다고 보았다.

정답 및 해설

그리코(Joseph M. Grieco)는 국가들이 '상대적 이득'에 민감하게 반응하기 때문에 상호의존 상황에서 국가들 간 갈등과 분쟁 가능성이 높아질 것으로 보았다.

답 ④

003 상호의존론(Interdependence theory)의 등장배경에 대해 옳지 않은 것은?

① 1960년대 말부터 시작된 동서 간의 냉전구조의 퇴조와 데탕트의 도래는 핵 경쟁의 중요성을 감소시켰으나, 레이건 행정부 들어 본격화된 동서 간의 대립을 설명할 이론이 필요했다.

② 유럽과 일본의 경제적 도약 등에 의한 미국 패권의 상대적 퇴조와 서유럽국가의 취약성을 노출시켰던 1973년의 석유위기는 권력의 성격에 대한 전통적 가정에 회의를 유발시켰다.

③ 국제무역량의 급증과 다국적기업의 활발한 정치적 역할 등은 군사나 안보문제가 아닌 경제문제의 중요성과 더불어 비국가적 행위자의 역할의 중요성을 일깨웠다.

④ 1973년 제4차 중동전쟁을 계기로 석유수출국기구(OPEC)에 의한 오일쇼크(Oil shock)는 미국과 같은 군사대국의 군사력이 효과적인 정책수단으로서의 역할을 하지 못하는 상황, 즉 군사력의 대체성(fungibility)에 대해 의문이 제기되는 상황을 만들어냈다.

정답 및 해설

1960년대 말부터 시작된 동서 간의 냉전구조의 퇴조와 데탕트의 도래는 핵 경쟁의 중요성을 감소시켰다. 그러므로 현실주의적인 설명력이 힘을 잃고 자유주의 계열의 설명(예를 들면 상호의존)이 필요해졌다. 레이건 행정부 들어 본격화된 동서 간의 대립은 오히려 현실주의적 이론들을 지지하는 사례를 소개하는 것이다.

답 ①

004 코헤인(R. Keohane)과 나이(J. Nye)의 복합상호의존론(Complex Interdependence)에 대한 설명으로 타당성이 낮은 것은?

2007년 외무영사직

① 국제기구는 의제를 설정하고 연합형성을 가능하게 하며 정치행동의 장으로 활용될 수 있기 때문에 이러한 국제기구의 역할과 활용을 강조한다.

② 이들은 복합적 상호의존의 특징으로 사회의 다층채널로 연결, 문제영역 간 서열의 부재, 군사력의 부차적 역할 등을 강조한다.

③ 인간의 물질적 이익은 평화로운 무역에 있기 때문에 민주국가 형태의 구조가 평화를 가져오며 따라서 모든 국가들이 민주주의를 지향하는 것이 세계평화에 바람직하다.

④ 국가 간에 복잡하게 의존된 상황이 초국가적 정책망의 연계로 나타나 결국은 정책과정의 복잡성과 국가이익의 모호성으로 인해 국가 정치지도자들에게 많은 문제를 제기한다.

정답 및 해설

자유주의적 입장, 특히 민주평화론(Democratic Peace Theroy: DPT)의 입장이다.

답 ③

005 다음 중 상호의존론에 대한 설명으로 옳지 않은 것은?

2005년 외무영사직

① 일방이 관계변화를 시도하는 경우 타방이 일정한 대가를 치르게 되어 있는 상태를 상호의존상태라 한다.

② 다양한 쟁점영역을 상정하고 있다.

③ 국제체제의 구조 중심적 사고를 반영한다.

④ 상호의존이 깊어지면 군사력 사용의 기회비용이 증가하므로 상호의존전략은 일종의 평화전략이라고 할 수 있다.

정답 및 해설

신현실주의에 관한 설명이다.

답 ③

006 국제정치학에서 복합적 상호의존론(Theory of Complex Interdependence)이 주장하는 내용으로 옳지
□□□ 않은 것은?

① 상호의존의 심화는 국가 간의 분쟁 가능성을 증대시킨다.
② 국제사회에서는 군사안보 이외에 다양한 쟁점이 존재하며 쟁점들 간에는 위계(位階)가 없다.
③ 국제사회와 국내사회는 명확히 구분되지 않는다.
④ 효용성을 갖는 권력자원의 내용이 문제영역과 쟁점에 따라 달라진다.

정답 및 해설

복합적 상호의존론에 따르면 국가 간 상호의존의 심화는 분쟁 가능성을 낮추게 된다고 한다. 왜냐하면 과거와는 달리 상호의존적인 국가들 사이에서 군사력은 적절하지 못하며 비용이 많이 소모되는 정책도구이기 때문이다.

답 ①

007 다음 괄호 안에 들어갈 단어를 바르게 짝지은 것은?
□□□

상호의존에는 (ㄱ) 상호의존과 (ㄴ) 상호의존이 있다. (ㄱ) 상호의존은 외부 변화에 대응함에 있어서 기존의 정책을 바꿀 시간적 여유가 없거나 대안이 부재하여 새로운 정책이 마련되기 이전에 외부 변화에 의해 치러야 하는 대가의 정도를 말한다. 한편, (ㄴ) 상호의존이란 새로운 정책이 준비된 이후에도 치러야만 하는 대가의 정도를 말한다.

	ㄱ	ㄴ
①	취약성	민감성
②	민감성	취약성
③	이념형	복합적
④	복합적	이념형

정답 및 해설

코헤인과 나이는 상호의존관계의 특성을 민감성과 취약성으로 설명하였다. 이들은 민감성과 취약성 개념을 사용하여 강대국을 기존 현실주의 이론과 달리 새롭게 정의하였다. 즉, 민감성이나 취약성이 상대적으로 적은 국가가 강대국이라고 하였다. 이는 현실주의자들이 군사력이나 경제력 등 경성권력(hard power)의 보유 정도로 강대국을 정의하는 것과 다르다.

답 ②

008 다음은 국제정치학의 주요 저서들이다. 저서와 저자의 연결이 옳지 않은 것은?

① 『Power and Interdependence』 - 존 러기(John G. Ruggie)
② 『After Hegemony』 - 로버트 코헤인(Robert O. Keohane)
③ 『Man, the State and War』 - 케네스 왈츠(Kenneth N. Waltz)
④ 『War and Change in World Politics』 - 로버트 길핀(Robert Gilpin)

정답 및 해설

『Power and Interdependence: World Politics in Transition』은 1977년 발간된 코헤인(Robert O. Keohane)과 나이(J. Nye)의 저서이다.

답 ①

009 다음 중 상호의존론과 관련된 설명으로 옳지 않은 것은?

① 국제정치와 경제는 밀접한 관계가 있다.
② 초국가적 수준의 단위가 늘어가고 있다.
③ 다국적기업의 활동을 통해 국제적인 교류를 증대시킨다.
④ 근대 자유국가를 배경으로 한다.

정답 및 해설

상호의존론은 비교적 낮은 수준의 교통, 통신, 상호작용 시대의 산물로서 당구공처럼 침투되지 않는 주권국가들인 근대 자유국가들을 배경으로 하는 것이 아니라, 경제, 정치, 문화 등 모든 분야에 있어 점점 더 상호의존적이 되어 가는 세계화 시대의 현대 산업 국가들을 배경으로 하여 이론을 전개하였다.

답 ④

010 상호의존론에 대한 설명으로 옳지 않은 것은?

① 상호의존론은 현실주의이론에 대한 비판에서 출발하였으나 기본적으로 현실주의이론이 설명하지 못하는 부분을 보완적으로 설명하기 위해서 제시된 이론이다.

② 상호의존론자들은 권력정치적 국제정치의 현실과, 다층적 상호의존의 국제관계를 단 하나의 이론 모형으로는 설명하기 어렵다고 보고, 쟁역별로 다양한 이론을 제시하고자 하였다.

③ 월러스타인은 국제정치 현실을 묘사하기 위해 두 개의 극단, 즉 현실주의적 세계와 복합적 상호의존의 세계를 제시하고, 실제 현실은 두 극단 사이의 어느 지점에 존재한다고 보았다.

④ 상호의존론은 기능주의와 신기능주의 통합이론에 의해 발전되어온 자유주의에 기반을 두고 구축되었으며, 이후 신현실주의를 비판하면서 등장한 신자유주의적 제도주의에 의해 대체되었다.

정답 및 해설

월러스타인은 세계체제론을 주장한 학자이다. 상호의존론의 위 주장은 코헤인과 나이의 것이다. 코헤인과 나이는 두 극단을 설정함에 있어서 세 가지 기준을 제시하였다. 첫째, 국가가 지배적인 행위자인 정도, 둘째, 국가안보다 대외정책 의제를 지배하는 정도, 셋째, 군사력이 적합하고 효과적인 국가운영의 도구인가의 정도이다.

답 ③

011 코헤인과 나이는 국제관계를 하나의 이론모형으로 설명할 수 없다고 보고, 네 가지 이론모형을 제시하였다. 다음 중 코헤인과 나이의 네 가지 모형으로 옳지 않은 것은?

① 총체적 권력구조 모델(Overall Power Structure Model)

② 제한된 합리성 모델(Limited Rationality Model)

③ 경제과정 모델(Economic Process Model)

④ 이슈구조 모델(Issue Structure Model)

정답 및 해설

제한된 합리성 모델은 사이먼의 모형으로, 자유주의 외교정책 결정이론에 속하는 모형이다. 코헤인과 나이의 나머지 한 가지 모형은 국제기구 모델(International Organization Model)이다.

✓ 선지분석

① 상대적인 군사력과 군사력의 변화가 모든 부문에 있어서 협상의 결과와 국제레짐의 변화를 결정한다는 전형적인 현실주의 이론이다.

③ 경제과정 모델에서 국제레짐은 경제적 이득을 극대화하고자 하는 노력의 반영물로 이해된다. 이 모형 하에서 국제관계는 정치성이 배제되고 경제문제가 상호관계를 결정짓는다.

④ 이슈구조 모델은 군사력의 대체성을 부인하고, 이슈에 따른 특정한 권력의 구조가 특정 이슈영역에서의 협상의 결과와 국제레짐을 결정한다고 본다.

답 ②

012 코헤인(R. Keohane)과 나이(J. Nye)의 상호의존론(Interdependence)의 네 가지 이론적 모델에 관한
□□□ 설명으로 옳지 않은 것은?

① '총체적 권력구조 모델(Overall Power Structure Model)'은 상대적인 군사력과 이러한 군사력의 변화
   가 모든 부문에 있어서의 협상의 결과와 국제레짐의 변화를 결정한다는 전형적인 현실주의 이론이며,
   따라서 이를 '권력일반론'이라고도 부른다.
② '경제과정 모델(Economic Process Model)'은 국제 과정은 정치성과 경제성을 하나의 큰 분석틀로 사
   용해야 한다는 모델이다. 경제라는 분야가 기본적으로 크게 다루어지지만, 절대로 현실적 권력 관계
   를 꼭 더해서 생각해야 한다는 것이 해당 모델의 요지이다.
③ '이슈구조 모델(Issue Structure Model)'은 특정한 이슈영역은 나름의 특정한 권력의 구조를 갖게 되
   며 이러한 이슈에 따른 권력의 구조가 특정의 이슈영역에서의 협상의 결과와 국제레짐을 결정한다는
   것이다. 미국의 베트남전쟁 패배가 좋은 예로 꼽는다.
④ '국제기구 모델(International Organization Model)'은 초국가적 연계망(transnational network)과 이러
   한 연계망 내에서의 국가 간의 연합과 같은 특정의 협상전략이 국제레짐의 운영을 지배한다고 본다.

정답 및 해설

경제과정 모델은 국제레짐은 경제적인 이득을 극대화하고자 하는 노력의 반영물로서, 이는 정치성이 배제되고 경제
문제에 그 주된 원인이 있는 국제관계를 설명하는 데에 용이하다. 이를테면 미국과 캐나다 간의 관계는 권력으로는
설명하기 힘들기 때문에 경제과정 모델을 사용해 분석할 수 있다.

답 ②

---

013 복합적 상호의존 하에서 국제정치 과정의 특징으로 옳지 않은 것은?
□□□
① 복합적 상호의존 하에서는 각 쟁역에 있어 국제적 결과를 결정짓는 요소는 군사력이다.
② 복합적 상호의존의 국제체제에서는 다양한 행위자들에 의한 의제형성정치가 중요한 역할을 한다.
③ 일국의 사회와 타국가 사회의 접촉의 채널이 다변화함에 따라 내정과 외교의 상호침투 현상이 발생
   한다.
④ 상호의존이 증가할수록 국가가 국내외적 일을 통제할 수 있는 실질적인 능력의 저하현상, 즉 국가의
   통제력 상실이 발생한다.

정답 및 해설

군사력보다는 특정한 쟁역에 적합한 특정의 자원이다. 특히 국제기구가 중요한 역할을 수행하며 초국가 행위자들
역시 국가 정책의 중요한 수단이 된다.

✓ 선지분석
③ 국제정치와 국내정치의 상호침투작용이 일어나 국내정치의 국제화와 국제정치의 국내화가 일어난다.
④ 모스(Edward Morse)의 주장이다. 그에 따르면 국가의 통제력 상실이 발생하는 이유는 국민들 간 비정부적
   맥락에서의 상호작용이 증가하기 때문이며, 다양한 문제들에 대응할 수 있는 정부의 수단이 상대적으로 감소하
   기 때문이라 한다.

답 ①

014 상호의존론에 대한 평가로 옳지 않은 것은?

① 상호의존론은 현실주의가 설명하지 못하는 국제정치의 실제 현상들에 대해 설명을 제공할 수 있다는 면에서 적실성이 있다. 특히, 권력의 대체성이 약화된 국제정치 현실에서 국제정치의 결과를 좌우하는 요인들을 식별할 수 있도록 한다.

② 상호의존론자들은 복합적 상호의존의 세계에서는 민족국가의 통제력이 약화될 것으로 보지만, 상당수의 학자들은 민족국가의 지속, 나아가 강화를 예측하기도 한다.

③ 코헤인과 나이는 복합적 상호의존이 진전될수록 국가 간 힘과 부에 있어서 불균형과 비대칭성이 강화될 것이라 주장한다.

④ 상호의존론은 행위자 측면에서 비국가 행위자의 영향력과 활동에 분석적 관심을 기울이게 하였다.

정답 및 해설

코헤인과 나이는 국가 간 위계적 서열이 퇴조하고 국가 간 동등성이 강화될 것으로 본다. 불균형과 비대칭성이 강화될 것이라 주장하는 것은 구조주의자들이다.

✓ 선지분석

② 노드에쥐는 초국가적 접근법이 미국적 환상에 불과하다고 비판하면서 국가는 여전히 지배적인 행위자로 존재할 것으로 본다. 불 역시 국가는 다른 행위자들로부터의 도전을 이겨내고 존속할 것으로 본다.

답 ③

015 상호의존론에 대한 비판으로 옳지 않은 것은?

① 안보문제를 주요 분석영역으로 설정하여 다른 영역과 이슈들은 분석에서 배제

② 상호의존이 국제안보에 부정적 영향을 미칠 가능성의 간과

③ 국가 간 비대칭적 상호의존 관계 심화로 인한 권력과 부의 불균등한 배분 문제

④ 비국가 행위자에 대한 과대평가

정답 및 해설

상호의존론은 기존 현실주의와 달리 국제정치 연구의 분석영역을 확대시킴으로써 긍정적인 평가를 받는다.

답 ①

001 국제협상의 양면게임이론(Two-Level Game)에서 '윈셋(win-set)'에 대한 설명으로 옳지 않은 것은?
☐☐☐

① 윈셋의 크기는 국내 여러 집단의 이해와 국내제도에 영향을 받는다.
② 정책결정자가 국내집단으로부터 자유로울수록 윈셋이 커져서 국제적 협상력은 높아진다.
③ 윈셋이 클수록 국제협상에서 합의 가능성이 높아진다.
④ 합의가 이루어지기 위해서는 협상당사국들의 윈셋이 겹치는 부분이 있어야 한다.

정답 및 해설

윈셋이 확대되는 것은 맞다. 그러나, 윈셋 확대는 국제 협상력을 낮춘다. 협상력은 윈셋이 축소되어 양보할 수 있는 여지가 적다는 것을 어필할 수 있을 때 강화된다.

✓ 선지분석
① 집단의 이해는 사안의 성격과 정치쟁점화된 정도를 통해 윈셋에 영향을 준다. 국내제도는 '국가강성도'를 말한다. 국가강성도가 높은 경성국가의 윈셋은 확대되고, 국가강성도가 낮은 연성국가의 윈셋은 축소되어 협상력이 강화된다.
③ 윈셋이 클수록 국가 간 합의가능영역이 넓어져서 합의 가능성은 높아진다.

답 ②

002 협상론이 국제정치 이론차원에서 본격적으로 연구되기 시작한 계기로 옳지 않은 것은?
☐☐☐
① 탈냉전, 세계화, 민주화 등 국제체제의 구조적 변화
② 국내정치에서 이익집단의 활성화
③ 군사력의 대체성(fungibility)의 강화
④ 국내외 정치의 상호관계 강화

정답 및 해설

탈냉전, 세계화, 민주화 등으로 인해 군사력의 대체성이 점차 약화되어 가고 있으며, 강대국이 약소국과의 관계에서 반드시 자신의 의사를 관철시킬 수 있는 가능성도 낮아지고 있다. 이러한 상황은 국제정치적 결과를 만들어내는 데 있어서 '협상'의 중요성을 부각시키는 계기가 되었다.

답 ③

003 협상론에 대한 설명으로 옳지 않은 것은?

① 국제관계를 분석함에 있어서는 거시수준, 중범위수준, 미시수준 등 다양한 차원에서 국가의 선택과 국제정치과정이나 결과를 분석할 수 있다. 협상론은 거시적 수준에서 국제관계를 분석하는 이론으로 볼 수 있다.

② 현재 한국 및 동북아 지역에서도 한국의 국가이익과 직결되는 다양한 협상들이 전개되고 있다.

③ 군사력의 대체성 가설의 타당성이 점점 약해져 가는 현실에서 한국의 국가이익을 극대화하기 위해서는 협상 자체에 대한 분석도 매우 중요하다고 할 수 있다.

④ 국제협상의 분석에서 중요하게 원용되고 있는 협상이론으로 르보우, 하비브, 퍼트남의 이론들이 있다.

> **정답 및 해설**
>
> 협상론은 미시적 수준에서 국제관계를 분석하는 이론으로 볼 수 있다. 미시적 수준에서 국제관계를 분석하는 것은 구조적 현실주의자들의 구조 결정론적 시각을 수용하지 않고, 협상과정 자체에서 영향을 주는 변수들의 영향력을 보다 높게 평가하는 것이다.
>
> ⊘ **선지분석**
>
> ② 최근 동북아 지역에서는 한중일 FTA, 한중 FTA, 한중일이 포함된 RCEP 등 FTA관련 협상이 전개되고 있다. 다자협상으로서 6자회담이 2003년부터 지속되고 있으나 그 동력은 상당부분 약화된 상태이다.
>
> 답 ①

004 르보우(Lebow)는 '이익'의 요소에 근거하여 협상이 발생하기 위한 세 가지 조건을 논의하였다. 다음 중 르보우의 세 가지 협상 발생조건으로 옳지 않은 것은?

① 협상당사자들이 협상에 의한 국익 추구를 선호할 것

② 협상당사자들의 국력이 비슷할 것

③ 협상당사자들이 상호 이해관계의 조정의 필요성에 직면할 것

④ 상대방의 선호와 이익에 대한 정보가 불충분할 것

> **정답 및 해설**
>
> 협상당사자들의 국력이 비슷할 필요는 없다. 북한과 미국 사이에 핵협상이 진행되는 것을 보아도 알 수 있을 것이다.
>
> 답 ②

005 하비브(W. M. Habeeb)의 협상론에 대한 설명으로 옳지 않은 것은?

① 하비브(W. M. Habeeb)는 협상결과를 좌우하는 협상력을 구성하는 요소들을 집합적 구조적 힘, 의제별 구조적 힘, 행위자의 힘으로 분류하였다.
② 집합적 구조적 힘은 군사력, 경제력, 자원, 인구전략 및 국민성 등의 총합을 말한다. 이는 현실주의자들이 가정하는 힘과 유사한 개념이다.
③ 의제별 구조적 힘은 협상의 대상이 되는 특정 의제에서 협상당사자가 발휘하는 힘으로 이는 집합적·구조적 힘과 반드시 비례한다.
④ 행위자의 힘은 협상전술로서 위협, 보상, 동맹결성 등을 통해 협상을 자신에게 유리하게 유도하는 능력이다.

정답 및 해설

의제별 구조적 힘은 집합적 구조적 힘과 반드시 비례하지 않는다. 따라서 집합적 힘에서 열세에 놓여 있는 약소국이라 할지라도 의제별 힘의 균형에서 우위에 서면 협상을 자국에 유리한 상황으로 이끌고 또한 유리한 결과를 도출해낼 수 있다.

답 ③

006 퍼트남(Putnam)이 주장한 양면게임(Two-Level Games) 이론에서 Win-Set 크기에 영향을 미치는 요인에 해당하지 않는 것은?

2015년 외무영사직

① 국제협상이 진행될 당시의 국제정세
② 국가 간 협상단계에서 협상가들의 전략
③ 국가자율성 등 비준에 영향을 미치는 국내정치제도
④ 국내 행위자들 간 이슈별 선호와 이해관계의 상충 정도

정답 및 해설

국제협상이 진행될 당시의 국제정세는 윈셋크기 결정과 무관한다.

☑ 선지분석
② 협상가들은 윈셋을 축소시키거나 확대함으로써 협상력의 강화 또는 협상 타결을 추구한다.
③ 국내정치제도는 국가의 강성도를 의미하며 강한 국가, 즉 시민사회의 영향력이 크지 않은 국가는 상대적으로 윈셋이 확대되나, 연성국가는 윈셋이 축소된다.
④ 이슈별 선호나 이해관계의 상충이 강한 협상의제에서는 윈셋이 축소되나, 이해관계 상충도가 낮은 경우 윈셋은 확대된다.

답 ①

007 국제협상을 설명하기 위한 퍼트남(Robert Putnam)의 양면게임(two-level game)이론에서 자국의 상대적 협상력을 제고하기 위한 전략으로 옳지 않은 것은?
2008년 외무영사직

① 자국 내 강경파에게 공개적 약속을 한다.
② 사안을 연계시킴으로써 상대국의 비(非)활성집단을 활성화하여 활성집단과의 세력균형을 변경시킨다.
③ 이면보상을 하거나 사안의 성격을 새롭게 정의하여 자국 내 비준을 용이하게 한다.
④ 사안을 정치쟁점화 하여 자국 내 비활성집단을 활성화한다.

> **정답 및 해설**

선지분석
협상력을 높이기 위해서는 자국의 윈셋을 축소(①, ④)하거나, 상대국의 윈셋을 확대(②)해야 한다.

답 ③

008 퍼트남(R. Putnam)의 양면게임(two-level game)에 대한 설명으로 옳지 않은 것은?
2005년 외무영사직

① 윈셋(win-set)이란 국내적 비준을 받을 수 있는 합의 가능 영역으로, 국내정치(Level Ⅱ)와 국제정치(Level Ⅰ)를 매개하는 역할을 한다.
② 윈셋(win-set)의 크기를 줄이면 국가 간 협력이 증진된다.
③ 윈셋(win-set)의 크기를 결정하는 주요 변수로 국내 여러 집단의 이해 및 제휴관계, 국내제도 및 국제교섭에 임하는 교섭담당자의 전략을 들 수 있다.
④ 국내적인 반대로 비준을 얻을 수 없는 두 가지 이슈가 연계될 때 국내적 집단 간의 이해관계가 변하고 그들 간의 영향력의 균형이 바뀜으로써 원래 가능하지 않았던 협상의 결과가 국내적으로 수락되고 비준될 수도 있는 소위 '상승적 연계(synergistic linkage)'가 일어 날 수가 있다.

> **정답 및 해설**

합의(국가 간 협력)가 가능하려면 윈셋이 교차하는 부분이 있어야 하는데, 윈셋의 크기를 줄이면 합의에 도달하기가 어려워진다. 즉 국가 간 협력이 증진되는 것이 아니라 저해된다.

답 ②

009 다음 모두를 주요개념으로 사용하는 이론으로 옳은 것은?

• 상승적 연계(synergistic linkage)	• 윈셋(win-set)
• 메아리 효과(echo-effect)	• 이면보상(side-payment)

① 사이버네틱스이론
② 합리적 선택이론
③ 통합이론
④ 양면게임이론

> **정답 및 해설**

선지분석
① 사이버네틱스이론은 자유주의 계열의 외교정책론의 하나이다.
② 합리적 선택이론은 분석단위를 국가에 두고, 합리적 행위자로서 국가의 선택에 대해 분석하는 모델이다. 게임이론이나 억지이론이 여기에 해당한다.

답 ④

010 퍼트남(R. Putnam)의 양면게임(two-level game)에 대한 설명으로 옳지 않은 것은?

☐☐☐

① 왈츠(K. Waltz)와 달리 국내정치적 상황을 국제관계에 있어서 고려하였다.

② 민주화의 진전으로 시민들이 정책결정에 참여할 수 있는 제도적 폭이 넓어졌기 때문에 양면게임이론이 적실성을 가질 수 있는 것이다.

③ 양면게임에서 '강한 국가'란 국내사회로부터의 압력이 큰 나라를 의미하며, 윈셋은 작아지게 된다.

④ 국가의 협상력은 결국 윈셋의 상대적 크기에 영향을 받게 되며, 때문에 윈셋의 크기를 조작할 수 있다면 협상이득을 확대시킬 수 있다.

정답 및 해설

'강한 국가'란 국내사회로부터의 압력이 크지 않은 나라를 의미하며, 강한 국가일수록 윈셋이 확대되고, 약한 국가일수록 윈셋이 축소되게 된다.

☑ 선지분석

② 독재국가에서는 국가의 정책결정에 국민들이 의견을 타진할 수 없으므로, 양면게임이 아니라 일면게임(One-level game)이 된다.

④ 때문에 양면게임에서의 전략은 자국이나 타국의 윈셋을 조작하는 방법에 관한 것들이다.

답 ③

---

011 다음 중 퍼트남의 양면게임이론에서 윈셋(win-set)에 대한 설명 중 옳지 않은 것만을 모두 고른 것은?

☐☐☐

> ㄱ. 윈셋이 클수록 국제합의 가능성이 낮아진다.
> ㄴ. 윈셋이 큰 국가가 얻는 이익이 커진다.
> ㄷ. 국내 집단의 이해관계와 교섭에 임하는 담당자의 전략도 윈셋을 결정하는 데 영향을 미친다.
> ㄹ. 윈셋이 교차하는 부분이 존재해야 국가 간 합의가 가능하다.

① ㄱ, ㄴ   ② ㄱ, ㄷ

③ ㄴ, ㄷ   ④ ㄷ, ㄹ

정답 및 해설

퍼트남의 양면게임이론에 대한 설명으로 옳지 않은 것은 ㄱ, ㄴ이다.

윈셋(win-set)이란 주어진 상황에서 국내적 비준을 얻을 수 있는 모든 합의의 집합을 말한다. 양 당사자의 윈셋(win-set)이 교차하는 범위 내에서 합의가 가능하기 때문에 윈셋(win-set)이 클수록 국제합의 가능성이 높아진다. 또한 윈셋(win-set)이 큰 국가일수록 양보를 허용할 여지가 커지게 되므로 얻는 이익이 상대적으로 작아진다.

답 ①

012 퍼트남(R. Putnam)의 양면게임에 기초한 다음 설명 중 옳지 않은 것은?

□□□

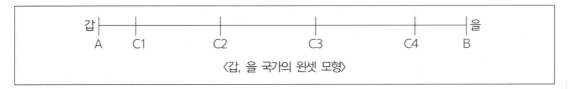

〈갑, 을 국가의 윈셋 모형〉

① 합의가 C2에서 이뤄질 경우 갑이 얻는 이익은 AC2, 을이 갖는 이익은 BC2이다.
② 갑이 수락가능한 최소의 몫이 C2라면 갑의 윈셋은 BC2가 된다.
③ 갑이 수락가능한 몫이 C2이고 을이 수락가능한 몫이 C3일 때 C2C3을 합의가능영역이라 한다.
④ 갑이 수락할 수 있는 몫이 줄어들어 C4가 된다면 갑은 협상 타결 이후 불리한 결과를 갖게 된다.

정답 및 해설

양면게임에서 자신의 윈셋이 줄어든다는 것은 자신에게 유리해진다는 의미이다. 갑은 협상 이후 AC4가 되므로 더 나은 이익을 얻게 될 것이다.

> **관련 이론** 윈셋(win-set)
> 주어진 상황에서 국내적 비준을 얻을 수 있는 모든 합의의 집합을 의미한다. 국가 간 합의가 가능하기 위해서는 양 당 사자의 윈셋이 교차하는 부분이 있어야 하기 때문에, 윈셋이 클수록 국제합의 가능성이 높아지며 윈셋의 상대적 크기 가 합의에 따르는 이득의 분배를 결정짓는다.

답 ④

---

013 다음은 퍼트남(R. Putnam)의 양면게임(Two-level game)에 기초하여 한국의 FTA협상과정을 분석한 것이다. 옳지 않은 것은?

□□□

① 한국은 한국의 국내집단에 직접 호소하여 협상사안에 대한 기대를 바꿈으로써 상대의 윈셋을 바꾸는 방법을 쓸 수 있는데 이것을 '메아리(reverberation)'전략이라 한다.
② 한국 협상대표는 특정 이익집단의 요구가 거세어 이를 들어주다가는 FTA협상 자체가 타결되기 힘들 경우 '고삐 늦추기(cutting slack)'전략을 쓸 수 있다.
③ 상대 국가는 한국의 양보를 얻어내는 것이 힘들다고 생각할 때 자동차 부문과 같은 쟁점사안에 한국 이 불리한 농업 사안을 결부시켜 협상하는 '표적사안 연계'전략을 쓸 것이다.
④ 한국 협상대표는 강경한 입장을 통해 이익을 얻기 위해 자국 강경집단에 돌이킬 수 없는 공개약속을 하는 등의 '발목잡히기(tying-hand)'전략을 사용할 것이다.

정답 및 해설

메아리 전략은 상대 국내집단에 직접 호소하여 협상사안에 대한 기대나 그 사안의 이미지를 바꿈으로써 상대의 윈 셋을 넓히는 전략이다.

☑ 선지분석
② '고삐 늦추기'는 교섭담당자가 국내의 집단 이기주의적 압력을 벗어나 보다 거시적 입장에서 국가이익을 추구할 필요가 있는 경우 자신의 재량권 확대를 위해 사용하는 방법이다.
③ 표적사안 연계의 효과로는 국내적 집단 간의 이해관계가 변화함으로 인해 원래 가능하지 않았던 협상의 결과가 국내적으로 수락되고 비준될 수 있다는 것이다.

답 ①

014 퍼트남(Robert Putnam)의 양면게임이론에 대한 설명으로 옳지 않은 것은?

① 국제협상이론이자 국제협력이론으로서 외교와 국내정치를 연계시켜 분석하였다.
② 퍼트남의 이론은 기존의 지배적 패러다임인 왈츠류의 구조적 현실주의에 대한 대안적 이론의 성격을 갖는다.
③ 퍼트남의 이론의 현실적 배경 또는 양면게임 분석의 적실성의 현실적 조건은 냉전의 종식, 국가경제의 세계화, 세계적 차원에서 일어난 민주화의 제3물결이다.
④ 양면에서의 게임은 순차적으로 진행된다.

정답 및 해설

양면게임에서 제1면의 게임은 국제적 행위주체인 국가 대표자 간의 게임을 말하고, 제2면의 게임은 국가대표자와 국내의 관련 이익집단 간의 게임을 말한다. 양면에서의 게임은 순차적이 아니라 동시에 진행된다.

✓ 선지분석

① 퍼트남은 국제정치와 국내정치를 분리하는 기존 학계의 관행을 비판하고 불가분하게 연계되어 있는 두 부분을 모두 고려해야 국제협상의 결과를 설명할 수 있다고 주장하였다.
③ 냉전의 종식으로 국가 및 국민들은 안보보다 경제이슈에 더 많은 관심을 쏟게 되었으며, 국가경제의 세계화로 사람들은 자국 밖에서 발생하는 일에 더 많이 영향을 받게 되었고, 또한 그 영향을 알 수 있게 되었다. 민주화의 진전으로 시민들이 정책결정에 참여할 수 있는 제도적 폭이 넓어졌고, 정책결정자들도 시민의 선호에 더 관심을 가지게 되었다.

답 ④

015 퍼트남의 양면게임이론과 관련된 윈셋(win-set)에 대한 설명으로 옳지 않은 것은?

① 윈셋이란 '주어진 상황에서 국내적 비준을 얻을 수 있는 모든 합의의 집합'을 말한다.
② 윈셋이 클수록 국제합의 가능성이 높아진다.
③ 강한 국가는 국내사회로부터의 압력이 크지 않은 나라를 의미한다고 할 때, 강한 국가일수록 윈셋이 축소되는 반면, 약한 국가일수록 윈셋이 확대된다.
④ 사안이 이질적이라면 국내 여러 집단에 미치는 영향이 서로 같지 아니하여 각 집단은 정책에 대해 상반된 의견을 가질 것이고 따라서 윈셋은 축소될 것이다.

정답 및 해설

퍼트남은 강한 국가일수록 윈셋이 확대되는 반면, 약한 국가일수록 윈셋이 축소된다고 보았다. 윈셋은 협상력에 영향을 주는데, 강한 국가일수록 윈셋이 확대되어 협상력은 약화되는 반면, 약한 국가일수록 윈셋이 축소되어 협상력은 강화된다.

답 ③

016

☐☐☐ **'양면게임이론'에 의할 때 협상전략에 대한 설명으로 옳지 않은 것은?**

① 자국의 윈셋 축소전략으로 '발목잡히기 전략'이 있다.

② 상대국의 윈셋을 확대시키는 전략으로 '고삐 늦추기 전략'이 있다.

③ 단일 사안에서 양보를 얻어내는 것이 불가능할 경우 다른 사안을 연계시킴으로써 이른바 '상승적 연계' 효과를 가져오는 전략을 구사할 수 있다.

④ '메아리 전략'은 상대 국내집단에 직접 호소하여 협상사안에 대한 기대나 그 사안의 이미지를 바꿈으로써 상대의 윈셋을 확대시키는 방법이다.

정답 및 해설

'고삐 늦추기'는 상대국의 윈셋을 확대시키는 전략이 아니라 자국의 윈셋을 확대시키는 전략이다. 예를 들어 협상 결과에 따른 이득을 재분배하는 '이면보상'을 하거나 문제의 성격을 '국가안보에 중대한 것'이라는 식으로 새롭게 정의할 수 있다.

⊘ 선지분석

① 발목잡히기 전략은 자국의 윈셋을 축소시키기 위해 국내적으로 강경한 집단에 돌이킬 수 없는 공개적인 약속을 하거나, 사안을 정치 쟁점화하여 국내 여론의 흐름을 강경한 쪽으로 끌고 가거나 국내여론의 분열을 유도할 수 있다.

③ 상승적 연계 효과를 가져오는 전략은 '표적사안 연계'전략이라 한다.

답 ②

017

☐☐☐ **퍼트남의 양면게임이론에서 협상의 타결을 목적으로 하는 전략은 모두 몇 개인가?**

> ㄱ. 국내 강경파에 대한 공개적 약속
> ㄴ. 사안의 정치쟁점화를 통해 비활성 국내 집단의 활성화
> ㄷ. 동질적 사안을 이질적 사안으로 재정의
> ㄹ. 비공개 협상
> ㅁ. 이면보상

① 1개　　　　　② 2개　　　　　③ 3개　　　　　④ 4개

정답 및 해설

퍼트남의 양면게임이론에서 협상의 타결을 목적으로 하는 전략은 ㄹ, ㅁ으로, 모두 2개이다.

ㄹ, ㅁ. 협상 타결을 위해 자국의 윈셋을 확대시키는 전략이다.

⊘ 선지분석

ㄱ, ㄴ, ㄷ. 자국 윈셋 축소를 통해 협상력을 강화하여 협상이득을 크게 만들려는 전략이다.

답 ②

018 다음과 같은 목표를 달성하기 위해 사용해야 하는 협상전략으로 옳은 것은?

□□□

> A국 정부는 현재 B국 내에서 아직 활성화되지 않은 집단의 영향력에 주목하고 있으며, 이들 세력이 활성화되어 협력할 경우 현재 B국 내에서 사안에 반대하는 세력에 비해 영향력이 커질 것으로 보인다. 이 경우 A국 정부는 B국의 윈셋을 확대하여 자국의 상대적 협상력의 제고를 위해 하나의 협상전략을 고려하고자 한다.

① 메아리 전략　　　　　　　　　　　② 정치쟁점화

③ 정부 간 담합　　　　　　　　　　　④ 표적사안 연계

정답 및 해설

⊘ 선지분석

① 사안의 일반적 이미지 변화를 통해 상대국의 윈셋을 확대하는 전략이다.

② 자국 내 집단에게 쓰는 전략으로서 사안을 정치 쟁점화하여 비활성 국내집단을 활성화하여 자국의 윈셋을 축소하고 협상력의 제고를 노리는 전략이다.

③ 정부 간 담합은 정치적 자산을 상호 교환하여 각자의 윈셋 확대를 통해 협상을 용이하게 하는 전략이다.

답 ④

019 퍼트남(Robert Putnam)의 양면게임에 관련된 설명이다. 옳지 않은 것은?

□□□

① 퍼트남의 이론은 기존에 지배적인 패러다임인 구조적 현실주의에 대한 대안적 이론의 성격을 갖는다.

② 양면게임이론의 양면의 제 1면의 게임은 국제적 행위주체인 국가 대표자 간 게임을 말하고, 제 2면의 게임은 국가대표자와 국내의 관련 이익집단 간의 게임을 말한다.

③ 윈셋(Win-set)의 상대적 크기에 따라서 합의에 따르는 이득의 분배가 결정된다.

④ 윈셋이 작을수록 국제합의의 가능성이 더욱 높아진다. 따라서 국가는 자국의 윈셋을 작게 만드는 것이 목표이다.

정답 및 해설

윈셋은 클수록 합의에 이를 가능성이 더 높아진다. 쌍방의 윈셋이 겹치는 부분이 커야 합의가 쉽기 때문이다.

답 ④

020 민주화란 정부 내적으로는 정책결정 권한의 위임이 이루어지는 것이고, 정부 외적으로는 정책결정 및 집행과정에 있어서 시민참여가 증가하는 것을 의미한다. 이런 측면에서 민주주의의 진전이 외교정책에 미치는 영향으로 옳지 않은 것은?

① 외교정책 결정에 있어 도구적 합리성이 저해될 수 있다.

② 윈셋이 확대되어 협상력이 제고된다.

③ 정책의 지속성, 일관성, 집행력이 제고된다.

④ 외교정책결정에 시간이 많이 소요되는 등의 사회적 비용이 발생한다.

정답 및 해설

윈셋이 축소된다.

✓ 선지분석

① 외교정책 결정에 있어 정치적 합리성을 얻는 대가로 도구적 합리성이 저해될 수 있다. 이는 특히, 안보사항일 경우 심각한 문제가 될 수 있다.

③ 다수의 의사에 기초한 정책이기 때문에 정책의 지속성, 일관성, 집행력이 제고된다.

답 ②

제7절 Ⅰ 신자유제도주의

001 신자유제도주의의 주장으로 옳지 않은 것은?

2016년 외무영사직

① 국제관계에서 제도는 중요하다.

② 상호 이익이라는 전제를 안보의 영역에도 적용할 수 있다.

③ 국제적 규범구조가 국가 정체성과 이익을 형성한다.

④ 국가는 절대이득을 위해 협력할 수 있다.

정답 및 해설

규범구조를 강조하는 것은 구성주의의 주장이다.

✓ 선지분석

② 안보영역에서도 국가들은 '절대적 이익'을 위해 상호 제도를 통한 협력이 가능하다고 본다.

답 ③

002 국제관계의 주요 이론인 신현실주의와 신자유주의에 관한 설명으로 옳지 <u>않은</u> 것은?　　　2010년 외무영사직

① 신현실주의는 국제협력에 있어 국가가 상대적 이익에 초점을 둔다는 입장인 반면, 신자유주의는 절대적 이익을 추구한다는 입장이다.

② 신현실주의는 국제제도가 패권국의 리더십에 의해 지속된다는 입장을 취하는 반면, 신자유주의는 국제제도가 일단 만들어지면 패권국의 리더십이 없이도 지속될 수 있다는 입장이다.

③ 신현실주의는 무정부 상태가 국가행동을 제약하는 주요 구조적 요인이고 국가는 이기적이고 합리적인 행위자라고 가정하는 반면, 신자유주의는 무정부 상태가 구조적 요인이라는 데 동의하지만 국가가 비합리적 또는 이타적으로 행동할 수 있다고 가정한다.

④ 신자유주의는 지구화로 인한 경제성장과 국제협력 등 긍정적인 측면을 강조하지만, 신현실주의는 지구화가 초래하는 국가능력과 안보에 대한 도전 등의 문제에 관심을 둔다.

정답 및 해설

신자유주의 역시 무정부 상태가 국가행동을 제약하는 주요 구조적 요인이고 국가는 이기적이고 합리적인 행위자라고 가정한다. 신자유주의도 신현실주의와 마찬가지로 체계분석(systemic analysis)을 중시하고 있지만 국제제도와 국제레짐의 영향을 강조한다는 점에 있어서 다르다. 즉 국가들은 명시적이거나 묵시적인 국제제도의 도움에 의해 국가이익을 재정의하게 되고 그 결과 국가 간의 협력이 가능하다는 '무정부 상태 속에서의 협력(cooperation under anarchy)'을 주장하고 있다. 이는 무정부 상태라는 구조로부터 필연적으로 국가 간 갈등이라는 결론을 도출해내는 신현실주의의 견해와는 상반된 것이다.

답 ③

---

003 신자유주의적 제도주의자들의 핵심 가정에 포함되지 <u>않는</u> 것은?　　　2009년 외무영사직

① 국가는 국제관계에서 핵심 행위자이다.

② 현대 사회에서 국가는 협력을 통해 절대적 이익을 극대화하려고 노력한다.

③ 국가는 이익을 확보할 기회를 증가시켜 준다면 특권과 자원을 제도로 이동시킨다.

④ 국제체제의 구조는 행위자의 행동을 결정짓는 요인이 된다.

정답 및 해설

국제체제의 구조가 행위자의 행동을 결정짓는 요인이라는 것은 신현실주의만의 가정이다. 신자유주의적 제도주의는 국가가 국제정치의 유일한 주요 행위자인 동시에 통합된 합리적이고 이기적인 행위자라는 점 및 국제체제의 무정부성을 수용하는 등 현실주의의 가정을 대폭 수용하고 있다.

답 ④

004 신자유주의적 제도주의에 대한 설명으로 옳지 않은 것은?

① 신자유주의적 제도주의는 국제정치 행위자나 국제체제에 대한 현실주의적 존재론을 부정한다.
② 국가들은 상대적 이익보다 절대적 이익을 고려한다.
③ 신자유주의적 제도주의는 무정부를 단순히 '중앙집권체의 부재'로 본다.
④ 신자유주의적 제도주의는 패권이 제도화를 용이하게 하기는 하나, 제도화를 위해 반드시 필요한 것은 아니라고 본다.

정답 및 해설

신자유주의적 제도주의는 현실주의적 존재론을 공유하면서도 자유주의적 명제를 제시한다. 즉, 국가의 합리성, 국제체제의 무정부성이라는 현실주의의 가정 또는 존재론을 수용하는 한편, 국가가 절대적 이익을 실현시키기 위해 때로는 협력하거나 레짐을 형성하기도 한다는 결론을 제시한다.

⊘ 선지분석

② 신자유주의적 제도주의자들은 국가들이 절대적 이익을 고려한다고 주장하며 이는 왈츠나 그리코의 입장과 대비된다. 국가들이 절대적 이익을 고려하는 이유는 이익이 비대칭적으로 배분되어도 안보가 위태로워지지는 않는다고 보기 때문이다.
③ 반면, 신현실주의는 무정부를 '구조적 폭력상태', '홉스적 자연상태'로 정의한다.
④ 따라서 패권쇠퇴 이후에도 제도가 지속할 수 있음을 주장하며 이러한 입장은 패권과 레짐이 운명을 같이한다고 보는 패권안정론의 견해와는 배치된다.

답 ①

005 신자유주의적 제도주의에 대한 설명으로 옳지 않은 것은?

① 신자유주의적 제도주의는 무정부 하에서 국제협력을 이론적으로 설명하기 위해 등장하였다.
② 신자유주의적 제도주의는 패권쇠퇴 이후에도 국제레짐이 안정적으로 유지될 수 있고, 현실적으로도 그러한 점에 대해 이론적 설명을 하고자 하였다.
③ 신자유주의적 제도주의는 신현실주의와 국제체제의 속성에 대해 같은 견해를 갖는다.
④ 신자유주의적 제도주의는 신현실주의의 국제체제의 무정부성 가정을 수용한다.

정답 및 해설

국제체제가 무정부체제라는 점에 대해서는 견해가 같으나, 무정부체제의 속성에 대해서는 견해가 다르다. 신자유주의자들은 단순히 중앙정부의 부재로 보나, 신현실주의자들은 여기서 한 걸음 더 나아가 홉스적 자연상태로 본다.

답 ③

006 국제협력에 대한 신현실주의자들과 신자유주의자들의 주장을 나타낸 것으로 옳지 않은 것은?

□□□

① 죄수의 딜레마 게임에 따르면, 국가들은 협력에 의해 상호 이득을 증진시킬 가능성이 없기 때문에 자신이 배반하는 선택을 하게 된다.

② 신자유주의적 제도주의 이론가들은 PD게임을 반복게임으로 변경하면 협력 가능성이 있다고 본다.

③ 집단행동이론은 다수의 행위자 사이의 공공재 공급에 대해 분석하는 이론으로서, 행위자가 다수인 경우 개별 행위자는 무임승차 유인이 강하고, 따라서 이를 제재할 수 있는 제도가 없는 경우 공공재가 결국 공급되지 못하거나 과소공급된다고 본다.

④ 신자유주의적 제도주의자들은 집단행동이론이 가정하고 있는 다수의 참여자를 소수의 참여자로 바꾸면 협력이 발생할 수 있다고 본다.

> **정답 및 해설**
>
> 국가들이 협력에 의해 상호 이득을 증진시킬 가능성이 없기 때문에 배반을 선택하는 것이 아니다. 죄수의 딜레마 게임에 따르면 협력에 의해 상호 이득을 증진시킬 가능성이 있어도 상대국의 배반가능성을 우려하여 자신도 배반하는 선택을 하게 된다.
>
> ☑ **선지분석**
> ② 게임이 반복게임으로 '상황'에 변화가 오는 경우 행위자는 배반 시의 총이득과 협력 시의 총이득을 면밀하게 계산하게 되고, 총이득이 보다 크다고 판단하는 경우에는 협력할 수 있다는 것이다.
> ④ 즉, 소수 행위자들은 서로의 행위를 면밀하게 감독할 수 있기 때문에 협력을 하는 것이 이득임을 인식하게 되고 이에 따라 협력이 이루어진다고 본다.
>
> 답 ①

007 국제협력을 용이하게 해주는 수단으로서 국제레짐이 수행하는 기능으로 옳지 않은 것은?

□□□

① 규칙의 강제   ② 거래비용 절감

③ 군사력 강화   ④ 불확실성 감소

> **정답 및 해설**
>
> ☑ **선지분석**
> ① 국제레짐은 관련국들에게 레짐이 정하는 규칙을 강제하는 기능을 수행한다. 특정 국가가 레짐의 규칙을 위반하는 경우 자신의 위반은 결국 다른 나라의 규칙 위반을 증대시키게 되고, 이는 결국 '공공악'을 산출하는 결과를 초래하게 되므로 규칙을 지키게 된다.
> ② 거래비용에는 문제를 확인하는 비용, 협상비용, 협약 체결비용, 감시비용 등이 포함된다.
> ④ 불확실성이란 다른 국가의 행위패턴에 대한 불확실성을 포함하며, 레짐이 형성되어 있는 경우에는 상대국의 행위패턴에 대해 안정적인 기대를 할 수 있어 국제협력을 촉진한다.
>
> 답 ③

008 맞대응전략(Tit-for-tat)에 대한 설명으로 옳지 않은 것은?

① 상대방의 협력에는 협력으로 호응하고, 배신에는 배신으로 보복한다는 전략이다.

② 로버트 악셀로드가 시행한 반복적인 용의자의 딜레마 게임실험에서 가장 효율적인 전략으로 증명되었다.

③ 배반의 전략에 대해서는 타격을 입히고, 협력의 전략에 대해서는 보상을 하기 때문에 효과적이다.

④ 갈등이 지속되는 국제관계의 악순환 속에서는 실용성이 없는 전략이라는 한계점이 있다.

정답 및 해설

맞대응전략은 배반이 계속되다가도 상대방이 협력으로 돌아서면 같이 협력하므로, 갈등이 지속되는 국제관계의 악순환구조 속에서도 협력의 선순환구조가 발전될 수 있음을 논리적으로 보여주고 있다.

답 ④

009 신자유주의적 제도주의에 대한 설명으로 옳지 않은 것은?

① 신자유주의적 제도주의는 국제관계에서 레짐의 형성과 소멸에 대한 이론이다.

② 현실주의가 주장하는 국가의 중심행위자성과 국제체제의 무정부성을 비판하고 경제레짐의 형성과 유지에 있어서 낙관적 견해를 제시한다는 점에서 자유주의적이라 볼 수 있다.

③ 국가들의 협력에 있어서 레짐은 협력을 보다 용이하게 하는 역할을 한다. 그것은 레짐이 거래비용을 완화시켜 주기 때문이다.

④ 신자유주의적 제도주의자들은 패권의 존재가 레짐 창출에 유리하다는 점은 인정한다. 그럼에도 불구하고 패권쇠퇴가 반드시 레짐이나 협력의 약화나 쇠퇴로 연결되는 것은 아니라고 본다.

정답 및 해설

신자유주의적 제도주의는 현실주의가 주장하는 국가의 중심 행위자성과 국제체제의 무정부성을 비판하지 않고 함께 공유한다.

답 ②

010 구조적 현실주의와 신자유주의적 제도주의를 비교한 것으로 옳지 않은 것은?

☐☐☐

① 신현실주의와 신자유주의는 국제체제가 무정부라는 가정을 공유한다.

② 신자유주의적 제도주의자들은 연구 초점을 정치, 경제, 환경, 인권 의제 등에 맞추고 있는 반면, 신현실주의자들은 대체로 안보 연구에 초점을 맞추고 있다.

③ 신현실주의는 국제협력은 '배반의 가능성'과 '상대적 이득의 문제' 때문에 발생하기 어렵다고 본다. 반면, 신자유주의적 제도주의에서는 절대적 이득이 보다 중요한 요인이라고 보며 배반의 문제 역시 배반 여부를 감독하고, 배반시 처벌을 가하는 국제제도를 형성함으로써 협력을 지속할 수 있다고 본다.

④ 신자유주의적 제도주의는 제도가 세력분배구조의 반영에도 불구하고 국가로부터 독립된 행위자가 아니고 따라서 국제관계를 변화시킬 가능성은 없다고 본다. 반면, 신현실주의는 제도가 국가들의 행동을 규제하여 국제질서를 유지하는 데 긍정적이고 실제적인 기능을 한다고 본다.

정답 및 해설

신자유주의적 제도주의와 신현실주의의 국제제도에 대한 시각이 반대로 서술되어 있다.

☑ 선지분석

① 그러나 신현실주의는 무정부성을 홉스적 자연상태, 즉 전쟁상태로 묘사하고 개별국가들은 생존을 위해 끊임없이 경쟁하고 있는 상태라고 본 반면, 신자유주의적 제도주의는 중앙집권적 권위체가 없는 것을 무정부라고 본다.

② 신자유주의적 제도주의자들은 인간의 안위나 보다 나은 생활에 초점을 맞추고 있는 반면, 신현실주의자들은 상위정치의제를 주된 의제로 보고 경제복지나 다른 의제는 하위정치의제로, 국제정치의 주된 의제가 될 수 없다고 본다.

답 ④

011 패권안정론과 신자유주의적 제도주의를 비교한 것으로 옳지 않은 것은?

☐☐☐

① 패권안정론과 신자유주의적 제도주의는 패권국이 존재하는 경우 국제레짐의 창출과 유지에 순기능적이라는 점에 대해서는 의견을 같이 한다.

② 코헤인은 패권국의 강압적인 지도력에 의한 여타 국가의 강압적인 협조의 측면을 강조하는 반면, 길핀은 선의의 지도력에 의한 여타 국가들의 자발적인 협조를 강조한다.

③ 패권안정론은 패권이 쇠퇴하는 경우 레짐도 쇠퇴한다고 보는 반면, 신자유주의적 제도주의는 패권쇠퇴 이후에도 국제레짐이 유지된다고 본다.

④ 패권안정론은 국제레짐의 창출에 있어 패권국의 존재가 필수적이라고 보는 반면, 신자유주의적 제도주의에서는 패권국의 존재가 필수적인 것은 아니라고 본다.

정답 및 해설

코헤인과 길핀의 주장이 반대로 서술되어 있다. 패권안정론자인 길핀이 강압적인 지도력을 강조하였고, 신자유주의적 제도주의자인 코헤인이 선의의 지도력을 강조하였다.

☑ 선지분석

③ 패권안정론에 따르면 국제레짐은 패권국의 강제력에 의해 유지되고 있기 때문에 힘이 약화되는 경우에는 국제레짐 역시 쇠퇴한다. 반면, 신자유주의적 제도주의에 따르면, 패권쇠퇴 이후에도 국제레짐이 유지되는데, 이는 선의의 지도력과 자발성에 의한 질서는 강제적인 지도력에 의해 강요된 질서보다 상대적으로 제도화의 기반이 튼튼하기 때문에 독자적인 생명력을 가질 수 있다고 보는 것이다.

답 ②

001 국제레짐에 대한 설명으로 옳지 않은 것은?

□□□
① 크라스너(Stephen D. Krasner)에 의하면 국제레짐이란 행위주체의 기대가 수렴하는 원칙, 규범, 규칙, 의사결정 절차의 집합을 의미하며, 규범이나 규칙에는 공식적인 것뿐만 아니라 비공식적인 것도 포함된다.

② 자유주의 시각에 의하면 국제레짐은 죄수의 딜레마를 극복하고 국제협력을 실현하기 위한 제도적 틀로서 국가들 간 절대적 이익의 실현을 지원한다. 국제레짐은 의사소통을 촉진하고 상호신뢰를 고양함으로써 죄수의 딜레마를 극복하는 데 공헌한다.

③ 현실주의자들은 국제사회의 문제들을 해결하고 질서를 유지하기 위해서 국제레짐이 필요하나, 국제레짐은 강대국의 가치와 이익을 보다 강하게 반영하는 것이라고 본다.

④ 죄수의 딜레마에서 국제협력을 저해하는 것은 상대적 이익에 대한 우려이며, 신자유제도주의에 의하면 이러한 상대적 이익에 대한 우려는 국제레짐을 통해 해결할 수 있다.

정답 및 해설

죄수의 딜레마에서 국제협력을 저해하는 것은 상대방이 배신할지도 모른다는 불안감이다. 신자유주의자들은 이러한 배반 가능성을 국제레짐을 통해 해결할 수 있다고 본다.

답 ④

002 국제제도의 개념에 대한 설명으로 옳지 않은 것은?

□□□
① 코헤인에 의하면 국제제도란 '역할을 규정하고 행동을 구속하며 기대를 구체화시키는 지속적이고 상호 연관된 공식적이고 비공식적인 규칙의 집합'을 말한다.

② 러기에 의하면 국제기구는 국제제도의 하위 개념이다. 그러나 코헤인은 국제레짐을 최상위 개념으로 보고 국제레짐에 국제제도와 국제기구가 포함된다고 본다.

③ 영(Oran R. Young)은 국제기구를 '직원, 예산, 시설 등을 지니고 있고 구체적인 구조를 지닌 물적 실체'로 정의하고, 국제제도에서 국제기구를 배제한다.

④ 크라스너는 국제레짐을 '국제관계의 특정 쟁역에서 행위자의 기대하는 바가 수렴되는 명시적 혹은 묵시적인 원칙, 규범, 규칙 그리고 의사결정절차'로 정의한다.

정답 및 해설

러기와 코헤인의 개념이 반대로 되어 있다. 즉, 코헤인이 국제기구를 국제제도의 하위 개념으로 보았고, 러기는 국제레짐을 최상위 개념으로 보고 국제레짐에 국제제도와 국제기구가 포함된다고 본다.

답 ②

003 국제레짐(international regime)이론에 관한 설명으로 옳지 않은 것은?

① 크라스너(S. Krasner)는 국제레짐을 국제관계의 특정쟁역에서 행위자의 기대하는 바가 수렴되는 명시적 혹은 묵시적 원칙, 규범, 규칙, 그리고 의사결정절차라고 정의한다.

② 코헤인(R. Keohane)은 국제레짐에서 달성하는 협력(cooperation)은 이상주의자들이 제시한 조화(harmony)와 구분되는 개념으로 본다.

③ 기능주의는 국가들이 협력에 의해 상호 이득을 증진시킬 수 있어도 타국의 배신이 국제통합과정에서 발생할 수 있기 때문에 레짐이 필요하다고 하였다.

④ 레짐은 규칙을 강제하고, 거래비용을 절감시켜 주며, 국제관계에서의 불확실성을 감소시켜주는 역할을 한다.

> **정답 및 해설**
>
> 기능주의는 일정한 기능을 하는 국제레짐의 필요성을 행위자가 인식하기 때문에 제도가 형성된다고 본다.
>
> ✅ **선지분석**
> ① 크라스너(S. Krasner)는 레짐의 정의를 위해 '원칙', '규범', '규칙', '정책결정과정' 모든 용어에 대해서 정의를 내렸다.
>
> 답 ③

004 국제정치의 각 이론과 대표적인 학자, 그리고 그 학자의 국제제도의 개념을 짝지은 것으로 옳지 않은 것은?

① 신현실주의 – 미어샤이머(J. Mearsheimer): 국가들이 상호협력하고 경쟁하는 방법을 규율하는 일련의 규칙들

② 패권안정론 – 크라스너(S. Krasner): 국제관계의 특정 쟁역에서 행위자의 기대하는 바가 수렴되는 명시적 혹은 묵시적인 원칙, 규범, 규칙, 그리고 의사결정절차

③ 신자유주의적 제도주의 – 코헤인(R. Keohane): 역할을 규정하고 행동을 구속하며 기대를 구체화시키는 지속적이고 상호 연관된 공식적이고 비공식적인 규칙의 집합

④ 구성주의 – 월트(S. Walt): 행위 전반의 구조를 결정하고 조직하는 일관된 원칙의 집합

> **정답 및 해설**
>
> 월트(S. Walt)는 구성주의자가 아니라 위협균형론을 주장한 현실주의자이다. 위 개념은 구성주의자인 웬트와 듀발에 의한 것이다.
>
> 답 ④

005 신현실주의 국제제도론에 대한 설명으로 옳지 않은 것은?

① 국제체제의 행위자에 대한 영향력을 강조하는 이들은 국제체제의 무정부적 속성이 국제협력에 대한 장애물이라고 본다.

② 신현실주의는 무정부 상태에서는 배반가능성과 상대적 이득의 문제 때문에 국제협력은 발생하기가 어렵다고 본다.

③ 제도의 속성에 대해서 신현실주의자들은 권력정치의 반영물로 본다.

④ 신현실주의 제도론은 UN이 안전보장이사회 중심으로 운영되고, 상임이사국들에게 거부권이 부여되어 있으며, 무력사용규범 등 중요한 규칙이 제대로 준수되지 않는 현실을 설명할 수 없다.

정답 및 해설

신현실주의 제도론은 이러한 현실을 적절하게 설명할 수 있다. 또한 국제제도에 대한 진입과 탈퇴가 자유롭고 배반 시 실효적인 제재가 어렵다는 점도 잘 설명한다.

✅ 선지분석

① 이들의 견해는 무정부 가정 하에서 협력의 가능성을 강조하는 신자유주의적 제도주의, 패권의 존재 시 제도형성에 대한 낙관적 견해를 제시하는 패권안정론과 대비된다.

③ 즉, 국제제도는 내재해 있는 권력관계가 겉으로 드러난 반영물에 불과하다는 것이다. 따라서 국제제도는 언제든지 쉽게 소멸될 수 있는 것이다.

답 ④

006 패권안정론의 국제제도론에 대한 설명으로 옳지 않은 것은?

① 패권안정론은 패권국의 존재와 국제제도의 상관성에 대해 의미 있는 통찰을 제공하고 있다.

② 1970년대 국제경제질서의 혼란을 미국 패권의 쇠퇴와 연관시킨 설명을 시도했던 패권안정론은 국제경제영역에서의 레짐에 대해서만 분석할 수 있는 분석도구라는 한계가 있다.

③ 킨들버거는 패권국이 시혜적 차원에서 공공재를 공급하는 것으로 국제제도 형성을 설명한다.

④ 길핀이나 크라스너는 패권국도 결국 자국의 이익을 장기적으로 최적화하기 위해서 행동하며, 패권국의 역할이란 제재를 사용하여 규칙과 원칙을 집행하는 강제적 지도력을 제공하는 것으로 본다.

정답 및 해설

패권안정론은 국제경제영역뿐만 아니라 환경, 안보, 군축 등 다양한 영역에서 형성되고 있는 레짐에 대해서도 분석할 수 있는 유력한 분석도구이다.

✅ 선지분석

③ 패권국은 국내정치에서 국가와 같은 역할을 하는 존재로 묘사되어 집단행동의 딜레마 때문에 공급되기 힘든 국제공공재를 제공하는 역할을 하는 것으로 본다.

④ 길핀이나 크라스너는 19세기 영국이나 제2차 세계대전 이후 미국이 자유무역체제를 유지한 이유는 그것이 자국의 이익에 부합했기 때문이라고 설명한다.

답 ②

007 신자유주의적 제도주의 국제제도론에 대한 설명으로 옳지 않은 것은?

① 신자유주의적 제도주의는 패권안정론 및 신현실주의에 대한 반박이론으로서 제시되었다. 특히 이들은 신현실주의의 국제체제의 무정부성 및 국가중심성 가정을 받아들이면서도 협력에 대한 낙관적 견해를 피력하여 주목을 받았다.
② 패권안정론자와 달리 코헤인은 패권의 존재와 국제레짐 형성의 용이성과는 관련이 없다고 본다.
③ 신자유주의적 제도주의에서는 제도의 행위자에 대한 규제적 효과를 높이 평가한다.
④ 신자유주의적 제도주의는 국제제도의 지속성을 강조한다.

> **정답 및 해설**
>
> 코헤인은 패권이 존재하는 경우 국제레짐의 형성이 쉽다는 점에 대해서는 패권안정론과 견해를 같이한다. 그러나 코헤인은 국제레짐 형성을 위해 반드시 패권국이 필요하다고 보지는 않는다. 그의 기능주의 접근법에 의하면 국제제도는 국가들의 필요에 따라 자발적으로 제공되는 것으로 본다.
>
> **☑ 선지분석**
> ③ 즉, 제도는 행위자에게 수용될 수 있는 행위와 수용될 수 없는 행위를 규정하고, 이를 제도에 참여한 행위자들에게 부과한다.
> ④ 또한 국제제도는 팽창적 속성도 갖는 것으로 본다.
>
> 답 ②

008 신자유주의(neo-liberalism)의 주요 개념과 그에 관한 설명으로 옳지 않은 것은?

① 협력(cooperation): 협력은 조화(harmony)와는 다르며, 협력이란 사전에 조화가 존재하지 않기 때문에 정책의 조장이라는 과정을 통해 개인 혹은 개개 조직의 행동을 서로에게 일치시키는 것을 의미한다.
② 국제제도: 학자마다 국제제도, 국제레짐, 국제기구라는 세 가지 개념이 혼란스럽게 정의되기도 한다.
③ 국가의 유일성: 신자유주의는 현실주의와 마찬가지로 국가는 국제정치의 유일한 주요 행위자인가에 대한 물음에 그렇다고 본다.
④ 상대적 이득: 국가들은 그들이 취할 수 있는 상대적 이득을 극대화하고자 하며 다른 국가들이 얻는 이득에는 무관심하다고 본다.

> **정답 및 해설**
>
> 신자유주의는 절대적인 이득을 극대화하고자 하며, 이에 따르면 절대적 이익을 추구하는 국가들은 다른 국가들이 얻는 이득에는 무관심하다고 본다.
>
> **☑ 선지분석**
> ③ 국가의 유일성을 적극적으로 부정하는 것은 신자유주의가 아닌 기존의 자유주의이다.
>
> 답 ④

009 구성주의 제도론에 대한 설명으로 옳지 않은 것은?

① 구성주의는 다른 이론과 같이 제도의 중요성을 강조한다는 점에서 제도주의적 특징을 갖고 있다.
② 구성주의는 제도의 형성과 변화에 있어서 관념적 요인 또는 문화적 요인을 강조한다.
③ 국제제도는 행위자들의 상호작용 과정에서 간주관적으로 형성된다. 간주관적 상호작용 과정에서 행위자들은 자아정체성, 타자정체성 및 집합정체성을 형성하게 된다.
④ 제도는 행위자들의 상호작용 과정에서 구성되지만 구성된 제도는 주체들의 행위를 규제하는 효과를 갖지는 못한다.

정답 및 해설

구성된 제도는 주체들의 행위를 규제하는 효과를 갖는다. 또한 국제제도의 효과에 있어서 구성주의는 제도의 규제적 효과뿐 아니라 구성적 효과를 갖는다고 본다. 즉, 국제제도는 개별행위자의 정체성을 구성하는 데도 중요한 역할을 하는 것이다.

✓ 선지분석

③ 예컨대, 무정부 상태라는 것이 신현실주의자들의 입장과 같이 언제나 홉스적 자연상태로 존재하는 것이 아니라, 홉스적 속성의 무정부 상태는 행위자들 상호작용 과정에서 형성된 관념이나 집합정체성을 반영하는 것이다. 따라서 무정부 상태가 경쟁관계로 상징되는 로크적 자연상태일 수도 있고, 친구관계로 인식되는 칸트적 무정부 상태일 수도 있는 것이다.

답 ④

 010 국제레짐(international regime), 국제제도(international institution)에 관한 설명으로 옳지 않은 것은?

① 크라스너(S. Krasner)는 국제레짐을 '국제관계의 특정 영역에 있어서 행위자들의 기대하는 바가 수렴하는 일련의 묵시적 혹은 명시적인 원칙, 규범, 규칙, 의사결정절차'라고 정의하였다.
② 코헤인(R. Keohane)은 국제제도를 '역할을 규정하고 행동을 구속하며 기대를 구체화시키는 지속적이고 상호 연관된 공식적 그리고 비공식적인 규칙의 집합'이라고 보았다.
③ 러기(J. G. Ruggie)는 국제레짐이라는 표현에는 국제기구나 국제제도가 포함되는 것이 아니라고 하였다.
④ 그리코(J. Grieco)는 국제제도가 국가들로 하여금 협력하는 것을 돕는다고 보는 자유주의의 입장을 가리켜 '자유주의적 제도주의(liberal institutionalism)'라고 부른다.

정답 및 해설

러기는 국제레짐에 국제제도도 포함된다고 보았다. 영(O. Young)은 국제제도가 국제레짐을 포함하는 상위개념이지만 국제기구라는 개념을 포괄하지 않는다고 보았다.

답 ③

011 국제제도에 대한 설명으로 옳지 않은 것은?

① 코헤인(R. Keohane)은 국제기구를 역할을 규정하고 행동을 구속하며 기대를 구체화시키는 지속적이고 상호 연관된 공식적이고 비공식적인 규칙의 집합이라고 정의하였다.

② 영(Oran Young)은 국제기구를 직원, 예산 시설 등을 지니고 있고 구체적인 구조를 지닌 물적 실체로 정의하였다.

③ 해거드와 시몬스는 국제레짐을 특정 쟁역에서 국가들의 행위를 규제할 것을 목적으로 하는 국가들 간의 다변적인 협정으로 정의하였다.

④ 크라스너는 국제레짐을 국제관계의 특정 쟁역에서 행위자의 기대하는 바가 수렴되는 명시적 혹은 묵시적 원칙, 규범, 규칙 그리고 의사결정절차로 정의하였다.

> **정답 및 해설**
>
> 코헤인(R. Keohane)의 국제제도에 대한 정의이다. 국제기구는 국제제도의 하위개념으로 공식적이고 지속적인 구조물을 가지는 제도를 말한다.
>
> 답 ①

012 국제제도에 대한 신현실주의와 신자유제도주의 입장을 비교한 것으로 옳지 않은 것은?

① 신현실주의는 죄수의 딜레마와 집단행동이론에 기초하여 국제협력에 대한 비관론을 제시하였다.

② 액슬로드(Robert Axelrod)는 죄수의 딜레마게임이론에 기초하여 국가들 간 배반가능성의 문제로 무정부적 국제체제에서 국제협력이나 제도형성이 어렵다고 보았다.

③ 오이(Kenneth A. Oye)는 신현실주의자들과 달리 같은 게임 모델을 통해 다른 결론을 제시하였다.

④ 신현실주의는 집단행동딜레마(collective action dilemma)에 기초하여 국제협력의 불가능성을 주장하나, 신자유제도주의는 참여자 수를 축소함으로써 이를 해결할 수 있다고 본다.

> **정답 및 해설**
>
> 액슬로드(Robert Axelrod)는 신자유제도주의자이다. 무한반복게임 상황에서 티포태 전략 등을 통해 배반을 통제하여 협력을 유도할 수 있다고 본다.
>
> 답 ②

013 국제제도에 대한 설명으로 옳지 않은 것은?

① 신현실주의에 따르면 국가는 위상적 행위자이다.

② 신현실주의에 따르면 국제제도의 자율성과 효과성은 모두 낮다.

③ 신자유제도주의에 따르면 규모의 경제 효과에 의해 제도의 효과성이 높다.

④ 자유주의에 따르면 신자유제도주의자들은 국가의 선호가 형성되는 구체적인 과정을 분석할 수 없고, 제도화의 수준에서 나타나는 변이를 설명할 수 없다.

> **정답 및 해설**
>
> 규모의 경제 효과는 제도의 지속성을 설명하는 요인이다.
>
> 답 ③

014 핀모어(Martha Finnemore)와 시킨크(Kathryn Sikkink)의 규범의 생활주기(life cycle of norms)에
□□□ 대한 설명으로 옳지 않은 것은? 2022년 외무영사직

① 규범은 적절한 국가 행동을 구성하는 것이 무엇인지를 말해 준다.

② 규범의 생활주기는 규범 출현과 규범 폭포, 규범 내면화의 3단계로 구성된다.

③ 규범 내면화가 이루어지면 규범 위반에 따르는 제재의 두려움 때문에 규범을 준수하게 된다.

④ 규범 출현 단계에서 규범 주창자들이 새로운 규범을 성공적으로 출현시키기 위해서 주로 활용하는
방법은 설득이다.

정답 및 해설

규범 내면화 단계에서는 제재의 두려움보다는 행위자들이 자발적으로 규범을 수용하여 준수하게 된다. 규범의 내면
화 단계는 규범 주창자를 중심으로 규범 행위자들 간 규범이 확산되고 수용되어 규범 동조 현상이 일어나는 규범의
안정화 단계를 의미한다. 규범의 생애주기이론의 마지막 단계로써 내재화 단계는 국가 수준에서 규범을 적용할 수
있는 국내적 법과 제도의 기반 마련을 요구한다.

> **[관련 이론] 피네모어와 시킨크의 규범의 생애주기이론**
>
> 피네모어와 시킨크의 '규범의 생애주기'이론은 규범이 생성되고 국제사회에 확산되어 행위자들에게 수용되기까지의 단
> 계를 규범의 출현(norm emergence), 확산(norm cascade), 내재화(internationalization) 단계로 구분한 것으
> 로, 규범의 형성 및 확산 경로에 대한 과정적 설명을 제공한다.
> 첫째, 출현 단계는 규범에 대한 강한 신념을 가진 행위자가 여타 행위자들에게 자신의 신념을 수용하고 준수하도록 설
> 득하는 단계를 의미한다. 이 과정은 다른 행위자들에게 자신이 주도한 규범을 수용할 수 있도록 설득하는 규범 주창자
> 의 역할이 핵심적이다.
> 둘째, 확산 단계는 규범 주창자가 규범 행위자를 설득하여 규범을 전파 및 확산시키는 단계를 의미한다. 피네모어와
> 시킨크는 특히 규범 확산 과정에서 규범 주창자와 규범 행위자들 간 네트워크 역할의 중요성을 강조하는데, 네트워크
> 활동의 공간으로서 글로벌 회의를 강조한다. 글로벌 회의를 통해 규범 주창자가 행위자들을 대상으로 설득하거나 비판
> 하는 방식을 통해 규범 확산을 선전(demonstration)할 수 있기 때문이다. 이처럼 규범 주창자의 설득과 선전을 통해
> 동일한 규범을 수용하고 공유하려는 행위자들이 모이면 규범 행위자들 간 규범이 확산되면서 규범 채택 정도가 급속
> 도로 증가하는 사회화(socialization) 현상이 발생한다. 규범이 사회화 현상에 도달했다는 것은 초국가적 수준에서 규
> 범이 출현하고 확산되었다는 것을 의미한다.
> 셋째, 내재화 단계는 규범 주창자를 중심으로 규범 행위자들 간 규범이 확산되고 수용되어 규범 동조 현상이 일어나는
> 규범의 안정화 단계를 의미한다. 규범의 생애주기 이론의 마지막 단계로써 내재화 단계는 국가 수준에서 규범을 적용
> 할 수 있는 국내적 법과 제도의 기반 마련을 요구한다. 국제 규범을 수용 및 적용할 수 있는 국내의 법적, 제도적 구조
> 가 마련되면 각 행위자들은 규범을 수용하는 과정을 거치는데, 이 과정 중에서 규범을 완전히 수용하는 경우도 있으나
> 때로는 전략적으로 수용하기도 하고, 규범을 일부 재해석하여 지역화 하거나 또는 규범을 거부하고 새로운 규범을 제
> 시하는 등의 다양한 형태로 나타난다. 그러나 국제사회에서 규범을 채택하는 국가들이 다수 축적될 경우 규범을 수용
> 하지 않는 국가는 규범 채택에 대한 선호를 증가시키도록 주변국으로부터 압력을 받게 된다.
> 요컨대, 피네모어와 시킨크는 규범의 생애주기이론을 통해 규범의 확산 과정을 세 단계로 구분하여 국가들의 규범 수
> 용 행태를 연구하였으며, 국가들은 규범 주창자를 중심으로 규범의 출현과 확산, 내재화 단계를 통해 규범을 전략적으
> 로 수용함으로 국가들 간 규범의 확산과 인정 행태가 나타나는 것으로 분석하였다.

답 ③

001 글로벌 거버넌스의 등장 배경으로 옳지 않은 것은?

□□□

① 세계화 시대의 도래

② 냉전의 종식

③ 초국가적 시민사회의 등장

④ 주권국가의 문제 해결 능력 강화

정답 및 해설

전지구적 문제를 다룰 새로운 메커니즘이 필요한 이유는 개별 주권국가들의 문제 해결 능력이 감소함으로써 문제 해결의 단독적인 주체가 되기 어렵기 때문이다. 전지구적 문제는 기본적으로 초국가적이기 때문에 개별 국가가 단독으로 대처할 수 있는 사안이 아닌 것이다.

선지분석

① 세계화는 사회관계의 초영토적 자원의 등장과 확대를 의미한다. 따라서 그에 대한 대응이나 관리 및 통제 역시 일국 차원을 넘어서는 새로운 형태를 띠게 된다.

② 냉전의 종식은 평화나 안정을 가져다주는 대신 새로운 갈등 요소들을 다룰 적절한 관리 메커니즘을 모색하게 하는 계기가 되었다.

③ 시민사회 단체들은 국내적으로 또는 국제적으로 교류하면서 지역으로부터 지구적인 차원에까지 새로운 연합을 형성하고 있다. 시민사회 단체들이 글로벌 거버넌스의 과정에 참여함에 따라 현존하는 국제기구를 개혁하고 거버넌스에 있어서 국가 이외의 행위자들을 편입시키는 데 기여하고 있다.

답 ④

002 글로벌 거버넌스에 대한 설명으로 옳지 않은 것은?

2022년 외무영사직

□□□

① 수직적인 국정운영의 필요성이 증대됨에 따라 생겨난 개념이다.

② 세계화로 인해 국제적 협력을 필요로 하는 이슈가 확산됨에 따라 등장하였다.

③ 비정부기구, 다국적기업, 국제기구 등은 글로벌 거버넌스의 중요한 주체가 되고 있다.

④ 국제사회의 다양한 행위자들이 자발적으로 상호협조체제를 만들어 당면한 문제를 해결하고자 한다.

정답 및 해설

글로벌 거버넌스는 수평적 국정운용의 필요성에 따라 생겨난 개념이다. 국가행위자와 다양한 비국가행위자들이 지구공공재를 공급하기 위해 수평적 협력관계를 구축한다.

선지분석

② 세계화로 빈곤문제, 환경문제, 국제범죄, 인권문제 등 다양한 문제들이 제기되면서 이를 해결하기 위한 협력체제로서 글로벌 거버넌스가 제시된 것이다.

③ 글로벌 거버넌스는 탈냉전기에 부상하고 있는 비국가행위자들을 국제문제 해결에 활용하는 것이다.

④ 글로벌 거버넌스는 행위자들 상호 간 자발적 협력을 기본 성격으로 한다.

답 ①

003 다음은 거버넌스(governance)와 정부(통치, government)에 대한 설명이다. 해당하는 내용을 옳게 짝지은 것은?

□□□

> ㄱ. 정형화된 사회적 상호작용으로서, 공적 목적을 달성하기 위한 이해당사자 간의 특별한 상호작용이다.
> ㄴ. 지배자와 피지배자가 분리되는 수직적 개념이다.
> ㄷ. 정부가 강제력을 갖고 독점적으로 권력을 행사한다.
> ㄹ. 참여자 간 수평적인 협력관계를 특징으로 한다.
> ㅁ. 자율적으로 규범을 설정하고 규제하므로 중앙집권화된 권력이 필요하지 않다.

	정부 혹은 통치(government)	거버넌스(governance)
①	ㄱ, ㄷ	ㄴ, ㄹ, ㅁ
②	ㄴ, ㄷ	ㄱ, ㄹ, ㅁ
③	ㄷ, ㅁ	ㄱ, ㄴ, ㄹ
④	ㄱ, ㄹ, ㅁ	ㄴ, ㄷ

정답 및 해설

글로벌 거버넌스는 다양한 국제정치 행위자들 상호간 수평적 협력을 통해 세계사적 문제를 다뤄나가는 방식이나 메커니즘을 말한다. 이는 기존의 국제제도나 개별국가에 의한 문제해결방식인 '정부'를 대체·보완하고자 한다.

답 ②

---

004 밑줄 친 부분에 적합한 20세기 후반 이후의 국제현상은 무엇인가?　　　　2009년 외무영사직

□□□

> ＿＿＿＿＿＿＿＿＿＿은/는 '정부 간 혹은 국가 간의 협조뿐만 아니라 비정부기구, 다국적기업, 세계자본시장 등의 다양한 세력들이 자발적 상호협조체제를 만들어 당면한 문제를 해결하고자 하는 의사결정과정'이다.

① 글로컬라이제이션(glocalization)　　　　② 글로벌 거버넌스
③ 상호의존　　　　④ 밀레니엄 라운드

정답 및 해설

 선지분석

① 글로컬라이제이션(glocalization)이란 지구화를 뜻하는 글로벌라이제이션(globalization)과 지역화를 뜻하는 로컬라이제이션(localization)의 합성어로서, 세계화를 지향하면서도 그 지방의 풍토를 존중하는 것을 말한다. '세방화'라고도 한다.

답 ②

005 글로벌 거버넌스에 대한 설명으로 옳지 않은 것만을 모두 고른 것은?

> ㄱ. 냉전 종식 이후 세계화가 빠르게 진행되면서 초국가적 이슈들이 양산되었고, 이에 따라 국가가 단독으로 대처할 수 있는 사안이 줄어들면서 등장하게 되었다.
> ㄴ. 거버넌스는 다양한 이해관계 당사자들이 공통의 목적, 특히 공공 목적을 달성하기 위해 수평적인 협력을 추구하는 관리방식을 말한다.
> ㄷ. 거버넌스는 중앙집권화된 권력의 존재 없이는 성립될 수 없다.
> ㄹ. 거버넌스는 정부가 강제력을 가지고 독점적으로 권력을 행사하나, 통치(government)는 정부 이외에 다양한 이해당사자들이 공동으로 문제를 해결한다.
> ㅁ. INGO가 선진국에 편중되어 있기 때문에 대표성에 대한 한계가 지적되고 있다.

① ㄱ, ㄴ   ② ㄷ, ㄹ   ③ ㄷ, ㅁ   ④ ㄹ, ㅁ

정답 및 해설

글로벌 거버넌스에 대한 설명으로 옳지 않은 것은 ㄷ, ㄹ이다.

ㄷ. 거버넌스는 자율적으로 규범을 설정하고 규칙을 규제하는 메카니즘이기 때문에 중앙집권화된 권력이 존재하지 않아도 성립될 수 있다.

ㄹ. 통치와 거버넌스가 바뀌었다. 또한 통치는 수직적 개념인 반면, 거버넌스는 참여자 간 수평적인 협력관계를 특징으로 한다.

 선지분석

ㅁ. 이외에도 국가들의 주권 침해에 대한 민감성, 다양한 참여자로 인한 비효율성, 패권국인 미국의 소극적 태도 등의 한계가 존재한다.

답 ②

---

006 글로벌 거버넌스(global governance)의 진전과 관련하여 옳지 않은 것은?   2008년 외무영사직

① 냉전의 종식으로 진영 간 경계가 허물어져 지구시민사회의 성장이 촉진되었다.

② 주권국가의 권위가 초국가적 기구로 일부 이동하는 현상이 발생하였다.

③ 문제 해결 및 관리 방식에 있어 국가뿐만 아니라 비(非)국가행위자들의 역할이 증대되었다.

④ 글로벌 거버넌스에서 행위자들은 정부의 공식 제도를 활용하지 않게 되었다.

정답 및 해설

글로벌 거버넌스라는 새로운 문제관리 방식은 주권국가의 권위가 초국가적 기구로 일부 이동하는 현상을 의미하기도 한다. 국가들은 자신들이 효과적으로 다룰 수 없는 문제들의 해결을 위해 자신의 주권의 일부를 초국가적 협력체에 양도하고 이 초국가적 협력체는 공동의 노력을 통해 지구적 문제를 관리하는 것이다. 즉 기존의 문제관리 방식이 국가 중심의 위계적 형태라면 글로벌 거버넌스에서는 국가·국제기구·NGO들이 수평적으로 네트워크를 형성하고 이러한 네트워크들을 통해 문제를 관리하고 해결을 도모한다. 즉 글로벌 거버넌스에 있어 비국가 행위자들의 역할이 이전보다 훨씬 중요해졌으나, 그렇다고 하여 국가의 역할이 감소한 것은 아니다. 정부의 공식 제도 등은 여전히 중요한 자원으로 활용된다.

답 ④

007 글로벌 거버넌스론에 대한 설명으로 옳지 않은 것은?

① 국제사회가 세계사회 또는 세계시민사회로 질적 변화를 거듭해 나가면서 기존의 국제문제를 관리해 나가는 방식과 다른 새로운 관리방식에 대한 담론이 등장하고 있다. 이러한 담론을 전지구적 관리론 또는 글로벌 거버넌스(Global Governance)라 한다.

② 현재 글로벌 거버넌스는 담론의 수준을 벗어나지 못하고 있는 상황이다.

③ 글로벌 거버넌스의 등장으로 국제정치학계에서도 다양한 쟁점을 중심으로 치열한 이론논쟁이 제기되고 있다.

④ 핵심 쟁점은 글로벌 거버넌스가 기존 국가의 위상을 약화시키고, 국제체제가 근대적 웨스트팔리아 체제에서 새로운 탈근대체제로 이행되어가는 증거로 볼 수 있는가 하는 점이다.

정답 및 해설

현재 글로벌 거버넌스는 담론의 수준을 넘어서서 다양한 국제기구와 이슈영역을 중심으로 세계사(world affairs)를 다루어 나가는 방식으로 확산되고 있다.

답 ②

008 글로벌 거버넌스(global governance)에 관한 설명으로 옳지 않은 것은?

① 세계는 정부적 지배구조(government)에서 관리적 구조(governance)로 변해간다고 하는 것이 글로벌 거버넌스론의 주장 중 하나이다.

② 개개의 국가들은 문제해결 능력 자체의 감소를 경험함으로써 문제해결의 주체가 되기 어렵다.

③ 많은 국제기구들도 비민주성, 정당성의 결여, 비효율성 등으로 비판과 개혁의 대상이 되고 있지만 지금으로서는 주권체계의 붕괴를 고려하면 가장 먼저 고려해야 할 것이 국가나 기업이 아닌 국제기구 중심의 개혁이다.

④ 정부, 정부 간 기구, 기업, 시민사회조직 등이 국제문제의 성격에 따라 그 조합을 달리하면서 국제문제의 해결에 관여하는 방식을 통틀어 '전지구적 관리(global governance)'라고 한다.

정답 및 해설

현실적으로 국제기구도 효율성이나 집행성 등에서 많은 비판을 듣고 있고, 주권국가의 붕괴에도 불구하고 국가의 영향력은 지속되고 있다. UN도 안전보장이사회의 상임이사국의 대표성 결여 등으로 인해 개편문제가 대두되고 있다.

답 ③

009 글로벌 거버넌스에 대한 각 이론의 입장으로 옳지 않은 것은?

① 신자유주의적 제도주의자들은 글로벌 거버넌스에서 핵심 역할은 국제기구가 담당한다고 본다. 국가들은 다자적 국제기구를 통해 공동의 문제를 관리해 나가는 방식으로 글로벌 거버넌스를 행해오고 있는 것이다.

② 현실주의자들은 글로벌 거버넌스와 관련되는 국제협력, 국제제도, 국제레짐 및 INGO는 국제관계에 독립적인 영향을 거의 주지 않는다고 보고 분석에 포함시키지 않는다.

③ 패권안정론자들은 글로벌 거버넌스의 내용을 형성하는 규범이나 국제레짐은 참여하는 행위자들의 정체성과 이익에 영향을 주고, 궁극적으로 국가들의 행동에 영향을 준다고 본다.

④ 마르크스주의자들은 국제경제 영역에서 글로벌 거버넌스를 초국적 신자유주의 연합으로 파악하고 자본가 세력, 선진국 세력의 지배를 영속화시키려는 기제로 본다.

정답 및 해설

패권안정론자들의 주장이 아니라 구성주의자들의 주장이다. 한편, 구성주의자들은 글로벌 거버넌스의 한 축을 담당하는 국제기구의 역할에 대해서도 긍정적으로 평가한다. 국가는 새로운 규범, 가치와 이익에 대한 인식을 받아들이도록 국제기구에 의해 사회화된다고 본다.

✅ 선지분석

① 경제부분에서는 IMF와 World Bank, 안보영역에서는 UN이 대표적 역할을 수행하고 있다고 본다.

② 또한 현실주의자들은 국제정치와 거버넌스에서 비정부기구와 다국적기업과 같은 비국가행위자들의 영향력을 인정하지 않는다.

④ 콕스는 현재의 글로벌 거버넌스의 성격을 이들 초국적 신자유주의 연합의 지배 메커니즘으로 이해하고, 바람직한 글로벌 거버넌스의 성격은 신자유주의 이데올로기의 헤게모니에 대항하는 대항 헤게모니의 성격을 가져야 한다고 본다.

답 ③

010 다음은 글로벌 거버넌스에 대한 어떤 이론의 견해이다. 해당 이론으로 옳은 것은?

> 글로벌 거버넌스의 내용을 형성하는 규범이나 국제레짐은 참여하는 행위자들의 정체성과 이익에 영향을 주고, 궁극적으로 국가들의 행동에 영향을 준다. 또한 글로벌 거버넌스의 한 축을 담당하는 국제기구 역시 국가에게 새로운 규범, 가치와 이익에 대한 인식을 받아들이도록 사회화하는 역할을 한다.

① 현실주의   ② 자유주의

③ 구성주의   ④ 마르크스주의

정답 및 해설

구성주의자의 입장으로 정체성과 이익은 사회적으로 구성된다고 본다.

답 ③

011 다음 중 안보 거버넌스의 사례로 옳지 않은 것은?

① 국제지뢰금지운동
② Jubilee 2000
③ 인도적 개입
④ 테러리즘에의 대처

정답 및 해설

외채 탕감 캠페인은 안보 거버넌스의 예가 아닌 경제 거버넌스의 예라 할 수 있다. 1990년대 중반 채무문제에 대한 국제사회의 인식이 증대하고 IMF의 구제 금융이 한계를 드러내면서 'Jubilee 2000'이라는 외채탕감 캠페인이 전 개되기 시작하였다. 이 운동은 채권국이나 IMF가 채무 재조정, 축소, 이행조건의 개선조치보다는 불공정과 가난을 극복할 수 있는 채무의 완전 탕감을 목표로 하였다.

답 ②

---

012 글로벌 거버넌스의 사례와 해당 영역의 연결이 옳은 것은?

① NATO에 의한 코소보 공습 – 국제 경제 거버넌스
② 소년병 문제 등 아동권리협약에 대한 선택의정서 승인 – 안보 거버넌스
③ Jubilee 2000의 외채 탕감 캠페인 – 국제 정보 거버넌스
④ 요하네스버그 정상회의 – 글로벌 환경 거버넌스

정답 및 해설

 선지분석
① NATO에 의한 코소보 공습은 인도적 개입의 문제로 안보 거버넌스의 사례라고 볼 수 있다.
② 소년병 문제 등 아동권리협약에 대한 선택의정서 승인은 아동 인권, 보호활동 등에 대한 것으로 인권 거버넌스로 분류할 수 있다.
③ Jubilee 2000의 외채 탕감 캠페인은 개도국의 빈곤문제 해결을 위한 글로벌 경제 거버넌스로 볼 수 있다.

답 ④

---

013 글로벌 거버넌스의 가능성과 한계에 대한 설명으로 옳지 않은 것은?

① 21세기 새롭게 등장하고 있는 글로벌 이슈들은 대부분 초국경적 성격을 갖고 지구적 영향을 미치는 문제들이다. 따라서 어떤 방식보다 글로벌 거버넌스 방식이 적합하다.
② 글로벌 거버넌스가 가능하기 위해서는 글로벌 거버넌스에서 핵심적 역할을 하는 INGO들이 활성화 되어 있어야 한다. 현재 국제사회는 전지구적 시민사회, 즉 INGO가 고도로 활성화되어 있는 사회로 의 변모를 계속하고 있다.
③ 주권국가들은 지구적 문제 해결의 필요성에 대해서는 공감하나, 이념적 글로벌 거버넌스 방식, 즉 행 위자들이 수평적 협력관계를 형성하는 방식에는 동의하지 않는다.
④ 글로벌 거버넌스에 참여하는 행위자들은 동일한 가치와 선호를 갖기 때문에 효율적으로 거버넌스가 작동할 수 있다.

정답 및 해설

행위자들의 가치와 선호가 동일하지 않고 다양하다. 따라서 글로벌 거버넌스의 비효율성 문제가 제기될 수 있다. 참여자 상호 간 갈등이 발생하고 이를 적절하게 조정하지 못할 경우 공공재 공급이 어려워질 수 있기 때문이다.

답 ④

014 글로벌 거버넌스에 대한 설명으로 옳지 않은 것은?

① 거버넌스는 자율적으로 규범을 설정하고 규칙을 규제하는 메커니즘이기 때문에 중앙집권화된 권력이 존재하지 않으면 작동할 수 없다.

② 글로벌 거버넌스위원회는 세계이웃이라는 보고서를 통해 거버넌스란 개인 및 공적, 사적 제도가 공동의 관심사를 규제하는 다양한 방식들의 총체라고 규정하였다.

③ 글로벌 정책 네트워크는 특정 분야의 문제 해결을 위한 관련 이해관계자나 조직의 연계망을 의미하며 세계댐위원회나 국제농업연구자문단이 이에 해당된다.

④ 1999년 코피 아난 UN사무총장은 UN글로벌 콤팩트를 제안하였는데 이는 다국적 기업 관련 글로벌 거버넌스 사례로 볼 수 있다.

> **정답 및 해설**

통치와 달리 중앙집권적 권력이 없어도 작동할 수 있다.

답 ①

제10절 | 민주평화론

001 민주평화론의 주장으로 옳지 않은 것은?

① 민주주의 국가는 다른 민주주의 국가를 상대로 전쟁을 일으키지 않는다.

② 민주주의는 타협과 협상을 통해 문제를 해결하는 속성을 공유한다.

③ 민주주의는 견제와 균형, 권력의 분산, 야당의 존재 등으로 일방적인 의사결정이 어렵다.

④ 전쟁을 발생시키는 요인은 정치체제와 무관하게 동일하다.

> **정답 및 해설**

민주평화론은 국내정치체제와 전쟁의 상관성을 인정하는 이론이다. 따라서 전쟁을 발생시키는 요인은 정치체제와 무관하지 않다.

답 ④

---

002 칸트(Immanuel Kant)의 영구평화론(perpetual peace)에서 평화를 위한 결정적인 조항(definitive articles)에 포함되지 않는 것은?

① 국가들의 헌정질서는 공화정이어야 한다.

② 국가들의 권리는 자유국가들의 연방에 의존하여야 한다.

③ 국가들 사이의 정치, 경제적 장벽이 제거되어 초국가적 행위자의 통제 하에 국제질서가 유지되어야 한다.

④ 세계주의적 권리는 '보편적인 호의'의 조건에 제한되어야 한다.

> **정답 및 해설**

칸트(Immanuel Kant)가 구상한 세계연방은 하나의 단일 주권체제를 의미하는 것이 아니라, 주권 국가를 전제로 한 기능적 협력체 건설을 의미하였다. 즉, 국제연맹방식을 상상하였다.

답 ③

003 칸트(I. Kant)의 '영구평화론'의 명제로 옳지 <u>않은</u> 것은?

① 모든 국가의 헌법은 공화정을 택해야 한다.
② 국가는 자조의 원칙에 따라 행동해야 한다.
③ 국가의 권리는 자유국가의 연방에 기반을 두어야 한다.
④ 세계주의적 권리는 보편적인 호의의 조건에 제한되어야 한다.

정답 및 해설

✓ 선지분석
① 제1명제의 내용이다.
③ 제2명제의 내용이다.
④ 제3명제의 내용이다.

답 ②

004 칸트(Immauel Kant)가 영구평화를 위해 제시한 3개의 결정조항 중에서 제1결정 조항(First Definitive Article)의 내용으로 옳은 것은?

① 전쟁 준비를 보유한 채 평화조약을 체결하지 말아야 한다.
② 강력한 상비군을 유지해야 한다.
③ 모든 국가의 시민적 정치체제는 공화정 성격을 유지해야 한다.
④ 모든 국가의 권리는 국가들의 연방을 통해서 보호되어야 한다.

정답 및 해설

제1결정 조항이 "모든 국가의 시민헌법은 공화주의적이어야 한다."이다.

> 📖 **관련 이론** 영구평화론의 결정조항
>
> 제1결정 조항 "모든 국가의 시민헌법은 공화주의적이어야 한다."
> 제2결정 조항 "국가의 권리는 자유 국가의 연방에 기반을 두어야 한다."
> 제3결정 조항 "세계주의적 권리는 보편적인 호의의 조건에 제한되어야 한다."

답 ③

005 칸트(I. Kant)의 영구평화론에 대해 옳지 <u>않은</u> 것은?

① 제1조항은 '모든 국가의 시민헌법은 공화주의적이어야 한다'이다.
② 칸트(I. Kant)는 계몽주의 시대 자유국제주의를 선도한 사람이다. 그는 국제관계 현실을 '야만의 무법 상태'로 보고 이 무법상태를 어떻게 극복할 수 있는가 하는 문제를 주된 관심으로 삼았다.
③ 제2조항은 '국가의 권리는 자유국가의 연방에 기반을 두어야 한다'이다.
④ 칸트(I. Kant)는 영구평화를 달성하기 위해서 공화주의적 헌정주의, 개인에 대한 철저한 통제, 국가 간의 연방계약 등을 위한 전쟁의 폐지를 요구하였다.

정답 및 해설

공화주의적 헌정주의와 국가 간 연방계약은 옳지만, 칸트(I. Kant)는 개인에 대한 철저한 통제를 언급한 적은 없다. 대신 '개인의식'을 강조하였다. 영구평화론의 제3조항은 '세계주의적 권리는 보편적인 호의의 조건에 제한되어야 한다'이다.

답 ④

006 민주평화론에 관한 설명으로 옳지 않은 것은?

① 민주평화론은 전쟁과 평화와 같은 국제정치적 현상이 국내적 요인에 의해 좌우될 수 있음을 주장하고 있다는 점에서 신현실주의 이론에 대한 반론을 제기한다.

② 도일(Michael Doyle)은 지금까지 민주주의 국가들 사이에 전쟁이 일어난 적이 없음을 근거로 민주평화론을 주장했다.

③ 칸트(I. Kant)는 영구평화를 위해서는 모든 국가들이 공화정을 채택해야 한다고 주장했다.

④ 러셋(Bruce Russett) 등의 학자들은 민주주의 국가들이 서로 전쟁을 하지 않는 원인은 세력균형과 같은 전략적 고려 때문이라고 주장한다.

정답 및 해설

러셋(Bruce Russett)은 민주평화론자에 해당한다. 현실주의자들은 세력균형과 같은 구조적 요인을 평화 또는 안정의 근본적 요인이라고 주장한다.

답 ④

007 러셋(Bruce Russett)의 민주평화론에 대한 설명으로 옳은 것만을 모두 고르면?

> ㄱ. 민주주의 국가들은 상대방의 존재와 권리를 존중하면서 비폭력적으로 접근한다.
> ㄴ. 민주주의 국가들은 비민주주의 국가와 전쟁을 하지 않는다.
> ㄷ. 권력분립, 견제와 균형, 여론 등의 제도적 요인은 전쟁 가능성을 낮춘다.
> ㄹ. 민주주의 국가들은 경제적 상호의존이 강화되면 전쟁의 기회비용이 증가하므로 대화와 타협으로 갈등을 조정한다.

① ㄱ, ㄴ

② ㄴ, ㄷ

③ ㄷ, ㄹ

④ ㄱ, ㄷ, ㄹ

정답 및 해설

ㄱ. 러셋은 민주평화론자로서 민주국 상호 간 전쟁 부재를 주장한다.

ㄷ. 설문은 민주평화론의 주요 명제에 해당된다. 다만, 러셋은 규범모델을 주장한 학자로 분류되므로, 출제 오류로 볼 수 있다.

ㄹ. 민주국 상호 간 전쟁 부재를 설명하는 명제이다.

✅ 선지분석

ㄴ. 러셋은 '국가쌍속성론'을 주장했다. 따라서 민주국과 비민주국은 필요시 전쟁을 할 수 있다고 본다.

답 ④

008 다음 중 민주평화론에 대한 설명으로 옳지 않은 것은?

2005년 외무영사직

① 민주주의 국가는 어떤 체제를 가진 국가와도 결코 전쟁을 하지 않는다.
② 민주주의 국가는 비민주주의 국가와는 비민주주의 국가만큼이나 전쟁을 한다.
③ 비민주주의 국가는 민주주의 국가로 전환을 해야 국제체제에서 전쟁이 줄어들 것이다.
④ 민주화가 오히려 전쟁을 일으킬 위험도 있다.

정답 및 해설

민주평화론은 민주주의 국가 간에는 전쟁발발 가능성이 매우 낮다는 것이며, 민주주의 국가도 비민주주의 국가와는 전쟁을 하며 오히려 선제공격의 가능성마저 있다고 한다. 이는 민주주의 국가 사이에 갈등이 존재하는 경우 이들은 상대방으로부터의 기습공격을 받을 가능성을 크게 우려하지 않는 가운데 서로에 대한 기습공격을 가하지 않는 반면, 비민주주의 국가는 민주주의의 제도적인 제약이 부재한 가운데 기습공격의 가능성을 갖고 있기 때문에 민주주의 국가마저도 이를 우려하기 때문이라고 한다.

답 ①

009 민주평화론(Theory of Democratic Peace)의 주장과 부합하는 것만을 모두 고른 것은?

> ㄱ. 국가 간 전쟁의 발생은 근본적으로 개별국가의 특성보다는 국제체제의 성격에 기인한다.
> ㄴ. 민주국가에서는 정책결정자가 비폭력적인 방법으로 갈등을 해결하려는 성향이 짙다.
> ㄷ. 적어도 민주국가끼리는 민주국가와 비민주국가 사이보다 전쟁을 수행하는 경우가 적다.
> ㄹ. 민주국가의 지배적 규범은 평화적 경쟁, 설득, 그리고 타협이다.

① ㄴ, ㄷ
② ㄴ, ㄹ
③ ㄱ, ㄴ, ㄷ
④ ㄴ, ㄷ, ㄹ

정답 및 해설

민주평화론에 부합하는 설명은 ㄴ, ㄷ, ㄹ이다.

✓ 선지분석

ㄱ. 민주평화론은 국가 간 전쟁 발생의 원인을 국제체제의 특성이 아닌 개별국가의 특성, 즉 민주주의 국가인지 아니면 비민주주의 국가인지에서 찾는 이론이다.

답 ④

010 다음 중 '민주적 평화론'에 대한 설명 중 옳지 않은 것은?

① 탈냉전시대에는 과연 평화가 유지될 수 있을지에 대한 의문에서 연구가 시작되었다.

② 민주주의 사회에 다양한 목소리가 존재하기 때문에 전쟁 발발 가능성이 적다.

③ 문명충돌론은 민주평화론에 기반을 한다.

④ 민주국가에서 전쟁결정은 정책결정자의 입지를 취약하게 할 가능성이 크다.

정답 및 해설

헌팅턴(S. Huntington)이 주장한 문명충돌론은 이념으로 인한 분쟁이 사라진 앞으로의 세계에서 분쟁의 원인은 이념도 아니고 경제적인 것도 아닌 문명 간의 갈등이 될 것이라고 주장하는 이론이다. 즉 다른 문명을 가진 나라 혹은 집단 간에 분쟁이 일어날 가능성이 크다는 것이다. 헌팅턴(S. Huntington)은 세계를 서유럽, 유교, 일본, 이슬람 등 7~8개의 문명권으로 나누고 앞으로 세계에서 가장 치열한 분쟁은 이러한 문명의 경계에서 일어날 것이라고 주장하고 있다. 한편 민주주의 국가 간 전쟁의 가능성이 낮음을 주장하는 민주평화론은 칸트의 영구평화론에 영향 받은 것으로, 문명충돌론과는 관계가 없다.

답 ③

---

011 민주평화론의 명제에 대한 설명으로 옳지 않은 것은?

① 민주평화론의 첫 번째 명제는 민주주의 국가 간에는 서로 전쟁을 하지 않는다는 주장이다.

② 최근의 이론적 발전에서는 민주화 국가와 민주화된 국가를 구별하여 민주화 과정에 있는 국가는 국내 정치의 불안정성과 정치세력 간 권력투쟁으로 민주화된 국가보다 더 호전적이라는 주장이 제기되고 있다.

③ 민주평화가설을 설명함에 있어서 민주국은 민주국과의 관계에서 뿐 아니라 비민주국과의 관계에서도 평화를 지향할 것이라는 주장을 국가쌍 속성론(dyadic proposition)이라 하고, 민주국은 비민주국과의 관계에서는 오히려 개전자가 되고 호전적으로 행동한다는 주장을 국가자체 속성론(monadic proposition)이라 한다.

④ 메스키타와 랄만, 러셋은 민주주의 국가와 비민주국가 간에는 비민주국 상호 간 만큼 전쟁을 하며, 이 경우 민주주의 국가는 전쟁의 대상국이기 보다는 개전국인 경우가 더 많다고 한다.

정답 및 해설

국가자체 속성론과 국가쌍 속성론의 설명이 뒤바뀌었다. 브리머나 쉬웰러는 국가자체 속성론을 주장하였고, 메스키타와 랄만, 러셋은 국가쌍 속성론을 주장하였다.

⊘ 선지분석

① 민주평화론자들은 국가들 간 전쟁 데이터를 분석한 결과를 토대로 실제 민주주의 국가 상호 간에는 전쟁이 거의 발견되지 않는다고 주장한다.

④ 후속연구에 의하면 민주국이 독재국가와 전쟁을 할 경우 민주국이 승리할 가능성이 더 높다고 한다.

답 ③

012 민주평화를 설명하는 모델로 규범적 모델과 구조적 모델이 있다. 다음 중 규범적 모델에 대한 설명으로 옳지 않은 것은?

① 규범적 모델은 민주주의 정치체제의 규범에서 민주평화의 원천을 찾는다.
② 민주주의 정치체제에서 사회화된 지도자는 협상과 타협의 규범에 입각한 국제분쟁의 평화적 해결을 선호한다.
③ 규범모델에 따르면 민주주의 국가 상호 간에도 전쟁이 일어날 수 있다.
④ 민주국과 비민주국 간 분쟁에서 비민주적 규범이 분쟁해결을 주도하게 되기 때문에 분쟁은 전쟁으로 악화될 가능성이 높다.

정답 및 해설

민주주의 국가 상호 간에는 분쟁의 평화적 해결 규범을 습득하고 있기 때문에 분쟁이 발생해도 외교적이고 평화적 방식으로 해결하기 때문에 전쟁이 발발하지 않는다.

답 ③

013 민주평화를 설명하는 모델로 규범적 모델과 구조적 모델이 있다. 다음 중 구조적 모델에 대한 설명으로 옳지 않은 것은?

① 구조적 모델은 민주주의 정치체제의 제도적 또는 구조적 제약성에서 민주평화의 원천을 찾는다.
② 민주주의 정치체제에서는 견제와 균형, 권력의 분산, 여론의 제약 등을 특징으로 하기 때문에 정치지도자는 일방적으로 군사 행동을 결정할 수 없다.
③ 민주주의 정치체제에서 사회화된 지도자는 협상과 타협의 규범에 입각한 국제분쟁의 평화적 해결을 선호한다.
④ 민주국과 비민주국 간의 분쟁에서는 동원과 전쟁까지 자유롭게 선택할 수 있는 비민주국가의 구조적 특징이 분쟁의 해결과정을 주도하게 되므로 민주주의 정치체제의 구조적 제약이 효과를 발휘하지 못한다.

정답 및 해설

협상과 타협의 규범에 따라 국제분쟁의 평화적 해결을 선호하는 것은 구조적 모델이 아닌 규범적 모델에 대한 설명이다.

⊘ **선지분석**
② 이러한 제도적 제약 때문에 민주정의 정치지도자는 대외 정책에 있어서 위험기피적 성향을 갖는다. 또한 민주정의 정치제도와 정치과정의 투명성도 전쟁을 억제시키는 요인이 된다.
④ 한편 민주국가 상호 간에는 정치체제의 투명성이 높아서 쉽게 전쟁을 선택하기가 어렵다. 또한 전쟁의 결정에는 국내정치 내에서 다양한 견제를 받기 때문에 국가들이 전쟁을 선택하는 것이 어렵다.

답 ③

014 다음 중 민주평화론에서 논의하는 규범적 모델에 대한 설명으로 옳은 것만을 모두 고른 것은?

ㄱ. 민주국가는 갈등을 협상과 타협을 통해 평화적으로 해결하는 것을 선호한다.
ㄴ. 견제와 균형, 권력의 분산, 여론 제약 등으로 인해 민주정 하에서는 군사행동을 일방적으로 결정하기 어렵다.
ㄷ. 비민주국가와의 분쟁에서는 비민주적 규범이 분쟁해결을 주도하여 전쟁이 일어날 수 있다.
ㄹ. 민주국가는 타국과 분쟁 발생 시에도 외교적이고 평화적 방식으로 해결하여 전쟁이 발발하지 않는다.

① ㄱ, ㄷ
② ㄴ, ㄷ
③ ㄱ, ㄴ, ㄷ
④ ㄱ, ㄴ, ㄹ

정답 및 해설

민주평화론의 규범적 모델에 대한 설명으로 옳은 것은 ㄱ, ㄷ이다.

✓ 선지분석
ㄴ. 규범적 모델이 아니라 구조적 모델에 대한 설명이다.
ㄹ. 민주국가는 민주국가 상호 간에만 전쟁이 발발하지 않는다고 주장한다.

답 ①

015 민주평화론(Democratic Peace Theory)에 대한 설명으로 옳지 않은 것은?

① 민주평화론을 주장한 대표적인 학자는 도일(M. W. Doyle), 러셋(B. Russett)이다.
② 도일은 19세기 이후 민주주의 제도를 가지고 있다고 판단되는 국가들을 선별하여 이들 간의 전쟁여부를 검토한 결과 한 건도 없었다는 결론을 도출하였다.
③ 민주주의 국가의 특징은 권력에 대한 '견제'와 '균형 장치'가 존재한다는 것으로, 민주주의는 권력의 분립 및 분립된 권력 간의 견제와 균형 그리고 정책결정에 있어서의 여론의 역할을 중요하게 여긴다.
④ 비민주주의 국가끼리는 수많은 전쟁을 벌이지만, 쌍방 중 어느 하나라도 민주정을 지닌 국가일 경우 전쟁의 확률은 거의 제로에 가깝다.

정답 및 해설

민주주의 국가와 비민주주의 국가 간의 전쟁 확률은 비민주정 사이의 그것과 같다.

답 ④

016 도일(M. Doyle)과 러셋(B. Russett)이 제시한 민주평화론의 주요 명제에 대한 내용으로 옳지 않은 것은?

① 민주주의 국가들 간에는 규범적, 제도적 이유로 전쟁이 일어나지 않는다.

② 민주주의 국가는 일단 전쟁에 참여하게 되면 총력전을 불사하며 그 결과 전승국이 될 가능성이 높다.

③ 민주주의 국가도 비민주국가와는 비민주국가만큼 전쟁을 한다.

④ 민주주의 국가들과 비민주국가 간 이해관계의 상충이 있더라도 민주주의 국가의 국내구조 또는 제도 때문에 전쟁은 일어나지 않는다.

정답 및 해설

이해관계의 상충이 있을 경우 민주국가는 비민주주의 국가와의 전쟁도 불사한다.

✓ 선지분석

① 민주주의 국가는 규범적, 제도적 측면에서 전쟁을 억제하는 요인이 있다.

② 민주주의 국가는 여간해서 전쟁을 시작하지 않지만 일단 전쟁이 시작되면 무력의 사용에 제약을 받지 않는다. 특히 민주국가의 정치지도자의 정치적 생명은 전쟁의 승패에 결정적으로 좌우되기 때문에 승리의 가능성이 높을 경우 전쟁을 피하지 않을 뿐 아니라 적극적으로 전쟁을 일으키기도 하며, 승리를 위해서 가용한 모든 자원을 쏟아 넣게 된다. 따라서 민주주의 국가는 서로 전쟁을 하지 않지만 독재국가와 전쟁을 할 경우에는 승리할 가능성이 더 크다.

답 ④

---

017 민주평화론에 대한 비판으로 옳지 않은 것은?

① 래인(Christopher Layne)은 민주국가들이 전쟁을 피했던 것은 그들이 민주적 규범을 공유했기 때문이 아니라, 현실주의자들이 주장하는 것처럼 국가 이익의 계산과 군사적 힘의 배분에 관한 고려 때문이었다고 비판한다.

② 스피로(David Spiro)는 한 주어진 시점에서 특정 국가 간 전쟁 가능성은 매우 희박하고 또한 1945년 이전에는 민주주의 국가들의 수가 매우 적었기 때문에, 민주국가들 간의 전쟁의 부재는 인과관계 때문이 아니라 단지 우연한 일 또는 통계적 인공품에 불과하다고 비판한다.

③ 고와(Joanne Gowa)와 코헨(Raymond Cohen)은 1945년 이후의 민주적 평화 현상은 민주주의 국가들 간의 소련에 대항한 동맹체제의 형성이 그들 간의 전쟁을 방지한 것으로 보아야 하며 전쟁의 방지에 있어서 정치 체제유형은 중요한 것이 아니라고 비판한다.

④ 도일(M. Doyle)은 안정된 민주주의 국가들이 서로 전쟁을 하지 않더라도, 민주화 과정을 겪고 있는 국가들은 오히려 전쟁에 참여할 가능성이 더 높다고 하며, 민주화를 촉진시키는 정책이 평화를 정착시키는 가장 좋은 방법은 아니라고 비판한다.

정답 및 해설

도일(M. Doyle)은 민주평화론을 주창한 학자이다. 위의 비판은 맨스필드(Edward Mansfield)와 스나이더(Jack Snyder)에 의한 것이다.

답 ④

---

018 스나이더(Jack Snyder)의 이론에 대한 설명으로 옳지 않은 것은?

① 국가의 대외팽창은 국내정치의 변화 때문에 발생한다.
② 강대국은 국내체제가 과두체제인 경우에 대외팽창을 추구할 수 있다.
③ 국제적 무정부 상태가 안보를 항상 위협하는 것은 아니다.
④ 민주주의로 이행 중이거나 공고화된 국가들 사이에는 전쟁이 발생하지 않는다.

> **정답 및 해설**
>
> 스나이더(Jack Snyder) 견해의 핵심은 민주주의로의 이행 중인 국가는 민주주의가 공고화된 국가와 전쟁을 할 가능성이 높다는 것이다. 이는 민주주의로의 전환과정에서 권력을 박탈당할 가능성이 높은 정치 지도자가 자신의 권력을 유지하기 위해 전쟁을 도발하려는 유인이 높아지기 때문이다.
>
> 답 ④

019 민주평화론에 대한 비판으로 옳지 않은 것은?

① 민주국가 간 전쟁이 없었던 것은 민주적 규범의 공유 때문이 아니라 국가 이익의 계산과 군사적 힘의 배분에 관한 고려 때문이었다.
② 1945년 이전에는 민주국가의 수가 매우 적었기 때문에 전쟁의 부재는 단지 우연의 일치에 불과하다.
③ 민주적이라는 용어를 정의할 수 있는 객관적 판단기준이 부재하다.
④ 부시 정부의 대(對) 이라크전과 같이 민주주의 국가들이 전쟁을 일으킨 경우가 존재한다.

> **정답 및 해설**
>
> 부시 정부의 대(對) 이라크전은 민주국가가 비민주국가에 대항하여 일으킨 전쟁으로, 민주평화론에서도 이러한 전쟁은 일어날 수 있음을 주장하고 있다.
>
> 답 ④

020 최근 중동이슬람 지역에서 불고 있는 민주화혁명에 대한 원인으로 옳은 것은 몇 개인가?

> ㄱ. 청년 실업 문제 ㄴ. 소셜 네트워크 서비스(SNS)
> ㄷ. 장기 권력 독점 ㄹ. 외부국가들의 중동민주화에 대한 시각 변화
> ㅁ. 여성 인권 신장

① 2개 ② 3개 ③ 4개 ④ 5개

정답 및 해설

최근 중동이슬람 지역의 민주화혁명에 대한 원인으로 옳은 것은 ㄱ, ㄴ, ㄷ, ㄹ 4개이다.

✓ 선지분석

ㅁ. 여성 인권 신장을 중동민주화혁명의 원인으로 보기에는 무리가 있다.

관련 이론 중동이슬람지역의 민주화 혁명의 원인

1. 빈곤의 문제, 특히 청년 실업의 문제가 시민 혁명을 촉발시키고 있다. GCC 6개국을 제외한 중동 대부분의 국가들에서는 하루 2달러 이하 생활자가 30~40%를 차지하고 있고, 정확한 통계는 없지만 대졸 청년실업률이 평균 실업률보다 몇 배 높다. 청년 실업은 결국 가계 구성원 모두를 반정부, 반체제적으로 만든다.
2. 장기 권위주의 정권에 대한 염증이 경제적 빈곤 문제와 결합되면서 특정 사건을 계기로 폭발하는 현상을 보이고 있다. 장기 권력 독점은 부정부패, 부의 편중, 그리고 각종 자유권의 박탈 등 많은 문제들을 축적해왔다.
3. 중동 이슬람사회의 청년들에게 급격하게 확산되고 있는 사이버공간을 통한 소셜네트워크서비스(SNS)가 시민혁명을 확산시키는 데 기여했다. 참여, 공유, 개방을 특징으로 하고 '플랫폼으로서의 웹(Web as platform)', '집단지성의 활용(harnessing of collective intelligence)'을 지향하는 웹2.0 시대의 SNS는 국영방송과는 달리 국내외 정보뿐 아니라 시위현장을 실시간으로 전세계에 전달함으로써 시민혁명 확산에 일등공신 역할을 했다. 인터넷 보급은 시민 민주화는 물론이고 전반적인 사회 변혁, 문화와 문명 변동의 동인으로 작용하고 있다.
4. 미국 등 외부세계의 중동민주화를 보는 시각이 변하고 있다. 부시 정부는 2003년 "확대 중동 및 북아프리카 구상(BMENAI, The Broader Middle East and North Africa Initiative)"을 통해 중동정책 기조를 바꾸고 그 실행계획을 세웠었다. 부시 정부는 제도개혁을 요구했으나 리더십 변경에 대해서는 적극적이지는 않았다. 중동민주화 혁명 초기에 애매하게 대응했던 오바마 정부는 차츰 중동 민주화를 거스를 수 없는 세계사적 흐름으로 판단한 듯하다. 이집트 시민혁명이 한참 달아오를 때인 2월 6일 오바마 대통령은 "즉각적인 민주주의로의 전환(immediate transition to democracy)"을 강조하고 "그 전환의 시간은 다가오고 있다. 그리고 그 시간은 지금이다. 지금은 지금을 의미한다(now means now)."라고 강조했다. 리비아 사태가 지역을 기반으로 하는 부족 간 내전 양상을 보이고 카다피의 아프리카 용병들이 학살을 자행하자 그동안 침묵하고 있던 오바마 대통령은 2월 24일 '국제적 연대를 통한 카다피 정부 제재'라는 카드를 뽑아들었다. 미국은 이집트와 다른 중동의 국가들에서 리더십 변동과 제도 변동을 추구하되 민주화 연착륙을 통해 친미온건 국가로의 변화를 유도하고 있는 것으로 판단된다.

답 ③

021 민주평화론을 구성하는 경험적 연구결과에 대한 설명으로 옳지 않은 것은? 2017년 외무영사직

① 민주국가는 다른 민주국가와의 분쟁을 평화적으로 해결하려는 경향을 보인다.
② 민주국가와 비민주국가 간 전쟁의 빈도는 민주국가 간 전쟁의 빈도보다 더 크다.
③ 독재국가가 민주국가에 전쟁을 시작하는 빈도는 민주국가가 독재국가에 전쟁을 시작하는 빈도보다 더 크다.
④ 민주국가가 전쟁에서 승리하는 확률은 독재국가가 승리하는 확률보다 더 크다.

정답 및 해설

민주평화론에서는 전쟁이 불가피한 상황이 되는 경우 민주정이 오히려 호전적으로 독재국가에 대해 개전자가 된다고 본다. 독재국가의 분쟁해결규범이나 권력구조를 고려할 수밖에 없다고 보기 때문이다.

답 ③

022 민주평화론(Theory of Democratic Peace)의 주장과 부합하는 것은 모두 몇 개 인가?

ㄱ. 국가 간 전쟁의 발생은 근본적으로 개별국가의 특성보다는 국제체제의 성격에 기인한다.
ㄴ. 민주국가에서는 정책결정자가 비폭력적인 방법으로 갈등을 해결하려는 성향이 짙다.
ㄷ. 적어도 민주국가끼리는 민주국가와 비민주국가 사이보다 전쟁을 수행하는 경우가 적다.
ㄹ. 민주국가의 지배적 규범은 평화적 경쟁, 설득, 그리고 타협이다.

① 1개　　　　　② 2개　　　　　③ 3개　　　　　④ 4개

정답 및 해설

민주평화론의 주장에 부합하는 것은 ㄴ, ㄷ, ㄹ 3개이다.

☑ 선지분석

ㄱ. 민주평화론은 국가 간 전쟁 발생의 원인을 국제체제의 특성이 아닌 개별국가의 특성, 즉 민주주의 국가인지 아니면 비민주주의 국가인지에서 찾는 이론이다.

답 ③

---

023 민주평화론에 대한 설명으로 옳은 것은 모두 몇 개인가?

ㄱ. 러셋(Bruce Russett)에 따르면 민주국과 비민주국은 전쟁을 한다.
ㄴ. 랄만(David Lalman)에 따르면 민주국과 비민주국은 전쟁을 한다.
ㄷ. 브리머(Stuart A. Bremer)에 따르면 민주국은 비민주국에 대해서도 평화를 유지한다.
ㄹ. 마오즈(Zeeve Maoz)에 따르면 민주국이 가진 다양한 제도적 특징이 전쟁을 억제한다.
ㅁ. 슐츠(Kenneth A. Schultz)에 따르면 분쟁의 평화적 해결규범이 전쟁을 억제한다.

① 1개　　　　　② 2개　　　　　③ 3개　　　　　④ 4개

정답 및 해설

민주평화론에 대한 설명으로 옳은 것은 ㄱ, ㄴ, ㄷ 3개이다.
ㄱ. 러셋은 국가쌍속성론을 주장하므로 옳은 문장이다.
ㄴ. 랄만도 국가쌍속성론자이므로 옳은 문장이다.
ㄷ. 브리머는 국가자체속성론자이므로 옳은 문장이다. 그 밖에 스웰러 역시 국가자체속성론자이다.

☑ 선지분석

ㄹ. 마오즈는 규범모델을 주장하였으므로 틀린 문장이다. 그 밖에 러셋도 규범모델론자이다.
ㅁ. 슐츠는 구조모델을 주장하였으므로 틀린 문장이다. 그 밖에 메스키따 역시 구조모델을 주장했다.

답 ③

024 민주평화론에 대한 설명으로 옳지 않은 것은?

① 브리머(Stuart A. Bremer), 스웰러(Randall Schweller) , 러셋(Bruce Russett)은 민주주의 국가는 규범 적 특징 또는 구조적 제약에 의해 모든 유형의 국가에 대해서 본질적으로 평화적이라고 본다.

② 메스키타(Bruce Bueno de Mesquita)와 랄만(David Lalman) 등은 민주주의 국가와 비민주주의 국가 간에는 비민주국 상호 간만큼 전쟁을 하며 민주주의 국가가 개전국이 되는 경우가 많다고 주장한다.

③ 맨스필드(Edward Mansfield)와 스나이더(Jack Snyder)는 민주화 과정을 겪고 있는 국가는 오히려 전 쟁에 참여할 가능성이 더 높다고 주장한다.

④ 지이브 마오즈(Zeev Maoz)는 민주주의의 규범적 특성이 구조적 요인보다 민주평화현상을 더 잘 뒷 받침한다고 본다.

정답 및 해설

러셋(Bruce Russett)은 국가쌍 속성론자다.

답 ①

025 선출인단이론에 대한 설명으로 옳지 않은 것은?

① 소규모의 승리연합에 의존하는 독재자들은 정책문제와 정권변화와 같은 공공재적 성격의 이유로 전 쟁을 하게 된다.

② 가용 자원을 전쟁에 얼마만큼 투여하느냐의 여부에서 민주주의 지도자가 독재자보다 전쟁 승리를 위 해 더 열심히 노력한다.

③ 민주국가의 경우 전쟁에서의 승리는 큰 규모의 승리연합을 유지하기 위해 필수적이므로 승리 가능성 이 크지 않은 전쟁은 시작하지 않는다.

④ 선출인단이론에 의하면 국제사회가 대북제재를 계속하는 경우 통치자금의 부족으로 지지자들에게 특 권을 지속적으로 제공하지 못하게 되어 정권 유지가 어려울 수 있으므로 김정은은 국제사회와 대화를 선택할 수 있다.

정답 및 해설

독재자들은 전쟁에 있어서 영토 또는 자원의 획득을 추구한다.

답 ①

026 부르스 부에노 데 메스키타가 제시한 선출인단이론(Selectorate theory)에 대한 설명으로 옳지 않은 것은?

① 민주주의 국가는 일반적으로 선출인단은 작지만 승리연합이 크다.

② 일당 독재의 경우 선출인단의 크기는 클 수 있지만 민주주의 국가에 비해 승리연합의 크기는 작다.

③ 군주국, 군사정권, 부정선거로 유지되는 독재국가는 승리연합이 소규모라는 점에서 공통점이 있으며 이들 국가의 지도자들은 소수의 승리연합에게 사유재를 제공함으로써 권력을 유지할 수 있다.

④ 민주주의국가의 지도자는 정책문제와 정권변화와 같은 공공재적 성격의 이유로 전쟁을 하게 되는 반면 소규모의 승리연합에 의존하는 독재자들은 영토 또는 자원의 획득을 추구한다.

정답 및 해설
선출인단과 승리연합이 모두 크다.

답 ①

027 제임스 피어론(James D. Fearon)의 청중비용이론(audience cost theory)에 대한 설명으로 옳지 않은 것은?

① 국가 간 위기 시에 민주국은 비민주국보다 자신의 의도와 공약을 더 신뢰성 있고 분명하게 상대방에게 전달할 수 있으며 이러한 협상의 이점 때문에 민주국이 비민주국보다 국제 분쟁에서 물러날 가능성이 적다.

② 민주주의 국가의 지도자는 싸울 의사가 없는 분쟁에서 물러서게 되면 국내 청중비용의 대가를 치러야 하기 때문에 애초에 위기를 증폭시키려 하지 않는다.

③ 민주주의 국가가 위기를 고조시킨다면 이는 국내 청중비용을 무릅쓰고서라도 싸울 의지가 있음을 알리는 신뢰성 있는 신호라고 볼 수 있다.

④ 청중비용이론에 따르면 민주국의 동맹국에 대한 확장억지(extended deterrence)는 성공가능성이 낮다.

정답 및 해설
민주국의 청중비용이 높기 때문에 공약을 이행할 가능성이 높고 따라서 확장억지가 성공할 가능성이 높다.

답 ④

제4장 마르크스주의

제1절 | 총론

001 국제정치이론가 콕스(Cox)의 주장이 아닌 것은?

2021년 외무영사직

① 지식과 이론은 가치중립적이며 객관적이고 시간초월적이다.

② 자본주의의 내재적 모순으로 인해 불가피하게 발생하는 경제위기는 대항헤게모니(counter-hegemony) 운동을 야기한다.

③ 패권국이 패권을 유지할 수 있는 것은 단순히 강제력의 결과가 아니라, 기존 질서에 의해 불이익을 받는 사람들에게서 그러한 질서에 대한 동의를 이끌어낼 수 있기 때문이다.

④ 신현실주의는 현존 질서의 특징을 잘 반영하고 정당화하는 문제해결이론이다.

정답 및 해설

콕스(Cox)는 비판이론가로서 지식과 이론은 가치중립적이거나 객관적이지 않고 특정 정치세력이 자신의 지배와 기득권을 유지하기 위한 수단으로 삼는다고 본다.

✅ 선지분석

② 자본주의는 수탈적 성격을 가지고 있어서 대항헤게모니와 이를 관철하기 위한 대항적 역사블럭의 형성을 가져올 것이라고 본다.

③ 패권국은 강압적 힘을 통해서만 지배하는 것이 아니라 헤게모니, 즉 피치자의 동의에 기초한 지배체제를 추구한다고 본다.

④ 콕스(Cox)는 신현실주의나 신자유제도주의가 기존 강대국의 지배체제를 옹호하고 유지하는 이데올로기라고 보았다. 그런 점에서 문제해결이론이라고 규정하였다. 비판이론은 강대국의 약소국 지배의 메커니즘을 폭로하고 약소국의 해방을 추구하는 이론을 말한다.

답 ①

---

002 국제정치이론 가운데 구조주의(마르크스주의)적 논리를 가장 잘 표현한 것은?

2007년 외무영사직

① 국제체제에는 모든 국가에게 안전보장을 가져다 줄 수 있는 상위 권위가 부재하므로 개별 국가는 자신의 안전을 스스로 돌보아야 한다.

② 국제정치란 초국가적 자본주의 논리에 의해 결정되며, 국제정치과정을 계급갈등의 표현으로 간주한다.

③ 국제사회의 평화와 안전을 보장하기 위해서는 보다 많은 국가에 민주적인 정치제체가 확산되어야 한다.

④ 국제사회의 평화와 질서는 일반적으로 수용된 가치, 행위의 규범과 규칙, 국가사회 간의 높은 상호의존 인식 및 제도 등을 통해 유지된다.

정답 및 해설

✅ 선지분석

① 현실주의에 대한 설명이다.

③ 민주평화론에 대한 설명이다.

④ 구성주의에 대한 설명이다.

답 ②

003 마르크스주의에 대한 설명으로 옳지 않은 것은?

① 마르크스주의는 그 내부에 다양한 분파를 가지고 있으나 기본적으로 칼 마르크스(Karl Marx)의 지적 유산을 공유하면서 하나의 패러다임을 형성하고 있다.

② 1960년대 제3세계 국가들의 저발전 문제에 있어서 기존 접근법인 근대화이론의 한계를 극복하는 과정에서 국제관계 분석에 도입되었으며, 이후 세계체제론, 그람시주의, 비판이론, 신마르크스주의 및 탈근대 마르크스주의 등으로 발전해 오고 있다.

③ 마르크스주의 이론도 기본적으로 기존의 주류 패러다임과 같이 국제정치, 군사, 안보 이슈를 중심 주제로 삼고 있다.

④ 마르크스주의자들은 현재 "있는 것"에 대한 분석을 통해 "있어야 할 것"과 "없어져야 할 것"을 제시하려 한다.

정답 및 해설

마르크스주의 이론의 가장 큰 특징은 기존의 주류 패러다임이 국제정치, 군사, 안보 이슈를 국제정치의 중심 주제로 분석한 것과 달리, 경제이슈를 중심으로 분석한다는 점과 그 실천지향성에서 찾을 수 있다.

답 ③

004 다음 중 마르크스주의의 시각에 해당하는 것만을 모두 고른 것은?

> ㄱ. 국제제도는 선진 자본주의 국가들의 지배를 위한 수단이다.
> ㄴ. 통합은 자본주의 발전의 산물로서 '자본의 국제화'에 그 뿌리를 두고 있다.
> ㄷ. 다국적기업의 해외 확장은 동일 계급 간의 상호 발전을 통해 유치국에 긍정적인 영향을 준다.
> ㄹ. 세계화를 통해 국가의 경계를 허물고 계급 간 연대가 가능하므로 세계화를 촉진해야 한다.

① ㄱ, ㄴ   ② ㄱ, ㄷ   ③ ㄴ, ㄹ   ④ ㄷ, ㄹ

정답 및 해설

마르크스주의의 시각에 해당하는 것은 ㄱ, ㄴ이다.

⊘ 선지분석

ㄷ. 마르크스주의에 의하면, 다국적기업은 유치국의 자본을 흡수하면서도 고용창출에는 인색하여 결국 유치국의 경제성장에 실질적인 도움을 주지 않는다. 더욱이 유치국의 토착산업 발달을 저해하게 되므로 종속을 심화시킬 수 있다고 본다.

ㄹ. 세계화에 대한 시각도 부정적인데, 오랜 기간 동안 팽창을 구가하던 자본주의가 불황에 처하자 이에 대한 타개책으로 진행시키는 것을 세계화라고 본다. 세계화는 자본가 이익만을 강조하여 부의 양극화를 초래했으며, 이러한 무한 경쟁이 지속된다면 전체주의 국가의 등장이 초래될 수 있다고 보는 등 다양한 문제점을 지적하며 세계화로 인한 악영향을 경고한다.

답 ①

005 남북문제에 대한 각 학파별 입장으로 옳지 않은 것은?

① 중상주의는 남북문제 분석에 있어서도 '권력' 개념을 도입한다. 즉, 남북문제 역시 무정부 하에서 국가들 간 관계의 본질적 특성인 권력투쟁과 다르지 않다는 것이다.

② 자유주의는 남북문제가 제3세계 국가 내부적 요인보다는 외부적 요인에서 비롯된다고 본다.

③ 자유주의자들은 시장이 통합될수록 비교우위에 입각하여 교역에 참가하는 모든 국가들이 상호 이익을 볼 것으로 보기 때문에, 제3세계 국가들이 인위적 시장 장벽을 제거함으로써 빈곤문제가 해결될 수 있을 것으로 본다.

④ 월러스타인의 세계체제론에 따르면 남북문제는 기본적으로 자본주의 세계체제의 속성으로부터 구조적으로 발생하는 현상이다.

정답 및 해설

자유주의자들은 종속이론가들과 달리 제3세계 국가 내부적 문제로 남북격차가 발생한다고 본다. 즉, 정치제도의 비효율성, 폐쇄경제체제, 자본의 빈곤 등이 그 문제라고 본다. 따라서 무엇보다 자유무역을 통해 개방적 경제체제를 구축하는 것이 발전을 위한 기본전제라고 본다.

답 ②

006 마르크스주의자들이 지니고 있는 공통점으로 옳지 않은 것은?

① 마르크스주의자들은 사회세계가 전체성(totality)으로 분석해야 한다는 마르크스의 시각을 공유한다.

② 마르크스주의는 사회체제 분석에 있어서 구성단위를 생산수단의 소유 여부를 중심으로 하는 계급으로 환원하여 분석한다.

③ 마르크스주의 국제관계이론은 미국적 국제관계학의 인식론인 실증주의에 기반을 두고 있다.

④ 마르크스는 계급투쟁을 매개로 자본주의에서 사회주의를 거쳐 공산주의로 이행하는 인간해방을 기획하였다. 마르크스주의자들은 이러한 마르크스의 지적 기획을 받아들여 '비판, 계몽, 해방'의 기획을 공유한다.

정답 및 해설

마르크스주의 국제관계이론은 실증주의를 비판하고 자신의 이론 내부에서 더 좋은 삶을 모색하는 규범적 차원을 설정한다. '실증주의는 자연과학의 방법론이 사회과학에도 도입될 수 있다고 주장하면서 객관적 세계의 분석에서의 주체의 개입을 최소화 하고자 한다. 그러나 마르크스주의는 사실과 가치를 분리하는 것은 불가능할 뿐 아니라 바람직하지도 않다고 본다.

답 ③

007 다음 중 마르크스주의의 입장으로 옳지 않은 것은?

① 마르크스주의자들은 일반적으로 국제기구를 포함한 국제제도를 선진 자본주의 국가들의 지배를 위한 수단으로 간주한다.

② 마르크스주의는 세계 경제가 근본적으로 갈등적이고 착취적이라고 본다.

③ 세계화가 시장의 효율성만 강조한 결과 노동자 계급의 이익을 고려하지 않고 자본가 이익만 강조하여 부의 양극화를 초래하였다고 본다.

④ 다국적기업은 유치국에 긍정적인 영향을 준다고 본다.

다국적기업은 유치국에 부정적인 영향을 준다고 본다. 즉, 다국적기업은 유치국의 자본을 흡수하면서도 고용창출이나 기술이전에는 인색하여 유치국의 경제성장에 실질적인 도움을 주지 못한다. 또한 다국적기업이 본국에서 부품을 가져다 유치국의 저임금 노동력을 이용하여 조립 생산하는 경우 유치국의 토착산업 발달이 지연되고 종속을 심화시킬 수 있다고 본다.

답 ④

008 그람시주의는 안토니오 그람시(A. Gramsci)의 논의를 국제관계 분석에 도입한 이론이다. 그람시주의자인 콕스(R. Cox)는 국제관계에서 지배적인 이념이 어떻게 강대국의 지배체제를 확대 재생산해 내는지를 비판하고, 해방된 국제질서를 형성하기 위한 전략을 제시하고자 하였다. 다음 중 콕스(R. Cox)의 주장으로 옳지 않은 것은?

① 콕스(R. Cox)는 국제관계이론을 문제해결이론과 비판이론으로 구분하고 주류의 국제관계이론을 기존의 지배적 질서를 주어진 것으로 간주하고 특정문제의 해결에 집중하는 비판이론으로 평가한다.
② 문제해결이론은 현존하는 국제질서가 고정불변이라고 간주하고 사회현상을 분석하고 있으나, 사실은 특정 목적과 특정한 국가 또는 집단의 이해를 위해 그러한 가정을 하는 것으로 본다.
③ 비판이론은 기존의 이론이 국제질서의 변화를 막고 현존 체제를 유지하도록 하는 메커니즘 또는 그러한 역할을 하고 있음을 폭로하고, 새로운 대안 질서 형성을 위한 가능성을 열어주는 역할을 한다.
④ 지배계급의 헤게모니 지배로부터 벗어나 지배권을 탈환하기 위해서는 대항헤게모니 및 이를 지원해줄 수 있는 초국가적·역사적 블록의 형성이 긴요하다.

콕스(R. Cox)는 주류 국제관계이론을 비판이론이라 평가한 것이 아니라 문제해결이론이라고 평가하고 이를 극복하기 위한 비판이론의 필요성을 역설하였다.

답 ①

009 콕스(R. Cox)의 비판이론(Critical Theory)에 대한 설명으로 옳은 것만을 모두 고른 것은?

ㄱ. 국제이론을 문제해결이론과 비판이론으로 구분함
ㄴ. 그람시의 접근법을 국제관계에 도입함
ㄷ. 자본주의 세계는 일정한 주기로 변화함
ㄹ. 특정 이데올로기는 피지배국들의 자발적 동의를 이끌어내기 위한 것
ㅁ. '해방'은 자연과의 화해라는 관점에서 이해 가능함

① ㄱ, ㄴ, ㄹ   ② ㄱ, ㄷ, ㅁ   ③ ㄴ, ㄷ, ㄹ   ④ ㄷ, ㄹ, ㅁ

콕스(R. Cox)의 비판이론에 대한 설명으로 옳은 것은 ㄱ, ㄴ, ㄹ이다.

 선지분석
ㄷ. 월러스타인의 세계체제론의 내용이다.
ㅁ. 호르크하이머, 아도르노, 마르쿠제 및 하버마스 중심의 프랑크푸르트학파의 주장이다.

답 ①

010 그람시주의 국제관계이론에 대한 설명으로 옳은 것은?

① 그람시는 자본주의가 고도로 발달한 유럽이 아닌 러시아에서 혁명이 발생한 원인을 하부구조에서의 구조적 긴장관계가 유럽보다 러시아에서 강했기 때문이라고 보았다.
② 자본가계급은 역사적 블록(historic bloc)을 형성하여 노동자계급을 강압적으로 지배함으로써 프롤레타리아 혁명을 방지하는 역할을 한다.
③ 콕스(R. Cox)는 그람시주의를 국제관계학에 도입하였으며 문화산업을 통해 자본가계급이 노동자계급에 대한 허위의식을 주입함으로써 프롤레타리아 혁명의 동력을 상실하게 하였다고 폭로하였다.
④ 콕스(R. Cox)는 그람시의 입장을 계승하여 미국적 패권질서에서 미국은 패권적 군사력을 통해 타국을 지배할 뿐만 아니라 신자유주의와 같은 이데올로기를 통해 피치자의 자발적 동의를 끌어냄으로써 패권질서를 유지하고 있다고 평가하였다.

정답 및 해설

⊘ 선지분석
① 그람시는 하부구조의 긴장관계 또는 모순이 상부구조에 존재하는 이데올로기의 역할에 의해 은폐 또는 축소되고 있어 자본주의가 고도로 발달한 유럽에서 혁명이 발생하지 못했다고 보았다. 그람시는 마르크스와 달리 상부구조에 존재하는 이데올로기 및 이를 생산하고 유포하는 역사적 블록의 역할에 주목한 학자이다.
② 역사적 블록은 이데올로기를 통해 피치자에게 허위의식을 불어 넣는 집단으로서 노동자를 강압적으로 지배하는 것이 아니라 이데올로기를 통해 피치자의 자발적 동의를 끌어내어 자본주의 체제를 유지한다.
③ 문화산업에 대한 분석은 프랑크푸르트학파의 입장이다. 콕스(R. Cox)와 프랑크푸르트학파는 공통적으로 상부구조 분석에 초점을 두고 있으나 문화산업이 노동자 혁명을 무력화시키는 역할에 대한 분석은 프랑크푸르트학파에서 주도적으로 전개하였다.

답 ④

011 콕스(R. Cox)로 대표되는 비판이론(Critical theory)에 관한 설명으로 옳지 않은 것은?

① 이론에는 두 가지가 있는데, 그 중 하나가 문제해결이론(problem-solving theory)이고 다른 것이 비판이론(critical theory)이다.
② 문제해결이론이 대상을 세분화하여 한정시키고 현실세계의 문제해결에 집착함으로써 기존질서를 유지하는 기능을 하는 데 반해, 비판이론은 전체의 윤곽을 통해 문제에 접근하며 부분과 전체 사이의 작동과정을 중요시한다.
③ 콕스(R. Cox)는 '역사적 구조(historical structures)'가 '기회를 만들어 행동에 제한을 가하는 힘의 양태(configurations of forces)'라고 정의하고 있다. 이는 계량하기 어려운 비물질적인 요소는 철저하게 배제한다.
④ 전통적인 합리이론은 주체(subject)와 객체(object) 사이의 분리를 강조하지만, 비판이론은 주체와 객체의 관계를 강조한다.

정답 및 해설

역사적 구조에는 물질적인 것과 비물질적인 것 모두가 포함된다. 계량하기 어려운 비물질적 요소를 배제하는 것은 1950년대 행태주의 학자들에 대한 설명이다.

답 ③

012 콕스(Robert Cox)는 특정한 단일요소에 의한 역사발전 가능성에 회의를 품고 한 구조 속에 잠재적인 형태로 세 범주의 힘이 상호작용하는 것으로 보았다. 콕스가 제시한 세 범주에 속하는 요소만을 모두 고른 것은?

ㄱ. 이념(ideas) ㄴ. 계급(classes)
ㄷ. 물질능력(material capabilities) ㄹ. 갈등(conflicts)
ㅁ. 제도(institutions)

① ㄱ, ㄴ, ㄷ ② ㄱ, ㄷ, ㄹ ③ ㄱ, ㄷ, ㅁ ④ ㄴ, ㄷ, ㅁ

정답 및 해설

콕스(Robert Cox)는 '역사적 구조(historical structure)'라는 개념을 제안하고 이를 '기회를 만들어 행동에 제한을 가하는 힘의 양태'라고 정의하고 있다. 여기서 힘이란 ㄱ. 물질능력, ㄷ. 이념, 그리고 ㅁ. 제도를 의미함으로써 물질능력과 같은 물질적인 것뿐만 아니라 이념이나 제도와 같은 비물질적인 것 모두를 포함하는 것으로 보고 있다.

답 ③

013 마르크스주의 국제관계이론에는 세계체제론을 주장한 월러스타인(I. Wallerstein)을 비롯한 다양한 학자들이 존재한다. 이들에 대한 설명 중 옳지 않은 것은?

① 월러스타인의 세계체제론에 따르면, 역사적으로 세계체제는 '세계제국'과 '세계경제'라는 두 가지 형태의 세계체제가 존재하였다.
② 월러스타인의 세계체제론에 따르면, 현재의 세계체제는 '세계제국'의 형태로서 중심 - 반주변부 - 주변부의 구조로 형성되어 있다고 본다.
③ 그람시에 따르면, 지배계급의 지배를 영속화시키는 패권(hegemony)을 변형시키기 위해서 대항패권(counter-hegemony)을 형성해야 한다고 보고 있다.
④ 콕스는 이론을 문제해결이론(problem-solving theory)과 비판이론(critical theory)으로 나누어, 비판이론을 통해 국제관계의 해방을 모색한다.

정답 및 해설

현재의 세계체제는 '세계경제'의 형태이다. 세계제국과 세계경제의 주된 차이는 자원분배에 대한 결정이 어떻게 이루어지는지에 대한 문제, 즉 '누가 무엇을 얻는가?'란 문제이다. '세계제국'에서는 집중화된 정치체제가 주변지역에서 중심지역으로 자원을 재분배하는 권력을 행사하는 것으로 로마제국이 사례가 된다. '세계경제'에서는 하나의 정치적 권위체가 존재하지 않고 서로 경쟁하는 다수의 권력중심이 존재한다. 근대세계체제는 세계경제의 일례로 볼수 있으며, 월러스타인은 16세기경부터 이러한 체제가 등장하였다고 보고 있다.

답 ②

014 마르크시즘 계열의 종속이론, 세계체제론, 그람시주의에 대한 설명으로 옳지 않은 것은?

① 데펜덴시아(dependencia)이론은 중심부와 주변부를 모두 포함하는 자본주의 체제 전체가 분석의 적절한 단위가 되어야 한다고 주장한다.

② 중심부 – 주변부 분석은, 주변국이 저발전을 탈피하기 위해서는 국내혁명을 통해 매판계급을 축출하고 포괄적 자본주의의 세계경제로부터 국가의 경제를 단절시켜야 한다고 본다.

③ 그람시(A. Gramsci)의 '역사적 블록'이란 지배구조를 재생산해 내는 사회세력 또는 계급의 연합을 말한다.

④ 세계체제론은 현재의 세계체제를 자본주의 세계경제로 보고, 주변부는 자립 개발정책을 추진함으로써 세계경제로부터 선별적인 관계 단절이 있어야 한다고 보았다.

정답 및 해설

자립 개발정책을 추진함으로써 세계경제로부터 선별적인 관계 단절이 있어야 한다고 보았던 것은 데펜덴시아 이론이다. 월러스타인은 분석단위를 개별국가로 잡지 않으며, 패권국의 존재와 자본주의 세계경제의 안정화, 그리고 100년 단위의 주기적 교체를 주장한다.

✓ 선지분석

② 중심부 – 주변부 분석은 사회주의 혁명과 선진세계와의 단절을 통해 종속을 끊을 때에만 주변부의 발전이 가능하다고 보았다.

③ 역사적 블록은 지배이념을 피지배 계급이 내면화하도록 하여 혁명의 동력을 소멸시킴으로써 지배계급의 지배를 영속화시키는 역할을 한다.

답 ④

015 마르크스주의와 기존의 이론들을 비교한 것으로 옳지 않은 것은?

① 현실주의와 마르크스주의 모두 국가를 주요한 행위자로 본다.

② 자유주의는 국가 간 관계를 상호의존으로 인식하나, 마르크스주의는 종속으로 개념화한다.

③ 마르크스주의는 국제교역관계는 제로섬 게임으로 보나, 자유주의는 비제로섬게임으로 본다.

④ 구성주의와 그람시주의 또는 비판이론은 국제관계에서 관념이나 인식의 중요성을 인정한다는 점에서 유사하다.

정답 및 해설

현실주의는 국가를 주요한 행위자로 보나, 마르크스주의에서 주요한 행위자는 국가가 아닌 계급이다. 국가는 단지 지배계급을 옹호해 주는 행위자에 불과하다. 또한 현실주의는 국제체제의 특징을 총체적인 권력배분으로 보나, 세계체제론은 자본주의 세계경제를 그 특징으로 본다는 점도 구별되는 점이다.

답 ①

016 마르크스주의에 대한 비판으로 옳지 않은 것은?

① 마르크스주의는 과학으로서의 가치중립이 지켜지지 않고 남북 간의 관계의 본질적 변화라는 규범적인 가치에 편향되어 있다.

② 마르크스주의는 저발전의 문제, 헤게모니의 문제 등을 비판적으로 분석해 낼 수 없다는 단점이 있다.

③ 한국을 비롯한 아시아의 신흥공업국가들, 중남미의 베네수엘라 및 브라질 그리고 석유가 풍부한 중동국가들과 같이 상대적으로 경제적 성공을 거둔 국가의 경우를 적절히 설명하지 못한다.

④ 마르크스주의는 전체론적 방법론을 선택할 뿐 아니라, 설명에 있어서도 결정론적 관점을 보여주고 있다. 이러한 접근은 행위자의 자율성을 지나치게 경시한다는 점에서 극단적 관점으로 비판할 수 있다.

> **정답 및 해설**
>
> 저발전의 문제, 헤게모니의 문제 등을 비판적으로 분석해 내는 장점이 있다. 하지만 궁극적으로 지향하는 '해방'에 대한 전략을 제시하는 데에는 상대적으로 약한 면모를 보여주고 있다.
>
> **선지분석**
>
> ① 즉, 제3세계의 저발전의 근본원인을 외부로 돌림으로써 제3세계 국가들의 단결을 촉진하는 이데올로기적 성격을 강하게 지니고 있다는 것이다.
>
> ③ 월러스타인은 이들을 반주변부의 개념으로 설명하고자 하나 개념적으로 불분명할 뿐만 아니라, 이들의 성공을 분석하기 위해서는 국가 내부의 변수를 보다 중요하게 분석해야 한다.
>
> 답 ②

017 마르크스주의에 대한 설명으로 옳지 않은 것은?

① 네오마르크스주의(Neo-Marxism)는 자본주의를 생산관계론 차원에서 규정하며, 상부구조의 자율성을 강조한다.

② 종속이론이 국가 간 관계를 분석하는 반면, 세계체제론은 모든 국가를 하나의 체계로 통합하여 분석하며 하부구조가 상부구조를 결정한다고 본다.

③ 갈퉁은 구조주의적 제국주의이론에서 제국주의란 주변부 국가의 중심부가 중심부 국가를 위한 교두보를 형성하고 있는, 중심부국가와 주변부 국가 간 지배관계로 보았다.

④ 월러스타인은 콘트라티에프 파동이 패권변동의 결정적 요인이라고 보았다.

> **정답 및 해설**
>
> 네오마르크스주의에서는 자본주의를 유통론의 관점에서 정의한다. 유통론이란 시장의 존재여부를 기준으로 자본주의를 정의하는 것이다. 생산관계론 또는 생산력설은 생산력이 '자본'일 때를 자본주의라고 규정한다.
>
> 답 ①

001 홉슨(J. A. Hobson)의 제국주의이론에 대한 설명으로 옳은 것은?

☐☐☐
① 마르크스주의적인 부르주아의 국제적 경제현상을 의미하였다.
② 국내의 낮은 소비현상으로 인한 대외적인 시장 추구현상이다.
③ 잉여가치의 국제적인 전개과정이다.
④ 금융독점 자본주의의 궁극적인 귀결현상이다.

정답 및 해설

홉슨(J. A. Hobson)은 그의 저서 『Imperialism: A Study』(1902)에서 19세기 말 유럽의 팽창주의를 근대자본주의의 과소소비 경향과 부당이득을 보는 자본가 계급의 배타적 조작에 근거를 두어 설명하려고 하였다. 홉슨(J. A. Hobson)의 제국주의 이론의 핵심은 국내의 과소소비로 인하여 유효수요 부족으로 인한 잉여자본이 발생하게 되고, 이 잉여자본이 해외투자로 이어짐으로써 제국주의 정책이 수립된다는 것이다. 그러나 홉슨(J. A. Hobson)은 국민의 이익과 반대되는 이러한 제국주의 정책은 피할 수 없는 것이 아니라 사회개혁이라는 국가의 개입을 통해 시정 가능하다고 보았다.

답 ②

002 제국주의의 원인에 관한 설명으로 옳지 않은 것은?

☐☐☐
① 슘페터(Schumpeter)는 과잉생산 또는 과소소비에서 발생한다고 보았다.
② 레닌(Lenin)은 자본주의의 독점단계에서 발생한다고 보았다.
③ 모겐소(Morgenthau)는 국가의 권력욕에서 발생한다고 보았다.
④ 사회주의 국가에서도 제국주의 현상을 찾아 볼 수 있다.

정답 및 해설

제국주의의 원인을 과소소비에 따른 유효수요 부족으로 인한 과잉생산에서 찾았던 학자는 홉슨(J. A. Hobson)이었다. 슘페터(J. A. Schumpeter)는 제국주의의 경제적 원인보다는 인간행동의 특정형태를 강조하였다. 그가 보기에 제국주의는 국가가 주도하는 무제한적이고 강제적인 팽창이며, 팽창 그 자체를 위한 팽창인데, 이러한 목적없는 경쟁은 소수 자본가들에 의한 것이 아니라 절대왕정 시대의 정치구조가 그대로 남아있기 때문에 발생한다고 보았다. 산업발달과 도시화, 민주주의로 인해 지위가 불안해진 이들은 제국으로부터 성취할 수 있는 군사적 영광과 정복을 통해 위안을 찾으려 했다는 것이다.

답 ①

003 제국주의를 자본주의의 최고단계라고 주장한 사람은?

☐☐☐
① 마르크스(K. Marx)
② 모겐소(Hans J. Morgenthau)
③ 홉슨(J. A. Hobson)
④ 레닌(Vladimir I. Lenin)

정답 및 해설

레닌(Vladimir I. Lenin)은 그의 저서 『Imperialism, the Highest Stage of Capitalism』(1916) 일명 '제국주의론'에서 제국주의를 자본주의의 최고단계(highest stage)로 규정하였다.

답 ④

004 제국주의를 경제적 측면에서 설명한 사람은?

① 문(Parker Moon) ② 레닌(Lenin)

③ 본(Moritz Bonn) ④ 슘페터(Joseph Schumpeter)

정답 및 해설

제국주의를 경제적 측면에서 설명한 사람은 레닌(Lenin)이다.

> **관련 이론** 레닌(Lenin)
>
> 레닌은 『제국주의: 자본주의의 최고 단계』(1916)에서 기존의 제국주의론을 비판하고 마르크스주의의 제국주의 분석을 집대성하였다. 여기서 레닌은 제국주의를 자본주의의 독점단계로 규정하고 그 특징을 다음과 같이 경제적 측면에서 5가지로 서술하였다.
> 1. 자유경쟁 자본주의의 독점 자본주의로의 이행: 자본주의 아래에서는 시장경쟁을 통하여 생산과 자본이 점차 소수의 대기업에 집중되며, 생산과 자본의 고도집중은 카르텔, 트러스트, 신디케이트와 같은 독점적 기업결합으로 발전한다. 이는 다시 시장과 가격의 지배를 통해 독점적 고이윤을 생산함으로써 한층 더 발전된 소수의 기업결합체로 발전한다.
> 2. 지배적 자본형태로서의 금융자본의 존재: 기업독점은 자금 융자와 주식발행 등을 통하여 거대산업과 거대은행의 융합을 가능하게 하는데 여기서 금융자본이 형성된다. 금융자본은 생산과 자본을 지배하고 독점이윤을 취득함으로써 경제 전반에 걸친 금융과두제를 가능하게 한다.
> 3. 후진국에 대한 자본수출: 독점과 금융자본에 의해 형성되는 과잉자본은 높은 이윤과 유리한 투자기회를 찾아 후진지역으로 수출된다. 배타적이고 특권적인 거래조건(특혜적 통상조약, 철도와 항만의 배타적 점유, 유리한 조건의 증권발행 등)으로 이루어지는 자본수출은 금융자본의 막대한 이윤의 주요 원천이다.
> 4. 세계시장의 분할·지배: 전기산업·석유산업·국제금융자본 등은 카르텔, 트러스트, 신디케이트 등을 통해 세계시장을 분할·지배한다.
> 5. 열강에 의한 식민지 분할의 완료: 세계시장의 재분할은 열강의 식민지 지배를 위한 경제적 기초가 된다.

답 ②

---

005 마르크스주의가 바라보는 제국주의에 대한 입장으로 가장 옳은 것은?

① 제국주의는 국가의 권력추구에 의해 일어난 것으로, 이는 근본적으로 국제체제의 무정부성에 그 원인이 있다.

② 제국주의는 독점적 자본주의 생산과정에서 잉여자본이 필연적으로 생기게 되어, 이것이 금융자본과 통합되어 해외로 수출되는 것을 의미한다.

③ 국가들은 자력구제에 의한 자기 보존에 신경써야만 하며, 자기 보존을 위해 권력을 극대화하고 영향력을 증대하려 하는데 이것이 구체적으로 발현된 것이 제국주의이다.

④ 제국주의란 산업을 지배하고 있는 대자본가들이 국내에서 소비되지 못하고 있는 상품과 자본을 처리하기 위해 해외시장과 해외투자를 모색하는 가운데 발생하는 것이다.

정답 및 해설

✅ 선지분석
①, ③ 중상주의자들의 논리이다.
④ 자유주의자의 논리이다.

답 ②

006 갈퉁(Johan Galtung)의 제국주의 구조이론과 가장 연관이 큰 것은?

□□□

① 기독교 문명권과 비기독교 문명권 사이의 가치관적 갈등이 경제적인 갈등현상으로 발전한 것이어서 서구의 제국주의라고 설명하였다.
② 자본주의 강대국과 사회주의 강대국 사이의 '이익의 불일치'가 서구의 중심부와 비서구 주변부의 영향력 관계로 발전하였다고 주장한다.
③ 중심부 국가의 주변부와 주변부 국가의 주변부 사이에 이익의 불일치를 분석하였다.
④ 제국주의는 자본주의의 최고 발전단계라는 레닌의 주장을 반박하면서 자본주의의 초기 형성단계라고 주장하였다.

정답 및 해설

갈퉁(Johan Galtung)은 구조적 제국주의(structural imperialism)를 "두 지역의 공통된 이익을 위해 중심부 국가와 주변부 국가의 핵심부에 건설하는 교두보를 기반으로 국가에 영향을 주는 정교한 지배관계의 한 유형"으로 정의한다. 또한 그는 중심부 국가와 주변부 국가의 핵심부 간 이익은 서로 조화를 이루고 있으며, 중심부 국가 내에서 보다 주변부 국가의 주변부 간에는 이익이 부조화를 이루고 있다고 보았다. 그리고 중심부 및 주변부 국가 간 교환형태를 그 유형에 따라 다섯 가지의 제국주의, 즉 경제, 정치, 군사, 커뮤니케이션 및 문화 제국주의로 정의했다.

답 ③

---

007 제국주의에 대한 제(諸) 이론의 설명으로 옳은 것은?

□□□

① 마르크시즘: 제국주의는 국가의 권력추구 때문이며 이는 국제체제의 무정부성에서 기인한다.
② 자유주의: 자본주의 국가에서는 소득과 부가 불균등하게 배분, 과잉생산과 과소소비 문제가 발생하므로 잉여자본을 해외로 투자하고 다른 국가와 경쟁하는 과정에서 제국주의가 발생한다고 본다.
③ 중상주의: 잉여자본의 발생은 어떠한 소득분배를 통해서도 피할 수 없으므로, 잉여자본이 금융자본과 통합되어 해외로 수출되게 되면서 제국주의가 발생한다고 본다.
④ 마르크시즘: 제국주의라는 것은 자기 보존을 위해 구체적으로 권력을 극대화하려는 생각이 표현된 것에 불과하다.

정답 및 해설

언뜻 마르크시즘에만 적용되는 설명처럼 보이나, 이는 홉슨(J. Hobson)의 과소소비설이다. 단, 그의 이론이 마르크시즘과 다른 점은 제국주의를 자본주의에 내재한 불가피한 현상으로 보지 않는다는 것이다. 자본주의 국가에서도 과소소비 문제가 발생하지 않으면 제국주의는 나타나지 않을 것이다.

⊘ 선지분석

① 중상주의: 제국주의는 국가의 권력추구 때문이며 이는 국제체제의 무정부성에서 기인한다.
③ 마르크시즘: 잉여자본의 발생은 어떠한 소득분배를 통해서도 피할 수 없으므로 잉여자본이 금융자본과 통합되어 해외로 수출되게 되면서 제국주의가 발생한다고 본다.
④ 중상주의: 제국주의라는 것은 자기 보존을 위해 구체적으로 권력을 극대화하려는 생각이 표현된 것에 불과하다.

답 ②

001 종속이론에 대한 설명으로 옳지 않은 것은?

□□□

① 종속이론은 상대적으로 온건하고 현실적인 면모를 지닌 '데펜덴시아' 학파와 혁명에 의한 변화를 강조하는 과격한 '중심부 – 주변부 이론'으로 대별된다.

② 데펜덴시아 옹호론자들은 수입대체산업은 주변국 국가 국내시장이 협소하고 자본재와 설비를 수입에 의존함으로써 다국적 자본과 해외기술에의 의존을 심화시키기 때문에 저발전문제의 적절한 해결책이 되지 못한다고 보았다.

③ 급진적 종속이론가인 후랑크는 남미지역의 저발전의 이유는 중심부와 주변부가 착취의 사슬로 묶여 있어서 중심부가 그들의 발전을 위해 필요한 자원을 퍼 내가기 때문이라고 보았다.

④ 주변부 국가는 자본과 기술의 근원을 통제하는 국가이고 스스로 지속력이 있는 성장을 달성할 수 있으나, 중심부 국가의 발전은 타국의 성장에 의존적이다.

정답 및 해설

중심부 국가와 주변부 국가의 설명이 뒤바뀌었다. 후랑크는 중남미 국가와 북미 국가는 자본주의 경제체제 속에서 하나로 결합되어 있고, 북미 국가가 중심부, 중남미 국가는 주변부로 편입되어 있다고 본다. 그는 주변국이 저발전을 탈피하기 위해서는 국내혁명을 통해 매판계급을 축출하고, 포괄적 자본주의 세계경제로부터 국가의 경제를 단절시켜야 한다고 보았다.

답 ④

002 중심부 – 주변부 분석(Center-Periphery Analysis)에 따를 때, 다음 진술 중 옳은 것은?

□□□

① 중심부 엘리트: "주변부 사람들이 너무 가여워. 인도적 지원을 아끼면 안 돼."

② 중심부 노동계층: "우리도 중심부니까 당연히 주변부 엘리트보다는 우월하지."

③ 주변부 엘리트: "주변부 국가 전체를 희생해야 우리의 이익을 챙길 수 있어. 중심부 엘리트 계층에 동조해서 이익을 챙길 수 없을까."

④ 주변부 노동계층: "우리 주변부 엘리트들만이 우리를 도와주고 있어."

정답 및 해설

일국 내에서도 중심부와 주변부가 형성되는데, 국가 간의 관계보다 중요한 것은 중심부 국가의 엘리트와 주변부 국가의 엘리트를 연결하는 초국가적 계급연합이라고 본다. 주변부 국가 전체를 희생하여 자신의 이익을 추구하는 매판계급(comprador class 혹은 national bourgeoisie)은 해외 자본가와 연합을 형성해 사회적·경제적 불평등을 더 심화시키고 자생력 있는 경제(self-sustaining economy)를 불가능하게 한다고 본다.

답 ③

003 다음은 종속이론에 대한 설명이다. 학자와 주장하는 내용의 연결이 옳지 않은 것은?

① 프레비시(Raul Prebisch): 저발전 문제의 해결을 위해 중심부와 주변부 간 무역수지를 개선해야 한다.
② 선켈(Osvaldo Sunkel): 종속의 극복을 위해서는 농업구조의 개혁, 산업구조의 재편 등을 추구해야 한다.
③ 푸르타도(Celso Furtado): 주변적 자본주의는 자체적 개혁이 가능한 내적종속이다.
④ 프랑크(Andre G. Frank): 중심부가 자신들의 발전을 위한 자원을 주변부에서 퍼가기 때문에 선진세계와의 단절을 통해 종속에서 벗어날 수 있다.

정답 및 해설

마르크스주의 이론 중 하나인 종속이론은 제3세계, 특히 남미의 저발전 문제를 다루기 위해 제시된 이론이다. 근대화이론에 따른 처방이 오히려 남미의 저발전 문제를 심화시킨다고 판단하여 근본적인 원인을 진단함으로써 세계적 성장을 이룰 수 있는 전략을 만들고자 한다.

답 ③

---

004 종속이론가들의 주장이 바르게 연결된 것은?

> ㄱ. 고전파 경제학의 비교우위론에 대해 선진 공업국과 후발국이 각각 제조업과 천연자원의 생산에 특화할 경우 천연자원의 교역조건이 장기적으로 악화됨에 따라 후발국의 발전이 저해될 수 있다고 주장하고 이러한 세계경제 상태를 중심·주변 구조라고 불렀다.
> ㄴ. 오늘날의 개발도상국은 16세기 유럽 열강에 의한 식민지화 이래 세계 자본주의 체제 안에 종속 지역으로서 편입되어 중심국에 잉여부분을 착취당해 왔기 때문에 '저발전이 누적'되었으며 사회주의 혁명을 통해 세계 자본주의체제로부터 이탈하지 않고서는 저개발 상태에서 벗어날 수 없다고 하였다.
> ㄷ. 1970년대 신흥 공업국의 등장을 배경으로 다국적 기업에 의존한 상태에서도 국가의 힘으로 안정적인 사회관계 수립에 성공한 나라는 경제성장이 가능하다는 '종속적 발전'론을 제시하였다.
> ㄹ. 과거의 수입대체 산업화 노선을 '내부 지향적 발전'이라며 반성하고 국내에서 조달할 수 있는 물적·인적 자원을 기초로 국내와 해외 시장 양쪽을 대상으로 공업제품을 생산하는 '내부로부터의 발전'을 주장하였다.

① ㄱ - 라울 프레비시(Raul Prebisch)
② ㄴ - 카르도소(F. H. Cardoso)
③ ㄷ - 선켈(Osvaldo Sunkel)
④ ㄹ - 안드레 프랑크(Andre G. Frank)

정답 및 해설

✅ **선지분석**
ㄴ. 안드레 프랑크(Andre G. Frank)의 주장이다.
ㄷ. 카르도소(F.H.Cardoso)의 주장이다.
ㄹ. 선켈(Osvaldo Sunkel)의 주장이다.

답 ①

005 종속이론에 대한 설명으로 옳지 않은 것만을 모두 고른 것은?

> ㄱ. 프레비시는 주변국이 저개발 상태에서 탈출하기 위해서는 자유무역에 맡기는 것이 아니라 산업화를
> 도모해야 한다고 주장하였다.
> ㄴ. 안드레 프랑크(Andre G. Frank)에 의하면, 오늘날의 개발도상국은 사회주의 혁명을 통해 자본주의
> 체제를 이탈하지 않고서는 저개발 상태를 벗어나지 못한다고 주장한다.
> ㄷ. 안드레 프랑크는 소수자의 권리회복 운동과 평화·환경보호 운동 등 초국경적인 사회운동의 발전을
> 통한 세계 시스템 전체의 개조에 기대를 걸었다.
> ㄹ. 선켈(Osvaldo Sunkel)은 과거의 수입대체산업화 노선을 계승하여, 국내의 물적·인적 자원을 기초로
> 국내외 시장을 대상으로 공업제품을 생산하는 '내부로부터의 발전'을 주창했다.

① ㄹ
② ㄱ, ㄴ
③ ㄴ, ㄷ
④ ㄷ, ㄹ

정답 및 해설

종속이론에 대한 설명으로 옳지 않은 것은 ㄹ이다.

ㄹ. 프레비시 노선을 계승한 선켈(Osvaldo Sunkel)은 과거의 수입대체산업화 노선을 '내부지향적 발전'이라 반성
하고, 국내의 물적·인적 자원을 기초로 국내외 시장을 대상으로 공업제품을 생산하는 '내부로부터의 발전'을 주
창했다.

☑ 선지분석

ㄱ. 1950년대 프레비시 등의 구조론자들은 고전파 경제학의 비교우위론에 대해 선진 공업국과 후발국이 각각 제조
업과 천연자원의 생산에 특화할 경우, 천연자원의 교역조건이 장기적으로 악화됨에 따라 후발국의 발전이 저해
받을 수 있다고 주장하고 이러한 세계경제 상태를 중심·주변구조라고 불렀다. 그래서 ㄱ과 같은 주장을 펼친다.

ㄴ. 안드레 프랑크(Andre G. Frank)에 의하면, 오늘날의 개발도상국은 16세기 유럽 열강에 의한 식민지화 이래
세계 자본주의 이래 세계 자본주의 체제 안에 종속지역으로서 편입되어 중심국에 잉여부분을 착취당해 왔기 때
문에 어쩔 수 없이 '저개발의 누적'이 진행되어 온 것이다. 따라서 사회주의 혁명을 통해 세계 자본주의 체제에
서 이탈하지 않고서는 저개발 상태에서 벗어날 수 없다고 한다.

ㄷ. 또한 프랑크(Andre G. Frank)는 유통을 통한 착취와 자본축적의 구조는 자본주의화의 원점이었던 16세기가
아니라, 5천년 전에 시작되었다고 주장하게 되었다. 따라서 이제는 사회주의 혁명에 의한 자본주의로부터의 이
탈은 문제를 해결해주지 못한다고 하였다. 그리하여 ㄷ지문의 내용과 같은 운동에 희망을 걸게 되었다. ㄴ과의
설명이 다른 이유는 안드레 프랑크의 이론이 시간의 흐름에 따라 ㄴ에서 ㄷ으로 발전하였다고 이해하면 된다.
추가적으로 카르도소(F. H. Cardoso)는 사회민주주의적 입장에 선 종속이론가로 1970년대의 신흥 공업국의
등장을 배경으로 다국적 기업에 의존한 상태에서도 국가의 힘으로 안정적인 사회관계 수립에 성공한 나라는 경
제 성장이 가능하다고 하는 '연계 종속적 발전론'을 전개하였다. 에반스(Peter Evans)는 다국적 기업과 이 기
업을 받아들인 국가들이 중심이 되어 자국 기업을 포함시킨 '삼자 동맹'하에서 급속한 산업화가 가능하다고 생
각했다.

답 ①

001
□□□

월러스타인(Immanule Wallerstein)의 세계체제론에 대한 설명으로 옳지 않은 것은?   2012년 외무영사직

① 자본주의 체제는 정치·군사적 '세계제국'을 갖고 있는 세계체제이다.

② 자본주의 세계경제의 공간적 차원은 중심, 반주변, 주변으로 구성된다.

③ 16세기에 등장한 근대 세계체제는 자본주의 '세계경제'이다.

④ 자본주의 세계경제의 시간적 차원은 주기적 리듬, 장기적 추세, 모순, 위기 등이다.

정답 및 해설

자본주의 세계체제는 하부구조의 경제적 측면은 전 세계적으로 통일성과 단일성을 가지나, 상부구조인 정치적·군사적 차원은 '국가 간 체제'(interstate system)를 형성하고 있다. 즉, 여러 개의 주권국가들로 분열된 체제이다.

답 ①

002
□□□

세계체제론의 이론적 배경으로 옳지 않은 것은?

① 월러스타인의 세계체제론은 종속이론과 같이 발전, 또는 저발전 문제에 대한 근대화 이론의 진단과 처방에 반발하면서 등장하였다.

② 월러스타인의 이론은 레닌의 제국주의 이론과는 무관하다.

③ 월러스타인은 종속이론의 중심 – 주변 분석을 수용하는 한편, 종속이론적 접근에 대해 비판을 제기하면서 세계체제론을 제시하였다.

④ 분석단위에 있어서 종속이론은 국가를 단위로 하나 세계체제론은 자본주의 세계체제를 분석단위로 한다.

정답 및 해설

레닌의 제국주의 이론의 지적 자산을 공유하고 있다. 레닌의 제국주의로부터 월러스타인은 두 가지 영감을 얻었다. 첫째, 국내외 정치가 모두 자본주의 세계 경제 틀 안에서 발생한다. 둘째, 국가만이 세계정치에서 유일하고 중요한 행위자가 아니며 사회계급도 매우 중요하다.

답 ②

003
□□□

콘드라티예프 파장과 가장 관계있는 국제관계이론은?   2004년 외무영사직

① 동맹이론

② 패권안정론

③ 세계체제론

④ 국제제도론

정답 및 해설

월러스타인의 세계체제론은 자본주의 세계경제의 특징 중 하나로서 확대와 수축이라는 주기적 리듬을 반복한다는 점을 들고 있다. 월러스타인은 구체적으로 이러한 확대와 수축이 40~60년을 주기로 반복된다고 하는 콘드라티예프 파동(Kondratiev Wave)과 관련이 있는 것으로 파악하고 있다.

답 ③

004 월러스타인(I. Wallerstein)의 세계체제론에 관한 설명으로 옳지 않은 것은?

① 분석 단위면에서 세계체제론은 국가를 단위로 한다.

② 후진국의 발전문제를 둘러싸고 벌어진 자유주의 발전이론과 종속이론과의 논쟁은 1970년대 중반부터 수그러들기 시작하고, 이에 대해 월러스타인(I. Wallerstein)의 세계체제론은 1960년대의 발전론 및 근대화론에 대한 비판으로서 등장하였다.

③ 종속이론은 세계를 중심부와 주변부로 나누지만 세계체제론은 이에 반주변부를 추가한다.

④ 그의 주요개념은 '노동의 분화(division of labor)', '주기적 리듬(cyclical rhythms)'과 '장기적 추세(secular trends)'이다.

정답 및 해설

종속이론은 분석 단위가 국가이나, 세계체제론은 자본주의 세계체제 전체를 단위로 한다.

답 ①

005 월러스타인의 세계체제에 대한 설명 중 옳지 않은 것은?

① 세계체제란 단일의 노동분업구조와 복수의 문화체제를 가진 하나의 단위이다.

② 근대화 이론에 대한 도전에서 지적 탐구가 시작되었다.

③ 근대세계체제는 정치적 통일성이 결여되어 있으나 경제적 통일체를 이루고 있는 자본주의 세계체제이다.

④ 세계체제 내의 작동원리를 중심부 내의 중심부와 주변부 내의 중심부 간의 이익이 조화되는 과정으로 설명한다.

정답 및 해설

월러스타인은 중심부 – 반주변부 – 주변부가 부등가교환관계에 기초하여 착취관계를 형성하고 있다고 본다.

답 ④

006 다음의 논리적 추론에 부합하는 이론은?

> ㄱ. 미국의 월남전 패배, 1970년대의 석유위기 등은 미국의 패권적 쇠퇴라는 미국 자본주의의 위기를 보여준다.
> ㄴ. 중심부, 주변부, 반주변부 상호 간의 관계는 부(富)가 주변에서 중심으로 빠져나가는 착취적 관계로 연결되어 있다.
> ㄷ. 위기의 경제적 요인은 세계경제에서 반복적으로 발생하는 불황에 더 이상 자본주의 세계경제가 대응할 수 없게 되는 것이다.

① 구성주의　　　② 세계체제론　　　③ 제도주의　　　④ 장주기론

정답 및 해설

ㄱ. 세계체제론은 1970년대 나타난 세계정치현상을 배경으로 이를 설명하기 위해 제시된 측면이 크다.

ㄴ. 이는 세계체제론 중 자본주의 세계경제인 하부구조에 관한 설명에 해당한다.

ㄷ. 특정 세계체제에서의 위기는 그 체제의 종말과 또 다른 체제에 의한 대체를 알리는 것인데, 여기에는 경제적, 정치적, 지문화적 요인이 있으며 지문에 제시된 것은 그 중에서 경제적 위기에 해당한다.

답 ②

007 월러스타인의 세계체제론에 대한 설명으로 옳은 것만을 모두 고른 것은?

□□□

> ㄱ. 세계체제론에 따르면 역사상에 체제는 소규모체제, 세계제국, 그리고 세계 경제가 존재하였다.
> ㄴ. 제3세계 국가들의 저발전을 개별국가의 국내적 요인으로 설명하고, 서구 자본주의 국가의 모델을 좇아 발전전략을 구사함으로써 저발전 문제를 해결할 수 있다고 보았다.
> ㄷ. 반주변부는 중심과 주변의 특징을 모두 보이는 지역으로 세계체제 내에서 매개적 역할을 수행한다.
> ㄹ. 중심부, 주변부, 반주변부 상호간의 관계는 부가 주변에서 중심으로 빠져나가는 착취적 관계로 연결되어 있다.

① ㄱ, ㄹ   ② ㄴ, ㄷ   ③ ㄱ, ㄷ, ㄹ   ④ ㄴ, ㄷ, ㄹ

정답 및 해설

월러스타인의 세계체제론에 대한 설명으로 옳은 것은 ㄱ, ㄷ, ㄹ이다.

✅ **선지분석**

ㄴ. 근대화이론에 대한 설명으로, 세계체제론은 종속이론에 대한 반발로 등장한 이론이다. 세계체제론은 이러한 종속이론의 처방에 반대하면서 보다 거시적으로 '세계 자본주의 체제 내에서 개별국가의 위치'가 빈곤의 원인이라고 보았다.

답 ③

---

008 세계체제론에 대한 설명으로 옳지 않은 것은?

□□□

① 월러스타인의 세계체제론은 1960년대 전세계적으로 사회과학을 지배했던 발전론 및 근대화론에 대한 비판으로서 1970년대에 등장했다.
② 세계체제론은 국제정치 분석에 있어서 새로운 분석단위로서 세계체제를 제시함으로써 기존의 국가 중심적 접근과 차별성을 보여주었다.
③ 월러스타인은 기본적으로 마르크스의 역사적·구조적 접근을 수용하고 있으며, 자본주의에 대해서는 유통주의적 관점을 취하고 주변부에서의 자본주의 발전을 비관적으로 바라보는 점에서 마르크스와 일치한다.
④ 세계화로 전세계적으로 자본주의 경제시스템이 자리잡아가고 있고, 남북 간 빈부격차 문제가 심화되어 가는 현 국제정세에서 그 원인을 분석하는 이론적 틀로서 중요한 의의가 있다.

정답 및 해설

마르크스의 역사적 구조적 접근을 수용하고 있으나, 자본주의에 대해서는 유통주의적 관점을 취하고, 주변부에서의 자본주의 발전을 비관적으로 바라보는 점에서 마르크스와 구별된다. 따라서 마르크스주의 진영에서 월러스타인의 세계체제론은 신마르크스주의로 분류된다.

답 ③

---

009 월러스타인은 패권이 네 단계를 거치면서 주기적으로 순환한다고 주장하였다. 다음 중 월러스타인의 패권의 주기적 순환과정을 순서대로 바르게 나열한 것은?

□□□

> ㄱ. 패권의 승리   ㄴ. 패권의 성숙
> ㄷ. 부상하는 패권   ㄹ. 쇠퇴하는 패권

① ㄱ - ㄴ - ㄷ - ㄹ   ② ㄴ - ㄷ - ㄹ - ㄱ
③ ㄷ - ㄱ - ㄴ - ㄹ   ④ ㄷ - ㄱ - ㄹ - ㄴ

부상하는 패권 단계에서는 경제적인 확장기에 중심부 국가들 간 치열한 경쟁이 발생한다. 패권의 승리기에 실질적인 패권국이 등장하며, 패권의 성숙기에는 새롭게 등장한 패권국이 산업생산, 농업, 공업, 상업, 재정적 자원면에서 우월적 지위를 확립한다. 쇠퇴하는 패권기에는 패권유지를 위한 비용이 증가하고 경제적 능력이 분산되어 패권에 도전할 수 있는 여건이 형성된다. 패권 쇠퇴기는 세계경제의 수축기와 함께 진행된다.

답 ③

---

010 세계체제론에서 말하는 체제의 위기의 요인으로 옳지 않은 것은?

□□□

① 자본주의 경제관계의 심화 – 도시화, 상품화
② 통신의 발전으로 인한 전지구적 정치 동원이 용이
③ 중앙집권적 정당 조직 형태를 띤 반체제 운동의 형태
④ 절대적 진리에 대한 의문과 우연, 불확실의 강조

반체제 운동의 형태는 정치적 요인에 대한 설명인데, 반체제 운동은 중앙집권적 형태가 아닌 분산된 무지개 연합 형태를 띠고 있어 효과적 포섭이 어려워져 운동의 위기가 찾아오는 것이 위기의 한 요인이라고 본다.

⊘ 선지분석
① 경제적 위기의 형태에 대한 설명이다.
② 정치적 요인의 문제에 대한 설명이다.
④ 문화적 요인에 대한 설명이다.

답 ③

---

011 월러스타인에 따르면 자본주의 세계경제는 공간적 차원에서 보면, 중심부, 주변부 및 반주변부로 노동의 분화를 형성하고 있다. 이에 대한 설명으로 옳지 않은 것은?

□□□

① 중심부 국가는 강력한 국가들로서 숙련된 노동과 높은 임금을 특징으로 하여 고임금 재화를 생산한다. 정치적으로 민주정부 형태이며, 무역구조는 원자재를 수입하고 공산품을 수출한다.
② 주변부 국가들은 힘이 약한 국가들로서 숙련되지 못한 노동과 낮은 임금을 특징으로 한다. 비민주적 정부에 의해 통치되고 있으며, 원자재를 수출하고 공산품을 수입한다.
③ 반주변부는 중심과 주변의 특징을 모두 보이는 지역으로서 세계체제 내에서 매개적 역할을 수행한다. 반주변부는 중심에서의 임금상승에 대한 압력을 상쇄하는 노동의 원천을 제공하고, 중심에서 더 이상 이윤을 창출할 수 없는 산업들에게 새로운 기지를 제공한다.
④ 중심부, 주변부, 반주변부 상호 간의 관계는 부가 중심에서 주변으로 빠져나가는 착취적 관계로 연결되어 있다.

부(wealth)가 중심에서 주변으로 빠져나가는 것이 아니라 주변에서 중심으로 빠져나가는 착취적 관계로 연결되어 있다. 세계 자본주의 체제에 있어서 교환은 중심부 국가들에게 천연자원을 주로 공급하고 있는 후진국들에게는 불리한 불평등 교환의 형태를 띤다. 따라서 빈국으로부터 부국으로의 잉여가치의 이전을 지속적으로 재생산시킨다.

답 ④

012 세계체제론에 대한 평가로 옳지 않은 것은?

① 월러스타인은 세계체제를 사회체계 분석에 있어서 적합한 분석단위라고 주장한다. 이러한 분석단위는 기존의 정통 국제정치학이 분석단위로 삼아 온 국민국가를 넘는 것이다.

② 세계화로 인해서 전세계적으로 정치, 경제 시스템이 통합되고 있지만 여전히 국민국가의 위상은 더욱 강화되고 있으므로 분석단위로서의 세계체제의 적실성이 낮다.

③ 세계화, 자본주의 확산, 남북격차 확대의 현상은 세계체제론의 적실성을 높여주는 것으로 보인다.

④ 세계체제론은 거시 사회과학 연구에 있어 국민국가 수준에서 모든 현상들을 조명하고자 하는 우리들의 관습적인 인식의 지평에 회의를 던지며, 국민국가의 경계선을 뛰어넘는 새로운 인식의 지평을 여는 데 선도적 역할을 담당하였다.

정답 및 해설

세계화로 인해 전세계적으로 정치, 경제 시스템이 통합되고 있는 현 정세를 고려할 때, 분석단위로서의 세계체제의 적실성이 높아지고 있다. '세계'라는 개념이 국제정치학의 영역에서 일고 있는 혁명적 변화들을 담아내는 데 합당하다는 주장이 국제정치학계 내부에서 나오고 있다.

답 ②

013 세계체제론에 대한 비판으로 옳지 않은 것은?

① 세계체제론에 대한 비판의 핵심은 여타 체제수준의 이론에 대한 비판과 마찬가지로 개별 국가들의 내적인 차이를 고려하지 않는다는 것이다.

② 월러스타인의 세계체제론은 정치변수의 자율성을 주장하고 정치변수가 경제변수나 경제현상을 야기하는 독립변수가 될 수 있다고 보는 반면, 이에 대한 비판론자들은 자본주의라는 경제변수에 기초하여 다양한 현상들을 설명한다.

③ 모델스키, 톰슨 등의 학자들은 국가 간 정치의 본질을 간과해서는 세계체제의 총체적이고 역동적인 변동을 효과적으로 설명하지 못한다고 비판한다.

④ 월러스타인의 세계체제론은 발전 및 저발전 문제에 있어서 구조변수의 영향력을 지나치게 강조함으로써 결정론적 오류를 범하고 있다.

정답 및 해설

월러스타인의 세계체제론과 비판론자들의 주장이 뒤바뀌었다.

✓ 선지분석

④ 월러스타인이 반주변부라는 개념을 도입함으로써 개별국가의 노력에 따른 이동성을 어느 정도 인정해 주고 있으나, 이동을 위한 조건이 매우 엄격하고 제한적이라는 점에서 이동성이 높지 않을 것으로 본다. 이러한 입장은 구조 변화 없이는 발전이 불가능하다는 비관적 전망을 제시해 준다는 점과 실제 국제관계에서 개별 국가들의 노력으로 이동이 비교적 유연하다는 현실을 고려할 때 지나치게 결정론적인 주장이라는 비판을 가할 수 있다.

답 ②

제5장 탈냉전 국제관계이론

제1절 | 구성주의

001 웬트(A. Wendt)의 구성주의 이론에 대한 설명으로 옳은 것은?

① 국가의 정체성이 변화하여도 국가의 외교·안보 정책은 달라지지 않는다.
② 미국은 영국의 핵무기와 북한의 핵무기를 자국 안보에 대한 위협 요인으로 동일시한다.
③ 로크적 문화에서는 경쟁국의 주권을 인정하지만, 분쟁 중에도 강제력의 행사는 완전히 배제된다.
④ 국제체제는 물질적 자원(material resources), 공유된 지식, 실제적인 행위로 구성된 복합적인 구조이다.

정답 및 해설

물질적 자원, 공유된 지식, 실제적 행위로 구성된 복합체제로서의 국제체제에서 공유된 지식, 즉 집합정체성을 중요시하는 이론이 구성주의이다.

⊘ 선지분석
① 국가의 정체성이 변화되는 경우 국가의 대외정책도 변화한다고 본다. 한국이 개도국인지 중견국인지 그 정체성 변화에 따라 대외정책의 목표나 방향이 달라지게 된다.
② 미국은 집합정체성에 따라 영국의 핵무기보다 북한의 핵무기에 더 민감하게 반응한다.
③ 로크적 문화에서는 경쟁적 정체성을 가지고 있으므로 분쟁시에는 강제력을 행사할 수도 있다.

답 ④

002 국제정치학 이론 중 하나인 구성주의에 대한 설명으로 옳지 않은 것은?

① 국제체제의 구조를 물질적 구조가 배제된 관념적 구조만으로 본다.
② 정체성, 문화와 같은 비물질적인 요소도 특정한 국제정치현상을 설명하는 요소가 될 수 있다.
③ 객관적 실체가 존재한다는 합리주의 가정을 거부하고 행위자가 실체를 규정짓는다고 가정한다.
④ 국제정치의 무정부성은 행위자들의 상호작용의 결과에 따라 다양하게 해석될 수 있다.

정답 및 해설

구성주의는 물질적 구조를 '배제'하는 것이 아니라 물질적 구조가 관념적 구조에 따라 다양하게 규정될 수 있다는 점을 강조한다. 미국입장에서 영국이 가진 핵무기와 북한이 가진 핵무기의 위협이 다르게 느껴질텐데 이는 미국 – 영국, 미국 – 북한의 집합정체성 또는 관념구조가 다르기 때문인 것이다.

⊘ 선지분석
② 구성주의를 관념으로 부른다.
③ 행위자가 구조를 구성해 내는 것이다.
④ 무정부성이 홉스적, 로크적, 칸트적으로 다양하게 해석될 수 있다.

답 ①

003

국제관계를 바라보는 구성주의적 관점에 해당하는 것만을 모두 고른 것은?

> ㄱ. 국제적 규범구조가 국가정체성과 이익을 형성하며, 그것들의 상호작용을 통해 국가들은 그 구조를 재창조한다.
> ㄴ. 국제정치를 이해하기 위한 기제는 권력에 따라 정의된 이익개념을 통해서이다.
> ㄷ. 안보공동체는 국가들이 서로 신뢰하며 분쟁을 전쟁 없이 해결하고자 하는 공유된 지식으로 구성된다.
> ㄹ. 국가 간 전략적 상호작용은 여러번 반복할 경우 최적의 상태를 산출하기 위해 경쟁보다는 협동을 선택한다.

① ㄱ, ㄴ ② ㄱ, ㄷ
③ ㄴ, ㄷ ④ ㄷ, ㄹ

정답 및 해설

국제관계를 바라보는 구성주의적 관점에 해당하는 것은 ㄱ, ㄷ이다.

선지분석
ㄴ. 현실주의 입장이다.
ㄹ. 반복게임 상황에서 협력의 발생가능성을 인정하는 이론은 신자유제도주의에 해당한다.

답 ②

004

웬트(Wendt) 등 구성주의(constructivism) 학파의 기본적인 관점으로 옳지 않은 것은? 2012년 외무영사직

① 국가는 단일한 행위자가 아니며 국가 내부의 다양한 개인과 집단의 존재에도 주목해야 한다.
② 국제관계에서 한 국가의 선택은 구조나 체제 속에서 예측 가능한 형태로 합리적으로 이루어진다.
③ 일국의 국익과 선호는 구조와 행위자의 상호작용에 의해 구성되기 때문에 고정된 것으로 간주하는 것은 옳지 않다.
④ 국제사회에서 한 국가가 협력하거나 자신의 이익을 인식하는 데는 문화적 요소나 규범적 요소가 많은 영향을 미친다.

정답 및 해설

구성주의는 합리주의에 대비되는 이론이다. 신현실주의나 신자유제도주의이론 등을 합리주의라 한다. 이들은 국가의 합리성을 강조하고 국제정치현상을 합리적 국가의 합리적 선택의 결과로 해석한다. 구조적 현실주의에 있어서 구조는 무정부성 또는 극성을 의미한다. 구성주의 역시 구조의 역할을 강조하나, 구조는 주어진 것이 아니라 행위자들 상호간의 간주관적 상호작용에 의해 구성된 산물(a social construct)임을 강조한다. 합리주의가 행위자 선호의 고정성을 강조한다면, 구성주의는 그러한 선호는 정체성에 따라 변동가능한 것임을 강조한다.

선지분석
① 구성주의 역시 국가의 행동을 분석대상으로 삼고 있으나, 구성주의 관점에서 국가는 관념적 실체로서 국가 내부의 다양한 행위자들 및 타국과의 상호작용과정에서 자아정체성, 타자정체성 등을 구성하고 이에 기초하여 선호나 이익을 규정한다.

답 ②

005 구성주의의 등장배경 및 사회이론적 기초를 설명한 것으로 옳지 않은 것은?

① 구성주의가 영향력을 갖게 된 것은 무엇보다 냉전의 종식 때문이었다.

② 구성주의는 탈냉전기 극단적인 대립양상을 띠고 있었던 실증주의와 탈실증주의, 합리주의와 성찰주의 진영 간 대화와 타협을 모색하고자 하였다.

③ 구성주의는 근대 국제체제를 부정한다는 측면에서 하버마스의 입장과는 구별된다.

④ 기든스의 사회이론은 근대성에 대한 하버마스의 입장을 보완하면서 구성주의에 대한 보다 구체적인 이론적 틀을 제공하고 있다.

정답 및 해설

구성주의는 근대 국제체제를 부정하기보다는 근대 국제체제를 인정하면서 그 변화 가능성을 열어두고 변화를 모색한다는 점에서 하버마스의 입장과 맥을 같이하고 있다. 하버마스의 후기 근대론은 이른바 탈근대론과는 구별되는 견해로서 탈근대론자들은 근대프로젝트의 실패를 주장하고 이를 전적으로 해체할 것을 주장하는 반면, 하버마스는 근대화 프로젝트를 전적으로 부인하기 보다는 그 오류를 인정하되 인간의 합리적 이성을 통해 그 오류를 시정할 수 있다는 입장이다.

✓ 선지분석

④ 기든스는 근대의 기획이 그 시작부터 문제점을 갖고 있었다는 점을 인정하면서도 근대성이 이러한 부정적인 면을 통제할 수 있는 잠재력을 동시에 갖는다고 지적하고 있다.

답 ③

006 구성주의의 방법론적 특징으로 옳지 않은 것은?

① 구성주의는 관념론(idealism)에 근거하고 있다. 이는 신자유주의나 신현실주의 등의 합리주의가 유물론(materialism)에 기초하는 것과 대비된다.

② 관념론은 집합정체성, 사상, 기술 등의 요소가 행위자의 선택에 근본적 영향을 준다고 보는 입장이다.

③ 구성주의는 구조의 행위자에 대한 영향력을 강조함으로써 전체론적 방법론을 취하여 개체론과 대비된다.

④ 구성주의는 과학적 실재론을 수용하여 실증주의와 탈실증주의 논쟁에 가교역할을 하고자 한다.

정답 및 해설

기술은 관념변수가 아니라 물질적 요소이다. 관념론은 인간의 의식이나 인식 또는 규범을 인간의 행동에 가장 중요한 독립변수로 보는 견해이다. 구성주의자들은 구조나 제도를 인식함에 있어서 행위자의 인식을 강조함으로써 관념론을 취하고 있다.

답 ②

007 다음 중 웬트(A. Wendt)의 구성주의에 대한 설명으로 옳지 않은 것은?

2005년 외무영사직

□□□

① 국제체제는 주어진 것이 아니라 다양한 정체성을 가진 형태로 나타날 수가 있다.
② 주체와 구조 간의 간주관적 인식을 강조하여 결국 체제는 지식의 배분(distribution of knowledge) 구조라 한다.
③ 제2차 세계대전 이후의 Hobbesian World의 출현은 어쩔 수 없는 필연이었다고 주장한다.
④ 국제관계에서의 인식, 정체성, 관념, 문화라는 요소들을 강조한다.

정답 및 해설

웬트는 신현실주의가 국제체제의 무정부성으로부터 Hobbesian World의 출현을 필연적으로 도출하는 것에 대한 비판으로서 무정부성은 국가들 간의 상호작용의 결과로서 다른 여러 형태를 띨 수 있다고 본다. 즉, 똑같은 무정부성이지만 국가들이 서로를 어떻게 인식하느냐에 따라 국가들의 행동의 논리가 달라진다고 본다. 구체적으로 국가들이 서로를 적으로 인식할 경우 홉스적인 행동 논리가, 경쟁자로 인식할 경우 로크적인 행동 논리가, 친구로 인식할 경우 칸트적 행동 논리가 등장한다고 본다.

답 ③

008 다음 중 구조화(structuration)이론의 선구자는?

2004년 외무영사직

□□□

① 월러스타인(I. Wallerstein)
② 그람시(A. Gramsci)
③ 기든스(A. Giddens)
④ 웬트(A. Wendt)

정답 및 해설

앤서니 기든스(A. Giddens)는 마르크스와 베버, 뒤르켐 등의 고전과 현상학, 구조주의, 민속방법론 같은 현대 사회 이론을 토대로 하여 1980년대 이후 좌우이념 대립 및 그 극복방안을 연구한 끝에 구조주의와 행동이론을 결합한 구조화(structuration) 이론을 발표하여 명성을 얻었으며, 구조화 이론의 선구자로 불린다.

답 ③

009 1990년대 이후 전개되고 있는 국제정치이론 분야의 논쟁을 합리주의(Rationalism)와 성찰주의(재귀주의, Reflectivism) 간의 논쟁으로 볼 때, 합리주의 입장을 취하고 있는 국제정치이론은?

□□□

① 탈근대주의(Post-modernism)
② 여성주의(Feminism)
③ 비판이론(Critical Theory)
④ 구조적 현실주의(Structural Realism)

정답 및 해설

구조적 현실주의는 국제체제의 구조(structure)로부터 국가들의 행동을 예측하려는 연역적 이론으로 합리주의 이론에 속한다.

답 ④

010 신현실주의 대표적인 이론가인 왈츠(Kenneth N. Waltz)가 『Theory of International Politics』
(1979)란 저서에서 체계화한 국제체제 혹은 국제구조의 결정론적 입장을 비판하면서, 『Social Theory
of International Politics』(1998)란 저서를 통해 국제구조와 행위자(국가)의 상호작용이 갖는 사회적
성격을 제시한 학자는?

① 나이(Joseph Nye)
② 웬트(Alexander Wendt)
③ 러기(John Ruggie)
④ 콕스(Robert Cox)

정답 및 해설

웬트(Alexander Wendt)는 대표적인 구성주의 학자로서 국제관계가 관념에 의해 지배되며 정체성의 재구성을 통해 새로운 국제관계가 형성될 수 있음을 주장하였다.

✅ 선지분석
① 나이(Joseph Nye)는 자유주의학자로서 신자유제도주의이론을 제시하였다.
③ 러기(John Ruggie)는 자유주의자에서 구성주의로 전환한 학자로서 다자주의 개념에 기초하여 GATT체제를 분석하기도 하였다.
④ 콕스(Robert Cox)는 마르크스주의자로서 그람시의 분석을 국제관계에 도입하여 헤게모니체제 개혁을 주장하였다.

답 ②

---

011 다음 중 구성주의(constructivism)에 대한 설명으로 옳지 않은 것은?

① 구성주의에 있어 구조(structure)란 자원과 원칙(규칙) 모두를 포함하는 것으로 간주한다.
② 규범적인 구조를 국가행동의 주원인으로 바라보고, 구조와 행동을 연결하는 가장 중요한 기제(mechanism)로 사회화(socialization)와 학습(learning)을 든다.
③ 국제체제의 구조는 행위자(agent)와 상호작용을 통해 서로를 동시에 구성한다. 구조는 규범적이라기보다는 물질적이다.
④ 합리주의자들의 경우 정체성과 이익을 주어진 것으로 받아들이나, 구성주의자의 경우 주어진 것이 아닌 주체들 간 상호작용과정에서 만들어낸 것으로 이해하고 있다.

정답 및 해설

구성주의에서는 국제체제의 구조는 물질적인 힘보다 관념적인 힘에 의해 결정되고, 행위자들의 정체성과 이익이라는 것은 선험적으로 주어지는 것이 아니라 사회적으로 구성되며, 구조와 행위자는 상호작용 과정을 통해 서로를 동시에 구성한다고 본다.

답 ③

012 웬트(A. Wendt)의 구성주의에 관한 설명 중 옳지 않은 것은?

□□□ ① 구조는 관념적인 힘에 의해 결정되고, 구조(structure)와 행위자(agent)는 상호작용의 과정을 통해 서로를 동시에 구성하게 된다.

② 규범적인 구조를 국가행동의 중요한 원인으로 바라보며, 따라서 사회화와 학습을 구조와 행동을 연결하는 가장 주요한 기제로 본다.

③ 사회적 변화는 담론(discourse)과 같은 전근대적인 방법으로 이뤄지는 것이 아니라 정체성과 이익에 대한 냉철하고 이성적인 판단으로 실행된다.

④ 행위자의 정체성과 이익이라는 것을 상호작용 이전에 이미 형성된 것으로 바라보지 않고 상호작용의 과정 속에서 형성되는 것, 즉 사회적으로 구성된 것(socially-constructed thing)으로 바라본다.

정답 및 해설

구성주의는 사회적인 변화가 구성원들이 상호 끊임없는 담론(discourse)을 통해 자신들의 역할과 가치를 변화시켜 나감으로써 사회법칙이 바뀌기 때문에 발생한다고 본다.

답 ③

013 구성주의의 핵심내용에 대한 설명으로 옳지 않은 것은?

□□□ ① 국제구조는 물질적이라기보다는 사회적인 것이다. 즉, 물질 자체보다는 물질에 대한 주체들의 해석이 상호관계 규율에서 더욱 중요한 작용을 하는 것이다.

② 구조와 주체는 상호 구성된다. 주체는 구조를 형성할 뿐 아니라 변화시키는 근본원인이 되며, 구조는 주체와 분리되어 독립적으로 존재하지 않는다.

③ 구조의 변화는 무정부체제가 위계적 체제로 변화하거나, 힘의 배분에 있어서의 변화를 의미한다.

④ 집합적 정체성은 다수의 집합들이 공동의 정체성을 획득한 정체성을 말하는데, 그것이 협력적일 수도 있고 갈등적일 수도 있다.

정답 및 해설

이는 구조적 현실주의를 주장한 케네스 왈츠의 주장으로서, 웬트는 내면화하고 있는 규범의 변화를 구조의 변화로 보았다.

답 ③

014 다음 괄호 안에 들어갈 개념으로 옳은 것은?

□□□

( )은/는 구성주의 이론에서 가장 근본적인 개념 중 하나로서, 다양한 요소로 구성된다. 행위자가 내면화한 규범, 타자와 자신을 구별하는 대타적 인식의 요소들, 정치문화, 이데올로기, 신념체계, 인식의 틀 등으로 구성된다.

① 구조　　　　　② 정체성　　　　　③ 상호구성성　　　　　④ 공동체

정답 및 해설

구성주의에서는 정체성이라는 개념을 중시한다. 구성주의에서의 정체성이란 타자와의 관계 속에서 자신을 이해하는 것이기 때문에 사회적이며 관계적이다. 또한 간주관적 상호작용을 통해 이루어지기 때문에 가변적이다.

답 ②

015 구성주의의 주요 이론가와 그들의 이론에 대한 조합으로 옳은 것은?

A. 러기(J. Ruggie)　　　　B. 애슐리(R. Ashley)　　　　C. 웬트(A. Wendt)

ㄱ. 사회적 실재는 물리적 실재라기보다는 이념에 의해 구성된 실재라는 점을 강조하였다.
ㄴ. 탈근대 비판이론의 관점을 구성주의에 도입하고, 역사 - 구조적 접근법을 제시하였다.
ㄷ. 왈츠는 무정부구조하에서 국가들의 기능은 동질화되나, 무정부하에서도 국가의 기능이 달라질 수 있다고 보았다.

---

① A - ㄴ
② B - ㄷ
③ C - ㄱ
④ C - ㄷ

정답 및 해설

C - ㄱ 구성주의의 주요 이론가인 웬트(A. Wendt)는 사회적 실재는 물리적 실재라기보다는 이념에 의해 구성된 실재라는 점을 강조하였다.

✓ 선지분석
A - ㄷ 러기(J. Ruggie): 왈츠는 무정부구조 하에서 국가들의 기능은 동질화되나, 무정부하에서도 국가의 기능이 달라질 수 있다고 보았다.
B - ㄴ 애슐리(R. Ashley): 탈근대 비판이론의 관점을 구성주의에 도입하고 역사 - 구조적 접근법을 제시하였다.

답 ③

---

016 웬트(A. Wendt)의 구성주의의 개념과 그에 대한 설명으로 옳지 않은 것은?

① 웬트(A. Wendt)의 구성주의적 관점에서는 미국에 있어서 500개의 영국의 핵무기보다 5개의 북한의 핵무기가 더욱 위협적일 수 있다는 것이 설명가능하다.
② 홉스적 구조가 홉스적 국가를 만들었을 수도, 홉스적 국가가 홉스적 구조를 만들었을 수도 있다.
③ 국가들의 정체성은 다양하게 정의되는데 힘(capability), 레짐의 존재여부, 인식의 틀과 같은 요소가 중요하다.
④ 동아시아 군비경쟁의 원인은 갈등적이고 부정적 정체성에 의한 것으로 해석 가능하다.

정답 및 해설

국가정체성은 내면화한 규범, 정치문화, 이데올로기 등 관념적인 요소들로 국한되기 때문에 힘이나 레짐 등은 이러한 범위에 속하지 않는다.

✓ 선지분석
① 물질 자체보다는 물질에 대한 주체들의 해석이 상호관계의 규율에서 더욱 중요하게 작용한다는 설명 하에서 북한에 대한 위협이 이해될 수 있다.
② 주체는 구조에, 구조는 주체에 각각 영향을 미칠 수 있기 때문에 맞는 진술이다.
④ 갈등적, 부정적 정체성은 집단들로 하여금 적대감, 이익의 충돌, 갈등의 지속 등의 개념을 가지게 한다.

답 ③

017 구성주의의 핵심내용을 언급한 것으로 옳지 않은 것은?

① 웬트의 구성주의 이론 중에서 가장 중요하고 획기적인 부분은 국제구조를 물질적인 것이라기보다는 사회적인 것으로 본다는 점이다.

② 웬트는 구조와 주체의 상호구성성을 주장한다.

③ 웬트는 구조변화를 무정부체제가 위계적 체제로 변화하거나, 힘의 배분에 있어서의 변화를 의미하는 것으로 본다.

④ 행위자들이 자신과 타자의 정체성에 대한 인식에 영향을 주어 이들 간의 정치적 관계에 영향을 주고자 행해지는 의식적이고 의도적인 정치행위를 정체성의 정치라 한다.

> **정답 및 해설**
>
> 왈츠의 주장이다. 웬트는 내면화하고 있는 규범의 변화를 구조변화로 본다. 즉, 물질적 차원에서 보면 같은 무정부 상태라 하더라도 홉스적 무정부 상태일 수도 있고 로크적, 칸트적 무정부 상태일 수도 있다고 볼 때, 홉스적 무정부 상태에서 로크적 무정부 상태로의 변화 역시 구조의 변화인 것이다.
>
> 답 ③

018 구성주의와 신현실주의에 대한 비교점으로 옳지 않은 것은?

① 왈츠(K. Waltz)는 무정부 상태를 상수취급하지만, 웬트(A. Wendt)는 무정부 상태조차 변화할 수 있다는 입장을 취한다.

② 왈츠는 구조는 행위자들의 동시행위(coaction)에 의하며, 근본적 속성이 아닌 국가의 행위에만 영향을 끼친다고 본다. 웬트는 동시행위는 부정하나, 구조는 행동에 영향을 끼치지만 속성에는 영향이 없다는 의견에는 찬성한다.

③ 왈츠는 능력의 분포라는 관점에서 국제구조를 설명하는 반면, 웬트는 국제구조를 지식의 분포라는 관점에서 해석한다.

④ 왈츠는 무정부체제의 지속을 예측하지만, 웬트는 집합정체성이 변한다면 로크적, 칸트적 변화도 가능하다고 본다.

> **정답 및 해설**
>
> 웬트(A. Wendt)는 구조가 국가들의 행동에도, 속성에도 모두 영향을 줄 수 있다는 입장을 취하고 있다. 국가들도 구조에 영향을 미칠 수 있음은 물론이다.
>
> **⊘ 선지분석**
> ③ 힘의 배분에 대한 국가들의 인식이 변화하면 국가들의 행동도 변화가능하다.
> ④ 웬트(A. Wendt)는 국제구조가 사회적 구성물이기 때문에 규범이 변화하면 무정부 상태가 변화할 수 있다고 본다.
>
> 답 ②

019 신현실주의와 구성주의를 비교한 것으로 옳지 않은 것은?

☐☐☐ ① 왈츠는 국제구조를 무정부와 능력의 분포라는 물질적 요소로 정의한 반면, 웬트는 국제구조를 '지식의 분포'라는 관점에서 해석한다.

② 왈츠는 힘의 배분이 바뀌는 경우 국가의 행동이 변화한다고 보는 반면, 웬트는 힘의 배분에 대한 국가들의 인식이 변화할 때 국가의 행동이 변화한다고 본다.

③ 왈츠와 웬트는 구조는 국가의 행위에만 영향을 미치고 근본적인 성질은 바꾸지 못한다고 본다는 측면에서 의견이 일치한다.

④ 왈츠는 무정부 상태는 거의 상수로 고정되어 있으므로 무정부 상태는 변화하지 않는다고 보는 반면, 웬트는 국제구조 자체는 사회적 구성물이므로 규범이 변화하거나 국가들의 집합정체성이 변화하는 경우 구조가 변화한다고 본다.

정답 및 해설

웬트는 구조와 주체의 상호구성성을 강조하고, 구조는 주체의 행위를 제약하는 역할만 할 뿐 아니라 국가의 근본적 성질을 바꾼다고 본다.

답 ③

020 구성주의에 대한 비판으로 옳지 않은 것은?

☐☐☐ ① 구성주의는 국가를 분석단위로 설정함으로써 국가 내면에 존재하는 국내정치적 역동성을 사상시키게 될 위험이 있다.

② 구성주의의 전형적 약점은 구성주의가 변화를 지향하기는 하나, 변화의 가능성과 그 변화의 방향을 명확하게 밝혀주지 못한다는 점이다.

③ 오누프와 크라토크빌이 스스로 인정하고 있는 문제점은 구성주의 이론이 지나치게 구체적이어서 개념화에 약하다는 것이다.

④ 구성주의는 상대적으로 안보적 위협을 다루는 상위정치의 영역에 치중함으로써 세계체제론이나 최근의 세계화 논의에서 중심이 되는 정치경제적 구조와 그 변화의 영향을 간과하고 있다.

정답 및 해설

구성주의 이론은 구체성이 너무 높은 것이 아니라 추상성이 너무 높고 개념화에 치우치면서 실제적인 사례 제시를 통한 설득의 작업을 게을리하고 있다는 문제가 있다.

답 ③

021 웬트(A. Wendt)의 구성주의로 설명할 수 있는 사례로 가장 옳은 것은?

① 고르바초프의 지도력을 통한 소련의 서방과의 대화채널 증대와 이를 통한 구소련의 붕괴
② 제1차 세계대전과 제2차 세계대전 사이의 대공황
③ 비스마르크의 복잡한 거미줄식 동맹외교와 철혈정책
④ 이탈리아의 통일

> **정답 및 해설**
>
> 구성주의의 주요 개념인 '관념', '인식', '담론' 등과 이를 통해 구조와 행위자가 서로 영향을 주고받은 사례로는 고르바초프가 기존 인식의 해체와 담론을 통한 구조의 재구성을 통해 구소련의 붕괴라는 구조적 변화를 이끌어 낸 것이 적절하다.
>
> 답 ①

제2절 ㅣ 문명충돌론

001 헌팅턴(Samuel Huntington)이 언급한 '문명의 정치'(civilizational politics) 등장에 영향을 미친 네 가지 장기 과정에 해당하지 않는 것은?
2008년 외무영사직

① 유럽통합의 진전과 서방의 영향력 확대
② 아시아 경제의 성장과 중국의 부상
③ 이슬람 세계의 인구폭발과 이슬람의 부활
④ 초국가적 흐름의 확대와 세계화의 충격

> **정답 및 해설**
>
> 헌팅턴(Samuel Huntington)은 '문명의 정치'가 국제체제에서 전개되고 있는 네 가지 장기 과정에서 비롯된 것으로 보았는데, 네 가지 장기과정이란 첫째, 서방의 상대적 쇠퇴, 둘째, 아시아 경제의 성장과 이에 따른 '문화적 긍정', 인류사상 최대 강국이 되려는 중국의 출현, 셋째, 이슬람 세계의 인구 폭발과 이와 관련된 이슬람의 부활, 넷째, 상업 · 정보 · 사람의 초국가적 흐름의 엄청난 팽창과 같은 지구화의 충격이다. 이 요소들이 합치되면서 새로운 국제질서가 형성되고 있는 것으로 보았다.
>
> 답 ①

---

002 헌팅턴(S. Huntington)의 문명충돌론에서 제기한 문명권으로 옳지 않은 것은?

① 일본 문명   ② 라틴아메리카 문명
③ 힌두 문명   ④ 오스트레일리아 문명

> **정답 및 해설**
>
> 헌팅턴(S. Huntington)은 세계를 서유럽, 유교, 일본, 이슬람, 힌두, 슬라빅 – 정교, 라틴, 아프리카의 8개 문명권으로 나누고 있다.
>
> 답 ④

003 다음 중 헌팅턴의 문명충돌론에서 나타난 문명에 관한 서술 중 옳지 않은 것은? 2004년 외무영사직

□□□
① 문명이란 문화적 실체를 의미한다.
② 문명의 범위가 학자들 간에 일치한다.
③ 각 문명들 간에 단층선을 중심으로 서로의 차이가 분명히 인식됨에 따라 갈등이 발생하여 국가를 분열시키기도 한다.
④ 중국문명과 이슬람문명이 결탁하여 서구 문명에 도전해 올 수 있기 때문에 이에 대비해야 한다.

정답 및 해설

문명의 범위에 대해 학자 간 견해가 일치하는 것은 아니다. 뮐러는 헌팅턴이 '문명'의 개념을 독일에서 이해되는 '문화'의 의미로 축소해서 사용하고 있다고 비판한다. 대체로 '문명'이란 한 사회가 어느 특정한 역사적 시기에 존재하는 문제를 해결하기 위해 사용한 모든 도구를 가리키는 개념으로 인간의 아름다운 활동만을 가리키는 독일적 '문화' 개념을 포괄한다. 그러나 헌팅턴은 종교가 결정적인 척도가 되는 가치 체계로만 문명을 이해하고 있다고 한다. 또한 일본 문명을 독자적 문명권으로 구분하는 등 자의적인 문명 구분에 대해서도 비판이 있다.

답 ②

004 헌팅턴(Samuel Huntington)의 '문명충돌론'에 대한 설명으로 옳지 않은 것은? 2022년 외무영사직

□□□
① 문화의 차이가 문명의 충돌을 가져올 것이며 분쟁의 주요 원인이 될 것이라고 주장하였다.
② 갈등의 원인은 문명 내부에서의 충돌 때문이라고 하였다.
③ 세계 문명을 서유럽, 유교, 일본, 이슬람, 힌두, 슬라브정교, 라틴아메리카 문명 등으로 구분하였다.
④ 유교 문명과 이슬람 문명이 연합해 서유럽 문명과 대결할 가능성을 지적하였다.

정답 및 해설

헌팅턴은 문명 내부 충돌이 아니라 문명 간 충돌을 주장했다. 헌팅턴은 문명정체성과 배제의 정체성이 강화되면 결국 문명 간 충돌로 치닫게 된다고 보았다. 특히 중화 문명과 이슬람 문명이 연대하여 서구 문명에 대항할 것이라고 예측하였다.

✅ 선지분석
① 헌팅턴은 냉전기가 이념에 기초한 충돌이었다면, 탈냉전기는 종교나 문명에 기반한 충돌이 지배적 현상이 될 것이라고 주장하였다.
③ 헌팅턴은 탈냉전시대에 서로 동질화될 수 없는 9개의 서로 다른 문명이 존재하고 있고, 세계정치의 협력과 갈등은 문명권을 중심으로 새롭게 재편되고 있다고 본다. 그러한 문명권은 중화, 일본, 힌두, 이슬람, 정교, 서구, 라틴아메리카, 아프리카, 불교이다.
④ 유교 문명(중화 문명)과 이슬람 문명은 원유와 무기 판매를 매개로 하여 연대를 형성할 것이라고 예측하였다.

답 ②

005 다음 중 헌팅턴(S. Huntington)의 문명의 충돌에서 충돌 원인으로 옳지 않은 것은?

□□□
① 서로 다른 역사와 문화 및 전통
② 다른 문화들 간의 상호작용의 증가
③ 경제적 지역화 경향
④ 서로 다른 정치적 이데올로기

정답 및 해설

헌팅턴(S. Huntington)은 냉전기 갈등구조가 이념(ideology)을 중심으로 나타난 반면, 탈냉전기 갈등은 종교를 기반으로 하는 문명 간 갈등으로 나타날 것으로 보고 문명충돌론을 주장하였다.

답 ④

006 문명충돌론에 대한 설명으로 옳은 것은?

① 서구문명권에서 미국, 영국, 독일, 프랑스가 핵심국이며 다수의 소속국이 존재한다.
② 단절국은 러시아, 터키, 멕시코와 같이 한 문명 안에서 지배력을 가진 단일문화를 가지고 있지만, 그 나라의 지도부와 엘리트가 다른 문명으로 옮겨가기를 희망하는 국가를 말한다.
③ 분열국은 수단, 탄자니아, 스리랑카, 구 유고슬라비아와 같이 둘 이상의 문명권이 공존하여 분열되기 쉬운 국가를 말한다.
④ 서구의 생존전략으로 문화적 다원주의를 배격하고 유럽과 대서양 공동체를 유지하며 다른 문명권에 대한 확실한 배제정책을 제시하였다.

정답 및 해설

☑ **선지분석**
① 영국은 핵심국이 아니다.
② 분열국에 대한 설명이다.
③ 단절국에 대한 설명이다.

답 ④

007 다음 중 탈냉전시대를 설명하는 예로 옳지 않은 것은?

① 후쿠야마는 "탈냉전은 자유민주주의와 사회민주주의의 대립이 자유민주주의의 승리로 끝난 시기이다."라고 하였다.
② 크라우트해머(Charles Krauthammer)는 미국은 대내문제로 대외정책을 제대로 수행하지 못하고 국제기구에 그 책임을 떠넘기려 하지 말고, 탈냉전기의 승리자이나 자신의 헤게모니를 지키기 위해 그 힘을 강화해야 한다고 하였다.
③ 헤롤드 뮐러는 문명 간의 공존을 주장하였다.
④ 리차드 로즈크랜스는 『A New Concert of Powers』에서 지난 200~300년간 전통적인 BOP체제(소극적인 제국주의 정책에 불과)와 제2차 세계대전 후의 양극체계(핵억지 시기; 유지 비용이 너무 큼)였으며 향후 6개 정도의 강대국들의 새로운 BOP(a new concert of power)가 세계를 주도한다고 하였다.

정답 및 해설

후쿠야마가 '역사의 종언'을 선언한 것은 보기와 같은 문맥에서가 아니다. 냉전의 종식과 더불어 동유럽과 중유럽 국가들을 위시한 지구상의 많은 국가들이 민주화되는 등 민주주의가 파급되면서 이러한 현상이 탈냉전 시대의 안보에 대해 어떠한 영향을 미칠 것인가에 대한 관심이 집중되었고, 이에 대해 후쿠야마는 자유민주주의적 민주주의가 마르크스·레닌주의에 승리함으로써 더 이상 자유주의적 민주주의에 도전할 이데올로기가 소멸되었다는 의미로 '역사의 종언'을 선언했던 것이다. 탈냉전이라는 시대상과도 관련은 있으나, 탈냉전을 선언하기 위해 역사의 종언을 말했던 것은 아니다.

답 ①

008 후쿠야마(Francis Fukuyama)의 '역사의 종언'에 관한 주장으로 옳지 않은 것은?

① 경제시장의 힘은 모든 다른 형태의 정부를 대체하는 자유민주주의를 가져온다.
② 역사에는 하나의 방향이 있고 그 방향은 경제시장의 전세계적 확장이다.
③ 자유민주주의를 위협하는 다른 형태의 정치 레짐은 존재할 수 없다.
④ 공산주의 체제의 붕괴는 기존의 모든 정부형태에 대해 자유민주주의가 승리한 것을 의미한다.

> **정답 및 해설**
>
> 후쿠야마(Francis Fukuyama)는 다른 형태의 정치 레짐이 있다는 것을 인정하였다. 그러나 어떠한 정부 형태도 자유민주주의처럼 경제재를 제공할 수 없다고 보았다.
>
> 답 ③

009 헌팅턴(S. Huntington)의 문명충돌론(The Crash of Civilizations)에 대한 설명으로 옳지 않은 것은?

① 인간은 '배제에 의한 정체성 획득'을 통해, 즉 자신을 특정 상황마다 타인을 구분함으로써 스스로를 정의한다.
② 문명이란 '사람들의 총체적 생활방식'을 의미한다.
③ 헌팅턴은 중화문명이 결국 서구문명에 도전할 것으로 본다.
④ 헌팅턴이 제시한 서구의 생존전략은 다원주의를 배려 깊게 받아들이는 것이다.

> **정답 및 해설**
>
> 헌팅턴(S. Huntington)의 해법은 다원주의가 아닌 오히려 서구 고립주의이다. 미국이 중국과의 경쟁에서 살아남고 서구문명을 유지하기 위해서는 미국은 국내적으로 문화다원주의가 아닌 서구적 가치로 하나가 되어야 한다는 것이다.
>
> 답 ④

010 문명충돌론에 대한 설명으로 옳지 않은 것은?

① 헌팅턴에 의해 제시된 문명충돌론은 탈냉전 질서의 비관론을 대변하는 견해이다.
② 헌팅턴은 냉전기 갈등구조가 이념을 중심으로 나타난 반면, 탈냉전기 갈등은 종교를 기반으로 하는 문명 간 갈등으로 나타날 것으로 보고 있다.
③ 헌팅턴의 문명충돌론은 쇠퇴해가는 서구 문명의 주도권을 회복하기 위한 하나의 지식체계로 비판하는 견해도 많으나, 탈냉전기 국제 질서의 안정성과 전개 방향을 설명하고 예측함에 있어서 하나의 대안적 또는 보완적 관점을 제시해주고 있다.
④ 헌팅턴은 문명과 문화를 엄격하게 구분하였다.

> **정답 및 해설**
>
> 헌팅턴은 문명과 문화를 엄격하게 구분하지 않고 문명을 '문화적 실체', '크게 씌어진 문화' 등으로 정의한다. 따라서 헌팅턴은 문명과 문화를 모두 '사람들의 총체적 생활방식'을 가리키는 개념으로 파악한다.
>
> 답 ④

011 문명 간 권력이동에 대한 헌팅턴의 주장으로 옳지 않은 것은?

① 헌팅턴은 서구문명의 상대적 쇠퇴와 문명 간 권력이동을 예견한다.
② 서구문명이 앞으로도 가장 강력한 문명의 위치를 고수할 것이나, 그 상대적 힘은 점점 약화되고 있다고 본다.
③ 비서구문명권에서는 중화와 이슬람 문명권이 상대적으로 부상하고 있다.
④ 힌두문명과 일본문명이 결국 서구문명에 도전할 것으로 본다.

정답 및 해설

헌팅턴은 중화문명은 경제성장에, 이슬람문명은 원유와 인구에 기초하여 지속적으로 부상하고 있으며 결국 중화문명과 이슬람문명이 서구문명에 도전할 것으로 본다.

답 ④

012 헌팅턴은 문명정체성과 배제의 정체성이 강화되면 결국 문명 간 충돌로 치닫게 된다고 본다. 다음 중 문명충돌을 불러일으키는 요인으로 옳지 않은 것은?

① 보편주의에서 오는 서구의 오만함
② 종교에서 오는 이슬람의 편협함
③ 역사에서 오는 일본의 팽창욕
④ 경제력에서 오는 중화의 자존심

정답 및 해설

✓ **선지분석**
헌팅턴은 ① 보편주의에서 오는 서구의 오만함, ② 종교에서 오는 이슬람의 편협함, ④ 경제력에서 오는 중화의 자존심이 개인과 국가의 권력추구적 성향과 맞물려 문명충돌이 발생한다고 주장하였다. 문명 간 충돌은 미시적 차원의 '단층선 분쟁'과 거시적 차원의 '핵심국 분쟁' 등의 두 가지 형태로 나타난다.

답 ③

013 문명충돌에 대한 헌팅턴의 주장으로 옳지 않은 것은?

① 단층선 분쟁은 상이한 문명에 속한 인접국들 사이에 또는 한 국가 안에 상이한 문명에 속한 집단들 간에 발생한다.

② 핵심국 분쟁은 서로 다른 문명을 이끌어가는 핵심국들 사이의 분쟁을 말한다.

③ 헌팅턴은 보다 구체적으로 2010년 문명 간 전면전을 예고하고 있다. 2010년의 전쟁 시나리오는 한 문명의 핵심국(미국)이 다른 문명의 핵심국(중국)과 그 문명의 일원국(베트남) 사이에 벌어진 분쟁에 개입함으로써 전쟁이 전세계로 확산된다는 내용으로 구성되어 있다.

④ 헌팅턴에 따르면 중국과의 경쟁에서 살아남고 서구문명을 유지하기 위해서 미국은 러시아 및 중국과 동반자 관계를 구축할 필요가 있다고 주장하였다.

정답 및 해설

헌팅턴은 미국이 국내적으로 문화다원주의가 아닌 서구적 가치로 하나가 되어야 하고, 대외적으로 유럽과 확고한 대서양 공동체를 구축함과 동시에 다른 문명권에 대해서는 확실한 배제정책을 적용해야 한다고 주장한다. 이는 서구 고립주의로서 미국은 러시아 및 중국과 동반자 관계를 구축할 필요가 없다는 것이다.

답 ④

014 문명충돌론에 대한 설명으로 옳은 것만을 모두 고른 것은?

ㄱ. 헌팅턴은 냉전기 갈등 구조가 이념을 중심으로 나타난 반면, 탈냉전기 갈등은 종교를 기반으로 하는 문명 간 갈등으로 나타날 것으로 본다.

ㄴ. 헌팅턴은 중화, 아시아, 힌두, 이슬람, 일본, 서구, 라틴아메리카, 아프리카 등의 문명권이 존재한다고 하였다.

ㄷ. 서구문명은 앞으로도 가장 강력한 문명의 위치를 고수하겠지만, 중화와 이슬람 문명의 상대적 부상으로 도전받을 것으로 보인다.

ㄹ. 헌팅턴에 따르면 문명 정체성과 배제의 정체성이 강화되면 문명 간 충돌로 치닫게 될 것이며, 이러한 전쟁은 필수 불가결하다.

① ㄱ, ㄷ
② ㄴ, ㄹ
③ ㄱ, ㄴ, ㄷ
④ ㄱ, ㄷ, ㄹ

정답 및 해설

문명충돌론에 대한 옳은 설명은 ㄱ, ㄷ이다.

✅ 선지분석

ㄴ. 헌팅턴은 아시아를 문명권으로 설정하지 않았다.

ㄹ. 헌팅턴은 문명 간 충돌이 일어날 수 있으나 전쟁에 대한 방지책 역시 존재한다고 보며, 핵심국들이 다른 문명 내부의 분쟁에 개입하지 않을 경우 대규모 문명 전쟁을 예방할 수 있을 것이라고 보았다.

답 ①

015 다음은 헌팅턴의 문명충돌론의 내용이다. 그가 주장한 내용으로 옳지 않은 것은?

① 탈냉전 이후 새로운 국제분쟁의 요소로 기존의 정치적 이념이 아니라 새로운 문명충돌을 예견했다.

② 전세계를 서구, 그리스 정교, 이슬람, 중화, 힌두, 일본 등 주요 문명권으로 구분하였다.

③ 새로운 대립구조는 국가 간 이념, 정치, 경제대립을 넘어 역사, 종교, 언어 등 문명권 간의 대립이 나타날 것이라고 주장했다.

④ 다(多)문명권으로 구성되어 있는 미국 내부의 혼란을 줄이기 위해서는 이민을 허용함으로써 문명 간 갈등을 유도하지 않아야 한다고 하였다.

정답 및 해설

헌팅턴은 문명충돌을 방지하기 위해서는 타문명권 사람들의 미국 내 유입을 제한하여 서구문명의 순수성을 보존할 것을 제안하였다.

답 ④

016 문명충돌론과 기존의 이론들을 비교한 것으로 옳지 않은 것은?

① 민주평화론은 전세계적으로 민주정이 확산될수록 민주정의 규범과 제도적 속성으로 인해서 국제질서의 안정성이 보장된다고 본다. 그러나 헌팅턴은 국제질서의 주요 독립변수를 문명으로 보고 문명 간 세력균형을 국제질서 안정의 핵심요인으로 보기 때문에 개별 국가의 민주화와 안정성의 상관성을 부인한다.

② 분석단위만 놓고 볼 때 문명충돌론은 '국가'를 넘어서는 '문명'을 분석단위로 삼고 있다는 점에서 현실주의와 구별된다.

③ 구성주의가 국제관계에서 '정체성'을 주요한 변수로 삼는 반면, 문명충돌론은 정체성을 고려하지 않는다.

④ 인간과 국가의 권력지향성, 핵심국의 존재, 문명 간 세력균형에 의한 안전보장 등의 주장은 현실주의와 문명충돌론이 일치하는 부분이다.

정답 및 해설

정체성을 주요한 변수로 삼는 점은 구성주의와 문명충돌론 모두 공유하는 가설이다. 헌팅턴에게 있어서 인간이나 국가는 정체성을 추구하는 존재이고, 자아와 타자를 분리함으로써 자아정체성을 명확히 인식한다.

답 ③

017 문명충돌론에 대한 설명으로 옳지 않은 것은?

① 종교는 인간이 배제에 의한 정체성을 획득하는 가장 강력한 문명적 매개체이다.

② 일본문명은 하나로 존재하는 일본핵심국과 일치하며 고립국이다.

③ 러시아는 분열국으로서 한 문명안에서 지배력을 가진 단일문화를 가지고 있지만, 그 나라의 지도부와 엘리트가 다른 문명으로 옮겨가기를 희망한다.

④ 이슬람문명에서는 이란과 사우디아라비아가 핵심국이다.

정답 및 해설

이슬람문명은 핵심국이 없다. 또한, 라틴아메리카와 아프리카도 핵심국이 없다.

답 ④

018 문명충돌론에 대한 설명으로 옳은 것은 모두 몇 개인가?

> ㄱ. 서구의 오만, 이슬람의 편협함, 중화의 공격적 성향이 개인 및 국가의 권력추구적 성향과 맞물려 문명
>   충돌이 발생한다.
> ㄴ. 단층선 분쟁은 상이한 문명에 속한 인접국들 사이 분쟁 또는 한 국가 안에서 상이한 문명에 속한 집
>   단들 간 발생한다.
> ㄷ. 문명충돌을 방지하기 위해서는 문명의 핵심국들이 보유한 핵무기를 폐기하는 것이 필요하다.
> ㄹ. 문명충돌론은 전파주의에 기초하여 지구상에 단일 보편 문명의 존재 가능성을 부정한다.
> ㅁ. 2003년 미국의 이라크 공격시 동맹국들이 보여준 태도는 문명충돌론이 타당함을 보여준다.

① 1개　　　　　　　　　　　　　　② 2개
③ 3개　　　　　　　　　　　　　　④ 4개

정답 및 해설

문명충돌론에 대한 설명으로 옳은 것은 ㄴ, 1개이다.

✓ 선지분석
ㄱ. 중화의 공격적 성향이 아니라 중화의 자존심이 작용하여 문명충돌이 발생한다.
ㄷ. 문명 핵심국들의 핵보유를 주장하였다.
ㄹ. 문명충돌론은 진화주의에 기반하여 보편문명화 가능성을 부인한다.
ㅁ. 2003년 이라크 전쟁 시 미국의 동맹국들인 독일과 프랑스는 미국의 정책에 반대하였다. 문명 내부적 갈등을
　　보여준 사례이므로 문명충돌론이 타당하지 않음을 보여주는 사례이다.

답 ①

제3절 | 탈근대주권론

001 근대 국제사회 형성의 시발이 된 웨스트팔리아(Westphalia)체제의 사상적 기반은?　2012년 외무영사직

① 보댕의 국가주권론　　　　　　② 로크의 제한정부론
③ 루소의 국민주권론　　　　　　④ 칸트의 영구평화론

정답 및 해설

30년 전쟁의 강화조약인 웨스트팔리아조약은 중세체제를 해체하고 주권국가들로 구성된 근대국제체제를 탄생시킨
매개체 역할을 하였다. 1648년 당시 주권개념은 보댕에 의해 체계화된 '국가주권'을 의미하는 것이었다. 이후 주권
개념은 루소 등의 국민주권론으로 확대되어 오늘날의 주권개념의 사상적 기초를 형성하였다.

답 ①

002 주권에 관한 설명으로 옳지 않은 것은?

① 서구 세계의 주권론은 종교적 권위와 교회로부터 국가권력이 독립하고자 했던 절대왕정의 시대에 처음으로 논의되기 시작했다.

② 16세기 말의 사상가 보댕(Jean Bodin)은 프랑스 국왕이 지닌 권력을 군주주권론으로 뒷받침하면서 주권개념을 통해 세속국가의 권력을 옹호하고자 하였다.

③ 개별 국가들의 주권 주장을 처음으로 인정한 것은 중세 세계의 마지막 종교전쟁인 30년 전쟁의 종결 후 체결된 베스트팔렌조약이다. 동 조약은 각국의 국왕들이 체결하는 조약에 의거하여 국제사회를 구성하려는 시도가 최초로 행해진 것이다. 그러나 동 조약은 각국이 로마황제와 신에게 약속한 것에 불과하고 국간 조약의 형태를 취한 것은 아니었으며, 주권국가들로 구성되고, 그것을 서로가 승인하는 세계가 탄생한 것은 18세기 초엽의 유트레히트조약 체결 이후이다.

④ 제2차 세계대전 이후 인권보호를 위해 국가주권을 통제하려는 시도가 활성화 되었으며, 1948년 세계인권선언의 채택은 이를 위한 최초의 법적 구속력을 갖춘 시도라고 볼 수 있다.

> **정답 및 해설**
>
> 세계인권선언은 UN총회 결의로서 법적 구속력을 갖지 않는다.
>
> ✓ **선지분석**
> ③ 유트레히트조약(Utrecht)은 스페인 계승전쟁(1701~1714)을 끝낸 강화조약이다. 스페인 계승전쟁은 스페인의 왕위계승을 둘러싸고 프랑스는 스페인과 동맹을 결성하여, 프랑스의 세력확대를 방지하고자 한 영국, 오스트리아, 프러시아, 네덜란드 동맹 세력과 벌인 10여년의 전쟁이다. 그 결과 체결된 유트레히트조약은 세력균형의 원칙을 국제적으로 명시한 조약으로 간주되고 있다. 이 조약으로 유럽의 근대적 국제관계의 조직원리를 명시적으로 확인하게 되었고, 소위 국제정치의 구성적 원칙이 성립된 것으로 볼 수 있다.
>
> 답 ④

003 주권에 대한 개념은 역사적으로 변해왔다. 이러한 변화를 야기한 사건을 순서대로 바르게 나열한 것은?

> ㄱ. 영토 군주의 왕권확립과 군주의 절대적 지위 인정
> ㄴ. 30년 전쟁과 베스트팔렌조약의 체결
> ㄷ. 세계화와 탈냉전기의 도래
> ㄹ. 교황의 지배권역 수축과 봉건 영주의 지배영역의 팽창

① ㄱ - ㄹ - ㄴ - ㄷ
② ㄴ - ㄹ - ㄱ - ㄷ
③ ㄹ - ㄱ - ㄴ - ㄷ
④ ㄹ - ㄴ - ㄱ - ㄷ

> **정답 및 해설**
>
> 교황적 질서에 맞서기 위한 봉건영주들의 연대과정에서 군주주권으로서 국가주권의 개념이 처음 생겨났으며, 보댕(J. Bodin)에 의해서 영토 군주의 왕권확립과 군주의 절대적 권위에 대한 근대주권이론이 체계화되었다. 그 후 30년 전쟁을 마무리 지은 베스트팔렌조약의 체결로 근대주권 개념이 확립되었다. 그러나 세계화와 탈냉전기의 도래로 기존의 주권국가 개념에 논란이 생겨났으며 탈근대 주권론까지도 논의되고 있다.
>
> 답 ③

004 탈근대 주권론의 논의 배경으로 옳지 않은 것은?

□□□

① 세계화의 진전으로 개별 국민국가들의 자국 영토 내외에서 발생하는 문제들에 대한 통제력이 약화되고 있다.

② 1970년대 이후 정보통신기술이 발달하면서 개인 및 국가의 상호작용, 경제력의 기반 등에 있어서 근본적인 변화가 일어나고 있다.

③ 1950년대 시작된 유럽통합의 역사는 탈냉전기 들어서 경제통합을 완성하고 정치적 통합을 지향하고 있다.

④ 중국이 급격한 경제성장을 바탕으로 부상하면서 탈근대 주권론이 본격적으로 논의되게 되었다.

> **정답 및 해설**
>
> 탈근대 주권론은 중국의 부상보다는 미국 중심의 단극질서 형성으로 인해 본격적으로 논의되게 되었다. 현재 미국의 군사력, 경제력 및 연성권력을 포함하여 평가한 총체적 국력은 다른 모든 국가들의 힘을 더한 것보다 더 강하다는 평가를 받고 있다. 이로 인해 미국은 제국이라는 입장, 제국을 지향하고 있다는 입장(제국론)이 대두되고 있다. 이러한 미국의 대외전략은 주권평등에 기초한 근대적 정치패턴과는 본질적으로 다른 것이다.
>
> 답 ④

005 국가주권을 약화시키는 세계화의 요인으로 옳지 않은 것은?

□□□

① 민족국가에서 '경쟁국가'로의 전환

② 다양한 행위자들 간 다차원적 상호의존관계의 형성

③ 자본의 국제적 유동성 증가와 '삼위불일치'(Unholy Trinity)

④ 다국적기업에 의한 국제투자의 활성화

> **정답 및 해설**
>
> 서니(Cerny)는 세계화에서 살아남기 위해 국가는 경쟁국가로 변모하고 있고, 이로 인해 국가의 간섭과 규제가 확장되고 있다고 주장한다. 즉, 세계화로 인해 국가주권은 오히려 강화되고 있다. 이 외에도 울프(Wolf)는 공공재의 공급, 국민들의 정체성 형성, 안보의 제공 등과 같은 국가의 역할이 여전히 존재하기 때문에 국가의 주권은 약화되지 않는다고 주장한다.
>
> ✓ **선지분석**
>
> ② 국제기구, 다국적기업, NGO 등의 등장으로 국가의 상대적 비중이 작아지고 있다.
>
> ③ 삼위불일치란 자본의 이동성, 자유로운 환율정책, 자율적인 통화정책이 동시에 달성될 수 없는 현상을 의미한다. 세계화로 인해 자본의 이동성이 크게 증가한 상황에서 국가는 환율안정을 포기하거나 자율적인 통화정책을 포기할 수밖에 없다.
>
> ④ 경제발전을 위해서는 투자가 필요하기 때문에 국가는 이를 유치하기 위해 다국적기업의 요구를 들어줄 수밖에 없다(Race to the Bottom).
>
> 답 ①

006 주권에 대한 논의로 옳지 않은 것은?

□□□ ① 주권은 일정한 지역 내의 최고의 정당한 권위를 의미한다.

② 근대국가의 핵심적 속성인 주권의 의미는 보댕과 홉스에 의해 최초로 이론화된 이후 국가의 변화에 따라 그 의미도 변형되었다.

③ 크라스너는 근대주권을 국제법적 주권, 웨스트팔리아 주권, 국내적 주권 및 상호의존적 주권으로 분류하였다.

④ 크라스너는 어느 한 주권을 소유하면 자동적으로 다른 주권을 소유할 수 있다고 주장하였다.

정답 및 해설

크라스너는 어느 한 주권을 소유한다고 하여 자동적으로 다른 주권을 소유한다고 할 수 없으며, 상황에 따라 여러 주권을 동시에 공유할 수 있다고 본다.

답 ④

007 크라스너가 말한 각 근대주권의 내용으로 옳지 않은 것은?

□□□ ① 국제법적 주권은 개인이 평등하듯이 국가도 평등하다는 전제에서 출발하며 공식적이고 법적인 독립성을 가진 영토국가들 간의 상호 승인과 관련된 관례 등을 지칭한다.

② 웨스트팔리아 주권은 주어진 영토 내 권위구조로부터 외부 행위자의 배제를 의미한다. 대다수의 국가들은 웨스트팔리아 주권을 향유하였다고 분석하였다.

③ 국내적 주권은 국가 내 정치권력의 공식적인 조직과 그 범위 내에서 효과적으로 통제하는 공적 권력의 능력을 의미한다.

④ 상호의존적 주권은 국가의 경계를 넘나드는 자본, 노동, 상품, 정보 등의 흐름을 규제하는 공적 능력을 의미한다.

정답 및 해설

실제 대다수의 국가들은 국력의 차이로 인한 외국의 간섭 등으로 인하여 웨스트팔리아 주권을 향유하지는 못했다.

답 ②

008 주권개념의 형성 및 발전에 대한 설명으로 옳지 않은 것은?

□□□ ① 주권 개념의 형성 과정을 보면 주권 및 근대국가는 역사적으로 형성된 사회적 실재임을 확인할 수 있다.

② 중세유럽이 근대유럽으로 발전하는 과정에서 국가주권은 교황의 지배권역이 수축되고 봉건영주의 지배영역이 팽창되면서 탄생하였다.

③ 근대주권이론은 보댕에 의해서 체계화되었다.

④ 베스트팔렌조약은 유럽이 신성로마제국의 황제에 의해 정신적으로 지배되는 단일 가톨릭 제국이라는 관념을 강화시켜 주었다.

정답 및 해설

베스트팔렌조약은 유럽이 단일 가톨릭 제국이라는 관념을 해체시키고, 대신 국가주권적 관념을 형성하였다. 이 조약을 통해 개인의 종교적 자유와 양심 및 거주이전의 자유가 허용되기 시작하였고 각 국가의 이념적, 영토적 경계가 뚜렷해짐에 따라 근대 국가체제가 출범하는 계기가 되었다.

답 ④

009 왈츠(K. Waltz)의 주장과 같이 고정불변으로 여겨지던 국가주권 및 그에 기초한 근대 국제체제의 변화 가
능성에 대한 담론들이 활발하게 논의되고 있다. 이른바 탈근대주권론에 대한 이론적 배경으로 옳지 않은
것은?

① 국가의 합리성이나 근대 국제체제의 물리적 실재성과 보편성을 부인하며, 시대의 상황에 따라 새로운
사회체제와 행위패턴의 가능성을 주장한다.

② 탈냉전 이후 미국을 중심으로 힘이 집중되고 미국적 가치와 규범이 미국의 일방주의를 통해 확산되는
현상을 분석한다.

③ 헌팅턴(S. Huntington)을 중심으로 제시된 문명론은 탈냉전기 국제정치 지형을 설명함에 있어서 분석
단위를 영토국가가 아닌 문명으로 상정한다.

④ 국가안보와 인간안보를 동등한 위치로 설정하나 두 가치가 상충하는 경우 국가안보를 우선시한다.

> **정답 및 해설**
>
> 탈근대주권론은 국가안보보다 인간의 안위와 복지를 상위가치로 설정한다.
>
> 답 ④

010 탈근대이론(Post-modernism)에 대한 설명으로 옳지 않은 것은?

① 탈근대이론은 지식과 권력과의 관계에 있어서 양자의 무관함을 강조하는 합리주의와는 대조적으로
권력이 사실상 지식을 만든다고 주장한다.

② 탈근대이론들은 자유주의(liberalism)를 국제정치를 지배해오면서 국가 간 안보경쟁을 고무시키고 나
아가 전쟁을 유발해 온 '힘과 규칙에 관한 담론'이라고 간주한다.

③ 애슐리(R. Ashley)는 새로운 담론이 널리 퍼져 실제의 세계로 구현되기 위해서는 전문가들로 구성된
인식공동체(epistemic community)의 역할이 중요하다고 본다.

④ 현존하는 모든 것을 사회적으로 구성된 것으로 간주함으로써 자신의 주장마저도 상대적이라는 자기
모순을 범한다는 비판도 있다.

> **정답 및 해설**
>
> 탈근대이론들은 현실주의(realism)를 국제정치를 지배해오면서 국가 간 안보경쟁을 고무시키고 나아가 전쟁을 유
> 발해 온 '힘과 규칙에 관한 담론'이라고 간주한다.
>
> 답 ②

011 근대 국제체제에 대한 설명으로 옳지 않은 것은?

① 근대 국제체제에서 국가는 민족국가, 영토국가, 근대국가의 성격을 띤다.
② 서니(Cerny)에 의하면 세계화의 영향으로 국가들은 국가경쟁력 강화를 위해 시장에 대한 개입을 강화하고 있으므로 세계화는 근대국가의 위상을 강화시키고 있다.
③ 울프(Wolf)에 의하면 세계화 시대에 안보문제가 확대되고 있음에도 불구하고 국가의 대응 능력이 약화됨으로써 근대국가의 위상이 약화하고 있다.
④ IMF는 금융위기를 겪고 있는 국가들에게 신자유주의질서를 강요함으로써 국가들의 위상을 약화시켰다.

정답 및 해설

울프(Wolf)는 현실주의 계열의 학자이다. 세계화 시대는 안보문제의 확대의 시대로써 시민들에게 안보공공재를 공급하는 가장 적절한 단위는 민족국가이므로 세계화 시대에 민족국가의 위상이 오히려 강화되고 있다고 본다.

답 ③

012 권력 자원으로서의 국제문화에 대한 설명으로 옳지 않은 것은?

2021년 외무영사직

① 나이(Nye)는 소프트 파워를 군사적 강압이나 경제적 유인책을 사용하는 대신 다른 국가들이 자발적으로 자신의 의도와 의지를 따르도록 만드는 능력이라고 정의한다.
② 소프트 파워 개념은 국제정치에서 한 행위자가 다른 행위자에게 문화적이고 규범적인 영향력을 행사함으로써 그들의 행위를 변화시킬 수 있다고 본다.
③ 사이드(Said)는 오리엔탈리즘이 동양에 대한 서양의 편견과 선입견을 해소하는 역할을 한 것으로 평가하였다.
④ 문화제국주의 이론은 권력 자원으로서의 문화가 서구 사회의 비서구 사회에 대한 지배와 헤게모니의 도구로 활용될 수 있다고 비판한다.

정답 및 해설

오리엔탈리즘은 동양을 바라보는 서구의 편견과 선입견을 의미한다. 이를 통해 서양의 동양에 대한 제국주의를 정당화시켰다는 것이 사이드의 입장이다.

⊘ 선지분석

① 소프트 파워는 '매력'을 의미한다. 이는 군사력이나 경제력과 달리 자발적으로 상대방이 원하는 것을 하게 한다.
② 소프트 파워는 문화적이거나 규범적인 영향력을 발휘하게 하는 것이다.
④ 문화제국주의이론은 문화적 맥락에서 서구가 비서구를 지배한다고 보는 이론이다. 문화는 서구가 비서구를 지배하는 도구가 되었다는 것이다.

답 ③

013 포스트모더니즘(Post-modernism) 국제정치학에 대한 설명으로 옳지 않은 것은?

□□□

① 포스트모더니즘은 탈실증주의 철학에 대한 근본적 반성을 통해 국제정치를 새롭게 조망하려는 하나의 패러다임으로 볼 수 있다.

② 푸코(Michel Foucault)는 포스트모더니스트로서 권력과 지식은 서로를 전제로 하는 것이며, 특정한 권력관계를 내포하지 않고 형성되는 지식이란 없다고 주장하였다.

③ 사이드(Edward Said)는 모든 지식은 인간의 해석에 의해 오염된다고 하였다.

④ 포스트모더니즘에 따르면 현실주의의 '자연상태'는 현실 그 자체가 아니라 특정한 정치적인 목적을 염두에 둔 사상가들의 상상의 산물이다.

> **정답 및 해설**
>
> 포스트모더니즘은 '탈실증주의'에 기반한 이론으로서 객관적인 법칙의 존재를 전제로 그 발견을 과학의 목적으로 삼는 '실증주의'에 비판적 입장을 취하고 있다.
>
> 답 ①

014 포스트모더니즘(post-modernism)에 대한 설명으로 옳지 않은 것은?

□□□

① 포스트모더니즘은 모더니즘에 대항하여 근대가 절대적이거나 유일한 것이 아닌 가변적이라고 본다.

② 포스트모더니즘은 객관적 법칙의 존재 및 그의 발견을 통한 사회 진보를 표방하는 데카르트의 인식론을 비판하고 객관적 법칙의 존재를 부정한다.

③ 포스트모더니스트인 사이드(Edward Said)는 권력이 지식을 생산하고 권력과 지식은 서로를 전제로 하는 것이며, 특정한 권력관계를 내포하지 않고 형성되는 지식이란 없다고 주장하였다.

④ 포스트모더니즘에 따르면 현실주의가 국제체제를 무정부 상태로 보는 것은 객관적 진리라기보다는 강대국의 권력추구와 폭력사용을 정당화시켜주는 담론에 불과하다.

> **정답 및 해설**
>
> 푸코(Michel Foucault)의 견해이다.
>
> 답 ③

제6장 국제정치경제론

제1절 | 총론

001
□□□
국제정치경제를 바라보는 중상주의, 자유주의, 마르크스주의에 대한 설명으로 옳지 않은 것은?

2018년 외무영사직

① 중상주의는 국가의 적극적인 역할을 강조한다.
② 자유주의는 국가 간 무역의 증가가 상호이익이 된다고 주장한다.
③ 중상주의는 절대적 이익을 중시하고 보호무역을 추구한다.
④ 마르크스주의는 부등가교환으로 세계경제의 불평등 구조가 심화된다고 주장한다.

정답 및 해설

절대적 이익이란 비용을 능가하는 이익을 말한다. 중상주의는 상대적 이득, 즉 국가 간 이득의 배분을 중시한다. 보호무역을 추구하는 것은 맞다.

⊘ 선지분석
① 국가가 시장을 주도해야 한다고 본다.
② 비교우위 가설을 신봉한다. 무역이 전 세계적인 자원 배분의 효율성과 복지를 극대화한다고 본다.
④ 부등가교환이란 중심부와 주변부가 상호 불평등한 교역관계를 형성함을 말하며, 이로써 주변부에서 중심부로의 부의 이전이 일어난다.

답 ③

002
□□□
국제정치경제현상을 바라보는 시각을 현실주의 시각, 자유주의 시각, 급진주의 시각 등 세 가지로 구분할 경우 다음 설명 중 옳지 않은 것은?

① 자유주의 시각에서는 효율적 경제활동을 위하여 안정적 환경을 제공하는 것이 정치의 주된 역할이라고 본다.
② 급진주의 시각에서는 다국적기업이 궁극적으로 유치국의 경제효율성과 성장을 감소시킨다고 본다.
③ 현실주의 시각에서는 세계경제 전체의 효율성보다 국가의 경제와 정치적 목표가 우선한다고 본다.
④ 급진주의 시각에서는 세계화 현상이 불균등한 국제배분 구조문제를 해결할 수 있을 것으로 본다.

정답 및 해설

급진주의는 마르크스의 사회체제분석론을 세계체제에 적용하면서 국제경제관계를 국가나 기업 간 상호작용이라기보다는 계급 간 상호작용으로 본다. 한 국가 내에서 생산수단 소유관계를 중심으로 한 자본가와 노동자의 관계가 자본가에 의한 착취관계로 묘사되는 것과 같이 중심부 국가와 주변부 국가 간 상호관계 역시 중심부에 의한 착취관계로 본다. 이러한 관계는 세계자본주의 체제 구조의 산물이므로 체제의 변화 없이는 착취관계를 해소할 수 없다고 본다. 따라서 세계화 현상이 체제의 변화를 유발하지 않는 한 불균등한 국제배분 구조문제를 해결할 수 없을 것으로 본다. 한편 급진주의는 세계화란 본질적으로 자본주의적 내적 논리, 즉 축적과 잉여가 추동하는 것으로 바라보는 것으로 바라보는 동시에 위기에 봉착한 서구자본이 이윤율의 저하를 극복하기 위해 자본주의 시장체제를 전세계적으로 확산시키는 것으로 이해하고 있다.

답 ④

003 **다음 중 옳은 것은?**

① 국제연합무역개발회의(UNCTAD)는 저발전국가들의 경제성장을 위한 원칙과 정책을 수립, 시행 또는 조정하기 위해 설립되었다.

② 1971년 미국은 변동환율제에서 금 1온스에 35달러의 태환성에 기초한 고정환율제로 국제통화체제의 규칙을 변화시켰다.

③ 글로벌리스트들(globalists)은 국가와 정부가 경제거래를 통제할 수 있는 능력을 증가시켜야 한다고 주장한다.

④ 국제정치경제학에 있어 중상주의적 전통은 세계시장에서의 자유무역 촉진을 위한 제도의 중요성을 강조한다.

정답 및 해설

국제연합무역개발회의(UNCTAD)는 저발전국가들의 경제성장을 위한 목적으로 설립되었다.

✅ **선지분석**

② 1971년 미국은 신축성 있게 금태환성을 상실한 기준환율제도를 도입하였다.

> **관련 이론 국제통화체제의 변화**
>
> 18세기부터 영국이 국제무역과 금융의 중심지로 자리잡으면서 파운드화가 국제통화로 활용됐다. 특히 1816년 금본위제도를 채택한 후 파운드는 유일한 국제통화로서 국제무역의 결제수단으로 활용됐다. 그러나 제1차 세계대전 이후 대규모 재정적자에 시달리면서 파운드화의 화폐 가치가 추락하기 시작했다. 특히 제2차 세계대전 이후에는 파운드 가치가 급격히 떨어졌으며, 1944년 브레튼우즈 체제를 계기로 미국 달러화가 제도적으로 기축통화 지위를 갖게 되었다.
>
> 1. 브레튼우즈 체제: 1944년 미국 뉴햄프셔주의 브레튼우즈에서 열린 국제적인 통화제도 협정을 뜻한다. 순금 1온스를 미국 35달러에 고정시켰으며 그 이외의 국가통화는 달러에 연동하게 했다. 다만 원칙적으로 상하 1% 범위 내에서 조정할 수 있는 고정환율제를 적용했다. 이를 계기로 국제통화기금(IMF)과 국제부흥개발은행(IBRD)이 설립됐다. 그러나 1950년대 들어서면서 미국이 재정지출을 확대함에 따라 공급할 수 있는 금 물량마저 한계에 도달했다. 이에 따라 IMF에 외환준비금 용도로 특별인출권(SDR)을 도입했지만 이마저도 베트남전쟁을 계기로 통화량이 증발하고 미국 경상수지 적자가 불어나자 소용이 없었다. 급기야 1971년 리처드 닉슨 대통령은 '더 이상 달러와 금을 바꿔줄 수 없다'는 금태환 정지 선언을 하게 된다.
> 2. 스미소니언 체제: 닉슨 대통령의 금태환 정지 선언에 즈음하여 1971년 워싱턴의 스미소니언 박물관에서는 선진 10개국의 재무장관 및 중앙은행 총재회의가 개최된다. 이 회의에서 스미소니언 협정이 채택됨에 따라 브레튼우즈 체제의 수정이라 할 수 있는 스미소니언 체제(Smithonian system)가 성립되었다. 즉, 금에 대한 미국 달러의 평가를 순금 1온스당 35달러에서 38달러로 평가절하하고, 환율체제는 고정환율제를 유지하되 종래의 금에 의한 평가 또는 금태환이 보장된 미국 달러에 의한 평가 대신 보다 신축성있게 금 태환성을 상실한 미국 달러화를 기준으로 하는 기준환율제도를 도입하였다. 또한 각국 통화의 변동환율 폭을 기존 1%에서 2.25%로 확대하였다. 그러나 스미소니언 체제가 출범한 지 6개월만인 1972년 6월 영국은 투기에 의한 파운드화 파동을 견디지 못하고 변동환율제를 채택하였으며 프랑스, 벨기에, 이탈리아 등도 이중환율제를 택하였다. 그리고 투기자본이 마르크화와 엔화에 집중되어 달러화의 시세는 계속 하락하게 되었다. 결국 1973년 2월 금 1온스당 38달러에서 42.22달러로 10% 평가절하를 단행하였다. 그리고 1973년 3월 EC 6개국과 스웨덴, 노르웨이가 공동 변동환율제로 이행했다. 이에 따라 각국이 자기 나라의 경제사정에 적절한 환율제도를 자유로이 채택하게 되었으며, 이로써 고정환율제로 출발하였던 스미소니언 체제도 출범한지 1년 반이 못 되어 무너지고 말았다.

③ 국가주의자들(nationalists)의 견해이다. 글로벌리스트들은 국가와 정부가 세계적 규모로 일어나는 경제거래를 통제하기란 불가능하며, 또 그것이 바람직하지도 않다고 본다.

④ 자유무역 촉진을 위한 제도의 중요성을 강조하는 것은 신자유주의적 제도주의의 관점이다. 중상주의는 교환의 이익이 가치의 일방적인 이전이나 수탈이라고 보아 보호무역을 주장하였다.

답 ①

국제정치경제론에 대한 설명으로 옳지 않은 것은?

① 킨들버거(Charles P. Kindleberger)는 1930년대 경제공황의 발생 자체는 예외적인 현상은 아니나 장기화된 이유가 수습 능력을 가진 미국은 의지가 없었고, 수습의지를 가진 영국은 수습 능력이 없었기 때문이라고 보았다.

② 길핀(Robert Gilpin)은 영국과 미국이 강력한 패권국으로 존재하던 시기의 경제는 안정적이고 개방적이었으나 패권이 존재하지 않았던 시기에 세계경제는 혼란에 휘말렸다고 주장하였다.

③ 밀너(Helen V. Milner)는 패권쇠퇴기인 1920년대에는 보호무역이, 1970년대에는 상대적으로 자유무역체계가 형성되었으므로 패권과 무역체제의 개방성은 관련이 없다고 보고, 기업이 어느 정도로 국제적인 연계를 갖고 있는가에 따라 무역정책에 대한 선호가 달라진다고 주장하였다.

④ 파레토(Vilfredo Pareto)는 국가들이 자유무역정책을 채택하게 되는 이유에 대해 비교우위에 있는 기업들의 강력한 로비 때문이라고 주장하였다.

정답 및 해설

자유무역의 이익은 다수의 사회 전체에 퍼지지만 보호무역의 이익은 소수에게 집중되기 때문에 소수의 사람들이 보호무역을 관철하기 위해 행동에 나서게 되어 보호무역이 등장한다고 하였다.

답 ④

국제정치경제론에 대한 설명으로, 중상주의, 자유주의, 마르크시즘에 관한 비교에서 옳지 않은 것은?

① 중상주의에 의하면 국제경제현상 역시 국가의 생존을 위한 부의 획득이라는 관점에서 이해한다.

② 중상주의 논리에 따른다면 자유무역과 시장개방의 결과는 국내적으로나 국제정치적으로 바람직한 결과를 가져온다.

③ 자유주의는 국제무역의 확산이 상호의존의 심화를 불러와 국제관계를 안정시킨다고 본다.

④ 국제경제관계는 국가나 기업 간 상호작용이 아니라 계급 간 상호작용이라는 것이 마르크시즘적 관점이다.

정답 및 해설

자유주의에 따르면 자유무역과 시장개방의 결과는 국내적으로나 국제정치적으로 바람직한 결과를 가져온다. 중상주의는 현실주의의 시각에서 국제체제의 안보위협을 제거하기 위해 부를 축적한다는 입장이므로 보호무역주의와 전략산업육성을 추구한다.

✅ 선지분석

④ 마르크시즘은 한 국가 내에서 생산수단의 소유관계를 중심으로 한 자본가와 노동자의 관계가 자본가에 의한 착취관계로 묘사되는 것과 같이, 중심부 국가와 주변부 국가 간 상호관계 역시 중심부에 의한 착취관계로 본다.

답 ②

006 현실주의 국제정치경제이론과 자유주의 국제정치경제이론에 대한 설명으로 옳지 않은 것만을 모두 고른 것은?

□□□

> ㄱ. 현실주의는 국제정치경제의 주요 행위자를 국가로 가정하는 반면, 자유주의는 개인, 기업, 국제기구 등 다양한 행위자들을 전제한다.
> ㄴ. 현실주의는 시장을 국가에 종속되는 개체로 보는 반면, 자유주의는 국가와 시장이 각각 자율성을 갖고 독립적으로 존재하고 있는 것으로 본다.
> ㄷ. 세계화 과정을 현실주의는 국가이익을 위한 주권국가의 재량적 선택으로 보는 반면, 자유주의는 이윤 극대화를 위한 시장의 선택으로 본다.
> ㄹ. 자유주의는 교역에 참여하면 개별국가의 안전보장은 어려워진다는 현실주의의 주장에는 동의하나, 궁극적으로 교역을 통해 전체 국가들이 이익을 증가시킬 수 있다고 본다.
> ㅁ. 현실주의에서는 다국적기업의 해외 진출이 해외 시장에서의 경쟁 우위를 점하기 위한 공격적 동기에서 비롯된다고 주장하는 반면, 자유주의는 다국적기업이 방어적 동기에서 해외 진출을 한다고 본다.

① ㄱ, ㄷ ② ㄴ, ㅁ
③ ㄹ, ㅁ ④ ㄴ, ㄹ, ㅁ

정답 및 해설

현실주의 국제정치경제이론과 자유주의 국제정치경제이론에 대한 설명으로 옳지 않은 것은 ㄹ, ㅁ이다.
ㄹ. 자유주의는 경제협력관계의 강화가 개인이나 기업의 이익을 증가시켜 줄 뿐 아니라, 전체적으로 교역에 참여하는 모든 주체들의 안전보장을 더욱 강화시켜 준다고 본다.
ㅁ. 자유주의는 다국적기업의 해외 진출이 해외 시장에서의 경쟁 우위를 점하기 위한 방어적 동기에서 비롯된다고 주장한다. 반면 마르크스주의는 독점력을 발휘해 높은 이득을 취하려는 공격적 동기를 강조한다.

답 ③

007 국제정치경제에 관한 관점들과 그 견해의 연결로 옳은 것은?

□□□

① 자유주의: 세계경제는 계급과 사회집단들이 끊임없이 갈등하는 자본주의적 경쟁의 장이다.
② 마르크스주의: 세계경제를 국가 간 협력의 장으로 간주한다.
③ 중상주의: 국가 간 경쟁의 장으로서의 세계경제는 국가들이 다른 국가에 대하여 부와 독립을 극대화하려고 시도하는 곳이다.
④ 제도주의: 세계경제는 국경 없는 지구시장이 될 것이며, 지구시장 안에서 경쟁이라는 '보이지 않는 손'에 의해서 달성된다.

정답 및 해설

✓ **선지분석**
① 마르크스주의의 견해이다.
② 제도주의의 견해이다.
④ 자유주의의 견해이다.

답 ③

008 국제정치경제론에 대한 설명으로 옳지 않은 것은?

① 중상주의는 무역의 공급효과와 영향력효과를 통해 무역이 안보에 긍정적 역할을 할 수 있다고 본다.
② 프리드리히 리스트(Friedrich List)는 국가가 경쟁력을 상실한 산업을 보호하는 대신 장기적으로 비교 우위 산업으로 발전할 가능성이 있는 산업을 보호할 것을 주장하면서 유치산업보호론을 제시하였다.
③ 신중상주의자들은 1970년대 보조금지급 중심의 전략적 무역정책을 제시하였다.
④ 데이빗 흄(David Hume)은 자유주의자로서 가격 – 정화 – 흐름 메커니즘을 통해 금은의 축적이 장기적 으로 국부를 증진시키는 데 실패함을 주장하고 자유무역을 옹호하였다.

> **정답 및 해설**
>
> 리스트는 독일의 중상주의자로서 유치산업보호론과 함께 사양산업보호론도 제시하였다.
>
> 답 ②

009 국제정치경제론에 대한 설명으로 옳지 않은 것은?

① 칼 폴라니(Karl Polanyi)는 자유주의 국가와 자유주의 정책은 서로 조화될 수 없으며 계급갈등을 심화 시켜 장기적으로 자유주의 체제를 붕괴시킬 것이라고 주장하였다.
② 데이빗 흄(David Hume)은 가격 – 정화 – 흐름 메커니즘을 통해 금은의 축적은 장기적으로 물가상승을 초래하여 국부를 유출하게 되므로 국부를 증진시킬 수 없다고 주장하였다.
③ 카아(E.H.Carr)는 고전적 자유주의자들이 제시한 이익의 자연조화가설은 제1차 세계대전 승전국들이 제시한 이데올로기에 불과하다고 비판하였다.
④ 라모(Joshua Cooper Ramo)는 중국이 추진하고 있는 베이징 컨센서스(Beijing Consensus)는 시장주 도 발전을 제시하고 있으나 장기적으로 중국의 국가체제와 양립할 수 없어 성공하기 어렵다고 전망하 였다.

> **정답 및 해설**
>
> 베이징 컨센서스는 국가주도 발전 전략을 제시한다.
>
> 답 ④

001 국제정치경제학의 주요 시각인 중상주의에 대한 설명으로 옳은 것만을 모두 고른 것은? 2021년 외무영사직

> ㄱ. 부의 추구와 권력의 추구라는 국가전략의 유기적인 연계성을 잘 설명한다.
> ㄴ. 부의 축적과 효율보다는 국내외적인 불균등의 문제에 대해 초점을 맞추어 논의한다.
> ㄷ. 국가 간 경제관계를 포지티브 섬(positive sum)의 관계로 가정한다.
> ㄹ. 국익을 추구하는 국가는 단일한 선호와 이익을 가지고 행위한다고 본다.

① ㄱ, ㄴ　　　　　　　　② ㄱ, ㄹ
③ ㄴ, ㄷ　　　　　　　　④ ㄷ, ㄹ

정답 및 해설

중상주의에 대한 설명으로 옳은 것은 ㄱ, ㄹ이다.
ㄱ. 국가는 부의 축적을 통해 권력을 강화하고하는 점을 잘 설명한다는 의미이다.
ㄹ. 국가가 합리적이라는 가정이다.

✓ 선지분석

ㄴ. 부의 불균등문제는 마르크스주의에서 주요 관심사이다.
ㄷ. 자유주의가 포지티브섬 게임을, 중상주의는 제로섬게임을 가정한다.

답 ②

002 현실주의 국제정치경제이론에 대한 설명으로 옳지 않은 것은?

① 국제정치이론 또는 국제안보이론에서의 현실주의 이론을 국제경제 분야에 도입한 이론들로서 현실주의의 존재론을 대부분 공유하고 있다.
② 현실주의 국제정치경제이론은 절대 왕정기에 태동한 중상주의적 사고에 기초하고 있으며, 제2차 세계대전 이후 패권안정론, 합리적 선택이론, 신현실주의 등으로 보다 정교화 되었다.
③ 자유주의자들이 국제경제 관계에서 불균형적으로 자신의 이득을 추구하는, 즉 상대적 부의 획득에 관심을 집중하고 있는 것과 달리, 현실주의자들은 시장을 통한 절대적인 부의 추구에 관심을 갖는다.
④ 현실주의 국제정치경제론은 현실주의 국제정치이론의 기본가정과 분석단위를 계승하면서 권력정치의 물질적 기반이 되는 국가의 경제력 획득 방식에 관심을 갖는다.

정답 및 해설

자유주의자들이 절대적인 부의 추구에 관심을 갖고, 현실주의자들이 상대적 부의 획득에 관심을 집중한다.

답 ③

003 현실주의 국제정치경제이론의 기본 입장으로 옳지 않은 것은?

① 현실주의는 국제정치경제의 주요 행위자를 국가로 가정한다.

② 국제경제관계를 기본적으로 갈등적이고 경쟁적이며 제로섬 게임이라고 본다.

③ 정치와 경제는 국제경제현상을 추동하는 독립변수가 무엇인가에 관한 논제이다. 현실주의는 경제가 독립변수라고 본다.

④ 국제정치경제론의 기본 주제 중의 하나는 현실적으로 또는 규범적으로 국가와 시장 중 어느 쪽이 중요한가 하는 것이다. 현실주의는 국가가 중요하다고 본다.

> **정답 및 해설**
> ─────────────────────────
> 현실주의는 정치가 독립변수라고 본다. 현실주의는 안보를 상위정치, 경제를 하위정치로 규정하고 하위정치의 상위정치에 대한 종속을 주장한다.
>
> 답 ③

004 중상주의에 대한 설명으로 옳지 않은 것은?

① 중상주의란 유럽에서 절대주의 국가 시절부터 지배적인 경제관념으로서, 국가의 전비조달을 위한 재정흑자를 무역과 기타 대외 경제정책 등의 인위적인 방법을 통하여 국가가 창출하는 것을 말한다.

② 중상주의 시대는 17~18세기로서 이때부터 국제무역이 국가정책의 중심에 등장하기 시작하였다.

③ 무역을 통한 국부의 증가는 국력을 신장시킨다는 중상주의적 사고는 일정시점에서 세계의 교역량은 고정되었다고 본 중상주의 시대의 독특한 세계관을 보여준다.

④ 중상주의는 경제민족주의가 국제질서를 불안정화하므로 바람직하지 못하다고 본다.

> **정답 및 해설**
> ─────────────────────────
> 중상주의는 경제민족주의를 비판하는 것이 아니라 이것을 특징으로 한다. 경제민족주의란 경제활동은 국가형성과 국가이익에 종속되어야만 하며 국제체제보다 개별국가, 국가안보, 군사력이 우선성을 가져야 한다고 보는 사상을 말한다.
>
> 답 ④

005 중상주의의 핵심내용으로 옳지 않은 것은?

① 일국의 부의 증가는 그 나라의 절대적 국력을 증가시키며, 절대적 국력은 국부를 증가시킨다.

② 중상주의자들은 산업화를 국가정책의 중요한 목표로 취급하였다.

③ 중상주의자들은 무역을 국력증강의 중요한 수단으로 보았다.

④ 허쉬만에 의하면 국제무역의 공급효과란 무역을 통해 전략적으로 상대국이 자국에 의존하도록 만듦으로써 상대적 영향력을 확보하는 것을 말한다.

> **정답 및 해설**
> ─────────────────────────
> 허쉬만에 따르면 무역은 두 가지 효과, 즉 공급효과와 영향효과를 갖는다. 위의 내용은 공급효과가 아니라 영향효과에 대해 설명한 것이다. 공급효과란 무역을 통해 어떤 상품의 공급을 풍부하게 하거나 국력의 측면에서 덜 필요한 상품을 좀 더 필요한 상품으로 대체함으로써 국가의 잠재적 군사력을 증강시키는 효과를 말한다.
>
> 답 ④

006 신현실주의 국제정치경제이론에 대한 설명으로 옳지 않은 것은?

① 왈츠는 분석영역에 있어서 경제영역을 제외하는 현실주의에 대한 자유주의의 비판을 수용하여 경제 문제를 정치적 차원에서 설명하려는 시도를 하고 있다.

② 왈츠는 국가들이 대외 경제관계를 적극적으로 수립하는 것이 바람직하다고 본다.

③ 왈츠는 제1차 세계대전 이전의 유럽국 간 관계를 거론하며 상호의존과 평화는 관련이 없다고 본다.

④ 왈츠는 국제체제의 무정부적 속성으로 국제협력에 대한 비관론을 제시한다.

정답 및 해설

왈츠는 국가들이 대외 경제관계를 수립하는 것은 바람직하지 못하다고 보고 경제적 고립주의 전략을 제시한다. 이러한 전략은 국제체제의 무정부적 속성을 고려한 것이다. 국가들이 경제적 상호의존 관계를 형성하게 되면 필연적으로 취약성이라는 문제를 내포하게 된다고 주장한다.

답 ②

007 중상주의 학파의 전개 과정을 순서대로 바르게 나열한 것은?

ㄱ. 초기 중상주의	ㄴ. 리스트
ㄷ. 해밀턴	ㄹ. 신중상주의
ㅁ. 대공황기	

① ㄱ - ㄴ - ㄷ - ㄹ - ㅁ
② ㄱ - ㄷ - ㄴ - ㅁ - ㄹ
③ ㄷ - ㄱ - ㄴ - ㄹ - ㅁ
④ ㅁ - ㄷ - ㄴ - ㄱ - ㄹ

정답 및 해설

17~18세기 중상주의 시대는 중세 봉건주의와 자유주의의 중간기, 또는 산업혁명 이전의 자본주의 여명기로서 강력한 중앙집권적 국민국가들이 등장하기 시작했다. 알렉산더 해밀턴은 미국의 중상주의자로서 산업 육성이 미국 경제에 추가적 역동성을 가져다 줄 것으로 보았다. 프리드리히 리스트는 아담 스미스의 '자유경제론'을 비판하면서 영국 주도의 국제질서에 대항하는 이론을 제공하였다. 아담 스미스의 고전적 자유주의는 제1차 세계대전과 대공황을 겪으면서 점차 쇠퇴하고 중상주의적 주장과 정책이 다시 생명력을 얻게 되었다. 제2차 세계대전 이후 자유무역을 표방한 국제경제질서는 1970년대 들어 흔들리기 시작하였고 이후 다양한 보호주의 조치들이 등장하였다. 이러한 흐름이나 정책을 신중상주의라 한다.

답 ②

008 다음 중에서 보호주의의 현상으로 옳지 않은 것은?

2004년 외무영사직

① 수출자율규제협정
② 시장질서유지협정
③ 수입쿼터(quota) 설정
④ 일반특혜관세제도

정답 및 해설

일반특혜관세제도(Generalized System of Preferences)는 선진국들이 개도국들의 상품에 대해 관세를 면제해주거나 낮은 관세를 적용해주는 등 관세 상의 특혜를 부여하는 제도로서, 제도의 취지로 볼 때 보호주의와는 거리가 멀다.

답 ④

009 중상주의와 자유주의를 비교한 것으로 옳지 않은 것은?

① 중상주의는 민족국가를, 자유주의는 기업이나 개인을 주요 행위자로 본다.

② 중상주의는 다원적 이익을, 자유주의는 국가이익을 중요시한다.

③ 중상주의는 경제관계를 제로섬 게임으로, 자유주의는 비제로섬 게임으로 본다.

④ 중상주의는 경제 레짐은 불필요하거나 별다른 기능을 하지 못하는 것으로 보나, 자유주의는 거래비용을 감소시켜 경제협력을 강화시켜 주는 긍정적 기능을 한다고 본다.

정답 및 해설

중상주의가 국가이익을 중요시하고 자유주의는 다원적 이익을 중요시한다. 이 밖에 중상주의는 정치가 경제를 결정한다고 보나, 자유주의는 경제가 정치를 결정한다고 본다는 차이점도 있다.

답 ②

010 중상주의에 대한 비판으로 옳지 않은 것은?

① 중상주의자들은 국제경제를 제로섬 게임으로 보았으나, 아담 스미스는 이를 비제로섬 게임으로 보고 교역관계에 참여하는 모든 국가들의 이익을 증가시켜 준다고 본다.

② 패권이 쇠퇴하더라도 제도화된 협력을 통한 이득이 유지되는 경우에 레짐은 지속된다고 비판받는다.

③ 전간기 국제질서의 혼란이 실증하듯이 중상주의의 보호주의적 조치들은 국제질서의 무질서를 가속화시키고 전쟁을 유발하기도 한다는 비판을 받는다.

④ 국내정치적으로도 국가의 시장개입과 산업육성을 정책으로 제시하는 중상주의는 신자유주의자들에 의해 복지병과 비효율적 거대국가를 초래한 주범이라는 비판을 받았다.

정답 및 해설

이는 중상주의에 대한 비판이 아니라, 패권안정론에 대한 신자유주의적 제도주의의 비판이다.

답 ②

011 중상주의에 대한 설명으로 옳지 않은 것은?

① 중상주의 시대는 17~18세기로서 이때부터 국제무역이 국가정책의 중심에 등장하게 된다.

② 중상주의의 특징은 경제민족주의이며, 이는 경제활동이 국가이익에 종속되어야 하고 국제체제보다 개별국가, 국가안보, 군사력이 우선성을 가져야 한다는 것이다.

③ 대공황기에는 근린궁핍화전략(beggar-thy-neighbor policy)은 결국 국제무역의 급격한 감소, 국내소비 위축, 고용감소의 악순환을 초래하였다.

④ 신중상주의는 1970년대 들어 자유무역질서가 부흥하면서 힘을 잃기 시작하였다.

정답 및 해설

1970년대는 오일쇼크, 브레튼우즈 체제 종결 등으로 자유무역주의가 쇠퇴하고 신중상주의(neo-mercantilism)가 부상하던 시기이다. 1970년대의 시대상황은 국제정치에서 중요한 시기이므로 꼭 알아두어야 한다.

 선지분석

③ 근린궁핍화전략이란 무역수지 흑자보전, 국내고용과 유효수요 창출이라는 개별 국가이익을 위해 무역정책에 있어서 '경쟁적인 관세인상'과 '경쟁적인 평가절하'를 통해 무역수지를 흑자로 유지하고자 하는 전략이다. 자국의 무역수지가 흑자라면 상대 국가(주로 주변국가)는 당연히 무역 적자가 나게 될 것이다.

답 ④

001
☐☐☐

제2차 세계대전 직후 수립된 자유주의 국제정치경제 질서에 대한 설명으로 옳지 않은 것은?

2021년 외무영사직

① 미국 주도하에 수립되었다.

② 새로운 자유주의 질서는 제한되고 관리되는 자유주의에 기초하였다.

③ 사회주의 진영에 대항하는 자본주의 진영의 경제적 결속을 강화하기 위한 안보적 고려도 작용하였다.

④ 상품과 자본의 국제적 이동을 방해하는 어떤 수단도 정당화될 수 없었고, 국내적 필요에 의한 국가 개입은 배제되었다.

정답 및 해설

자본이동은 국가가 통제하였으며, 국내적 필요를 위해 국가의 시장개입이 정당화되었다. 이는 기본적으로 칼 폴라니 (Karl Polanyi)가 19세기 고전적 자유주의 질서 한계로 지적한 분배갈등을 조정하거나 완화하기 위한 국가의 시장 개입을 옹호하는 것이다.

⊘ 선지분석

① 미국은 자유무역주의와 국제금융질서 안정을 축으로 하는 전후 세계경제질서 구축을 주도하였다.

② 이를 배태된 자유주의(embedded liberalism)이라 한다. 무역질서는 자유화하되 금융질서는 통제와 안정을 추구하는 것이다.

③ 전후 경제질서는 미국과 그 동맹국을 중심으로 형성되었다. 공산진영에 맞서기 위한 군사안보전략적 동기도 있었다.

답 ④

002
☐☐☐

1980년대 중남미 지역의 국가들은 심각한 경제위기를 겪었다. 그러나 1990년대 이후 멕시코, 아르헨티나, 칠레 등의 국가에서는 과거의 국가 중심적 산업화 모델에서 시장 중심적 구조개혁안을 시행하였다. 시카고 보이즈(Chicago Boys)는 바로 이러한 경제개혁을 담당하는 일단의 개혁그룹을 칭하는데, 이들의 주장이 아닌 것은?

2007년 외무영사직

① 수입대체산업화 모델의 장점을 성장과 국제화 프로그램의 동력으로 설정해야 한다.

② 불가항력의 물가앙등을 억제하기 위하여 강력한 반인플레이션 정책을 사용해야 한다.

③ 외환관리 및 무역영역에서 다양한 자유화 프로그램을 실천해야 한다.

④ 공기업을 민영화해야 한다.

정답 및 해설

수입대체산업화는 개도국의 경제발전을 위해 추진된 것으로, 특히 1950년대 프레비시(Raul Prebisch)가 이끌었던 UN ECLA의 처방이었다.

답 ①

003 자유주의적 국제정치경제학에 대한 설명으로 옳지 않은 것은?

① 1930년대 대공황으로 중상주의와 케인즈 학파로부터 비판을 받았으나, 고전적 자유주의를 보완하는 '내장형 자유주의(embedded liberalism)'의 형태로 국제질서 형성에 적용되었다.

② 국가와 시장은 서로 상호의존적이며, 때문에 자율성을 갖지는 못한다.

③ 고전적 자유주의자들의 핵심사상은 리카도(D. Ricardo)에 의한 비교우위론(comparative advantage)이다.

④ 신자유주의(neo-liberalism)는 국가와 시장과의 관계에서 시장의 역할을 강화해야 한다는 입장을 취하고 있다.

> **정답 및 해설**
>
> 자유주의적 '국제정치경제학(IPE)'에서는 국제관계에서 국가와 시장은 각각 자율성을 갖고 독립적으로 존재하고 있다는 사실을 전제하고 있다. 이는 현실주의자들이 시장을 국가에 종속시키는 것(중상주의)과는 대비되는 것이다. 상호의존은 국가 간에 일어나는 것이다.
>
> ⊗ **선지분석**
>
> ① 내장형 자유주의란 고전적 자유주의와 달리 국제경제질서에서 자유주의를 추구하되 이로 인해 그 기반이 약화되지 않도록 통제하여 경제질서와 사회질서의 조화를 꾀하는 것이다.
>
> ③ 비교우위론이란 각 국가는 각자의 비교우위 산업에 특화를 하게 되고, 이를 통해 전세계 모든 자원의 효율적 이용이 가능하게 된다는 것이다.
>
> 답 ②

004 고전적 자유주의와 내장형 자유주의(embedded liberalism)에 대한 비교로 옳지 않은 것은?

① 내장형 자유주의는 국제금융통화질서 측면은 시장의 판단에 맡겨야 한다는 입장으로 고전적 자유주의와 일맥상통한다.

② 고전적 자유주의는 자유방임적(laissez-faire) 자유주의이나, 내장형 자유주의는 국내안정 확보를 위한 개별국가의 시장개입을 정당한 사회적 목적으로 인정하였다.

③ 고전적 자유주의 질서의 유지자는 19세기 패권인 영국이며, 내장형 자유주의 질서의 유지자는 새로운 패권국인 미국이다.

④ 내장형 자유주의는 금본위제도 대신 조정 가능한 고정환율제도를 도입하였다.

> **정답 및 해설**
>
> ①, ④ 내장형 자유주의는 국제금융통화질서를 '통제'해야 한다고 보았다. 이는 금본위제도 대신 조정 가능한 고정환율제도를 도입한 것이 내장형 자유주의의 핵심이다.
>
> ⊗ **선지분석**
>
> ② 내장형 자유주의는 국내안정 확보를 위해서는 개별국가의 시장개입을 정당한 사회적 목적으로 인정한 예가 바로 조정 가능한 고정환율제도를 말하는 것이다.
>
> 답 ①

005 '내장형 자유주의(embedded liberalism)'에 대한 설명으로 옳지 않은 것은?

□□□

① 브레튼우즈 체제는 내장형 자유주의에 기반한 것이다.

② 공황기 국제경제질서의 혼란이 신중상주의적 대외정책인 근린궁핍화정책에서 비롯되었다고 보고 자유무역질서를 복원하려던 이론이다.

③ 최혜국대우, 내국민대우원칙 등 비차별원칙을 중심으로 하는 GATT는 내장형 자유주의의 성과이다.

④ 1970년대에는 브레튼우즈 체제가 위기를 맞게 되면서, 국제통화질서는 시장질서를 보다 통제하고자 하는 신자유주의(neo-liberalism)로 변화하게 된다.

정답 및 해설

1970년대에는 브레튼우즈 체제가 위기를 맞게 되면서, 국제통화질서는 시장질서에 보다 철저한 신자유주의(neo-liberalism)로 변화하게 된다.

✅ **선지분석**

① 브레튼우즈 체제에서는 달러화에 자국의 화폐를 연동시킨 다음, 국가가 적정환율 유지에 개입할 수 있도록 하는 것이다. 이러한 금융통화질서의 통제가 내장형 자유주의의 특징이다.

③ 내장형 자유주의가 1960년대까지 안정적으로 작동하였으나 1970년대 이후는 무역질서뿐 아니라 금융통화질서에 있어서도 혼란을 경험하게 된다. 이것은 미국의 패권이 쇠퇴하고 미국 스스로 보호무역정책을 도입하면서 자유무역질서가 훼손되었으며, 미국 달러화가 평가절하되면서 국제통화질서의 신뢰성이 손상되었기 때문이었다.

답 ④

---

006 존 러기(John Ruggie)는 내재된 자유주의(embedded liberalism)가 제2차 세계대전 이후 다자주의에 기반을 둔 자유무역질서의 안착에 기여했다고 주장했다. 내재된 자유주의에 대한 설명으로 옳은 것은?

□□□

2017년 외무영사직

① 작은 정부를 토대로 자유무역의 전면적 확산을 추구한다.

② 시장경제를 보완하고 안정시키기 위하여 선택적으로 정부가 시장에 개입한다.

③ 정부 정책을 달성하기 위하여 자원과 경제시설을 전면 국유화한다.

④ 밀턴 프리드먼(Milton Friedman)의 논리에 따라 금본위제로 복귀한다.

정답 및 해설

내재된 자유주의(또는 배태된 자유주의)는 자유무역을 원칙으로 하면서도 국가의 시장개입을 일정 부분 허용한 질서이다. 정부의 시장개입은 주로 복지정책을 추진하기 위한 것이었다.

답 ②

007 신자유주의적 국제정치경제이론에 대한 설명으로 옳지 않은 것은?

① 신자유주의 정책은 국내외적으로 시장의 보다 완벽한 작동을 위해 노력해야 하지만, 국가 내부의 빈민문제 등에 대해서는 국가가 적극적으로 나서야 선진국 모델을 완성할 수 있다고 한다.

② 케인즈 주의가 위기에 봉착하자, 시장의 역할에 대한 기대와 신뢰감이 증대하면서 등장하였다.

③ 한계점으로 시장경쟁조건의 동등성을 보장하기 위해 시장경쟁의 불평등한 결과를 용인해야 한다는 점이 꼽힌다.

④ '워싱턴 합의(Washington Consensus)'를 통해 개도국들에게 신자유주의적 처방이 강요되었다.

정답 및 해설

신자유주의 정책은 시장의 기능을 신뢰하고 이에 따라서만 움직이므로 국내의 빈민문제 등에 국가가 적극적으로 나서기를 요구하지 않는다. 때문에 ③과 같은 한계점으로 시장경쟁조건의 동등성을 보장하기 위해 시장경쟁의 불평등한 결과를 용인해야 한다는 점이 꼽힌다.

선지분석

④ 워싱턴 합의는 남미의 외채위기나 공산권 진영의 체제전환 비용을 지원하는 대신 긴축재정 및 통화정책, 민영화, 대외개방을 강요하는 것이다. 워싱턴 합의에 반발해 새롭게 등장한 것으로는 '베이징 합의'가 있다.

답 ①

008 다음 중에서 자유무역주의와 관련이 없는 것은 모두 몇 개인가?

ㄱ. 제조업을 중시한다.
ㄴ. 유치산업보호론을 주장한다.
ㄷ. 아담 스미스와 데이빗 리카도의 특화를 중시한다.
ㄹ. 국제경제관계는 비제로섬적 관계이다.

① 1개 ② 2개
③ 3개 ④ 4개

정답 및 해설

자유무역주의와 관련이 없는 것은 ㄱ, ㄴ, 2개이다.
제조업의 중시와 유치산업보호론은 중상주의에 해당하는 것이다. 중상주의는 현실주의적 시각으로부터 국제경제현상 역시 국가의 생존을 위한 부의 획득이라는 관점에서 이해하여, 국가들은 주요 전략산업과 전략물품의 자급자족을 확보, 보호무역주의, 보조금을 통한 전략산업 육성 등을 통해 부와 독립의 극대화를 추구한다고 본다. 반면 자유무역주의는 아담 스미스와 데이빗 리카도의 고전파 경제학에서 출발하여 국제경제관계는 비제로섬적(non-zero sum) 관계라는 전제 하에 자유 시장의 논리를 강조한다.

답 ②

009 자유주의 국제정치경제론(IPE)의 기본입장을 나타낸 것으로 옳지 않은 것은?

① 자유주의 국제정치경제론에서는 국가를 주요하고 합리적인 행위자로 가정한다.

② 자유주의자들은 국가와 시장이 어느 정도 독립적으로 존재한다고 본다.

③ 개인의 자유의 최대한 보장을 가장 중요한 가치로 인식하는 자유주의 입장에서 국가의 역할은 최소화
될수록 좋다고 본다.

④ 국가들로 구성되어 있는 국제체제가 무정부 상태이기는 하나 전쟁상태는 아니라고 본다.

정답 및 해설

자유주의 국제정치경제론에서는 행위자의 다원성을 전제한다. 현실주의자들이 국가를 주요하고 합리적인 행위자로
가정하는 것과 달리, 자유주의자들은 국제정치경제에는 다양한 행위자들이 나름대로의 자율성을 갖고 참여하고 있
다고 본다.

답 ①

010 자유주의 국제정치경제론(IPE)의 기본입장을 설명한 것으로 옳지 않은 것은?

① 자유주의자들은 무정부 상태 하에서도 국제협력은 가능하다고 본다.

② 무정부 상태라는 국제정치 구조가 국가들의 행동을 지배하는 것이 아니라, 국가들의 행동에 따라 무
정부 상태의 모습이 결정된다.

③ 국가들 간 상호의존이 증가하면 국가 간 갈등이 폭력적 전쟁으로 귀결될 가능성이 낮아진다고 본다.

④ 자유주의 IPE는 경제민족주의를 특징으로 한다.

정답 및 해설

경제민족주의는 자유주의 국제정치경제론의 주장이 아니라 중상주의의 주장이다.

답 ④

011 고전적 자유주의에 대한 설명으로 옳지 않은 것은?

① 고전파 경제학자들은 가격정화흐름 메커니즘을 제시하면서 무역수지 흑자를 통해 국부를 증가시키는
것은 장기적으로 가능하지 않다고 비판하였다.

② 보호무역보다는 자유무역을 통해 각국의 비교우위가 실현되는 경우 전세계적으로 자원배분의 효율성
이 실현된다고 주장하였다.

③ 고전적 자유주의는 국가의 시장에 대한 적극적 개입을 필요로 하고 또한 바람직한 것으로 본다.

④ 고전적 자유주의자들의 핵심사상은 리카도(D. Ricardo)에 의해 제시된 비교우위론이다.

정답 및 해설

중상주의가 국가의 시장에 대한 적극적 개입을 필요로 하고 또한 바람직한 것으로 보며, 고전적 자유주의는 국가의
시장개입이 축소될수록 시장이 활성화 되어 자원배분의 효율성을 극대화시킨다고 본다.

답 ③

012 고전적 자유주의에 대한 비판으로 옳지 않은 것은?

① 이들은 시장의 완전성과 완전경쟁시장을 가정하고 있으나 정보의 불완전성, 인위적 장벽의 존재, 소비자와 생산자의 비합리성 등으로 완전경쟁시장이 성립하기 어렵다.
② 카아(E. H. Carr)는 고전적 자유주의자들이 국제체제에서 지배적인 발언권을 가지고 있는 특권적인 위치에 있는 자신들의 이익을 다른 국가들에 강요하기 위해 자신들의 특수한 이익을 공동의 이익으로 가장한다고 본다.
③ 폴라니는 그의 저서 『20년간의 위기: 1919~1939』에서 고전적 자유주의 사상의 한계를 비판하였다.
④ 폴라니는 자기 규율적 시장과 자유주의적 국가, 또는 최소국가는 시장 메커니즘의 작동을 장기적으로 어렵게 만든다고 비판하였다.

정답 및 해설

『20년간의 위기: 1919~1939』는 카아(E. H. Carr)의 저서이다. 폴라니는 『위대한 변혁』에서 고전적 자유주의 사상의 한계를 비판하였다. 그는 19세기 사회를 자기규율적 시장, 강대국 간 세력균형, 금본위제도, 자유주의적 국가라는 네 가지 제도적 기초 위에서 국가가 시장합리성을 신봉하여 시장을 규제하기보다는 자기규율적인 시장을 구축하고 보호하는 것을 주된 역할로 삼았던 시대로 규정하였다.

답 ③

013 통제된 자유주의에 대한 설명으로 옳지 않은 것은?

① 통제된 자유주의는 고전적 자유주의와 달리 국제경제질서에서 자유주의를 추구하되 이로 인해 그 기반이 약화되지 않도록 통제하여 경제질서와 사회질서의 조화를 꾀하였다.
② 최혜국대우원칙과 내국민대우원칙을 중심으로 하는 GATT라는 무역레짐을 탄생시켰다.
③ 자유무역을 원칙으로 하며 예외를 인정하지 않았다.
④ 환율제도에 있어서 금본위제도 대신 조정가능한 고정환율제도를 도입하였다.

정답 및 해설

자유무역을 원칙으로 하되, 다양한 예외를 긍정함으로써 자유무역 질서를 보존하는 데도 노력을 기울였다. 일정한 조건 하에서 특혜대우를 긍정하였을 뿐 아니라, 특히 개도국들에 대한 특혜대우를 형식적이나마 제도적으로 보장해 주었다.

답 ③

014 통제된 자유주의의 한계를 지적한 것으로 옳지 않은 것은?

① 국가의 비대화와 재정위기
② 1970년대 국제정치경제질서 붕괴
③ 국가의 시장개입 무력성 노출
④ 비교우위설 가정의 엄격성

정답 및 해설

비교우위설은 통제된 자유주의의 주장이 아니라 고전적 자유주의의 주장이다. 따라서 비교우위설 가정의 엄격성은 통제된 자유주의의 한계를 지적한 것이 될 수 없다.

답 ④

015 신자유주의에 대한 설명으로 옳지 않은 것은?

☐☐☐

① 신자유주의는 전후 국제경제질서 및 국내질서 형성에 적용된 통제된 자유주의가 한계에 직면하자 새롭게 국가와 시장관계 및 국제경제질서를 구성하기 위한 사조 또는 정책을 말한다.

② 1980년대 영국과 미국을 중심으로 등장한 신자유주의 이념은 이후 전세계적으로 확산되기 시작하였다.

③ 영국과 미국 등은 우파정권이 집권하면서 경제 위기 상황에서 강압적인 외부적 힘에 의해 신자유주의 정책을 실시한 반면, 개도국은 경제성장의 필요성을 인식하고 자발적으로 신자유주의 정책을 실시하였다.

④ 신자유주의 정책은 거시적으로 국가와 시장의 관계에서 시장의 역할을 강화하는 것에 중점을 둔다.

정답 및 해설

영국·미국과 개도국의 설명이 바뀌었다. 영국과 미국 등이 자발적으로 신자유주의 정책을 실시한 반면, 개도국의 신자유주의적 개혁조치들은 경제 위기 상황에서 강압적인 외부적 힘에 의해 이루어졌다.

답 ③

016 신자유주의의 한계를 설명한 것으로 옳지 않은 것은?

☐☐☐

① 신자유주의는 국가와 시장이 분리될 수 있다는 것을 전제한다. 그러나 경제와 정치영역의 분리는 본질적으로 불가능하다.

② 신자유주의는 시장경쟁조건의 동등성을 보장하기 위해 시장경쟁의 불평등한 결과를 용인해야 하는 문제를 안고 있다.

③ 시장의 자율성을 제한하지 않는 경우 무역수지의 불균형이 장기 지속된다. 환율체제의 불안정이 지속되면 경제위기가 빈발할 수 있다.

④ 복지병과 비효율적 거대국가를 초래할 수 있다.

정답 및 해설

복지병과 비효율적 거대국가는 신자유주의 하에서는 나타나기 힘들다. 이는 통제된 자유주의에 대한 비판이라 볼 수 있다.

답 ④

017 신자유주의자들의 경제이론에 대한 설명으로 옳지 않은 것은?

☐☐☐

① 전후 국제경제질서 및 국내질서 형성에 적용된 통제된 자유주의가 한계에 직면하자, 새롭게 국가와 시장관계 및 국제경제질서를 구성하기 위한 사조, 정책을 의미한다.

② 국제경제질서에서 자유주의를 추구하되 이로 인해 그 기반이 약화되지 않도록 통제하여 경제질서와 사회질서의 조화를 꾀하였다.

③ 거시적으로 국가와 시장의 관계에서 시장의 역할을 강화하는 것에 중점을 둔다.

④ 국가와 시장이 분리될 수 있다는 것을 전제하나 시장의 설립과 작동이 국가에 의존할 수밖에 없다는 것이 한계로 존재한다.

정답 및 해설

이는 신자유주의자들이 비판한 통제된 자유주의자들의 주장에 해당한다. 신자유주의자들은 국가의 시장개입의 무력성을 인지하여 보다 시장지향적인 국내, 국제질서 개편을 시도하려고 하였다.

답 ②

018 다음 중 '워싱턴 컨센서스'를 반영한 정책이 아닌 것만을 모두 고른 것은?

□□□
> ㄱ. 공공재 중심의 재정지출
> ㄴ. 금리 자유화
> ㄷ. 경쟁적 환율제도
> ㄹ. 지속가능하고 평등한 경제발전
> ㅁ. 국가자본주의
> ㅂ. 민영화

① ㄱ, ㅁ   ② ㄴ, ㄹ
③ ㄷ, ㅂ   ④ ㄹ, ㅁ

정답 및 해설

ㄹ과 ㅁ은 베이징 컨센서스의 특징이다.

> **관련 이론** 워싱턴 컨센서스와 베이징 컨센서스
>
> 1. '워싱턴 컨센서스'는 신자유주의 국제 질서의 범주 내에서 특별히 개도국들의 경제 위기를 다루기 위한 개혁 패키지로서, 1989년에 존 윌리암슨(John Williamson)이 만든 개념이다. 1980년대 초반 남아메리카 국가들의 부채 위기로 시작된 개도국들의 경제위기 해결책으로서, 재정 균형, 공공재 중심으로 재정 지출, 조세기초 확대와 형평성을 결합한 조세 개혁, 금리 자유화, 경쟁적인 환율, 무역 자유화, 해외 자본의 국내 직접투자 자유화, 민영화, 경쟁제고를 위한 규제 완화, 사유재산권의 보호의 10가지 정책을 포함한다.
> 2. '베이징 컨센서스'는 2004년에 조슈아 쿠퍼 라모(Joshua Cooper Ramo)에 의해 창안된 개념으로서, 경제 발전을 국가의 최고 목표로 설정하고, 그것을 달성하는 중국 특유의 경제발전 방식을 설명하려는 시도이다. 가장 핵심적인 원리는 경제발전 과정에서 정부 주도, 즉 시장 기능에 대한 정부의 관리로 귀결된다.

답 ④

---

019 워싱턴 컨센서스(Washington Consensus)에 대한 설명으로 옳지 않은 것은?   2022년 외무영사직

□□□
① 국제경제기구의 구제금융은 수혜 국가에게 혜택과 동시에 부담을 주기도 한다.
② 세계 주요 국제경제기구의 본부가 워싱턴 D.C.에 위치한다는 사실에서 유래한다.
③ 무역자유화를 강조하지만 외국인 직접투자는 제한해야 한다는 입장이다.
④ 반세계주의자들은 미국의 이익을 극대화하기 위한 금융자본주의의 음모라고 비판한다.

정답 및 해설

워싱턴 컨센서스는 자유주의 질서에 관한 것이며, 외국인 직접투자의 자유화 역시 강조한다.

✓ 선지분석
① 구제금융 제공 시 여러 가지 개혁조치를 요구하기 때문에 수혜국에게는 부담이 될 수 있다.
④ 반세계주의자들은 세계화의 확대가 국가 간 빈부격차를 확대한다고 보고 워싱턴 컨센서스에 반대하는 입장을 취한다.

답 ③

020 다음 중 베이징 컨센서스(Beijing Consensus)의 내용에 해당되는 것만을 모두 고른 것은?

□□□

> ㄱ. 세계은행, 국제통화기금을 비롯한 주요 경제기구에 의해 합의된 경제운영원칙
> ㄴ. 정치적 자유화를 강요하지 않으면서 시장경제 요소를 최대한 도입한다는 원칙
> ㄷ. 전 Times지 편집장이자, 중국 칭화(淸華)대 겸직교수인 라모(Joshua Cooper Ramo)가 최초로 개념화한 원칙
> ㄹ. 탈규제, 민영화, 엄격한 재정관리, 국가개입의 최소화 등을 골자로 하는 원칙
> ㅁ. 신자유주의적 세계질서가 국제사회의 분열감, 차별감, 상대적 박탈감 등을 심화시킨다는 비판에 기초해 제시된 대안적 개념

① ㄴ, ㅁ   ② ㄱ, ㄴ, ㄷ
③ ㄴ, ㄷ, ㅁ   ④ ㄴ, ㄷ, ㄹ, ㅁ

정답 및 해설

베이징 컨센서스(Beijing Consensus)의 내용에 해당되는 것은 ㄴ, ㄷ, ㅁ이다.

✅ 선지분석
ㄱ, ㄹ. 워싱턴 컨센서스의 내용이다.

답 ③

---

021 베이징 컨센서스에 대한 설명으로 옳지 않은 것은?

□□□

① 베이징 컨센서스는 경제를 외국 투자자에게 개방하고 노동의 유연성을 유지하며, 세금 부담을 낮추는 등 시장 중심적인 정책의 중요성을 강조하는 한편, 경제 발전의 전체적인 틀을 정의하고 급속한 경제성장이 초래할 수 있는 사회적 불안 요인을 통제함으로써 정치적인 안정을 도모하는 강력한 국가의 역할을 강조한다.

② 판웨이는 중국 정치체제의 성격을 권위주의로 규정하는 것에 반대하고, 중국 정치의 기본 이념은 민본적 민주주의라고 규정하였는데, 이는 정부가 초당파적인 입장에서 국민의 복지를 공정하고 청렴하게 책임지는 것의 중요성을 강조하는 것이다.

③ 에드워드 스타인펠드는 중국이 급속한 경제성장에 성공한 것은 글로벌 경제와 관련 있는 규칙과 제도, 기업의 지배구조, 산업의 조직 방식 등을 외부로부터 수입했기 때문이라고 지적했다.

④ 로버트 케이건은 중국의 경제 발전이 정치적·사회적 자유와 함께 이루어진 점을 강조했다.

정답 및 해설

로버트 케이건은 중국의 경제 발전이 정치적·사회적 자유를 대가로 이루어진 점을 강조했다.

답 ④

제1절 | 총론

001 보호책임(Responsibility to Protect)에 대한 설명으로 옳지 않은 것은? 2021년 외무영사직

☐☐☐
① 2001년 '개입과 국가주권에 관한 국제위원회'에 의해 마련된 보고서에 명시되었다.
② 자국민 보호의 일차적 책임은 그 해당 국가에게 있다는 내용을 포함한다.
③ 자연재해로 인한 인도적 위기에 적용한다.
④ 해당 국가가 자국민을 보호하지 못한 경우, 국제사회가 그 국민들을 보호할 책임이 있다는 내용을 담고 있다.

정답 및 해설

보호책임은 자연재해로 인한 인도적 위기에는 적용되지 않는다. 2005년 총회 결의에 의하면 제노사이드, 전쟁범죄, 인종청소, 인도에 대한 죄, 이 네 가지 사항에 대해서만 보호책임이 적용된다.

✓ 선지분석
① 보호책임은 2001년 보고서에서 공식 제시되었고 2005년 총회에서 결의로서 채택되었다.
② 자국민보 호의 일차적 책임은 당해국에 있으나, 당해국이 인권을 보호하지 않거나 보호하지 못하는 상황이면 국제공동체가 보호해야 한다는 것이다.
④ 국제사회의 보호책임은 2차적·보충적인 것이다. 국제사회는 UN 안전보장이사회의 승인하에 무력간섭을 단행할 수도 있음을 보호책임 결의는 명시하고 있다.

답 ③

002 21세기 식량안보에 대한 설명으로 옳지 않은 것은? 2021년 외무영사직

☐☐☐
① 식량안보의 핵심은 공급의 안정성과 식품의 안전성이 포함된 획득 가능성, 접근 가능성, 이용 가능성이다.
② 식량위기가 발생하는 원인은 세계적 분배문제가 아니라 식량공급이 수요를 따르지 못하기 때문이다.
③ 곡물 수요증가의 배경에는 사료용 곡물 수요증가, 인구증가, 곡물의 바이오 에너지화 등이 있다.
④ 식량 공급의 부족 원인은 유가와 비료비 인상, 농업 투자 감소, 비식용 농작물 생산 확대, 기후변화로 인한 자연재해 등이 있다.

정답 및 해설

식량위기는 공급 부족이나 수요 증가의 문제와 함께 세계적 분배문제에서 비롯되었다고 평가된다.

✓ 선지분석
① 식량안보는 전세계적 식량부족 문제에 대한 것이다. 공급차원의 문제와 수요 차원의 문제가 복합적으로 결부된 문제이다.
③ 곡물의 바이오 에너지화는 곡물이 바이오 에너지에 활용되는 것을 의미한다. 곡물 수요량 증가의 요인이다. 바이오에너지(Bio-Energy)란 바이오 매스를 직접 또는 생화학적, 물리적 변환과정을 통해 액체, 가스, 고체연료나 전기, 열에너지 형태로 이용하는 화학, 생물, 연소공학 등의 기술을 말한다. 바이오매스란 태양에너지를 받은 식물과 미생물의 광합성에 의해 생성되는 식물체, 균체와 이를 먹고 살아가는 동물체를 포함한 생물유기를 뜻한다.
④ 식량안보는 수요증가와 공급부족이 결합된 문제이다.

답 ②

003 평화와 안보에 관한 다음 서술 중 옳은 것만을 모두 고른 것은?

2008년 외무영사직

ㄱ. 전쟁 폐지를 통한 평화의 추구 방법은 전형적인 현실주의자들의 주장이며, 국제연합은 이러한 방법을 추구한다.

ㄴ. 안보딜레마 입장에 따르면 군비증강은 상대국의 군사력이 주어졌을 때 자국 안보수준을 높이지만 결국 상대국의 군비증강을 초래하여 궁극적으로는 자국 안보수준을 낮출 수 있다.

ㄷ. 국제안보레짐 형성이 억지(deterrence)전략 성공의 전제조건이다.

ㄹ. 집단안보(collective security)는 침략행위에 관한 사후 처벌보다 대화의 관습을 중시하는 전제에서 출발한다.

① ㄱ

② ㄴ

③ ㄱ, ㄹ

④ ㄴ, ㄷ

정답 및 해설

평화와 안보에 관한 서술로 옳은 것은 ㄴ이다.

✓ **선지분석**

ㄱ. 전쟁 폐지를 통한 평화추구는 이상주의자들의 견해라 할 수 있으며, 국제연합은 전쟁을 금지하고는 있으나 상임이사국의 거부권을 인정하는 등 현실주의적인 입장도 반영하고 있다.

ㄷ. 억지전략은 상대방보다 강한 힘을 갖고 있을 때 성공적으로 사용할 수 있다.

ㄹ. 대화와 협력의 습관을 길러 안보와 관련된 여러 문제들을 평화적으로 해결하고자 하는 목적을 갖고 있는 것은 협력안보(Cooperation Security)에 기초한 여러 지역안보협력기구들에 관한 내용이다. 대표적인 것으로 OSCE(Organization for Security and Cooperation in Europe)가 있다. 이에 반해 집단안전보장제도는 국가 간의 협정을 통해 인위적으로 조직화된 지배적인 힘에 의존하여 침략국을 사후적으로 처벌하고자 하는 성격을 가진 제도이다.

답 ②

---

004 안보론에 관한 설명으로 옳지 않은 것은?

① 인간안보는 탈냉전기 국가안보에 대한 위협이 약화되는 대신 인종갈등, 종교갈등 등에 기초한 내란이 빈발하게 되면서 국가안보 개념의 한계가 노정되고 있다는 것을 지적한다.

② 현실주의자들이 중시하는 안보수단은 군사력과 동맹이며, 자유주의자들이 중시하는 안보달성 수단은 제도형성, 상호의존, 민주평화 등이다.

③ 포괄적 안보(comprehensive security)는 인간안보를 포함한다.

④ 구성주의자들의 안보위기 해법은 상호구성하고 있는 정체성을 조화적 정체성으로 변경하는 것이다.

정답 및 해설

포괄적 안보는 안보위협을 재래식 위협과 함께 비재래식 위협에까지 확대한 개념이다. 한편, 인간안보는 안보의 대상이나 가치를 인간의 복지와 안위로 상정하는 개념이다. 양자는 다른 차원의 개념이므로 포함관계를 제시할 수는 없다.

✓ **선지분석**

② 자유주의자들의 제도를 통한 안보달성은 종류가 많은데 집단안보, 다자안보, 공동안보, 협력안보 등이다. 이 중 집단안보는 전통적인 군사력을 그 수단으로 제시한다는 점에서 다른 안보달성 방법과 구별된다.

④ 왜냐하면 지금의 군사적 안보문제는 모두 국가들이 조화적 집합정체성이 아닌 갈등적 집합정체성을 가지고 있기 때문이라고 구성주의는 진단하고 있기 때문이다.

답 ③

005 안보개념에 대한 설명으로 옳게 짝지어진 것은?

> ㄱ. 1980년대 초반에 등장한 공동안보 개념이 냉전 이후 재정립된 개념이다. 갈등적 관계에 있는 해당국들을 대상으로 하여 쌍무적 또는 다자적 개입을 통해 당면한 안보이슈를 풀어나간다. 신뢰구축을 통해 안보딜레마를 제거하는 것이 안보를 위한 핵심적인 사안이라고 본다. 즉, 위협의 예방을 목적으로 하는 사전예방적 접근의 성격을 띠고 있다.
>
> ㄴ. 조약에 의해 조직적으로 결합하여 상호 간에 전쟁 또는 기타의 무력행사를 금지하고 분쟁을 평화적으로 해결하는 방법을 설정한다. 이러한 해결책을 위반하는 국가가 있을 때는 그 위반국에 대하여 그 기구 내에 있는 모든 국가가 협력하여 조직적인 강제조치를 가해 위반행위, 침략행위를 방지 및 진압하는 방식으로 사후구제수단으로 기능한다.

① ㄱ – 집단안보, ㄴ – 다자안보 　　② ㄱ – 다자안보, ㄴ – 집단방위

③ ㄱ – 협력안보, ㄴ – 집단안보 　　④ ㄱ – 인간안보, ㄴ – 포괄안보

정답 및 해설

다자안보는 개념적으로 셋 이상의 행위자들을 대상으로 한다는 점에서 쌍무적 접근도 가능한 협력안보와 구별된다. 한편, 집단방위는 다수의 국가가 군사동맹조약과 같은 형식을 취하여 공동으로 방위조직을 만들어 상호의 안전을 보장하는 것을 목적으로 한다. NATO가 대표적인 예이다.

답 ③

---

006 여러 안보 개념의 내용 설명으로 옳지 않은 것은?

① 집단안보: 국가 간의 협정을 통해 인위적으로 조직적인 힘에 의존하여 질서를 유지하려는 제도

② 세력균형: 집단안보는 압도적인 힘에 의한 안정을 추구하지만, 세력균형은 힘의 균형에 의한 안정을 추구

③ 집단적 자위: 피침국과 공동방위태세에 있는 국가가 피침국에 대한 피해를 배제하기 위한 것으로 사전에 UN 안전보장이사회의 허가를 받아야 함

④ 협력안보: 사전 예방적이며 타국의 의도에 대한 불확실성을 공동의 노력으로 감소시키기 위한 안보방법

정답 및 해설

집단적 자위는 사전에 안전보장이사회의 허가를 요하지 않는다. 단, 사후보고의무는 진다.

⊘ **선지분석**

① 집단안보의 기치는 'all for one, one for all'이라는 구절로 잘 요약된다.

② 집단안보는 사전에 적국을 설정하지 않으나 세력균형은 이를 설정하며, 상대방에 대해 균형을 취하기 위해 동맹을 맺는다.

④ 협력안보는 적과 동지를 구분하지 않는다.

답 ③

007 다음 중 여러 안보 관련 개념에 대한 설명으로 옳지 않은 것은?

2006년 외무영사직

① 협력안보: 회원국들 간의 정치군사적 신뢰를 다져 분쟁을 사전에 예방하고자 하는 것. 즉 포괄적, 상호의존적으로 발전해 가는 안보쟁점들을 관리·해결하려는 접근법으로서 궁극적으로 안보협력을 달성하기 위한 제반 외교활동을 의미

② 공동안보: 개별 국가가 추구하는 개별안보의 한계성을 극복하기 위해 공동의 가치관을 갖는 우호국 및 우호집단과 동맹을 통한 안보를 추구하는 것

③ 안보공동체: 공동체 성원 사이에 '평화적 변화'의 기대를 보장할 정도로 충분한 제도와 관행이 형성되고 또 그렇게 되어야 한다는 믿음이 있는 상태

④ 안보레짐: 일단의 국가들이 스스로의 행동과 타국의 행위에 대한 가정을 통해 안보딜레마를 줄임으로써 그들 간의 분쟁을 해결하고 전쟁을 피할 수 있는 상태

정답 및 해설

이는 집단방위(collective defense)에 대한 설명이다. 공동안보(common security)란 '어떤 한 국가도 그 자신의 군사력에 의한 일방적 결정, 즉 군비증강에 의한 억지만으로 국가의 안보와 평화를 달성할 수 없으며, 오직 상대국가들과의 공존·공영을 통해서만 국가안보를 달성할 수 있다는 것'이다. 즉, 안보란 상호의존적이며 다른 국가의 안보우려를 고려해서 행동해야만 서로의 안보가 확보된다는 것이다. 따라서 공동의 안보를 위해 협력해야 하며 군사적 억지력을 통해 평화를 확보하는 것이 아니라 군축 같은 수단을 통해 상호안보를 확보하는 것이다. 공동안보는 탈냉전 이후 협력안보(cooperative security)라는 개념으로 발전되었는데 협력안보는 신뢰구축을 바탕으로 안보문제들을 관리·해결하려는 좀 더 실천적인 성격을 가지고 있다고 볼 수 있다.

답 ②

008 국제안보에 대한 설명으로 옳지 않은 것은 모두 몇 개인가?

ㄱ. 현실주의는 국가안보를 강조하고 국가의 통합성을 가정하므로 인간안보를 위한 적절한 전략을 제시하기 어렵다.
ㄴ. 협력안보(cooperative security)는 국가안보 달성에 있어서 자주국방의 한계를 인식하고 자국에 우호적인 국가와 협력하여 안보를 달성해야 한다고 보는 개념이다.
ㄷ. 사전에 적과 동지를 구분하지 않는 집단안보는 군사적 수단을 강조한다는 점에서 동맹안보와 대비된다.
ㄹ. 집단방위는 가상적국을 전제로 하여 평시에도 적과 우방이 명백히 구분된다.

① 1개　　　　　　　　　　　② 2개
③ 3개　　　　　　　　　　　④ 4개

정답 및 해설

국제안보에 대한 설명으로 옳지 않은 것은 ㄴ, ㄷ으로 모두 2개이다.
ㄴ. 협력안보는 적대국 간 협력을 추구한다.
ㄷ. 동맹안보도 군사적 수단을 강조한다.

답 ②

009 안보개념과 사례의 연결이 옳은 것은 모두 몇 개인가?

□□□

> ㄱ. 집단안보 - 걸프전
> ㄴ. 집단방위 - 북대서양조약기구(NATO)
> ㄷ. 인간안보 - 안전보장이사회 결의 제794호
> ㄹ. 다자안보 - 북미제네바합의(1994)
> ㅁ. 공동안보 - START I(1991)

① 1개　　　　　② 2개　　　　　③ 3개　　　　　④ 4개

정답 및 해설

안보개념과 그 사례가 적절하게 연결된 것은 ㄱ, ㄴ, ㄷ, ㅁ으로 모두 4개이다.

⊘ 선지분석
ㄹ. 협력안보 사례이다. 다자안보는 셋 이상 국가가 참여한다.

답 ④

010 다자안보에 대한 설명으로 옳지 않은 것은?

□□□

① 다자주의에 기초한 안보로서 포괄적 상호주의를 추구한다.
② 유럽안보협력회의(CSCE)는 1970년대 미국과 소련의 핵균형이 형성된 상황에서 우발적 핵전쟁을 회피하기 위한 전략으로서 미국에 의해 제안되었다.
③ 동북아안보대화(NEASED)는 정부차원 다자안보대화체로서 중국과 러시아는 적극적 입장을 취하고 있다.
④ 유럽안보협력기구(OSCE)는 1994년 12월 부다페스트정상회담에서 발족되었다.

정답 및 해설

유럽안보협력회의(CSCE)는 소련의 브레즈네프가 제안하였다.

답 ②

011 안보에 대한 설명으로 옳지 않은 것은?

□□□

① 포괄적 안보란 안보를 군사적 차원에 한정해서 보는 것이 아니라 경제안보, 에너지안보, 환경안보 등을 포함한 거시적 차원에서 이해해야 한다는 개념이다.
② 코펜하겐 학파에 의하면 안보를 결정짓는 것은 담론 지배세력의 화행이다.
③ 이니스 클라우드(Inis. L. Claude Jr.)에 의하면 집단안보는 모든 사람이 국제적인 수준에서도 형제적인 감시자의 역할을 수행한다는 원리에 입각하고 있다.
④ 아놀드 울퍼스(Arnold Wolfers)에 의하면 다자안보란 다수의 국가가 군사동맹조약과 같은 형식을 취하여 공동으로 방위조직을 만들어 상호의 안전을 보장하는 것을 말한다.

집단방위에 대한 설명이다.

답 ④

012 영국학파 및 코펜하겐학파에 대한 설명으로 옳지 않은 것은?

① 영국학파는 물질보다 규범이나 이념적 변수를 강조한다.

② 영국학파는 행위자와 구조 사이의 상호 구성적인 관계를 인정함으로써 구성주의의 틀을 받아들이고 있다.

③ 코펜하겐학파에 따르면 안보를 결정짓는 것은 국제체제의 성격이다.

④ 코펜하겐학파에 따르면 사회적으로 중요한 이슈가 언어적 수단을 통해 위협으로 인식되기 시작하면 곧 행동으로 전환된다는 점에서 안보는 사회적으로 구성된다.

코펜하겐학파에 따르면 안보를 결정짓는 것은 담론을 지배하는 세력의 '화행(話行)'이다.

답 ③

013 영국학파(영국사회학파)에 대한 설명으로 옳지 않은 것은?

① 영국학파는 물질보다 규범이나 이념적 변수를 강조한다는 점에서 구성주의와 유사하다.

② 미국학계의 주류 이론이 택하고 있는 과학주의의 편협한 범위를 벗어나 해석학적 접근 및 다양한 방법론적 공존을 시도하고 있다.

③ 영국학파의 한 분파인 코펜하겐학파는 탈냉전기의 안보개념의 확대를 근간으로 하는 새로운 안보 담론을 주창함으로써 이론의 외연을 넓히고 있다.

④ 신현실주의자 배리 부잔은 안보 이슈의 형성이 사회적인 담론을 통해 만들어진다는 점을 강조하는 영국학파를 비판하였다.

배리 부잔은 영국학파에 해당한다.

답 ④

001
☐☐☐ 19세기의 비밀외교와 세력균형을 대신하여 제1차 세계대전 이후 국제평화유지의 방법으로 윌슨(Woodrow Wilson)이 제시한 것은?

2013년 외무영사직

① 집단안보   ② 인간안보
③ 집단적 자위권   ④ 집단방위

> **정답 및 해설**

집단안보는 조직적 힘에 의해 도전자를 응징함으로써 국제평화를 유지하고자 하는 제도로서 국제연맹에서 처음 도입되고, UN에서 계승한 안보제도이다.

✓ 선지분석
② 인간안보는 인간의 안위와 복지를 보장하기 위한 안보개념이다.
③ 집단적 자위권은 피침국을 원조하는 권리로서 UN헌장 제51조에서 창설되었고, 이후 국제관습법으로 성립한 국가의 권리이다.
④ 집단방위는 NATO와 같이 방어동맹을 통해 동맹국을 상호원조하는 체제를 의미한다.

답 ①

002
☐☐☐ 1995년 이후 UN개혁에 대한 다양한 논의가 있었다. 한국을 포함한 커피 클럽(Coffee Club)과 관련 있는 것은?

2013년 외무영사직

① 총회   ② 안전보장이사회
③ 경제사회이사회   ④ 사무국

> **정답 및 해설**

UN 안전보장이사회 상임이사국의 확대 개편을 반대하는 국가들의 비공식 모임이다. 정식 명칭은 '합의를 위한 단결'(Uniting for Consensus)이며 커피클럽이라는 이름은 커피를 마시며 느긋하게 하는 비공식 모임이라는 뜻이다. 1998년 제52차 UN총회 때 한국, 멕시코, 이탈리아, 스페인, 아르헨티나, 파키스탄 등의 주도로 결성되었다. 이 국가들은 일본, 독일, 인도, 브라질 등 G4 국가의 안전보장이사회 상임이사국 진출을 반대하며, G4에게 거부권이 없는 준상임이사국 지위를 부여하자고 주장하고 있다.

답 ②

003 집단안전보장제도에 대한 설명으로 옳지 않은 것은?

① 집단안전보장은 대립하는 국가들을 하나의 체제 안으로 편입시켜 전쟁이나 전쟁 위협은 체제 전체에 대한 악이라는 공통인식 하에 평화를 유지하려는 것이다.

② 집단안전보장을 최초로 채택한 것은 국제연맹이었다. 국제연맹규약은 중대한 분쟁이 발생한 경우 그 것을 국제재판이나 연맹이사회에 회부할 것을 의무화 하였고, 재판의 판결 또는 이사회의 보고가 있은 후 3개월 동안은 전쟁을 중단한다는 전쟁 모라토리움을 도입하였다. 그리고 이를 위반하여 전쟁을 할 경우에는 경제제재를 중심으로 한 제재조치를 취하도록 하였다.

③ 집단안전보장에는 국제연맹이나 유엔으로 대표되는 보편적 체제 외에도 국제연맹시대의 로카르노조약이나 유엔하의 미주기구(OAS)의 리우조약과 같은 지역적인 체제들도 존재한다.

④ 세력균형을 대체할 목적으로 제시된 집단안전보장은 군사적 수단을 중시한다는 점에서 유사한 점이 있으나, 탈냉전기 들어 우방국과의 긴밀한 협력과 비군사적 수단에 의한 안전보장을 강조하는 협력안보와는 구분된다.

정답 및 해설

냉전기의 공동안보 및 탈냉전기의 협력안보 개념은 적대국과 협력을 통해 전쟁을 방지하려는 안보개념이다. 이와 달리 '안보협력'은 우방국과의 군사 분야에서의 협력을 지칭한다.

답 ④

 004 집단안보에 대한 설명으로 옳은 것만을 모두 고른 것은?

ㄱ. 집단안전(Collective Security)보장의 중심적 요소는 상호불가침 약속과 그것을 위반한 국가에 대한 개별적 제재이다.
ㄴ. 국제연맹규약에서는 분쟁당사국이 3개월간의 전쟁 모라토리엄(정지)제도를 위반할 경우, 경제적 제재 조치만을 가할 수 있도록 연맹회원국에게 권한을 부여하였다.
ㄷ. 제2차 세계대전 이후, 국가들은 UN헌장 제2조 제4항 규정을 통해 어떠한 형태의 개별국가의 무력행사도 허용하지 않게 하였다.
ㄹ. 집단안전보장체제에는 국제연맹시대의 로카르노조약이나 UN하의 미주기구(OAS)의 리우조약과 같은 지역적 체제들이 존재한다.
ㅁ. 집단안전보장의 개념은 세력균형과 대비되는 것으로 논의되는 일이 많았지만, 최근에는 '공통의 안전보장'이나 '협조적 안전보장' 등과 대비되어 논의되기도 한다.

① ㄱ, ㄴ, ㅁ　　　② ㄱ, ㄷ, ㄹ　　　③ ㄴ, ㄷ, ㅁ　　　④ ㄴ, ㄹ, ㅁ

정답 및 해설

집단안보에 대한 설명으로 옳은 것은 ㄴ, ㄹ, ㅁ이다.
ㅁ. '공통의 안전보장'이란, 냉전기에 동서 간의 전쟁을 피하는 것이야말로 공통의 이익이라고 하여 그를 위해서는 적과 협력해서라도 안전보장의 틀을 만들자는 것이었다. '협조적 안전보장'이란, 위협이 불특정하거나 잠재화되어 있는 포스트 냉전기의 세계에서 적도 우방도 아닌 국가들 사이의 관계를 안정시키기 위해 고안된 안전보장체제이다.

✓ 선지분석
ㄱ. 집단안전보장의 중심적 요소는 상호불가침과 이를 위반한 국가에 대한 집단적 제재이다.
ㄷ. UN헌장의 경우, 자위의 경우를 제외하고 제2조 제4항을 통해 개별국가의 무력행사를 일반적으로 금지한다. 즉, UN헌장에 따라 무력행사 금지원칙이 실행되더라도 자위의 경우는 허용된다.

답 ④

005 유엔의 집단안보제도에 대한 설명으로 옳지 않은 것은?

☐☐☐

① 유엔헌장 제7장에 근거를 두고 있다.

② 안전보장이사회 상임이사국은 거부권을 행사할 수 있다.

③ 국제평화에 대한 위협, 평화의 파괴, 침략행위에 대해서 집단안보제도를 원용할 수 있다.

④ 비군사적 강제조치만 사용할 수 있다.

정답 및 해설

유엔헌장 제7장에 의거하여 비군사적 강제조치(제41조)뿐만 아니라 군사적 강제조치(제42조)도 취할 수 있다.

답 ④

006 집단안보에 대한 설명으로 옳지 않은 것은?

☐☐☐

① 윌슨은 세력균형 및 동맹과 비밀외교를 제1차 세계대전의 원인으로 생각하였다.

② 집단안보체제 내의 일국이 타국으로부터 공격을 받는 경우 이를 자국에 대한 공격으로 간주하고 체제 내의 다른 모든 국가가 침략자를 응징함으로써 국제평화와 안정을 유지하는 제도를 말한다.

③ 힘을 힘에 의해 제어한다는 측면에서는 같으나, 세력균형은 힘의 압도적 우위에 의해, 집단안보는 힘의 균형에 의해 제어한다는 점에서 다르다.

④ 협력안보와 집단안보 모두 기본적으로 국가안보 달성 수단이라는 점에서는 같으나, 집단안보는 사후처방적 성격을, 협력안보는 사전예방적 성격을 갖는다는 차이가 있다.

정답 및 해설

세력균형이 힘의 균형(balance of power)에 의해 제어하고, 집단안보가 힘의 압도적 우위에 의해 제어한다.

답 ③

007 집단안보와 세력균형에 대한 비교로 옳지 않은 것은?

	집단안보	세력균형
①	범세계적 동맹	경합적 동맹체제
②	협력관계가 예외가 되는 안보	갈등관계가 예외가 되는 안보
③	구성국 내의 침략행위 방지	구성국 외부의 침략행위 방지
④	조직적 체제	자율적, 비조직적 체제

정답 및 해설

집단안보는 협력을 유도하고 촉구하여 대결을 견제하고, 세력균형은 상호대결관계에서 질서를 유지하기 때문에 세력균형은 협력관계가 예외가 되는 안보체제이며, 집단안보는 갈등관계가 예외가 되는 협력적 안보체제가 된다.

✓ 선지분석

③ 세력균형은 언제나 2개 이상의 집단이 경합관계에 있으나, 집단안보는 내부의 평화와 질서유지에 중점을 두는 특징이 있다.

④ 집단안보는 레짐을 통한 조직화된 체제를 구성하나, 세력균형은 국가이익 중심의 치밀한 계획 속에서 자율적 전략으로 움직이는 비조직적 체제이다.

답 ②

008 이상주의(idealism)와 집단안전보장제도에 대한 설명으로 옳지 않은 것은?

① 집단안보란 인위적으로 지배적인 힘에 의존하여 국제평화와 질서를 유지하려는 제도이다.

② 자국의 사활적인 이해가 걸리지 않은 전투에는 국가들이 참여하지 않아 국제연맹은 실패를 맞이했다.

③ 이상주의자들은 근본적으로 이익이란 자연스럽게 조화되는 것이 아니라 의식적 협력을 시도해야 한다고 생각했다.

④ 윌슨의 민족자결주의는 이상주의적 태도의 발로에서 비롯했다.

정답 및 해설

이상주의자들은 근본적으로 이익의 자연스러운 조화를 신뢰하였다. 자유주의자들은 '조화'가 아니라 '협력'을 강조한다.

✓ 선지분석

② 자국의 이익이 걸리지 않은 전쟁에 자국의 물질적 능력을 동원하는 것은 국가이익에 배치된다고 생각하는 국가들이 많이 존재하였다.

답 ③

009 집단안전보장제도에 대한 설명으로 옳지 않은 것은?

① 제1차 세계대전 이후 동맹을 통한 세력균형으로 평화의 불안정성을 인식하게 되었으며, 집단안전보장제도는 이러한 동맹을 대체하는 평화보장수단으로서 제안되었다.

② 집단안보는 힘은 힘 이외의 것으로 억제할 수 없다는 기본적 인식하에 국가 간의 협정을 통해 인위적으로 조직화된 지배적인 힘에 의존하여 국제평화와 질서를 유지하려는 제도이다.

③ 집단안보는 세력균형과 같이 힘은 힘에 의해 제어해야 한다는 인식을 공유하고 있으나 집단안보는 압도적인 힘에 의해, 세력균형은 힘의 균형에 의해 달성된다는 차이가 있다.

④ UN의 강제조치는 UN헌장 제43조에 따라 특별협정을 체결한 국가들을 중심으로 취해진다. 현재 동 협정을 체결한 국가들은 안전보장이사회 상임이사국을 포함하여 약 50여개에 이른다.

정답 및 해설

UN 안전보장이사회와 특별협정을 체결한 국가가 전혀 없다. 따라서 국가들은 국제기구에 의한 집단안보제도를 신뢰하지 않고 여전히 자력구제나 동맹에 의존하고 있음을 알 수 있다.

답 ④

010 다음은 집단안보와 협력안보를 표로 정리한 것이다. 옳지 않은 것은?

구분	집단안보	협력안보
① 안보대상	국가안보 + 인간안보	국가안보 + 인간안보
② 안보수단	군사력	신뢰구축조치
③ 적의 위치	체제내부	체제내부
④ 작동시점	사전예방	사후구제

정답 및 해설

집단안보의 작동시점은 사후적이며, 협력안보의 작동시점은 사전적이다.

답 ④

011 집단안보의 작동조건으로 옳지 않은 것은?

① 제도 내의 모든 국가가 평화와 안전을 유지하는 데 공동의 관심을 가져야 한다.

② 집단안전보장제도에 대한 국가들의 신뢰가 존재해야 한다.

③ 압도적 힘을 가진 패권국 또는 지도국이 존재해야 한다.

④ 평화파괴자가 누구인가에 대한 의견일치가 항상 가능해야 하며, 이에 기초하여 모든 국가가 즉각적으로 일치된 행동을 할 수 있어야 한다.

정답 및 해설

어떠한 단일국의 힘도 그 이외의 모든 국가들의 힘보다 커서는 안 된다. 모든 국가들의 힘보다 큰 패권국이 존재한다면 패권국을 집단안보를 통해 제어할 수 없게 되므로 집단안보가 제대로 작동할 수 없다.

답 ③

012 집단안보가 실제로 적용된 예로 옳지 않은 것은?

□□□ ① 만주사변(1931): 국제연맹은 중국영토가 일본에 의해 강제 점령당한 것을 인정하고 규약 16조를 적용하여 제재하였다.

② 이탈리아의 에티오피아 침략(1935): 이탈리아에 대해 경제적 제재가 취해졌으나, 석유공급단절 조치조차 실제로 취하지 못해 비판이 거셌다.

③ 한국전쟁(1950): 미국은 북한에 대해 국제연합의 집단안보체제를 작동시키려 하였으나 소련의 거부권 행사로 인하여 실패하였다.

④ 소련의 아프가니스탄 침공(1979): 안전보장이사회 국가인 소련에 대해서 집단안보레짐이 발동하지 못하였다.

정답 및 해설

만주사변에 대해 국제연맹총회는 일본의 문제를 인정하였으나 일본이 연맹규약을 위반하여 전쟁을 일으키지 않았다는 점을 들어 연맹규약을 위반한 것이 아니라고 결론내렸다.

답 ①

013 집단안전보장제도의 한계에 대한 설명으로 옳지 않은 것은?

□□□ ① 제도의 지향점을 볼 때 집단안보제도는 특히 약소국의 안전보장을 위해 효율적으로 작동할 수 있는 가능성은 없다.

② 집단안보제도는 그 아이디어의 파격성에 따르는 한계점으로 인해서 동맹을 대체할 안보제도라고 보기는 어려운 점이 있다.

③ 국가들은 자력구제가 아닌 집단안보에 대해 신뢰를 갖지 못한다.

④ 국가들은 자국의 사활적인 이해가 걸려 있지 않은 분쟁에 자국의 군사력을 사용하지는 않을 것이다.

정답 및 해설

집단안보제도는 약소국의 안전보장을 위해 효율적으로 작동할 수 있는 가능성이 존재하며 이는 집단안보제도의 장점이라 할 수 있다. 약소국이 침략을 당할 때 여타 국가가 이를 침략으로 규정하고 헌장상의 규정에 따른다면 자력구제가 불가능한 약소국도 안보를 유지할 수 있기 때문이다.

⊘ 선지분석

③ 특히 군사안보는 국가의 생존과 관련되므로 조금의 불확실성도 용납할 수 없다.

④ 특히 이와 관련하여 민주정치가 고도로 발달하고 있는 국내정치 상황에서 정치적 합의도출이 용이하지 않을 것이다.

답 ①

014 집단안보에 대한 비판으로 옳은 것만을 모두 고른 것은?

> ㄱ. 특정 국가들 간 역사적 적대감정이 집단안보체제의 효율적 작동을 제한할 수 있다.
> ㄴ. 국가들은 안보유지의 비용에 관하여 책임전가를 할 가능성이 높기 때문에 경비의 부담문제에 대한 갈등이 발생할 수 있다.
> ㄷ. 국가 간 갈등관계에서 침략국(aggressor)과 희생국(victim)을 구별하기가 용이하지 않다.
> ㄹ. 국지전쟁이 대규모 국제분쟁으로 확대될 수 있는 가능성 때문에 국가들은 침략국에 대응하는 집단행동에 참여하기를 꺼릴 수 있다.

① ㄱ, ㄹ
② ㄱ, ㄴ, ㄷ
③ ㄴ, ㄷ, ㄹ
④ ㄱ, ㄴ, ㄷ, ㄹ

정답 및 해설

집단안보에 대한 비판으로 옳은 것은 ㄱ, ㄴ, ㄷ, ㄹ 모두이다.
ㄱ. 특히 안전보장이사회 내부에서 상임이사국 간 역사적 갈등이 집단안보제도의 효율적 작동을 방해할 수 있다.
ㄴ. 다자제도의 한계의 하나로서 '무임승차(free-riding)' 문제가 거론된다. 이는 공공재의 혜택을 공유하면서도 비용부담을 회피하고자 하는 국가의 전략적 행태를 지적하는 개념이다.
ㄷ. 관련국들이 상대방에 대해 서로 '침략국'이라고 비난하는 경우 사실관계 확정이 곤란할 수 있다.
ㄹ. 국지전에 그칠 수 있는 분쟁이 동맹관계에 기초하여 전면전으로 확대될 가능성도 있다.

답 ④

015 유엔 안전보장이사회 개혁의 논의 배경으로 옳지 않은 것은?

① 탈냉전 이후 안전보장이사회의 기능이 변화되고 있는바, 이는 탈냉전으로 인해 국제전보다는 내전이 빈번하게 발생하고 있는 상황과 관련된다.
② 안전보장이사회의 의사결정과정에서 거부권을 가진 P-5국가의 정치적 고려로 인해 자국이해에 기초한 선별적 개입, 이중기준, 실효성 없는 형식적 개입, 불충분한 개입 등의 문제가 나타나고 있다.
③ 안전보장이사회의 개입에 소극적인 제3세계로부터 안전보장이사회 기능 확대가 UN헌장의 정신과 일치하지 않는다는 비판도 받고 있다.
④ 내란 과정에서 중대한 인권유린 문제가 발생하는 경우 개별국가들이 개입하는 인도적 간섭은 UN헌장 제2조 제4항의 단서에 의해 국제법적으로 정당하다.

정답 및 해설

UN헌장에 인도적 간섭을 허용하는 명문조항은 없다. 제2조 제4항은 무력사용 및 위협 금지에 대한 의무규정으로서, 인도적 간섭은 이에 위반되는가에 대해 다툼이 있다. 현재 안전보장이사회는 개별국가에 무력사용권을 허가함으로써 인도적 문제에 대응하고 있는 것이다.

답 ④

016 안전보장이사회의 구조 및 운영상의 문제점을 설명한 것으로 옳지 않은 것은?

① 전체 회원국에 대비한 안전보장이사회의 낮은 대표성이 국제사회에서 안전보장이사회 결정의 정당성을 확보하는 데 장애요인이 되고 있다.

② 안전보장이사회의 개입을 요하는 사안에 있어서 안전보장이사회 이사국들의 소극적인 태도와 함께 신속한 결정을 저해하는 의사결정상의 한계로 인해 안전보장이사회의 실효성에 대해 국제적 비난이 일고 있다.

③ 냉전 종식 이후 안전보장이사회의 결정이 필요한 사안이 급증하면서 안전보장이사회는 공식회의에 앞서 비공식협의를 갖고 의견을 조율하는 관행을 확립시켰다.

④ 중요 사안에 대해서는 모든 회원국이 함께 협의하여 투명성을 보장하고 있다.

> **정답 및 해설**
>
> 중요 사안에 대해서는 안전보장이사회의 비공식협의 전에 P-5국가들 간 먼저 협의하고 비상임이사국들에 수용 압력을 가하는 관행도 증가하고 있다. 이로 인해 안전보장이사회 운영의 투명성, 특히 안전보장이사회 논의 초기 단계에서 관련국가나 비상임이사국들의 견해 표명 기회를 보장해야 한다는 주장이 제기되고 있다.
>
> 답 ④

017 안전보장이사회 확대문제에 대한 설명으로 옳지 않은 것은?

① 바람직한 안전보장이사회 확대 규모에 대한 논쟁은 안전보장이사회의 실효성과 안전보장이사회의 적정한 대표성의 조화를 중심으로 전개되고 있다.

② 안전보장이사회의 수를 늘리는 경우 실효성 문제는 해결되나 대표성이 약화될 수 있다.

③ 'quick fix 안'은 우선 임시조치로서 2개의 상임이사국(일본, 독일)과 3개의 비상임이사국을 증설하자는 제안이다.

④ '라잘리 안'은 5개 상임이사국과 4개 비상임이사국을 증설하는 방안이다.

> **정답 및 해설**
>
> 대표성 문제가 해결되고 실효성이 약화될 수 있다. 비동맹그룹은 26개국 이상, P-5는 최대 21개국, Aspirants그룹은 '라잘리 안'에 따른 24개국을 지지하고 있다.
>
> 답 ②

001 다음에서 설명하는 안보 개념으로 옳은 것은?

□□□

> 이는 안보를 군사적 차원에 한정해서 보는 것이 아니라 여러 경제, 에너지 등을 포함한 거시적 차원에서
> 이해해야 한다는 개념이다. 즉, 안보를 위협차원에서 정의하되 군사적 위협 이외의 다른 요소들로 안보
> 개념에 포함시켜야 한다는 것이다.

① 협력안보   ② 포괄적 안보

③ 다자안보   ④ 집단적 자위

정답 및 해설

포괄적 안보에 관한 내용이다. 다자안보 역시 포괄적 안보를 지향하나, 다자안보는 안보 달성 방법에 보다 초점을
맞춘 개념인 반면, 포괄적 안보는 안보 '위협'에 초점을 둔 개념이라는 점에서 구별된다.

☑ 선지분석

① 협력안보와 다자안보는 상당부분 유사하다. 협력안보는 쌍무적인 것이나 다자안보는 개념적으로 셋 이상의 행위
자들을 대상으로 한다는 점에서 구별된다.

④ 집단적 자위는 UN헌장 제51조에서 새롭게 등장한 개념으로서, 무력공격이 발생한 경우 침략국을 격퇴하기 위
해 유엔 회원국들이 무력을 사용해서 개입하는 것을 말한다.

답 ②

002 협력안보의 특징에 대한 서술로 가장 옳지 않은 것은?

□□□

① 협력안보는 안보위협이 다양화되고 국가 안보의 중요성이 약화되고 핵확산 위기가 고조되는 등 탈냉
전기 안보환경이 급격하게 변경되었기 때문에 등장하였다.

② 협력안보는 신뢰구축을 통해 안보딜레마를 제거하는 것이 안보를 위한 핵심적인 사안이라고 본다.

③ 협력안보는 안보레짐의 구축을 목표로 하며, 협력안보는 안보레짐의 작동조건이 충족될 때 원활하게
적용될 수 있다.

④ 협력안보는 셋 이상의 행위자를 대상으로 하여 안보대화를 통해 사전에 분쟁을 예방하고 신뢰구축
조치의 시행을 중시한다.

정답 및 해설

협력안보와 다자안보는 유사한 개념으로 혼동될 수 있으나, 협력안보는 쌍무적일 수도 있다는 점에서 다자안보와
구분된다.

답 ④

003 협력안보에 대한 설명으로 옳지 않은 것은?

① 1980년대 초반에 등장한 공동안보 개념이 냉전 이후 재정립된 개념이다.
② 협력안보는 협력적 수단을 통한 위협의 예방을 목적으로 한다.
③ 협력안보는 기본적으로 잠재적 혹은 현재적인 갈등 국면에 있는 행위자들을 대상으로 적용된다.
④ 협력안보는 쌍무적 수준에서만 발생할 수 있다.

정답 및 해설

협력안보는 쌍무적 수준에서 발생할 수도 있고 다자적 형태를 취할 수도 있다. 사전예방적 접근이라는 점에서 사후구제수단인 집단안보와 대비된다.

답 ④

004 협력안보는 안보레짐의 구축을 목표로 하며 협력안보는 안보레짐의 작동조건이 충족될 때 원활하게 적용될 수 있다. 안보레짐의 작동조건으로 옳지 않은 것은?

① 국가들이 안보레짐의 구축을 희망해야 한다.
② 상대방의 의도에 대한 기본적인 신뢰가 바탕이 되어야 한다.
③ 패권국가가 존재해야 한다.
④ 모든 행위자들이 현상유지를 희망해야 한다.

정답 및 해설

협력안보는 패권국가의 존재와 직접적인 관련성이 없다.

답 ③

005 다음은 협력안보에 대한 내용이다. 옳은 것만을 모두 고른 것은?

> ㄱ. 적대국과의 군사협력을 통해 안보를 달성한다.
> ㄴ. 국제안보의 쟁점으로 부각된 안보이슈에 대하여 협력관계에 있는 국가들 간 이루어지는 협력이다.
> ㄷ. 협력안보를 달성하기 위해 자국의 군사비 지출 등에 관한 자료를 상호교환하고 투명성 강화를 위하여 노력할 수 있다.
> ㄹ. 모든 행위자들이 현상타파를 희망한다면 협력안보가 보다 용이하다.

① ㄱ, ㄴ   ② ㄱ, ㄷ   ③ ㄴ, ㄹ   ④ ㄷ, ㄹ

정답 및 해설

협력안보에 대한 내용으로 옳은 것은 ㄱ, ㄷ이다.

✓ 선지분석

ㄴ. 기본적으로 협력안보는 갈등관계에 있는 국가들 간에 협력적 개입을 통해 당면한 안보이슈를 풀어나가는 접근이다. 이와 달리 동맹국들 사이에 일어나는 협력은 '안보협력'이라고 한다.
ㄹ. 협력안보의 목표는 안보레짐 구축이며, 안보레짐이 형성되기 위해서는 모든 행위자들이 현상 유지를 희망해야 한다.

답 ②

001 다음 중 다자안보의 특징으로 옳지 않은 것은?

□□□
① 포괄적 위협에 대응하는 것을 목표로 한다.
② 병력과 군사력을 공격 위주로 함으로써 상대국에게 위협을 주고 전쟁을 방지한다.
③ 군사비 지출에 대한 자료를 교환하고 비적대적인 의도를 보여서 전쟁의 가능성을 낮춘다.
④ 일차적으로 국가안보에 대한 위협에 대응하나, 인간안보를 대상으로 확장될 수도 있다.

> **정답 및 해설**
>
> 병력과 군사력을 보다 방어적으로 함으로써 다른 국가에게 위협을 덜 주도록 해야 한다. 자국의 비적대적인 의도를 타국에게 확신시켜 주고 타국의 이해관계와 관심사를 이해할 때 안보유지의 가능성이 높아진다.
>
> 답 ②

002 러기(J. G. Ruggie)는 다자주의를 3개국 이상의 국가들이 일반화된 행위원칙에 따라 정책을 조정하는 방

□□□ 식이라고 정의한다. 다음 중 다자주의가 갖는 특징으로 옳지 않은 것은?

① 제도화(institutionalization)
② 불가분성(indivisibility)
③ 일반화된 행위원칙(generalized principles of conduct)과 비차별성(non-discrimination)
④ 포괄적 호혜성(diffuse reciprocity)

> **정답 및 해설**
>
> 다자주의의 세 가지 특징은 불가분성(indivisibility), 일반화된 행위원칙(generalized principles of conduct)과 비차별성(non-discrimination), 포괄적 호혜성(diffuse reciprocity)이다.
>
> 답 ①

003 러기(J. G. Ruggie)의 다자주의(multilateralism)에 관한 설명으로 옳지 않은 것은?

□□□
① 다자주의는 일반화된 비차별 행위원칙(generalized non-discriminatory codes of conduct)을 가지고 있어야 한다.
② 다자간 협력체제 내의 일국에 대한 외부 행위자의 공격을 참여국 모두에 대한 공격으로 간주하는 불가분성(indivisibility)이 필요하다.
③ 관련 국가들이 항상 모든 이슈에 있어 단기적이고 개별적인 이득을 기대하기보다는 장기적이고 공동의 이득을 추구한다는 확산된 상호성(diffuse reciprocity)을 갖추어야 한다.
④ 국가들은 모두가 언제라도 군사력을 비군사적 권력으로 전환할 수 있는 전환성(fungibility)을 가져야 한다.

> **정답 및 해설**
>
> 군사력의 전환성 또는 대체성(fungibility)이란 군사력이 강한 국가는 국제정치의 다른 영역에서도 그 군사력을 사용하여 원하는 결과를 얻어낼 수 있다는 것을 말한다. 다자주의와는 무관한 개념이다.
>
> 답 ④

004 다자안보의 개념에 대한 설명으로 옳지 않은 것은?

□□□

① 다자안보는 안보 달성에 있어서 '다자주의'에 기초하는 것을 말한다. 따라서 다자안보의 개념은 안보의 개념과 다자주의 개념이 결합된 개념이다.

② 다자안보는 인간안보를 지향할 수도 있고, 사전 예방적이며, 대화를 통한 신뢰구축을 주요 수단으로한다는 점에서 집단안보와 구별된다.

③ 협력안보는 일방적일 수도 있고 쌍무적일 수도 있으나, 다자안보는 개념적으로 셋 이상의 행위자들을대상으로 한다.

④ 다자안보는 안보 '위협'에 초점을 둔 개념이지만 포괄적 안보는 안보 달성 방법에 보다 포커스를 맞춘개념이다.

> **정답 및 해설**
>
> 다자안보와 포괄적 안보의 내용이 바뀌었다. 즉, 다자안보가 안보 달성 방법에, 포괄적 안보는 안보 '위협'에 초점을둔 개념이다.
>
> 답 ④

005 국제레짐이론적 관점에서 본 다자안보의 형성요인으로 옳지 않은 것은?

□□□

① 구조적 현실주의 입장에서도 국제레짐 형성을 가능하게 하는 요인이 있다. 고와(Gowa)는 유럽통합을설명함에 있어서 소련이라는 외부의 위협이 존재함을 핵심변수로 생각하였다. 즉, 공동의 위협에 대응하기 위해 유럽국들 간 제도형성이 가능했다는 것이다.

② 패권안정론자들은 국가들 간 레짐을 통한 제도화된 협력이 항상 불가능한 것만은 아니라고 본다.

③ 신자유주의적 제도주의는 국내정치 과정을 분석에 포함하여 개별국가의 선호가 형성되는 메커니즘을고려한다.

④ 구성주의자들은 제도나 레짐은 관념적 속성을 갖고 있으며 사회적 구성물이라고 본다.

> **정답 및 해설**
>
> 신자유주의적 제도주의가 아니라 자유주의 정부 간 주의에 대한 설명이다. 모라프칙에 따르면 레짐 형성은 3단계로진행된다. 우선 국내적으로 선호가 형성되고 이것이 국가의 선호에 반영된다. 다음으로 국제협상과정을 통해 대상국가들 간 레짐에 대한 선호를 수렴하고 구체적인 제도화를 통해 레짐 형성을 완성한다.
>
> 답 ③

006 다자안보협력의 긍정적 효과로 옳지 않은 것은?

□□□

① 참여국들의 안보와 관련된 공동 관심사에 대한 논의를 통해 이해관련 국가들 간의 대화관습을 축적하고 규범의 공유를 추구하며 국가행동 양식의 예측가능성을 높인다.

② 안보적 불안요인들을 협력을 통한 제도적 장치를 통해 지속적으로 해소함으로써 국제사회의 평화와안보에 기여하고 안정된 국제체제의 유지에 이바지한다.

③ 참여국들 간의 교류와 협력의 증진을 통해서 상호의존 증대와 공존공영에 이바지한다.

④ 패권국가 형성을 통해 국제체제를 안정적으로 관리할 수 있다.

> **정답 및 해설**
>
> 다자안보협력과 패권국가 형성은 직접적인 연관성이 없다.
>
> 답 ④

007 동맹안보와 다자안보를 비교한 것으로 옳지 않은 것은?

□□□

① 동맹안보는 국가안보를 주요 가치로 상정하는 반면, 다자안보는 국가안보뿐만 아니라 인간안보도 주요 가치로 상정하고 있다.

② 동맹안보는 재래식 위협에 초점을 맞추는 반면, 다자안보는 재래식 위협뿐만 아니라 비재래식 위협에도 초점을 맞추고 있다.

③ 동맹안보는 군사력을 주요 수단으로 사용하는 반면, 다자안보는 안보대화, 신뢰구축조치 등을 주요 수단으로 사용한다.

④ 동맹안보는 잠재적 적이 제도 내에 존재하지만, 다자안보는 제도 밖에 존재한다.

> **정답 및 해설**
>
> 동맹안보에서는 잠재적 적이 제도 밖에 존재하며, 다자안보에서는 제도 내에 존재한다.
>
> 답 ④

008 다자안보의 한계를 지적한 것으로 옳지 않은 것은?

□□□

① 실질적으로 존재하는 참여대상국 간 국력격차는 다자안보에 대한 선호도에 영향을 미쳐 형성을 어렵게 한다.

② 무정부적 국제체제에서는 죄인의 딜레마 비유에서 보듯이 상호 배반의 유인이 있으므로, 다자안보가 형성되더라도 검증문제가 해결되지 않는 한 다자안보의 기반이 매우 취약할 수 있다.

③ 긴급한 판단을 요하는 문제에 대해 초강대국이 일방적으로 결정함으로써 국가들 간 분쟁이 야기될 수 있다.

④ 다자안보의 근본적 한계는 집단안보와 마찬가지로 주권국가들의 안보불안을 근본적으로 해소할 수 있을 것인가가 명확하지 않다는 점이다.

> **정답 및 해설**
>
> 다자안보는 개념적으로 '비차별성'에 기초하고 있음을 주의해야 한다. 실제 다자안보에는 긴급한 판단을 요하는 문제에 대해서 결정이 지연됨으로써 피해가 확대될 가능성이 있다는 것이 문제점으로 지적된다.
>
> 답 ③

009 ARF(ASEAN Regional Forum)에 대한 설명으로 옳지 않은 것은?

□□□

① ARF는 ASEAN 회원국, 유럽연합 의장국을 포함한 10개 ASEAN 대화상대국, 몽골, 파푸아뉴기니 등을 회원으로 포함하고 있다.

② 아시아 – 태평양 지역 내 정부차원의 다자간 지역안보협의체이다.

③ 1994년 출범 후 지속적인 노력을 통해 '신뢰구축' 단계와 '예방외교' 단계를 거쳐 '분쟁해결' 단계로 진입하였다.

④ 매년 고위관리회의(SOM)을 개최하고 있다.

> **정답 및 해설**
>
> ARF는 아직 신뢰구축 및 예방외교 단계에 머물러 있다.
>
> 답 ③

010 다자안보의 사례로 옳지 않은 것은?

① 유럽협조체제
② 로카르노체제
③ NATO
④ CSCE/OSCE

정답 및 해설

NATO는 다자안보의 사례로 보기 힘들고, 전형적인 동맹안보의 사례로 보아야 할 것이다.

답 ③

011 다자안보에 대한 설명으로 옳은 것은?

① 러기(John G. Ruggie)에 의하면 다자주의는 포괄적 상호주의(diffuse reciprocity)를 특징으로 한다. 포괄적 상호주의는 장기적 차원에서 참여자 간 공동 이득을 도모하는 것이다.
② 협력안보와 달리 보통 적대국 간 안보대화를 강조한다.
③ 유럽안보협력회의는 미국과 소련 간 핵균형이 달성된 상황에서 우발적 핵전쟁을 회피하기 위해 미국이 제안하고 소련이 수락함으로써 출범하게 되었다.
④ 동북아안보대화(North East Asia Security Dialogue)는 정부차원의 다자안보대화체로서 1995년 출범하였으며, 북한은 참여하지 않고 있다.

정답 및 해설

✓ 선지분석
② 적대국 간 안보대화를 강조하는 것은 협력안보와 공통점이다.
③ 소련이 제안하고 미국이 수락하였다.
④ NEASED는 현재 논의 중인 사안으로서 형성된 것은 아니다.

답 ①

012 유럽안보협력기구(OSCE)에 대한 설명으로 옳지 않은 것은?

① 유럽안보협력회의(CSCE)의 후신이다.
② 모든 북대서양조약기구(NATO) 회원국을 포함한다.
③ 러시아는 참여하지 않고 있다.
④ 자체적으로 상비군을 보유하지 않고 있다.

정답 및 해설

러시아는 1975년 헬싱키 의정서를 통해 CSCE를 창설하던 당시부터 가입해 오고 있다. 이와 함께 구소련 공화국들(카자흐스탄, 우즈베키스탄, 키르기스스탄, 투르크메니스탄, 타지키스탄, 조지아, 아르메니아, 아제르바이젠)도 가입하고 있다.

답 ③

013 CSCE와 OSCE의 성과에 대한 설명으로 옳지 않은 것은?

① 1986년 스톡홀름 문서와 1990년 비엔나 문서를 통해 군사정보교환, 군사위험방지, 군사적 투명성, 영공개방 문제 등에 있어서 회원국 간 신뢰구축을 이룰 수 있게 되었다.

② 냉전종식과 더불어 유럽재래식무기감축협정을 1990년 11월에 체결하고 1999년 11월 이를 갱신하여 다자기구를 중심으로 한 군축의 성공가능성을 보여주었다.

③ 소수민족문제, 인권보호문제 및 환경, 과학기술, 경제 분야 등 제반 분야에 걸쳐 협력을 전개하고 있다.

④ 구속력과 물리적 수단을 확보하고 있어 효과적 위기 및 분쟁 관리수단이 되고 있다.

> **정답 및 해설**
>
> 구속력과 물리적 수단을 확보하고 있지 못해 NATO 등 집단방위체에 비해 효과적 위기 및 분쟁 관리수단이 되지 못하고 있다는 비판이 있다.
>
> 답 ④

014 '유럽안보협력기구(Organization for Security and Cooperation in Europe: OSCE)'와 '유럽안보협력회의(Conference on Security and Cooperation in Europe: CSCE)'에 관한 설명으로 옳지 않은 것은?

① CSCE는 1975년에 만들어졌고 1995년 개칭된 것이 OSCE이다.

② CSCE는 1970년대 초 동서 양진영 간 관계가 일정한 균형과 안정을 이룬 후 우발적 충돌예방 등을 통해 이를 안정적으로 관리 및 유지해 나가기 위한 차원에서 추진되었다.

③ OSCE는 헬싱키선언에 기초하여 만들어졌는데 이는 미국과 캐나다를 비롯한 35개국의 전략적 이익을 수렴한 포괄적 국가 간의 관계사항을 담고 있는 것이다.

④ CSCE와 OSCE는 다자안보레짐으로서 역내국가 간 대화 촉진뿐 아니라 정치·경제·사회 등 여러 문제를 포괄하는 포괄적 지역안보기구의 모델이 되고 있다.

> **정답 및 해설**
>
> CSCE가 1975년 헬싱키선언에 기초해 만들어진 것이다.
>
> **☑ 선지분석**
> ① 1989년 동구권의 몰락을 계기로 1995년 OSCE가 발족하였다.
> ④ CSCE와 OSCE는 다자안보레짐으로서 예방외교의 좋은 모델이 되고 있으나, 구성원들 간 복잡한 이해관계가 존재하며 컨센서스에 따른 의사결정 방식을 채택하고 있어서 효율적이지 못하다는 비판을 받고 있다.
>
> 답 ③

015 유럽안보협력기구(OSCE)에 대한 설명으로 옳지 않은 것만을 모두 고른 것은?

☐☐☐

> ㄱ. 유럽안보협력기구(OSCE)의 전신은 유럽안보협력회의(CSCE)이며 헬싱키선언에서 OSCE로 명칭이 바뀌었다.
> ㄴ. 헬싱키선언이 채택될 당시에는 분단된 유럽의 국경선을 조정하여 미국과 소련의 세력권을 존중해주자는 미국의 입장이 반영되었다.
> ㄷ. OSCE에는 현재 북미권 및 유럽권 국가들을 포함한 55개의 회원국과 한국, 알제리, 이집트를 포함한 10개의 협력국가를 두고 있다.
> ㄹ. 1990년 파리정상회담에서는 CSCE의 상설기구화에 관한 합의가 이루어지고, 동서 유럽 분단의 종식을 선언한 파리헌장을 채택하면서 이데올로기적 대립에서 벗어났다는 평가를 받고 있다.

① ㄹ　　　　② ㄱ, ㄴ　　　　③ ㄴ, ㄷ　　　　④ ㄷ, ㄹ

정답 및 해설

유럽안보협력기구(OSCE)에 대한 설명으로 옳지 않은 것은 ㄱ, ㄴ이다.
ㄱ. 1994년 부다페스트 정상회담에서 CSCE에서 OSCE로 그 명칭이 바뀌게 되었다.
ㄴ. 헬싱키선언 채택 당시에는 분단된 유럽의 국경선을 현 상태로 고정시키고 미국과 소련의 세력권을 존중하자는 소련 측의 요구가 승인된 점이 강조되었다.

답 ②

016 다음 중 아세안지역안보포럼(ARF)에 대한 설명으로 옳지 않은 것만을 모두 고른 것은?

☐☐☐

> ㄱ. ARF각료회의는 1994년 방콕에서 제1차 회합이 열린 이래, ASEAN 외상회의를 이용하여 매년 여름에 개최되고 있다.
> ㄴ. 현재 ARF의 참가국은 총 27개국이며, 남한은 가입하였으나 북한은 아직 가입하지 않고 있다.
> ㄷ. ARF에서는 합의를 중시하고 제도화를 서둘지 않는 점진적인 대화를 특징으로 하는데, 이를 'ASEAN 방식'이라 말한다.
> ㄹ. 제2차 각료회의에서 '신뢰구축, 예방외교, 분쟁처리를 위한 접근' 등 3단계에 따라 점진적인 대화를 진행하는 데 합의하였으나, 예방외교에 대한 논의는 이루어지지 못하고 있다.

① ㄱ, ㄴ　　　　② ㄱ, ㄷ　　　　③ ㄴ, ㄹ　　　　④ ㄷ, ㄹ

정답 및 해설

아세안지역안보포럼(ARF)에 대한 설명으로 옳지 않은 것은 ㄴ, ㄹ이다.
ㄴ. 현재 참가국은 27개국이며, 남북한 모두 가입하였다. 남한은 1994년, 북한은 2000년에 가입이 승인되었다.

> **관련 이론 ARF의 참가국**
>
> Australia, Bangladesh, Brunei Darussalam, Cambodia, Canada, China, Democratic Peoples' Republic of Korea, European Union, India, Indonesia, Japan, Laos, Malaysia, Myanmar, Mongolia, New Zealand, Pakistan, Papua New Guinea, Philippines, Republic of Korea, Russian Federation, Singapore, Sri Lanka, Thailand, Timor Leste, United States, and Viet Nam

ㄹ. 1997년 제4차 각료회에서는 제2단계의 예방외교에 관한 검토를 시작하였으며, 2001년 제8차 각료회의에서는 3개의 문서(예방외교의 개념과 원칙, ARF 의장의 역할 강화, ARF 전문가 및 저명인사 등록 제도)가 채택되어, 예방외교 활동의 기본 개념이 정리되었다. 예방외교에 대한 논의는 이루어지고 있으나, 내정간섭을 싫어하는 ASEAN 국가의 성향과 다국 간 규약에 의한 구속을 거부하는 중국의 강한 의지 등을 이유로 실효성 있는 활동의 전개가 어려우리라는 전망을 받고 있다.

답 ③

001 1994년 유엔개발계획(UNDP)의 '인간개발보고서(Human Development Report)'에 제시된 인간 안
□□□ 보의 영역에 해당하지 않는 것은?

2023년 외무영사직

① 식량안보
② 군사안보
③ 보건안보
④ 공동체안보

정답 및 해설

군사안보는 인간안보의 영역이 아니다.

✅ **선지분석**
① 식량안보는 기아로부터의 자유를 의미한다.
③ 보건안보는 질병으로부터의 자유를 의미한다. 건강안보(health security)라고도 한다.
④ 공동체안보는 자신이 속한 가정, 인종, 조직 등에 참여할 수 있는 자유를 의미한다. 그 밖에도 경제안보, 환경안
　보, 개인안보, 정치안보가 있다. 총 7가지 안보영역을 제시하였다.

답 ②

---

002 보호책임(Responsibility to Protect)에 대한 설명으로 옳지 않은 것은?
□□□

2015년 외무영사직

① 보호책임은 조약으로 채택되어 2011년 리비아 사태를 해결하는 데 기여하였다.
② 대량인권침해와 같은 국내문제에 대해 국제사회가 개입할 '근거' 내지 '권리'를 부여하는 차원에서, '인
　도적 간섭'에 관한 논의가 발전한 개념이다.
③ 1990년대 코소보와 르완다 내전 당시 대규모 인종청소와 집단 학살이 발생했지만, 국제사회가 제대로
　대처하지 못했다는 반성에서 출발한 개념이다.
④ 보호책임의 세 기둥은 자국민 보호에 대한 국가의 책임, 국제공동체가 해당 국가를 도와줄 책임, 국제
　공동체의 강제적 수단을 통한 책임으로 구성된다.

정답 및 해설

보호책임은 UN총회 결의로 채택되었으며, 추후에도 조약으로 성립된 것은 아니다. 다만, 리비아사태의 경우 안전보
장이사회에서 무력사용 허가 결의가 있었으므로 인도적 간섭의 보호 책임일 적용된 사례로 평가된다.

✅ **선지분석**
② 보호책임은 인도적 간섭이 요구되는 상황에서 국제공동체가 회피하지 말고 개입할 책임이 있다는 것으로서, 국
　가들의 재량에서 공동체의 책임으로 승격시킨 것이다.
③ 보호책임은 대규모 인권침해 상황에서 안전보장이사회의 무력사용이 허가되어야 하나, 상임이사국들의 거부권
　행사로 신속한 의사결정이 무산된 것에 대한 반성에서 출발하였다.
④ 보호책임은 지문과 같이 세 가지로 구성되나, 특히 공동체의 강제적 수단을 통해 책임 이행이 강조된다.

답 ①

003 특정 정부에 의해 그 나라 국민이 살해되는 것을 막기 위해 다른 국가 및 국가들의 집단, 국제기구가 특정
□□□ 국가(정부)의 내부 문제에 대해 강제적으로 간섭하는 '인도주의 개입'에 관한 논쟁에 대한 설명으로 옳지
않은 것은?

2007년 외무영사직

① 개입주의자들은 UN헌장에서 국가들이 근본적인 인권을 보호할 것을 규정하고 있고, 관습 국제법에서
도 그 권리를 찾을 수 있기 때문에 '인도주의 개입'이 적법하다고 주장한다.

② 반개입주의자들은 강제적 '인도주의 개입'이 주권규범과 UN헌장 제2조 제7항의 불개입원칙에 위배되
므로 어떤 경우에도 불법이라고 주장한다.

③ 반개입주의자들은 '인도주의 개입'이 선택적으로 적용되어 정책의 비일관성을 초래하고 남용될 수 있
다며 반대하고 있다.

④ 개입주의자와 반개입주의자 간의 법적 근거에 대한 논쟁에도 불구하고, 이 두 주장 모두 실제로 국가
이익과 관련 없는 '전적으로 인도주의적인 개입' 상황이 존재했다는 것을 인정하고 있다.

정답 및 해설

반개입주의자들은 '전적으로 인도주의적인 상황'의 존재를 인정하지 않는다.

답 ④

004 보호책임(responsibility to protect)에 대한 설명으로 옳지 않은 것은?
□□□

① 모든 국가는 자국 시민들을 보호해야 할 일차적 책임을 지지만, 국가가 그러한 의무를 다할 의사가
없거나 능력이 없는 경우 잔학행위를 중단시킬 책임은 국제공동체로 이전된다는 원칙이다.

② 2005년 유엔 세계정상회의 당시 총회에서 선언을 통해 채택되었으며 법적 구속력은 없다.

③ 보호책임의 세 기둥은 자국민 보호에 대한 국가의 책임, 국제공동체가 해당 국가를 도와줄 책임, 국제
공동체의 강제적 수단을 통한 책임이다.

④ 군사적 수단은 반드시 안전보장이사회의 사전 승인에 의해서만 취해져야 한다.

정답 및 해설

원칙적으로 안전보장이사회 사전승인하에 취해져야 한다. 다만, 안전보장이사회가 군사개입 요청을 거부하거나 적
절한 시간 내에 처리하지 못하는 경우 평화를 위한 단결결의에 기초하여 UN 긴급총회에서 다룰 수 있다. 또는 UN
헌장 제8장에 기초하여 지역적 기구들이 개입을 실행하되, UN 안전보장이사회의 추인을 받도록 노력한다.

답 ④

005 인간안보에 대한 설명으로 옳지 않은 것은?

① 인간안보 개념이 처음으로 정의된 것은 1994년 유엔개발계획의 인간개발보고서이다.

② 인간안보의 부상은 탈냉전기 내란의 급증과 세계화의 진전으로 인한 빈부격차 증대가 요인이다.

③ 인간안보에 대안으로 글로벌 거버넌스(global governance)가 가장 실효적이고 실제적이라는 평가를 받으면서 부상하고 있다.

④ 인간안보 개념은 인도적 개입 논란을 야기시킬 것이다.

| 정답 및 해설 |

글로벌 거버넌스는 인간안보 달성을 위해 관련된 모든 국제정치의 행위자들이 신뢰에 기초하여 협력하는 문제해결 기제를 의미한다. 그러나 주권국가들의 소극적인 태도 때문에 글로벌 거버넌스 방식 자체가 도입되기가 어렵다는 한계가 있다.

✅ **선지분석**

④ 인도적 비상사태를 일으킨 국가에 대해 주권불간섭 원칙을 적용하여야 하는지, 혹은 이러한 국가들에 대해 주권적 권리를 박탈하고 국제사회가 강제적으로 개입하는 것이 정당한 가에 대한 논란이 있으며 이것은 인간의 인도적인 권리의 위협주체가 국가가 될 수 있다는 점에서 인간안보 문제에서 제기될 수 있는 것이다.

답 ③

006 1994년 UN개발계획의 '인간개발보고서'에서 제시된 7가지 인간안보 범주에 해당하지 않는 것은?

① 가난으로부터의 자유를 의미하는 경제안보(economic security)

② 기아로부터의 자유를 의미하는 식량안보(food security)

③ 문화적 획일성으로부터의 자유를 의미하는 문화안보(culture security)

④ 마약의 공포로부터의 자유를 의미하는 개인안보(personal security)

| 정답 및 해설 |

문화획일성은 문화상대주의에서 가장 경계하는 대상이지만 안보의 개념으로 보기는 어렵다. 이 외에도 질병으로부터의 자유를 의미하는 건강안보(health security), 환경오염 및 자원고갈으로부터의 자유를 의미하는 환경안보(environmental security), 자신이 속한 가정, 인종, 조직 등에 참여할 수 있는 자유를 의미하는 공동체 안보(community security), 인간의 기본권을 행사할 수 있는 자유를 의미하는 정치안보(political security)가 있다.

답 ③

007 1994년 국제연합 개발계획의 「인간 발전 보고서(Human Development Report)」에 규정된 '정치안 보'에 대한 설명으로 옳은 것은?

2022년 외무영사직

① 질병과 비위생적인 생활습관에서 최소한의 보호 보장

② 국가나 외국 또는 폭력적인 개인과 사회단체, 국내적 위해, 약탈과 같은 물리적인 폭력으로부터 사람들을 보호

③ 사람들이 기본적인 인권이 존중받는 사회에서 살 수 있도록, 정부가 개인이나 집단의 이념과 정보의 자유를 통제하지 못하도록 보호

④ 전통적인 관계와 가치가 상실되지 않도록 분파적·인종적 폭력에 시달리지 않도록 사람들을 보호

정답 및 해설

㉠ 건강안보. ㉡ 개인안보. ㉢ 정치안보. ㉣ 공동체안보. 그 밖에도 식량안보, 환경안보, 경제안보가 있다. 총 7개의 안보로 구성되어 있다. 1994년 보고서는 '인간안보' 개념을 최초로 제시한 문서로 평가된다.

답 ③

008 인간안보에 대한 위협을 나타낸 것으로 옳지 않은 것은?

① 정치적 위협: 권위주의나 독재적 정치체제가 인간안보에 대한 위협

② 경제적 위협: 경제위기, 실업, 빈곤의 심화

③ 사회적 위협: 중소형 무기, 대인지뢰, 대량살상무기 확산

④ 환경적 위협: 환경악화, 자원부족, 초국경적 환경오염, 지구온난화

정답 및 해설

중소형 무기, 대인지뢰, 대량살상무기 확산은 군사적 위협의 예들이다. 사회적 위협에는 초국가적 범죄행위의 증가, 사회적 혼란, 불법인구 이동, 테러 등이 있다.

답 ③

009 다음 중 인간안보에 대한 설명으로 옳은 것만을 모두 고른 것은?

> ㄱ. '위협'보다는 '가치'에 중점을 둔 개념이다.
> ㄴ. 기본적으로 안보달성방법 차원에서 제시된 개념이다.
> ㄷ. 군사력에 의한 보호보다는 인간안보 위협 원천에 따라 다양한 보호수단이 가능하다.
> ㄹ. 영토보전과 정치적 독립성에 대한 외부로부터의 위협에 대한 대응으로 인식된다.

① ㄱ, ㄷ
② ㄴ, ㄷ
③ ㄱ, ㄴ, ㄷ
④ ㄱ, ㄴ, ㄹ

정답 및 해설

인간안보에 대한 설명으로 옳은 것은 ㄱ, ㄷ이다.

⊘ 선지분석

ㄴ. 협력안보에 대한 설명이다. 인간안보는 보호가치 측면에서 제기된 개념이다.
ㄹ. 국가안보에 대한 설명이다. 인간안보는 국가 외부의 군사적 위협뿐 아니라 국가 내의 위협도 중요한 위협으로 인식한다.

답 ①

---

010 다음의 설명과 관련 있는 것은?

> 2000년 당시 코피 아난 유엔 사무총장은 주권이라는 미명 하에 인권유린이 방치되어서는 안 된다는 점을 강조하며 유엔을 비롯한 국제사회의 관심을 촉구하였다. 이에 따라 2005년 유엔정상회의에서 집단학살, 인종청소 등 자국 내에서 반인도적 범죄를 저지르는 국가가 있을 경우 국제사회가 이에 대하여 개입할 권리가 있다는 것이 만장일치로 채택되었다.

① 보호책임
② 인도적 간섭
③ 집단안전보장
④ 글로벌 거버넌스

정답 및 해설

보호책임(Responsibility to Protect: R2P)은 국가와 국제사회가 공동으로 인권을 보호할 책임이 있다는 것이다. 즉 국가주권에는 인권보호라는 책임이 따른다고 한다. 따라서 한 국가가 자국 내에서 집단학살 등 반인도적 범죄를 막을 의사나 능력이 없을 경우 보충적으로 국제사회에게 이에 개입할 '권리'가 발생한다는 것이다. 즉 이 경우 기존 인도적 간섭(humanitarian intervention)의 논쟁거리였던 '국가주권과 인권 간의 상충 문제'가 발생하지 않는다.

답 ①

001 에너지 안보 개념이 제기된 에너지 위기 요인으로 가장 옳지 않은 것은?

□□□

① 1993년 중국의 석유 순수입국으로의 전환
② 에너지 수급을 둘러싼 미국과 여타 강대국 간의 경쟁관계
③ 제2차 세계대전 종전 후 사우디아라비아에서 대규모 유전 발견
④ 중국의 석유소비 속도의 빠른 증가

정답 및 해설

미국이 안정적인 원유공급원을 확보하게 된 요인 중 하나로서, 위기 요인과는 거리가 멀다.

답 ③

002 에너지 안보문제가 현재 동북아 질서에 미치고 있는 영향으로 가장 옳지 않은 것은?

□□□

① 동북아 석유 수요의 증가와 공급의 제한
② 중동지역 편중을 줄이기 위한 중국의 카스피해로의 수입원 확대
③ 중·일 간 동시베리아 유전 송유권 건설방향 경합
④ 치열한 수입선, 수송로 경쟁에도 불구하고 동북아 국가 간 협력 창출

정답 및 해설

현재는 동북아 국가 간의 협력이 이루어지지 않고 있으며, 공동으로 협력하여 집단협상력을 제고할 수 있는 가능성이 존재하기 때문에 협력이 아주 불가능한 것은 아니다. 따라서 현재 미치고 있는 영향으로는 보기 어렵다.

답 ④

003 에너지 안보에 대한 설명으로 옳지 않은 것은?

① 비엘렉키(Bielecki)에 따르면 에너지 안보란 안정적으로 충분한 양의 에너지를 확보하는 것을 의미하는데, 공급의 신뢰성, 합리적 비용, 친환경성, 이 세 가지의 요건을 충족해야 한다.

② 공급의 신뢰성은 국가가 필요한 양과 형태의 에너지에 자유롭게 접근할 수 있어야 한다는 개념이다.

③ 미국 루스벨트(F. D. Roosevelt) 대통령은 공급의 다변화 차원에서 에너지 안보 개념을 처음 사용했다.

④ 예르긴은 에너지 안보 개념이 석유의 안정적 확보 개념을 넘어 석유·전력 등을 포함한 모든 에너지의 생산, 해상 및 육상 수송·유통 인프라에 대한 보호 등을 포괄하는 개념으로 확대되어야 한다고 주장했다.

윈스턴 처칠이 처음 사용했다.

답 ③

004 국제에너지 이슈에 대한 설명으로 옳은 것을 모두 고른 것은?

ㄱ. 2000년 『세계 에너지 평가 보고서』는 에너지 안보를 항시적으로 다양한 형태의 충분한 물량을 지불 가능한 가격으로 이용할 수 있는 상태라고 정의했다.

ㄴ. 에너지 국제정치학자 예르긴은 에너지 안보 개념이 석유의 안정적 확보 개념을 넘어 석유, 전력 등을 포함한 모든 에너지의 생산 해상 및 육상 수송 유통 인프라에 대한 보호 등을 포괄하는 개념으로 확대되어야 한다고 주장했다.

ㄷ. 에너지 헌장 조약(ECT)은 에너지 수출국과 수입국 간의 상호의존을 법적으로 구속력 있는 조약으로 강화하기 위해 마련된 다자 간 에너지 협정으로, 1991년 6월 프랑스의 전 수상이었던 루드 루버스가 더블린에서 열린 유럽위원회 회의에 참석해 유럽에너지공동체의 창설을 제안한 것으로부터 비롯되었다.

ㄹ. 러시아의 수도 모스크바에서 2001년 개최된 주요 가스 수출국들의 각료 회담에서 시작된 가스수출국포럼은 가스 수출 국가 간 협력을 강화하기 위한 목적에서 설립된 정부 간 기구이다.

① ㄱ, ㄴ
② ㄱ, ㄹ
③ ㄴ, ㄷ
④ ㄷ, ㄹ

⊘ **선지분석**

ㄷ. 네덜란드의 전 수상이었던 루드 루버스가 더블린에서 열린 유럽위원회 회의에 참석해 유럽에너지공동체의 창설을 제안하였다.

ㄹ. 이란의 수도 테헤란에서 2001년 개최되었다.

답 ①

005 에너지안보에 대한 설명으로 옳지 않은 것은?

① 킹 허버트는 에너지안보 개념이 석유의 안정적 확보 개념을 넘어 석유·전력 등을 포함한 모든 에너지의 생산, 해상 및 육상 수송·유통 인프라에 대한 보호 등을 포괄하는 개념으로 확대되어야 한다고 주장했다.

② 윈스턴 처칠이 '공급의 다변화' 차원에서 에너지안보 개념을 처음 사용했다.

③ Bielecki에 따르면 '에너지안보'란 안정적으로 충분한 양의 에너지를 확보하는 것을 의미하는데, 공급의 신뢰성, 합리적 비용, 친환경성 이 세 가지의 요건을 충족해야 한다.

④ 에너지헌장조약은 에너지 수출국과 수입국 간의 상호의존을 법적으로 구속력 있는 조약으로 강화하기 위해 마련된 다자간 에너지 협정으로, 1991년 6월 네덜란드의 전 수상인 루드 루버스가 유럽위원회 회의에 참석해 유럽에너지공동체의 창설을 제안한 것으로부터 비롯되었다.

> **정답 및 해설**
>
> 에너지 국제정치학자 예르긴의 주장에 대한 설명이다. 킹 허버트는 '피크 오일 이론'을 발표해 세계 석유 생산이 수십 년 내에 정점에 도달할 것이며, 그 이후 유전이 완전히 고갈될 때까지 생산 속도는 줄어들 것이라고 주장했다.
>
> 답 ①

006 사이버 안보에 대한 설명으로 옳은 것은?　　　　　　　2019년 외무영사직

① 사이버 공격이 발생했을 때 책임 소재가 분명하므로 효과적으로 보복할 수 있다.

② 개인 등 비국가 행위자들은 사이버 공간을 통해서 안보 문제에 영향력을 행사할 수 없게 되었다.

③ 2013년 북대서양조약기구(NATO)는 사이버 전쟁의 교전 수칙으로 탈린매뉴얼(Tallinn Manual)을 발간하였다.

④ 사이버 공간의 안보 및 질서 구축에 있어서 미국은 정부간주의(intergovernmentalism)를, 중국은 다중이해당사자주의(multistakeholderism)를 주장하였다.

> **정답 및 해설**
>
> 탈린메뉴얼은 2008년 에스토니아에 대한 대규모 디도스 공격에 수도인 탈린의 인터넷이 마비된 사건을 계기로 사이버전 가능성에 대한 인식 제고, 사이버 교전시 전쟁권(jus ad bellum) 및 교전규칙(jus in bello) 등 기존 전시 국제법을 어떻게 적용할 것인가에 대한 고민을 바탕으로 작성된 것이다. 탈린메뉴얼의 취지는 사이버공간상의 합의된 국제규범이 부재한 상황에서 기존 국제법의 적용기준을 확인하는 것으로서 사이버 공격시 대응하는 일부 국가들의 국가관행을 축적하고 반영하여 국제법상 정당성을 확보하려는 것이다. 탈린메뉴얼은 국제법적 구속력을 갖는 것은 아니다.
>
> **✓ 선지분석**
>
> ① 사이버공격의 특징은 공격 주체가 불분명하므로 책임소재를 명확하게 구별하기 어렵다는 것이다.
>
> ② 사이버 공격의 주체는 국가보다 해커집단이나 테러리스트 등과 같은 비국가 행위자들이 나서는 경우가 많다.
>
> ④ 미국이 다중이해당사자주의를, 중국이 정부간주의를 선호한다. 미국, EU 등 서방국가들은 2011년 런던 사이버 스페이스 총회를 계기로 런던 프로세스를 수립하여, 기업 등 민간을 논의에 포함시키는 다중이해당사자주의를 표명하고 있다. 반면, 중국을 포함한 BRICS 및 제3세계 국가들은 정부 간 기구인 UN 및 ITU(International Telecommunication Union) 등 UN 산하기구에서의 논의를 통해 우위 확보를 추구하는 한편, 상하이협력기구(SCO) 등 지역협력을 통한 주도권 모색, 정부 간 논의를 통한 규제체계 확립에 집중하고 있다.
>
> 답 ③

007 사이버안보에 대한 설명으로 옳지 않은 것을 모두 고른 것은?

> ㄱ. 최근 사이버공격은 사이버테러리즘, 정보전 또는 사이버전 양상으로 나타나고 있다.
> ㄴ. 사이버테러리즘은 개인이나 집단이 자기과시나 불법적이고 단순한 경제적 이득을 얻기 위해 공격하는 것으로서 좀 더 차원이 다른 목적을 가지고 다중에게 피해를 줄 수 있는 국가주요기반시설에 공격을 감행하여 목적을 달성하고자 하는 사이버전과 구별된다.
> ㄷ. 2013년 제시된 탈린매뉴얼 1.0의 핵심 주장은 사이버공간에도 기존 교전수칙이 적용될 수 있고, 사이버공격으로 인명 피해가 발생하면 공격국가에 대해 군사적으로 보복할 수 있다는 것으로서 비국가 행위자들에 대해서도 군사적 보복이 가능하다는 것이다.
> ㄹ. 사이버안보와 관련된 직접적인 이해당사국들이 모여 사이버공간이라는 포괄적 의제를 명시적으로 논의한 최초의 회의인 사이버공간총회(Conference on Cyberspace)가 2011년 출범했으며, 다른 협의체와 달리 민간 행위자들을 배제하고 국가들이 주도적으로 참여하여 안보 이외의 다양한 의제들을 포괄적으로 논의하였다는 점이 특징적이다.

① ㄱ, ㄴ   ② ㄴ, ㄷ
③ ㄴ, ㄹ   ④ ㄷ, ㄹ

정답 및 해설

ㄴ. 사이버테러리즘은 개인이나 집단의 자기과시나 불법적이고 단순한 경제적 이득을 얻기 위한 행동과는 좀 더 차원이 다른 목적을 가지고 다중에게 피해를 줄 수 있는 국가주요기반시설에 공격을 감행하여 목적을 달성하고자 한다.
ㄹ. 사이버안보와 관련된 직접적인 이해당사국들이 모여 사이버공간이라는 포괄적 의제를 명시적으로 논의한 최초의 회의인 사이버공간총회(Conference on Cyberspace)가 2011년 출범했으며, 다양한 민간 행위자들이 참여하여 안보 이외의 다양한 의제들을 포괄적으로 논의하였다는 점이 특징적이다.

답 ③

---

008 바이오안보(Biosecurity)에 대한 설명으로 옳지 않은 것은?

① 자연적으로 발생하는 감염병에 의한 안보위협을 다루는 거버넌스는 1948년 창설된 세계보건기구의 국제보건규제이다.
② 국제보건규제는 정부 외에도 NGO가 제공하는 감염병 정보 활동도 포괄하나 국가 중심 거버넌스라는 점에서 한계가 있다.
③ 바이오테러는 국가 및 비국가행위자에 의한 생물학적 공격을 말하며 이를 통제하기 위해 1972년 생물무기금지협약이 채택되었다.
④ 미국은 세계보건기구와 별도로 안보 관점에서 감염병 대응을 다루기 위해 2014년 글로벌 보건 안보 구상(GHSA)을 발족시켰다.

정답 및 해설

바이오테러는 '비국가행위자'에 의한 생물학적 공격을 말하며, 현재 비국가행위자의 생물학무기의 개발과 사용을 다루는 명문화된 단일 국제협약은 존재하지 않는다.

답 ③

009 세계보건기구(WHO)의 국제보건규제(IHR)에 대한 설명으로 옳지 않은 것은?

☐☐☐

① IHR에 의하면 초국경적 감염병이 발생하는 경우 국가는 이를 통지하고, 감염병을 통제할 수 있는 적절한 수준의 공중보건체계를 수립할 의무가 있다.

② IHR2005에 의하면 비국가행위자로부터 보고를 받을 수 있다.

③ IHR2005에 의하면 다른 회원국들은 보고와 봉쇄를 수행한 국가에 대해 징벌적 조치를 취하거나 부적절한 영향을 미칠 수 있는 조치를 삼가야 한다.

④ 2020년 COVID-19 확산 시 WHO는 처음으로 PHEIC를 발령하고 국가들의 무역과 여행 제한 조치에 반대하는 권고를 냈다.

정답 및 해설

WHO는 2009년 신종플루 팬데믹 당시 처음으로 PHEIC를 발령하였다.

답 ④

010 코펜하겐학파에 대한 설명으로 옳지 않은 것은?

☐☐☐

① 코펜하겐학파는 안보가 사회적으로 구성되는 과정을 '안보화'라고 한다.

② 배리 부잔은 탈냉전기에 국가뿐 아니라 다양한 사회집단과 개인들이 안보의 공급과 수요에 참여하게 되었다고 하였다.

③ 배리 부잔은 안보문제에 있어서 과거의 군사 영역을 넘어서 정치·경제·사회·환경 등 여러 비군사 영역이 포함되었다고 하였다.

④ 코펜하겐학파에 따르면 안보를 결정짓는 것은 최고 정책 결정자의 '화행(話行)'이며, 사회적으로 중요한 이슈가 언어적 수단을 통해 위협으로 인식되기 시작하면 곧 행동으로 전환된다는 점에서 안보는 사회적으로 구성된다고 본다.

정답 및 해설

안보를 결정짓는 것은 담론을 지배하는 세력의 '화행(話行)'이라고 하였다. 최고 정책 결정자라고 단정할 수 없다.

답 ④

제 3 편

강대국 외교정책

제1장 미국 외교정책

001 미국의 외교정책에 대한 설명으로 옳지 않은 것은?

2021년 외무영사직

① 레이건 독트린은 군비경쟁을 야기하여 소련 붕괴의 원인이 되었다.
② 닉슨 독트린은 아시아에서 핵에 의한 위협을 제외하면 아시아 제국 스스로 안보를 책임져야 한다는 내용을 담고 있다.
③ 트럼프 행정부는 '아시아로의 회귀(Pivot to Asia)' 정책을 도입하여 중국봉쇄정책을 추구하였다.
④ 9 · 11 테러 발생 이후 부시 행정부의 아프가니스탄 개입은 탈레반 정권을 축출하는 결과를 가져왔다.

정답 및 해설

'아시아로의 회귀'정책 기조는 오바마 행정부에서 제시된 것이다. 중동이나 중앙아시아에 미국이 집중했던 것에서 벗어나 중국의 부상을 견제하기 위해 아시아에 미국의 힘을 집중시키는 전략이다.

✓ 선지분석

① 레이건 독트린은 대소련 강경책을 포괄하는 정책기조이다. 소련의 경제난이 심했던 1980년대 초반 의도적으로 군비경쟁을 야기하여 소련의 군비경쟁 포기와 궁극적으로 소련 해체를 야기했다는 평가를 받기도 한다.
② 1969년 발표된 닉슨 독트린은 미국이 베트남전쟁에서 철수하면서 '아시아 방위의 아시아화'를 추구한 것이다.
④ 2001년 10월 미국은 NATO와 함께 아프가니스탄을 공격하여 정권교체에 성공했다. 그러나, 이후 내전이 지속되었으며 2021년 8월 탈레반은 아프가니스탄 정권 탈환에 성공했으며 미국은 아프가니스탄에서 최종 철수하였다.

답 ③

002 미국 대통령과 재임 시기의 주요 정책 및 사건으로 옳지 않은 것은?

2018년 외무영사직

① 트루먼: 북대서양조약기구(NATO) 창설 및 중동지역의 공산주의 확산방지를 위한 레바논 군사 개입
② 카터: 이스라엘 – 이집트 평화조약인 캠프데이비드협정 중재 및 중국과의 국교 수립
③ 클린턴: 북미자유무역협정(NAFTA) 발효 및 이스라엘 – 팔레스타인 간 오슬로 평화협정 체결 주도
④ 레이건: 니카라과 반군지원을 위한 이란 – 콘트라 사건 발생 및 전략방위구상(SDI) 추진

정답 및 해설

중동지역 공산주의 확산방지를 위한 레바논 군사 개입은 '아이젠하워 독트린'에 기반한 것이다. 미국의 대통령 드와이트 D. 아이젠하워가 1958년 7월 15일 블루 배트 작전(Blue Bat) 작전을 승인하면서 미국의 레바논 개입이 시작되었다. 이것은 미군이 공산주의의 위협을 받는 정권이 있으면 즉시 개입할 것이라고 천명했던 아이젠하워 독트린 최초의 적용 사례였다.

✓ 선지분석

② 캠프데이비드 협정(Camp David Accords)은 캠프데이비드에서 12일간 비밀적 협상들에 이어 1978년 9월 17일 안와르 사다트 이집트 대통령과 메나헴 베긴 이스라엘 총리에 의하여 조인되었다. 2개의 협정들은 백악관에서 조인되었고, 지미 카터 미국 대통령이 증인이 되었다. 제3차 중동 전쟁과 1973년 욤키푸르 전쟁을 종식하였다.

③ 오슬로협정은 1948년 이스라엘 건국 이후 갈등과 분쟁을 계속하던 이스라엘과 팔레스타인이 서로의 존재를 인정하고 분쟁을 종식하기로 한 1993~1995년에 걸친 평화협정이다. 1993년 8월 20일 노르웨이 외무장관의 중재로 이스라엘과 팔레스타인 해방기구 PLO가 노르웨이 오슬로에서 비밀리에 만나 팔레스타인 자치안에 합의한 후, 곧이어 9월 13일 워싱턴에서 이스라엘 라빈 총리와 아라파트 PLO 의장이 합의안에 서명함으로써 두 민족 간 평화와 공존의 모험이 시작되었다. 아라파트 의장과 라빈 총리, 그리고 협상에 참여한 이스라엘 외무장관 시몬 페레스는 이 협정 체결로 1994년 노벨평화상을 공동수상했다. 이 협정은 이스라엘은 가자지구와 요르단강 서안 등 점령지를 반환해 팔레스타인 자치국가를 설립하게 하고, 팔레스타인은 이스라엘에 대한 무장투쟁을 포기하는 것을 골자로 하는 '땅과 평화의 교환'이 기본원칙으로, 어떤 구체적인 사안에 대한 합의보다는 앞으로 팔레스타인 자치정부 수립을 위한 단계별 협상과정(process) 설정에 중점을 두었다.
④ 이란-콘트라 사건은 1987년 미국 CIA가 스스로 적성 국가라 부르던 이란에 대해 무기를 불법적으로 판매하고 그 이익으로 니카라과의 산디니스타 정부에 대한 반군인 콘트라 반군을 지원한 정치 스캔들이다.

답 ①

003
미국의 외교정책에 대한 설명으로 옳은 것은?

2020년 외무영사직

① 먼로주의는 유럽열강의 미대륙에 대한 개입을 반대하지만, 미국의 유럽에 대한 개입을 정당화하여 제1차 세계대전 참전의 근거가 되었다.
② 카터 행정부가 중국의 부상에 '건설적 관여' 정책으로 대응한 반면, 오바마 행정부는 소위 '아시아로의 회귀' 전략을 취하면서 아태지역에서의 전략적 역할을 강화하였다.
③ 베트남전쟁 이후, 대통령의 독주를 견제하기 위해서 의회는 의회예산국을 신설하고 의회조사국을 확대개편하였다.
④ 9·11 테러를 계기로 기존의 애국주의를 대체하는 일방주의와 선제공격을 특징으로 하는 부시 독트린이 생겨났다.

정답 및 해설

미국이 베트남전쟁에서 사실상 패한 이후 미국 정치는 대통령의 무력사용권을 다차원적으로 통제하는 데 관심을 두고 있었다. 의회예산국(CBO)신설이나 의회조사국 확대도 같은 맥락이다. 미국 의회예산국은 1974년 7월, 리처드 닉슨 대통령이 서명한 「의회예산·지출유보통제법」에 의거해 만들어진 입법 보조기관이다. 1975년 2월에 공식 출범했다. 미국의 예산 심의 절차는 연방 상원과 하원의 예산위원회가 각각 예산안을 작성해 이를 토대로 의회가 예산 결의안을 만들고 심의한다. 대통령이 예산안을 의회에 제출하긴 하지만, 의회는 이를 참고할 뿐이다.
한편, 미국 의회조사국(Congressional Research Service)는 100여 년의 역사를 지닌 초당파적 연구기관으로서, 미국 의회의 공식적인 싱크탱크이다. 1970년 미국 의회도서관 내 '입법참조국'을 '의회조사국'(CRS)으로 개칭, 분석·연구 능력을 확대해 행정적 독립성을 부여하면서 탄생했다. 각 분야 전문가 800여 명이 만드는 CRS 보고서는 미국 의회의 정책이나 법안에 직접적인 영향을 미친다. 의회조사국(CRS)은 의회예산처(CBO), 미국 연방회계감사원(GAO), 기술평가원(OTA)과 함께 미국 의회의 4대 입법보조기관 중 하나이다.

✅ 선지분석

① 먼로주의는 미국의 유럽문제에 대한 간섭도 자제할 것임을 선언한 것이므로 제1차 세계대전 참전과 관련이 없다. 오히려 참전은 먼로주의에 반하는 것이다.
② 건설적 관여정책(constructive engagement policy)이란 일반적으로 포용정책을 의미한다. 카터 행정부의 대중정책은 미중수교 등 포용정책 측면도 있었으나, 기본적으로 인권외교 기조하에서 중국에 대한 강경책을 우선시하고 있었다는 평가를 받는다.
④ 미국의 애국주의(patriotism)는 미국은 선택을 받은 독특한 국가이므로 충성을 다해야 한다는 사조를 말한다. 미국예외주의가 반영된 것이기도 하다. 9·11 테러 이후 일방주의와 부시 독트린은 이러한 애국주의 또는 미국예외주의에 기초하거나 이를 반영한 것이다. 즉, 애국주의를 '대체'한 것은 아니다.

답 ③

004 미국 대통령의 권한으로 옳지 않은 것은?

2016년 외무영사직

① 대사 임명　　　　② 전쟁 선포　　　　③ 전쟁 지휘　　　　④ 조약 협상

정답 및 해설

전쟁선포권은 미국 의회의 권한이다.

답 ②

---

005 미국의 주요 대외전략 선언과 그 내용이 바르게 연결되지 않은 것은?

2015년 외무영사직

① 먼로 독트린(1823) - 아메리카 대륙에 대한 유럽 열강의 간섭 저지
② 트루먼 독트린(1947) - 공산주의 확산을 저지하기 위한 봉쇄정책
③ 닉슨 독트린(1969) - 동아시아 동맹국의 방위에서 미국의 군사적 역할 축소
④ 부시 독트린(2002) - 억지전략의 강화를 통한 테러위협 제거

정답 및 해설

부시 독트린은 '선제공격 독트린'을 말한다. 9·11 테러는 억지전략의 위험성에 대한 반성을 야기하였고, 부시 행정부는 핵공격에 대해 억지전략대신 선제공격 독트린을 발표하였다. 즉, 억지전략은 행위자의 합리성을 전제로 하나, 테러세력으로부터는 이러한 합리성을 기대할 수 없으므로 이른바 불량국가나 테러세력에 대해서는 선제공격을 통해 핵공격의 위험을 제거하는 것이 필요하다고 보았다.

답 ④

---

006 미국의 외교정책 기조와 이에 대한 설명이 짝지어진 것으로 옳지 않은 것은?

2011년 외무영사직

① 먼로(Monroe) 독트린: 미국은 중남미국가에 대한 유럽국가의 개입을 미국에 대한 직접적인 위협으로 간주할 것이다.
② 트루먼(Truman) 독트린: 미국은 무장한(armed) 소수나 외부의 압력에 의한 압제에 저항하고 있는 자유시민(free people)을 적극 지원할 것이다.
③ 레이건(Reagon) 독트린: 미국은 소련 공산주의 위협에 대처하기 위하여 봉쇄(containment)정책을 구사할 것이다.
④ 닉슨(Nixon) 독트린: 미국은 아시아 제국(諸國)과의 조약을 지키겠지만, 핵에 의한 위협의 경우를 제외하고 내란이나 침략의 위협에는 아시아 각국이 스스로 대처하여야 할 것이다.

정답 및 해설

봉쇄정책은 트루먼 독트린이라고 한다.

> **관련 이론** 레이건 독트린
>
> 레이건 독트린은 보통 다음의 다섯 가지 내용으로 요약된다.
> 첫째, 힘이 없이는 평화도 없다.
> 둘째, 냉전은 도덕적 싸움이다.
> 셋째, 상호확증파괴는 국가안보전략으로 적합하지 않으므로 미사일 방어를 추구해야 한다.
> 넷째, 초강대국 간에는 핵무기를 줄이는 정도가 아니라 아예 없애는 방향으로 협상을 끌고 가야 한다.
> 다섯째, 초강대국 간에는 상호 간 불신을 줄이고 단순한 데탕트가 아니라 지속적인 평화체계를 이룩해야만 한다.
> 나아가 공산주의 국가를 민주화하기 위한 개입도 레이건 독트린의 내용에 포함된다.

답 ③

007
□□□

미국의 역사학자인 미드(Walter R. Mead)는 역대 미국 행정부 외교정책 이념을 '건국 이후 형성된 전통'에서 연원을 찾아 네 가지로 구분하였다. 괄호 안의 내용을 순서대로 바르게 나열한 것은?

2012년 외무영사직

> "(　　)는 상공업을 중시하는 전통으로 미국의 경제적 이익을 최우선하는 전통이다. (　　)는 미국의 이해와 명예를 지키는 일에 최우선을 두고 미국을 반대하는 세력들을 신속하고 철저하게 응징하는 일을 기본 외교목표로 두고 있다. (　　)는 최소 정부 전통으로 외교무대에서 중립을 지켜 타국의 일에 개입하기를 원치 않는 전통이다. (　　)는 미국의 민주주의 가치를 세계에 전파하고 평화를 위한 세계 각국의 책임과 국제적 협력을 강조하는 전통이다."

① 잭슨주의 - 해밀턴주의 - 윌슨주의 - 제퍼슨주의
② 잭슨주의 - 해밀턴주의 - 제퍼슨주의 - 윌슨주의
③ 해밀턴주의 - 잭슨주의 - 윌슨주의 - 제퍼슨주의
④ 해밀턴주의 - 잭슨주의 - 제퍼슨주의 - 윌슨주의

정답 및 해설

월터 러셀 미드는 그의 저서 『미국의 외교정책, 세계를 어떻게 변화시켰나』를 통해 미국 대외정책의 조류를 해밀턴주의, 윌슨주의, 제퍼슨주의, 잭슨주의로 구분하였다. 해밀턴주의는 1790년대 미국의 연방주의자들의 사고를 대변하는 외교이념으로서 상업과 공업적 이익을 추구하는 강력한 중앙정부에 의해 대외정책에 있어서 미국의 경제적 이익을 최우선으로 설정하였다. 해밀턴주의는 미국의 중상주의적 사고로서 국가에 의한 기간산업의 육성, 관세에 의한 강력한 보호정책 등의 필요성을 역설하였다. 제퍼슨주의는 해밀턴주의의 대척점에 선 입장으로서 반연방파의 입장을 대변한 것이다. 제퍼슨주의는 작은 정부를 지지하고 대외관계에 있어서는 중립주의 또는 불간섭주의를 천명하였다. 윌슨주의는 미국의 민주주의 가치를 세계에 전파하고 평화를 위한 세계 각국의 책임과 국제적 협력을 강조하는 전통이다. 잭슨주의는 철저한 대중정치 전통을 받아 미국의 이해와 명예를 지키는 일에 최우선을 두고 미국을 반대하는 세력들을 신속하고 철저하게 응징하는 일을 기본 외교 목표로 두고 있다. 윌슨주의와 잭슨주의 전통은 미국 국제주의의 한 단면으로 이해된다.

답 ④

008
□□□

미국의 외교정책에 대한 설명이다. 옳지 않은 것은?

① 미국의 1900년대 대중국 외교정책은 '문호개방정책'이라고 한다.
② 트루먼 독트린은 1947년 '무장한 소수나 외부의 압력에 의한 압제의 기도에 저항하고 있는 자유인을 지원하는 것이 미국의 정책'으로 대소련 봉쇄정책의 기반이 되었다.
③ 제1차 세계대전 직후 평화조약 체결과정에서 윌슨 미국대통령은 민족자결주의 원칙을 천명하였다.
④ 미국은 9·11 테러 이후 최근의 불특정한 위협에 대응하는 과정에서 전략적 유연성을 중시하면서 미군을 고정군의 비율을 더욱 강화시켜 세계경찰국가로서의 지위를 높였다.

정답 및 해설

미국은 전략적 유연성을 강조하면서 냉전기의 고정군에서 신속기동 대응군으로 전환을 추구하였다.

답 ④

009

미국 외교정책의 특징인 고립주의와 국제주의에 관한 설명으로 옳은 것은?

① 미국 의회의 국제연맹 가입 비준거부는 고립주의 전통에 기인한 것이다.

② 먼로 독트린은 중남미에 대한 미국의 영향력 확대를 추구한 국제주의의 사례이다.

③ 선제공격의 가능성을 표명한 부시 독트린은 국제여론을 무시한 고립주의의 사례이다.

④ 트루먼 독트린은 소련과의 관계를 단절하고자 하는 내용으로서 고립주의에 바탕을 둔 것이다.

정답 및 해설

미국 의회의 국제연맹 가입 비준거부는 국제주의가 아니라 고립주의 전통에 기인한 것이다.

✓ 선지분석

② 먼로 독트린이란 미국 제5대 대통령 제임스 먼로(James Monroe)가 1823년 12월 2일 의회 국정연설에서 남북 아메리카에 대한 유럽의 간섭을 거부하는 상호 불간섭 원칙을 선언한 것이다. 먼로 독트린은 흔히 제국주의적 팽창주의나 개입·간섭주의에 대비되는 고립주의의 전형처럼 알려져 있지만 실은 적극적인 팽창·개입주의와 표리일체를 이루고 있는 측면도 있다. 먼로 독트린은 나폴레옹전쟁 직후인 1814~15년에 성립된 유럽의 빈 체제에 대한 대항 이데올로기적 성격을 갖고 있었다. 빈 체제는 프랑스 혁명으로 해체위기에 직면한 전통적 군주체제를 복원하고 옛 영토와 지배자, 옛 질서를 되살리려는 보수·복고 체제였다. 먼로주의는 스페인 등의 쇠퇴로 촉발된 중남미 식민지들의 유럽 이탈 움직임에 대한 유럽의 간섭 및 알래스카를 지배하고 있던 러시아의 남하정책에 대처하면서 아메리카 대륙에 대한 미국의 독점적 우월권을 선포한 것이었다. 즉, 자신이 열세였던 유럽에 대해서는 고립주의를 내건 간섭 배제를, 상대적으로 우월한 남북 아메리카 등 비유럽권에는 강력한 개입·팽창정책을 추구하였다. 미국이 고립주의에서 벗어나기 시작한 것은 1898년 미국-스페인 전쟁이고 결정적인 전환은 1941년 일본의 하와이 진주만 기습 이후로 알려져 있다. 이렇듯 먼로 독트린은 고립주의와 더불어 국제주의적 성격을 함께 갖고 있지만, 그렇다고 하여 이를 보기와 같이 국제주의의 사례라고 단정짓는다면 옳지 못한 진술이 될 것이다.

③ 선제공격의 가능성을 표명한 부시 독트린을 고립주의 사례라고 볼 수는 없다.

④ 트루먼 독트린은 공산주의 세력의 확대를 저지하기 위하여 자유와 독립의 유지에 노력하며, 소수자의 정부지배를 거부하는 의사를 가진 여러 나라에 대하여 군사적·경제적 원조를 제공한다는 것이었다. 이 원칙에 입각하여 당시 공산세력으로 인하여 직접적인 위협에 직면하고 있던 그리스와 터키의 반공 정부에 대하여 미국의 경제적·군사적 원조가 제공되었다. 즉, 국제주의의 사례이다.

답 ①

미국 역대 대통령의 주요 정책이 바르게 짝지어지 지지 않은 것은?

① 루스벨트(F.D.Roosevelt) - 무기대여법, 대서양헌장

② 트루먼(H.S.Truman) - Fair Deal, 마샬플랜

③ 케네디(J.F.Kennedy) - 유연반응전략, New Frontier

④ 부시(G.H.Bush) - INF폐기협정, Gulf전

정답 및 해설

INF폐기협정은 레이건 대통령과 고르바초프가 체결하였다.

✓ 선지분석

② Fair Deal은 트루먼 대통령의 국내정책에 관한 것이다. 기본요강은 1945년 초에 윤곽이 잡혔다. 그해 전후 처음으로 의회에 보낸 교서에서 트루먼은 사회보장제도의 확대, 새로운 임금·노동시간 및 공공주택법의 제정, 고용상의 인종적·종교적 차별을 금지하는 항구적인 공정고용법 시행 등을 촉구했다. 1946년 고용법을 통과시켰으며, 최저 임금을 인상하고, 빈민촌을 없애며, 노인연금제도를 확대하였다.

③ New Frontier는 미국의 제35대 대통령 J. F. 케네디가 1960년 대통령 선거전에서 내세운 정치표어이자 대통령 취임 후에도 내외정책의 기본정신으로 삼았던 것으로서 국내문제의 개선과 해외의 개발도상국에 대한 민주주의 추진을 목표로 하였다.

답 ④

011 **20세기 후반 미국의 외교정책과 가장 관련이 적은 것은?**

① 봉쇄(containment) ② 억지(deterrence)

③ 개입(engagement) ④ 고립(isolation)

정답 및 해설

영국의 식민지에서 독립한 미국은 전통적으로 대륙의 문제에서 자신을 고립시키는 고립주의적 외교정책을 펴왔다. 미주(America)에 대한 유럽의 간섭을 배제하고 유럽의 일에 미국의 불간여(干與)를 선언한 먼로 독트린은 이러한 고립정책의 대표적인 예이다. 그 후 제1차 세계대전이나 제2차 세계대전 모두 미국은 대륙의 문제에 개입하지 않겠다는 정책을 취했으나 제1차 세계대전 때는 독일 U – Boat의 무차별공격, 그리고 제2차 세계대전 때는 일본의 진주만 기습으로 인해 어쩔 수 없이 참전하게 된다. 그러나 제2차 세계대전이 끝나고 미국이 새로운 패권국가로 떠오르면서 미국은 더 이상 고립주의를 고수할 수 없게 되었고, 트루먼 독트린은 미국의 외교정책의 기조변화를 상징한다고 할 수 있다.

✓ 선지분석

① 미국은 트루먼 대통령 시절 조지 케난의 구상에 따라 대소 봉쇄정책을 기본 정책으로 하였다.

② 미국은 핵전략에 있어 대량보복전략(Massive Retaliation Strategy), MAD(Mutual Assured Destruction) 등을 통한 억지(deterrence)를 기본 전략으로 하였다.

③ 미국은 클린턴 행정부 시절인 1994년 7월 '개입과 확대(Engagement and Enlargement)' 전략을 채택했는데, 이 전략은 소련의 위협이 사라진 냉전 이후의 유동적 국제정세 속에서 미국이 세계질서 형성에 주도적 역할을 담당할 것을 목표로 하여 전통적 우방국에 대한 '협력적 개입' 전략과 중국과 러시아 등 공산주의 국가에 대한 '자유시장, 민주주의의 확대' 전략이다.

답 ④

012 **전후 공산주의 세력의 확대를 저지하기 위해 취해진 미국의 외교정책은?**

① 유연반응전략 ② 봉쇄정책

③ 고립주의 ④ 동맹정책

정답 및 해설

공산권의 확대 저지를 위해 봉쇄정책(containment policy)을 주장한 사람은 조지 케난(George F. Kennan)이다. 그는 모스크바 주재 외교관 시절 본국에 보낸 '긴 전문(The Long Telegram)'을 통해 소련이 역사적으로 가지고 있는 팽창주의적 성향을 경고하고 미국이 소련의 팽창에 대비해야 한다는 의견을 제시하였다. 이 전문은 1947년 7월 'X'라는 가명으로 Foreign Affairs지(誌)에 '소련 행동의 기원(The Origin of Soviet Conduct)'이라는 제목으로 발표되어 미국의 냉전기 외교정책의 이론적 기반이 되었다. 케난은 소련 공산주의의 위협과 그 팽창에 대항하기 위해서는 소련의 주변을 군사 기지망으로 포위, 봉쇄해야 한다고 주장하였다. 이러한 주장은 트루먼 대통령에 의해 봉쇄정책으로 구체화되며, 냉전기 미국 외교정책의 기조가 된다.

답 ②

013 **미국의 대외정책과 관련된 설명 중 옳지 않은 것은?**

☐☐☐ ① 외교관이나 영사의 임명은 대통령이 임명하고 의회의 동의를 받아야 한다.

② 전쟁선포권은 대통령에게 있다.

③ 대통령은 의회의 승인없이 단독으로 행정협정을 체결할 수 있다.

④ 대통령은 60일 이내에 미군을 해외에 파병할 수 있다.

정답 및 해설

미국 연방 헌법 상 전쟁선포권은 의회가 가지고 있다.

답 ②

---

014 **미국의 대외정책에 대한 설명으로 옳지 않은 것을 모두 고른 것은?**

☐☐☐

ㄱ. 남북전쟁에서 남부가 패배하고 연방정치의 주도권이 북부와 공화당으로 넘어갔고, 민주당의 시장 확장 이념 대신 공화당의 영토 팽창 이념이 미국 외교를 주도하게 되었다.

ㄴ. 1930년대 초반부터 1970년대까지 계속된 제5차 정당체제시대, 즉 뉴딜정당체제는 민주당이 공화당을 압도한 시대이며, 미국이 세계를 지도하고 자유와 평화를 위협하는 적을 응징해야 한다는 십자군적 외교 기조가 확립된 시대였다.

ㄷ. 미국 연방헌법은 하원에게는 예산편성권, 상원에게는 조약비준동의권을 부여하고 있다.

ㄹ. 대통령은 총사령관의 지위를 갖는다는 연방헌법 제2조 제2항을 이용하면 대통령은 의회의 공식 선전포고가 있어야 해외에 미군을 파병할 수 있다.

① ㄱ, ㄴ　　　　　　　　　② ㄱ, ㄷ

③ ㄱ, ㄹ　　　　　　　　　④ ㄴ, ㄹ

정답 및 해설

ㄱ. 민주당의 영토 확장 이념 대신 공화당의 시장 팽창 이념이 미국 외교를 주도하게 되었다.

ㄹ. 대통령은 총사령관의 지위를 갖는다는 연방헌법 제2조 제2항을 이용하면 대통령은 의회의 공식 선전포고 없이도 독자적으로 해외에 미군을 파병할 수 있다.

답 ③

---

015 **다음 중 미국의 고립주의 외교정책과 관련이 없는 사람은?**　　　　2006년 외무영사직

☐☐☐ ① 먼로(James Monroe)　　　　② 러스크(Dean Rusk)

③ 제퍼슨(Thomas Jefferson)　　　④ 매디슨(James Madison)

정답 및 해설

J. F. 케네디 행정부의 국무장관이었던 딘 러스크는 공산주의에 맞서 군사력의 사용을 적극 주장했던 인물이다. 쿠바 미사일 위기 시에는 군사적 해결이 아닌 외교적 해결을 주장하기도 하였으나, 미국의 베트남에서의 군사 행동에 대해 적극 지지하는 등 반전운동의 주 타깃이 되었다.

⊘ 선지분석

① 1823년 12월 미국의 제5대 대통령 제임스 먼로는 의회에 제출한 연두교서에서 유럽과 신대륙은 서로 다른 정치체제를 가지고 있으므로 별개의 지역으로 남아야 할 것이라고 하면서 미국은 유럽 열강의 국내문제나 열강 사이의 세력다툼에 개입하지 않을 것이라고 선언하여 고립주의 외교정책(먼로 독트린)을 천명하였다. 미국의 고립주의 외교정책은 조지 워싱턴 이후 존 애덤스, 토머스 제퍼슨, 제임스 매디슨 등의 초기 대통령들에서 시작해 먼로 시대에 와서 집대성되었다고 볼 수 있다.
③ 유럽에서 나폴레옹전쟁이 한창이던 시기에 고립주의를 표방하면서 중립을 지켰다.
④ 제퍼슨 행정부의 국무장관을 지낸 후 대통령이 되어 제퍼슨의 고립주의 외교정책을 계승하였다.

답 ②

016 미국의 외교이념과 사례가 적절하게 연결되지 않은 것은?

① 현실주의적 국제주의: 부시 행정부의 정권교체전략
② 현실주의적 고립주의: 제2차 세계대전 이후의 봉쇄정책
③ 자유주의적 국제주의: 윌슨의 LN 창설
④ 자유주의적 고립주의: 먼로 독트린 선언

정답 및 해설

제2차 세계대전 이후의 봉쇄정책은 현실주의적 국제주의의 대표적 사례이다.

답 ②

017 미국 외교정책의 핵심인 '예외주의(Exceptionalism)'의 근거로 옳지 않은 것은?

① 타국에 모범이 되는 미국으로서의 우월감
② 기독교 정신에 근거한 선민의식
③ 지리적으로 외부세력의 침공 부재
④ 권력정치에 관여하려는 팽창주의

정답 및 해설

예외주의는 권력정치로부터 거리를 두려는 고립주의에 근거하고 있다.

⊘ 선지분석

① 예외주의의 근거가 되는 심리적 배경이다.
② 예외주의의 근거가 되는 종교적 배경이다.
③ 예외주의의 근거가 되는 지리적 배경이다.

답 ④

제3편 해커스공무원 패권 국제정치학 기출 + 적중문제집

제1장 미국 외교정책 **345**

018 미국 외교기조인 고립주의와 국제주의에 대한 설명으로 옳은 것은?

□□□
① 현대 미국 외교는 고립주의 기조를 유지하고 있다.
② 고립주의의 예로 먼로 독트린을, 국제주의의 예로 문호개방정책을 들 수 있다.
③ 제1차 세계대전 발발 초기 미국 국내적으로는 국제주의에 근거한 참전지지 여론이 형성되어 있었다.
④ 트루먼 독트린은 소련의 팽창주의에 관여하지 않겠다는 고립주의 정신을 바탕으로 한다.

정답 및 해설

⊘ 선지분석
① 현대 미국 외교는 국제주의와 고립주의의 논쟁으로 얽혀있다. 국제주의는 미국이 적극적으로 개입해야 할 의무를 지니고 있다고 주장하는 반면, 고립주의는 미국의 역할 증대가 부담을 가져온다고 주장한다.
③ 제1차 세계대전 발발 초기에 미국 국내적으로는 고립주의 기조가 유지되었다.
④ 트루먼 독트린은 소련의 팽창주의를 저지하고 국제적으로 공산주의가 확산되는 것을 막기 위한 것이다. 빈국일수록 공산주의에 매료되기 쉽다는 판단 하에 그리스와 터키 등에 대해 원조를 제공하였다.

답 ②

019 미국 외교정책에 대한 설명으로 옳지 않은 것은?

□□□
① 현실주의적 국제주의 전략은 미국적 가치 확산에 있어서 무력을 수반하는 것을 강조하는 노선으로서 제2차 세계대전 이후 봉쇄정책을 예로 들 수 있다.
② 미국의 라틴아메리카 대륙에 대한 개입을 금지한 먼로 독트린은 미국의 고립주의 정책으로 볼 수 있다.
③ 미드(Walter Mead)는 미국 반대세력의 신속한 응징을 추구하는 현실주의 노선을 잭슨주의 라고 명명하였으며, 이는 미국의 신보수주의노선과 유사한 측면이 강하다.
④ 윌슨의 국제연맹창설, 카터와 클린턴의 인권외교, 군축협상, 기후변화 관리를 위한 파리협약(2015)의 주도 등은 자유주의적 국제주의의 사례라고 볼 수 있다.

정답 및 해설

먼로 독트린은 미국의 '유럽'문제에 대한 불간섭 및 유럽의 '라틴아메리카'에 대한 불간섭 기조로서 미국의 '라틴아메리카문제'에 대한 불간섭을 의미하는 것은 아니다.

답 ②

020
□□□

1973년 미국의회에서 통과된 「전쟁권한법(War Powers Act)」에 관한 설명으로 옳지 않은 것은?

2014년 외무영사직

① 대통령은 군대를 교전 상태에 투입하기 전에 의회와 협의해야 한다.
② 대통령은 군대 투입 이후 48시간 이내에 의회에 보고해야 한다.
③ 대통령은 의회가 전쟁선포나 군사행동을 승인하지 않을 경우, 60일 이내에 군대를 철수시켜야 한다.
④ 특별한 경우, 대통령은 위 군사행동 기간을 최장 120일까지 연장할 수 있다.

정답 및 해설

전쟁권한법상 미국 대통령이 의회의 승인 없이 미국군대를 동원할 수 있는 일수를 60일간으로 한정하며 철수 및 기타에 의해 일수가 필요하다고 의회가 인정한 경우에 한해 다시 30일의 연기가 가능하다. 전쟁권한법은 미 대통령의 전쟁권한에 일정한 제한을 가하는 법으로 1973년에 성립됐다.

답 ④

021
□□□

미국의 「전쟁권한법(War Powers Act)」에 대한 설명으로 옳지 않은 것은?

2022년 외무영사직

① 닉슨 대통령은 거부권을 행사하였으나 의회는 이를 무효화하고 「전쟁권한법」을 확정했다.
② 「전쟁권한법」은 미국 대통령의 외교안보정책 자율권을 강화하기 위한 의회의 조치였다.
③ 미국 대통령의 결정에 따라 파견된 미국 군대는 의회의 전쟁선포나 승인 결의안이 없을 경우 60일 이내 철수해야 한다.
④ 「전쟁권한법」에 따르면 미국 대통령은 무력사용 이전 의회와 최대한 협의해야 하며, 병력 파견 시 48시간 이내 의회에 통보해야 한다.

정답 및 해설

「전쟁권한법」은 전쟁에 관한 대통령의 권한을 제약할 목적으로 만든 법이다.

답 ②

제3편

해커스공무원 패권 국제정치학 기출＋적중문제집

022 미국의 전통적인 외교정책 원칙의 하나인 고립주의(isolationism)에 대한 설명으로 옳지 않은 것은?

2017년 외무영사직

① 먼로 독트린은 유럽에 대해서 고립주의를, 미주 대륙에 대해서는 패권적 개입주의를 의미했다.

② 미국은 중립법을 만들어 외국의 분쟁에 연루되지 않으려 하였다.

③ 고립주의는 부패한 유럽과 달리 미국이 순결한 '미국의 혼'을 가진다는 예외주의와 긴밀히 연관된다.

④ 19세기 동안 미국은 고립주의를 외교정책의 원칙으로 채택해 자유주의적 개입주의 정책을 수립하지 않았다.

정답 및 해설

자유주의적 개입주의 정책이란 국제문제에 개입하면서도 그 수단으로 다자제도나 다자회의를 활용하는 것이다. 19세기 후반 미국의 문호개방선언(정책)은 동아시아에 대한 개입정책이며, 군사력을 수단으로 하지 않고 외교적 접근을 지향했다는 점에서 자유주의적 개입주의 정책으로 볼 수 있다.

⊘ 선지분석

③ 미국 예외주의는 고립주의로 발현될 수도 있고, 개입주의로 발현될 수도 있다. 미국이 상대적 약소국의 시기에는 예외주의는 고립주의 전략으로 발현되어 내치에 주력하게 된다.

답 ④

023 미국 외교정책에서 행정부에 대한 의회 감독을 강화하는 법률 또는 판결이 아닌 것은?

2019년 외무영사직

① 미합중국 대 커티스사 판결(United States vs. Curtiss-Wright Export Corporation, 1936)

② 케이스 - 자블로키법(Case-Zablocki Act of 1972)

③ 전쟁권한법(War Powers Act of 1973)

④ 정보감시법(Intelligence Oversight Act of 1980)

정답 및 해설

커티스사 판결은 미국 대법원의 행정부의 대외정책 권한에 대한 것이다. 대법원은 다수 의견에서 미국 대통령은 국제관계에 있어서 유일한 기관으로서 국내문제에 대해 부여된 권한보다 훨씬 더 많은 권한을 부여받았다고 전제하였다. 커티스사 판결은 의회의 허가와 무관하게 대통령은 전권을 부여 받았다고 보고 행정부의 권한을 확대시킨 첫 번째 판결이었다.

⊘ 선지분석

② 케이스 - 자블로키법은 베트남전쟁 과정에서 발언권을 갖기 어려웠던 의회의 권한을 강화할 목적으로 제정되었다. 동법에 따르면 대통령의 행정협정에 대해 60일 이내에 하원 외교관계 위원회 및 상원 국제관계 위원회에 통보해야 한다. 1978년에는 하원 결의를 통해 구두협정도 통보하도록 함으로써 행정부에 대한 통제 권한을 강화하였다.

③ 전쟁권한법은 대통령이 의회의 승인 없이 군대를 동원할 수 있는 기한을 60일 이내로 제한하였다. 동 기한 내에 의회의 동의를 받지 못한 경우 군대를 철수해야 한다. 단, 의회의 동의 하에 최장 90일로 연장할 수 있다.

④ 정보감시법은 행정부의 비밀 조치를 상하 양원 관련 위원회에 통보할 것을 규정하여 행정부의 권한을 통제하고 있다.

답 ①

024 냉전기 미국의 중남미정책에 대한 설명으로 옳지 않은 것은?

① 미국의 닉슨 행정부와 포드 행정부는 칠레, 아르헨티나, 우루과이에서 군사독재 정권을 적극 지지했다.

② 지미 카터 대통령은 미국과 독재 정권들 사이에 일정한 거리를 두려고 노력했다.

③ 로널드 레이건 행정부는 카터 행정부의 정책을 계승하여 군부독재 세력들을 민주화시키기 위한 군사 개입을 지속하였다.

④ 냉전이 종식된 이후 미국은 중남미지역에서 민주주의 세력을 적극 지지하기 시작했다.

> **정답 및 해설**
>
> 카터 행정부의 정책을 뒤집어 반공 투쟁에 동참한다는 명분 아래 군부독재 세력들을 적극 지원했다.
>
> 답 ③

025 미국의 홍콩 및 대만 관련 정책에 대한 설명으로 옳지 않은 것은?

① 미국은 홍콩정책법(1992)을 제정하여 무역, 사업, 여행과 기술이전 등에 있어서 중국보다 홍콩에 더 많은 완화 및 특혜를 부여하고 있다.

② 대만관계법(1979)은 미국이 중화인민공화국과 외교관계를 수립하면서 대만과 단교함에 따라 제정된 미국 법률이다.

③ 미국 국방부는 2019년 6월 발표한 '인도 – 태평양 전략보고서'에서 대만을 싱가포르, 뉴질랜드, 몽골과 함께 '파트너십을 확장해 나가는 국가(take steps to expand partnership)'로 지칭했다.

④ 트럼프 행정부에서 제정된 '대만여행법(Taiwan Travel Act)'은 대만과의 인적교류 대상 범위를 제한함으로서 '하나의 중국 원칙'을 강화하고자 한 것이다.

> **정답 및 해설**
>
> 미국 관료의 대만 방문 및 관계자 회담 허용, 외교부 장관, 국방부 장관 등 대만 고위 관료의 미국 방문 및 관계자 회담 허용, 대만대표부를 비롯한 그 밖의 대만 기관이 미국 의원, 연방 및 지방 정부 관계자 또는 대만 고위 관계자가 참여하는 미국 내 활동 증진 등의 내용을 명시하고 있다.
>
> 답 ④

026 미국의 대홍콩정책에 대한 설명으로 옳지 않은 것은?

① 미국은 홍콩인권법을 제정하여 사람을 고문하거나 임의 구금하거나 중대한 인권 침해를 저지른 자에 대해 미국이 제재를 가할 수 있도록 했다.

② 홍콩인권법에 의하면 중대한 인권침해자의 미국 내 자산을 동결하고, 미국 입국과 비자 발급을 거부할 수 있다.

③ 홍콩인권법에 의하면 미국 국무부는 홍콩이 중국으로부터 '충분한 자율권'을 계속해서 인정받고 있는지를 조사해 연례 보고서를 작성하여 의회에 제출해야 한다.

④ 홍콩은 1984년 영국에서 중국으로 반환된 이후 50년간 일국양제를 통해 현 체제 유지를 보장받았다.

정답 및 해설

홍콩은 1997년 반환되었다.

답 ④

027 미국의 통상정책에 대한 설명으로 옳지 않은 것은?

① 1930년 Smoot-Hawley Act는 2만개 이상의 품목에 사상 최고의 관세율을 규정한 보호무역주의 정책이다.

② 1934년 Reciprocal Trade Agreement는 미국정부에게 적극적으로 경제 블록 형성을 위한 쌍무적 협정을 체결하도록 위임한 법률이다.

③ 1962년 Trade Expansion Act는 대통령에게 케네디라운드의 통상협상권을 위임하고 통상 조정 지원 프로그램 설정과 긴급수입규제 조항 적용 요건 강화를 주요 내용으로 한다.

④ 1974년 Trade Act는 관세 및 비관세 장벽을 낮추기 위한 국제협상인 도쿄라운드의 협상권을 대통령에게 위임하고 반덤핑, 상계관세, 긴급수입제한 등에 관한 조항을 수정하며, 저개발국에게 일반특혜관세(GSP)제도를 실시하는 규정을 담고 있다.

정답 및 해설

미국 정부에게 호혜적인 관세인하를 위한 쌍무적 협정을 체결하도록 위임한 법률이다.

답 ②

028   미국 외교정책에 대한 설명으로 옳지 않은 것은?

① 1934년 제정된 호혜통상협정법(Reciprocal Trade Agreements Act of 1934)은 대통령에게 외국과의 협상을 통해 관세를 조정할 수 있는 권한을 위임하였다.

② 1999년 공화당이 다수를 차지하고 있던 의회에서 민주당의 클린턴 행정부가 제출한 포괄적핵실험금 지조약(CTBT)에 대한 비준동의안을 부결시켰다.

③ 1974년 제정된 무역법은 신속처리절차(Fast Track)를 도입한 바 있는데, 이에 따라 대통령은 외국과의 협상을 의회에 사전 통보하고 협의해야 한다.

④ 2004년 전쟁권한법(War Power Act)은 이라크전쟁 이후 행정부의 외교정책 수행에 대한 의회의 감시와 견제 강화를 상징적으로 보여준다.

정답 및 해설

1973년 전쟁권한법(War Power Act)은 베트남전쟁 이후 행정부의 외교정책 수행에 대한 의회의 감시와 견제 강화를 상징적으로 보여준다.

답 ④

029   미국 대외정책에 대한 설명으로 옳은 것만을 모두 고른 것은?

ㄱ. 아이젠하워 행정부의 목표는 한국전쟁에 있어서 대북 총공세를 통해 한국 주도 통일을 완성하는 것이었으나, 이승만 정부는 조기 종전을 주장하여 양국의 의견이 충돌하였다.

ㄴ. 케네디 행정부는 제2차 베트남전쟁이 발발하자 미국 행정부 중에서는 최초로 군대를 파병하였다.

ㄷ. 존슨 행정부는 1965년 7월 북베트남군의 대규모 남베트남 공격 이후 베트남전 정책 재검토회의를 개최하고, 정책의 대전환을 천명하면서 베트남전에 전격 개입하였다.

ㄹ. 닉슨 행정부는 1973년 욤키푸르전쟁에서 이스라엘을 적극 지원하였으며 이로 인해 미국 - 이스라엘 관계는 기존의 모호한 관계에서 탈피하고 강력한 준동맹관계로 발전하게 되었다.

ㅁ. 포드는 후르쇼프와 1975년 헬싱키회담을 개최하고, 경제력의 약화, 상호확증파괴체제의 확립 등을 배경으로 하여 다자안보에 합의하였다.

① ㄱ, ㄴ, ㄷ
② ㄱ, ㄴ, ㅁ
③ ㄱ, ㄷ, ㄹ
④ ㄴ, ㄷ, ㄹ

정답 및 해설

미국 대외정책에 대한 설명으로 옳은 것은 ㄴ, ㄷ, ㄹ이다.

⊘ 선지분석

ㄱ. 아이젠하워 행정부의 목표는 휴전협정을 타결짓는 것이었다.

ㅁ. 브레즈네프와 회담을 개최하였다.

답 ④

001 미국의 대외정책은 집권정부의 성향에 따라 변하였다. 다음의 내용 중 미국 대외정책에 대한 설명으로 옳지 □□□ 않은 것은?

> ㄱ. 클린턴 정권의 경우, 군비 확충 및 적극적인 대외 군사개입 정책을 통해 미국의 영향력을 확대하였다.
> ㄴ. 조지 부시 1기 정권에서는 클린턴 대통령이 추진하였던 미사일 방어(MD)체제 추진의지를 밝혀 중·러 양국의 반발을 샀다.
> ㄷ. 조지 부시 2기 정권에서는 기존의 반테러·반확산에 자유 및 민주주의 확산이 추가되고, 변환외교를 도입하였으나, 일방주의적인 세계질서 운영에는 큰 변화가 없었다.
> ㄹ. 오바마 행정부의 대외전략은 전세계 차원에서의 선택적 개입과 동아시아에서의 중국의 부상 견제로 볼 수 있다.

① ㄱ, ㄴ ② ㄱ, ㄷ ③ ㄴ, ㄷ ④ ㄷ, ㄹ

정답 및 해설

미국 대외정책에 대한 설명으로 옳지 않은 것은 ㄱ, ㄴ이다.
ㄱ. 클린턴 대통령은 군사비를 축소하여 재정 균형을 이루었고 이는 미국의 대외 군사 개입을 제한하는 등 외교정책에 영향을 주었다. 파월(Colin Powell) 독트린에 따라 미군의 전투 파병은 미국의 국가안보 목표와 연결된 명확하고 제한적인 목표에 부합하고 국내외의 포괄적인 지원이 있으며 미국의 승리를 보장하는 압도적인 군사력을 배치할 능력이 있을 때로 제한되었다.
ㄴ. 클린턴 정권에서 유예하였던 MD정책을 2001년 집권한 부시 행정부가 추진의지를 밝혀 중·러의 반발을 샀다.

✅ **선지분석**
ㄹ. 덧붙여 설명하자면, 먼저 해외에서 강력하기 위하여 국내에서 강해야 하므로 금융위기를 극복하고 경제를 살릴 필요성을 강조하면서 정치적·경제적인 비용이 너무 많이 들지 않도록 선택적 개입전략을 취해야 한다는 것이다. 또한 맹렬한 기세로 초강대국의 반열로 부상하고 있는 중국이 동아시아에서 단극 지역 패권자로 성장하는 것을 적절히 견제하는 전략을 구사하여 중국이 '책임있는 이해상관자(responsible stakeholder)' 역할을 수행하도록 한다는 것이다.

답 ①

---

002 탈냉전기 미국 대외정책에 대한 설명이다. 정책 집행 행정부가 다른 것은?
□□□
① 미국과 소련은 더 이상 적대국이 아니며 냉전이 종식되었음을 선언하였다.
② 안전보장이사회 결의 제794호에 따라 구호물자 보호를 위해 미군 병력 2만 명을 파견하였다.
③ 안전보장이사회의 승인에 따라 영국 등 34개 국가로 구성된 다국적군을 파견하여 쿠웨이트를 침공한 이라크에 대한 대대적인 공습을 단행하였다.
④ 아시아에 주둔 중인 10만 명의 미군을 계속 주둔하고 역내 다자간 안보체제 구축에도 노력하기로 하였다.

정답 및 해설

아시아에 주둔 중인 10만 명의 미군을 계속 주둔하고 역내 다자간 안보체제 구축에도 노력하기로 한 것은 클린턴 행정부 정책이다.

✅ **선지분석**
①, ②, ③ 부시(G. H. Bush) 행정부의 정책이다.

답 ④

003 **탈냉전기 미국의 대아시아 안보정책으로 옳은 것은?**

① 집단안보 정책　　　　　　　　　　　② 봉쇄정책
③ 쌍무적 동맹정책　　　　　　　　　　④ 다자안보협의체 구성

정답 및 해설

탈냉전기 미국의 대아시아 안보정책의 근간은 미일동맹과 한미동맹에 기초하여 동아시아 지역의 안정을 유지하는 것이다.

⊘ 선지분석

② 2014년 현재 미국의 대동아시아 정책에서 우선순위가 중국의 부상에 따른 위협에 대응하기 위해 대중국 봉쇄 정책에 편중되었다고 볼 수 있으나, 미국의 대중국 정책은 기본적으로 'Congagement'로서 봉쇄정책과 포용 정책을 병행하는 것이다.

답 ③

---

004 **클린턴 행정부의 아·태 외교목표에 대한 설명으로 옳지 않은 것은?**

① 냉전 후 아시아에서 군사력을 지속적으로 감축한다.
② 미·일 관계를 더욱 강화한다.
③ 마약거래 등을 방지하기 위한 지역협력체의 형성을 촉진한다.
④ 아·태 경제협력체(APEC)를 강화한다.

정답 및 해설

클린턴 행정부는 1995년 2월 '동아·태 지역전략보고서'를 발표했는데, 이 보고서는 동아시아 지역은 미국의 사활 적 국익(vital interests)이 걸려있는 곳으로, 이곳에 전방배치된 미 병력 10만 명을 그대로 유지시키겠다는 것을 골자로 하였다.

답 ①

---

005 **신보수주의는 미국 부시(George W. Bush) 행정부 외교정책에 영향을 주었다. 신보수주의가 제시하는 정책논리나 정책처방이 아닌 것은?**　　　　　　　　　　　2012년 외무영사직

① 미국의 민주주의를 대외적으로 확산하는 것이 중요한 국가이익이고, 이를 위해 필요한 경우 군사력을 사용해야 한다.
② 미국은 군사적 우위를 계속 확보하고 다른 강대국이 미국의 지위에 도전하지 못하도록 지속적으로 군사력을 강화해야 한다.
③ 미국은 중요한 국가이익을 달성하기 위한 외교정책을 수행하는데 다자주의보다는 일방주의 노선을 취할 의지와 능력을 갖추어야 한다.
④ 미국은 대량살상무기를 개발하거나 확산하려는 '불량국가'에 대해 봉쇄정책을 추진해야 한다.

정답 및 해설

불량국가에 대한 봉쇄정책이나 억지정책 대신 '선제공격'을 가해 정권을 교체하는 전략을 채택하였다. 정권교체전략 은 아프가니스탄과 이라크에 대해 실제로 적용되었다.

답 ④

006 부시(George W. Bush) 미국 대통령이 2002년 초 연두교서에서 '악의 축(Axis of Evil)'으로 지칭하여
□□□ 미국의 안전보장에 위협을 준다고 규정한 나라들만을 모두 고른 것은?

① 북한, 이란, 리비아
② 북한, 리비아, 이라크
③ 북한, 이란, 이라크
④ 북한, 이라크, 쿠바

정답 및 해설

악의 축(Axis of evil)은 미국의 조지 W. 부시 대통령이 2002년 1월 29일에 행한 연설에서 테러를 지원하는 정권을 가리키며 쓴 용어이다. 부시는 이 연설에서 이라크, 이란, 북한을 언급했다. 2002년 5월 국무차관 존 볼튼은 부시가 언급한 악의 축 국가들과 더불어 리비아, 시리아, 쿠바도 추가적으로 악의 축 국가라고 언급하였다.

답 ③

007 전통적 보수주의와 신보수주의의 비교로 옳은 것은?
□□□
① 전자는 국제정치에 '선과 악'의 가치를 개입시키나, 후자는 이를 배제한다.
② 전자는 국가이익을, 후자는 동맹의 이익을 보다 중시한다.
③ 전자는 9·11 테러 이전, 후자는 9·11 테러 이후 부시 행정부가 채택한 기조이다.
④ 전자는 군사적 대외개입을 지지하는 한편, 후자는 이를 최소화하고자 한다.

정답 및 해설

9·11 테러 이후 부시 행정부는 신보수주의로 선회하였으며, '부시 독트린'은 이러한 신보수주의적 기조를 담고 있다.

✓ 선지분석
① 전통적 보수주의와 달리 신보수주의는 국제정치를 선과 악의 대립구도로 파악한다.
② 전통적 보수주의는 동맹의 이익을 강조하나, 신보수주의는 동맹의 이익보다 국가이익을 중시한다.
④ 신보수주의는 자유의 확산을 위해 개입할 수 있다고 보며 군사적 개입까지도 불사한다.

답 ③

008 이라크전쟁(2003.3)에 대한 설명으로 옳지 않은 것만을 모두 고른 것은?

□□□

> ㄱ. UN 안전보장이사회는 2002년 11월 이라크가 '무조건, 무제한적 사찰'을 받아들이도록 요구했고, 이에 따르지 않을 경우에는 '더욱 더 중대한 위반'으로 인정하고 '심각한 결과를 초래'할 것이라는 결의 제 1441호를 채택하였다. 이라크는 결의안을 수용하여 유엔에 의한 사찰이 개시되었다.
>
> ㄴ. 미국과 영국은 이라크가 사찰에 전면적으로 협력하지 않는다고 주장하면서 결의안 제1441호에 따라 이라크 공격이 가능하다고 하였으나, 프랑스와 독일은 군사공격을 위해서는 안전보장이사회에서의 새로운 결의가 필요하다고 반박하였다.
>
> ㄷ. 부시 행정부는 안전보장이사회의 새로운 결의에 따라 이라크를 공격하였으며, 프랑스, 독일, 일본 등 주요 우방을 제외한 44개국이 전쟁에 참가 또는 지지를 표명하였다.
>
> ㄹ. UN안전보장이사회는 2004년 6월 결의를 통해 미국의 이라크 공격의 국제법 위반을 확인하고 미국에 대한 경제 제재를 결정하고자 하였으나 미국의 거부권 행사로 무산되었다.

① ㄱ, ㄴ   ② ㄱ, ㄷ

③ ㄴ, ㄹ   ④ ㄷ, ㄹ

정답 및 해설
___

이라크전쟁에 대한 설명으로 옳지 않은 것은 ㄷ, ㄹ이다.

ㄷ. 미국의 입장을 지지 또는 참전한 국가들을 '의지의 연합(Coalition of the willing)'이라고 한다. 여기에는 프랑스, 독일은 제외되었으나, 일본을 포함 한 44개국이 포함되었다.

ㄹ. UN안전보장이사회는 2004년 6월 결의를 통해 2004년 6월 말 이라크 잠정정권에 대한 주권의 이양, 2005년 1월 말까지 과도정부 수립, 동년 말까지 신헌법에 기초한 정식 정권의 발족을 요구하였다. 이라크 공격 이후 대 미국 제재에 관한 결의는 없었다.

답 ④

---

009 부시(G.W.Bush) 행정부의 대외정책에 대한 설명으로 옳지 않은 것은?

□□□

① 제1기 행정부는 변환외교를 통해 아프가니스탄과 이라크에 대한 군사개입을 단행하였다.

② 2.13 합의에 따라 북한을 테러지원국 명단에서 삭제하였다.

③ 북한의 요구 및 중국의 중재에 기초하여 6자회담을 처음으로 개최하였다.

④ 전 세계에 주둔하고 있는 미군을 '불안정의 호'지역으로 재배치하기로 결정하고 실제로 시행하였다.

정답 및 해설
___

변환외교는 2기 외교정책이다. 1기 외교정책은 정권교체외교이다.

답 ①

010 신보수주의의 기초가 되는 사상으로 옳지 않은 것은?

□□□

① 미국 예외주의에 기초한 도덕적 우월주의를 바탕으로 한다.

② 서구 민주주의는 비서구 국가에 일괄적으로 적용할 수 없다.

③ 문명화를 위해서는 전쟁이 필요악이다.

④ '힘을 통한 평화' 등 공세적 성격을 갖고 있다.

정답 및 해설

신보수주의는 서구민주주의 등 미국적 가치를 전세계에 전파해야 한다고 본다. 따라서 비서구 국가들을 민주화시키기 위해 정권교체 전략을 채택하였다.

⊘ 선지분석

① 도덕적 우월주의는 신보수주의의 근간이 되는 사상이며 이에 따라 미국적 가치를 전파하고자 한다.

③ 신보수주의는 악을 제압하고 선을 구현하기 위한 전쟁이 반드시 비도덕적이라고 보지는 않는다.

④ 신보수주의는 공세적 현실주의에 입각하고 있으며, 미국을 방어하기 위해서는 동맹국의 반대가 있더라도 단독적 군사행동을 불사해야 한다고 본다.

답 ②

011 부시 행정부의 외교전략으로 옳은 것은?

□□□

① 미국 및 동맹국의 지속적 성장을 확보하고 중국의 발전을 억제하기 위해 에너지 자원 확보와 통제에 주력하였다.

② 대량살상무기에 대한 대응으로 공세적인 반확산전략(counter - proliferation)보다 다자적 접근인 비확산전략(non-proliferation)에 치중하였다.

③ 테러세력, 불량국가 등 새로운 위협에 대하여 강경한 대응보다 포용정책을 우선적 전략으로 추진하였다.

④ 쌍무적 FTA 체결보다 국제기구 등 다자제도를 통한 문제해결을 중시하였다.

정답 및 해설

미국은 에너지 자원의 확보와 통제에 박차를 가하고 있다. 이라크나 아프가니스탄에 대한 공격, 중앙아시아에 대한 영향력 강화는 이러한 견지에서 해석할 수 있다.

⊘ 선지분석

② 미국은 대량살상무기에 대응하기 위해 다자적 접근인 비확산전략보다 공세적이고 선제적인 반확산전략을 구사하고 있다.

③ 미국은 새로운 위협에 대해 전반적으로 패권안정 전략을 구사하고 있다. 압도적 핵 우위를 유지하여 핵 위협에 대응하는 것이 현실적이라고 본다.

④ 미국은 일방적, 쌍무적, 다자적 접근을 혼용하여 미국적 표준의 확산을 기도하고 있다. 최근에는 다자주의인 DDA의 정체로 쌍무적 FTA에 보다 중점을 두고 있는 것으로 평가된다.

답 ①

012 2006년 미국의 국가안보전략(NSS)의 내용으로 옳지 않은 것은?

① 인간의 존엄성을 고양하기 위해 '폭정의 종식' 및 '민주주의의 확산'이라는 분명한 목표를 제시하고 있다.

② 타국과의 협조보다는 미국의 압도적 무력 사용이 중요하다는 일방주의에 기초하고 있다.

③ 테러와의 전쟁에서 장기적으로 완승을 거두기 위해서는 테러발생의 근원을 제거할 수 있는 민주주의의 확산이 필요하다고 본다.

④ 미국과 동맹국을 보호하기 위해 모든 수단을 동원할 것을 천명하였다.

> **정답 및 해설**
>
> 지구촌의 주요 파워센터(power house)들과 새로운 협조원칙을 적용해야 함을 명시하고 있다. 이러한 미국의 노력은 새로운 외교정책의 가능성을 보여주었다.
>
> **☑ 선지분석**
>
> ① 폭정의 종식과 민주주의의 확산이라는 목표를 제시할 뿐만 아니라 이 목표를 달성하기 위한 구체적이고 실용적인 수단들을 예시하고 있다.
> ③ 민주주의를 통해 테러를 근절할 수 있다는 믿음에 기초하고 있으며 네 가지 대테러 전쟁목표를 제시하고 있다.
> ④ 예방과 자위권의 차원에서 핵무기를 사용하는 선제공격까지도 과감히 감행할 것을 천명함으로써 폭정 국가들을 강하게 압박하고 있다.
>
> 답 ②

013 부시 행정부 하에서 추진되었던 해외주둔 미국 재조정(GPR)의 배경으로 옳지 않은 것은?

① 중동과 중앙아시아의 전략적 중요성이 증대되었다.

② 지상군의 중요성이 커진 반면 해공군력을 최소화할 필요성이 대두되었다.

③ 중장기적으로 중국에 대비하기 위해 재조정이 요구된다.

④ 반테러전쟁을 보다 효과적으로 수행하고자 한다.

> **정답 및 해설**
>
> 전쟁 개념이 재래식 작전으로부터 '신속결전'으로 변화하면서 병력구조를 재편할 필요성이 제기되었다. 즉 해·공군력을 강화하고 지상군을 정예화하고자 한다.
>
> **☑ 선지분석**
>
> ① 테러세력의 근원지에 보다 근접한 중동, 중앙아시아에 미군을 전진 배치하고자 한다.
> ③ 미국은 중국의 변화가능성을 주시하고 있으며, 아태지역에 미군을 전진 배치하는 한편 미·일 동맹을 강화하고 한·미 동맹을 재조정하고자 한다.
> ④ 부시 행정부는 WMD 확산가능성이 높은 지역으로 미군 기지를 배치하고자 한다.
>
> 답 ②

014 2001년 4년 주기 국방검토 보고서(QDR)가 제시하고 있는 21세기 미국 안보에 대한 위협으로 옳지 않은 것은?

① 불량국가의 재래식 전투능력이 미국을 능가하는 수준으로 향상되었다.
② 21세기 국력분포가 유동적으로 변화하여 불확실성이 높아졌다.
③ 기술진보로 인해 새로운 군사경쟁 영역이 등장했다.
④ 작전 차원에서 해외주둔 미군, 동맹국에 대한 WMD와 운반수단의 위협이 증가되었다.

정답 및 해설

불량국가가 위협 요인으로 작용하는 것은 그들이 핵무기 및 생화학무기 등 WMD를 개발, 확산할 위험이 있기 때문이다. 재래식 전투능력에서는 미국이 압도적 우위를 차지하고 있다.

✓ 선지분석
② 냉전기에는 미국과 소련이라는 양대 진영을 중심으로 국력분포가 고정적으로 유지되었으나, 21세기 비대칭적 안보위협은 국력분포를 유동적으로 바꾸어놓고 있다.
③ 기술진보는 물리적 영토뿐 아니라 우주와 사이버 공간까지도 군사경쟁 영역으로 변화시켰다.
④ 잠재적 적대국은 기술발전을 토대로 탄도미사일 등 다양한 공격 수단을 확보할 것으로 예측된다. 이는 해외주둔 미군과 동맹국에 대한 위협이 될 뿐 아니라 미국 본토까지도 공격당할 수 있음을 의미한다.

답 ①

015 2002년 미국의 핵태세검토보고서(NPR)에 대한 설명으로 옳지 않은 것은?

① NPR에서는 능력기반접근법을 채택, 테러에 대해서는 소극적 억지가 어렵기 때문에 사전에 적의 능력을 제거하는 방향으로 대응하는 방법으로 전환하였다.
② 신 삼중점(New Triad)체제란 ICBM, SLBM, 전략폭격기를 의미한다.
③ 미국의 선제핵공격 전략은 핵선제 불사용 보장(NSA: Negative Security Assurance)에 위반된다는 비판이 있다.
④ 미국은 NPT 체제만으로는 핵확산을 막는 것이 어렵다고 판단하고 상호확증파괴(MAD)에서 일방적 파괴원칙(UAD)로 전환하였다.

정답 및 해설

ICBM, SLBM, 전략폭격기는 기존 삼중점이고, 신 삼중점은 핵무기뿐 아니라 비핵무기까지 포함하는 것으로서 MD를 중심으로 한 포괄적 방어체계 구축, 새로운 위협에 대비한 방어인프라 강화 등이 내용에 포함된다.

✓ 선지분석
③ 미국은 NPR의 의도가 핵전쟁이 아니라고 말하며 부인하고 있기는 하다.

답 ②

016 2002년 9월 20일 발표된 미국의 국가안보전략(NSS)의 배경 및 주요 내용과 일치하지 않는 것은?

① 테러 및 WMD 위협 제거를 국가안보정책의 최우선 목표로 설정하였다.
② WMD 확산 방지를 위해 기존의 비확산체제를 강화할 뿐 아니라 적극적 반확산 노력에 힘쓰고 있다.
③ 군사력 향상에 집중하기 위해 빈국에 대한 경제적 원조를 감소시키고자 한다.
④ 선제공격의 불가피성을 역설하였다.

정답 및 해설

빈곤 국가들을 경제적으로 강화하는 것은 테러리즘의 토양을 제거할 수 있다는 인식을 기초로 하고 있다. 따라서 빈곤 국가들에게 발전의 기회를 제공하기 위한 대외원조를 지속하고자 한다.

⊘ **선지분석**
① NSS는 테러 척결에 우선순위를 두고, 미국 및 우방국에 대한 공격을 방지하기 위한 군사력 유지, 동맹 강화 등을 강조한다.
② 비확산체제로 NPT를, 적극적 반확산 노력으로 PSI와 MD, 선제공격을 들 수 있다.
④ 합리성을 부인하는 테러집단 또는 실패한 국가(failed state)에 대해 억지전략이 통용될 수 없으며, 선제공격이 불가피함을 주장한다.

답 ③

017 9·11 테러 이후 미국은 안보전략을 변환시켰다. 관련된 설명으로 옳지 않은 것은?

① 미국의 동맹전략은 거점과 거점을 연결하는 전략에서 거점을 중시하는 방식으로 변화하였다.
② 미국은 21세기 테러를 미국의 생존과 가치를 근본적으로 위협하는 새로운 위협으로 규정하였다.
③ 대테러전을 위해 필요하다면 선제공격과 일방주의 정책도 불사할 것을 천명하였다.
④ 군사적 조치에서 끝나지 않고 기본적으로 미국이 추구하는 자유와 민주주의를 전세계에 확산하는 것을 근본적 목표로 한다.

정답 및 해설

설명이 반대로 되었다. 탈냉전기의 미국의 동맹전략은 거점위주의 방식보다는, 거점과 거점을 연결하는 네트워크에 더 중요한 의미를 부여한다.

답 ①

018 9·11 테러와 미국의 군사안보 전략에 관한 설명으로 옳지 않은 것은?

☐☐☐

① 9·11 테러는 미국의 안보위협세력의 실체를 정의하게 하였는데, 이는 테러세력과 이들을 지원하는 불량국가 및 대량살상무기의 위협이었다.

② 미국은 9·11 테러가 일어날 때까지 봉쇄와 억지 전략을 사용하였는데, 이 중 억지전략은 테러리스트들에게도 사용가능하다.

③ 미국은 테러리즘, 불량국가, WMD가 결합하는 것을 막기 위해서라면 선제공격도 불사하게 되었다.

④ 미국 군사전략 변화의 핵심은 군사변환이라고 할 수 있는데, 이는 산업사회 군사력을 정보화 시대의 그것으로 변경하는 것뿐 아니라 냉전기 군사태세를 탈냉전기 군사태세로 전환하는 것을 의미한다.

정답 및 해설

억지전략은 억지대상의 합리성을 전제로 공격시 보복을 받아 도발의 목적을 달성하지 못함을 인식시킴으로써 최초 도발을 단념시키는 전략이다. 그러나 9·11 테러세력은 합리적이지 못하였으므로 억지전략은 통하지 않게 된다.

✓ 선지분석

① 이들은 냉전기 실체가 분명한 위협(공산세력)에 대한 대책으로는 막을 수 없는 것이다.

③ 이라크 전쟁이 좋은 예라고 할 수 있다.

답 ②

---

019 9·11 테러 이후 아프가니스탄에서 벌어진 전쟁에 대한 설명으로 옳은 것은?

☐☐☐

ㄱ. 미국의 공격 결과 2001년 11월 탈레반 정권은 붕괴하였고, 당시 탈레반 최고 지도자 무함마드 오마르는 체포하였으나 빈 라덴은 체포되지 않았다.

ㄴ. 미국과 영국 주도의 아프가니스탄 공격은 반테러의 명분을 세웠으나 무력을 사용했다는 이유로 국제사회로부터 비난을 받았다.

ㄷ. UN안전보장이사회는 2001년 12월 국제치안지원부대(ISAF)의 설치를 결정하였다.

ㄹ. 2002년 6월 아프가니스탄에는 카르자이를 수반으로 하는 과도정부가 설립되었고, 뒤이어 국민대회의에서 헌법초안이 승인되었다.

① ㄱ, ㄴ   ② ㄱ, ㄷ

③ ㄴ, ㄹ   ④ ㄷ, ㄹ

정답 및 해설

9·11 테러 이후 아프가니스탄에서 벌어진 전쟁에 대한 설명으로 옳은 것은 ㄷ, ㄹ이다.

✓ 선지분석

ㄱ. 미국의 공격으로 탈레반 정권은 붕괴하였으나 탈레반 최고지도자 무함마드 오마르와 빈 라덴은 체포되지 못했다. 빈라덴은 최근에 사살되었다.

ㄴ. 동시다발테러 사건이 배경이었기 때문에 미국과 영국의 아프가니스탄 공격은 국제사회로부터 대부분 지지를 얻었다.

답 ④

020 미국의 아프가니스탄 전쟁(2001년 10월 7일~2021년 8월 15일)에 대한 설명으로 옳지 않은 것은?

□□□

① 2001년 9·11 테러 이후 미국 대통령 조지 W. 부시는 탈레반에 오사마 빈라덴의 인도와 알카에다 축출을 요구했으나 탈레반은 빈라덴이 9·11 테러에 개입한 명백한 정황이 있음에도 그 인도를 거부하였고, 다른 관련자 인도 요구도 묵살하자 미국은 2001년 10월 7일 영국과 함께 항구적 자유 작전을 개시했다.

② 북대서양조약기구(NATO)는 2003년 8월부터 국제안보지원군에 개입하기 시작했고, 2003년 말 국제안보지원군의 지도권을 인수했다.

③ 트럼프 행정부는 2014년 5월 미국은 주요 작전이 2014년 12월 종료되고 잔여 병력을 아프가니스탄에서 철수한다고 선언했다.

④ 2021년 5월부터 미군이 아프간에서 철수하기 시작하였고 2021년 8월 15일 아프가니스탄 정부가 탈레반에 항복하면서 탈레반은 카불에 무혈입성하여 미국의 아프간 개입외교는 막을 내리게 되었다.

정답 및 해설

오바마 행정부는 2014년 5월 미국은 주요 작전이 2014년 12월 종료되고 잔여 병력을 아프가니스탄에서 철수한다고 선언했다.

답 ③

---

021 2003년 발생한 이라크 전쟁에 대한 설명으로 옳은 것은?

□□□

> ㄱ. UN안전보장이사회가 채택한 결의안 1441호는 이라크의 '무조건, 무제한적인 사찰'을 받아들이도록 요구했고, 이라크는 이를 수락하였다.
> ㄴ. 이라크 사찰에 대해 각 국가들은 일치된 의견으로 미국의 입장을 지지하였고, 2003년 부시 미 대통령은 사담 후세인 대통령 등에게 48시간 이내에 국외 퇴거를 요구하였다.
> ㄷ. 이라크전쟁을 통해 미국과 유럽의 관계는 더욱 돈독해졌으나, 중동 이슬람 세계에서는 반미 감정이 고조되었다.
> ㄹ. 이라크전쟁 이후 적극적으로 개입하였던 미국은 점차 이라크 측에 대한 조기주권 이양과 UN의 개입 확대로 방침을 수정하였다.

① ㄱ, ㄴ   ② ㄱ, ㄹ   ③ ㄴ, ㄷ   ④ ㄷ, ㄹ

정답 및 해설

이라크전쟁에 대한 설명으로 옳은 것은 ㄱ, ㄹ이다.

✅ 선지분석

ㄴ. 이라크 사찰에 대해 미국과 영국은 이라크가 전면적으로 협력하지 않는다고 주장하면서, 이에 더하여 결의안 1441호가 규정한 '심각한 결과'는 대 이라크 공격을 용인한다는 입장을 취했다. 반면 프랑스와 독일은 사찰의 계속과 군사공격에는 추가적인 안전보장이사회 결의가 필요하다고 주장하였다. 이렇게 이라크전쟁에 대한 국제사회의 의견이 분열되는 가운데 부시 대통령은 이라크전쟁을 감행하였다.

ㄷ. 이라크 사찰에 대한 입장 차이에서 볼 수 있듯, 이라크전쟁을 둘러싸고 국제사회가 분열되고 있었으며, 이후 전쟁의 정당성과 선제공격의 정당성 등을 포함한 광범위한 문제가 제기됨으로써 미국과 유럽의 균열이 명백해졌음을 볼 수 있었다.

답 ②

022

오바마 행정부의 외교정책에 관한 설명으로 옳지 않은 것은?

① 2009년 집권 초기 러시아 정책 기조로 리셋(Reset) 정책을 추진하였다.

② 이란에 대해서는 대 이란 지역적 고립화 정책 지속하면서, 지금까지 다자적 접근방법이 효과가 없었다는 평가 하에 양자적 접근을 추진하였다.

③ 오바마 행정부의 대북정책은 대체로 '전략적 인내' 정책의 지속으로 평가되었다.

④ 아시아·태평양 지역의 중요성을 재인식하여 '아시아로의 회귀(pivot to Asia)' 또는 '전략적 재균형'(strategic rebalancing) 전략을 전개하였다.

정답 및 해설

이란에 대해서는 대 이란 지역적 고립화 정책 지속, 핵문제 해결을 위한 'P5+1'협의 메커니즘을 계속 유지하고 있다. 'P5+1'은 유엔 상임이사국 5개국(미·러·영·프·중)과 독일이 참여하는 다자간 협력체를 의미한다. 이를 통해 이란 핵문제에 관하여 지속적인 외교적 관여를 진행하고 있다.

☑ 선지분석

① 리셋(Reset) 정책이란 미국이 그 동안 대립관계를 형성해 오던 국가들(러시아, 이란, 쿠바)과의 적대 관계를 원점에서 재정립하고자 하는 외교적 노력을 말하는 것으로, 2009년 미국 오바마 대통령의 취임식에서 처음으로 천명되었다.

③ '전략적 인내' 정책이란 보상을 전제로 한 협상 및 대화 대신 제재와 무대응으로 북한의 변화를 유도하는 정책기조를 말한다.

답 ②

023

오바마 행정부의 대외전략에 대한 설명으로 옳지 않은 것은 모두 몇 개인가?

> ㄱ. 핵안보정상회의를 개최하여 비확산규범을 준수하지 않는 국가들에 대한 수평적 핵확산 방지를 다자 차원에서 모색하고자 하였다.
> ㄴ. 경성권력 대신 연성권력을 중시하는 '스마트 파워 외교'를 제시하고 이를 위해 공공외교를 확대하였다.
> ㄷ. 2005년 싱가포르, 뉴질랜드, 칠레, 부르나이를 중심으로 출범한 '환태평양파트너십(TPP)'에 가입의사를 처음으로 표명하고 협상을 계속해 나갔다.
> ㄹ. 부시 행정부의 확산방지구상(PSI)을 승계하였으나 물리적 차단보다 PSI 회원국들 간 확산 관련 '정책 및 정보공유와 협조'를 중심으로 전개하였다.
> ㅁ. 북한의 미사일 위협에 대응하기 위해 괌에 THAAD 배치를 완료하였다.

① 1개　　　　② 2개　　　　③ 3개　　　　④ 5개

정답 및 해설

오바마 행정부의 대외전략에 대한 설명으로 옳지 않은 것은 ㄱ, ㄴ, ㄷ으로 모두 3개이다.

ㄱ. 핵무기 비확산 관련 공조체제 강화를 '비확산전략'이라 한다. 핵안보는 '비국가행위자'에 의해 핵무기나 핵물질의 도난, 불법거래, 관련 시설 파괴행위 등을 통제하는 개념이다.

ㄴ. 스마트 파워 외교는 경성권력과 연성권력을 지혜롭게 배합하자는 취지의 외교전략 노선이다. 즉, 경성권력을 배제하고 연성권력만을 추구하는 전략이 아니다.

ㄷ. TPP가입의 경우 오바마 행정부 직전의 '부시 행정부'에서 가입 의사를 표명하였다. 협상은 오바마 행정부에서 진행하여 타결하였다.

답 ③

024 오바마 정부의 재균형(Rebalancing) 전략에 관한 내용으로 옳은 것만을 모두 고른 것은?

> ㄱ. 미국은 동북아 지역에서 미사일 방어체제(MD: Misile Defence)를 구축하면서 일본, 호주 등과 미사일 방어를 강화하기 위한 협력을 추진하였다.
> ㄴ. 미국은 아시아에서의 자신의 지도적 지위를 확인시키고 지역질서 재편을 주도하기 위해 동맹국 및 파트너 국가들과의 안보협력을 강화하고, 환태평양파트너십(TPP: Trans - Pacific Partnership) 협상을 주도하고, 동아시아정상회의(EAS: East Asia Summit)에 적극적으로 참여하는 등 포괄적인 재균형 전략을 추구하였다.
> ㄷ. 오바마 행정부의 아시아의 전략적 중요성에 대한 강조에도 불구, 2013년도 국방예산에 대한 예산자동삭감(sequestration)이 이루어져 시리아 내전, 이란 핵개발 등 상대적으로 가시적인 분쟁이 일어나는 중동지역에 전력을 우선배치 하였다.
> ㄹ. 급격하게 군사력이 증강되고 있는 중국에 대응하여 미국은 지역접근저지(A2/AD: Anti - Access/Area Denial)능력을 개발하여 실질적 군사적 재균형을 통해 현재의 확고한 군사적 우위를 유지하고자 하였다.

① ㄱ, ㄴ   ② ㄱ, ㄷ   ③ ㄴ, ㄹ   ④ ㄷ, ㄹ

정답 및 해설

오바마 정부의 재균형(Rebalancing) 전략에 관한 내용으로 옳은 것은 ㄱ, ㄴ이다.

✅ **선지분석**
ㄷ. 미국은 새로운 전략을 이행하면서 아시아 - 태평양 지역의 군사력을 점진적이지만 지속적으로 증강하고 있다. 특히, 해, 공군을 중심으로 첨단 전력이 우선적으로 증강 배치되고 있으며, 이라크 - 아프가니스탄 전쟁의 마무리와 함께 보다 본격적으로 중동 지역의 전력이 아시아 - 태평양 지역으로 재배치되고 있다.
ㄹ. 지역접근저지(A2/AD: Anti-Access/Area Denial)는 중국의 군사전략으로 Anti-Access: 접근차단. 3000km급 장거리 미사일로 중국을 중심으로 한 원해 접근을 차단하는 전략 / Area Denial: 국지거부. 1500km급 중단거리 미사일로 중국의 근해 침입을 거부하는 전략을 의미한다.

답 ①

025 오바마 행정부가 추진하는 스마트 파워에 대한 설명으로 옳지 않은 것은?   2015년 외무영사직

① 스마트 파워의 전제는 군사력 축소가 아니라 강력한 군사력이다.
② 스마트 파워는 강압보다는 유혹과 매력을 사용하여 다른 행위자의 선호도를 변화시키는 능력을 의미한다.
③ 스마트 파워는 하드 파워와 소프트 파워의 상호적 강화를 통해 미국의 목표를 달성하는 권력을 의미한다.
④ 스마트 파워는 힘, 제재, 보상 등의 방식을 활용하는 동시에 가치, 규범 등을 통해 다른 행위자들의 선호를 변화시켜 미국과 세계의 이익이 일치하도록 만드는 전략이다.

정답 및 해설

연성권력에 대한 정의에 해당한다. 스마트 파워는 연성권력과 경성권력을 전제로 양자를 조화롭게 운용하는 지혜를 말한다.

✅ **선지분석**
① 스마트 파워는 경성권력(군사력 또는 경제력)의 존재와 강화를 전제로 한다.
③ 연성권력과 경성권력의 선순환관계를 만들어내는 것도 스마트 파워라고 본다. 자국의 문화를 확산시킴으로써 문화상품의 수요가 증가하여 자국의 경제력이 강화되는 것을 예로 들 수 있다.

답 ②

026 미국의 2014년 QDR과 관련하여 옳지 않은 것은?

□□□

ㄱ. 아시아의 전략적, 경제적 중요성을 인식하고, 2011년부터 지속되어온 '아시아로의 회귀(Pivot to Asia)', 즉 재균형정책(Rebalancing)에서 아태지역에 군사력을 집중시키겠다는 의지를 표명하였다.

ㄴ. QDR에서는 미국이 지켜야 할 핵심적 국익을 첫째, 미국본토, 미국인, 동맹국, 파트너국의 안전 확보, 둘째, 개방적 국제경제체제 유지, 셋째, 자유민주주의와 인권존중의 보편적 가치 확산, 넷째, 미국 지도 아래 국제질서 유지의 네가지로 규정하고 있다.

ㄷ. 방위전략지침에서 미국 본토 및 동맹국의 평화와 안정을 국방우선순위 처음에 올려놓았다.

ㄹ. QDR이 규정하고 있는 미국의 세가지 전략축(strategic pillars)은 본토방어, 국제안보확보, 자유민주주의 질서 수호이다.

① ㄱ, ㄴ　　　　② ㄱ, ㄹ　　　　③ ㄴ, ㄷ　　　　④ ㄷ, ㄹ

정답 및 해설

미국의 2014년 QDR과 관련하여 옳지 않은 것은 ㄷ, ㄹ이다.
ㄷ. 방위전략지침에서 미국은 아태지역의 평화와 안정을 국방 우선순위 처음에 올려놓았다.
ㄹ. QDR상 규정한 미국의 세가지 전략축은 본토방어, 국제안보확보, 결정적 승리이다.

답 ④

027 2011년 발간한 미국 국가군사전략을 토대로 미국의 국가안보전략에 대한 설명으로 옳지 않은 것만을 모두 고른 것은?

□□□

ㄱ. 이번 보고서의 발표는 중국의 부상에 따른 미국의 안보환경 변화에 대한 인식이 반영되어 있다.

ㄴ. 국제적 전략 환경의 변화 및 다양한 비국가행위자의 등장과 영향력 확대로 미국 중심의 우월전략에서 벗어나 다자적 합의를 이끌어 내려는 시도를 담고 있다.

ㄷ. 중국의 부상이 가시화됨으로써 대중국 포용정책의 일환으로 한국, 미국, 중국, 일본과의 연계를 통해 군사적 유대관계를 강화하려는 시도를 보이고 있다.

ㄹ. 미국의 전략적 우선순위와 이해관계의 중심을 아시아 – 태평양 지역으로 이전하고, 우방국과의 군사동맹 강화 및 교류 활성화를 통해 잠재적 안보위협에 대응하는 군사전략을 구사할 것으로 전망된다.

① ㄹ　　　　② ㄱ, ㄴ　　　　③ ㄴ, ㄷ　　　　④ ㄷ, ㄹ

정답 및 해설

2011년 발간한 미국 국가군사전략을 토대로 미국의 국가안보전략에 대한 설명으로 옳지 않은 것은 ㄴ, ㄷ이다.

ㄴ. 해당 보고서에 제시된 미국의 군사적 방안은 국제적 전략환경의 변화, 다양한 비국가적 행위자의 등장과 영향력 확대에도 불구하고, 미국은 여전히 세계 최강의 국가로 존재하고 있음을 전제로 국제질서 유지를 위한 미국의 군사력 운용지침을 설정하고 있다. 즉 미국의 우월적 군력 유지를 위한 군사전략을 구사함으로써 군사적 우위를 통한 억제, 격멸 의지를 제시하고 있다.

ㄷ. 해당 보고서에서는 미국의 대(對) 중국 견제 군사전략을 명시하여 한 – 미 – 일 군사동맹의 상호연계를 모색하고 있다. 해당 보고서의 내용을 토대로 볼 때, 미국은 중국에 대해 정치적인 '협력'과 군사적인 '경계'라는 이중적인 전략을 구사하는 것으로 분석된다. 특히 최근 개발된 중국의 '둥평(DK) – 21' 미사일 개발, 스텔스 전투기 제조, 항공모함의 건조 등의 중국 군사력의 팽창은 미국의 강한 경계심을 야기시키며, 이에 대한 적극적인 군사적 대응전략을 모색하고 있다.

답 ③

028

2011년 발간된 미국의 4개년 외교·개발검토(QDDR)보고서에 대한 설명으로 옳지 않은 것은?

① 콘돌리자 라이스 국무장관이 역설한 변환외교에 기원을 두고, 힐러리 클린턴 장관이 적극적으로 추진해온 스마트 외교의 청사진이다.

② 이 보고서의 핵심은 미국 외교관이 공공영역과 민간영역을 구분하여 각 영역에 걸맞는 전략을 추진해야 함을 담고 있다.

③ 개발지원을 통해 취약하거나 실패한 국가들이 미국과 협력할 수 있는 파트너로 성장함으로써 지역 및 글로벌 문제를 해결하여 민주주의 및 인권을 개선시켜 나가려 한다.

④ QDDR에서는 신속대응외교팀 신설을 권고함에 따라 미국국제개발처(USAID)는 지구촌 재난에 대응해 24시간 이내에 재난 지역에 신속대응팀을 파견하려 한다.

정답 및 해설

QDDR 보고서의 핵심은 미국 외교관들이 공공영역과 민간영역 사이의 벽을 허물고 외교에서 민간 역량 활용을 극대화해야만 전세계의 각종 현안에 대해 효율적으로 대처할 수 있다는 내용이다.

답 ②

029

다음에서 설명하고 있는 것은?

> G2 체제의 상징이다. 이 회합은 부시 행정부 시절의 고위급 회담이 장관급 회담으로 승격한 것으로 미국의 제안에 의해 2009년 성립됐다. 매년 양국 수도에서 번갈아 개최되는 이 회의는 무역, 투자, 금융 등 국제경제 현안뿐만 아니라 국제안보전략 이슈들도 논의한다.

① 미·중 전략경제대화
② 미·중 정상회담
③ 미·중 국방장관회담
④ 미·중 인권대화

정답 및 해설

제3차 미·중 전략경제대화를 통해 위안화와 인권문제뿐만 아니라 군사·지역안보 등의 영역으로 확대되어 다루어질 수 있게 되었다. 군사안보분야를 비롯한 아시아·태평양지역 및 핵비확산 등 다양한 의제에 대한 논의가 이뤄졌다.

☑ 선지분석

② 미·중 정상회담은 오바마 대통령의 초청과 후진타오 중국 국가주석의 방문으로 성사되었으며 핵무기와 대량살상무기, 전염병 및 기후변화 등에 대한 효과적인 대응 등 국제적·지역적 문제들의 해결을 위한 협력강화에 합의했다. 한반도 문제와 관련해서도 양측은, 한반도의 비핵화는 동북아 역내의 안정과 평화에 매우 중요하다는 점에 재차 인식을 함께했다. 이와 동시에 북한의 우라늄 농축 프로그램에 대해서도 공동으로 우려를 표시하였다.

③ 미·중 국방장관회담은 2011년 로버트 게이츠 미국 국방장관이 중국에 방문하여 1년간 중단되었던 미중 군사대화를 재개하였다. 중국 후진타오 국가주석의 방미에 맞춰 미·중 간 안보·군사 의제의 사전조율 성격을 띤 회담이었다.

④ 미·중 인권대화는 2년여간 중단되었다가 올해 개최되었으나, 중국 정부는 여전히 인권문제에 대해 국내문제로서 타국의 개입을 인정하지 않고 있다.

답 ①

030 다음 빈칸에 들어갈 미국 세계외교전략 기조로 옳은 것은?

오바마 행정부의 세계전략 기조인 (ㄱ)적 국제주의와 (ㄴ)적 실용주의는 대(對) 중·러 정책에 그대로 반영되어 왔다. 부시 행정부의 과도한 반테러전쟁으로 인해 발생한 금융위기와 경제력 손상을 극복하며 일방주의로 손상된 국제 지도력을 회복하기 위하여 국제 협력을 도모하면서 선택과 집중을 통해 가장 중요한 현안부터 해결해가는 전략 방향에 따라 중국과 러시아의 강점에 맞는 협력을 모색해왔다.

	ㄱ	ㄴ
①	자유주의	자유주의
②	자유주의	현실주의
③	현실주의	자유주의
④	현실주의	현실주의

정답 및 해설

ㄱ. 자유주의적 국제주의란 동맹의 틀에 얽매이기보다는 동맹을 유지·조정하면서 양자·다자 외교협력을 통해 국제사회와 미국이 당면한 문제들을 해결하는 데 지도력을 발휘하는 것이고, ㄴ. 현실주의적 실용주의는 이념과 가치 문제보다 정치·경제·안보 문제를 더 중시하는 정책성향을 지칭한다.

답 ②

031 괄호 안에 들어갈 말로 옳은 것은?

2009년 4월 5일 체코 프라하에서 (   )을 주제로 한 연설에서 미국의 오바마 대통령은 핵 테러를 국제 안보에 대한 가장 큰 위협으로 지목하고 핵안보 강화의 필요성을 주장하였다. 그는 "냉전식 사고방식에 종지부를 찍고, 국가안보 전략에서 핵무기의 구실을 줄여나갈 것"이라고 강조하며 (   )을 역설하였다.

① 테러와의 전쟁　　　　　　　　　　② 핵억지 전략
③ 핵의 평화적 이용　　　　　　　　　④ 핵 없는 세상

정답 및 해설

오바마 대통령은 2009년 4월 5일, 체코 프라하의 흐라드차니 광장에서 이루어진 특별 연설에서 '핵 없는 세상 (nuclear-free world)'을 주제로 전세계적인 핵안보의 강화를 강조하였다. 그는 잘못된 행동은 대가를 치러야 한다는 전제조건을 강조하면서 핵무기 확산이 막을 수 없는 현상이라고 받아들이는 숙명주의야말로 진정한 적이라고 했다. 또한 이러한 목적을 구체적으로 추진하고 달성하기 위해 국제안보 분야 최고위급 포럼인 핵안보정상회의를 제안했다.

> **관련 이론** 오바마가 주장한 '핵 없는 세상(Nuclear-free world)'을 위한 세 가지 단계
> 첫째, 다른 나라들과 연계한 미국의 핵무기 감축
> 둘째, 핵무기 확산 방지를 위한 국제 사회의 협력
> 셋째, 테러리스트들의 핵무기 보유 차단

답 ④

032 2012년 1월 발표된 미국의 '신(新)국방전략' 지침의 내용으로 옳지 않은 것은?

① 중동과 아시아지역에서 2개 전쟁을 수행하기 위한 'win-win' 전략을 국방전략의 근간으로 삼는다.
② 군사중점을 이라크, 아프간에서 중국과 이란으로 이전한다.
③ 아시아 지역의 동맹국 및 파트너 국가들과의 관계강화를 추진한다.
④ 유럽지역에 주둔하고 있는 지상군을 약 절반 규모로 감축한다.

정답 및 해설

신국방전략의 핵심은 미국이 경제력 약화에 따른 국방예산 충족의 한계에 부딪쳐 그동안 유지해 왔던 '두 개 전장에서의 승리'(win-win) 전략을 현실적으로 축소하여 '한 개 전장에서의 승리, 다른 한 개 전장의 억제'로 전환한 것에 있다.

> **관련 이론 오바마 행정부의 신(新)국방전략**
>
> 2012년 1월 오바마 행정부는 '미국의 세계적 지도력 유지: 21세기 국방우선순위'라는 제목으로 미국의 '신(新)국방전략' 지침을 제시하였다. 미국 신국방전략의 출현은 미국경제의 약화와 더불어 약 4조 달러에 이르는 이라크, 아프간 전쟁비용 등으로 인한 과다한 재정부담을 떠안고 있는 상황에서 국방비를 감축하기 위한 전략 전환에 기인한다. 지상 군의 감축을 통해 국방비를 감축하는 반면, 미래전에 부합하는 합동전력을 조정하여 군사력의 신속성과 융통성을 제고 시키고자 한다. 또한 유럽지역의 안보위협 축소에 따라 이 지역 안보를 NATO에 일임하고, 새로이 부상하는 중국의 군사력 위협에 미국의 국방력을 집중하고 동맹국과 협동대응하기 위한 것에 근본적인 목적이 있다.

답 ①

---

033 미국은 동아시아 재개입정책의 일환으로 이른바 '공해전투 전략'을 추진하고 있다. 동 전략에서 강조하는 C4ISR에 해당하지 않는 것은?

① Command-Control-Communications-Computers
② Intelligence
③ Surveillance
④ Re-engagement

정답 및 해설

R은 Reconnaissance를 말한다. C4ISR은 지휘·통제·통신·컴퓨터, 정보, 감시, 정찰을 의미한다. 미국의 공해 전투개념은 통합작전을 위한 명령·통제 네트워크의 발전과 각 군 간 맞춤형 통합작전 능력의 개발을 강조한다.

답 ④

---

034 환태평양 경제동반자협정(Trans-Pacific Partnership: TPP)에 대한 설명으로 옳지 않은 것은?

2014년 외무영사직

① 2005년 뉴질랜드, 싱가포르, 칠레, 태국을 포함한 4개국 체제로 출범하였다.
② 아·태지역의 관세철폐를 포함하는 자유무역협정이다.
③ 미국이 TPP에 참가한 것은 아·태지역 경제 패권을 두고 중국을 견제하려는 목적도 있다.
④ 상품 거래, 원산지 규정, 위생 검역 등 자유무역협정의 주요 사안이 포함되어 있다.

정답 및 해설

2005년 출범당시 뉴질랜드, 싱가포르, 칠레, 브루나이가 참여하였다.

답 ①

035 트럼프 행정부와 오바마 행정부의 대외정책 비교에 대한 설명으로 옳지 않은 것은 모두 몇 개인가?

□□□

ㄱ. 오바마 행정부가 다자주의를 통해 국제협력을 중시한 반면, 트럼프 행정부는 양자주의를 중요시하면서 '미국 우선주의'를 천명하고 있다.

ㄴ. 오바마 행정부가 영국의 EU 탈퇴를 지지하고 EU의 역할과 중요성을 평가하지 않은 반면, 트럼프 행정부는 독일과의 관계 강화를 통해 유럽연합(EU)과의 관계를 중시한다.

ㄷ. 오바마 행정부가 이란과의 관계 개선에 역점을 두었다면, 트럼프 행정부는 중동 지역에서 이란의 세력 확대를 견제하면서, 이 지역의 미국 전통 우방국들(사우디아라비아, 이집트, 이스라엘, 이라크 등)과의 관계 강화를 중시하고 있다.

ㄹ. 오바마 행정부가 이라크와 시리아에서 ISIS 격퇴를 위해 미국 지상군 투입을 하지 않은 반면, 트럼프 행정부는 ISIS 세력 격퇴를 위해 이라크(모술)와 시리아(라카)에 특수부대를 투입하고, 아프가니스탄에 지상군 증원을 검토하는 등 적극적인 군사 개입을 계획하고 있다.

ㅁ. 오바마 대통령이 미·중 간 협의 등 양자 협상을 통해 무역적자 해소를 위해 노력한 반면, 트럼프 행정부는 TPP, NAFTA 등 다자 자유무역협정을 선호한다.

① 1개   ② 2개   ③ 3개   ④ 4개

정답 및 해설

트럼프 행정부와 오바마 행정부의 대외정책 비교에 대한 설명으로 옳지 않은 것은 ㄴ, ㅁ으로 모두 2개이다.
ㄴ. 오바마 행정부가 EU를 중시한 반면, 트럼프 행정부는 EU의 영향력을 낮게 평가하고, 영국의 EU탈퇴를 지지하고 있다.
ㅁ. 오바마 행정부가 TPP, NAFTA 등 다자협정을 선호하는 반면, 트럼프는 양자협상을 보다 선호한다.

답 ②

036 트럼프 행정부의 대외정책에 대한 설명으로 옳지 않은 것은 모두 몇 개인가?

□□□

ㄱ. 중국이 희망하고 있는 세계무역기구(WTO) 상의 "대중국 시장 경제 지위" 부여 문제와 관련하여 트럼프 행정부는 오바마 행정부의 부정적 입장 견지와는 달리 입장 변화 가능성을 검토하였으나 최근 시장경제 지위를 부여하지 않기로 하였다.

ㄴ. 미국은 2017년 4월 환율보고서에서 중국을 '환율조작국'으로 지정하지 않았는바, 북핵 문제 관련 중국의 협조가 긴요한 상황에서 중국을 자극하지 않으려는 조치로 평가된다.

ㄷ. 남중국해문제에 대해서는 자유항행원칙을 강조하면서도, 미국은 호주 북서 지역에 2,500명의 해병대를 순환 배치하고, 싱가포르 인근에 연안 전투함들을 배치했으며, 필리핀과는 수빅만 해군기지, 클라크 공군기지 등 필리핀 내 5개 군사기지 재사용 문제를 마무리했다.

ㄹ. 트럼프 행정부는 시리아 문제를 해결하기 위해 러시아, 터키 등과의 협조를 통해 시리아에 안전지대를 만들어 시리아 난민들을 수용하고, 궁극적으로 시리아를 아사드 통치 지역, 수니 거주 지역, 쿠르드 지역으로 삼분(三分)하여 시리아를 연방 국가로 만드는 방식으로 해결하겠다는 계획을 가지고 있다.

ㅁ. 이란핵문제에 대해 트럼프 행정부는 2017년 4월 19일 오바마 행정부가 2015년 체결한 '이란 핵 합의'에 대해 실패를 선언하고, 트럼프 행정부에서 재검토를 거쳐 유지 여부를 결정하겠다고 밝혔다.

① 없음   ② 1개   ③ 2개   ④ 3개

정답 및 해설

트럼프 행정부의 대외정책에 대한 설명으로 옳지 않은 것은 없으며, 모두 옳은 내용이다.

답 ①

037 트럼프 행정부의 대외정책에 대한 설명으로 옳지 않은 것은 모두 몇 개인가?

□□□

> ㄱ. 2017년 4월 환율보고서에서 중국을 '환율조작국'으로 지정하였다.
> ㄴ. 최근 하나의 중국 원칙을 부인하고 대만과의 군사교류 및 고위급 인사 교류를 강화하고 있다.
> ㄷ. 부시 행정부가 체결한 '포괄적 공동행동계획' 탈퇴를 선언하였다.
> ㄹ. 영국의 EU 탈퇴를 지지하고, 독일과의 관계에서는 무역적자 폭을 줄이는데 초점을 둔다.
> ㅁ. 파리협정과 관련하여 미국의 NDC(2025년까지 온실가스 배출을 26~28% 감축) 이행을 즉각 중단하고 오바마 대통령이 약속한 녹색기후기금(GCF)에 대한 지원도 중단할 것임을 천명하였다.

① 1개 ② 2개
③ 3개 ④ 4개

정답 및 해설

트럼프 행정부의 대외정책에 대한 설명으로 옳지 않은 것은 ㄱ, ㄴ, ㄷ으로 모두 3개이다.
ㄱ. 환율조작국으로 지정되지 않았다.
ㄴ. 하나의 중국 원칙은 지지하고 있다.
ㄷ. 포괄적 공동행동계획은 오바마 행정부가 체결하였다.

답 ③

038 미국의 대중국 탈동조화(Decoupling) 전략에 대한 설명으로 옳지 않은 것은?

□□□

① 세계경제로부터 중국을 분리한다는 의미의 탈동조화(Decoupling)는 오바마정부 때 처음 가시화됐다.
②「외국기업책임법」(Holding Foreign Companies Accountable Act)을 통해 2022년 1월 1일까지 미 상장회사회계감독위원회 기준을 충족시키지 못한 중국기업을 미국 증시에서 상장 폐지하였다.
③ 미국 정부는 2022년 3월 '동아시아 반도체 공급망 네트워크(East Asia Semiconductor Supply Chain Network)'를 출범시켜 중국의 반도체 기술 확보를 견제하기로 하였다.
④ 미국은 2022년 8월 7일 <인플레이션 감축법(Inflation Reduction Act)>을 통해 2024년부터 중국이 아닌 다른 나라에서 소재와 부품을 조달한 배터리에 한해 미국 정부가 제공하는 대당 7500 달러의 전기차 보조금을 받을 수 있게 하는 정책을 통해 중국을 견제하였다.

정답 및 해설

탈동조화(Decoupling)는 트럼프 정부 때 처음 가시화되었다.

답 ①

039 최근 미국의 '인도-태평양 구상'에 대한 설명으로 옳지 않은 것은 모두 몇 개인가?

□□□

> ㄱ. 최근 전략 개념으로 부상한 '인도-태평양'은 환인도양으로 영향력을 팽창시키고 있는 중국에 균형을 맞추기 위한 미국의 지정학적(geopolitical)구상이다.
> ㄴ. 미국은 인도-태평양 전략을 위해 호주, 필리핀, 일본과 '쿼드'라는 새로운 안보 모델을 도입하였다.
> ㄷ. 미국의 인도-태평양 전략은 군사적 유대를 이용하여 중앙아시아에서 환인도양에 이르는 영향권을 형성하는 중국의 '일대일로 구상'에 대응하는 전략이다.
> ㄹ. 우리나라는 지리적으로 중첩되는 신남방정책의 실행을 위해 인도-태평양 지역에서의 경쟁적 상황에 대응할 필요가 있다고 보고, 최근 환인도양연합(IORA)에 대화 파트너로 가입하는 것을 고려하고 있다.

① 1개
② 2개
③ 3개
④ 4개

정답 및 해설

최근 미국의 '인도-태평양 구상'에 대한 설명으로 옳지 않은 것은 ㄴ, ㄷ, ㄹ으로 모두 3개이다.
ㄴ. '쿼드'는 미국, 호주, 인도, 일본을 의미한다.
ㄷ. 경제적 유대를 활용하는 전략이다.
ㄹ. 이미 우리나라는 환인도양연합(IORA)에 가입하였다.

답 ③

040 미국의 인도·태평양 전략에 대한 설명으로 옳지 않은 것은?

2023년 외무영사직

□□□

① 쿼드(Quad)는 인도·태평양 전략 추진을 위한 안보협의체이다.
② 미국은 인도·태평양 전략 추진을 위해 태평양사령부의 명칭을 인도·태평양사령부로 변경하였다.
③ 인도는 미국과의 양자동맹에 입각하여 자유롭고 개방된 인도·태평양 전략 구상에 참여하고 있다.
④ 일대일로(一帶一路)를 통해 아시아, 유럽 등에서의 영향력 확대를 시도하는 중국에 대한 견제 정책이다.

정답 및 해설

현재 미국과 인도는 양자동맹관계는 아니다. 안보협력관계이다.

✓ 선지분석
① 미국의 인도·태평양 전략은 중국의 일대일로 정책에 대응하여 미국의 중국 봉쇄를 목표로 추구하는 전략이다. 쿼드는 인태전략의 핵심 수단으로서 미국, 일본, 호주, 인도 4국 간 안보협의체이다.
② 트럼프 행정부 들어서 태평양사령부를 인도·태평양사령부로 변경하였다.
④ 인도·태평양 전략은 미국이 주도하는 대중국 봉쇄전략으로서 중국위협론에 기초하고 있다.

답 ③

041 **미국의 대중동정책에 대한 설명으로 옳지 않은 것은?**

□□□

① 패권적 일방주의(hegemonic unilateralism)와 공세적 현실주의(offensive realism)에 입각한 부시(G. W. Bush) 행정부의 대(對)중동정책은 이라크 안정화 작전 실패와 맞물려 중동 – 아랍지역 대중들의 극심한 반미주의 정서로 연결되었고, 결국 미국 소프트 파워에 부정적 영향을 미쳤다.

② 1978년 카터(J. Carter) 대통령은 이스라엘의 메나셈 베긴 (Menachem Begin) 수상과 이집트의 안와르 알 사다트(Anwar el-Sadat) 대통령을 중재하여 역사적인 캠프 데이비드 협정(Camp David Accords)을 성사시켰다.

③ 1993년과 1995년 민주당 클린턴 대통령은 이스라엘의 이츠하크 라빈 (Yitzhak Rabin) 수상과 팔레스타인 해방기구(PLO; Palestine Liberation Organization)의 야세르 아라파트(Yasser Arafat) 수반 간의 오슬로 협정(Oslo accord I, II) 타결을 중재하였다.

④ 트럼프 대통령은 중동에서 일단 중요한 양대 전쟁을 종식하여 미군을 철군시키고, 이 지역의 정치적 갈등은 현지 세력들이 직접 해결하여야 한다는 입장을 견지함에 따라 미국은 역외에서 필요시 지역 내 갈등 중재 및 외부 균형자로서의 역할로 제한할 것임을 밝혔다.

정답 및 해설

오바마 행정부의 대중동정책에 대한 서술이다.

답 ④

042 **미국 바이든 행정부(2021)의 대외정책에 대한 설명으로 옳지 않은 것은?**

□□□

① 바이든 행정부는 트럼프 행정부가 탈퇴를 결정하였던 파리기후협약에 복귀하고, 4월 22일 지구의 날을 맞아 40여 개국의 정상을 초청하여 온라인 기후정상회의를 주최하였다.

② 바이든 행정부는 '신전략무기감축협정'을 2025년 2월 5일까지 5년간 연장하는 데 러시아와 합의하였다.

③ 바이든 행정부의 대외정책에서 트럼프 행정부의 '우선주의(Firstism)'를 계승했으나, 트럼프 대통령이 '미국 우선주의'의 기치를 내걸었다면 바이든 대통령은 '미국 중산층 우선주의'의 기치를 내걸고 있다.

④ 바이든 대통령 취임일(2021.1.20.)에 미국 정부가 세계보건기구(World Health Organization) 탈퇴 통보를 철회하여 WHO 회원국으로서 자격을 유지하게 되었다.

정답 및 해설

2026년 2월 5일까지 5년간 연장하는 데 러시아와 합의하였다.

답 ②

043 인도 - 태평양 경제프레임워크(IPEF: Indo-Pacific Economic Framework for Prosperity)에 대한 설명으로 옳지 않은 것은?

① 2022년 5월 바이든 미국 대통령은 인도 - 태평양 경제프레임워크(IPEF: Indo-Pacific Economic Framework for Prosperity)를 공식 발족시켰다.

② IPEF는 대표적인 시장접근(market access) 조치인 관세 인하 협상을 포함하지 않으므로 전통적인 의미의 자유무역협정(FTA) 협상이 아니다.

③ IPEF는 경제 연결성(Connected Economy), 경제 회복력(Resilient Economy), 청정 경제(Clean Economy), 공정 경제(Fair Economy)의 4개의 필라(Pillar)로 구성되어 있다.

④ IPEF에는 미국 외에 뉴질랜드, 인도, 일본, 한국, 호주가 참여한다.

정답 및 해설

미국 외에 뉴질랜드, 말레이시아, 베트남, 브루나이, 싱가포르, 인도, 인도네시아, 일본, 태국, 피지, 필리핀, 한국, 호주가 참여한다.

답 ④

---

044 최근 제기되고 있는 대(對)중국 '디리스킹(derisking)' 정책에 대한 설명으로 옳지 않은 것은?

① 중국과 관련한 디리스킹 표현은 2023년 4월 에마뉴엘 마크롱(Emmanuel Macron) 프랑스 대통령과 함께 방중(訪中)했던 우르줄라 폰데어라이엔(Ursula von der Leyen) 유럽연합(EU) 집행위원장이 사용하며 공론화되기 시작했다.

② 우르줄라 폰데어라이엔은 중국으로부터 '디커플링(decoupling, 탈동조화)'하는 것이 가능하지 않고 유럽의 이익에도 부합하지 않는다고 언급하며 디커플링이 아닌 디리스킹에 초점을 맞춰야 한다고 강조했다.

③ 대(對)중국 디리스킹의 핵심은 미국이 추구하는 첨단 기술의 중국 이전 방지 및 핵심 광물과 범용 제품에 대한 중국 의존도를 줄이는 대신 중국과 무역 거래를 지속하겠다는 것이다.

④ 2023년 5월 일본 히로시마에서 개최된 G7 정상회의에서 회원국들은 중국에 대한 디리스킹을 추구하자는 합의를 도출하고자 하였으나, 미국의 반대로 무산되었다.

정답 및 해설

EU가 공론화하고 미국이 받아들인 대(對)중국 디리스킹은 2023년 5월 일본 히로시마에서 개최된 G7 정상회의에서 회원국들이 중국에 대한 디리스킹을 추구하기로 합의함으로써 결실을 맺었다.

답 ④

001 여러 국가들의 핵개발 사례 및 이에 대한 미국의 대응으로 옳지 않은 것은?

① 리비아: 지속적으로 미국 및 UN으로부터 경제제재를 받아 경제적 불안을 경험했으나, 2003년 핵무기를 포함한 WMD의 폐기 및 사찰허용을 통해 2006년 5월 테러지원국 명단에서 삭제되었다.

② 이란: 평화적 핵 이용권에 기초하여 핵개발 지속을 천명함으로써 미국과의 관계는 지속적으로 나빠지고 있으며, 2004년 이후 핵시설 동결 해제 움직임을 보이기도 하였다.

③ 이라크: 구소련으로 부터 핵무기를 물려받았으며 이후 전술핵무기를 러시아로 이관하고 NPT에 가입하였고, 미국도 'Nunn-Lugar 프로그램'을 입법화하여 이라크에 대한 핵 포기와 지원을 법적으로 보장하였다.

④ 북한: 1990년대 초반 IAEA 사찰 거부와 NPT 탈퇴로 고조된 핵 위기에서는 보상을 받았고, 또한 2002년에도 고농축우라늄의 핵개발 의혹이 불거져 제2차 위기가 조성되었다.

> **정답 및 해설**
>
> 이라크가 아니라 우크라이나의 예시이다. 이라크에서는 대량살상무기가 발견되지 않았다.
>
> 답 ③

002 이란의 핵개발에 관한 설명과 이에 대한 미국의 대응으로 옳지 않은 것은?

① 미국은 UN을 통한 강력한 제재조치를 취하고자 하나 중국의 반대로 성사되지 못하고 있다.

② 이란이 주목받는 것은 시아파가 다수인 이라크와 시리아의 정치에 개입하며 헤즈볼라, 하마스 등에 핵을 확산시킬 가능성이 있다는 것이다.

③ 러시아는 지속적인 경제성장을 위한 안정적 에너지 확보에 최우선 순위를 부여하고 있으므로 미국 등과의 원만한 관계를 유지하면서 이란과의 협력관계를 유지하려 한다.

④ 독일, 프랑스, 영국은 미국과의 공조 하에 이란 핵문제의 안전보장이사회 회부를 추진하기도 하였다.

> **정답 및 해설**
>
> 러시아는 자원부국으로, 지속적 경제성장을 위한 에너지 확보에 우선 순위를 부여하는 것은 중국이다.
>
> **☑ 선지분석**
> ① 중국은 에너지안보를 고려하여 미국의 대이란 제재조치 요구에 즉각 동참하기 어렵다는 입장을 내세우고 있다.
>
> 답 ③

제3편 해커스공무원 패권 국제정치학 기출 + 적중문제집

003 WMD 확산에 대응하기 위한 전략으로서 비확산전략과 반확산전략에 대한 설명으로 옳지 않은 것은?

① 전자는 '확산'에 대처하기 위한 전략이고, 후자는 '사용'에 대처하기 위한 전략이다.

② 전자는 다자주의를, 후자는 일방주의를 기초로 한다.

③ 전자의 예로 MD를, 후자의 예로 선제공격을 들 수 있다.

④ 오바마 행정부 MD, PSI 등 이전 부시 행정부의 전략을 계승하였다.

> **정답 및 해설**
>
> MD는 반확산(Counter-Proliferation)의 대표적인 예이다. 반확산은 MD, PSI, 선제공격 등이 있으며, 비확산(Non-Proliferation)은 NPT체제, 핵물질 통제 강화 등이 있다.
>
> 답 ③

004 2012년 3월 서울에서 개최된 제2차 핵안보정상회의의 합의내용으로 옳지 않은 것은?

① 2013년 말까지 고농축우라늄(HEU) '최소화'에 관한 국가들의 자발적 공약 발표

② '핵안보'와 '핵안전'(Nuclear Safety)을 분리하여 고려할 필요가 있다는 점 수용

③ '방사능 테러'에 사용될 수 있는 방사성 물질의 관리 강화

④ 핵과 방사성 물질의 국내, 국제 운송 시의 보안 강화

> **정답 및 해설**
>
> '핵안보'와 '핵안전'(Nuclear Safety)간 통합적 고려가 필요하다는 점을 수용하였다. 통합성은 제1차 워싱턴 정상회의에서는 고려되지 않았던 것이나, 이번에는 2011년 3월 후쿠시마 원전사고의 교훈이 계기가 되어 한국과 여러 나라들이 이 입장을 제안하여 채택되었다.
>
> 답 ②

005 이란의 핵개발에 대한 강대국들의 입장으로 옳지 않은 것은?

① 독일, 프랑스: 이란 핵문제에 대해 대화와 협상 불가 원칙을 고수하였다.

② 미국: 핵개발 중단을 요구하였으며, 이란이 핵을 보유할 경우 여타 중동 국가들로의 핵확산을 우려한다.

③ 러시아: 미국의 반확산, 비확산 전략에 동조하면서도 이란과 다차원적 협력관계를 유지하고 있다.

④ 중국: 미국과의 원만한 관계유지의 중요성과 에너지 안보를 위한 이란과의 협력 필요성이라는 갈등상황에 놓여있다.

이란 핵개발은 미국, 독일, 프랑스의 지원 하에 시작되었으며 영국과 독일, 프랑스 등은 대결이나 강박이 아닌 대화와 협상을 통한 해결 의지를 보이고 있다.

✅ 선지분석

② 미국은 이란의 핵보유가 사우디아라비아, 이집트, 터키 등의 핵무장을 부추길 것을 우려한다. 그러나 미국의 요구에도 이란이 평화적 핵이용권에 기초하여 핵개발 지속을 천명함으로써 양국 간 위기가 고조되고 있다.

③ 러시아는 핵확산에 반대하면서도 이란과 원전건립 등 협력을 유지하고 있다. 따라서 이란 핵문제의 안전보장이사회 회부에 다소 유보적 태도를 보이고 있다.

④ 중국은 지속적 경제성장을 위한 안정적 에너지 확보 차원에서 이란과의 협조가 절실하게 필요하다. 그러나 한편 미국과의 관계를 훼손하면서까지 이란의 행동을 두둔하는 것에 대한 부담을 안고 있다.

답 ①

---

006 이란 핵 문제와 P5+1과 관련된 내용으로 옳은 것만을 모두 고른 것은?

> ㄱ. 이란이 협상에 나선 주요 동인은 2012년 국방수권법을 통해 석유 금수조치가 강화되면서 경제상황의 압박이 심화됨에 따른 중산층 경제의 피폐 가속화이다.
> ㄴ. 협상타결 배경에는 오바마 행정부가 부시 행정부의 패권적 일방주의 및 공세적 현실주의에 입각한 중동 민주화 구상에서 탈피, '비폭력적 다원주의(non-violent pluralism)'을 견지한 대 중동정책기조가 있었다.
> ㄷ. 2013년 11월 24일 P5+1과 이란 간 핵 협상에서 채택된 공동행동계획(Joint Plan of Action)은 무기한적이고, 지속적이며, 비가역적인 제재 경감 조치를 설정하였다.
> ㄹ. P5+1과 이란 간 초기 단계 조치 협상타결 과정에서 미국은 중동지역 내 최우방국인 이스라엘과 사우디아라비아의 강력한 지지를 받아 이란과의 협상을 성공적으로 타결할 수 있었다.

① ㄱ, ㄴ
② ㄱ, ㄷ
③ ㄴ, ㄹ
④ ㄷ, ㄹ

이란 핵 문제와 P5+1과 관련된 내용으로 옳은 것은 ㄱ, ㄴ이다.

✅ 선지분석

ㄷ. 2013년 11월 24일 P5+1과 이란 간 핵 협상에서 채택된 공동행동계획(Joint Plan of Action)은 제한적이고 (limited), 일시적이며(temporary), 가역적인(reversible) 제재 경감 조치를 설정하였다.

ㄹ. 이번 초기 단계 조치 협상타결 과정에서 미국은 중동지역 내에서 최우방국인 이스라엘과 사우디아라비아의 강력한 반대에 부딪쳤으나 이란과의 협상을 지속하여 성공적으로 타결하였고, 이에 협상타결 직후 이스라엘의 베냐민 네타냐후 총리는 역사적 실수(historic mistake)라 칭하며 향후 이스라엘은 이란 핵문제에 있어 기존의 강경노선을 지속할 것임을 천명하였다. 또한 사우디 등 걸프 아랍국가들은 시아파 이란의 부상을 부담스러워하며 내심 미국에 대한 불만이 점증하고 있다.

답 ①

007 협력적 위협감축(CTR)에 대한 설명으로 옳지 않은 것은?

① 협력안보 사례에 해당된다.

② 대상국의 WMD해체와 참여국의 정치, 외교, 경제, 안보적 보상을 교환하는 '비대칭 상호주의'에 입각한 군비 축소의 전형이다.

③ 2002년 6월 캐나다에서 개최된 G8정상회담에서 CTR을 Global Partnership이라는 명칭하에 세계적인 차원으로 확대하기로 합의하였다.

④ 프로그램의 효율적인 집행을 위해 구소련지역의 핵무기 해체에 집중하기로 합의하였다.

정답 및 해설

당초 구소련국가들을 대상으로 하였으나, 다른 지역의 WMD 위협을 해결하는 주요 수단으로 확대 적용되고 있다. 핵무기뿐 아니라 생물무기나 화학무기와 같은 대량살상무기 해체에도 적용되고 있다.

답 ④

008 리비아의 핵폐기에 대한 설명으로 옳지 않은 것은?

① 미국 부시 행정부로부터 테러지원국가 및 불량국가로 규정되었다.

② 여러 차례 핵실험을 통해 핵을 보유하게 되었으나 미국이 이라크에 대한 공격을 개시하자 정권안보를 유지하기 위해 핵폐기를 결정하였다.

③ 선핵폐기 및 후체제보장 방식이 적용되었다.

④ 리비아가 대량살상무기와 장거리미사일을 폐기하고 국제기구의 감시를 수용하자 미국은 외교관계 복원, 경제제재 해제 등의 조치를 취하였다.

정답 및 해설

리비아는 핵실험을 통해 핵보유한 국가가 아니다. 핵개발이 부진한 상황에서 제재와 군사적 압박으로 정권유지가 어렵다고 판단하고 핵개발을 포기한 것이다.

답 ②

009 이란핵문제와 관련하여 비엔나합의(2015.7.14.)에 대한 설명으로 옳지 않은 것은?

① 이란의 전체 농축 우라늄 보유 규모를 300kg으로 제한하여 핵무기화를 방지하는 수준에서 규제한다.

② 이란의 중수로는 무기급 플루토늄 생산을 방지하도록 재설계하고, 중수로의 사용 후 핵연료는 처분하거나 해외이전하며, 15년간 추가 중수로 건설을 금지한다.

③ 이란은 NPT에 복귀하며 추가의정서에 가입한다.

④ 핵활동이 의심되는 장소에 IAEA 회원국들로 구성되는 위원회에서 검토한 후 사찰할 수 있다.

정답 및 해설

이란은 NPT를 탈퇴한 적이 없다. 추가의정서에도 미리 가입하고 있었다. 합의문에 없는 내용이다.

답 ③

010 이란 핵문제에 대한 설명으로 옳은 것만을 모두 고른 것은?

> ㄱ. 유럽의 주요국가(영국, 독일, 프랑스)들은 2003년 이란과 핵협상을 개시하고 2003년 10월 21일 '테헤란 선언'을 채택하였다. 동 선언은 이란의 NPT 추가의정서 가입, 농축의 일시적 중단, 이란의 핵활동에 대한 권리의 인정 등의 내용을 규정하였다.
> ㄴ. 미국의 오바마 행정부는 이란 핵문제에 대한 봉쇄 일변도의 접근에서 탈피하여 대화와 개입을 통한 문제 해결과 변화를 모색해 왔다.
> ㄷ. 유럽은 문제국가의 농축권을 전면 부정해 온 반면, 미국은 핵비확산 원칙과 핵투명성이 보장될 경우 모든 국가가 농축을 할 수 있다는 입장을 보여 양자의 차이가 있다.
> ㄹ. P5+1과 이란은 2015년 7월 14일 국제원자력기구(IAEA)는 이란의 군사시설을 포함해 핵 활동이 의심되는 모든 시설에 접근할 수 있는 권리를 갖고, 이란에 대한 경제·금융 제재는 IAEA 사찰 결과에 따라 이르면 2016년 초 해제하기로 한 최종 합의문에 서명하였다.
> ㅁ. 2013년 2월부터 P5+1과 이란은 협상을 전개하여 2013년 11월 '공동행동계획'을 채택하였으며, 동 선언문은 이란에 대한 경제제재의 비가역적·단계적 완화와 향후 6개월간 이란의 우라늄 농축활동의 잠정적 중단 합의를 담고 있었다.

① ㄱ, ㄴ, ㄷ
② ㄱ, ㄴ, ㄹ
③ ㄴ, ㄷ, ㅁ
④ ㄷ, ㄹ, ㅁ

정답 및 해설

이란 핵문제에 대한 설명으로 옳은 것은 ㄱ, ㄴ, ㄹ이다.

✅ 선지분석
ㄷ. 미국과 유럽의 입장이 반대로 서술되어 있다.
ㅁ. '가역적'인 제재 조치에 대해 합의하였다.

답 ②

제4절 | 미사일방어

001 미사일방어(MD; Missile Defense)에 관한 설명으로 옳은 것은?

① 한국은 일본과 달리 MD에 참여하고 있다.
② 오바마 행정부는 MD를 전구방어(TMD)와 국가방어(NMD)로 구분하여 추진하였다.
③ 중국과 러시아는 MD에 공개적으로 반대하는 입장을 표명하고 있다.
④ 2006년 북한의 대포동2호 발사시험 성공은 일본의 MD참여 계기가 되었다.

정답 및 해설

미사일방어(MD; Missile Defense)에 대해 중국과 러시아는 공개적으로 반대하는 입장을 표명하고 있다.

✅ 선지분석
① 한국도 일본과 달리 참여하지 않고 있다.
② 클린턴 행정부의 TMD, NMD는 부시 행정부 시기에 MD로 통합되었고, 오바마 행정부는 BMD(Ballistic Missile Defense: 탄도미사일방어)에 집중하고 있다.
④ 1998년 북한의 대포동1호가 일본열도 상공을 넘어감에 따라 이는 이에 위협을 느낀 일본으로 하여금 MD에 참여하도록 하는 계기가 되었다. 2006년 대포동2호 시험발사는 42초만에 실패하였다.

답 ③

002 MD전략이 추진되게 된 배경으로 옳지 않은 것은?

□□□ ① 전략물자에 대한 수출통제 체제의 한계　② 9·11 테러와 억지전략의 한계

③ 탈냉전과 대량살상무기의 확산　④ 중국의 부상과 위협

전략물자에 대한 수출통제 체제의 한계는 PSI구상의 배경이지 MD전략의 배경은 아니다.

답 ①

003 다음은 미국의 미사일방어전략에 대한 서술이다. 빈칸에 들어갈 단어로 옳은 것은?

□□□

> 클린턴 정권은 1993년 5월 SDI를 종결시키고, (ㄱ)와 (ㄴ)를 주축으로 하는 새로운 탄도미사일방어(BMD) 계획을 발표했다. 클린턴 정권의 (ㄷ) 우선 정책은 의회 내 공화당 세력을 비롯한 (ㄹ) 지지파의 비판의 표적이 되었다. 이후 들어선 부시 정권에서는 MD계획에 장애가 되는 ABM조약의 개폐를 둘러싸고 러시아와 교섭하였으나 실패하여 2001년 12월 미국은 탈퇴를 통고하게 이른다.

	ㄱ	ㄴ	ㄷ	ㄹ
①	전역미사일방어(TMD)	본토미사일방어(NMD)	탄도미사일방어(BMD)	전역미사일방어(TMD)
②	탄도미사일방어(BMD)	본토미사일방어(NMD)	전역미사일방어(TMD)	본토미사일방어(NMD)
③	본토미사일방어(NMD)	전역미사일방어(TMD)	본토미사일방어(NMD)	전역미사일방어(TMD)
④	본토미사일방어(NMD)	전역미사일방어(TMD)	전역미사일방어(TMD)	본토미사일방어(NMD)

클린턴 정권은 TMD 우선을 내걸고 전역고도지역방어(THAAD), 지대공유도탄 패트리어트(PAC-3), 해군지역방어(NAD)등 다양한 시스템 개발과 동시에 동맹우호국들에게 협력을 요청하였다. 이러한 클린턴 정권의 TMD정책은 의회 내 공화당 세력을 비롯한 NMD 지지파의 비판 대상이 되었고, 클린턴 정권도 NMD에 점진적으로 힘을 쏟지 않을 수 없었다. 1996년에는 3년 간 개발을 진행한 후 배치여부를 판단하고, 그 후 3년 동안 배치능력을 달성한다는 '3+3' 계획을 제시하였으나 2000년 9월 결국 클린턴 정부는 배치결정의 연기를 발표했다. 이러한 클린턴 정부의 NMD에 대한 소극성을 비판하면서 대통령 선거에 출마한 부시는 NMD에 대한 적극적인 자세를 보였다. 이후 2001년 국방대학 연설에서 공격력과 방어력을 갖춘 '새로운 전략 틀'의 구축을 목표로 설정하고, 미사일방어(MD)의 대규모 배치를 선언하였다.

답 ④

004 미국의 미사일방어(MD)전략에 대한 설명으로 옳지 않은 것은?

□□□ ① 선제공격, 확산방지구상(PSI)와 함께 비확산전략(non-proliferation)으로 제시되었다.

② 레이건 행정부는 소련 미사일이 겨냥할 가능성이 있는 미국의 표적을 방어할 다층적 우주 배치 시스템을 제안하였으며, 이것이 미사일 방어 개념을 최초로 체계화 및 정형화한 것이다.

③ 클린턴 행정부는 초기 TMD 구축에 우선순위를 두었으나 1998년 북한의 대포동 미사일 발사를 계기로 NMD 구축으로 우선순위를 변경하였다.

④ 중국과 러시아는 NMD가 상호확증파괴체제를 파괴하여 핵군비경쟁을 야기할 것을 우려하여 이에 반대한다.

반확산전략(counter-proliferation)이라고 한다.

답 ①

제5절 | 확산방지구상

001 PSI의 WMD 차단원칙으로 옳지 않은 것은?

□□□

① 확산의 우려가 있는 국가나 단체들 간에 WMD 및 운반체계의 이전과 수송을 차단하기 위한 효과적 조치를 강구한다.

② 목적의 중요성을 고려하여 WMD를 차단하는 활동이라면 국제법에 저촉되는 행위도 불가피하다.

③ 확산이 의심되는 활동에 대해 관련 정보를 신속히 교환한다.

④ 차단작전을 위해 적절한 자원과 능력을 제공하고 협력을 최대화한다.

PSI 차단원칙은 국제법 및 국제체제와 일치하고 국내법이 허용하는 범위 내에서 차단노력을 지원하는 특정 행동을 허용한다.

✅ 선지분석

①, ③, ④ 2003년 9월 PSI 참가 11개국이 발표한 '차단원칙에 관한 선언'의 내용에 해당한다.

답 ②

002 PSI의 특징으로 옳지 않은 것은?

□□□

① 상대방에 대한 압박을 통해 목표를 달성하는 강압외교의 전형이다.

② 모든 국가에 적용할 수 있는 '표준형 봉쇄'로 계획되었다.

③ WMD 확산 방지를 지지하는 국가들의 자발적 연합체이다.

④ 공세적 억지를 위한 수단의 성격을 갖는다.

PSI는 일괄적인 표준형 봉쇄가 아닌 "맞춤형 봉쇄"의 일환이다. 맞춤형 봉쇄란 문제를 야기하는 개별국가의 특성과 현실에 맞게 봉쇄의 내용과 수단을 조절하는 것이다.

✅ 선지분석

① 강압외교는 무력을 동원하여 상대방이 바람직한 방향으로 행동하도록 상대방의 인식에 영향을 미치는 외교수단을 일컫는다. PSI는 북한정권의 정책결정과정에 영향을 미쳐 WMD 확산 행위를 포기하도록 유도하려는 강압외교의 수단이다.

③ PSI는 상설기구가 아니라 지지국가들의 자발적 참여의사에 기초한 연합체이다. 본 취지와 목표에 공감하고 활동에 참여하겠다는 의사 표시만으로도 참여가 가능하며, 참여 수준과 형태에 있어서도 다양한 참여가 가능하다.

④ PSI는 9·11 테러 이전의 방어적 억지와 구별되는 공세적 억지를 위한 수단이다. 공세적 억지란 위협이 가시화되기 전에 위협을 제거함으로써 공격을 단념시키는 전략이다.

답 ②

003 확산방지구상(PSI)에 대한 설명으로 옳지 않은 것은?

□□□

① 2003년 부시 대통령이 대량살상무기와의 전쟁을 선포하면서 발표한 구상이다.

② 러시아, 중국, 한국은 PSI의 정식참여국으로서 PSI 훈련에 참여하고 있다.

③ 핵과 미사일 등 대량살상무기의 확산을 방지하기 위한 정보 공유는 물론, 필요한 경우에는 가입국의 합동작전도 가능하다.

④ 공해의 자유항행의 원칙에 부합하지 않는 부분이 있어 비판의 목소리가 존재한다.

| 정답 및 해설 |

러시아와 한국은 PSI의 정식참여국이지만 중국은 PSI에 참여하고 있지 않다. 한국은 PSI 참여에 대해 유보적인 입장이었으나, 2009년 5월 북한의 제2차 핵실험이 있자 PSI에 공식적으로 참여하기로 결정하였다.

답 ②

004 확산방지구상(Proliferation Security Initiative: PSI)의 차단원칙으로 옳지 않은 것은?

□□□

① 확산의 우려가 있는 국가나 단체들 간에 WMD, 운반체계, 관련물질의 이전 및 수송을 차단하기 위해 효과적인 조치를 강구한다.

② 확산이 의심되는 활동에 대해 관련 정보를 신속히 교환하도록 체제를 정비하고 비밀정보를 보호하며, 차단작전을 위해 적절한 자원과 능력을 제공하고 최대화 한다.

③ 확산이 의심되는 선박을 적발하였을 때에는 선박 운송이 시작되었다고 의심되는 부분까지 추적하여 해당 국가에 책임을 물을 수 있다.

④ 이러한 목적을 달성하기 위해 필요한 자국의 법적 장치를 강화하고 이를 지원하기에 적절한 방식으로 국제법과 국제체제를 강화할 수 있도록 한다.

| 정답 및 해설 |

범조직 테러단체의 경우에는 그들의 기항지 국가와 아무 관계가 없을 가능성도 있으며 이에 대해 영내로 추적하여 책임을 물을 만한 국제법적 근거도 부족하다.

⊘ 선지분석

① "국제법 및 국제체제와 일치하고 국내법이 허용하는 범위에서 WMD, 운반체계, 관련물질의 수송에 대한 차단노력을 지원하는 특정 행동을 취한다."라는 확산방지구상 차단의 네 번째 원칙에 해당한다.

답 ③

제2장 강대국 외교정책

001 중국의 대외정책에서 강조된 중요원칙을 시기가 이른 것부터 바르게 나열한 것은? 2021년 외무영사직

> (가) 신형대국관계(新型大國關係)
> (나) 화평굴기(和平崛起)
> (다) 평화공존5원칙
> (라) 도광양회(韜光養晦)

① (나) - (가) - (라) - (다)   ② (나) - (다) - (라) - (가)
③ (다) - (가) - (라) - (나)   ④ (다) - (라) - (나) - (가)

정답 및 해설

중국의 대외정책에서 강조된 중요원칙을 시기가 이른 것부터 바르게 나열한 것은 (다) - (라) - (나) - (가)이다.
(다) 1954년 모택동 시기 주은래에 의해 제시된 것이다. 영토와 주권의 상호존중, 상호불가침, 내정불간섭, 평등과 호혜, 평화공존이 5가지 원칙이다.
(라) 등소평이 28자 방침에서 제시한 것이다. 어두운데서 빛을 감추고 때를 기다린다는 의미로서 주변국과 마찰을 최소화하고 경제성장에 주력한다는 전략이다.
(나) 후진타오 시기 대외정책기조로서 중국이 부상하되 주변국을 위협하지 않겠다는 의지를 천명한 것이다.
(가) 신형대국관계는 시진핑 시기의 대외정책 기조로서 중국은 대국으로서 미국과 협력적 관계를 주도해 나가겠다는 것을 의미한다.

답 ④

002 시진핑 시기 중국의 정치 및 외교에 대한 설명으로 옳지 않은 것은? 2022년 외무영사직

① 국가 전략의 핵심축으로 '중화민족의 위대한 부흥'이라는 '중국의 꿈'을 제시하였다.
② 양안 통일을 위해 형식적으로 대만의 주권을 인정하기로 결정하였다.
③ 중국 공산당은 '시진핑 신시대 중국 특색 사회주의사상'을 헌법에 포함하였다.
④ 육상실크로드와 해상실크로드를 복원시키는 '일대일로'를 구상하였다.

정답 및 해설

양안 관계에 대한 중국의 공식입장은 '일국양제'이다. 대만을 중국의 일부로 보며 대만은 중국에 의해 자치권을 부여받고 있다는 입장이다.

✓ 선지분석
① 2013년 10월 공식적으로 제시하였다. 중국몽의 일환으로 일대일로전략을 구사하고 있다.
③ 시진핑 신시대 중국 특색 사회주의사상(习近平新时代中国特色社会主义思想)은 시진핑 중국 국가주석 겸 중국 공산당 총서기가 제시한 정책이자 정치 이념이다. 2017년에 열린 제19차 중국 공산당 전국대표대회에서 공식적으로 처음 언급되어 중국 공산당 당헌에 수록되었으며, 2018년 3월 11일에 열린 제13차 전국인민대표대회 제1차 회기에서 시진핑 사상을 언급한 중화인민공화국 헌법 전문 수정안이 채택되었다.

답 ②

003 중국의 시기별 대외정책에 대한 내용으로 옳은 것은?

ㄱ. 1969년 전바오다오(珍寶島)에서 발생한 중·소 무력분쟁 이후 중국 지도부는 소련을 '사회-제국주의 국가'라고 주장하면서 미국보다 소련에 대한 위협을 더욱 강조하였다.

ㄴ. 1978년 12월 중국은 미국과 공동선언을 통해 중국은 하나이고 타이완과 홍콩이 중국의 일부라는 상하이 공동성명의 원칙을 재확인했다.

ㄷ. 장쩌민 시기 중국 지도부는 군부의 반대를 무릅쓰고 '포괄적핵실험금지조약(CTBT)'에 서명했다.

ㄹ. 시진핑 2기 지도부는 '아시아인프라투자은행(AIIB)' 설립을 통해 중국 중심의 경제권 형성을 추구하고 있다.

ㅁ. 후진타오 시기 미·중은 '미·중 전략경제대화(US-China Strategic and Economic Dialogue)'를 발족했다.

① ㄱ, ㄴ, ㄷ   ② ㄱ, ㄷ, ㄹ

③ ㄱ, ㄷ, ㅁ   ④ ㄴ, ㄹ, ㅁ

정답 및 해설

중국의 시기별 대외정책에 대한 내용으로 옳은 것은 ㄱ, ㄷ, ㅁ이다.

ㄱ. 중국-소련 분쟁은 1960년대 지속되었으며, 당초 이념분쟁에서 출발하여 국가분쟁, 그리고 설문의 국경분쟁으로까지 확대되었다. 중-소 관계는 1980년대 후반 등소평의 소련 방문으로 복원되었다.

ㄷ. 1999년 10월 프랑스 방문 중 CTBT비준 입장을 표명하였고, 실제 중국은 CTBT를 비준했다. 그러나 현재 CTBT는 발효되지 않고 있다.

ㅁ. 미중 전략경제대화는 미국 부시 행정부(G. W. Bush)시기에 시작되었으나, 오바마 행정부(2009~2016)들어 장관급으로 격상시켜 진행했다. 양자 간 주요 현안을 논의하는 장으로서 이론적으로는 협력안보로 규정할 수 있다.

⊘ 선지분석

ㄴ. 홍콩은 논의대상이 아니었다. 홍콩은 영국-중국 합의(1984)를 통해 1997년 중국에 반환하기로 하였다.

ㄹ. AIIB 설립은 시진핑 1기인 2016년이다. 시진핑 2기는 2017년 말 지도부를 구성하고 2018년 초 공식 출범했다.

답 ③

---

004 아시아인프라투자은행(AIIB)에 대한 설명 중 옳은 것만을 모두 고른 것은?

ㄱ. 21개의 아시아 국가들이 2014년 10월 양해각서(MOU)에 서명하였다.

ㄴ. 창립회원국은 2015년 5월 31일까지 설립협정서(Articles of Agreement)를 모두 비준하였다.

ㄷ. 한국은 창립 회원으로서 아시아인프라투자은행에 참여하기로 결정하였다.

ㄹ. 아시아 지역의 인프라 투자를 위해서 중국이 제안하였다.

① ㄱ, ㄴ, ㄷ   ② ㄱ, ㄴ, ㄹ

③ ㄱ, ㄷ, ㄹ   ④ ㄴ, ㄷ, ㄹ

아시아인프라투자은행(AIIB)에 대한 설명으로 옳은 것은 ㄱ, ㄷ, ㄹ이다.

ㄱ. AIIB는 2013년 10월 시진핑(習近平) 중국 국가주석이 창설 제안하였고, 1년 후인 2014년 10월 24일 아시아 21개국이 500억 달러 규모의 아시아인프라투자은행(AIIB) 설립을 위한 양해각서(MOU)에 서명했으며 2016년 1월 16일 공식 출범식을 가졌다. 2014년 10월당시 MOU 참여 국가는 중국, 인도, 파키스탄, 몽골, 스리랑카, 우즈베키스탄, 카자흐스탄, 네팔, 방글라데시, 오만, 쿠웨이트, 카타르 및 인도네시아를 제외한 아세안(동남아국가연합) 9개국 등 총 21개국이었다.

✅ 선지분석

ㄴ. 57개 창립회원국이 모두 비준서를 제출한 것은 2015년 12월 25일이다. AIIB는 2016년 1월 16일 공식 출범했다.

답 ③

---

005 중국 시진핑 정부가 제안한 '신형대국관계'의 내용으로 옳지 않은 것은? 2016년 외무영사직

① 핵심이익 상호존중　　　　② 윈-윈 협력
③ 불충돌과 불대항　　　　　④ 상호불가침

상호불가침은 '평화공존 5원칙'의 하나로서 중국이 지속적으로 주장하고 있는 것이나, 신형대국관계론에서 특별하게 거론한 것은 아니다. 신형대국관계는 중국의 핵심이익의 존중을 전제로 미국과 협력적 국제관계 유지를 주장한 것이다.

답 ④

---

006 중국 대외정책에 대한 설명으로 가장 옳은 것은?

① 중국은 미국과 소련의 경쟁이 격화되었던 쿠바미사일위기와 베트남전쟁 시기에 소련 대신 미국 쪽에 기울어진 정책을 추구하였으며, 1980년대에는 양국 사이의 균형을 유지하는 등거리정책을 추진하였다.

② 2010년 제18차 전당대회를 통해 등장한 시진핑은 정치보고서에서 처음으로 '책임대국'이란 표현을 명기하였고, 이후 '신형대국관계'라는 표현을 미중관계에서 사용하기 시작했다.

③ 2009년 다이빙궈 국무위원이 미중전략경제대화에서 처음 사용하고, 2011년 「화평발전백서」에 상세히 언급된 '핵심이익'은 국가주권, 영토보전, 국가통일, 중국헌법을 통해 확립한 국가정치제도, 사회의 안정과 경제의 지속 가능한 발전 보장이다.

④ 1997년 아시아 금융위기 시 중국정부의 인민폐 환율유지정책은 아시아 국가들에게 경제적 영향력을 행사하려는 중국의 책임대국 이미지 제고라는 정치적 목적을 위해 중국의 경제적 이해를 희생시킨 결정이었다.

✅ 선지분석

① 쿠바미사일위기와 베트남전쟁 시기에 어느 한쪽으로의 경사를 거부하는 고립주의정책을 추구하였다.
② 2012년 제18차 당대회를 통해 등장했다.
④ 중국의 책임대국 이미지 제고라는 정치적 동기보다는 중국의 경제적 이해를 고려한 결정이었다.

답 ③

007 중국의 대외전략에 대한 설명으로 옳지 않은 것만을 모두 고른 것은?

ㄱ. 1997년 책임대국론을 제시하고 동반자외교, 대미실리외교, EAEC(동아시아 경제협력 회의) 등을 전개하였다.

ㄴ. 개혁개방정책의 일환으로 인민공사체제 설립을 골자로 하는 생산책임제 및 개별농가청부제를 도입하였다.

ㄷ. 시진핑의 '일대일로(一帶一路)' 전략은 '신형대국관계론'을 구현하고자 하는 목적으로 제시되었으며 중국이 경제성장에 주력하기 위해 미국과의 협력관계를 유지하고자 하는 것이다.

ㄹ. 2006년 후진타오정부에 의해 제시된 '화자위선(和字爲先)'은 '유소작위' 또는 '책임대국론'이 미국 내 중국위협론자들의 힘을 실어주었다는 반성에 기초하여 보다 유연하고 현상유지적 대외전략을 지향하고자 하였다.

① ㄱ, ㄴ
② ㄱ, ㄴ, ㄷ
③ ㄴ, ㄷ, ㄹ
④ ㄱ, ㄴ, ㄷ, ㄹ

정답 및 해설

중국의 대외전략에 대한 설명으로 옳지 않은 것은 ㄱ, ㄴ, ㄷ이다.

ㄱ. EAEC는 중국의 대외전략과 무관하다. 1990년대 초 말레이시아에 의해 제안되었으나 일본의 소극적 태도로 성사되지 않았다.

ㄴ. 인민공사체제를 '폐지'하고 보다 경쟁적인 생산체제를 구축하였다.

ㄷ. 일대일로 전략은 신형대국관계론이 미국과의 협력관계 유지를 표방하는 것과 달리, 미국의 대중국 봉쇄전략에 대응하여 동아시아, 중앙아시아 및 유럽국가들과 협력관계 강화를 목적으로 하는 것이다.

답 ②

008 중국이 세계 각국과의 관계 발전을 도모하면서 추진해온 외교정책의 내용과 인식에 대한 설명으로 옳은 것만을 모두 고른 것은?

2013년 외무영사직

ㄱ. 마오쩌둥(毛澤東) 시대 외교정책 결정자들이 국제정치 체제를 바라보는 기본적인 시각은 세계를 자본주의, 사회주의, 제3세계의 3대 진영으로 구분하는 '3개 세계론'이었다.

ㄴ. '평화공존 5원칙'의 내용은 영토의 보존과 주권의 상호존중, 상호불가침, 상호내정불간섭, 평등호혜, 평화공존이다.

ㄷ. 덩샤오핑(鄧小平)의 도광양회(韜光養晦)는 실력을 감추고 힘을 길러 때를 기다리라는 뜻으로 그의 전쟁불가피론(戰爭不可避論)에서 비롯된 인식을 담고 있다.

ㄹ. 장쩌민(江澤民)의 유소작위(有所作爲)는 필요할 때 적극 행동한다는 뜻으로 그는 이를 통해 국제사회에서 중국의 역할이 강화되어야 함을 강조하였다.

① ㄱ, ㄴ
② ㄱ, ㄹ
③ ㄴ, ㄷ
④ ㄷ, ㄹ

중국의 외교정책의 내용과 인식에 대한 설명으로 옳은 것은 ㄱ, ㄴ이다.

✅ 선지분석

ㄷ. 등소평의 도광양회는 평화공존론을 반영하고 있다. 등소평은 평화역량이 지속적으로 증가하고 있으므로 전쟁은 회피할 수 있고, 세계평화가 유지될 것으로 전망하였다.

ㄹ. 유소작위노선은 등소평이 도광양회 노선과 함께 제시한 것이다. 도광양회와 유소작위는 1989년 천안문사태 이후 미국을 비롯한 서구 국가들이 중국 내 인권 문제를 제기하고 중국에 대한 금수조치를 취하자 이에 대한 대응 전략으로서 제시된 것이다. 다만, 유소작위의 노선이 본격적으로 중국의 대외정책에 적용된 시기는 2004년(후진타오 시기)부터이다. 때가 되면 자기 역할을 한다는 의미로 이것은 국제 관계에서 관여와 개입을 통해 중국의 역할을 강조하고, 국익을 확대하고자 하는 적극적이고 공세적인 대외정책이다.

답 ①

009

중국의 외교적 특성과 러시아(소련)·미국과의 관계 변화에 대한 설명으로 옳지 않은 것은? 2012년 외무영사직

① 1950년대 중국은 미국을 최대 안보위협국으로 규정하고, 소련에 의존하는 안보정책을 전개하였다.

② 1960년대 소련과의 이념 갈등이 심화되고, 양국의 정규군이 접전하는 군사분쟁이 발발하면서, 미국과 소련 모두를 위협국으로 상정하는 반제반수(反帝反修)의 입장을 취하였다.

③ 1970년대 쿠바 미사일 위기와 베트남전쟁으로 미·소 양국의 경쟁이 격화되었고, 중국은 고립주의정 책 대신 등거리정책을 추진하면서 미국과의 관계정상화를 이루었다.

④ 마오쩌뚱(毛澤東) 시대의 중국은 국제 안보환경을 전쟁과 혁명의 시대로 인식하고 전쟁을 불가피한 것으로 보았으나, 덩샤오핑(鄧小平) 시대로 진입하면서 중국은 평화와 발전이라는 시대적 규정을 통해 전쟁은 피할 수 있는 것이라고 보았다.

1970년대는 다극화의 시대이면서 동서 데탕트의 시대였다. 미국과 소련은 1962년 쿠바미사일 위기, 베트남전쟁, 중소분쟁 등을 겪으면서 상호경쟁보다는 협조전략을 전개하였다. 미국과 소련은 1972년 제1단계 전략무기제한협정(SALT Ⅰ)을 체결하고, 1975년에는 헬싱키의정서를 통해 유럽안보협력회의(CSCE)의 정례화에 합의하기도 하였다. 한편, 중국은 중소분쟁을 겪으면서 친소정책 대신 친미정책을 채택하여 1972년 상하이 공동 코뮤니케를 발표하는 한편, 1979년 미국과 전격 수교하였다. 즉, 1970년대 중국의 대외전략은 등거리정책이라기보다는 미국과의 관계를 보다 강화하는 전략으로 평가된다.

✅ 선지분석

② 반제반수(反帝反修)는 제국주의(미국)에도 반대하고 수정주의(소련)에도 반대한다는 입장을 말한다.

답 ③

010 중국의 다자외교 전개 과정에 대한 설명으로 옳지 않은 것은?

□□□

① 1970년대 초 중국은 미중화해를 통해 일본 및 서구 자유진영 국가들과 관계를 개선 한 후 '일조선전략'을 실행하며 대소련 견제를 위한 다자협력을 추구하는 모습을 보여 주었다.

② 1960년대 중국은 '신중간지대론'을 제시하고 공산주의 진영 내에서 소련과 적극적인 협력관계를 구축하는 한편, 아시아 및 아프리카 개발도상국들과 다자협력을 강화하였다.

③ 등소평 시기 중국의 국제기구 가입은 미국의 규범 질서 하에서 자국의 이익을 추구하는 방어적 성격의 다자주의로 볼 수 있는 반면, 시진핑 시기에는 중국 중심의 새로운 규범과 질서를 구축하기 위한 토대를 마련하려는 적극적인 다자주의 외교가 대두되고 있다.

④ 1974년 모택동은 소련과 미국을 제1세계, 유럽, 일본 캐나다 등을 제2세계, 발전도상국들을 제3세계로 하여 세계가 구성되어 있다고 보는 '3개 세계론'을 제시하고, 중국은 개발도상국으로 제3세계에 속해 있다고 보았다.

정답 및 해설

1960년대 중국과 소련은 경쟁관계였다.

답 ②

011 상하이협력기구(SCO; Shanghai Cooperation Organization)에 대한 설명으로 옳은 것을 모두 고른 것은?

□□□

2012년 외무영사직

ㄱ. 1996년 중국, 러시아, 카자흐스탄, 키르기스스탄, 타지키스탄은 상하이에서 공동의 관심사인 서아시아 국경문제에 대해 국가 간 첫 정상회담을 개최했다.
ㄴ. 2001년 '상하이 5'가 발전적으로 개편되었고 몽골도 회원국으로 참여하였다.
ㄷ. 군사안보라는 제한된 분야에 초점을 맞춘 순수한 다자안보협력기구이다.
ㄹ. 2005년 한반도에 핵무기가 존재해서는 안 된다는 내용의 공동성명을 채택했다.

① ㄱ, ㄴ   ② ㄱ, ㄹ
③ ㄴ, ㄷ   ④ ㄷ, ㄹ

정답 및 해설

상하이협력기구(SCO; Shanghai Cooperation Organization)에 대한 설명으로 옳은 것은 ㄱ, ㄹ이다.

✓ 선지분석

ㄴ. 몽골은 회원국이 아니다.
ㄷ. SCO의 창설목적은 회원국 상호간 신뢰와 우호증진, 정치·경제·무역·과학기술·문화·교육·에너지 등 각 분야의 효율적인 협력 관계 구축, 역내 평화·안보·안정을 위한 공조체제 구축, 민주주의·정의·합리성을 바탕으로 한 새로운 국제정치·경제질서 촉진 등이다. 군사안보에만 초점을 맞춘 기구가 아니라 회원국 상호 간 포괄적 관계 증진을 목표로 다양한 분야에서의 협력을 예정하고 있다.

답 ②

012 1970년대 미·중관계의 전개 양상에 관한 설명으로 옳지 않은 것은? 2011년 외무영사직

① 미국과 중국은 1972년 '상하이 공동 코뮤니케'를 통해 양국은 아시아·태평양 지역에서의 지배권을 갖지 않으며, 제3국의 지배권 확립에도 반대한다고 합의했다.

② 미국은 1970년대 아시아 지역에서 소련의 군사·외교적 팽창을 저지하고, 베트남전쟁으로부터 탈출전략을 마련하고자 중국과의 관계에 있어 새로운 돌파구를 모색했다.

③ 중국은 1970년대 말 농업, 공업, 과학기술, 국방 등 '4개 현대화'와 경제발전을 위해 미국과 일본, 그리고 서유럽으로부터 자본과 기술을 도입해야 한다는 인식 하에 미국과의 관계 개선에 적극적으로 나서게 되었다.

④ 미국은 1979년 중국과의 국교정상화를 이루면서 대만과의 국교를 단절하고 대만에서 병력과 군사시설을 철수한다는 '대만관계법'을 통과시켰다.

정답 및 해설

대만관계법은 유사시 미군을 대만에 파견할 것과 대만에 대한 군사원조 또는 무기판매를 규정한 미국의 국내법이다. 대만관계법은 미국의 대만에 대한 이중정책을 보여주는 것으로서 중국의 반발을 초래하고 있다.

답 ④

013 중국의 대외정책에 관한 사실로서 가장 앞선 것과 가장 최근 것을 바르게 연결한 것은?

> ㄱ. 문화대혁명 시작
> ㄴ. 한중 수교
> ㄷ. 미중 상하이 공동성명 발표
> ㄹ. 중국의 WTO 가입
> ㅁ. 천안문 사건
> ㅂ. 미중 공식 외교관계 수립
> ㅅ. 등소평의 개혁·개방정책 선언(당 제11기 3중 전체회의)
> ㅇ. 대약진운동
> ㅈ. 중일 수교

① ㄱ, ㄴ   ② ㄱ, ㄹ

③ ㅇ, ㄴ   ④ ㅇ, ㄹ

정답 및 해설

중국의 대외정책에 관한 사실을 순서대로 나열하면 'ㅇ. 대약진운동(1958) → ㄱ. 문화대혁명 시작(1966) → ㄷ. 미중 상하이 공동성명 발표(1972.2) → ㅈ. 중일 수교(1972.9.29.) → ㅅ. 등소평의 개혁·개방정책 선언(당 제11기 3중 전체회의)(1978.12) → ㅂ. 미중 공식 외교관계 수립 (1979.1.1.) → ㅁ. 천안문 사건(1989.6.4) → ㄴ. 한중 수교(1992.8) → ㄹ. 중국의 WTO 가입(2001.12)'으로 이중 가장 앞선 것은 ㅇ. 대약진운동(1958)이며, 가장 최근 것은 ㄹ. 중국의 WTO 가입(2001.12)이다.

답 ④

014 중국의 개혁개방정책에 해당하지 않는 것은?

① '중외합자경영기업법' 채택(1979)
② '합영법' 채택(1984)
③ 국가발전 목표로 '소강사회'(小康社會) 제기(1997)
④ '전면적 소강사회'건설계획 제시(2002)

정답 및 해설

'합영법'은 북한이 서방의 자본과 기술을 도입하기 위해 1984년 9월 제정한 합작투자법으로, 중국이 아니라 북한의 법이다. 그 주요 내용은 합작 당사자는 화폐·재산·현물·발명권·기술 등을 출자하며 그 가격은 국제시장가격에 준해 평가할 것, 합작회사에서 일하고 있는 외국인이 얻는 임금과 출자자의 소득에 대해서는 북한 소득세법에 의해 과세되며 소득의 일부를 해외 송금할 수 있는 것으로 되어 있다.

✓ 선지분석

① 중국이 대외경제협력과 기술교류확대 및 외국과 중국의 합작 기업 설립을 촉진하기 위해 1979년 제정한 법이다. 1988년 4월 제1차 전인대에서 통과되었다.
③, ④ 중국은 1997년 '소강사회론'을 제기한 이후 2002년 11월 제16차 전인대에서 소강(小康)사회를 전면적으로 건설하려는 목표를 확정하였다. 즉 금세기 첫 20년 동안에 보다 높은 수준의 소강사회를 건설하고 금세기 중엽에 가서는 중국을 기본적으로 부강하고 민주적이며 문명한 사회주의 현대화 국가로 건설한다는 것이다.

답 ②

---

015 다음 중 중국 외교정책의 방향을 나타내는 4자 성어 중 현 중국 국가주석인 후진타오 정부가 제시한 것이 아닌 것은?

① 도광양회(韜光養晦)
② 화평굴기(和平掘起)
③ 유소작위(有所作爲)
④ 화자위선(和字爲善)

정답 및 해설

도광양회(韜光養晦)는 '어둠속에서 사태를 관망하듯 실력은 있으되 드러내지 않음'을 의미하며, 1980년대 덩샤오핑이 주창한 것이다.

✓ 선지분석

② 화평굴기(和平掘起)는 평화적으로 대국화한다는 것을 의미한다(2003년 말).
③ 유소작위(有所作爲)는 행사할 수 있는 곳에 힘을 행사한다는 것을 의미한다(2002년).
④ 화자위선(和字爲善)은 평화, 조화를 우선시한다는 것을 의미한다(2006년).

답 ①

016 중국의 대외정책의 발달 과정에 대한 설명으로 옳지 않은 것은?

① 흑묘백묘론(黑猫白猫論): 덩샤오핑의 실용주의를 의미한다.
② 사회주의 초급 단계론: 계급투쟁보다 개방이 중요하다.
③ 반패권(反覇權) 조항: 그 대상은 소련이다.
④ 항미원조(抗美援朝): 미국의 지원을 받는 대만을 응징한다.

> **정답 및 해설**
>
> 1950년 한국전쟁이 일어나자 그 해 10월 중국은 '인민지원군'을 파견하여 북한을 지원하기에 이르렀다. 한국전쟁
> 에 미국이 간여하였다고 판단한 중국은 이를 기회로 국내에서 항미(抗美)운동을 전개함으로써 중국 내의 자본주의
> 사상을 일소하고 경제적으로 국가를 보위하며 인민지원군에게 전쟁 물자를 공급해야 한다는 구호 아래 증산배가운
> 동을 전개하였다. 이와 같이 중국은 한국전쟁을 빌미로 중국 내부의 긴장을 극대화시켜 사회주의 체제를 강화하였
> 는데 이를 항미원조(抗美援朝) 운동이라 하였다.
>
> 답 ④

017 1988년 3월 중국 전국인민대표회의에서 우쉬에치엔(吳學謙) 전 외교부장이 발표한 것으로, 중국 사회주의 현대화 과정에서 중국이 추구하는 대외정책에 대한 내용으로 옳지 않은 것은?

① 패권주의를 반대하고 평화를 유지한다.
② 정책 쟁점은 사례별로 실용주의적으로 결정한다.
③ 제3세계 국가들과 협력을 강화한다.
④ 미국과 소련과는 동맹관계를 설정하도록 노력한다.

> **정답 및 해설**
>
> '미국과 소련과는 동맹이나 전략적 관계를 맺지 않는다'고 하였다.
>
> 답 ④

018
□□□

1978년 12월에 열린 중국공산당회의로서 이 회의를 기점으로 중국의 개방개혁정책이 실시되었다. 부분적인 시장경제원리를 일부 도입하여 사회주의 경제가 경쟁력을 갖게 하는 것이 목적이었다. 개혁은 농촌에서부터 시작되었으며, 농촌 활성화를 꾀하고, 생산도 확대일로로 증가하게 되었다. 이러한 중국 개혁개방정책의 역사적 전환을 만든 계기로 옳은 것은?

① 중국공산당 제11기 중앙위원회 제3차 전체회의(11기3중전회)
② 중국공산당 제12기 중앙위원회 제3차 전체회의(12기3중전회)
③ 중국공산당 제14차 당대회
④ 중국공산당 제15차 당대회

정답 및 해설

중국공산당 제11기 중앙위원회 제3차 전체회의(11기3중전회)가 중국 개혁개방정책의 물꼬를 튼 역사적 전환의 기점이었다. 1984년 10월 중국공산당 제12기 중앙위원회 제3차 전체회의(12기3중전회)에서는 11기3중전회에서 추진한 농촌에서의 성공을 바탕으로 '경제체제 개혁에 관한 결정'을 채택하여 중앙은 도시의 국영기업을 중심으로 한 기업관리 개혁에 중점을 두어 도시의 기업관리 체제에 대해 기업에게 보다 많은 재량을 주는 것으로 목표하였다. 1992년 제 14차 당대회에서는 덩샤오핑의 소위 남순강화(南巡講話)와 이에 입각하여 공식화된 사회주의시장경제의 도입을 분명하게 내세웠다. 남순강화는 계획경제와 시장경제가 사회주의와 자본주의를 구분하는 기준이 아니라, 사회주의를 전제로 한 시장경제의 중요성을 강조하고 '사회주의'라는 것은 '공유제'와 '공산당의 지도'를 견지하는 것이라고 덩샤오핑은 밝혔다. 1997년 제15차 당대회에서는 공유제를 전제로 하면서도 국유(국영)부문의 축소와 사영경제를 중심으로 한 비공유부문을 사회주의 시장경제의 '중요한 구성부분'이라고 자리매김하는 기점이 되었다.

답 ①

019
□□□

중국의 국가이념으로서 '삼개대표론(三個代表論)'에 대한 설명으로 옳지 않은 것은?

① 2002년 2월 후진타오 중앙군사위 주석이 광둥성의 까오저우시를 시찰하면서 처음으로 제시한 것으로서 중국 공산당이 선진생산력의 발전요구, 중국의 선진문화의 전진방향, 중국의 광대한 인민의 이익을 대표한다는 것을 의미한다.
② 선진생산력을 대표한다는 것은 당의 이론·노선·강령·방침정책과 각종의 사업을 생산관계와 상부구조를 생산력 발전에 조응하도록 조정하는 것을 의미한다.
③ 선진문화를 대표한다는 것은 당의 이론·노선·강령·방침정책과 각종의 사업을 사회주의 정신문명 건설의 요구에 조응시키는 것을 의미한다.
④ 수많은 인민의 근본이익을 대표한다는 것은 대다수 인민의 이익을 고려하고 여러 가지 이해관계를 합리적으로 처리하며, 대중이 구체적인 경제·정치·문화 이익을 얻게 한다는 것을 의미한다.

정답 및 해설

① 삼개대표론은 장쩌민 당시 중앙군사위 주석이 제시한 노선이다.

답 ①

020 중국의 모택동주의로 가장 옳지 않은 것은?

① 인민주의(populism)　　　　　　　② 신좌파운동(The New Left)
③ 영구혁명론(permanent revolution)　④ 게릴라전쟁(guerrilla warfare)

신좌파운동은 중국 지식계에 의한 마오쩌둥식 사회주의에 대한 재인식과 덩샤오핑식 효율 위주의 개혁·개방 및 사회주의 시장경제제도에 대한 문제제기 경향을 말하는 것이다.

✓ 선지분석

①, ③, ④ 1920년대부터 치열한 혁명투쟁과정에서 형성되기 시작한 모택동주의(마오쩌둥사상, Maoism)는 징강산(井岡山) 유격투쟁, 장시(江西) 소비에트 임시정부 수립, 대장정(大長征), 국공합작과 항일전, 국공내전, 중화인민공화국 수립, 대약진운동, 문화대혁명 등을 거치면서 완성되었다. 그 내용에는 마오쩌둥이 전개한 유격전술, 대중조직방법, 토지개혁정책, 민족통일전선의 형성, 신민주주의론, 사상개조운동, 실천론과 모순론, 영구혁명론, 사회제국주의론을 포함하고 있다.

답 ②

021 문화대혁명 당시 벌어졌던 시대적 상황에 대한 서술로 옳은 것은 몇 개인가?

　ㄱ. 문화대혁명은 공산주의 사회의 조기실현을 위해 1966년 마오쩌둥이 시작한 정치운동으로, 흐루시초프의 스탈린 비판, 사회주의에의 평화적 이행론, 미국과의 평화공존노선 등에 따라 시행되었다.
　ㄴ. 1958년에는 대약진 운동을 통해 영국이나 미국을 추월하는 것을 목표로 내걸고, 객관적인 경제, 기술 조건을 경시하고 노동자와 농민의 주관적 능동성(혁명적 열정) 발휘에 의존하였다.
　ㄷ. 중앙에서 열세에 놓여있던 마오쩌둥은 탈권(奪權)을 자발적으로 결성된 홍위병을 이용하여 낡은 사상, 낡은 풍속, 낡은 습관의 타파와 실권파의 규탄을 하게 만들었다.
　ㄹ. 문화대혁명은 사람들의 인간 불신을 증폭시키고, 과학기술과 생활수준을 후퇴시켰지만, 지방분권과 투자확대정책에 의해 1966년부터 1975년까지 국민소득 연평균 성장률 6.9%를 달성하였다.

① 0개　　　　　② 1개　　　　　③ 2개　　　　　④ 3개

문화대혁명 당시 벌어졌던 시대적 상황에 대한 서술로 옳은 것은 ㄴ, ㄷ, ㄹ로 모두 3개이다.

✓ 선지분석

ㄱ. 마오쩌둥은 흐루시초프의 스탈린 비판, 사회주의에의 평화적 이행론, 미국과의 평화공존노선 등에 반발하여 예전의 러시아혁명과 전혀 다른 농민이 주체가 되는 중국혁명을 성공시켰던 것처럼 중국식 공산주의 사회건설을 점차 추구하게 되었다.

답 ④

022 중국의 문화대혁명에 대한 설명으로 옳은 것만을 모두 고른 것은?

> ㄱ. 문화대혁명이란 공산주의 사회의 조기 실현을 위해 1966년 마오쩌둥이 시작한 정치운동이다.
> ㄴ. 마오쩌둥은 흐루시초프의 스탈린 비판, 사회주의에의 평화적 이행론, 미국과의 평화공존 노선에 반발하여 중국식 공산주의사회 건설을 추구하였다.
> ㄷ. 마오쩌둥은 1958년 영국이나 미국을 추월하는 것으로 목표로 하여 객관적인 경제·기술조건을 경시한 채 노동자와 농민의 주관적 능동성(혁명적 열정) 발휘에 의존하는 대약진운동을 시작했으며, 농촌에서는 인민공사를 조직했다.
> ㄹ. 1965년 1월 마오쩌둥은 당내의 실권파 일소를 주장하고, '반당, 반사회주의적'인 문예인사들의 비판을 돌파구로 하여 65년 6월 '중앙문혁소조'를 만들어 '부르주아계급의 대표적 인물, 반혁명수정주의분자'에 대한 격렬한 투쟁을 전개하였다.
> ㅁ. 중앙에서 열세에 놓여 있던 마오쩌둥은 4인방(장춘차오, 야오원위안, 장칭, 왕홍원), 자발적으로 결성된 학생조직인 홍위병, 린뱌오 중앙군사위 부주석겸 국방부장 등의 지지 및 지원하에 문화대혁명을 추진하였다.
> ㅂ. 문화대혁명은 1976년 9월 마오쩌둥의 사망, 화궈펑(華國鋒)의 4인방 체포로 막을 내렸다.

① ㄴ, ㄷ, ㄹ, ㅁ
② ㄱ, ㄴ, ㄷ, ㄹ, ㅁ
③ ㄴ, ㄷ, ㄹ, ㅁ, ㅂ
④ ㄱ, ㄴ, ㄷ, ㄹ, ㅁ, ㅂ

정답 및 해설

중국의 문화대혁명에 대한 설명으로 옳은 것은 ㄱ, ㄴ, ㄷ, ㄹ, ㅁ, ㅂ으로 모두 옳은 지문이다.

답 ④

---

023 그레이엄 앨리슨(Graham Allison)이 언급한 투키디데스의 함정이 의미하는 것은? 2020년 외무영사직

① 리먼브라더스 사태와 같은 금융시스템의 위기
② 국가 경제력의 한계를 뛰어넘는 군사적 해외원정으로 인한 위기
③ 패권 확보를 위한 군사적 충돌
④ 국제 공공재에 대한 무임승차의 문제

정답 및 해설

펠로폰네소스전쟁을 분석하면서 투키디데스는 아테네의 힘의 부상으로부터 스파르타가 갖게 된 두려움이 전쟁의 근본적 원인이라고 하였다. 앨리슨은 미중관계를 바라보면서 투키디데스 함정에 빠질 가능성이 있다고 우려하였다. 투키디데스 함정은 중국의 5대 함정 중의 하나로도 잘 알려져 있다.

답 ③

024 최근 중국의 부상에 대해 이론적 측면에서 고찰한 것으로 옳지 않은 것은?

① 미어샤이머(J. Mearscheimer)는 미국이 중국의 부상을 용인하지 않을 것이고, 이는 결국 두 강대국 간의 갈등과 충돌로 이어지리라 예측한다.

② 자유주의자들 입장에서는 중국을 위협적인 존재로 인식하지 않는다.

③ 로스(R. Ross)는 지정학적 요인을 고려하여 미·중 간의 충돌가능성을 낮게 본다.

④ 구성주의 입장에서는 동아시아에 새로운 형태의 국제질서 수립도 예상해 볼 수 있는 개연성을 열어놓고 있다.

정답 및 해설

자유주의자들의 입장은 이른바 '중국위협론'에 입각한 입장과 부상하는 중국이 반드시 현존하는 국제정치경제질서에 위협적인 존재라고는 볼 수 없다는 입장으로 나뉜다. '중국위협론'에 기반한 입장은 중국을 다자주의적 틀로 결박시켜 중국위협을 완화시킬 수 있다고 본다. 부상하는 중국을 국제사회의 일원으로 포함시키고, 국제사회에서 보편적으로 통용되는 규칙과 규범(norm)을 지키도록 하고, 다자주의적 틀에서 합의를 통한 결정을 준수하도록 하며, 이를 통해, 이른바 중국이 국제관계에서 죄수의 딜레마(prisoner's dilemma)에 빠지지 않도록 함으로써 협력적 관계를 형성하게끔 할 수 있다는 것이다. 이러한 문제의식을 바탕으로 자유주의자들은 동아시아에서 다자주의적 기재의 결핍을 중국의 부상에 따른 동아시아 국제관계의 불확실성이 증가하는 가장 큰 걸림돌로 인식하는 경향이 있다.

✓ 선지분석

① 공세적 현실주의자인 미어샤이머(J. Mearscheimer)의 견해가 맞다.

③ 로스는 지정학적 요인(geopolitical factor)에 주목하면서, 미·중 간에 충돌가능성을 낮게 본다. 즉, 미국은 전통적으로 해양주의 세력인 반면에 중국은 전통적으로 대륙주의 세력이며, 이는 현재에도 마찬가지라는 것이다. 따라서 양 강대국 간에 이해가 직접적으로 충돌되지 않으며 이는 양국 간 향후 이해의 조정이 가능함을 암시한다는 것이다.

④ 구성주의(constructivism)에 기반한 주장 중에는 동아시아의 국제관계 및 질서를 현재 보편적으로 인식되고 있는 질서(Westphalian system)와 다르게 인식할 필요성에 대해 주장하는 입장도 있다. 이 주장에 의하면 아편전쟁 이전의 동아시아 국제질서는 이른바 중화주의(sino-centralism)에 기반하였고 중국의 주변국들은 중국과 형식적으로 주종관계를 형성하면서도 실질적으로는 자주독립을 인정받는 체제로 평화를 유지했다는 것이다. 이와 같이 보면 지역강대국으로 부상하는 중국이 반드시 지역 평화에 위협적인 존재가 되리라는 보장은 없을 수도 있다. 물론 가능성은 낮지만, 오히려 동아시아에 새로운 형태의 국제질서가 수립될 수 있는 개연성을 열어놓는다고 볼 수 있다.

답 ②

---

025 냉전시기 중국과 소련 관계에 대한 설명으로 옳지 않은 것은?

① 1950년 2월 중국과 소련은 중소우호동맹상호원조조약을 체결하여 중국은 소련으로부터 안전보장과 함께 경제원조를 얻을 수 있었다.

② 1956년 2월 소련의 흐루시초프가 스탈린을 비난하는 연설을 하고 중국이 이에 대해 반박하면서 중소 간 대립이 표면화되었다.

③ 1958년 8월 중국이 대만에 대해 포격을 가하자 미국의 개입을 우려한 소련은 중국의 핵무기 개발을 원조하기 시작하였다.

④ 1968년 소련이 체코를 침공하자 중국은 소련을 '사회제국주의'라고 비난하였으며, 1969년 3월 우수리 강 인근 지역에서 양국의 국경 경비부대 간 무력충돌이 발생하기도 하였다.

정답 및 해설

중국이 대만을 포격하자 소련은 국지전 발발 가능성의 위험성을 우려하였으며, 이 사건을 계기로 중국에 대한 핵개발원조를 중단하여 중소 양국 간 분쟁을 고조시켰다.

답 ③

026 중국의 다극화 외교전략에 대한 설명으로 옳지 않은 것은?

① 중국은 책임대국론의 일환으로 다극화 전략을 사용하고 있는데, 이는 탈냉전기의 국제체제의 전환기라는 호기를 적극적으로 포착하여 국제적 지위를 높이고자 하는 것이다.

② 중국은 탈냉전기에는 강대국 간 견제와 균형, 협력이 공존하는 다극화를 통해 미국의 일방주의를 견제하고 중국의 안보를 달성할 수 있다고 보고, 이에 따라 국제사회 여러 강대국들과 동반자 관계를 수립하는 '동반자 외교'를 실천하고 있다.

③ 중국 지도부는 책임대국을 달성하기 위해 미국의 협력이 필요하다는 것을 인정하고 대미 실리외교를 진행하고 있다.

④ 중국은 현재의 미국 중심 패권체제의 원동력이 UN 등의 국제레짐에 있다고 보고, 미국의 패권을 강화시켜 줄 수 있는 다자주의적 활동에는 적극 참여하지 않고 양자적 관계만을 추구하는 전략을 사용하고 있다.

정답 및 해설

중국은 전통적으로 다자주의보다 양자주의를 우선시해 왔으나, 책임대국 지향외교에서는 다자주의에 적극성을 보여주고 있다. 특히 UN의 중요성을 강조하고 있으며, 이외에도 APEC, ASEAN+3, ASEAN+1 등 경제관련 다자기구에서 중국은 시장의 힘을 기반으로 영향력을 증대시켜 나가고 있다.

✅ 선지분석

① 중국은 스스로를 '세계적 영향력을 지닌 지역대국'에 있으나 추후 '세계대국'을 지향하고 있기 때문에 현재 패권구도에서 다극화 전략을 지향하는 외교를 펼치는 것은 당연한 일이다.

② 중국은 러시아와 1996년 '전략적 동반자관계'를 설정하고, 프랑스와는 1997년 '21세기 협력 동반자 관계'를 수립하는 등 적극적으로 동반자 외교를 펼치고 있다.

답 ④

027 중국의 동아시아지역 전략에 대한 설명으로 옳지 않은 것은?

① 중국의 목표는 자국의 등장에 대한 지역 국가들의 경계심을 해소하고 동시에 자국의 영향력을 확장시키는 것을 정책적 우선 전략으로 삼고 있는데, 이는 장기적으로 미국의 대중국 봉쇄노선에 대비한 것이기도 하다.

② 중국은 '평화적 부상'을 연성권력 형성을 위한 주요 수단으로 사용하고 있으며, 이를 통해 동아시아에서의 이미지 개선과 함께 영향력 증대효과를 노리고 있다.

③ 중국은 '하나의 중국' 원칙에 근거하여 군사적·경제적 수단을 이용해 대만의 국제 활동 공간을 제한하는 강경 일변도의 전략을 사용하고 있다,

④ 중국은 북한을 이념적 차원이 아니라 전략적 이해관계 차원에서 접근하고 있으며, 경제관계 역시 실리추구를 목적으로 전개되고 있다.

정답 및 해설

중국은 때로 대만 근처에서의 군사훈련 강행 등 여러 가지로 강경하게 대만을 압박하고 있기는 하지만, 대만 국민과 기업을 친(親)중국화하는 이중적 전략을 구사하고 있으므로 강경 일변도의 전략이라는 것은 사실과 다르다.

✅ 선지분석

② 중국은 자국의 부상을 의미하는 용어에 대해서도 '화평굴기'에서 '화평발전'으로 바꾸면서 대외 이미지 개선에 민감하게 반응하고 있다.

④ 중국이 북한을 지속적으로 지원하는 것은 북한 김정은 정권 붕괴 시 북한에 대한 미국의 영향력이 강화되어 중국의 안보를 위협할 수 있다고 생각하기 때문이다.

답 ③

028 후진타오 체제 하에서 중국의 대미전략을 가장 잘 표현한 것은?

① 지속적 경제성장을 위한 안정적 대미관계 구축과 유지
② 패권국 지위를 둘러싼 경쟁관계 돌입
③ 불만족한 신흥세력으로서 미국 패권에 도전
④ 미국 주도의 패권체제에 순응하기 위해 미·중 군사동맹 모색

정답 및 해설

후진타오 정권은 경제의 지속적 발전과 개혁을 위해 주변환경의 안정화에 우선순위를 두고 있으며, 이를 위해 미국 주도의 반테러전쟁에 적극 참여하는 등 미국과 안정적 협력관계를 유지하고자 한다.

✓ 선지분석

②, ③, ④ 향후 전개 가능한 시나리오로 점쳐볼 수 있지만 후진타오 정권 하에서 실현 중인 대미전략은 아니다.

답 ①

029 중국의 외교정책 변화에 대한 정책으로 옳은 것은?

2010년 9월 7일 센카쿠열도 인근 해상에서 일본 해상보안청 순시선과 중국 어선 간의 충돌사고는 부서지기 쉬운 전략적 호혜관계로서의 중·일관계의 현주소를 잘 보여준다. 중·일관계는 2009년 9월 하토야마 민주당의 집권 이후 일본이 중국과 아시아 중시 외교를 전개함으로써 본격적인 밀월시대로 진입하는 듯했다. 하지만 뒤이은 해양 영유권 갈등과 중국정부의 초강경대응은 중국이 지금까지 조심스럽게 견지해 온 (ㄱ) 대신 (ㄴ)(으)로의 전환을 국제사회에 알리는 계기가 되었다.

ㄱ. 1980년대 덩샤오핑이 주창한 것이다.
ㄴ. 행사할 수 있는 곳에 힘을 행사한다는 것이다.

	ㄱ	ㄴ
①	화평굴기(和平掘起)	화자위선(和字爲善)
②	도광양회(韜光養晦)	유소작위(有所作爲)
③	화평굴기(和平掘起)	유소작위(有所作爲)
④	도광양회(韜光養晦)	화자위선(和字爲善)

정답 및 해설

ㄱ. 도광양회(韜光養晦)는 1980년대 덩샤오핑이 주창한 것으로, 어둠속에서 사태를 관망하듯 실력이 있으되 드러내지 않는다는 의미이다.
ㄴ. 유소작위(有所作爲)는 행사할 수 있는 곳에 힘을 행사한다는 의미이다.

✓ 선지분석

①, ③, ④ 화평굴기(和平掘起)는 평화적으로 대국화한다는 의미이며, 화자위선(和字爲善)은 평화·조화를 우선시 한다는 의미이다.

답 ②

030 중국의 대외전략기조에 대한 설명으로 옳은 것은?

① 도광양회: 자국의 경제적, 군사적 실력을 기르며 때를 기다린다.

② 유소작위: 후진타오 정권이 강조하는 전략으로, 화합을 강조한다.

③ 책임대국: 기존 패권국과의 갈등을 야기하지 않고 평화적인 방법으로 부상한다.

④ 화자위선: 지역문제에 적극 개입하며 국제적으로 자국에 불합리한 규범과 제도를 변경한다.

> **정답 및 해설**
>
> 중국의 도광양회 전략기조는 1990년대 미국 등 강대국에 대항하지 않고 경제성장에 전념했던 데에서 잘 드러난다.
>
> ✅ **선지분석**
> ② 유소작위는 적극적인 주변국 외교 및 국제사회에의 적극적 참여를 강조한다.
> ③ 책임대국은 지역문제에 적극 개입하며 국제적으로 자국에 불합리한 규범과 제도를 개선한다.
> ④ 화자위선은 후진타오 정권이 강조하는 전략으로, 화합을 강조한다.
>
> 답 ①

031 2006년 후진타오 정권의 외교정책기조로 일컬어지는 '화자위선'에 대한 설명으로 옳지 않은 것은?

① 중국위협론으로 인해 중국이 국제적으로 고립될 수 있다는 위기감이 작동한 것이다.

② 중국과 미국 간의 실력차가 존재함을 인정한다.

③ 대만에 대해서 화합을 강조하며 포용하고자 한다.

④ 갈등보다 화합을 우선시하려는 태도를 반영한다.

> **정답 및 해설**
>
> 대만은 중국의 핵심이익으로 이에 대해서는 단호한 입장을 유지하고 있다.
>
> ✅ **선지분석**
> ① 중국의 부상으로 중국위협론이 힘을 얻고 있는 상황에서 적극적, 공세적 외교정책이 가져올 부작용에 대한 우려가 작용한 것이다.
> ② 미·중 간 실력차를 인정하며 미국과의 갈등을 회피하고자 한다.
> ④ 화자위선은 중국이 그 간의 가시적 공세성을 완화하고 속도조절을 시도할 것임을 보여준다.
>
> 답 ③

032 1970년대 미중관계에 대한 설명으로 옳지 않은 것은?

① 상하이 코뮈니케를 채택하여 미국은 하나의 중국원칙을 지지하고 아시아 태평양지역에서 미중 양국 및 제3국이 패권을 추구하는 것에 반대하기로 합의하였다.

② 미국은 관계 개선을 통해 중국이 핵확산방지조약(NPT)에 가입할 것을 기대하였으며, 중국은 1975년 NPT에 가입하였다.

③ 중국은 소련과의 관계가 악화되면서 미국을 더 이상 제1의 적으로 여기지 않게 되었다.

④ 미국은 수교 이후 중국과의 합의에 따라 대만과 체결한 동맹조약을 폐기하였다.

> **정답 및 해설**
>
> 중국은 1992년 프랑스와 함께 가입하였다.
>
> 답 ②

033 중일관계에 대한 설명으로 옳은 것은?

① 일본과 대만은 1952년 4월 일화평화조약을 체결하고 일본은 대만의 국민당 정부를 중국을 대표하는 유일 합법정부로 인정하였으나, 1979년 중국과 수교하면서 하나의 중국 원칙에 동의하였다.

② 일본은 광화랴오 재판을 통해 대만이 구입한 기숙사 광화랴오가 수교 이후 대만에서 중국으로 소유권이 이전되었다고 판결함으로써 하나의 중국 원칙을 국내적으로 승인하였다.

③ 수교 이후 일본은 대만의 독립을 주장하는 리덩후이 총통의 일본 방문을 허가하지 않아 동맹국인 미국과 마찰을 빚기도 하였다.

④ 1978년 중국과 일본은 평화우호조약을 체결하여 조어도문제에 대해 논쟁보류 및 공동개발에 합의하였다.

> **정답 및 해설**
>
> ☑ **선지분석**
> ① 중일 수교는 1972년이다.
> ② 소유권 이전되지 않았다는 판결로 중국과 마찰을 빚었다.
> ③ 리덩후이의 방일을 허가함으로써 중국과 마찰이 있었다.
>
> 답 ④

034 중국의 강대국 전략에 대한 설명으로 가장 옳지 않은 것은?

① 경제성장을 위해 일본과의 정치적 갈등에도 불구하고 경제관계를 안정적으로 유지하고자 한다.

② 안정적 성장과 자원 확보를 위해 러시아와의 협력관계를 강화하고 있다.

③ 동아시아 지역에서 일본을 제치고 역내 최강대국으로 부상하고자 한다.

④ 전지구적 차원뿐 아니라 지역 차원에서도 미국의 패권에 순응하며 자국의 세력 확대에 제동을 걸고 있다.

> **정답 및 해설**
>
> 중국은 전지구적 차원에서 미국의 우위를 인정하는 한편, 지역 차원에서 자국의 우월적 지위와 역할을 추구하기 위해 노력하고 있다.
>
> ☑ **선지분석**
> ① 안정적 경제성장을 위해서는 일본과의 원만한 경제관계가 필수적이다. 따라서 대외정책 기조와 관련시켜 대일전략을 추진 중이다.
> ② 중국은 MD, 에너지 안보, 반테러를 중심으로 러시아와의 연대를 강화하고 있다.
> ③ 중국과 일본은 역내 최강대국 지위를 놓고 경쟁하고 있다. 이를 위해 전통적으로 일본의 영향력이 강했던 동남아 지역에 대한 영향력을 강화하고 있다.
>
> 답 ④

035 다음 내용에 해당하는 중국의 외교적 가치이념으로 옳은 것은?

> 상하이협력기구(SCO)는 중국 특색의 외교적 가치이념인 (   )을/를 바탕으로 창설된 다자기구라는 점에서 규칙제정자로서 거듭나고자 하는 중국의 전략을 가시화하였다. 이 외교적 가치이념에 기반한 안보협력 모델의 주요원칙과 방식은 SCO헌장에 그대로 투영되어 있다. 헌장 제2조에는 국가 주권과 독립의 상호존중, 상호불가침, 내정불간섭, 모든 회원국들 간의 평등, 특정 국가와 특정 국제조직을 겨냥하지 않음의 내용을 포함하고 있다.

① 신안보관(新安保觀)
② 유소작위(有所作爲)
③ 돌돌핍인(咄咄逼人)
④ 화평굴기(和平掘起)

정답 및 해설

신안보관(新安保觀)은 중국 외교정책의 최고 준칙인 '평화공존 5원칙(영토보존과 주권, 상호불가침, 내정불간섭, 평등 및 상호이익, 평화공존)'을 시대적 변화에 맞게 변화 · 발전시킨 것으로, 상호신뢰, 상호이익, 평등, 협력을 핵심개념으로 하고 있다. 여기에서 '상호신뢰'란 이념 · 제도적 차이를 초월해 냉전식 사고방식과 권력정치를 반대하고 자국 안보정책 및 중대 군사행동에 대해 대화 및 상호 통보하는 것을 말한다. 그리고 '상호이익'이란 각국 안보이익 존중, 자국 안보이익 실현과 공동안보(common security)의 실현을 말한다. '평등'이란 국가 대소를 불문하고 평등하게 참여하며 내정 불간섭, 국제관계의 민주화를 추구한다는 것이다. 마지막으로 '협력'이란 평화적 협상을 통한 분쟁 해결 및 협의 조정을 지향한다고 말하고 있다.

✓ 선지분석
② 유소작위(有所作爲)는 행사할 수 있는 곳에 힘을 행사한다는 의미이다.
③ 돌돌핍인(咄咄逼人)은 자국의 국력에 대한 자신감에 바탕을 두고 공세적으로 실력을 행사한다는 의미로, 2009년 이후 중국의 대외행태를 특징짓는 의미로 사용되고 있다.
④ 화평굴기(和平掘起)은 평화적으로 대국화한다는 의미이다.

답 ①

---

036 중국의 경제외교에 대한 설명으로 가장 옳지 않은 것은?

① 해외직접투자를 장려하는 '주출거(走出去)' 전략을 지원한다.
② '공동부유(共同富裕)'를 추구하는 안정적 성장으로부터 '선부론(先富論)'으로 대표되는 고도성장으로 전환하고자 한다.
③ 대만의 국제활동 공간을 제한하면서도 대만 국민과 기업을 친중국화 하려는 목표를 설정하였다.
④ 경제적 부상에 따른 중국위협론을 불식하기 위해 경제외교를 강조한다.

정답 및 해설

2002년 제기된 '전면적 샤오캉사회'와 '사회주의 조화사회'를 건설하기 위해 '선부론(先富論)'으로부터 '공동부유(共同富裕)'로의 전환을 꾀하고 있다.

✓ 선지분석
① WTO 가입 이후 중국은 적극적 외교를 통해 중국기업들의 해외직접투자를 지원하고자 노력하고 있다.
③ 중국은 라틴아메리카, 아프리카 약소국에 대한 경제지원을 강화함으로써 기존 대만의 영향력을 약화시키고자 한다. 한편 대만에 대해 무역, 투자 개방 조치를 취하는 등 경제적 공세를 강화하고 있다.
④ 중국의 경제외교 강화는 중국위협론에 대한 대응으로 마련되었으며, 개도국에 대한 연성권력을 강화하는 계기가 되고 있다.

답 ②

037

□□□

중국은 1993년부터 석유수입국이 된 이래 석유수급의 안정화를 위해 전방위적 외교노력을 지속하고 있다. 중국의 자원외교에 대한 설명으로 옳지 않은 것은?

① 2000년 '중 - 아프리카 부장급 회의' 개최 이래 꾸준히 아프리카와의 에너지 협력을 강화하고 있다.

② 2005년 유전 개발 및 제반사업의 원활한 추진을 위해 이란과의 공동실무회의를 개최하였다.

③ 2006년 파키스탄, 인도, 태국을 순회하고 에너지 시설을 건설하는 등 접근 거점을 확보하였다.

④ 러시아 시베리아 유전과 중국 헤이룽장성 다칭 정유단지를 잇는 파이프라인을 건설하는 데 합의하였다.

> **정답 및 해설**
>
> 중국은 위 지역에 군사 시설을 건설하고 합동 훈련을 실시하였다. 즉, 이 진술은 중국의 군사외교에 관한 것이다.
>
> ☑ **선지분석**
>
> ①, ②, ④ 사실과 일치하는 진술이다. 중국은 아프리카, 중동, 러시아, 라틴아메리카, 중앙아시아 등과의 쌍무외교뿐 아니라 상하이협력기구(SCO), ASEAN+1 등 다자외교를 통해 자원외교를 강화하고 있다.
>
> 답 ③

038

□□□

ASEAN에 대한 중국의 외교정책 논리를 가장 옳은 것은?

① 인도차이나 반도 국가들과의 관계 강화를 중시하면서도 민주주의를 탄압하는 군정국가에 대해서는 지원을 하지 않고 있다.

② 냉전종식 후 ASEAN 국가들과 관계 개선을 도모하였으며, 동아시아 외환위기 후 대(對)아세안 정책이 보다 적극적 태세로 전환되었다.

③ 현재 자국이 경제적으로 장악하고 있는 ASEAN 지역에 대해 일본이 영향력을 강화하려는 것을 배제하고자 한다.

④ ASEAN+3에의 적극적 참여가 중국의 의도에 대한 미국의 의심을 야기할 것을 우려해 소극적 태도를 견지하고 있다.

> **정답 및 해설**
>
> 그 간의 지속적인 경제성장으로 자신감을 갖게 된 중국은 동아시아 경제위기 극복 과정에 본격적으로 영향력을 행사하였으며, 동남아 지역을 전략적으로 재평가하기 시작하였다. 중국은 세계강국으로 도약하기 위해 먼저 동아시아를 장악해야 한다고 생각하고 있다.
>
> ☑ **선지분석**
>
> ① 1988년 중국은 민주적 선거 결과를 무시하고 군정을 연장한 미얀마 군부 세력을 적극적으로 옹호하고 군사, 경제적 지원을 계속한 바 있다.
>
> ③ 현재 ASEAN 지역은 일본이 경제적으로 장악하고 있다. 중국은 동아시아에서 일본과의 패권경쟁에서 우위에 서기 위해 ASEAN 지역을 자신의 영향권으로 만들고자 꾀하고 있다.
>
> ④ 중국은 이 협력체가 미국 중심의 반(反)중 동맹체 형성에 제동을 걸 수 있는 바람직한 지역협력 구도라고 인식하므로, ASEAN+3에 적극 동참할 뿐 아니라 ASEAN의 후원세력임을 자처하고 있다.
>
> 답 ②

039 다음 내용에서 공통적으로 언급되고 있는 국가로 옳은 것은?

□□□

> • 2011년 일본은 이들 국가들을 주적으로 삼는 새로운 방위계획대강을 채택함으로써, 기존의 '기반적 방위력' 개념에서 탈피, 기동력을 중시하는 '동적 방위력'으로의 전환은 선언했다.
> • 센카쿠 열도에서는 이들 국가들끼리 영토분쟁이 나타나 충돌이 야기되고 있다.
> • 2010년 열린 역사상 최대 규모의 한미연합훈련에 대해 이들 국가들은 반발하고 나섰다.

① 일본
② 북한
③ 중국
④ 러시아

정답 및 해설

첫 번째 지문에서 일본이 신방위계획대강에서 주적으로 삼은 국가는 북한과 중국이고, 두 번째 지문에서 센카쿠 열도에서 분쟁을 일으키는 국가는 일본과 중국이며, 세 번째 지문에서 한미연합훈련에 대해 반발하고 나선 국가는 북한과 중국이다.

답 ③

040 중국과 대만 관계에 대한 서술로 옳은 것만을 모두 고른 것은?

□□□

> ㄱ. 중국은 삼불정책(三不政策)을 기치로 내걸었으며, 1954~1955년과 1958년에 대만해협에서 위기가 발생했으나 전면전으로 확대되지는 않았다.
> ㄴ. 1954년 미·대만 상호방조조약이 체결되어 미국 단독으로 대만을 방위할 의무를 맡게 되었고, 미국은 대만이 중국 전체에 대한 대표자라는 입장을 견지하고 있다.
> ㄷ. 대만과 중국과의 관계에 대한 중국의 입장은 '하나의 중국' 원칙 유지이지만, 대만의 경우 '일변일국(一邊一國)'론을 제시하는 등 양국 간의 이견대립이 존재한다.
> ㄹ. 정치적 긴장관계가 존재하기 때문에 경제분야에서도 양국 간의 밀접한 관계가 이루어지지 않고 있다.

① ㄷ
② ㄱ, ㄹ
③ ㄴ, ㄷ
④ ㄷ, ㄹ

정답 및 해설

중국과 대만 관계에 대한 서술로 옳은 것은 ㄷ이다.
ㄷ. 일변일국론은 '각각 다른 나라'라는 의미를 담고 있다.

⊘ 선지분석

ㄱ. 삼불정책을 내세운 것은 대만이다. 삼불정책의 의미는 '타협하지 않고, 교섭하지 않으며, 접촉하지 않음'이다.
ㄴ. 1979년 1월 1일 카터 정권은 중화인민공화국과의 국교를 수립하고, 대만과 단교하였다. 미국은 중국과 국교를 수립하면서 '하나의 중국' 원칙을 승인하여 중국이 중국 전체에 대한 대표자라는 사실을 인정하였다. 다만, 그 직후에 국내법으로서 '대만관계법'을 성립시킴으로써 대만문제에 관여할 것을 실질적으로 법제화하였다.
ㄹ. 정치적 긴장상태와 달리, 경제적으로 대만과 중국은 밀접한 관계를 맺고 있다. 실제로 2011년 1월 발효된 경제협력기본협정(ECFA)으로 경제 교류도 확대되고 있다. 양측의 교역 규모는 연간 1,000억 달러를 넘어섰고, 지난해 오간 사람이 400만 명에 이르는 등 양안 관계가 더욱 긴밀해지고 있다.

답 ①

041 중국과 대만 관계에 대한 서술로 옳은 것만을 모두 고른 것은?

ㄱ. 마잉주 대만 총통은 '일국양구론(一國兩區論)'을 제시한 바, 이는 중국은 하나의 국가이지만, 대만과 대륙에 각기 정치적으로 독립된 실체가 존재하고 있고, 이 두 개의 정치적 실체의 공존을 인정해야 한다는 것이다.

ㄴ. 1954년 미·대만 상호방위조약이 체결되어 미국 단독으로 대만을 방위할 의무를 맡게 되었으나 1970년대 중국과 수교하면서 대만관계법을 제정하여 대만에 대한 안보공약을 철회하였다.

ㄷ. 대만과 중국과의 관계에 대한 중국의 입장은 '하나의 중국' 원칙이나, 대만의 민진당의 경우 '일변일국(一邊一國)'론을 제시하는 등 이견이 존재한다.

ㄹ. 중국은 2005년 3월 '반분열국가법(反分裂国家法)'을 제정하여 하나의 중국 원칙을 재확인하고 대만의 독립을 저지하되 주변국과의 관계를 고려하여 무력사용은 자제하도록 규정하였다.

---

① ㄱ, ㄷ

② ㄱ, ㄹ

③ ㄴ, ㄷ

④ ㄷ, ㄹ

정답 및 해설

중국과 대만 관계에 대한 서술로 옳은 것은 ㄱ, ㄷ이다.

ㄱ. 마잉주의 '일국양구론'은 중국의 '일국양제'론과 유사하나, 일국양제(一國兩制)는 하나의 중국에 사회주의와 자본주의라는 두 개의 제도/체제가 공존한다는 것으로서 두 개의 정치적 실체의 존재의 인정을 요구하는 일국양구론과 구분된다.

ㄷ. 천수이벤의 일변일국론(一邊一國論)은 대만과 대륙에 각기 독립적인 국가가 존재한다는 것으로서 하나의 중국이란 국가를 거부하고 대만이란 국가를 지향한다.

⊘ 선지분석

ㄴ. 1979년 1월 1일 카터 정권은 중화인민공화국과의 국교를 수립하고, 대만과 단교하였다. 다만, 그 직후에 국내법으로서 '대만관계법'을 성립시킴으로써 대만문제에 관여할 것을 실질적으로 법제화하였다.

ㄹ. 반분열국가법은 중화인민공화국의 법으로, 하나의 중국 원칙 재확인과 타이완 공화국 독립 저지를 목적으로 하고 있다. 이 법은 2005년 3월 14일에 열린 제10기 전국인민대표대회 3차 회의에서 찬성 2,896표, 반대 0표, 기권 2표로 통과되어 제정되었다. 이 법은 중국 내에서 발호하고 있는 타이완 공화국의 독립을 지지하는 세력에 비평화적 수단을 취할 수 있도록 규정하고 있다. 예를 들어 제8조는 "중화인민공화국 정부는 타이완의 독립을 지지하는 세력에 무력 수단을 취할 수 있다."라고 규정하였다.

답 ①

042 남중국해를 둘러싼 영토 분쟁과 관련하여 옳지 않은 것은?

□□□

ㄱ. 남중국해의 영유권을 둘러싼 갈등이 본격화된 것은 1970년대 해양자원의 개발 및 UN해양법협약이 구체화되면서이다.

ㄴ. 남중국해의 서사군도는 중국과 대만, 일본이, 남사군도의 경우 앞의 3국 이외에 필리핀, 인도, 브루나이가 영유권을 주장하고 있다.

ㄷ. 1990년에는 ASEAN 국가들을 중심으로 '남중국해 워크숍'이 시작되었으나 중국의 참가를 이끌어내지 못하고 있다.

ㄹ. 중국의 경우, 남중국해 문제에 대한 입장은 다국 간의 협력보다는 2국 간의 협력방식을 고집하고 있다.

① ㄱ, ㄹ　　　　　　　　　　② ㄴ, ㄷ
③ ㄴ, ㄹ　　　　　　　　　　④ ㄷ, ㄹ

정답 및 해설

남중국해를 둘러싼 영토 분쟁과 관련하여 옳지 않은 것은 ㄴ, ㄷ이다.

ㄴ. 서사군도는 중국, 대만, 베트남이, 남사군도는 앞의 3국 이외에 필리핀, 말레이시아, 브루나이가 영유권을 주장하고 있다. 참고로 인도네시아는 영유권분쟁의 직접적인 당사국은 아니다.

ㄷ. 1990년에는 ASEAN 국가들을 중심으로 '남중국해 워크숍'을 시작하였고, 1991년 제2차 회합부터 중국의 참가를 유치하는 데 성공하였다.

답 ②

---

043 다음 중 중국과 관련된 영토분쟁 지역으로 옳지 않은 것은?

□□□
① 조어도(釣魚島, 센카쿠)　　　② 남사군도(南沙群島)
③ 쿠릴열도　　　　　　　　　④ 파라셀군도

정답 및 해설

일본의 홋카이도와 러시아의 캄차카 반도를 잇는 쿠릴열도 20개 도서 중 최남단 4개 섬에 대한 일본과 러시아 간의 영유권분쟁이다.

☑ 선지분석

① 동중국해상에 위치한 8개 섬으로 이뤄진 조어도(중국명 댜오위다오)를 둘러싸고 일본과 중국·대만이 벌이고 있는 영유권분쟁이다. 현재 일본이 이곳을 점유하고 있으며, 중국과 대만은 지속적으로 영유권을 주장하고 있다.

② 남중국해 남단에 위치한 남사군도를 둘러싸고 중국·대만·베트남·말레이시아·필리핀·브루나이 등 주변 6개 국이 이곳의 전부 또는 일부에 대해 영유권을 주장하고 있는 분쟁이다. 현재 50여 개의 섬을 각 분쟁국들이 점유하고 있다.

④ 남중국해에 위치한 40여개의 소도, 사주, 암초로 구성되어 있는 군도이다. 중국과 베트남이 영유권 분쟁을 벌이고 있는 지역으로 '서사군도(西沙群島), 황사군도'라고도 한다.

답 ③

044

2009년 7월 워싱턴에서 개최된 제1차 미·중 전략경제대화에 관한 설명으로 옳지 않은 것은?

① 기존의 전략적 경제대화와 고위급 대화가 합쳐진 것이다.
② 금융시장 안정을 위해 공동 노력할 것을 약속했다.
③ 양국 군사관계의 전면적인 회복을 선포했다.
④ 북핵문제에 대한 논의는 이루어지지 않았다.

> **정답 및 해설**

자세한 내용은 공개되지 않았으나, 미 힐러리 국무장관과 중 다이빙궈 국무위원 간에 북핵문제에 대한 논의가 심도 있게 이루어졌다.

✓ **선지분석**

① 미·중 전략경제대화는 기존의 전략적 경제대화(SED: Strategic Economic Dialogue)와 고위급 대화(SD: Senior Dialogue)를 합쳐 장관급 이상의 고위급들이 참여하도록 대화의 수준을 격상시키고, 경제를 포함 전략적이고 중장기적인 이슈 등 의제를 확대한 것이다.
②, ③ 미·중은 온실가스 감축 등 기후변화 대응, 금융시장 안정, 양국 군사관계의 전면적 회복 등에 합의했다.

답 ④

045

중국의 부상과 관련하여 미국이 보이고 있는 대응조치로 옳지 않은 것은?

① 아시아에서 미군 전력을 유지·강화할 것을 공약하고 있다.
② 아시아·태평양 국가들과 안보협력을 강화하고 있다.
③ 포용을 통해 협력적인 관계를 유지하면서 중국을 현상유지국가로 유도하고자 노력하고 있다.
④ 중국의 군사력 증강에 대응해서는 힘의 우위 유지 전략을 포기하고 전략적 유연성에 따라 신속대응군 중심으로 역내 군사력을 재편하고 있다.

> **정답 및 해설**

미국은 힘의 우위를 유지하기 위하여 중국에 비해 최소 4배 이상의 군사비를 지출하고 있으며, 군사혁명(RMA)을 통해 중국 등 잠재적 경쟁자들과의 군사력 격차를 극대화하기 위해 노력해오고 있다.

답 ④

046 시진핑의 대외정책에 대한 설명으로 가장 옳지 않은 것은?

① 2012년 10월 개최된 중국 제18차 공산당 당대회에서 시진핑을 지도자로 하는 새로운 지도부를 형성하였다.

② 시진핑은 중국의 대미 편승정책이 조어도 문제에 대한 미국의 대일본 지지 선언이 나오게 했다고 보고 대미관계에서 보다 공세적 정책을 펼 것을 결의하였다.

③ 시진핑이 제시한 '신형대국관계'는 기존에 중국이 주장했던 '평화로운 발전론'이나 '조화로운 국가관계'가 강대국들 간의 관계에 보다 구체화된 형태로 제시된 것이다.

④ 2013년 9월 미국을 방문한 중국 외교부장 왕이는 충돌과 대립방지, 상호존중, 협력공영, 전략적 신뢰 증진 등을 제시하였다.

정답 및 해설

신형대국관계는 국제정치에서 미국의 주도권을 인정하는 전제하에서 비군사적 방식으로 경쟁을 하겠다는 것이다. 따라서 대미 강경책을 펴기보다는 미국과 협력을 통해 국제문제를 해결하고 중국의 이익을 안정적으로 실현시켜 나가겠다는 전략으로 볼 수 있다.

답 ②

047 시진핑의 신형대국관계에 대한 설명으로 옳지 않은 것은?

① 후진타오 시기인 2010년 경부터 제기되었으며 시진핑 시기 중국이 희망하는 새로운 미중관계를 개념화한 것이다.

② 경쟁과 대결이 아닌 상호 존중과 협력에 초점을 둔 강대국 신질서론이다.

③ 왕이 외교부장은 충돌과 대립방지, 상호의존, 협력공영이 구체적 내용이라고 하였다.

④ 국제정치에서 미국의 주도권을 인정하는 전제하에서 비군사적 방식으로 경쟁한다.

정답 및 해설

상호의존이 아니라 상호존중이다.

답 ③

048 중국의 외교정책에 관한 설명으로 옳지 않은 것은?

□□□

① 1970년대 중국은 친소반미(親蘇反美) 정책 기조를 유지하였다.

② 덩샤오핑은 대외적으로 불필요한 마찰을 줄이고 내부적으로 국력을 발전시키는 것을 외교정책의 기본으로 삼았다.

③ 1990년대 중국은 아세안지역포럼(ARF)에 참여하였다.

④ 2000년대 초 결성된 상하이협력기구는 중국이 새로운 다자기구를 창출하고 운용하는 대표적 사례이다.

정답 및 해설

1970년대 중국은 미국과의 관계개선을 통해 소련을 고립시키는 전략을 구사하였다. 중국은 1972년 공동성명을 통해 관계개선을 이룬 다음 1979년 미국과 공식 국교를 수립하였다.

답 ①

049 미·중 관계에 관한 설명으로 옳지 않은 것은?

□□□

① 2009년 미·중 정상회담에서 미국은 티벳이 중국의 영토임을 확인해주었다.

② 미·중 간 무역 불균형에 대해 중국은 미국의 과도한 전비지출과 재정적자를, 미국은 중국의 위안화 환율조작을 주요인으로 지목하고 있다.

③ 미국은 대만문제에 대해 '하나의 중국원칙' 지지, 대만 독립 불지지, 대만에 대한 중국의 무력사용 반대 등을 정책 기조로 삼고 있다.

④ 중국은 미국의 의지에 따라 일본에 TMD 기지가 설치되는 것에 반발하고 있다.

정답 및 해설

중국은 미국의 경제구조와 소비패턴(과도한 소비)을 지목하고 있다.

선지분석

① 그러나 2010년 오바마 대통령은 달라이 라마와 면담을 가져 중국의 반발을 불러일으켰다.

③ 미국은 대만해협의 현상과 안정유지를 최우선시 하고 있다. 하지만 중국은 대만이 중국의 일부이며 '하나의 중국'만이 존재한다는 입장인 반면, 미국은 중국과 대만의 분리를 현상유지로 보고 있기 때문에 대만문제를 둘러싼 중·미 간의 갈등이 완전히 해소되기는 힘들어 보인다.

④ 일본 TMD의 경우 미일동맹 강화 및 중국 봉쇄를 목적으로 한다고 보기 때문이며, 대만 TMD의 경우 대만이 대중국 억지력을 강화하여 독립의지를 고취시킬 것으로 판단하기 때문이다.

답 ②

050 중국의 대외군사전략에 관한 설명으로 옳지 않은 것은?

① 중국은 남중국해의 해양 권익이 '핵심 국가이익'이며, 타협의 여지는 없다고 선언했다.

② 2010 미국의 QDR에 따르면 중국은 '접근차단'(anti-access) 전략을 취하고 있다.

③ 중국은 과거 연안방어를 중심으로 하던 연해방어전략에서 보다 떨어진 수역을 대상으로 하는 '적극적 근해방어전략'으로 전환했다.

④ 후진타오 이후 등장한 시진핑 정부는 이전 정부와 달리 대북 유화정책을 통해 김정은 정권의 유지에 주력하고 있으며 이로 인해 트럼프 정부와 심각한 갈등을 겪고 있다.

> **정답 및 해설**
>
> 북핵문제에 대해 이견이 있으나, 심각한 갈등을 겪고 있다고 보기는 어렵다.
>
> ☑ **선지분석**
>
> ① 2010년 3월 중국은 남중국해의 해양 권익이 대만이나 티베트 문제와 같이 주권, 영토와 관계되는 '핵심 국가이익(core national intersts)'이며, 타협의 여지는 없다고 선언했다.
>
> ②, ③ 근해방어전략의 핵심은 중국의 배타적 경제수역(EEZ)을 포함해 중국의 주변수역과 보다 넓은 수역을 대상으로, 이 지역에 대한 적대세력의 근접을 저지하는 접근차단 전략이다. QDR에서는 '지역거부'(area-denial)라는 표현을 사용하기도 했다.
>
> 답 ④

051 중국의 개혁개방정책에 관한 설명으로 옳지 않은 것은?

① 1992년 덩샤오핑의 '남순강화'와 이에 입각하여 공식화된 사회주의 시장경제체제의 강화로 개혁개방정책이 크게 진전되었다.

② 농촌과 도시에서의 경제체제 개혁과 함께 1980년대에는 대외개방정책도 가속화 되어, 광둥성의 선전, 주하이, 산두, 아모이 등 지역은 1980년 경제특구로 지정되었다.

③ 개혁개방정책은 시장원리를 전면 도입하여 사회주의경제를 시장경제체제로 전환하는 것을 목적으로 한다.

④ 1997년 제15차 공산당대회에서는 공유제를 전제로 하면서도 비공유부문을 사회주의 시장경제의 '중요한 구성부분'이라고 자리매김했다. 최근에 와서 점점 더 이러한 경향이 짙어지고 있다.

> **정답 및 해설**
>
> 시장경제를 전면도입하는 것이 아니라 부분적으로 도입하여 사회주의 시장경제체제를 활성화시키는 것을 목적으로 하는 정책이다.
>
> 답 ③

052 시진핑 지도부의 대미정책의 내용과 인식에 대한 설명으로 옳은 것만을 모두 고른 것은?

> ㄱ. 전쟁불가피론(戰爭不可避論)을 바탕으로 실력을 감추고 힘을 길러 때를 기다리라는 도광양회(韜光養晦)를 기본기조로 양국관계 증진에 힘쓴다.
> ㄴ. 상호 신뢰를 바탕으로 협력과 win – win관계, 건설적 경쟁을 이어가며 함께 발전할 수 있는 신형대국관계(新型大國關系)를 적극추진할 것을 강조하였다.
> ㄷ. 중국의 핵심이익 중 하나인 주권 및 영토보전과 관련, 남중국해 역시 이러한 이해관계에 포함시켜 강경하게 대응하였다.
> ㄹ. 필요할 때 적극 행동한다는 의미로 유소작위(有所作爲)의 행동기조를 제시하고, 국제사회에서 중국의 역할이 강화되어야 함을 강조하였다.

① ㄱ, ㄴ   ② ㄴ, ㄷ
③ ㄴ, ㄹ   ④ ㄷ, ㄹ

정답 및 해설

시진핑 지도부의 대미정책의 내용과 인식에 대한 설명으로 옳은 것은 ㄴ, ㄷ이다.

✅ 선지분석
ㄱ. 덩샤오핑이 제시한 도광양회는 평화공존론을 바탕으로 하고 있다.
ㄹ. 유소작위노선 역시 등소평이 제시한 개념으로, 1989년 천안문 사태 이후 미국을 비롯한 서구국가들이 중국 내 인권문제를 빌미로 교역을 중단한 것에 대한 대응방안으로서 제시되었다.

답 ②

---

053 베이징 컨센서스에 관한 설명으로 옳지 않은 것은?

① 신자유주의 국제질서의 범주 내에서 특별히 개도국들의 경제위기를 다루기 위한 개혁 패키지로 1989년 창안되었다.
② 경제발전을 국가의 최고 목표로 설정하고 그것을 달성하는 중국 특유의 경제발전 방식을 설명한다.
③ 생산수단의 사유화는 허용하지만, 정부가 시장 기능에 깊게 개입하는 형태로 이뤄진다.
④ 외부세력으로부터의 보호를 위해 안보와 자결권을 강조한다.

정답 및 해설

워싱턴 컨센서스의 내용이다. 1980년대 초반 남아메리카 국가들의 부채위기로 시작된 개도국들의 경제위기 해결책으로써 무역 및 투자 자유화, 규제 완화, 민영화 등 10개 정책을 포함했고, 국제통화기금(IMF)과 세계은행에서 채택되어 1990년대의 각국 개혁에도 적용되었다.

✅ 선지분석
④ 특히 패권국가에 대한 자결권을 가져야 한다고 강조한다.

답 ①

054 중국의 대북정책 및 북중관계에 대한 설명으로 옳지 않은 것만을 모두 고른 것은?

□□□

ㄱ. 중국은 한반도에서 미국보다 강한 영향력을 행사하고자 함에 따라 북한을 완충 지대로 인식하고 북한에 대한 제재조치에 소극적으로 참여한다.

ㄴ. 북한의 대외 무역 의존도는 한국과 중국 두나라에 각각 약 50%의 수준으로 양분되어있다.

ㄷ. 중국은 2003년부터 '주출거 정책'을 실시하여 중국 자본의 북한 투자를 적극적으로 장려하였다.

ㄹ. '부린정책'과 '완충지대론'은 주변 정세의 현상유지를 추구한다는 점에서 맥락을 같이 한다.

① ㄱ, ㄷ   ② ㄱ, ㄹ   ③ ㄴ, ㄷ   ④ ㄴ, ㄹ

정답 및 해설

중국의 대북정책 및 북중관계에 대한 설명으로 옳지 않은 것은 ㄴ, ㄹ이다.

ㄴ. 북한의 대중 무역 의존도는 70%를 넘어섰다. 이는 중국의 적극적인 참여 없이는 북한에 대한 경제제재가 실효성을 거두기 어려움을 의미한다.

ㄹ. 부린 정책은 북한과의 연계를 통한 발전을 강조하는 정책이다. 북한의 교통 인프라 개발, 지하 자원 개발, 항만 개발 사업 등에 중국이 적극적으로 투자하는 것은 부린 정책의 사례이다. 한편, 주변정세의 안정적 유지를 추구하는 '안린정책'은 '완충지대론'과 맥락을 같이한다.

답 ④

055 미－중 상호 경제협력과 관련하여 옳지 않은 것만을 모두 고른 것은?

□□□

ㄱ. 미－중 양국은 다자경제 현안과 관련, 금융 안정을 촉진하고 금융 규제, 감독 개선을 위한 개혁에 박차를 가하고, 시장의 투명성을 증진하며, 세계 무역 및 투자를 개방시키는 데 협조하고, G20을 비롯한 다자협력체에 적극 동조하는 등 지속적으로 새로운 의제를 개발, 협력하고 있다.

ㄴ. 2001년 9·11 테러 이후 안보위기와 정당성 위기를 겪고 경제위기까지 겪은 미국은, 기존의 패권전략을 추진하기 어렵다고 판단, 과거 8년간 부시 행정부의 우세(primacy)전략을 마감하고 선택적 개입(selective engagement) 전략을 선택하고 추진하고 있다.

ㄷ. 미국은 세계경제위기 극복을 위해서는 강대국 중 하나인 중국의 내수 발달이 중요함을 지적하였으나 구체적 사안에 대해서는 언급한 바 없다.

ㄹ. 중국은 환태평양경제동반자협정(TPP)에 대하여 '반응적이고, 유연하며, 효과적인 지역 건축이 가능한 프레임워크'라고 평가하였다.

① ㄱ, ㄴ   ② ㄱ, ㄷ   ③ ㄴ, ㄹ   ④ ㄷ, ㄹ

정답 및 해설

미－중 상호 경제협력과 관련하여 옳지 않은 것은 ㄷ, ㄹ이다.

ㄷ. 미국은 중국의 내수진작이 매우 중요하다는 점을 강조하고, 이를 위해 건강과 교육에 대한 공적 지출 증가와 사회안정망 강화, 임금 상승과 실질수입 증가를 위한 노력, 최소 임금의 증가, 교육, 조달 등 서비스부문의 점진적 자유화와 개방, 소비자와 소규모 사업체 대출을 위한 금융부문 개혁 등의 매우 구체적인 방안을 제시하면서 중국의 변화에 대해 촉구하고 있다.

ㄹ. 트럼프 행정부가 공식 탈퇴하긴 하였으나, 오바마 행정부가 추진한 TPP 대체로 대중국 봉쇄전략으로 평가되었다. 중국은 이와는 반대편에 서 있는 ASEAN이 주도하는 RCEP에 적극 참여하고 있다.

답 ④

056 1990년대 미국과 중국의 관계에 대한 설명으로 옳은 것만을 모두 고른 것은?

> ㄱ. 1990년대 들어 미국과 중국은 중국 내 티벳 문제를 놓고 갈등을 빚었다. 티벳문제에 대해 미국을 이를 인권문제로 인식하나 중국은 티벳은 중국에서 분리될 수 없는 중국의 영토이며 이 문제에 대한 미국의 반응은 내정간섭이라고 반박하였다.
> ㄴ. 대만의 리덩후이(李登輝) 총통은 1995년 6월 대만의 지도자로서는 처음으로 미국을 방문하였으며 이에 대해 중국은 미국이 중국의 주권과 이익을 침해하였다고 강력하게 항의하였다.
> ㄷ. 1992년 덩샤오핑은 남순강화(南巡講話)에서 중국이 사회주의 시장경제(socialist market economy)를 건립하는 것을 목표로 제시하고 중국이 WTO가입해야 한다고 주장하였다.
> ㄹ. 1999년 5월 8일 NATO소속 항공기가 루마니아연방공화국 주재 중국 대사관을 폭격하였으며, 중국은 이에 대해 미국의 사과와 배상을 요구하였으나 미국이 거부하자 국교단절을 선언하였다.

① ㄱ, ㄴ, ㄷ   ② ㄱ, ㄷ, ㄹ   ③ ㄴ, ㄷ, ㄹ   ④ ㄱ, ㄴ, ㄷ, ㄹ

정답 및 해설

1990년대 미국과 중국의 관계에 대한 설명으로 옳은 것은 ㄱ, ㄴ, ㄷ이다.

✅ **선지분석**

ㄹ. 미국은 사건 발생 당일 국무장관 올브라이트를 미국 주재 중국 대사관에 보내 정식으로 사과했다. 미국은 '비극적인 오폭'이었다고 발표하는 한편, 중국에 대해 2,800만 달러의 배상금을 지불했다.

답 ①

057 2008년 경제위기 이후 미중관계의 변화로 옳은 것만을 모두 고른 것은?

> ㄱ. 미국은 중국과의 협력을 매우 강조하는 한편, G20정상회의를 통해 중국과의 다자적, 제도적 협력의 기반을 마련하였다.
> ㄴ. 중국은 2008년 금융위기 이전 미국 자산에 대한 최대 채권국이었으나 금융위기 이후 점진적으로 보유 규모를 줄여나가고 있다.
> ㄷ. 중국은 미국이 제시하는 다자주의적 질서에 적극 동참하였다. 대표적 사례로 G20에 참가하여 자국의 정책 변화는 물론 지구적 경제 거버넌스의 개혁에 동참 하는 등 금융위기 극복의 차원을 넘어선 고차원의 국가전략과 상호전략을 추진하였다.
> ㄹ. 미국은 금융시장 안정과 경제회복을 위해 IMF가 발행한 SDR(Special Drawing Rights, 특별인출권)을 매입하기를 권고하였으나 중국은 이를 거절하였다.

① ㄱ, ㄷ   ② ㄴ, ㄷ   ③ ㄴ, ㄹ   ④ ㄷ, ㄹ

정답 및 해설

2008년 경제위기 이후 미중관계의 변화로 옳은 것은 ㄱ, ㄷ이다.

✅ **선지분석**

ㄴ. 2008년 경제위기를 겪으면서 미국 정부는 2조 달러에 달하는 돈을 경제위기 재건 비용으로 쏟아 붓게 되고, 중국의 채권보유액은 2007년에서 2010년 사이 두 배로 증가하였다. 2010년 중국의 미 채권보유액은 1조 1600억 달러에 달해 세계 전체 달러 보유액인 3조 3000억 달러의 약 1/3 이상 수준에 도달했으며, 미국의 대중적자와 미중 간 경제 불균형은 역사상 유래 없이 가장 크고 깊다.

ㄹ. 중국은 2009년 7월 SDR채권을 500억 달러 매입하는 등 IMF의 자본 확충에 힘쓰는 등 미국과의 협력을 통해 자국의 입장을 강화하고 세계 금융질서를 바로잡는 데 일조하였다.

답 ①

058 북한과 중국의 경제협력에 관한 내용으로 옳은 것만을 모두 고른 것은?

☐☐☐

> ㄱ. 북한은 최근 탈냉전 이후 지속적으로 추구해 온 '중국에 대한 일방적 의존' 정책을 수정하여 '의존의 분산' 정책으로 전환하고 있다.
> ㄴ. 중국은 최근 북한 3차 핵실험에 대한 안전보장이사회 결의 2094호에 대한 완전한 이행을 다짐하고 결의 내용을 엄격히 집행하라는 협조 공문을 관련기관에 발송하였다.
> ㄷ. 북한과 중국은 지난 2011년 '나선경제무역지대와 황금평, 위화도경제지대 공동개발 및 공동 관리에 관한 협정'을 체결하여 경제 협력을 강화하였다.
> ㄹ. 중국 시진핑 정부 들어 미-중 간 북핵문제에 대한 공조가 강화됨에 따라 북한에 대한 경제적 지원과 정치적 유대가 약화되었다.

① ㄱ, ㄷ   ② ㄱ, ㄹ   ③ ㄴ, ㄷ   ④ ㄴ, ㄹ

정답 및 해설

북한과 중국의 경제협력에 관한 내용으로 옳은 것은 ㄴ, ㄷ이다.

⊘ 선지분석

ㄱ. 북한은 최근 중국에 대한 일방적 의존 정책으로 전환하였다.
ㄹ. 시진핑 정부 들어 미-중 간 북핵문제에 대한 공조가 강화되었다고 볼 수 있으나 북한과의 경제적 지원과 정치적 유대는 기존의 수준에서 유지되고 있다.

답 ③

059 중국의 '일대일로(一帶一路)' 전략에 대한 설명으로 옳지 않은 것은?

☐☐☐

① 2013년 제시된 전략으로서 아시아에서 유럽까지 이어지는 대 중화경제권을 건설하겠다는 전략이다.
② 일대일로 전략의 금융 플랫폼으로서 '아시아인프라투자은행(AIIB)' 설립을 공식 선언하였으나, 현재 투자 승인된 사업은 존재하지 않는다.
③ AIIB 창설은 신 실크로드 구축에 필요한 막대한 투자재원을 마련하는 한편, 위안화의 국제화를 촉진하기 위한 목적을 가진 것으로서, 중국의 대미국 연성균형(soft balancing) 전략으로 볼 수 있다.
④ 중국은 일대일로 전략과 함께 주변국 외교를 강화하기 위해 '친성혜용' 노선을 제시하여 우호적 주변부 대외관계 조성을 추진하고 있다.

정답 및 해설

AIIB는 6월 26일 제1차 연차 총회에 앞서 24일 방글라데시 전력시설 확장(1억 6500만 달러), 인도네시아 슬럼가 정비(2억 1650만 달러), 파키스탄 고속도로 건설(1억 달러), 타지키스탄 국경도로 개선(2750만 달러) 등 4건의 대출 프로젝트를 승인했다. 총 투자액은 5억 900만 달러(약 6900억 원)에 달한다. 방글라데시 인프라 투자를 제외한 나머지 투자 사업 3건은 세계은행(WB), 아시아개발은행(ADB), 유럽부흥개발은행(EBRD)과 공동으로 추진된다.

답 ②

060 21세기 미중관계에 대한 설명으로 옳은 것은?

① 미국과 중국 간 글로벌 불균형에 대해 미국은 중국의 인위적 관세인상이 주요인이라고 보는 반면, 중국은 중국 상품의 가격경쟁력이 주요인이라고 본다.

② 부시 행정부(2001)는 출범 직후 중국 견제를 위해 대만과의 군사관계를 확대함으로써 미국과 중국의 갈등을 야기하였다.

③ 중국은 북핵문제에 있어서 북한부담론에 기초하여 김정은 체제의 안정을 추구하는 반면, 미국은 대량살상무기 확산 방지 차원에서 한반도 비핵화가 반드시 달성되어야 한다고 보아 양국 간 입장차이가 있다.

④ 미국의 미사일방어체제에 대해 중국은 미국의 TMD는 용인할 수 있다고 보나, NMD의 경우 강대국 상호 간 핵균형을 파괴하여 핵군비경쟁을 야기할 수 있다고 보고 반대한다.

정답 및 해설

✅ 선지분석

① 글로벌 불균형에 대한 미국의 입장은 중국의 '위안화 평가 절하 유지'라고 본다.

③ 김정은 체제의 안정을 추구하는 입장을 '완충지대론'이라고 한다.

④ 중국은 미국의 TMD에 대해서도 반대한다. TMD는 일본의 보통국가화, 한 · 미 · 일 동맹 강화를 통한 중국 견제 강화, 대만의 독립 의지 강화를 부추긴다고 보고 반대한다.

답 ②

---

061 모택동 시기 중국의 대내외정책에 대한 설명으로 옳은 것은 모두 몇 개인가?

> ㄱ. 세계를 자본주의, 사회주의, 공산주의의 3대 진영으로 구분하는 3개 세계론
> ㄴ. 대만과의 평화 공존 추진
> ㄷ. 김일성의 통일전쟁에 대한 지지
> ㄹ. 브레즈네프의 평화공존론에 대해 수정주의로 비판

① 1개 ② 2개 ③ 3개 ④ 4개

정답 및 해설

모택동 시기 중국의 대내외정책에 대한 설명으로 옳은 것은 ㄷ으로 1개이다.

✅ 선지분석

ㄱ. 자본주의, 사회주의, 제3세계의 3대 진영으로 구분한다.

ㄴ. 대만에 대한 무력 통일을 추진한다.

ㄹ. 후르쇼프의 평화공존론을 비판한다.

답 ①

062 냉전기 중국의 대외정책에 대한 설명으로 옳지 않은 것은?

□□□

① 주은래는 1954년 상호 주권과 영토 보존 존중, 상호 불가침, 내정불간섭, 평등호혜, 평화공존을 내용으로 하는 평화공존 5원칙을 선언하였다.
② 등소평은 1972년 미중화해를 통해 국제적 고립을 탈피하고 모택동이 추진한 문화대혁명의 혼란을 극복하고자 하였다.
③ 모택동은 1958년 지방분권정책, 인민공사화 운동, 철강증산운동 등으로 상징되는 대약진운동을 통해 근대적 공산주의 사회를 만들고자 하였다.
④ 장쩌민은 1999년 제네바군축회의에서 호신(互信), 호리(互利), 평등(平等), 합작(合作)에 기초한 신안보관을 제시하였다.

정답 및 해설

미중화해는 모택동이 추진하였다.

답 ②

063 중국의 대약진운동(1958)에 대한 설명으로 옳은 것만을 모두 고른 것은?

□□□

ㄱ. 공산혁명 이후 중화인민공화국에서 근대적인 공산주의 사회를 만드는 것을 추구하였다.
ㄴ. 모택동은 '생산성이론'에 기초하여 인민공사체제를 폐지하고 집단 농장화 정책을 추진했다.
ㄷ. 대약진운동이 성공하자 모택동은 마르크스 – 레닌주의에 보다 철저한 중국을 만들기 위해 문화대혁명을 일으켰다.
ㄹ. 대약진운동에 기반하여 모택동은 사회주의 시장경제를 도입하고자 하였으나 홍위병을 위시한 소장파 세력의 반대로 성공하지 못했다.

① ㄱ
② ㄱ, ㄴ
③ ㄱ, ㄴ, ㄷ
④ ㄱ, ㄴ, ㄷ, ㄹ

정답 및 해설

중국의 대약진운동(1958)에 대한 설명으로 옳은 것은 ㄱ이다.

⊘ 선지분석
ㄴ. 모택동이 인민공사체제을 도입하였다.
ㄷ. 대약진운동 실패로 문화대혁명을 일으켰다.
ㄹ. 사회주의 시장경제는 등소평이 도입하였으며, 홍위병은 문화대혁명 당시 모택동 지지 세력이다.

답 ①

064 중국의 문화대혁명에 대한 설명으로 옳은 것은 모두 몇 개인가?

> ㄱ. 모택동의 대약진운동이 실패로 끝나자 등소평이 모택동 지지 세력을 약화시킬 목적으로 추진한 측면이 있다.
> ㄴ. 전근대적 문화를 비판하고 시장경제에 보다 철저한 중국으로 개조하고자 하였다.
> ㄷ. 모택동은 부르주아 계급의 자본주의와 봉건주의, 관료주의 요소가 공산당과 중국 사회 곳곳을 지배하고 있으므로 이를 제거해야 한다고 주장하였다.
> ㄹ. 중국 전역에서 봉기한 홍위병 세력은 대체로 모택동의 노선을 지지하였다.

① 1개　　　　　　　　　　　　② 2개
③ 3개　　　　　　　　　　　　④ 4개

정답 및 해설

중국의 문화대혁명에 대한 설명으로 옳은 것은 ㄷ, ㄹ로 2개이다.

✅ 선지분석
ㄱ. 모택동이 주도하였다.
ㄴ. 마르크스-레닌주의에 보다 철저한 중국 건설을 추진하였다.

답 ②

065 후진타오 시기 중국의 대내외정책에 대한 설명으로 옳지 않은 것은?

① 공동부유론을 제시하고 조화사회 및 조화세계 추진을 표방하였다.
② 조화사회는 대미관계에서 협력을 추구하는 노선이다.
③ 등소평이 28자 방침에서 제기한 유소작위 노선을 구체적인 대외정책으로 구현하였다.
④ 2004년 보아오 아시아 포럼에서 공세적 성격을 보다 완화한 화평발전 전략을 제시하였다.

정답 및 해설

조화사회는 국내정책기조로서 국내적 빈부격차 축소에 주력하고자 하였다.

답 ②

066 중국의 지역주의 전략에 대한 설명으로 옳지 않은 것은?

① 미국이 적극적으로 추진하고 있는 아시아태평양자유무역지대(FTAAP)전략이 대중국 포위전략으로 인식하고 강하게 반발하고 있다.
② 2012년 협상을 개시한 한중일FTA를 주도하고 있다.
③ 아세안과 한중일 13개 국가로 구성된 EAFTA를 지지하였으나 미국 및 일본 등의 반대로 무산되었다.
④ 2016년 1월 AIIB를 출범시켜 연성균형 및 연성권력을 추구하고 있다.

정답 및 해설

FTAAP를 TPP에 대한 저항세력으로 인식하여 논의를 주도하고 있다.

답 ①

067 중국의 '일대일로' 전략에 대한 설명으로 옳지 않은 것은?

① 시진핑 정부에서 제시된 전략으로서 아시아에서 유럽까지 이어지는 대 중화경제권을 건설하겠다는 전략이다.
② '일대'방향은 육로 방향이며 중국 서삼각 경제권, 몽고, 러시아, 파키스탄, 이란, 터키 등이 포함된다.
③ '일로'방향은 해상 방면으로 중국 국내 주장강 삼각주 경제권과 북부만 경제권을 싱가포르, 미얀마, 방글라데시 등이 포함된다.
④ 주변국 외교 강화 전략으로 친성혜용(親誠惠容) 및 돌돌핍인(咄咄逼人)을 제시하고 있다.

정답 및 해설

돌돌핍인(咄咄逼人)은 영토문제에 있어서 주변국에 대한 강경책을 말한다.

답 ④

---

068 중국의 대 대만정책에 대한 설명으로 옳은 것은 모두 몇 개인가?

> ㄱ. 모택동 정부는 무력통일론을 전개하였다.
> ㄴ. 등소평 정부는 일국양제론을 제시하였으며 등소평 정부의 예젠잉은 9조 방침을 제시했다.
> ㄷ. 장쩌민 정부는 반분열국가법을 제정하고 평화통일과 일국양제를 강조하였다.
> ㄹ. 후진타오 정부는 대만에 대해 92공식의 승인을 요구하였는데 92공식이란 일중각표(一中各表)로서 하나의 중국을 인정하되 중국과 대만이 각자의 명칭을 사용하는 것을 말한다.

① 1개　　　　　　　　　　　② 2개
③ 3개　　　　　　　　　　　④ 4개

정답 및 해설

중국의 대 대만정책에 대한 설명으로 옳은 것은 ㄱ, ㄴ, ㄹ로 모두 3개이다.

⊘ 선지분석
ㄷ. 반분열국가법은 후진타오 정부가 제정하였다.

답 ③

---

069 중국의 일대일로(一帶一路) 정책에 대한 내용으로 옳지 않은 것은?　　　2019년 외무영사직

① 2013년 시진핑 주석이 제안함으로써 본격적으로 추진되기 시작하였다.
② 중국 내 2개 핵심 거점은 상하이와 티베트이고, 2개 국제 거점은 푸젠과 광저우이다.
③ 중국이 재원을 확충하기 위해 설립한 아시아인프라투자은행(AIIB)에 대해 미국은 부정적 입장을 밝혔다.
④ 아프리카 국가의 채무 부담을 증가시킨다는 서방 국가의 비난에 대해 중국은 중국 – 아프리카 협력 및 발전의 길이라고 주장하였다.

정답 및 해설

일대일로 전략에 있어서 중국 내 2개의 핵심거점은 신장과 푸젠, 2개의 국제 거점은 상하이와 광저우이다.

답 ②

070 최근 중국의 대내외정책에 대한 개념 설명으로 옳은 것은 모두 몇 개인가?

> ㄱ. 중국 제조 2025: 국유기업에 대한 국가의 적극적 지원을 통해 4차 산업혁명의 기술을 획득하여 중국의 산업 경쟁력을 고양하기 위한 정책
> ㄴ. 회색 코뿔소 위험: 미셸 부커 세계정책연구소장이 2013년 다보스포럼에서 제기한 용어로 충분히 예측이 가능한데도 간과되고 있는 위험 요소를 지칭
> ㄷ. 국진민퇴: 국유기업과 민영기업의 성장 동력이 동반 하락하고 있는 현상
> ㄹ. 디레버리징: 부채 감축

① 1개　　　　　　② 2개　　　　　　③ 3개　　　　　　④ 4개

정답 및 해설

최근 중국의 대내외정책에 대한 개념 설명으로 옳은 것은 ㄱ, ㄴ, ㄹ로 3개이다.

✓ 선지분석

ㄷ. 국유기업 수가 많아지고, 민영기업의 수가 줄어드는 현상을 지칭한다. 중국 시진핑 정부는 국유기업 육성을 통해 국가독점 자본주의 체제를 강화하고 있고, 여기에 대해 미국이 강력한 불만을 나타내고 있다.

답 ③

071 다음 사례를 가장 잘 설명해주는 국제정치 개념은 무엇인가?

> 1999년 인도와 파키스탄 간에 인도령(領) 카슈미르지역의 카길전쟁(Kargil War)이 발발했다. 이 전쟁은 파키스탄이 핵개발 완료 후 국지전을 통해 국제사회의 관심을 끌어 모아 자국의 이익을 취하려고 인도에 대한 선제공격으로 시작된 전쟁이었다. 전쟁은 핵전쟁으로의 확전에 대한 국제사회의 우려와는 달리 2달 만에 인도군의 승리로 끝이 났다. 카길전쟁에서 패한 파키스탄은 그 후 전면전의 부담을 최소화하면서 인도의 인적, 물적 피해와 그로 인한 국가적 부담을 강요하기 위해 2001년의 뉴델리 국회의사당 습격, 2008년 뭄바이 연쇄 테러 등 다양한 형태의 빈번한 국지도발로 자국의 체재유지와 내부 갈등을 해소하기도 하였다.

① 투키디데스 함정　　　　　　　　② 킨들버거 함정
③ 타키투스 함정　　　　　　　　　④ 안정 – 불안정의 역설(stability-instability paradox)

정답 및 해설

안정 – 불안정의 역설(stability-instability paradox)은 핵무기를 가진 국가들 간에 갈등 해소를 위해 핵무기를 동반한 전면전쟁은 자제하지만, 그보다 낮은 수준의 무력사용을 동반한 국지전을 통해 갈등을 해소하려는 가능성은 오히려 높아지는 현상을 말한다.

✓ 선지분석

① 투키디데스 함정은 아테네의 역사가 투키디데스가 펠로폰네소스전쟁이 스파르타가 신흥강국인 아테네의 군사력 증강에 두려움을 느껴 선제 대응 차원에서 발생했다는 분석에 기인한 것으로 기존 패권국가와 빠르게 부상하는 신흥 강대국이 부딪히는 상황을 뜻한다.
② 킨들버거 함정은 찰스 킨들버거 교수가 주장한 기존 패권국 영국을 대신한 미국이 신흥 리더로서 제 역할을 하지 않아 대공황이 발생했다는 가설에 따른 것으로 중국이 너무 강하기보다는 너무 약해 보여서 발생할 수 있는 미국과 중국의 충돌을 우려하는 주장이다.
③ '타키투스의 함정'은 『타키투스의 역사』에서 신뢰를 잃은 정부는 무슨 말과 행동을 하더라도 국민들에게 나쁘게 받아들여질 것이라는 로마시기의 타키투스의 경고에서 유래된 것이다. 그러나 역사상 타키투스(Publius Cornelius Tacitus) 본인은 '타키투스 함정'에 대한 언급이 없다. 이 용어는 중국학자 판즈창(潘知常)의 『誰劫持了我們的美感: 潘知常揭秘四大奇書』에서 처음으로 제기되었다.

답 ④

072 21세기 중국의 부상에 대한 다양한 전망을 설명한 것이다. 각 개념을 바르게 연결한 것은?

□□□

> ㄱ. 펠로폰네소스전쟁이 스파르타가 신흥강국인 아테네의 군사력 증강에 두려움을 느껴 선제 대응 차원에서 발생했다는 분석에 기인한 것으로 기존 패권국가와 빠르게 부상하는 신흥 강대국이 부딪히는 상황을 뜻한다.
> ㄴ. 기존 패권국 영국을 대신한 미국이 신흥 리더로서 제 역할을 하지 않아 대공황이 발생했다는 가설에 따른 것으로 중국이 너무 강하기보다는 너무 약해 보여서 발생할 수 있는 미국과 중국의 충돌을 우려하는 주장이다.
> ㄷ. 신뢰를 잃은 정부는 무슨 말과 행동을 하더라도 국민들에게 나쁘게 받아들여질 것이라는 경고에서 유래되었다.

	ㄱ	ㄴ	ㄷ
①	펠로폰네소스 함정	중진국 함정	타키투스 함정
②	투키디데스 함정	킨들버거 함정	타키투스 함정
③	투키디데스 함정	타키투스 함정	킨들버거 함정
④	펠로폰네소스 함정	킨들버거 함정	투키디데스 함정

정답 및 해설

ㄱ은 투키디데스 함정, ㄴ은 킨들버거 함정, ㄷ은 타키투스 함정이다. 그밖에 중진국 함정, 서양화 및 분열화의 함정, 개인숭배의 함정 등이 있다.

답 ②

073 남중국해 영유권 분쟁에 대한 설명으로 옳지 않은 것은?

□□□

① 2016년 중재재판소는 중국이 주장하는 남해구단선은 역사적·법적 근거가 없으며, 남사군도의 모든 해양 지형은 섬이 아닌 암초(Rock) 또는 간조노출지(Low-Tide Elevation)이며, 남사군도 해역에서 필리핀의 어로작업을 방해하는 것은 유엔해양법협약에 위배된다는 판정을 내렸다.
② 파라셀 제도(Paracel Islands)에 대해서는 중국과 베트남이 영유권 분쟁 당사국이며 1974년 중국의 무력점령이후 현재 중국이 실효적으로 지배하고 있다.
③ 스카버러섬(황암도)은 중국과 필리핀의 영유권 분쟁지역으로서 여러 개의 바위와 사주로 구성되어 있으며 현재 필리핀이 실효적으로 지배하고 있다.
④ 스프래틀리 군도(Spratly Islands)에 대해서는 중국, 대만, 베트남, 말레이시아, 필리핀, 부르나이가 영유권 분쟁 당사국이다.

정답 및 해설

스카버러섬(황암도)은 현재 중국이 실효적으로 지배하고 있다.

답 ③

074 시진핑 1기(2013~2017)와 2기(2018~)의 외교정책 변화를 바르게 연결한 것은?

ㄱ. '운명공동체' 담론을 전세계 모든 국가로 확대한 '인류운명공동체' 개념 제시
ㄴ. 주변국과의 관계를 '친성혜용'이라는 개념으로 규정
ㄷ. 일대일로 건설을 외사공작회의 우선순위 2순위에 설정
ㄹ. 일대일로 담론의 생성

	1기	2기
①	ㄱ, ㄴ	ㄷ, ㄹ
②	ㄱ, ㄹ	ㄴ, ㄷ
③	ㄴ, ㄹ	ㄱ, ㄷ
④	ㄷ, ㄹ	ㄱ, ㄴ

정답 및 해설

ㄴ, ㄹ은 시진핑 1기(2013~2017)의 외교정책 변화이고 ㄱ, ㄷ은 시진핑 2기(2018~)의 외교정책 변화이다.
ㄱ. 1기에서 자국과 주변국이 '운명공동체'라는 점을 제안하고, 2기 출범 시 이를 전세계로 확대한 인류운명공동체 개념을 확대 제시했다.
ㄴ. 1기에서 친성혜용의 새 개념을 규정하고 이를 전파하는 데에 주력했다.
ㄷ. 2014년(1기) 외사공작회의에서 일대일로 건설이 5순위였으나, 2018년 2순위로 상승했다.
ㄹ. 시진핑 출범 직후(1기) 일대일로 개념이 등장했다.

답 ③

075 중국의 대외정책에 대한 설명으로 옳지 않은 것은?

① 2022년 10월 개최된 전국대표대회(제20차 당대회)에서 시진핑 국가 주석의 3연임이 결정되었다.
② 중국은 2022년 10월 당대회에서 처음으로 '전인류공동가치(全人类共同价值)'를 당장(당헌)에 삽입하여 미국과의 가치경쟁을 지양하고 보편적 가치를 위해 미국을 비롯한 주요 강대국과 협력을 추진할 것임을 보여주었다.
③ 시진핑주석은 2021년 9월 유엔총회에서 발전 우선, 인민 중심, 호혜와 포용·혁신 견지, 인류와 자연의 공생 등을 주된 내용으로 하는 글로벌발전이니셔티브(全球发展倡议)를 제안하였다.
④ 시진핑 주석은 2022년 4월 보아오포럼에서 글로벌안보이니셔티브(全球安全倡议)를 제안하였는데, 주권존중과 영토보전, 내정불간섭, 각국의 합리적 안보 우려 존중, 냉전 사고 및 일방주의 반대, 안보불가분원칙(安全不可分离, individual security) 등을 내용으로 한다.

정답 및 해설

중국은 '전인류공동가치(全人类共同价值)'를 당장(당헌)에 삽입하여 미국과의 가치경쟁을 본격화할 것임을 보여주었다.

답 ②

076 신개발은행(New Development Bank:NDB)에 대한 설명으로 옳은 것은?

□□□ ① 2015년 7월 유엔무역개발회의(UNCTAD)에서 설립자본금 100억 달러 규모의 NDB 설립이 최종 합의 됐다.

② 2019년 11월 칠레와 콜롬비아가 NDB에 가입하여 회원국이 총 7개국으로 증가하였다.

③ 2018년 12월 20일 제73회 유엔총회는 NDB에 유엔 옵서버 지위를 부여하기로 한 결의를 채택하였다.

④ NDB 본부는 중국 상하이, 지역본부는 남아공에 두며, 총재는 4년 주기로 회원국들이 맡게 된다.

> **정답 및 해설**

✓ **선지분석**

① 제6차 브릭스 정상회의에서 합의되었다.

② 칠레와 콜롬비아는 가입을 추진 중인 국가들이다.

④ 총재의 임기는 5년이다.

답 ③

077 중국 외교정책에 대한 설명으로 옳지 않은 것은?

□□□ ① 시진핑 취임 이후 미국을 대상으로 처음 제시됐던 '새로운 강대국관계(신형대국관계)'는 18차 당대회 에서 적용대상이 미국, 러시아, 인도, 유럽, 일본으로 확대되었다.

② 장쩌민은 '문명강대국 이미지(문명대국형상)', '동방강대국 이미지(동방대국형상)', '책임지는 강대국 이미지(부책임대국형상)', '사회주의강대국 이미지(사회주의대국형상)'이라는 네 가지 강대국 이미지를 제시했다.

③ 중국의 개혁개방정책은 1978년 중국공산당 제11기 중앙위원회 제3차 전체회의(11기3중전회)에서 제시 되었다.

④ 덩샤오핑은 1992년 남순강화를 통해 사회주의 시장경제를 공식 도입하였다.

> **정답 및 해설**

네 가지 강대국 이미지는 시진핑이 제시한 것이다.

답 ②

078 미중관계에 대한 설명으로 옳은 것은?

① 미국의 대중국 정책은 대체로 중국을 국제체제에 편입시켜 공동의 정치, 경제, 환경, 안보 목표에 기반한 협력관계를 구축하려 하면서도, 중국의 군사적 근대화에 대해 경계하고, 양안문제의 평화적 해결을 모색하며 중국이 국제체제의 의무를 다하도록 촉구하는 것이다.

② 21세기 미중관계 대해 자유주의자들은 국제체제를 홉스적 자연상태로 보고, 국제관계는 이러한 구조적 속성에 의해 지배되므로 양자 간 근본적 관계 개선은 어렵다고 주장한다.

③ 21세기 미중관계에 대해 구성주의자들은 과정변수들이 국가의 행동을 제어함으로써 양자관계를 보다 안정적으로 유지해 나갈 수 있다고 본다.

④ 21세기 미중관계에 대해 구성주의는 극성(polarity)이 상대국에 대한 이익이나 행동을 결정하는 요인이라고 본다.

정답 및 해설

☑ **선지분석**
② 현실주의자들의 입장이다.
③ 자유주의자들의 입장이다.
④ 구성주의는 집합정체성을 강조한다.

답 ①

079 미국과 중국의 대외 통상정책에 대한 설명으로 옳지 않은 것은?

① 오바마 대통령은 Pivot to Asia 정책을 추진하면서 중국의 경제적 영향력을 제어하기 위해 TPP(Trans-Pacific Strategic Economic Partnership)를 구성하고자 노력했으나 트럼프 정부는 여기서 탈퇴하였다.

② 중국은 2021년 9월 16일에 일본이 주도한 CPTPP 가입을 신청하였다.

③ 2008년 세계금융위기 이후 중국은 워싱턴 컨센서스를 보다 정교화하여 베이징 컨센서스가 제시하는 국가주도 경제보다는 시장의 자율성 확대에 기반하여 세계 경제 질서를 강화해야 한다고 보고 있다.

④ 중국이 CPTPP에 가입하기 위해서는 국유기업은 국가소유라는 이유로 경쟁우위를 얻지 않도록 해야 한다는 경쟁중립성(Competitive Neutrality)요구를 충족해야 한다.

정답 및 해설

2008년 세계금융위기 이후 중국은 미국체제의 취약성이 드러났다고 보고, 완전 시장체제에 근거한 '워싱턴 컨센서스'보다는 국가의 적극적 역할이 성장을 위해 필요하다는 소위 '베이징 컨센서스'에 주목하고 있다.

답 ③

001 러시아의 동북아정책에 대한 설명으로 옳은 것만을 모두 고른 것은?

> ㄱ. 러시아의 동북아정책은 '아시아적 정체성'에서 비롯된 것이 아니라, 아시아를 유럽과의 관계 속에서
>   조망하고 유럽에서 약화된 위상을 아시아에서 보상받으려는 현실적 동기가 주된 배경을 이루었다.
> ㄴ. 러시아는 크리미아전쟁의 패배로 유럽에서의 세력이 크게 위축되자 동방진출을 가속화하였다.
> ㄷ. 러시아는 북핵문제 해결에 있어서 6자회담은 형식이고 중요한 본질은 북·미합의라는 판단에 따라
>   북한과 미국 사이의 정직한 중재자(honest broker)의 역할을 수행하고자 하였다.
> ㄹ. 러시아는 중국·일본 간의 지역패권경쟁이 자국 안보를 위협하지 않도록 하기 위해 미국과의 협력을
>   강화하고자 하였으며, 한반도 정책은 남북한 균형정책에서 남한 중시 정책으로 변화되어 왔다.

① ㄱ, ㄴ, ㄷ

② ㄱ, ㄴ, ㄹ

③ ㄱ, ㄷ, ㄹ

④ ㄴ, ㄷ, ㄹ

정답 및 해설

러시아의 동북아정책에 대한 설명으로 옳은 것은 ㄱ, ㄴ, ㄷ이다.
- ㄱ. 러시아의 동북아정책 기조는 동북아에서 자신의 지위와 영향력을 유지하는 것으로 규정된다. 이러한 기조는 동북아다자안보에 대한 적극적 지지, 북핵6자회담 참여, ARF나 EAS(동아시아정상회의)에 대한 참여 등으로 구체화되고 있다.
- ㄴ. 러시아는 성지관할권 문제로 프랑스 및 영국과 전쟁을 치뤘으나 실패함으로서 이른바 '남하정책'이 좌절되었다. 이후 1870년대 남하정책이 재시도 될 때까지 동아시아개입정책을 구사하였다.
- ㄷ. 북핵6자회담에서 러시아의 입장은 외교적 방식에 의한 핵폐기로 정리될 수 있다. 이는 대체로 미국의 전략과 일치한다. 다만, 북한의 핵보유의 근본적 동기가 미국으로부터의 북한에 대한 안보위협임을 강조함으로써 북한의 입장을 지지하는 측면도 있다. 미국은 북한의 핵개발과 확산을 통한 미국의 안보위협을 북핵문제의 본질로 인식하기 때문이다.

⊘ 선지분석
- ㄹ. 러시아의 강대국 정책기조는 세력균형론에 입각하여 미국의 위협에 대해 중국과 연대를 형성하는 것이다. 한편, 대 한반도정책 역시 대체로 반미 세력균형의 관점에서 북한에 상대적으로 가깝다고 평가할 수 있다.

답 ①

002 최근 러시아의 대외정책에 대한 설명으로 옳지 않은 것은?

① 푸틴은 러시아 주도의 CIS국가들 간 군사동맹조약인 '집단안보조약'을 2002년 '집단안보조약기구'로 개칭하고 회원국 간 군사·안보 협력을 강화시켰다.

② CIS 국가들 간 경제통합을 위해 1996년 러시아 주도로 창설된 관세동맹을 2000년 '유라시아경제공동체'로 확대 개편하였다.

③ 러시아는 CIS국가들 간 추진 중인 GUAM 창설을 적극 지지하였다.

④ 2014년 크림자치공화국이 투표를 통해 분리독립 및 러시아와의 병합을 결정하자 이를 승인하였다.

정답 및 해설

GUAM은 CIS 내에서 반러 또는 탈러 성향을 가진 조지아, 우크라이나, 아제르바이잔, 몰도바 등이 결성한 협력체제로서 미국은 EU와 함께 그 창설을 적극적으로 지지하였다.

답 ③

003 미국 - 러시아 상호 관계에 대한 설명으로 옳지 않은 것은?

□□□

① 미국은 MD추진을 위해 2001년 12월 ABM조약 탈퇴를 일방적으로 선언하였고, 이에 대해 러시아는 이를 마지못해 수용하면서 미국의 제안으로 전략공격무기감축조약(SORT)을 2002년 5월 모스크바 정상회담에서 체결하였다.

② 미국은 발트3국이 포함된 제2차 NATO확대를 추진하면서 러시아의 반발을 무마시키기 위해 '나토 - 러시아 위원회' 구성을 제안하였으나, 러시아의 과거 세력권에 대한 NATO확대에 대한 항의의 표시로 이를 수용하지 않았다.

③ 오바마 제1기 행정부는 러시아와 관계 개선의 일환으로 우크라이나와 조지아의 NATO가입을 추진하지 않겠다고 선언하는 한편, 부시 행정부의 폴란드 및 체코 MD 계획을 수정하였으며, 2010년 4월 New START를 체결하였다.

④ CIS지역에서 배타적 영향력 유지를 바라는 러시아와 이를 용인할 수 없다고 하면서 지정학적 다원주의를 촉진하는 한편 유라시아에 대해 전진정책을 펴고 있는 미국의 전략이 상충하여 현재 미국과 러시아의 갈등을 심화시키고 있다.

정답 및 해설

'나토 - 러시아 위원회' 구성 제안을 러시아가 수락하여 제2차 NATO확대를 받아들였다. '나토 - 러시아 위원회'는 러시아에게 비토권은 없으나, 정상회담, 연2회에 걸친 국방장관 · 년 외무장관 회담, 그리고 빈번한 실무회담 등에 참여해 유럽의 안보, 반테러 작전 등과 같은 현안들을 협의할 수 있는 기회를 제공하고 있다.

답 ②

004 러시아의 외교정책 기조에 대한 설명 중 옳지 않은 것은?

□□□

① 러시아의 국제적 위상을 제고하는 데 목표를 두고 있다.

② 고도의 경제성장을 지속하기 위해 이념 중심의 외교노선을 강조한다.

③ 2007년 발표한 외교정책 검토보고서에 따르면 러시아 외교정책 원칙은 다극체제, 실용주의, 타국과 갈등 없는 국익추구로 요약된다.

④ 다인종 국가로서 대화와 협력을 통한 국제사회의 이해 조율에 중점을 두고 있다.

정답 및 해설

러시아는 이념이 아닌 합리적 사고에 기반을 둔 실용주의 노선을 추구하고 있다.

⊘ 선지분석

① 러시아는 경제발전과 강국건설을 통한 강대국 지위 회복을 최우선의 국정목표로 설정하였다.

③ 옳은 진술이며 세부적으로는 UN의 중심적 역할 수행, MD 및 우주무기 등으로 인한 군축분야 상황 악화 방지, 다극체제 확립을 위한 문명 간 대화 지원을 천명하였다.

답 ②

005 러시아의 외교정책에 대한 설명으로 옳지 않은 것은?

① 러시아는 기존의 유라시아경제공동체 및 관세동맹을 발전적으로 재구성하여 무역과 투자는 물론 노동과 자본시장 등의 경제 제부문에서 높은 수준의 통합을 지향하는 유라시아경제연합을 2015년 1월 출범시켰다.

② 러시아는 2010년 2월 새로운 '군사독트린'을 발표하여 비확산문제를 글로벌 안보 이슈로 지적하면서 이를 해결하기 위한 국제협력의 중요성을 강조하였으나, 핵무기의 경우 2000년 군사독트린보다 핵무기의 역할을 강화하면서 그 사용의 확대를 강조하였다.

③ 러시아는 크림전쟁(1853~1856)의 패배로 남진이 저지되고 유럽에서의 세력이 크게 위축되자 아시아 진출을 통하여 유럽에서의 실패를 만회하려고 시베리아 철도 부설 등을 통해 동방진출을 가속화했는데, 이는 보상기재적 차원에서 수행된 전통적 아시아정책의 전형이었다.

④ 러 – 북 관계는 2012년 러시아의 대북한 채무탕감 조치 이후 더욱 발전하여 2014년 양국은 러시아가 북한의 철도를 개보수하고 북한의 자원을 개발하는 '승리프로젝트'로 구체화되었다.

정답 및 해설

기존 2000년 군사독트린보다 핵무기의 역할을 후퇴시키면서 그 사용의 제한성을 강조하였다.

답 ②

006 러시아-우크라이나 전쟁에 대한 설명으로 옳지 않은 것은?

① 2022년 2월 24일 새벽 러시아가 우크라이나의 영토를 침공하여 전쟁이 발발했다.

② 푸틴은 우크라이나 침공 이후 처음으로 행한 국정연설에서 미국과 맺은 신전략무기감축협정(New START · 뉴스타트) 참여 중단을 선언하였다.

③ 이번 전쟁은 자유주의국제질서를 유지 · 강화하려는 서구 세력권과 새로운 대안질서(다극질서)로의 이행 경향성을 강화하려는 중러 세력권이 갈등을 축적해오다 지정학적 단층대인 우크라이나에서 충돌함으로써 발생한 현상이라 할 수 있다.

④ 확대 유럽 노선의 효용에 대한 회의가 커짐에 따라 러시아는 2010년 조지아 전쟁 이후부터 서구 유럽 민주주의 규범으로부터 독자적인 정치 · 경제적 발전의 길을 탐색하기 시작했고, 2014년 크림 병합 이후 이를 본격화했다.

정답 및 해설

러시아는 2008년 조지아와 전쟁을 벌였다.

답 ④

007 러시아-우크라이나 전쟁(2022)에 대한 설명으로 옳지 않은 것은?

☐☐☐
① 푸틴은 우크라이나 침공 이후 처음으로 행한 국정연설에서 미국과 맺은 공격용전략무기감축협정 (SORT) 참여 중단을 선언하였다.
② 러시아는 2008년 조지아 전쟁 이후부터 서구 유럽 민주주의 규범으로부터 독자적인 정치·경제적 발전의 길을 탐색하기 시작했고, 2014년 크림 병합 이후 이를 본격화했다.
③ 2008년 4월 부카레스트 NATO정상회담 당시 나토는 공동선언을 통해 우크라이나와 조지아의 나토 가입 열망에 대한 지지를 명문화했다.
④ 2021년 10월 우크라이나는 미국과 '전략적 협력에 대한 파트너십 헌장'에 합의함으로써 러시아의 위협 인식을 증폭시켰다.

정답 및 해설

푸틴은 우크라이나 침공 이후 처음으로 행한 국정연설에서 미국과 맺은 신전략무기감축협정(New START · 뉴스타트) 참여 중단을 선언하였다.

답 ①

008 주요국에 대한 러시아의 외교정책을 설명한 것으로 옳지 않은 것은?

☐☐☐
① 푸틴의 실리주의적 반미노선은 9 · 11 테러 이후 미국과 협력의 방향으로 전환되었다.
② 중국과 '전략적 협력의 동반자 관계'를 심화하고 있다.
③ 한반도의 비핵화를 지원하며, 남북한의 통일을 통한 동북아 세력변화를 꾀하고 있다.
④ 일본과 경제협력을 강화하기 위해 영토문제 등 선결문제를 우호적으로 해결하고자 노력하고 있다.

정답 및 해설

러시아는 남북한 평화통일 기반 조성을 지원하나, 주변 3국과 한반도의 세력균형 유지를 목표로 하고 있다.

 선지분석
① 9 · 11 테러 사태는 양국관계를 준동맹적 관계로 결정짓는 계기가 되었다. 러시아 이바노프 외무장관은 미 · 러 관계를 제2차 세계대전 중 미 · 소 전시동맹에 비유한 바 있다.
② 러시아와 중국은 동반자 관계를 바탕으로 대미견제, 중앙아시아 및 극동 시베리아 등 접경지역의 안정과 평화 유지, 에너지 수출 등 경제 통상 확대와 같은 상호협력을 증진하고 있다.
④ 러시아는 일본과의 관계를 개선하기 위해 수차례의 러 · 일 정상회담을 개최하는 등 외교적 노력을 기울이고 있다.

답 ③

009 러시아의 동북아 전략에 대한 설명으로 옳지 않은 것은?

① 동부 국경의 안전보장과 평화적인 환경을 유지하는 데 전략적 목표를 두고 있다.

② 전략 수단으로서 남북한 균형외교를 통해 한반도에 대한 영향력을 회복하고자 한다.

③ 미, 러, 중 삼각관계에서 미국에 편승하여 러시아의 국제적 지위를 향상하고자 한다.

④ 천연자원 공동개발, 기간산업 보호, 외자유치 등 역내 국가와의 협력을 도모하고 있다.

> **정답 및 해설**
>
> 러시아는 삼국 관계에서 균형자적 등거리 외교를 통해 국제적 지위 향상을 꾀하고 있으며, 미국의 일방주의를 견제하고자 한다.
>
> ✅ **선지분석**
>
> ①, ②, ④ 러시아의 대표적인 동북아 전략으로 볼 수 있다.

답 ③

010 러시아는 약화된 국력을 최대한도로 만회하기 위해 전방위적으로 실용외교노선을 취하고 있다. 이 중 러시아가 취한 대외정책으로 옳지 않은 것은?

① NATO에 대해서는 동진 저지 및 협력 유지를 기반으로 EATO 창설을 제창하였다.

② EU와의 유럽공동안보체제를 형성할 것을 주장하고 있다.

③ 동아시아정상회의(EAS) 회원국으로 가입하였다.

④ 아시아 – 유럽정상회의(ASEM)의 회원국으로 가입하지 않고 있다.

> **정답 및 해설**
>
> 러시아는 아시아 – 유럽정상회의(ASEM)의 회원국으로 가입하고 있다.
>
> ✅ **선지분석**
>
> ① EATO는 유럽 – 대서양 안보조약기구로 NATO의 보완으로 러시아가 제시하였다.
>
> ② '러시아 – EU 정치 · 안보위원회' 구성을 제안하고 있다.
>
> ③ 2010년 미국과 함께 가입하였다.

답 ④

011 **미국과 러시아의 핵군축 협정에 대한 설명으로 옳지 않은 것은?**

① 양국은 SALT Ⅰ 협상을 통해 전국적 전략미사일 방어를 금지하는 'ABM조약'과 양국의 ICBM과 SLBM 보유량을 제한하는 '잠정협정(Interim Agreement)'을 체결하였다.

② SALT Ⅱ는 ICBM, SLBM, 전략폭격기 등 운반체의 수량을 1981년까지 2,250개로 제한하는 협정이나 미국은 소련의 아프간 침략에 반발하여 비준하지 않았다.

③ 양국은 2001년 12월 6일을 기해 START Ⅰ에 나타난 전략 핵무기 감축사항을 모두 이행했다고 발표하였다.

④ 양국은 2010년 3월 신(新)전략무기감축조약(New START)을 체결하여 발효 이후 7년 내에 전략 핵무기와 전략 핵무기를 탑재하는 미사일을 전면 폐기하기로 합의하여 핵군축역사에 신기원을 창출하였다.

정답 및 해설

전략 핵무기 상한을 1,550기로 제한하고, 전략 핵무기를 탑재하는 미사일의 상한을 각각 800기로 유지하기로 하였다.

답 ④

012 **우크라이나 사태와 관련하여 옳지 않은 것만을 모두 고른 것은?**

ㄱ. 친러 성향을 가진 야누코비치 대통령이 EU와의 포괄적 자유무역협정 추진을 위한 제휴협정 체결을 전격 중단하자 반정부 시위가 촉발된 것이 우크라이나 사태의 계기가 되었다.

ㄴ. 우크라이나 의회는 러시아어를 제2공용어로 설정하는 등 러시아에 대한 우호적 정책을 펼쳤으나 국내 반정부 세력과의 갈등은 점차 심화되어 크림자치공화국을 설립하게 되는 계기가 되었다.

ㄷ. 미국, 독일 등 G7국가들은 크림 사태가 악화되면서 2014년 6월 소치에서 개최될 예정이었던 G8 정상회담의 준비회담을 중단시키고, 러시아를 G8에서 제외시켰으며, 야누코비치 대통령을 비롯한 주요 정계 인사들의 미국 내 자산에 대한 동결조치 및 여행금지조치를 취하였다.

ㄹ. 러시아는 대러 에너지 의존도가 큰 EU에 에너지 공급을 중단하였다.

① ㄱ, ㄷ ② ㄴ, ㄷ
③ ㄴ, ㄹ ④ ㄷ, ㄹ

정답 및 해설

우크라이나 사태와 관련하여 옳지 않은 것은 ㄴ, ㄹ이다.

ㄴ. 야누코비치 정부는 반시위법(Anti-Protest Law)을 제정하는 과정에서 야당측과 갈등을 빚었으며, 해결과정에서 '2.21합의(Agreement on the Settlement of Crisis in Ukraine)'를 채택하는 등 양당의 대립상황이 종식되는 듯 하였으나 일부 극렬 시위대들이 야누코비치 정권의 조기퇴진을 요구하며 합의안을 받아들이지 않았고, 이에 야당 세력은 2.21합의를 파기하며 일전의 러시아어의 제2공용어 지위를 박탈하고, 대통령을 대행선출하는 등 혁명적 조치들이 이행하였는데 이 과정에서 크림자치공화국의 잠재된 분리주의 운동의 촉발되었다.

ㄹ. 현재 러시아의 대 EU 에너지 공급 중단은 실시되고 있지 않다.

답 ③

013 우크라이나문제에 대한 설명으로 옳지 않은 것은?

① 친서방 성향 야누코비치 대통령은 그 지지층의 요구와 달리 2012년부터 추진해 온 EU와의 FTA 추진을 위한 제휴협정 체결을 2013년 11월 전격 중단함으로써 수도 키예프를 중심으로 반정부 시위가 촉발되었다.

② 2014년 2월 독일·프랑스·폴란드 3국 외무장관과 러시아 대통령 특사의 보증 아래 야누코비치 대통령 및 주요 야당 지도자 간 위기종식을 위한 2.21합의가 채택되었다.

③ 부다페스트협정은 1994년 12월 우크라이나 핵무기 폐기와 NPT가입 보장을 위해 러시아, 우크라이나, 영국, 미국이 체결한 것이다.

④ 2015년 2월 체결된 민스크협정은 러시아, 우크라이나, 프랑스, 독일 4개국 정상 간에 우크라이나 정부군과 반군의 휴전 및 교전지역 중장비 철수, 포로교환을 위한 안전지대 구성 등을 담은 휴전협정이다.

> **정답 및 해설**
>
> 친러시아 성향 야누코비치 대통령은 2012년부터 추진해 온 EU와의 FTA 추진을 위한 제휴협정 체결을 2013년 11월 전격 중단함으로써 수도 키예프를 중심으로 반정부 시위가 촉발되었다.
>
> 답 ①

014 러시아의 외교정책 경향에 대한 설명으로 옳지 않은 것만을 모두 고른 것은?

ㄱ. 2001년 푸틴(Putin) 대통령은 재선 이후 중국과의 관계를 중시하면서 동시에 미국을 견제하기 위하여 중국과 '전략적 동반자관계'를 수립하고 상하이 협력기구(SCO)를 출범시켰다.

ㄴ. 유럽정체성과 동아시아 정체성을 모두 가지고 있는 러시아는 동아시아 안보이슈에 연루되는 것을 우려하여 중립적 위치를 고수하는 것이 바람직하다고 보고 ARF, APEC, EAS, CSCAP 등의 다자안보포럼에 참여하지 않고 있다.

ㄷ. 북한 핵문제에 접근함에 있어 북핵 폐기보다는 북한 정권의 안정성 확보를 더욱 중시하는 바, 6자회담의 재개에 소극적인 모습을 보이고 있다.

ㄹ. 주변국 및 구 소련연방 국가들과의 관계에 있어 자국의 천연가스 및 에너지 자원을 정치적 레버리지로 적극 활용하고 있다.

① ㄱ, ㄷ   ② ㄱ, ㄹ

③ ㄴ, ㄷ   ④ ㄱ, ㄴ, ㄷ

> **정답 및 해설**
>
> 러시아의 외교정책 경향에 대한 설명으로 옳지 않은 것은 ㄴ, ㄷ이다.
>
> ㄴ. 러시아는 동아시아 역내 문제에 대한 주요 행위자로서의 입지 강화를 위해 다자안보 및 경제포럼에 적극 참여하고 있다.
>
> 답 ③

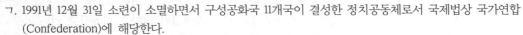

015 독립국가연합(CIS)에 대한 설명으로 옳지 않은 것만을 모두 고른 것은?

□□□

> ㄱ. 1991년 12월 31일 소련이 소멸하면서 구성공화국 11개국이 결성한 정치공동체로서 국제법상 국가연합 (Confederation)에 해당한다.
> ㄴ. 1992년 제3차 민스크 정상회담에서 우크라이나, 몰도바, 아제르바이잔을 비롯한 8개국이 통합군 편성에 합의하였다.
> ㄷ. 1995년 알마아타 정상회담에서 집단안보체제 구축에 합의하는 한편, 평화와 안정증진협정을 포함하여 일련의 상호협력협정을 체결하였다.
> ㄹ. 결성 당시 회원국은 11개국이었으나, 1993년 아제르바이잔, 2008년 조지아, 2014년 우크라이나가 탈퇴하였다.
> ㅁ. 러시아는 2010년 1월 러시아, 카자흐스탄, 벨라루스, 몰도바로 구성된 관세동맹을 출범시켰다.

① ㄱ, ㄴ, ㄷ 　　　② ㄱ, ㄷ, ㄹ 　　　③ ㄴ, ㄷ, ㅁ 　　　④ ㄴ, ㄹ, ㅁ

정답 및 해설

독립국가연합(CIS)에 대한 설명으로 옳지 않은 것은 ㄴ, ㄹ, ㅁ이다.
ㄴ. 통합군에서 우크라이나, 몰도바, 아제르바이잔은 제외되었다.
ㄹ. 아제르바이잔은 1992년 탈퇴하고, 1993년 복귀하였다.
ㅁ. 몰도바는 참여하지 않았다.

답 ④

016 러시아의 대외정책에 대한 설명으로 옳은 것만을 모두 고른 것은?

□□□

> ㄱ. 러시아 국가성에 대한 논쟁은 유럽모델에 따라 자유민주주의와 자본주의 시장경제 및 다원적 시민사회 등을 강조하면서 새로운 러시아의 국가성을 구축하려는 '서구주의'와 위대한 유라시아제국 정체성 및 강대국 위신의 회복을 지향하는 '유라시아주의' 사이의 대결로 귀결되었다.
> ㄴ. 푸틴 대통령은 서구의 발전노선이 인류보편적인 모델을 제공한다는 인식하에 러시아 대외정책 목표를 러시아가 서구적 발전의 성과를 신속하게 습득하고 발전된 서구 세계에 정치·경제적으로 통합하는 것으로 설정한 '친서방주의' 노선을 보여주고 있다.
> ㄷ. 탈냉전기 대외정책 이념으로서 '애국·민족주의 노선'은 서구적 발전모델을 거부하고 제정 러시아의 강력한 패권성을 회복하고 러시아문명의 독특성을 기반으로 국가발전을 추구하자는 것으로 1996년 등장한 프리마코프 외무장관이 주도하였다.
> ㄹ. 러시아의 대외정책 이념으로서 '지정학적 현실주의'는 친서방주의 경향과 애국·민족주의 경향을 절충하여 러시아의 이익을 극대화하려는 온건 보수주의 성향을 띠고 있다.
> ㅁ. 21세기 들어 친서방외교가 보였던 일방적 지향성은 국내개혁의 진통에 따른 국민들의 보수화와 NATO의 동진과 같은 비우호적 국제환경 때문에 애국·민족주의 세력에 비판에 직면하면서 약화되었다.

① ㄱ, ㄴ, ㄷ 　　　② ㄱ, ㄷ, ㄹ 　　　③ ㄱ, ㄷ, ㅁ 　　　④ ㄴ, ㄷ, ㅁ

정답 및 해설

러시아 대외정책에 대한 설명으로 옳은 것은 ㄱ, ㄷ, ㄹ이다.

✓ **선지분석**
ㄴ. 옐친 대통령의 입장이다.
ㅁ. 1990년대가 친서방정책의 시기이며, 21세기는 대미 균형정책을 추구하는 시기이다.

답 ②

017 러시아 대외정책에 대한 설명으로 옳은 것은?

☐☐☐

① 조지아, 우크라이나, 아제르바이잔, 몰도바, 투르크메니스탄, 우즈베키스탄 등은 친러시아 경향이 강한 국가들로서 러시아는 이들을 중심으로 유라시아 지역협력 전략을 전개하고 있다.

② 21세기 초 푸틴정부는 전인류적 공동대처가 필요한 분야에서는 적극적으로 대미협력을 추진하였다.

③ 러시아와 중국이 주도하고 카자흐스탄, 키르기스스탄, 우즈베키스탄이 함께 결성한 상하이 5개국 그룹은 상호 국경문제를 해결한 이후 상하이협력기구(SCO)로 발전하여 새로운 유라시아 다자협력의 구심점으로 자리 잡고 있다.

④ 2000년 5월 모스크바에서 채택된 <러시아-EU 공동 선언>에서 EU가 러시아의 세계무역기구(WTO) 가입을 지지하기로 하였고, 러시아는 2001년 WTO에 가입하였다.

정답 및 해설

✓ 선지분석

① 조지아, 우크라이나, 아제르바이잔, 몰도바, 투르크메니스탄, 우즈베키스탄 등은 탈러시아 경향이 강하여 러시아의 유라시아 지역협력 전략에 장애물이 되고 있다.

③ 러시아와 중국이 주도하고 카자흐스탄, 키르기스스탄, 타지키스탄이 함께 결성한 상하이 5개국 그룹은 상호 국경문제를 해결한 이후 상하이협력기구(SCO)로 발전하여 새로운 유라시아 다자협력의 구심점으로 자리 잡고 있다.

④ 러시아는 2011년 WTO에 가입했다.

답 ②

---

018 러시아의 대외정책에 대한 설명으로 옳지 않은 것은?

☐☐☐

① 2000년 5월 모스크바에서 채택된 러시아-EU 공동 선언에서 EU가 러시아의 세계무역기구(WTO) 가입을 지지하며 양측의 경제협력을 강화하기로 하였다.

② 러시아는 기존의 유라시아경제공동체 및 관세동맹을 발전적으로 재구성하여 무역과 투자는 물론 노동과 자본시장 등의 경제 부문에서 높은 수준의 통합을 지향하는 유라시아 경제연합을 2015년 1월 출범시켰다.

③ 조지아, 우크라이나, 아제르바이잔, 몰도바, 투르크메니스탄, 우즈베키스탄, 키르기스스탄 등은 탈러시아 경향이 강하여 러시아의 유라시아 지역협력 전략에 장애물이 되고 있다.

④ 푸틴은 기존에 추진하던 CIS 틀에서 다자적 안보협력과 경제협력을 가속화해 통합을 제도화하려는 정책, 벨로루시, 카자흐스탄, 타지키스탄 등 친러 성향의 국가를 중심으로 하는 소지역적 통합을 강화하는 정책, 역내국들과 양자관계를 강화하는 정책 세 수준의 복합적 정책을 통해 유라시아 국가들에 대한 전통적 관계성을 복원하여 영향력의 회복을 꾀하였다.

정답 및 해설

키르기스스탄은 친러국가로 분류된다.

답 ③

019 탈냉전기 러시아의 대외정책에 대한 설명으로 옳은 것은?

① 프리마코프 외무장관은 서구의 발전노선이 인류보편적인 모델을 제공한다는 인식하에 러시아 대외정책 목표를 러시아가 서구적 발전의 성과를 신속하게 습득하고, 발전된 서구 세계에 정치·경제적으로 통합하는 것으로 설정한 친서방주의 노선을 보여주었다.

② 탈냉전기 대외정책 이념으로서 애국·민족주의 노선은 서구적 발전모델을 거부하고 제정 러시아의 강력한 패권성을 회복하며 러시아문명의 독특성을 기반으로 국가발전을 추구하자는 것으로 옐친 대통령이 주도하였다.

③ 러시아의 대외정책 이념으로서 범슬라브주의는 친서방주의 경향과 애국·민족주의 경향을 절충하여 러시아의 이익을 극대화하려는 온건 보수주의 성향을 띠고 있다.

④ 21세기 푸틴이 집권하면서 러시아는 실용주의적 사고에 기초하여 국익의 극대화를 지향하는 지정학적 현실주의를 러시아 외교의 전면에 내세우고 국제정치 무대에서 자국의 영향력을 신속하게 회복하였다.

정답 및 해설

☑ 선지분석

① 옐친 대통령의 입장이다.
② 1996년 등장한 프리마코프 외무장관이 주도한 노선이다.
③ 지정학적 현실주의 노선에 대한 설명이다.

답 ④

제3절 | 일본의 외교정책

001 일본의 외교·안보 정책에 대한 설명으로 옳지 않은 것은?

2023년 외무영사직

① 다나카 가쿠에이 총리는 중국과 '중일공동성명'을 통해 외교관계를 수립하였다.
② 기시 노부스케 총리는 미국과 안보 조약 개정을 통해 상호 방위 의무를 명확히 하였다.
③ 나카소네 야스히로 총리는 무기수출 금지 3원칙을 발표하여 평화주의 정책을 적극 추진하였다.
④ 사토 에이사쿠 총리는 "핵무기를 보유하지도, 만들지도, 반입하지도 않는다."라는 비핵 3원칙을 발표하였다.

정답 및 해설

무기수출 3원칙은 사토 내각이 1967년 발표한 원칙이다. 공산권 국가, 유엔 결의로 금지된 국가, 국제분쟁 당사국 또는 그 우려가 있는 국가에 대한 무기 수출을 인정하지 않는다는 방침을 의미한다.

☑ 선지분석

① 1972년 9월에 다나카 가쿠에이가 중국을 방문하여 국교를 정상화하였다.
② 1951년 9월 체결된 미일안보조약은 내란조항 등 불평등조항을 담고 있어서 개정이 요구되었으며 1960년 기시 내각에서 개정되었다.
④ 사토 에이사쿠 총리는 비핵 3원칙을 발표하는 한편, 1965년 한국과 국교를 정상화하였다.

답 ③

002 1990년대 일본의 방위정책에 해당하지 않는 것은?

① 테러대책특별조치법
② PKO법안
③ 신방위정책대강
④ 신가이드라인

정답 및 해설

탈냉전기 일본의 국가안보전략방향은 '보통국가화'로 명명된다. 보통국가란 군대를 보유한 국가를 의미하며, 일본의 경우 헌법 제9조의 개정문제로 귀결된다. 일본은 탈냉전기(1990년대) 보통국가를 지향하며 PKO법안, 신방위정책대강, 신가이드라인 등을 제정하였다. 테러대책특별조치법은 2001년 10월 18일 중의원에서 가결된 뒤, 같은 해 10월 29일 참의원에서 최종 통과됨으로써 성립되었다. 동법은 테러공격에 의한 위협제거에 노력함으로써 UN헌장의 목적달성에 기여하는 미군 등 외국군대의 활동에 대해 일본이 실시할 조치를 규정하고 있다. 대응조치의 범위에 무력에 의한 위협이나 무력행사를 명시적으로 배제하고 있는 것이 특징이다. 다만, 신체나 생명보호 시 불가피한 경우 합리적인 선에서 무기사용이 가능하다고 하여 예외조항을 두고 있다.

⊘ 선지분석

② PKO법안: 1992년 6월에 제정된 'PKO협력법'은 자위대의 UN평화유지활동 참여를 위해 제정된 법으로서 PKO원칙 등을 담고 있다.

③ 신방위정책대강: 탈냉전기 변화된 안보환경에 기초하여 기존의 방위정책대강을 개정한 것이다. 1990년대 미국의 동아시아 전략변화에 맞춰 추진되었다.

④ 신가이드라인: 1978년 11월에 제정된 '미일방위협력지침'에 대한 개정이 1997년 9월에 채택되었고 이를 '신가이드라인'이라고 한다. 미국과 일본은 1994년 '미일 신안보공동선언'을 발표하여 미일양국의 안보협력 범위를 기존의 '필리핀 이북의 극동'에서 '아시아 · 태평양지역'으로 확대하였다. 이에 따라 '일본자체'방위에 중점을 둔 '미일방위협력지침'을 '주변지역 급변사태'에 대응할 수 있는 새로운 '미일방위협력지침'으로 개정한 것이다. 구 지침과 비교할 때 신지침의 가장 큰 특징은 미일 방위협력의 중점이 종래의 '일본유사' 및 '극동유사'에서 '일본의 안전에 중대한 영향을 미칠 수 있는 일본주변유사'로 바뀐 점, '주변지역 유사시의 범위'를 지리적 개념이 아닌 '사태의 성질로 파악하는 개념'으로 규정하였다는 점이다. 한편, 신가이드라인과 관련하여 1999년 5월 24일 '주변사태법', '자위대법 개정안', '미일 물품무역 상호제공협정 개정안'을 성립시켰다.

답 ①

003 일본의 외교안보정책에 대한 설명으로 옳은 것은?

① 집단적 자위권은 다른 국가가 자국을 공격했을 때 이에 대해 독자적으로 반격할 수 있는 권리이다.

② 1946년 공포한 평화헌법 제9조는 일본의 군대보유와 전쟁개입을 금지하고 있다.

③ 일본은 1970년대에 헌법해석의 변경을 통하여 자국이 집단적 자위권을 행사할 수 있다는 공식입장을 정했다.

④ 오바마 대통령은 일본의 집단적 자위권 행사와 군사력 강화를 반대하였다.

정답 및 해설

일본 자민당은 평화헌법 제9조를 개정하여 이른바 '보통국가'를 만들고 싶어하나 현재까지 제9조의 개정이 실현되지 않았다.

☑ 선지분석

① 개별적 자위권에 대한 설명이다. 집단적 자위권은 침략을 당한 제3국을 원조하여 침략국을 공격할 수 있는 권리를 말한다.

③ 1970년대에는 일본이 집단적 자위권을 국제법상 보유는 하나 헌법상 행사할 수 없다고 해석했다. 그러나 2014년 이른바 '해석개헌'을 통해 집단적 자위권을 보유하고 또한 국내법상으로 행사할 수 있다고 하였다. 이는 2015년 관련 국내법 개정을 통해 확정되었다.

④ 미국은 기본적으로 일본의 집단적 자위권 행사를 환영하는 입장이다. 중국 봉쇄망 강화에 도움이 될 수 있기 때문이다.

답 ②

---

004 일본 외교정책에 대한 설명으로 옳지 않은 것은?

① 요시다 독트린은 미국 주도의 국제질서에 진입함으로써 자국의 군비지출을 억제하고 경제 발전에 집중한다는 외교 노선이다.

② 1987년 미국 달러화 대비 자국 엔화 가치를 상승시키는 플라자합의(Plaza Accords)를 주도하여 대미 투자를 증가시켰다.

③ 하토야마 내각은 2009년 '대등한 미일 동맹관계'라는 기치하에 종래의 '대미추종' 외교를 극복하고자 하였다.

④ 아베 내각은 쿼드(QUAD)에 참여하여 미국의 인도-태평양전략에서 핵심축을 담당하고자 하였다.

정답 및 해설

플라자합의는 1985년에 있었다. 1987년에는 달러가치의 지나친 하락을 방지하기 위한 목적으로 루브르회의가 개최되었다.

☑ 선지분석

① 요시다 독트린에 따라 미국과 일본은 1951년 9월 상호방위조약을 체결했다.

③ 하토야마 유키오 내각은 중의원 의원, 민주당 대표 하토야마 유키오가 제93대 내각총리대신으로 임명되어, 2009년 9월 16일부터 2010년 6월 8일까지 존재했다. 제45회 중의원 의원 총선거에서 민주당의 압승을 계기로 민주당, 사회민주당, 국민신당의 3당 연립 내각(민사국 연립 정권)으로서 성립한 내각이다.

④ QUAD는 2007년 일본 아베 총리가 제안했다. 미국, 일본, 호주, 인도가 참여하고 있다. 아베 총리 제안 후 2017년 트럼프 행정부 출범 후 성사되었다.

답 ②

005 소위 '보통국가'를 실현하려는 일본 대외정책의 변화 기조를 나타내는 것은?

□□□

① 요시다 독트린
② 평화헌법 개정과 자위대 해외 파병 추진
③ 해외원조 확대를 통한 국제개발협력 강화
④ 공통의 전략적 이익에 기반을 둔 중국과의 호혜관계 확립

정답 및 해설

보통국가란 자국의 방위를 위한 군대를 보유한 국가를 의미한다. 일본 헌법 제9조는 군대의 보유를 금지하고 있다. 전문은 다음과 같다. "일본국민은 정의와 질서를 기조로 하는 국제 평화를 성실히 희구하고, 국권의 발동에 의거한 전쟁 및 무력에 의한 위협 또는 무력의 행사는 국제분쟁을 해결하는 수단으로서는 영구히 이를 포기한다. 이러한 목적을 성취하기 위하여 육해공군 및 그 이외의 어떠한 전력도 보유하지 않는다. 국가의 교전권 역시 인정치 않는다." 다만, 한국전쟁을 계기로 일본은 1950년에 미 점령군의 명령에 의해 경찰예비대를 창설하였다. 이후 1952년 보안대로 개편되었고 보안대를 바탕으로 1954년 자위대가 발족되었다. 자위대는 사실상 군대이지만 평화헌법 때문에 자위대라는 이름을 가지게 된 것이다.

☑ 선지분석
① 요시다 독트린은 냉전기 일본의 대외전략 기조를 밝힌 것으로, 미·일동맹에 기초하여 안보문제를 해결하고 일본은 경제부흥을 최우선시 한다는 내용을 담고 있다.

답 ②

006 미·일 신안보협력지침(1997)에 대한 내용으로 옳지 않은 것은?

□□□

① 한반도는 미국만의 배타적 작전지역으로 남아 있다.
② 일본의 주변지역이 유사시에 일본은 공해상의 기뢰를 제거한다.
③ 유사시에 미국이 일본의 민간 항만과 공항을 사용한다.
④ 동북아 국제정치질서의 재편가능성이 있다.

정답 및 해설

미·일은 1997년 9월 기존의 방위지침을 개정한 신안보협력지침(신가이드라인)을 발표하면서 '일본 주변지역에 개입할 것'을 공식화했다. 이는 한반도와 대만 등 주변 지역에서 분쟁이 발생할 경우 일본이 미국의 후방 지원을 담당할 것임을 분명히 한 것이다. 즉 신가이드라인에 의하면 한반도 역시 미·일의 공동 작전 지역에 해당한다.

 관련 이론 미·일 신가이드라인 내용

1. 주변 사태를 그대로 방치할 경우 일본에 대한 직접 무력 공격으로 이어질 우려가 있는 경우 등 일본 주변 지역에서 일본의 평화와 안전에 중요한 영향을 주는 사태이다.
2. 유사시 일본군은 미군에 대한 물품. 용역과 편의를 제공하는 후방지역 지원과 미군 병사를 구조하는 후방지역 수색 구조를 실시한다.
3. 후방지역지원과 수색구조의 자위대 활동 실시는 국회의 사전승인을 원칙으로 하되 긴급 시는 사후 승인하며, 승인이 없을 시는 활동을 종료한다.
4. 주변 사태 기본 계획위 결정, 변경 시에는 국회에 보고하고, 종료 후에는 대응조치의 결과를 보고한다.
5. 지방자치단체의 장과 민간에 대한 협력 의뢰가 가능하다.
6. 후방지역자원과 수색구조에서 자위대원은 정당방위를 위해 무기 사용이 가능하다.
7. 해외 자국인 구출 시 현행 자위대기와 함께 자위대함의 사용도 가능하다.

답 ①

007 미·일 안전보장조약에 대한 내용이다. 다음 중 옳지 않은 것은?

① 요시다 시게루와 일본정부는 미국과의 협조가 강화 후의 일본의 안전뿐만 아니라 강화 후의 경제발전을 위해서도 필요하다고 판단하여, 미국에게 안전보장을 의존하게 되었다.

② 샌프란시스코 강화조약과 같은 날(1951.9.8.) 체결된 구 미·일안전보장조약에서는 기지 주둔의 광범위한 권리를 미국에게 주는 동시에 미국의 일본 방위 의무를 명문화하였다.

③ 1960년 1월 19일 미·일 양국은 워싱턴에서 신(新) 안보조약에 조인하여 현재에 이르고 있다.

④ 신조약은 10개 조로 되어 있고, UN헌장과의 관계 명확화, 내란조항의 삭제, 기한의 설정 등 다양한 점에서 구조약을 개정하였다.

정답 및 해설

구안보조약은 현재의 안보조약과 비교하여 문제가 많은 불평등한 조약이었다. 구조약은 기지주둔의 광범위한 권리를 미국에게 부여하였지만, 미국의 일본방위 의무가 명문화되어 있지는 않았다. 구조약 제1조는 미국이 주둔 미군을 일본의 안전을 위해서도 사용하는 것이 '가능하다'라고 규정할 뿐이었다. 이 구조약은 일본만이 의무를 지는 '주둔협정'에 지나지 않는다는 비판을 받았다.

 선지분석

④ 내란조항이란 내란진압을 위해 미군을 사용할 수 있다는 점을 명시한 조항이다.

답 ②

008 미·일 안전보장조약에 대한 설명으로 옳지 않은 것만을 모두 고른 것은?

> ㄱ. 요시다 시게루 정부는 미국과의 협조가 강화조약 체결 이후 일본의 안전 및 경제발전을 위해서는 미·일 안전보장 조약이 필요하다고 판단하였다.
>
> ㄴ. 미국은 한국 전쟁 이후 일본을 서방 진영에 묶어 두고 일본에 군사기지를 유지하는 것이 냉전 전략상 사활적이라고 보았다.
>
> ㄷ. 샌프란시스코 강화조약과 같은 날(1951.9.8.) 체결된 미·일 안보조약은 군대 주둔의 광범위한 권리를 미국에 주면서도 미국의 일본 방위 의무가 명문화되지 않았다.
>
> ㄹ. 미·일 안보조약은 무기한이며, 내란 진압을 위해 미군을 사용할 수 있고, 기지 사용에 사전협의가 규정되지 않은 점 등이 동 조약의 문제로 제기되었다.
>
> ㅁ. 미·일 안보조약은 1960년 1월 19일 개정되었으며 내란 조항 삭제, 미군의 기지 사용에 대한 사전 협조 등이 개정된 내용이다.

① 없음   ② ㄱ, ㄴ
③ ㄷ, ㄹ   ④ ㄷ, ㅁ

정답 및 해설

모두 옳은 지문이다. 1960년 개정된 미·일 안보조약 제5조는 "일본의 시정하에 있는 영역에서 어느 쪽이든 한편"에 대한 무력공격에 대해 공동 대처하는 것을 명확히 규정하기도 하였다.

답 ①

009 샌프란시스코 강화회의 및 강화조약(1951)에 대한 설명으로 옳은 것은?

☐☐☐

① 1951년 9월 4일부터 5일 동안 미국의 샌프란시스코에서 태평양전쟁의 전후 처리를 위한 국제회의가 중국과 인도를 비롯한 54개국이 참가한 가운데 개최되었다.
② 한국은 태평양전쟁 당시 전쟁 당사국이 아니었다는 이유로 서명국, 즉 공식 참가자로서의 지위를 인정받지 못하고 옵저버 자격으로 참가했다.
③ 강화조약에는 소련을 비롯하여 49개국이 서명했으나 회의에 참가한 여타 공산권 국가들은 서명을 거부했다.
④ 강화조약 체결로 1960년에 미국의 일본 점령이 종결되고 일본의 주권이 회복되었다.

> **정답 및 해설**

⊘ **선지분석**
① 중국과 인도는 불참했다.
③ 소련은 서명을 거부했다.
④ 1952년에 주권이 회복되었다.

답 ②

010 1951년에 체결된 샌프란시스코 강화조약과 관련된 설명으로 옳지 않은 것은?　　　2017년 외무영사직

☐☐☐

① 제2차 세계대전 중 진행된 태평양전쟁의 전후 처리를 공식화하였다.
② 동아시아에서 미국 중심의 다자안보체제가 구축되었다.
③ 미국은 일본의 주권 회복과 동시에 일본 내 미군 기지의 사용을 추구하였다.
④ 소련은 회의에 참석했지만 강화조약에는 서명하지 않았다.

> **정답 및 해설**

1951년 샌프란시스코 강화조약 체결과 같은 해에 미국은 일본과 동맹조약을 체결하였다. 동아시아 냉전에 대응하기 위해 미국은 양자동맹체제 형성에 주력하였다.

답 ②

011 1951년 체결된 샌프란시스코 조약에 관한 설명으로 옳은 것은 모두 몇 개인가?

ㄱ. 한국은 회의에 참여하며 적극적으로 한국 영토를 인정받고자 했으나, 일본의 적극적인 대미 로비로 인해 목표를 달성하지 못했다.

ㄴ. 제3차 초안부터 독도는 일본이 포기해야 할 한국 영토 예시대상에서 누락되었다.

ㄷ. 1951년 제2차 세계대전 종결을 위해 일본과 연합국 48개국이 전후처리방안에 대하여 맺은 평화조약이다.

ㄹ. 중국을 대표하여 대만이 참여함에 따라 중국의 거센 반발과 이를 이유로 한 소련의 불참이 있었다.

① 0개 ② 1개
③ 2개 ④ 3개

정답 및 해설

샌프란시스코 조약에 관한 설명으로 옳은 것은 ㄷ으로, 1개이다.

✓ 선지분석

ㄱ. 미국은 한국의 항일 무력투쟁이 미약했다는 이유로 한국을 연합국의 일원으로 볼 수 없다 판단하였다. 이로 인해 한국은 피해당사국이면서도 샌프란시스코 조약 참가가 원천 봉쇄되었다.

ㄴ. 제1차~5차 초안까지는 독도가 '제주도, 거문도, 울릉도와 함께 일본이 포기해야 할 영토'로 명확히 규정되었었다. 그러나 일본의 적극적인 로비로 최종 조약에서는 예시대상에서 누락되었다.

ㄹ. 중국의 대표권에 대해 미국과 영국의 의견이 일치하지 않아 대만과 중화인민공화국 모두 회의에 초청받지 못하였다. 소련은 회담에는 참가했으나 중국의 불참 등을 이유로 조약에 서명하지 않았다.

답 ②

012 다음 중 미·일 신안보공동선언(1996년 4월)에 대한 설명으로 옳지 않은 것은?

① 중국을 견제할 의도가 담겨 있다.
② 오키나와 주둔 미군에 대한 반대여론을 무마하기 위해서이다.
③ 일본의 '안보 무임승차론'에 대한 비판을 막기 위해서이다.
④ 장기적으로 주일 미군을 감축한다.

정답 및 해설

미·일 신안보공동선언(1996.4.)은 주일 미군의 현재 수준 유지와 동아시아 미군 병력 10만 명 유지를 확인하였다.

답 ④

013 태평양전쟁에서 일본의 패망 이후 미국의 초기 점령정책의 내용이 아닌 것은?

① 군사기구, 군산복합체 해체 및 전범 처벌

② 신도(神道)의 국교 인정

③ 노동운동 합법화

④ 천황제 유지

정답 및 해설

GHQ(General Headquarters: 1945년 제2차 세계대전 후 대일 점령정책을 실시하기 위하여 도쿄에 설치하였던 관리 기구)는 1945년 12월에 신도지령(神道指令)을 내려 전전의 천황제 지배체제를 종교적으로 지탱하고 있던 국가신도를 국가와 분리시키고 신관의 공무원으로서의 신분도 박탈하였다. 또한 행정기구 내의 신도 관련기관도 폐지하였고 학교와 공적기관으로부터 신단을 제거하고 공무원의 자격으로 신사참배하는 것을 금지하였으며 특정 종교단체에 공금을 지출하는 것도 금지하였다.

답 ②

014 일본의 대외정책에 대한 설명으로 옳지 않은 것은?

① 일본은 국제사회에서 자국의 영향력 확대의 일환으로 1954년 이후 적극적인 정부개발원조(ODA) 정책을 추진해 오고 있으며, 1990년대에는 세계 제1의 원조국 지위를 유지했었다.

② 9·11 테러 이후 고이즈미 내각은 미국의 대테러전쟁을 지원하기 위하여 테러대책 특별조치법, 유사법제, 이라크지원 특별조치법 등을 제정하고, 이를 근거로 아프가니스탄과 이라크 등지에 자위대를 파견하여 미일안보협력 관계를 공고히 했다.

③ 전후 일본은 국제연합 중심, 이념을 초월하여 주요국들과의 다차원적 협력, 아시아의 일원으로서의 입장 견지의 일본 외교 3원칙을 추구하였다.

④ 1948년 수상 겸 외상으로 복귀한 요시다는 체결 전망이 불투명한 연합국과의 일괄적인 강화(전면강화)를 포기하고, 자유진영 국가들과의 강화(다수강화, 단독강화)를 우선하였다.

정답 및 해설

국제연합 중심, 자유주의 국가들과의 협조, 아시아의 일원으로서의 입장 견지의 일본 외교 3원칙을 추구하였다.

답 ③

015 전후 일본의 대외정책에 관한 설명으로 옳지 않은 것은?

① 일본의 전후 일본의 외교정책 목표를 첫째, 미국과의 연계 외교, 둘째, 안보적 측면에서 미국에 의존하여 자국의 방위력을 최소화하는 정책, 셋째, 경제외교라고 특징지을 수 있으며, 이는 요시다 정권을 거쳐 1960년대 이케다 정권과 사토 정권의 주요한 외교정책방향이었다.

② 1977년 8월 동남아시아를 방문한 후쿠다 수상은 마닐라에서 일본의 동남아시아 외교정책의 방향으로 첫째, 일본의 군사대국화의 부정, 둘째, 광범위한 분야의 상호신뢰 수립, 셋째, ASEAN 국가들과의 연대성강화와 상호협력 등을 포함한 이른바 '후쿠다 독트린'을 발표하였다.

③ 소지역 접근이란 남·북한의 대결과 북한 핵문제, 중국·대만관계, 일본·러시아 간의 북방 영토문제, 인도차이나반도의 캄보디아 문제, 남중국해의 남사군도 영유권 문제 등과 같은 당사자 해결 원칙의 문제에 대한 일본의 외교정책 방향이다. 이러한 원칙은 제2차 세계대전 이후 일본의 소극적 외교정책의 일환으로 당사국 간의 문제는 당사국들이 처리하도록 하고 문제가 해결되지 못할 경우 주변의 유관국가들이 개입한다는 원칙을 의미한다.

④ 전지역 접근이란 일본이 아시아·태평양 지역에서 문제의 해결에 주요한 역할을 하겠다는 정책 방향이다. 이러한 원칙은 냉전이 종식된 이후 특히 일본이 아시아·태평양 지역을 일본의 국익에 주요한 지역으로 간주하고 이 지역에서의 영향력 확대를 위해 노력하고 있음을 보여준다. 이는 미국과의 관계를 약화시키는 것도 불사하겠다는 의지의 표현이다.

정답 및 해설

일본외교정책의 근간은 미·일동맹관계에 기초하여 안보를 유지하는 것이다.

답 ④

016 다음에 제시된 두 개 예시문의 괄호에 공통으로 들어갈 말로 옳은 것은?

- 일본 국내에서는 2002년 미국 주도의 대 테러전을 지원하기 위해 아프가니스탄 인근 인도양에 이지스함을 파견하기로 한 결정에 대해 (   )에의 저촉 여부와 관련해서 논란이 있었다.
- 일본 정부가 "일본도 국제법상 자위권을 보유하고 있으나, 타국에 가해진 무력공격을 저지하기 위해 (   )을 행사하는 일은 헌법 해석상 허용되지 않는다."라는 견해를 지난 1981년에 밝힌 바 있다.

① 핵무기 보유권   ② 선전 포고권
③ 대테러 지원권   ④ 집단적 자위권

정답 및 해설

집단적 자위권은 일본이 아니더라도 동맹국이 공격받았다면 타국을 공격할 수 있는 권리를 말한다. 일본은 전쟁을 금지한 헌법 제9조에 따라 집단적 자위권 행사를 금지하고, 자위대의 임무를 일본이 공격받았을 때 반격하는 '전수방위'에 한정하고 있다.

답 ④

017 일본의 주요 외교정책에 대한 설명으로 옳지 않은 것은?

① 일본은 여전히 집단자위권 논쟁에 대해서 집단안전보장체제에 대한 실질적 참여를 주저하는 태도를 보이고 있으며, 가급적 주변국을 자극하려는 행동을 자제하는 입장을 보이고 있는데 이러한 태도가 외교 전략에도 드러나고 있다.

② 한일관계의 다음 목표는 한·일 FTA를 달성하는 것으로, 이와 같은 논의를 중심으로 포괄적인 경제 연계에 대한 구상을 할 필요가 있다고 본다.

③ 일본은 북한의 일본인 납치문제, 핵무기와 미사일 개발, 마약 밀수 등의 제반 문제가 해결되지 않고서는 북·일 관계의 정상화는 불가능하다는 인식을 가지고 있으며, 북한체제를 붕괴시키는 것이 아니라 북한의 정치경제를 단계적으로 변화시켜 나가려는 전략을 가지고 있다.

④ 미국은 일본에게 있어 여전히 가장 중요한 국가이며, 9·11 테러 이후 미국 주도의 '테러와의 전쟁'과 해외주둔 미군병력의 재편작업에 일본이 적극 협력하면서 미·일 동맹의 협력범위는 글로벌 차원으로 확대되었다.

정답 및 해설

일본은 집단자위권 논쟁에 대해서는 일본이 집단안전보장체제에 실질적으로 참여하는 방향으로 논의가 진행되어야 하며, 일본이 아프가니스탄에 국제보안유지군(ISAF)의 형태로 비전투부대를 파견했던 것처럼 무력행사를 목적으로 하지 않는 후방지원활동에는 적극 참여한다는 입장이다.

✅ 선지분석

② 한국 또한 일본에게 있어서는 가장 중요한 지역협력을 위한 파트너이며, 한국과 일본을 중심으로 하는 민주주의와 시장경제 네트워크를 동아시아와 태평양으로 확대시키려는 전략을 가지고 있다.

④ 양국의 관계는 2006년 '재편 실시를 위한 로드맵' 합의를 거치면서 더욱 공고해졌다.

답 ①

018 미·일 동맹의 역사를 설명한 것으로 옳지 않은 것은?

① 1951년 미·일 안보조약을 체결하여 일본을 '아시아의 병기공장' 지위로 격상하였다.

② 1975년 책정된 '방위계획대강'은 냉전기 동맹의 방향을 정비하고 일본의 대미(對美) 지원 태세를 확립하였다.

③ 1996년 '미·일 안전보장 공동선언'을 통해 미·일 동맹의 주요 영역을 일본방위에서 지역차원으로 확대하였다.

④ '미·일 동맹: 미래를 향한 변혁과 재편'에서 동맹의 결속도를 다소 완화시켰다.

정답 및 해설

'미·일 동맹: 미래를 향한 변혁과 재편'은 최근의 전략 환경을 감안하여 양국 간 동맹관계를 보다 강화시킨 것이다.

답 ④

019 21세기 미·일 관계를 둘러싼 전략 환경의 변화에 대한 서술로 옳지 않은 것은?

☐☐☐

① 9·11 테러 이후 미국의 동맹관이 변화함에 따라 미·일 동맹의 기준도 변화하였다.

② 중국이 부상함에 따라 미·일 동맹에 대중견제적 성격이 요구되고 있다.

③ 미국이 전면전의 위협에 대비해 중무장 미군을 해외에 주둔하는 전략을 취하게 되었다.

④ 비전통적 안보위협이 증가함에 따라 반(反)테러, 반(反)WMD 등의 협조가 요구되고 있다.

정답 및 해설

미국은 중무장 미군을 해외에 주둔시키는 전략을 시대에 뒤떨어진 것으로 보고 해외주둔 미군의 전면적 재편을 추진하고 있는데, 주일미군 역시 그 대상이 되고 있다.

☑ 선지분석

① 9·11 테러 이후 미국은 대테러전 및 WMD 확산 방지 등에 있어 미국과 행동을 같이 할 수 있느냐의 여부를 동맹관계의 판단 기준으로 설정하였다. 미·일 동맹 역시 이러한 기준에서 판단되고 있다.

② 미국과 일본은 중국의 부상이 안보환경에 위협이 될 수 있음에 공동의 인식을 갖고 미·일 동맹을 강화하고 있다.

④ 국제테러와 대량파괴무기 확산 등 비전통적 안보위협 요인들이 대두함에 따라 양국은 공동의 대처를 모색하고 있다.

답 ③

---

020 주요 국가에 대한 일본의 외교정책을 개관한 것으로 옳지 않은 것은?

☐☐☐

① 미국을 가장 중요한 국가로 인식하며, 미·일동맹 체제를 절대적으로 유지해야 한다는 데 국내적 합의가 이루어져 있다.

② ASEAN과의 경제적 연계를 강화하기 위해 '동아시아 커뮤니티'를 추진하고 있다.

③ 대중관계를 21세기 가장 중요한 이슈로 평가하며, 중국의 힘을 인정하면서도 한편으로는 견제하고자 한다.

④ 북핵문제가 자국의 안보에 심각한 위협이 됨을 인지하여, 일본인 납치문제와 마약 밀수 문제 등 제반 문제해결보다 북·일관계 정상화를 우선하고 있다.

정답 및 해설

일본은 납치 문제, 핵개발, 마약 밀수 등 제반 문제가 해결되지 않고서는 북·일관계 정상화가 불가능하다는 인식을 기본으로 하고 있다.

☑ 선지분석

① 일본은 미·일동맹을 유지, 강화하는 데 중점을 두고 있다. 이와 더불어 자국만의 독자적 기준을 통해 보완적 외교를 하려는 전략 또한 갖고 있다.

② ASEAN은 일본의 안전 확보에 큰 의미를 갖는다. 따라서 동아시아 커뮤니티 추진을 통해 교육, 인재육성, 민주화 추진 등 ASEAN에 기여하고자 한다.

③ 중·일관계는 협조와 공존, 경쟁과 마찰이 공존하고 있다. 일본은 중국의 군사력을 인정하는 한편 군비예산 증강에 대해 투명성을 요청하고 있다.

답 ④

021 일본 외교정책에 대한 설명으로 옳지 않은 것을 모두 고른 것은?

ㄱ. 1978년 방위계획대강은 전수방위(專守防衛)를 핵심요소로 규정하였는데 전수방위(專守防衛)는 상대 국에 대한 선제공격 및 전략공격을 금지하여 외부의 공격을 받은 후에만 전력을 행사하며, 그 정도는 자위를 위해 필요한 최소한도에 그치고, '미즈기와(水際)', 즉 자국 영토나 그 주변에서만 작전한다는 수동적인 전략이다.

ㄴ. 냉전기 일본의 방위계획대강은 소규모의 제한적 공격은 일본이 자체적으로 방어하고, 대규모 외부공 격은 미국에 의존한다고 규정하였다.

ㄷ. 샌프란시스코 강화조약은 일본의 전후 배상을 '역무배상(役務賠償)' 형태로 규정하여 일본은 전후 아 시아 국가와의 배상 교섭에 있어서 자본재와 용역의 제공을 기본으로 하는 경제협력을 추진할 수 있 었고, 이는 전후 일본의 대아시아 경제진출의 발판이 되었다.

ㄹ. 1960년대 사토 에이사쿠 수상은 OECD가입, GATT 제11조국 및 IMF 8조국으로의 이행을 실현함으로 써 '경제국가'의 원형을 완성하였다.

① ㄱ, ㄴ   ② ㄱ, ㄹ
③ ㄴ, ㄷ   ④ ㄷ, ㄹ

| 정답 및 해설 |

ㄱ. 1976년 방위계획대강에서 제시되었다.
ㄹ. 이케다 수상 시기의 정책이다.

답 ②

022 다음은 일본의 주요국에 대한 외교정책을 설명한 것이다. 옳지 않은 것은?

① 북한의 일본인 납치 문제, 핵무기와 미사일 개발 문제 등이 해결되지 않고는 북·일 관계 정상화가 불가능하다고 인식되어 북한체제를 서서히 붕괴시키는 전략을 갖고 있다.

② 미·일 안보체제는 유지되고 있으며 미국과 같은 정책을 가지면서도 독자적 기준을 갖고 보완적인 외 교 전략을 추진한다.

③ 민주주의, 시장경제, 미국과의 동맹이라는 3가지 기본체제를 공유하며 지역협력을 위한 중요한 파트 너로서의 의미를 갖는다.

④ 중·일 양국 간에 '협조와 공존', '경쟁과 마찰'이 공존하여 중국의 힘을 인정하면서도 중국의 군비예산 증강에 대해서는 투명성을 요청할 필요가 제기된다.

| 정답 및 해설 |

일본은 미국의 대북정책에 맞추어 정치·경제를 단계적으로 변화시키려는 전략을 갖고 있다.

답 ①

023 일본의 외교정책에 대한 설명으로 가장 옳지 않은 것은?

① 미·일동맹을 강조하는 한편, MD체제가 대중견제로 비칠 것을 우려해 참여에 있어 소극적 태도를 보이고 있다.

② 중국의 경제적 부상을 경계하며, 자국 경제구조를 개혁하기 위해 노력하고 있다.

③ 최종적인 동아시아 경제통합 달성에 앞서 ASEAN, 한국, 대만과의 FTA를 구심점으로 하여 경제연대를 먼저 추진하고자 한다.

④ 에너지 안보문제의 중요성을 고려하여 중동에 대한 의존도를 낮추고 공급원 다변화를 추진하고 있다.

> **정답 및 해설**
>
> 일본은 미·일동맹 등 제반동향이 향후 변화할 가능성이 희박하다고 본다. 따라서 자국 안보를 위해 미국의 MD체제에 적극 참여하고 있다.
>
> **✅ 선지분석**
>
> ② 일본은 중국의 부상에 직접적 영향을 받는 국가이므로 과학기술 진흥과 농업분야 구조개혁을 통한 경제구조 개혁에 우선순위를 두고 있다.
>
> ④ 에너지 공급원 다변화를 추진하는 동시에 러시아 원유, 카스피해 원유, 아프리카 원유 등에 관심을 갖고 있다.
>
> 답 ①

024 일본이 추진하고 있는 '집단적 자위권'에 대한 내용으로 옳지 않은 것은?

① 집단적 자위권은 UN 헌장상 회원국에 인정되는 권리이다.

② 1946년 제정된 일본 헌법에는 소위 "전쟁 포기" 조항이 포함되어 있다.

③ 일본헌법 제9조는 집단적 자위권을 명시적으로 금지하고 있다.

④ 일본은 최근 헌법 제9조에도 불구하고 주변국 유사시 집단적 자위권을 발동할 수 있다는 해석론을 채택하였다.

> **정답 및 해설**
>
> 일본헌법 제9조에서 집단적 자위권을 명시적으로 금지하고 있는 것은 아니다. 다만, 집단적 자위권을 행사할 수 없는 것으로 해석되었으나, 최근 가능한 것으로 해석론을 변경한 것이다.
>
> **✅ 선지분석**
>
> ① 집단적 자위권이란 동맹을 맺고 있는 국가가 제3국으로부터 무력공격을 받았을 경우, 동맹국가를 지원하여 제3국에 대한 자위권 차원의 무력행사를 가능하도록 한 권리로써, UN 헌장 제51조에 의해 회원국에 인정되고 있는 권리이다.
>
> ② 일본은 1946년 제정된 헌법 제9조 제1항에서 "무력에 의한 위협 또는 무력행사는 국제분쟁을 해결하는 수단으로서 포기한다."라고 선언하였는데, 이것이 소위 '전쟁 포기' 조항이다.
>
> 답 ③

025 중일관계의 역사적 전개과정에 대한 설명 중 옳은 것만을 모두 고른 것은?

□□□

> ㄱ. 국교정상화 이전 양국은 냉전의 구조적 제약 하에서 어떠한 협력도 진행하지 못했다.
> ㄴ. 1972년 양국은 수교관계를 수립하였고, 1978년에는 중·일 평화우호조약을 체결하였다.
> ㄷ. 일본은 2004년 발표한 '신방위대강'에 중국위협론을 정부의 공식 안보 정책 문서에 처음으로 삽입하였다.
> ㄹ. 2006년 아베 신조 총리의 '얼음을 녹이는 여행(融氷之旅)'이 2007년 원자바오 총리의 '봄맞이 여행(迎春之旅)'으로 이어지는 등 우호협력관계가 강화되었다.

① ㄱ, ㄴ
② ㄱ, ㄹ
③ ㄴ, ㄷ
④ ㄷ, ㄹ

정답 및 해설

중일관계의 역사적 전개과정에 대한 설명으로 옳은 것은 ㄴ, ㄷ이다.

ㄴ. 국교정상화를 수립하게 된 표면적 원인은 중·미관계의 개선과 일본 정부의 입장변화이지만, 내면적으로는 수교 이전부터 형성되어 있었던 민간과 야당의 우호적 교류가 큰 뒷받침이 되었다고 할 수 있다.

⊘ 선지분석

ㄱ. 이 시기 양국은 표면적으로 적대적 관계 형성하였지만, 양측은 경제교류와 대화통로를 유지하면서 협력관계의 수립을 모색하고 있었으며, 실질적으로도 이러한 협력관계가 나타나고 있었다. 이러한 협력은 주로 민간무역의 형태로 진행되었다. 그리고 이러한 흐름은 1972년에 양국이 수교관계를 수립하게 되는 바탕으로 작용하였다.

ㄹ. 2006년 아베 신조 총리의 '얼음을 깨는 여행(破氷之旅)'과 2007년 4월 원자바오 총리의 '얼음을 녹이는 여행(融氷之旅)'을 거쳐 2007년 12월 후쿠다 야스오 총리의 방중이 '봄맞이 여행(迎春之旅)'이라고 불리는 등 우호협력관계를 위한 호기를 맞이하였다.

답 ③

---

026 중일국교정상화에 관한 설명으로 옳은 것만을 모두 고른 것은?

□□□

> ㄱ. 1972년 9월 29일 일본과 중국은 국교정상화를 명시한 공동성명을 채택함으로써 중국과 일본 간 국교정상화가 실현되었다.
> ㄴ. 중일 국교정상화에서 걸림돌은 대만 문제로서 일본과 대만은 1952년 평화조약을 체결함으로써 국교를 수립하였다.
> ㄷ. 중국은 국교 수립의 3원칙(복교 3원칙)으로 중화인민공화국 정부는 중국을 대표하는 유일한 합법정부이며, 타이완은 중국의 하나의 성(省)이며 중국영토의 불가분의 일부이고, 일 – 대만 조약(日華條約)은 불법이며 파기되어야 한다는 것을 제시하였다.
> ㄹ. 공동성명은 복교3원칙을 규정하고, 중화인민공화국 정부는 타이완이 중화인민공화국 영토의 불가분의 일부라는 것을 표명하고 일본은 이를 충분히 이해하고 존중함을 규정하였다.
> ㅁ. 중일 정식 국교수립은 미국과 중국의 국교수립 이후 이루어졌다.
> ㅂ. 중일 국교 수립은 미중 화해의 상황에서 일본의 강한 열망에 의해 이루어졌으며, 수립 과정에서 일본 측의 양보가 두드러졌다.

① ㄱ, ㄴ, ㄷ, ㄹ
② ㄱ, ㄷ, ㄹ, ㅁ
③ ㄴ, ㄷ, ㄹ, ㅂ
④ ㄷ, ㄹ, ㅁ, ㅂ

정답 및 해설

중일 국교정상화에 관한 설명으로 옳은 것은 ㄱ, ㄴ, ㄷ, ㄹ이다.

✅ 선지분석
ㅁ. 중일 정식 국교수립은 1972년 9월, 미중 정식 국교수립은 1979년 1월 1일이다.
ㅂ. 중일 수교의 전반적 과정은 미중화해에 따른 전략적 판단에 입각하여 일본과 조속히 국교정상화를 수립하고자 하였던 '중국'측의 양보가 주목되는 점이었다.

답 ①

---

027 미일방위협력지침(2015)에 대한 설명으로 옳지 않은 것은?

① 1997년 가이드라인을 유지하고, 평시부터 긴급사태까지 일본의 평화 및 안전을 확보하는 것을 목표로 하였다.
② 중국의 위협에 대한 대응을 강화하기 위해 전수방위 원칙을 폐기하였다.
③ 미일동맹의 적용범위에 도서방위를 명기하였다.
④ 일본에 대한 무력공격이 발생한 경우 자위대가 방위작전을 주체적으로 실시하고, 미군은 자위대를 지원하거나 보완하는 역할에 한정한다.

정답 및 해설

전수방위 원칙을 유지하기로 하였다. 전수방위[Exclusively Defense-Oriented Policy; 専守防衛(せんしゅぼうえい)]는 일본 외부의 적에 의한 침략을 격퇴하는 것에 자위대의 보유목표를 두는 것을 말한다.

답 ②

---

028 제2차 세계대전 이후 미국-일본 관계에 대한 설명으로 옳지 않은 것은?

① 일본 미키 다케오 내각은 1976.10.29. 각의에서 방위계획의 대강을 결정하여 자위대의 목표를 한정적·소규모 직접 침략의 독자적 힘에 의한 배제로 규정하고, 그 이상의 사태는 미군의 도움을 받는다고 하였다.
② 무라야마 내각은 1995년 11월 방위계획대강을 개정하여, 육상자위대 1만 명 감축, PKO, 대규모 재해대책, 미일 간 방위협력 필요성 등을 규정하였다.
③ 후쿠다 내각은 1978년 11월 미일방위협력을 위한 지침(구 가이드라인)에 합의하였다.
④ 구 가이드라인에서 미국은 일본에게 핵공격에 있어서 직접억지와 유사시 지원을 공약하였다.

정답 및 해설

직접억지가 아니라 확장억지이다.

답 ④

029 일본의 신방위대강(2018.12)에 대한 설명으로 옳지 않은 것은?

□□□

① 2012년 말에 제2차 아베 내각 출범 이후 일본 정부는 집단적 자위권에 대한 헌법의 해석을 변경하여 안보 관련 법안을 정비하고, 미·일 방위협력 지침을 재개정하여 지역 및 글로벌 차원에서 안보 역할을 확대함으로써 자국이 직접 공격받지 않더라도 외국군을 지원하기 위해 자위대를 파견하는 등 무력을 사용할 수 있게 되었다.

② 신방위대강은 자위력 강화를 위해 우주·사이버·전자파 영역 및 육·해·공 영역을 횡단하는 '다차원 통합 방위력 구축'을 제시하고 있는데, 이는 기존의 육·해·공 이외에 우주·사이버·전자파 등의 영역을 통합하여 작전을 수행할 수 있는 대응 태세를 의미한다.

③ 신방위대강은 새로운 안보환경에의 대응 방향으로 독자적인 방위력의 증대, 미·일 동맹의 강화, 다각적, 다층적 안보협력의 추진, 장기적으로 핵무장 추진 등을 제시하였다.

④ 신방위대강은 2013년 방위계획대강의 연장선에서, 보편적 가치와 전략적 이익을 공유하는 미·일 양국 간의 정책조정 기능과 자위대와 미군 간의 상호운용성을 강화하고, 핵 위협에 대해서는 미국이 제공하는 핵 억지력 등 확대억지력의 신뢰성을 유지 강화해야 한다고 명시하였다.

정답 및 해설

핵무장에 대한 언급은 없고, 확장억지력 강화에 대해 규정하고 있다(주요국제문제분석, 조양현, 2018-59, 참조).

답 ③

---

030 위안부 관계 조사 결과 발표에 관한 고노 내각관방장관 담화(고노담화, 1993)에 대한 설명으로 옳지 않은 것은?

□□□

① 위안소는 군 당국의 요청에 따라 마련된 것이며 위안소의 설치, 관리 및 위안부의 이송에 관해서 일본군이 직접 또는 간접적으로 간여했다.

② 위안부의 출신과 관련하여 한반도가 큰 비중을 차지하였으며 모집, 이송, 관리 등에 있어서 대체로 본인들의 의사에 반하여 행해졌다.

③ 일본정부는 종군위안부로서 많은 고통을 겪고 몸과 마음에 치유하기 어려운 상처를 입은 사람들에게 마음으로부터 사과와 반성의 뜻을 밝힌다.

④ 후속조치로서 재단설립과 손해배상금을 지급하되 구체적인 조치는 한국정부 및 일본의 식견있는 분들과 협의해 나가겠다.

정답 및 해설

위안부 관계 조사 결과 발표에 관한 고노 내각관방장관 담화(고노담화, 1993)에 "그런 마음을 우리나라로서 어떻게 나타낼 것인지에 관해서는 식견 있는 분들의 의견 등도 구하면서 앞으로도 진지하게 검토해야 할 일이라고 생각한다."라는 내용이 포함되어 있다.

답 ④

031 한일국교정상화에 대한 설명으로 옳지 않은 것은?

① 국교정상화를 위한 회담은 미국의 주선으로 1951년 10월 예비회담이 열린 이후 7차례의 본회담을 거쳐 1965년 6월 완료되었다.

② 제1차 회담 직전인 1952년 1월 이승만 대통령이 '평화선'을 일방적으로 선포하여 양국 간 대립을 초래하였다.

③ 박정희 정부 등장 이후 경제발전을 위한 자금 도입을 위해 한일협상의 조기 타결을 도모하였으나 미국은 한국과 일본이 베트남전쟁에 참전하여 여건을 조성한 이후 전격적인 협상에 들어갈 것을 희망하였다.

④ 최종조약에는 쟁점이 된 병합조약의 효력에 대해 한일 쌍방이 각각의 해석을 주장할 수 있는 여지를 남겨 두었으며 식민지 지배에 대한 사죄문제가 명시되지 않았다.

정답 및 해설

미국은 베트남 등 제3세계에 대한 개입 부담으로 한일 관계가 조속히 안정화되기를 희망하여 협상 타결 압력을 강화하였다.

답 ③

032 한일국교정상화(1965)에 대한 설명으로 옳지 않은 것은?

① 미국은 1951년 9월 일본과 강화조약 및 미일 안보조약을 체결하고 그 연장선상에서 한일회담을 추진하여 1951년 10월 첫 번째 회담이 개최되었다.

② 한국이 1952년 1월 18일 '인접해양주권선언'을 하고 독도를 우리나라 해역에 포함시키자 일본이 반발하면서 2차 회담이 결렬되었다.

③ 1961년 '김종필-오히라 메모'를 통해 양국 간 가장 큰 쟁점이었던 독도영유권 문제를 타결지었다.

④ <어업협정>에서는 양국이 12해리의 어업전관수역을 설정하고, 어업자원의 지속적 생산성을 확보하기 위한 일정한 공동규제수역을 설정하였다.

정답 및 해설

1961년 '김종필-오히라 메모'를 통해 양국 간 가장 큰 쟁점이었던 청구권 문제를 타결지었다.

답 ③

033 한일 청구권협정(1965)에 대한 설명으로 옳은 것은?

① 일본은 한국에 대해 5억 달러 상당의 일본의 생산물 및 일본인의 용역을 본 협정의 효력발생일로부터 10년 기간에 걸쳐 무상으로 제공한다.

② 2억 달러에 달하기까지의 장기 저리 차관으로, 우리 정부가 요청하고 또한 추후 체결될 약정에 의하여 결정되는 사업의 실시에 필요한 일본의 생산물 및 일본인의 용역을 한국이 조달하는 데 있어 충당될 차관을 본 협정의 효력 발생일로부터 20년 기간에 걸쳐 행한다.

③ 외교상의 경로로 해결할 수 없었던 분쟁은 5인으로 구성되는 중재위원회에 회부된다.

④ 한일 양국은 양국 및 그 국민(법인 포함)의 재산, 권리 및 이익과 양국 및 그 국민간의 청구권에 관한 문제가 1951년 9월 8일 미국 샌프란시스코에서 서명된 일본과의 평화조약에 규정된 것을 포함하여 완전히 그리고 최종적으로 해결된 것이 된다는 것을 확인한다.

> **정답 및 해설**

✓ **선지분석**
① 3억 달러 상당의 일본의 생산물을 대상으로 한다.
② 10년 기간에 걸쳐 행한다.
③ 중재위원회는 3인으로 구성된다.

답 ④

---

034 일본의 식민지 지배에 대한 반성을 표명한 담화가 아닌 것은?　　　2020년 외무영사직

① 아베 담화(2015년 8월)　　　　　② 무라야마 담화(1995년 8월)
③ 고이즈미 담화(2005년 8월)　　　④ 간 나오토 담화(2010년 8월)

> **정답 및 해설**

아베 총리는 2015년 8월 아베 담화에서 "우리나라는 앞선 대전(大戰)에서의 행위에 관해 반복해서 통절한 반성과 마음으로부터의 사죄의 마음을 표명해 왔다."고 표현하여 식민지 지배에 대한 반성과 사죄를 명확하게 표명하지 않았다는 평가를 받았다.

✓ **선지분석**
② 무라야마 담화에서는 "나는 미래에 잘못이 없도록 하기 위해 의심할 여지도 없는 이런 역사의 사실을 겸허하게 받아들이고 여기서 다시 한 번 통절한 반성의 뜻을 표하며 마음으로부터 사죄의 마음을 표명한다."라고 표현하였다.

③ 고이즈미 담화에서는 "우리나라는 일찍이 식민지 지배와 침략으로 많은 나라들, 특히 아시아 여러 나라의 사람들에게 크고 많은 손해와 고통을 줬다. 이러한 역사의 사실을 겸허히 받아들여 다시 한번 통절한 반성과 마음으로부터 사죄의 마음을 표함과 더불어 지난 대전(大戰)에서의 내외(內外) 모든 희생자께 삼가 애도의 뜻을 표한다."라고 표현하였다.

④ 2010년 8월 10일 간 나오토(菅直人) 당시 일본 총리가 한국 국권 침탈(한일병합조약) 100주년을 앞두고 "식민지 지배가 초래한 많은 손해와 고통에 대해 이에 다시금 통절한 반성과 진심 어린 사죄의 마음을 표명합니다."라고 사죄를 표명했다. 이 담화가 특히 주목받은 것은 한국을 특정해 내놓은 사과의 메시지였기 때문이다.

답 ①

035 일본의 대외정책에 대한 설명으로 옳지 않은 것은?

① 일본은 1993년 고노(河野) 담화를 통해 제국주의 시 일본의 전쟁에 의하여 여러 아시아 민족들에게 피해를 가했다는 점을 공식 사과하였다.

② 2013년 공표된 '국가안전보장전략서'는 '국제협조주의에 기반한 적극 평화주의'를 선언하였는데, 이는 UN을 중심으로 한 국제사회의 주요 국가들과 협조하면서, 소극적 자세에서 벗어나 인권의 존중과 정치적 자유를 보장하는 국내체제를 건설하고, 나아가 국제제도나 국가 간 협력을 적극적으로 추진하면서, 역내 평화를 창출하는 것을 말한다.

③ 일본 정부는 1980년대부터 각 학교의 교육에 사용하는 교과서 집필 과정에서 역사 문제나 영토 문제에 관해 근린 국가들의 입장을 배려한 기술을 해야 한다는 소위 '근린제국(近隣諸國)' 조항을 견지해 왔다.

④ 아베 정부는 독도와 관련하여 한국이 1952년 이승만 라인을 선포하고, 1954년 연안경비대를 파견하여 이 도서를 힘에 의해 탈취하고, 이후 한국이 국제법상 근거가 없는 불법 점거를 계속하고 있다고 주장하고 있다.

정답 및 해설

1995년 무라야마(村山)담화에 대한 내용이다.

답 ①

036 군사정보 보호 협정(GSOMIA)에 대한 설명으로 옳은 것만을 모두 고른 것은?

ㄱ. 우리나라와 일본 간 GSOMIA는 2016년 11월 23일 서울에서 서명과 동시에 발효되었다.
ㄴ. 한일 GSOMIA는 정보를 제공할 의무를 규정하는 것이 아니며, 실제 정보공유는 각국이 사안별로 제공 필요성 여부를 면밀히 검토한 후 제공한다.
ㄷ. 한일 GSOMIA의 유효기간은 3년이며, 협정 종료 의사를 90일 전 서면 통보하지 않는 한 자동 연장된다.
ㄹ. 우리나라는 미국, 러시아와 GSOMIA를 체결하고 있다.
ㅁ. 2019년 10월 우리나라는 몽골과 GSOMIA를 체결하였다.

① ㄱ, ㄴ
② ㄱ, ㄴ, ㄷ
③ ㄱ, ㄴ, ㄹ
④ ㄱ, ㄹ, ㅁ

정답 및 해설

군사정보 보호 협정(GSOMIA)에 대한 설명으로 옳은 것은 ㄱ, ㄴ, ㄹ이다.

☑ 선지분석

ㄷ. 협정 유효기간은 1년이다.
ㅁ. 우리나라는 현재 몽골과는 GSOMIA 체결을 추진하고 있다.

답 ③

037 일본 대외정책에 대한 설명으로 옳은 것은?

① 2006년 북한의 미사일 발사와 핵실험에 대해 일본은 안전보장이사회 대북 결의안의 상정 및 채택을 주도하였으나, 중국의 대일 거부감으로 결의안 채택에 실패했다.

② 1960년대 등장한 해양국가론은 태평양전쟁 전의 대륙 진출이 초래한 참담한 결과를 직시하여 내수 경제활동 장려를 통해 국가 활로를 모색해야 하며, 경제활동을 위한 원료 도입을 위해서는 바다를 지배하고 있는 미국과의 연대가 불가결하다는 담론이었다.

③ 일본은 1940년대 태평양전쟁을 추진하면서 산유국과의 외교관계와 함께 해상교통로의 안정화의 중요성을 절감하고 1982년경부터 해상교통로 1,000해리 방위구상을 추진했다.

④ 일본의 법제도상 국회의 승인을 필요로 하는 조약은 극히 소수이고 조약의 대부분은 내각에서 처리가 가능한 행정협정으로 취급된다.

정답 및 해설

⊘ 선지분석
① 결의안이 채택되었다.
② 해양국가론은 통상활동 장려를 통해 국가 활로를 모색해야 하자는 입장이다.
③ 1970년대 석유위기를 겪으면서 나온 전략 구상이다.

답 ④

038 일본의 대외정책에 대한 설명으로 옳지 않은 것만을 모두 고른 것은?

ㄱ. 하토야마 수상은 샌프란시스코 강화조약 및 미일안보조약을 통해 미국의 일본 점령정책을 종결시켰다.
ㄴ. 요시다 수상은 일소국교회복에 진력하였다.
ㄷ. 무라야마 수상은 한일국교정상화를 실현하였다.
ㄹ. 다나카 수상은 일중 국교 정상화를 추진했다.
ㅁ. 고이즈미 수상은 북일관계 정상화를 위해 북한을 방문했다.

① ㄱ, ㄴ, ㄷ
② ㄱ, ㄴ, ㅁ
③ ㄱ, ㄷ, ㄹ
④ ㄴ, ㄷ, ㄹ

정답 및 해설

일본의 대외정책에 대한 설명으로 옳지 않은 것은 ㄱ, ㄴ, ㄷ이다.
ㄱ. 요시다 수상의 정책 사례이다.
ㄴ. 하토야마 수상의 정책 사례이다.
ㄷ. 사토 수상의 업적이다.

답 ①

039 일본외교정책에 대한 설명으로 옳지 않은 것을 모두 고르면?

> ㄱ. 요시다 수상은 샌프란시스코 강화조약 및 미일안보조약을 통해 점령정책을 종결시켰다.
> ㄴ. 사토 수상은 한일 국교정상화를 실현시켰다.
> ㄷ. 기시 수상은 일중 국교정상화를 추진했다.
> ㄹ. 다나카 수상은 1960년 미일안보조약을 개정했다.

① ㄱ, ㄴ
② ㄱ, ㄹ
③ ㄴ, ㄷ
④ ㄷ, ㄹ

정답 및 해설

ㄷ. 일중 국교정상화는 다나카 수상 시기의 사례이다.
ㄹ. 미일안보조약 개정은 기시 수상 시기의 사례이다.

답 ④

040 일본의 대외정책에 대한 설명으로 옳지 않은 것은?

① 일본 미키 다케오 내각은 1976.10.29. 각의에서 방위계획의 대강을 결정하여 자위대의 목표를 한정적·소규모 직접 침략의 독자적 힘에 의한 배제로 규정하고, 그 이상의 사태는 미군의 도움을 받는다고 하였다.
② 무라야마 내각은 1995년 11월 방위계획대강을 개정하여, 육상자위대 1만명 감축, PKO, 대규모 재해대책, 미일간 방위협력 필요성 등을 규정하였다.
③ 후쿠다 내각은 1978년 11월 미일방위협력을 위한 지침(구 가이드라인)에 합의하였다.
④ 구 가이드라인은 3개항으로 구성되어 있으며, 1항은 미국이 일본에게 핵무기를 지원하는 한편, 유사시 지원을 공약한 것이다.

정답 및 해설

1항은 미국이 일본에게 핵억지와 유사시 지원을 공약한 것이다.

답 ④

041 일본의 대외정책에 대한 설명으로 옳지 않은 것은?

① 요시다 수상은 샌프란시스코 강화조약 및 미일안보조약을 통해 점령정책을 종결시켰으며 하토야마 수상은 일소국교회복에 진력했다.

② 2006년에 출범한 제1차 아베내각은 종래의 안전보장회의를 '국가안전보장회의'로 개편하여 정부의 위기관리능력 및 총리관저의 기능을 강화하고자 했으며, 제2차 아베내각의 출범 직후인 2013년 법제화에 성공하였고 2013년 말 국가안전보장회의가 정식으로 출범하였다.

③ 일본은 2005년 7월 독일, 브라질, 스페인과 함께 안보리 상임이사국 확대를 골자로 하는 개혁안을 유엔총회에 상정하였다.

④ 2015년 8월 14일 전후 70주년 기념사(아베 담화)를 통해 일본은 제2차 세계대전의 패전국으로서 사죄와 반성으로 일관하던 역사인식에서 벗어나, 지역 및 글로벌 차원의 역할 확대를 통해 국제사회에 공헌하겠다는 '적극적 평화주의'를 일본외교의 기본이념으로 제시했다.

정답 및 해설

독일, 브라질, 인도와 함께 상임이사국 진출을 기도하고 있다.

답 ③

042 일본의 외교정책에 대한 설명으로 옳지 않은 것은?

① 1985년에는 미국의 대일 무역적자를 줄이기 위한 방안으로 엔화의 가치를 절상하는 조치(이른바 플라자합의)가 취해졌다.

② 명치시대의 대표적인 정한론자인 야마가타는 한반도를 일본의 영토인 '주권선'의 방위에 사활적인 전략적 요충지, 즉 '이익선'으로 간주하였다.

③ 1991년 시작된 북일수교회담은 종래의 대한반도 정책에 나타난 불균형을 수정함으로써 한반도에 대한 영향력을 확대하고자 하는 일본정부의 의지를 반영한 것으로, 냉전기를 통해 일본외교가 견지해 온 한국중시 정책에 대한 중대한 수정을 의미하였다.

④ 2004년판 방위계획대강은 방위정책의 기본 목표로서 국제적 안보환경의 개선을 추가함으로써 자위대의 임무를 일본방위를 넘어 주변 지역 및 국제무대로까지 확대할 수 있는 근거를 마련하였다.

정답 및 해설

자위대의 임무를 일본방위 및 주변 지역 활동을 넘어 국제무대로까지 확대할 수 있는 근거를 마련하였다. 주변 지역으로의 임무 확대는 이전의 방위계획대강에서 이미 결정된 것이다.

답 ④

043 일본의 외교정책에 대한 설명으로 옳은 것을 모두 고른 것은?

> ㄱ. 2000년대 들어 제시된 방위계획대강으로 자위대의 활동범위는 본토방위를 넘어 주변 지역의 유사사태에의 대응으로까지 확대되었을 뿐만 아니라 자위대의 해외파견의 길이 열렸다.
> ㄴ. 2009년 출범한 간 나오토 내각은 대등한 미일동맹관계라는 기치하에 종래의 대미추종 외교를 극복하고, 동아시아공동체 구축을 통해 중국, 한국 등 아시아 국가와의 연대를 강화한다는 외교목표를 제시했다.
> ㄷ. 북한 문제와 관련해서 일본의 고이즈미 정권은 대화와 압박을 병행했다. 그러나 2006년 아베 정권 출범 및 북한 핵·미사일 사태를 계기로 일본의 대북정책 기조가 압박 우선으로 바뀌었다.
> ㄹ. 일본은 미국과의 긴밀한 관계 즉, '대미기축외교'를 UN외교나 아시아외교보다 우선하였다.

① ㄱ, ㄴ   ② ㄱ, ㄹ
③ ㄴ, ㄷ   ④ ㄷ, ㄹ

정답 및 해설

✓ **선지분석**

ㄱ. 1995년의 방위계획대강에서 제시된 내용이다.
ㄴ. 하토야마 내각에 대한 설명이다.

답 ④

044 일본 기시다 후미오 내각의 대외정책에 대한 설명으로 옳지 않은 것은?

① 기시다 총리는 2012~2017년 외무상 재임기에 '자유롭고 열린 인도-태평양' 전략을 주도했다.
② 2021년 10월 총리가 된 뒤에 '새 시대를 위한 현실주의 외교'를 내걸고 군비 강화를 가속화하면서 일본을 미국 글로벌 전략의 핵심축으로 만들었다.
③ 2023년 5월 우크라이나 방문에 이어 나가사키에서 주요 7개국(G7) 정상회의를 개최하였다.
④ 2023년 5월 27일에는 북한을 향해서도 정상회담을 원한다는 대화 신호를 보내며 '한반도 상황 관리자' 역할도 염두에 두고 있음을 보여줬다.

정답 및 해설

2023년 5월 우크라이나 방문에 이어 히로시마에서 주요 7개국(G7) 정상회의를 개최하였다.

답 ③

제4편

국제기구론

제1장 정부 간 국제기구(IGO)

제1절 | 총론

001 국제기구와 국제제도를 바라보는 시각에 대한 설명으로 옳은 것만을 모두 고르면? 2023년 외무영사직

> ㄱ. 현실주의는 국제기구가 힘의 우위를 가지고 있는 강대국의 입장을 반영한다고 본다.
> ㄴ. 구성주의는 국제제도를 국가 간 상호작용을 통해 얻은 정체성과 이익의 구현체로 본다.
> ㄷ. 자유주의는 국제기구가 완전한 자율성을 바탕으로 국가 간 갈등을 중재하고 상호 협력을 이끌어낸다고 본다.
> ㄹ. 구조주의는 국제제도가 국제자본의 이익을 반영하며 빈국과 부국의 상호 발전을 촉진한다고 본다.

① ㄱ, ㄴ   ② ㄱ, ㄹ
③ ㄴ, ㄷ   ④ ㄷ, ㄹ

정답 및 해설

ㄱ. 미어세이머는 국제기구가 강대국의 현존 권력관계를 단순히 반영할 따름이라고 하였다.
ㄴ. 구성주의는 국제제도가 간주관성의 산물이라고 보며, 규범적 측면을 강조한다.

✅ 선지분석

ㄷ. 자유주의가 국제기구의 완전한 자율성을 가정한다고 보기 어렵다. 국가로부터의 어느 정도의 자율성을 가지고 긍정적인 기능을 할 수 있다고 보는 것이다.
ㄹ. 구조주의, 즉 마르크스주의는 국제제도는 부국(중심부)이 빈국(주변부)를 착취하는 수단이라고 본다. 따라서 빈국과 부국의 상호 발전을 촉진한다고 보지 않는다.

답 ①

002 다음 중 현실주의 정치사상이 제시하는 국제기구에 대한 설명 중 가장 옳지 않은 것은? 2005년 외무영사직

① 국제기구는 국가이익 추구라는 목적에 종속되어야 한다.
② 국제기구는 국가 간 권력관계의 단순한 반영물에 지나지 않는다.
③ 국제기구는 국제규범을 위반한 국가를 제재해야 한다.
④ 국가는 국제기구에 언제든지 가입할 수 있고 언제든지 탈퇴할 수 있다.

정답 및 해설

현실주의는 국제기구란 주권국가들로 수평적으로 조직된 국제정치체제 속에 존재하며 이러한 체제의 본질적인 특성으로 인해 주권국가들은 국제기구를 포함한 초국가적 권위에 의한 결정에 그들의 동의 없이 구속되지 않는다고 본다. 따라서 국가가 국제법을 위반했다고 하더라도 국제기구가 그 국가의 동의 없이 제재를 가할 수는 없다고 본다.

답 ③

003 정부 간 국제기구(IGOs)의 역할과 기능에 대한 해석 중 현실주의 국제정치이론의 입장으로 가장 옳은 것은?

☐☐☐ ① 국가 사이의 분쟁에서 훌륭한 중재자 역할을 담당한다.

② 세계평화를 증진하는 데 독립적으로 역할을 한다.

③ 개별국가의 이익이 상충되는 측면보다 조화되는 측면을 부각시킨다.

④ 개별국가가 자국의 이익을 추구할 수 있는 장을 제공해 준다.

> **정답 및 해설**
>
> 현실주의에 있어 국제기구는 단지 국가의 정책결정자들에게 있어서 참여함으로써 치러야 하는 비용과 이로 인해 얻게 되는 이득을 신중하게 고려한 후 참여 여부를 결정하는 정책의 도구 이상의 것이 아니다. 즉 각국의 대표들은 자신의 이익을 관철시키기 위한 수단으로서 국제기구를 지배하려고 노력하며, 국제기구 속에서 타국을 자신의 편으로 만들려는 부단한 노력을 경주한다고 본다.
>
> 답 ④

004 다음 중 국제기구에 대한 설명과 학자의 연결이 옳지 않은 것은?

☐☐☐ ① 이니스 클라우드(Inis L. Claude, Jr.): 국제기구를 '국가들이 국제관계를 보다 효율적으로 수행하기 위한 공식적이고 지속적인 제도적 관계를 수립·발전시키는 가운데 나타나는 과정'이라 정의하였다.

② 윌러스, 싱어, 베네트: 국제기구는 '회원국들의 공통된 이익을 추구할 목적으로 둘 이상의 주권국가들 사이의 협정에 의하여 창설된 것으로서 기구 내 특별한 기능을 수행하기 위한 정식조직을 지닌 공식적이고 지속적인 결사체'라고 정의하였다.

③ 로버트 코헤인(Robert Keohane): 국제기구를 '명시적인 규칙, 개인과 집단으로의 역할의 구체적 할당, 그리고 행동을 위한 역량을 가지고 있는 목표 지향적인 제도'라고 정의하고 있다.

④ 영(Oran R. Young): 국제레짐을 가장 상위의 포괄적인 개념으로 간주하고 여기에 국제제도와 국제기구가 포함된다고 보았다.

> **정답 및 해설**
>
> 지문의 내용은 러기(John G. Ruggie)가 국제제도와 국제기구에 대해 설명한 내용이고, 영은 국제기구를 '직원, 예산, 그리고 시설 등을 가지고 있는 구체적인 구조를 가지고 있는 물적인 실체'로 보고 있다.
>
> 답 ④

005 국제기구에 대한 설명으로 옳지 않은 것은?

① 러기(John G. Ruggie)는 국제레짐을 국제제도와 국제기구를 포괄하는 가장 포괄적 개념으로 사용하였다.
② 맥코믹(John McCormick)은 기능주의에서 의제설정이 경제 및 사회적 이슈와 같은 하위정치 또는 소프트이슈들에 중점을 두고 시작되어 상위정치 영역으로 확산되는데, 특정 영역에서 기능하는 국제기구는 정책형성과 실행에 있어 결정적인 역할을 수행한다고 하였다.
③ 액슬로드(Robert Axelrod)는 제도가 국가 간 협력을 유도할 수 있다는 신자유제도주의자의 주장을 상대적 이익에 대한 우려 등을 내포한 국제정치의 속성을 간과한 것이라고 비판하였다.
④ 마틴(Lisa L. Martin)은 국제제도가 상대방의 의도 파악, 감시, 거래비용 감소 등을 위한 수단을 제공함으로써 국가들의 절대적 이익을 위한 국제협력을 촉진시킬 수 있다고 본다.

정답 및 해설

미어샤이머(John J. Mearsheimer)의 주장이다.

답 ③

006 국제기구에 대한 설명으로 옳지 않은 것은?

2014년 외무영사직

① 현실주의 시각에서, 국제기구는 국가 간의 세력 분배 상태를 반영한다.
② 현실주의 시각에서, 국제기구는 강대국의 이해를 보장하거나 합리화하는 역할을 수행한다.
③ 현실주의 시각에서, 국제기구는 새로운 정체성을 만들 수 있는 적극적 행위자이다.
④ 자유주의 시각에서, 국제기구는 배신자 식별, 처벌, 정보제공을 통해 국제협력의 가능성을 높인다.

정답 및 해설

구성주의에 대한 설명이다.

답 ③

007 국제기구에 대한 입장을 설명한 것으로 옳지 않은 것은?

① 현실주의: 국제기구는 패권국가에 의해 설립되나, 패권국가의 소멸 이후에는 국제기구도 역시 소멸하게 된다.
② 자유주의: 국제기구의 설립에 패권국가가 중요한 역할을 담당하나, 패권국가의 소멸 이후에도 절대적 이득(absolute gain)이 존재하는 한 국제기구는 유지될 수 있다.
③ 구조주의: 서방 선진국의 질서 속으로 저개발국들을 끌어들이는 도구로 인식하고 있다.
④ 구성주의: 국제기구와 국가는 상호간에 정체성과 이익을 구성하는 역할을 수행하나 그것을 만든 국가의 이익을 대변하지 못하게 되는 경우, 국제기구는 소멸한다.

정답 및 해설

구성주의 관점에서 국제기구는 그것을 만든 국가들의 이익을 대변하지 못하는 상황이 되어도 동의에 의한 정통성을 가진 글로벌 거버넌스의 구조로서 지속적으로 존속하고 행위자를 구속하는 역할을 수행하게 된다고 한다.

답 ④

008 다음은 국제기구를 바라보는 하나의 시각이다. 해당하는 이론으로 옳은 것은?

□□□

> 첫째, 국제기구는 국가들이 집단행동의 문제를 극복하도록 도와준다. 둘째, 국제기구는 경제적 번영과 세계적 복지를 증진시킨다. 셋째, 국제기구는 여러 사회가 공통의 가치와 규범을 발전시키도록 돕는다. 넷째, 국제기구는 세계시장을 통합시키며 이는 주로 다국적기업에 의해 이행된다. 다섯째, 국제기구는 '국제정치의 희생자'에게 원조를 제공한다.

① 현실주의　　　　　　　　　　② 자유주의
③ 구성주의　　　　　　　　　　④ 마르크스주의

정답 및 해설

자유주의는 현실주의의 부정적 견해와는 달리 다양한 국제기구의 존재를 강조하는 입장이다. 해당 지문은 국제기구의 역할을 강조하는 입장으로 자유주의의 견해로 볼 수 있다.

답 ②

009 다음 중 정부 간 국제기구(IGO; inter-governmental organization)로 볼 수 없는 것은?

□□□

① 퍼그워시 회의(Pugwash conference)
② 영연방(Common-wealth)
③ 국제연합(United Nations)
④ 북대서양조약기구(NATO)

정답 및 해설

퍼그워시 회의는 핵전쟁의 위험에서 인류를 지키기 위하여 세계 각국의 과학자가 군축·평화문제를 토의하는 국제회의로서, IGO가 아니라 INGO에 해당한다.

✓ 선지분석

② 영연방은 영국과 영국의 과거 식민지국가였던 호주, 뉴질랜드, 캐나다 등의 공동이익을 위해 형성한 느슨한 연대를 의미한다. 국제기구의 성격을 갖는 것으로 볼 수 있다.

답 ①

010 국제정치의 행위자로서 국제기구와 국가는 다양한 형태의 관계를 설정하고 있다. 국제기구와 국가의 관계
□□□ 에 대한 설명으로 옳지 않은 것은?

① 국제기구를 하나의 정치체계로 보려는 관점은 국제기구를 가치의 권위적 배분을 도모하는 정치체계
로 개념화하여 이해하려는 견해로 국제기구 내 정책결정과정에 대한 연구가 필요하다는 입장이다.

② 이상주의의 관점에서는 국제기구를 독립된 행위주체로 보고 있으며, 현대국가들은 상호의존적인 국
제체제에 편입됨으로써 자율성을 상실해가고 있다고 보고 있다.

③ 현실주의 관점에 따르면 국제기구의 정책이란 자기중심적인 이익을 추구하는 국가 간의 합의를 통해
국가 간의 이해관계를 조정하여 만들어낸 결과이다.

④ 구조주의의 관점에서는 국제기구를 선진 자본주의 국가들의 지배를 위한 수단이나 도구로 간주한다.

> **정답 및 해설**
>
> 현실주의 관점에서 국제기구와 국가의 관계는 국제기구가 국가에 종속된 종속물의 관계로 이해한다. 즉 국제기구에
> 서는 자기중심적인 국가 간의 이익의 첨예한 대립이 나타나며, 국제기구의 정책은 이러한 국가들 간의 투쟁의 결과
> 물로 본다.
>
> ⊘ **선지분석**
>
> ④ 구조주의자(마르크스주의자)들은 자본주의 경제 질서를 옹호하는 국제기구를 일컬어 '후진국들을 자본주의적 혹
> 은 미국이 지배하고 있는 질서로 끌어들이는 도구'라고 보고, 미국이나 그 밖의 다른 선진국들이 이러한 국제기
> 구의 정책을 명령하는 것으로 생각한다.
>
> 답 ③

011 국제기구에 대한 설명으로 옳지 않은 것은?
□□□
① 국제연맹(LN) 원연맹국 이외 국가는 LN총회 구성국 2/3 동의로 가입할 수 있었다.

② 제1차 세계대전 승전국인 영국, 프랑스, 이탈리아, 일본은 국제연맹 이사회의 상임이사국이었으며, 추
후 독일과 소련도 상임이사국으로 인정되었다.

③ 지역기구는 원칙적으로 UN 안전보장이사회의 사전허가하에 강제조치를 취할 수 있다.

④ 1949년 4월 북대서양조약(브뤼셀조약)이 체결되어 북대서양조약기구(NATO)가 성립되었다.

> **정답 및 해설**
>
> 북대서양조약은 워싱턴조약이라고도 한다.
>
> 답 ④

001 국제연합(UN) 안전보장이사회에 대한 설명으로 옳지 않은 것은?   2021년 외무영사직

□□□ ① 5개 상임이사국과 10개 비상임이사국을 합쳐 15개국으로 구성되어 있다.

② 안전보장이사회의 결정은 구속력을 지닌다.

③ 상임이사국의 기권은 거부권의 행사로 보지 않는 것이 관례이다.

④ 안전보장이사회의 결정은 5개 상임이사국을 포함해 10개국 이상의 동의를 얻어야 한다.

정답 및 해설
_____

안전보장이사회의 의사결정은 절차사항과 비절차사항으로 구분된다. 절차사항은 상임·비상임을 불문하고 9개국 이상 찬성하면 의결된다. 비절차사항은 상임이사국 전부를 포함하여 9개국 이상 찬성해야 의결된다.

⊘ 선지분석

① 5개 상임이사국은 UN 헌장 규정에 따라 미국, 중국, 러시아, 영국, 프랑스이다. 10개 비상임이사국은 매년 5개 국씩 UN 총회에서 선출하며 임기는 2년이다.

② 안전보장이사회의 모든 결정이 구속력을 가지는 것은 아니나, 헌장 제7장에 따른 비무력적 강제조치 등은 결정 으로서 구속력을 가진다.

③ 상임이사국의 기권이나 불참은 관행상 거부권의 행사로 보지 않는다.

답 ④

002 국제인권기구와 제도에 대한 설명으로 옳은 것은?   2018년 외무영사직

□□□ ① UN 인권이사회(Human Rights Council)는 인권 보장을 위한 주요 기관 중 하나로 경제사회이사회 산 하에 있다.

② 국가별 보편적 정례검토(Universal Periodic Review)는 인권 침해 상황이 심각한 국가를 중점 대상으 로 인권 상황을 정기적으로 검토하는 제도이다.

③ 지역 인권체제의 하나로 아시아에서는 아시아 인권재판소가 운영되고 있다.

④ UN 인권이사회(Human Rights Council)에서는 국가별, 특정 주제별로 실무그룹을 구성하여 관련 사 례를 조사하고 권고의견을 낸다.

정답 및 해설
_____

⊘ 선지분석

① 총회 산하기관이다.

② 모든 UN 회원국에 대해 4년 주기로 인권상황을 검토한다.

③ 아시아 인권재판소는 설립되지 않았다.

답 ④

제4편

해커스공무원 패권 국제정치학 기출 + 적중모의문제집

003 UN에 대한 설명으로 옳지 않은 것은?

① UN은 1945년 51개 회원국으로 공식 출범하였다.
② 인권보호는 UN 창설의 주요한 목표 중 하나이다.
③ 한국은 1991년 북한과 유엔에 동시 가입했다.
④ UN의 집단안보체제는 지금까지 작동된 적이 없다.

> **정답 및 해설**

집단안보체제는 냉전기 한국전쟁 시 북한의 남침을 '평화의 파괴'로 규정하고 회원국의 군대 파견을 요청한 것을 제외하고는 사실상 마비상태였다고 볼 수 있다. 그러나 탈냉전기 걸프전에 대한 다국적군 파견 결의 등을 통해 집단 안보체제를 작동시키고 있다.

✓ **선지분석**
② 인권보호는 UN헌장 제1조 제3항에 규정된 유엔의 목적이다.

답 ④

---

004 UN에 대한 설명으로 옳지 않은 것은?

① 총회는 UN의 주요 심의기관으로 모든 회원국들은 1국 1표제 방식에 따라 평등하게 대표되며, 2/3 다수를 필요로 하는 중요 문제를 제외하고는 단순과반수 투표로 안건이 통과된다.
② 안전보장이사회는 국제평화와 안전에 대한 위협을 다루는 1차적 책임을 부여받고 있으며, 5개 상임이 사국과 이들 상임이사국들이 선출하는 2년 임기의 10개 비상임이사국으로 구성된다.
③ 신탁통치이사회는 자치를 획득하지 못한 영토의 행정을 감독하는 임무를 담당하는 기관이다.
④ 사무국은 사무총장에 의해 지휘되며 UN의 행정 및 사무기능을 수행하는 국제공무원들을 포함하고 있다.

> **정답 및 해설**

UN안전보장이사회의 비상임이사국은 2년 임기의 10개국으로 구성된다. 비상임이사국 선출은 UN총회의 단독권한 으로서 출석·투표 2/3 이상 찬성을 얻은 국가를 선출한다.

답 ②

---

005 새천년개발목표(MDG; Millinium Development Goal)에 해당하지 않는 것은?

① 전 세계 고등교육 체제 보유
② 모성보건 증진
③ 양성평등과 여성 참여 촉진
④ 유아 사망률 감소

> **정답 및 해설**

UN은 2000년 9월 열린 밀레니엄 정상회의에서 세계의 빈곤자 수를 2015년까지 현재의 절반수준으로 낮추기 위한 새천년 개발목표를 선언하였다. 교육과 관련해서는 '초등교육의무화 달성'을 목표로 제시하였다. 제시문에 포함된 것 이 외에도 '극심한 빈곤과 기아의 근절' '에이즈·말라리아 및 기타 질병 퇴치' '환경의 지속가능성 보장' '개발을 위한 글로벌 파트너십 구축' 등 총 8개 목표를 제시하였다.

답 ①

006 신국제경제질서(New International Economic Order)에 대한 설명으로 옳은 것은? 2012년 외무영사직

① 1950년대 선진국을 혁명으로 전복하려는 개도국들의 계획이다.

② 1970년대 부채탕감과 무역조건 개선 등을 통해 빈곤한 경제를 개선하려는 개도국들의 요구이다.

③ 1980년대 개도국을 주변부로 유지하려는 선진자본주의 국가들의 계획이다.

④ 1990년대 세계무역기구가 개도국 경제를 착취하는 것을 막으려는 개도국들의 요구이다.

정답 및 해설

신국제경제질서는 국제경제질서를 근본적으로 개혁하기 위해 1970년대 초 개발도상국이 시작한 운동이다. 세계 자원문제에 대해 논의한 1974년 제6회 UN특별총회에서 아시아·아프리카의 제3세계 국가 등 77그룹으로 불리는 국가에 의해 선진국이 주도하는 국제경제질서를 폐지하고 자원주권를 확립하는 것을 중심으로 하는 신국제경제질서의 수립에 관한 선언이 채택되었다. 77그룹은 현재 세계경제의 매커니즘은 선진공업국의 이익만을 추구할 뿐 개발도상국의 이익은 존재하지 않으므로 근본적으로 국제경제질서가 개편되어야 한다고 주장하였다. 이들이 요구한 것은 천연자원에 대한 항구적 주권행사, 개발도상국에 불리한 교역조건개선과 국제통화제도의 개혁, 개발도상국에 대한 원조증대, 생산지 카르텔 성립, 다국적기업의 규제와 감시 등이다. UN총회를 통해 이러한 운동을 전개하였으나 성공적이지는 못했다는 것이 일반적 평가이다.

답 ②

007 2000년 UN에서 채택된 '새천년 개발 목표(Millennium Development Goals)'에 포함되지 않는 것은? 2009년 외무영사직

① 군비감축을 통한 평화적 동반관계 구축

② 에이즈, 말라리아 및 기타 질병의 퇴치

③ 양성평등과 여성참여 촉진

④ 극심한 빈곤과 기아의 퇴치

정답 및 해설

새천년 개발 목표(Millennium Development Goals)는 2000년 9월 뉴욕 UN본부에서 개최된 밀레니엄 서미트(Millennium Summit)에서 채택된 빈곤 타파에 관한 범세계적인 의제이다. 당시에 참가했던 191개 참여국은 2015년까지 빈곤의 감소, 보건·교육의 개선, 환경보호에 관해 지정된 8가지 목표를 실천하는 것에 동의하였다.

> **관련이론 새천년 개발 목표(Millennium Development Goals)의 주요 내용**
>
> 1. 극심한 빈곤과 기아 퇴치
> 2. 초등교육의 완전 보급
> 3. 성평등 촉진과 여권 신장
> 4. 유아 사망률 감소
> 5. 임산부의 건강 개선
> 6. 에이즈와 말라리아 등의 질병과의 전쟁
> 7. 환경 지속가능성 보장
> 8. 발전을 위한 전세계적인 동반관계의 구축

답 ①

008 국제연합(UN)의 창설과 관련된 다음 사건들을 순서대로 바르게 나열한 것은?

□□□

> ㄱ. 대서양헌장
> ㄴ. 워싱턴회의 – 국제연합선언
> ㄷ. 모스크바 3상회의
> ㄹ. 테헤란회의
> ㅁ. 덤바턴오크스(Dumbarton Oaks)회의

① ㄱ – ㄴ – ㄷ – ㄹ – ㅁ
② ㄱ – ㄷ – ㅁ – ㄴ – ㄹ
③ ㄱ – ㄹ – ㄴ – ㄷ – ㅁ
④ ㄱ – ㅁ – ㄷ – ㄴ – ㄹ

정답 및 해설

ㄱ. 대서양헌장(1941.8.14.) → ㄴ. 워싱턴회의: 국제연합선언(1942.1.1.) → ㄷ. 모스크바 3상회의(1943.10.) → ㄹ. 테헤란회의(1943.11.) → ㅁ. 덤바턴오크스회의(1944.8~10.) 순서로 진행되었다.

> **관련 이론** UN의 설립과정
>
> 유엔의 설립과정을 보면, 우선 제2차 세계대전 중에 연합국 간에는 전후 국제평화와 안전을 유지하기 위한 국제기구 설립 필요성이 검토되었다. 동 국제기구는 국제연맹 실패의 경험에 비추어 보다 일반적이고 새로운 범세계적 기구가 되어야 한다는 구상으로 발전하였다. 1941년 8월 14일 루즈벨트 미국 대통령과 처칠 영국 수상은 대서양헌장을 통해 종전후 새로운 세계 평화정착 희망을 표명하였으며, 1942년 1월 1일에는 주축국에 대항하여 싸웠던 26개국 대표들이 워싱턴에서 연합국선언(Declaration by United Nations)에 서명하여 일치단결을 맹세하였다. 위 연합국선언은 대서양헌장에 구체화된 목적과 원칙에 따른 공동행동을 재확인하는 한편, 국제연합 창설을 위한 연합국의 공동노력을 천명하였으며, 루즈벨트 대통령에 의해 제안된 '국제연합(United Nations)'이란 용어를 동 선언에서 최초로 공식 사용하였다. 1943년 10월 30일 모스크바 3상회의에서 미·영·중·소 4개국은 일반적 국제기구의 조기 설립 필요성에 합의한 후, 1944년 8월~10월간 미·영·중·소 4개국 대표가 워싱턴 덤바턴 오크스 회의에서 '일반적 국제기구 설립에 관한 제한'을 채택하여 국제연합의 목적, 원칙 및 구성 등에 합의하였으며 전문 12장의 국제연합 헌장 초안을 마련하였다. 1945년 2월 얄타 회담에서 안전보장이사회의 표결방식 등 미결사항이 타결되고, 1945년 4월 25일에는 50개국 대표들이 샌프란시스코에서 '국제기구에 관한 연합국 회의'를 개최하고 6.25 국제연합헌장(Charter of the United Nations)을 채택하였으며, 익일 51개국이 동 헌장에 서명, 10월 24일 서명국 과반수가 비준서를 기탁함으로써 국제연합이 정식으로 발족하였다.

답 ①

009 국제연합(UN)에 대한 설명으로 옳지 않은 것은?

□□□

① 1945년 6월 당초 50개국 대표들이 유엔헌장에 서명하였으며 회의에 참석하지 않았던 폴란드가 추후 서명함으로써 51번째 서명국이 되었다.

② 유엔(United Nations)이라는 명칭은 프랭클린 루스벨트 미국 대통령이 고안하였으며, 1942년 1월 '연합국 선언'에서 처음으로 사용되었다.

③ 1944년 8월 미국, 영국, 프랑스, 소련 4개국 대표는 덤버튼 오크스 회담(Dumbarton Oaks Conference)을 개최하고 유엔헌장의 초안을 작성하였다.

④ 유엔은 미국, 영국, 프랑스, 중국, 소련과 여타 서명국 과반수가 유엔헌장을 비준한 1945년 10월 24일 공식 출범하였다.

정답 및 해설

프랑스가 아니라 중국이 참가했다.

답 ③

010 유엔의 탄생과 관련하여 역사적 사건들을 순서대로 바르게 나열한 것은?

□□□

ㄱ. 대서양헌장	ㄴ. 덤버튼오크스회의
ㄷ. 샌프란시스코회의	ㄹ. 모스크바선언
ㅁ. 얄타회담	

① ㄱ - ㄴ - ㄹ - ㄷ - ㅁ ② ㄱ - ㄹ - ㄴ - ㅁ - ㄷ
③ ㄴ - ㄱ - ㄹ - ㄷ - ㅁ ④ ㄴ - ㄹ - ㄱ - ㅁ - ㄷ

정답 및 해설

UN은 ㄱ. 대서양헌장(1941.8.) → ㄹ. 모스크바선언(1943.10.) → ㄴ. 덤버튼오크스회의(1944.8~10.) → ㅁ. 얄타회담(1945.2.) → ㄷ. 샌프란시스코회의(1945.4~6.)의 과정을 통해 창설되었다.

답 ②

011 국제연합의 창설과 관계가 없는 것은?

□□□

① 대서양헌장 ② 덤버턴오크스회담
③ 얄타회담 ④ 파리평화회의

정답 및 해설

파리평화회의는 제1차 세계대전 종료 후 전쟁에 대한 책임과 유럽 각국의 영토 조정, 전후의 평화를 유지하기 위한 조치 등을 협의한 1919~1920년 동안의 일련의 회의 일체를 가리키는 말로, UN이 아니라 LN의 창설과 관련이 있다. UN은 대서양헌장(1941.8.) → 모스크바선언(1943.10.) → 덤버튼오크스회의(1944.8~10.) → 얄타회담(1945.2.) → 샌프란시스코회의(1945.4~6.)의 과정을 통해 창설되었다.

답 ④

012 국제연합의 일반적인 목적으로 옳지 않은 것은?

□□□

① 지역안보체제의 강화 ② 국제평화와 안전의 유지
③ 국가 간 협력의 증진 ④ 인권의 옹호

정답 및 해설

지역안보체제의 강화는 국제연합의 일반적인 목적에 해당한다.

✅ **선지분석**

②, ③, ④ 국제연합의 일반적인 목적은 UN헌장 제1조에 기술되어 있다.

> **관련 이론** 국제연합의 목적
>
> 1. 국제평화와 안전을 유지하고(②), 이를 위하여 평화에 대한 위협의 방지, 제거 그리고 침략행위 또는 기타 평화의 파괴를 진압하기 위한 유효한 집단적 조치를 취하고 평화의 파괴에 이를 우려가 있는 국제적 분쟁이나 사태의 조정·해결을 평화적 수단에 의하여 또한 정의와 국제법의 원칙에 따라 실현한다.
> 2. 사람들의 평등권 및 자결의 원칙의 존중에 기초하여 국가 간의 우호관계를 발전시키며(③), 세계 평화를 강화하기 위한 기타 적절한 조치를 취한다.
> 3. 경제적·사회적·문화적 또는 인도적 성격의 국제문제를 해결하고 또한 인종·성별·언어 또는 종교에 따른 차별 없이 모든 사람의 인권 및 기본적 자유에 대한 존중을 촉진하고 장려(④)함에 있어 국제적 협력을 달성한다.
> 4. 이러한 공동의 목적을 달성함에 있어서 각국의 활동을 조화시키는 중심이 된다.

답 ①

013 국제연합(UN)에 대한 설명으로 옳은 것은 모두 몇 개인가?

ㄱ. 유엔(United Nations)이라는 명칭은 프랭클린 루스벨트 미국 대통령이 고안하였으며, 제2차 세계대전 중 26개국 대표가 모여 추축국에 대항하여 계속 싸울 것을 서약하였던 1942년 1월 1일 "연합국 선언"에서 처음으로 사용되었다.

ㄴ. 1945년 4월 25일부터 6월 26일간 샌프란시스코에서 개최된 "국제기구에 관한 연합국 회의"에 참석한 50개국 대표는 1944년 8월부터 10월간 미국 덤버어튼오크스에서 회합하였던 미국, 영국, 중국, 소련 등 4개국 대표들이 합의한 초안을 기초로 유엔헌장을 작성하였다.

ㄷ. 50개국 대표들은 1945년 6월 26일 유엔헌장에 서명하였으며 회의에 참석하지 않았던 폴란드가 추후 서명함으로써 51번째 서명국이 되었다.

ㄹ. 유엔은 미국, 영국, 프랑스, 중국, 소련과 여타 서명국 과반수가 유엔헌장을 비준한 1945년 10월 24일 공식 출범하였으며, 이후 매년 10월 24일을 유엔의 날로 기념하고 있다.

ㅁ. 유엔헌장에는 영어, 불어, 중국어, 스페인어, 러시아어가 유엔 공식언어로 규정되어 있으나 그 뒤 아랍어가 총회, 안전보장이사회 및 경제사회이사회 공용어로 추가되었다.

① 2개　　　　　　　　　　　② 3개
③ 4개　　　　　　　　　　　④ 5개

정답 및 해설

ㄱ, ㄴ, ㄷ, ㄹ, ㅁ 모두 국제연합(UN)에 대한 옳은 내용으로, 5개이다.

답 ④

014 UN헌장에 규정되어 있지 않는 것은?

① 예방외교　　　　　　　　　② 집단안전보장
③ 거부권제도　　　　　　　　④ 집단적 자위권

정답 및 해설

예방외교(Preventive Diplomacy)란 '분쟁 발생을 방지하고, 현존하는 분쟁이 무력충돌로 확대되는 것을 막고 충돌이 생기면 그 확산을 제한하는 활동'을 말한다. UN헌장에는 규정되어 있지 않고 제 2대 UN사무총장 다그 함마숄드(Dag Hammarskjold)가 제15차 UN총회(1960) 연차보고에서 밝힌 것으로부터 비롯되었다. 이는 UN휴전감시단 등 UN기관의 현지 개재(介在)에 의하여 국제분쟁을 냉전 환경에서 분리하고, 긴장완화를 도모하려는 구상이다. 이는 강제조치를 중심으로 하는 UN의 집단안전보장체제가 원만하게 이루어지지 못하는 상황에서 나온 것인데, UN이 분쟁 당사국의 동의를 얻고 또 국제여론의 지지를 받으면서 당사국 군대 사이에 중립적인 순찰부대를 개입시키는 등의 일을 가리키는 말이다.

답 ①

015 국가의 UN 가입절차로 옳지 않은 것은?

① 안전보장이사회의 권고에 따라 총회가 결정한다.
② 평화애호국이어야 한다.
③ 헌장상 의무를 이행할 의사와 능력이 있어야 한다.
④ 가입 시 바로 분담금을 내야 한다.

가입 시 바로 분담금을 내야 하는 것은 아니다. UN헌장 제17조는 회원국들이 총회에서 책정된 할당비율에 따라 경비를 부담해야 한다고 명시하고 있다. 각국의 분담률은 분담금위원회의 권고에 따라 3년마다 총회에서 결정되는데, 그 산정은 각 회원국의 경제수준과 지불능력을 고려해서 이루어진다.

답 ④

016 다음 중 UN에 대한 설명으로 옳지 않은 것은?

① UN은 원회원국과 회원국으로 구별하고 있는데, 원회원국은 UN헌장에 서명한 50개국과 폴란드이고 이후 신규 가입국을 회원국으로 구분하고 있다.

② UN의 가입은 안전보장이사회의 권고에 따라 총회에서 투표국의 3/4 다수의 찬성 투표로 의결하여 결정한다.

③ UN은 총회보다 강대국으로 구성된 안전보장이사회의 권한이 상대적으로 강하고 이들에게는 거부권(veto)이 부여되고 있다.

④ UN 설립의 목적은 국제평화와 안전의 유지, 우호관계의 촉진과 평화의 강화, 국제협력의 달성, 조화의 중심이다.

UN의 신규가입은 안전보장이사회의 권고에 따라 총회에서 투표국의 2/3 다수의 찬성 투표로 결정된다.

답 ②

017 다음 중 국제평화를 달성하기 위한 UN의 주요원칙에 대한 설명 중 옳은 것은?

① UN에 대한 협력: 회원국은 국제연합이 헌장에 따라 취하는 행동에 대해 모든 원조를 제공하고, 국제연합이 강제행동을 취하는 국가에 대해서는 원조를 제공하지 않아야 한다.

② 국내문제의 불간섭: 주권평등원칙을 기반으로 성립된 원칙으로 UN은 일국의 국내문제에 간섭할 수 없다는 것이다. 단, 분쟁당사국 일방에 의해 국내문제에 속한다고 주장하고 총회에서 인정하는 경우에만 인정되고 있다.

③ 무력 행사 금지: 회원국은 국제연합의 목적에 합치하지 않는 무력사용이나 위협을 어떠한 경우라도 행할 수 없다.

④ 비회원국의 행동 확보: UN회원국이 아닌 비회원국에게도 헌장의 원칙을 준수할 의무를 부과하였다.

✓ 선지분석

② 국내문제의 불간섭: 국내문제를 원칙적으로 연합의 활동범위에서 제외시켰다. 보기 후단의 조건은 국제연맹에서 비슷한 사례를 찾아볼 수 있다. 국제연맹규약에서는 분쟁당사국 일방이 해당 분쟁을 국내관할권에 속하는 문제라고 주장하고, 이사회가 이를 인정하는 경우에 이사회가 해당 분쟁 해결에 관한 권고를 행할 수 없다고 규정하여 이사회의 권능에 부분적 제한을 가했다. 그러나 국제연합헌장의 경우 연합 및 연합 내 각 기관으로부터 이러한 간섭권을 완전히 탈취하였다. 또한 국가의 국내관할권에 속하는 사항이 무엇인가를 규정하는 구체적이고 명시적인 규정이 존재하지 않는다.

③ 무력적 방법의 행사 금지: 회원국은 국제연합의 목적에 합치하지 않는 무력사용이나 위협을 행할 수 없으나 예외적으로 인정되는 경우는 국제연합의 권위 하에서 조직된 방법이나 침략에 대한 자위로서 행하는 경우이다.

④ 비회원국의 행동 확보: 헌장 당사국이 아닌 비회원국에게도 헌장의 원칙에 따라 감시할 의무를 부과한 것으로, 평화유지에 관해 회원국과 동일한 행동을 취할 것을 확보하도록 비회원국이 아닌 UN에게 요구하는 규정이다.

답 ①

018 국제연합의 헌장에 포함되어 있지 않은 것은?

□□□
① 내정불간섭의 원칙 ② 침략의 저지
③ 일국일표제, 다수결제에 의한 공동정책 결정 ④ 평화유지활동(PKO)

> **정답 및 해설**
>
> 유엔의 평화유지활동(PKO)에 대해서는 UN헌장에 명시적인 근거 규정이 없기 때문에 제2대 유엔사무총장 다그 함마슐드는 "PKO의 UN헌장 상 근거는 제6.5장이다."라고 말한 바 있다.
>
> 답 ④

019 UN총회의 권한으로 옳지 않은 것은?

□□□
① 총회는 분쟁이나 사태를 포함한 거의 모든 문제에 관해 토의할 수 있으나 분쟁 또는 사태에 관해서는 안전보장이사회가 이를 취급하고 있는 동안에는 권고할 수 없다.
② 안전보장이사회 비상임이사국의 선출은 안전보장이사회 권고에 기초하여 총회가 결정한다.
③ 가입, 제명, 권리와 특권의 정지 등의 문제는 안전보장이사회의 권고를 요한다.
④ 총회는 국제평화와 안전을 위태롭게 할 사태에 대해 안전보장이사회의 주의를 환기할 수 있다.

> **정답 및 해설**
>
> 안전보장이사회 비상임이사국의 선거는 총회의 전속적 권한이며 안전보장이사회는 전혀 관여할 수 없다.
>
> 답 ②

020 Uniting for Peace Resolution에 대한 설명으로 가장 옳은 것은?

□□□
① UN의 안전보장이사회의 집단안전보장 기능을 강화했다.
② UN 사무총장의 권한을 강화하였다.
③ UN 안전보장이사회의 집단안전기능이 마비되었을 경우 총회가 집단안전회의를 천거하는 권리를 부여했다.
④ NATO의 집단방위행위를 UN이 수락하게 한 안이다.

> **정답 및 해설**
>
> 평화를 위한 단합결의(Uniting for Peace Resolution)란 1950년 11월 제5차 UN총회에서 채택된 결의로, 안전보장이사회가 거부권 때문에 기능을 발휘하지 못할 경우 긴급특별 총회를 소집할 수 있음을 규정하고 이 긴급특별 총회가 침략방지의 권고를 할 수 있음을 밝혔다. 이 결의에 바탕을 두고 1956년 11월 이집트 문제와 헝가리 문제, 1958년 8월 레바논 등 중동문제, 1960년 9월 콩고문제, 1967년 6월 중동문제 및 1980년 1월 아프가니스탄 문제 등 지금까지 다섯 번의 긴급특별 총회가 소집되었다. 그러나 실천적인 면에서 이 결의의 활용은 긴급특별 총회의 소집이라는 절차 면에 한정되고 총회에 의한 강제조치의 발동이라는 측면은 제 기능을 발휘하지 못하고 있다.
>
> 답 ③

021 1950년 11월의 UN총회에서 채택한 '평화를 위한 단합결의'는 다음 중 어느 기관의 권능을 강화시키기 위한 것인가?

① 안전보장이사회   ② 총회

③ 경제사회이사회   ④ 국제사법재판소

> **정답 및 해설**
>
> 1950년 11월 제5차 UN총회에서 채택된 결의로, 안전보장이사회가 거부권 때문에 기능을 발휘하지 못할 경우 긴급특별 총회를 소집할 수 있음을 규정하고 이 긴급특별 총회가 침략방지의 권고를 할 수 있음을 밝혔다. 이 결의에 바탕을 두고 1956년 11월 이집트 문제와 헝가리 문제, 1958년 8월 레바논 등 중동문제, 1960년 9월 콩고문제, 1967년 6월 중동문제 및 1980년 1월 아프가니스탄 문제 등 지금까지 5번의 긴급특별 총회가 소집되었다. 그러나 실천적인 면에서, 이 결의의 활용은 긴급특별 총회의 소집이라는 절차 면에 한정되고 총회에 의한 강제조치의 발동이라는 측면은 제 기능을 발휘하지 못하고 있다.
>
> 답 ②

022 UN총회에 대한 설명으로 옳지 않은 것은?

① 총회는 국제연합의 일반적인 최고기관으로, 광범위한 토의, 연구, 권고의 권리를 가지고 효과적인 활동을 하고 있다.

② UN의 모든 회원국으로 구성되며 6개 주요 위원회(Main Committee)를 두어 그 사업을 수행토록 한다.

③ 총회의 표결은 중요문제의 경우 출석투표 회원국의 3/4 다수로 결정하고, 기타문제의 경우 회원국의 1/2 다수로 결정한다.

④ 총회 소집에 있어 특별회기의 경우는 안전보장이사회의 요구나 혹은 전 회원국의 과반수의 요구가 있을 때 사무총장이 소집한다.

> **정답 및 해설**
>
> UN헌장은 국제연맹과 같은 만장일치제를 배척하고, 총회는 중요문제의 경우 출석투표 회원국의 2/3 다수로 결정하고, 기타문제의 경우 회원국의 단순 다수결을 통해 결정한다.
>
> ---
>
> **관련 이론** UN총회에서 다루는 중요문제
>
> 1. 국제평화와 안전의 유지에 관한 권고
> 2. 안전보장이사회의 비상임이사국의 선거
> 3. 경제사회이사회의 이사국 선거
> 4. 신탁통치이사회의 일부 이사국의 선거
> 5. 신규가입국의 가입승인
> 6. 회원국으로서의 지위에 수반되는 권리와 특권의 정지
> 7. 회원국의 제명
> 8. 신탁통치제도의 적용에 관한 문제
> 9. 예산문제
> 이 9개 사항에 새로운 항목을 추가하려는 결정은 출석 과반수에 의해 결정된다.
>
> 답 ③

023 UN 안전보장이사회의 기능으로 옳지 않은 것은?

□□□ ① 국제평화와 안전의 유지 ② 강제조치 실시의 결정
③ 군비통제 계획의 확립 ④ 비상임이사국의 선거

정답 및 해설

안전보장이사회 비상임이사국의 선거는 총회의 단독 결정 사항이다.

답 ④

---

024 국제연합의 이사회에 대한 설명으로 옳은 것은?　　　　　　　　2008년 외무영사직

□□□ ① 안전보장이사회는 러시아, 미국, 영국, 중국, 프랑스 등 5개 상임이사국과 3년 임기의 10개 비상임이사국으로 구성된다.
② 절차사항 외의 모든 사항에 관한 안전보장이사회의 결정은 5개 상임이사국의 동의투표를 포함한 전체 이사국 2/3의 찬성투표를 필요로 한다.
③ 관습적으로 안전보장이사회 상임이사국의 기권은 거부권을 행사한 것으로 간주된다.
④ 경제사회이사회는 '전문기구(specialized agencies)'와 국제연합 간의 제휴관계에 관한 협정을 체결할 수 있으며, 그러한 협정은 총회의 승인을 받아야 한다.

정답 및 해설

✓ **선지분석**
① 비상임이사국의 임기는 2년이다. 또한 재임할 수 있으나, 연속 재임은 불가하다.
② 5개 상임이사국을 포함, 9개국의 찬성으로 결정한다.
③ 기권이나 불참은 거부권의 행사로 간주되지 않는다.

답 ④

---

025 국제연합 안전보장이사회에 대한 설명으로 옳지 않은 것은?

□□□ ① 국제평화와 안전의 유지에 대한 일차적 책임을 지고 있다.
② 국제연맹과 대조적으로 국제연합 안전보장이사회는 강대국들의 특권을 인정하여 상임이사국이 거부권을 갖게 되었다.
③ 상임이사국이 안전보장이사회의 결정에 기권하는 경우 거부권의 행사로 인정된다.
④ 안전보장이사회는 5개 상임이사국과 비상임이사국 10개국으로 구성된다.

정답 및 해설

상임이사국이 기권하는 경우 거부권으로 인정되지 않는다.

답 ③

---

026 국제평화와 안보유지기능의 발전을 위해 국제연합의 안전보장이사회는 결의를 채택한다. 중요한 결의에 대한 설명으로 옳지 않은 것은?

① 안전보장이사회 결의안 678: 사담 후세인에 대한 무력사용 승인
② 안전보장이사회 결의안 743: 크로아티아에 평화유지군 창설
③ 안전보장이사회 결의안 770: 보스니아 – 헤르체고비나에 평화유지군 창설
④ 안전보장이사회 결의안 816: 북한의 핵실험에 대응하여 북한 제재를 승인

정답 및 해설

안전보장이사회 결의안 816은 보스니아에 비행금지구역을 설정한 결의안이고, 북한 핵실험에 대한 북한 제재를 승인한 결의안은 1718이다.

답 ④

027 UN 헌장에서 규정하고 있는 UN과 지역적 기구의 관계에 대한 설명으로 옳지 않은 것은?

2017년 외무영사직

① 국제평화 및 안보에 관한 문제를 다룰 지역적 약정 또는 지역적 기구는 UN의 목적과 원칙에 부합해야 한다.
② 지역적 약정을 체결하거나 지역적 기구를 구성하는 UN 회원국은 지역 분쟁을 안전보장이사회에 회부하기 전에 지역적 약정 또는 지역적 기구를 통해 지역 분쟁의 평화적 해결을 위해 노력한다.
③ 안전보장이사회는 관계국의 발의 또는 안전보장이사회의 회부로 지역적 약정 또는 지역적 기구를 통한 지역 분쟁의 평화적 해결 진전을 장려한다.
④ 지역적 약정이나 지역적 기구는 예외 없이 안전보장이사회의 허가 아래에서만 강제조치를 취할 수 있다.

정답 및 해설

지역적 기구나 지역적 약정의 경우 안전보장이사회의 사전승인이 원칙이나, 집단적 자위권의 경우 사후보고만 하면 된다.

답 ④

028 다음 중 UN안전보장이사회에 대한 설명으로 옳지 않은 것은?

① 안전보장이사회에 속해 있는 이사국들은 거부권(veto)을 가지고 있어 강력한 의사결정권한을 갖고 있다.

② 거부권의 행사에 있어 실질사항 중 분쟁의 평화적 해결에 관한 결의에는 분쟁당사국에 거부권행사가 제한되나 분쟁의 강제적 해결에 관한 결의에는 거부권행사가 제한되지 않는다.

③ 안전보장이사회는 총회와 함께 국제연합의 제1차적 주요기관의 하나로, 이사회는 평화와 안전에 대한 유지를 책임지는 동시에 이러한 임무 수행에 있어 연합국을 대신하여 행동할 것이 요구된다.

④ 이사회는 연 2회의 정기회의를 개최하며, 국제연합의 소재지에 항상 대표자를 주재시켜야 한다.

정답 및 해설

UN안전보장이사회에서 상임이사국은 특권적 표결권으로서 거부권을 부여받았다. 안전보장이사회의 결정은 절차사항을 제외하고 5개 상임이사국 전부의 찬성을 포함한 9개 이사국 이상의 찬성을 필요로 하므로(국제연합헌장 제27조) 상임이사국 중 1개국이라도 동의를 거부하면 결의는 성립되지 않는다. 즉, 거부권은 상임이사국에게만 부여되고 비상임이사국에게는 부여되지 않는다. 거부권은 강대국의 합의를 전제로 국제연합이 강력하게 활동할 수 있도록 한 것이지만, 상임이사국의 만장일치제를 채택한 결과가 되어 국제연합의 기능을 현저하게 저해한다는 비난이 있기도 하다. 현재 이에 대한 개정논의가 이루어지고 있다.

답 ①

---

029 유엔 안전보장이사회의 주요 결의안에 대한 설명 중 옳은 것만을 모두 고른 것은?

> ㄱ. 안전보장이사회 결의 제688호(1991.4) - 걸프전 이후 이라크 북부의 쿠르드족과 남부의 시아파 이슬람교도를 사담 후세인의 정권에서 보호하기 위해 이라크에 대한 개입을 승인하였다.
> ㄴ. 안전보장이사회 결의 제794호(1992.12) - 안전보장이사회에서 만장일치로 통과된 결의로서 미국의 소말리아에 대한 군사개입을 승인하였다.
> ㄷ. 안전보장이사회 결의 제1441호(2002.11) - 이라크에 관한 결의로서 사담 후세인이 대량 살상 무기를 국제연합 사찰단에게 공개하지 않으면 미국을 비롯한 주요국들이 필요한 모든 조치를 취하도록 하여 무력사용을 허가하였다.
> ㄹ. 안전보장이사회 결의 제1769호(2007.7) - 수단 다르푸르 지역에서 프랑스와 국제연합의 합동 작전을 결의하였다.

① ㄱ, ㄴ

② ㄱ, ㄷ

③ ㄴ, ㄷ

④ ㄷ, ㄹ

정답 및 해설

유엔 안전보장이사회의 주요 결의안에 대한 설명 중 옳은 것은 ㄱ, ㄴ이다.

✅ 선지분석

ㄷ. 무력사용을 명시적으로 허가한 것은 아니고, 대량살상무기를 공개하지 않으면 '심각한 결과'를 초래할 것이라고 경고하였다. 미국은 이러한 표현이 무력사용을 허가한 것이라고 주장하고 이라크를 공격하였다.

ㄹ. 동 결의는 아프리카연합(African Union)이 국제연합과 합동 작전을 수행하도록 허가한 것이다.

답 ①

030 현재 UN안전보장이사회의 개혁이 논의 중에 있다. 이러한 개혁이 논의되게 된 원인으로 옳지 않은 것은?

□□□

① 너무 비대해진 UN안전보장이사회 상임이사국 규모
② UN안전보장이사회 의사결정과정에서 상임이사국의 자국이해에 기초한 선별적 개입
③ 회원국 증가에 대비하여 대표성 저하
④ 사안에 대한 안전보장이사회 이사국들의 소극적인 태도와 의사결정상의 한계

| 정답 및 해설 |

전체회원국 수가 4배 가까이 증가하였음에도 불구하고 안전보장이사회 이사국은 고작 4개국이 늘어나는 데 그쳤다. 즉, 전체회원국에 비해 너무 적은 이사국 수가 문제가 되고 있지, 비대한 것이 문제가 되는 것은 아니다.

답 ①

031 UN안전보장이사회 개편의 핵심적 사항인 상임이사국 확대여부와 관련된 설명으로 옳지 않은 것은?

□□□

① quick fix 안: 독일과 일본을 2개의 상임이사국으로 증대하고 나머지 3개의 비상임이사국을 증원하자는 방안이다.
② 라잘리 안(Razali fomula): 5개의 상임이사국과 4개의 비상임이사국을 증대하자는 방안이다.
③ 지역순환상임이사국: 2개의 상임이사국을 늘리고 아프리카 내의 국가들이 순환하면서 맡는다.
④ 순환 상임이사국: 아랍 국가들의 주장이며 Aspirant 국가들이 동조하고 있다.

| 정답 및 해설 |

Aspirant 국가란 상임이사국 지위를 갖고자 하는 국가를 말한다. 이들은 순환 상임이사국제에 반대한다.

답 ④

032 탈냉전시대의 유엔에 관한 설명으로 옳지 않은 것은?

□□□

① 지역분쟁해결을 위해 유엔이 적극적으로 개입할 가능성이 커졌다.
② 1992년 유엔 사무총장 부트로스 갈리의 제안에 따라 평화 시에도 유엔 산하에 독립적인 상비군이 설치되었다.
③ UN안전보장이사회 상임이사국의 수를 확대해야 한다는 주장이 제기하고 있다.
④ UN안전보장이사회 상임이사국의 수를 증가시키려면 유엔 헌장을 개정해야 한다.

| 정답 및 해설 |

부트로스 갈리 UN사무총장은 1992년 '평화를 위한 의제'(An Agenda for Peace)로 명명된 보고서를 발표하고, 탈냉전 상황에서 평화와 안보를 지키기 위한 국제연합의 여러 가지 상호 연관된 역할들을 기술하였다. 그러한 역할들에는 예방외교(preventive diplomacy), 평화형성(peacemaking), 평화유지(peacekeeping), 갈등 후 평화구축(post-conflict peacebuilding)이 있다. 독립적 상비군 설치 제안은 없다.

답 ②

033 주요국의 대UN외교에 대한 설명으로 옳은 것을 모두 고른 것은?

> ㄱ. 미국 의회는 1995년 유엔 예산의 20% 이상을 미국이 부담하지 않도록 하는 '카세바움 수정법안'을 제정하여 유엔의 재정적 어려움을 가중시켰다.
> ㄴ. 중국은 1989년 나미비아 총선을 감시하는 비군사적 전문가를 파견하고, 1992년 소말리아에 공병부대를 보내는 것을 시작으로 평화유지활동(PKO)에 참여하였다.
> ㄷ. 2015년 9월 제70차 유엔총회 기조연설에서 시진핑 국가주석은 중국군 8000명을 PKO 파견을 위한 상설 예비병력으로 유지하고 전 세계 평화유지 및 개발을 위해 향후 10년간 10억 달러를 제공할 것을 공표하였다.
> ㄹ. 일본은 1992년 PKO법을 통과시키고 다른 나라들과 협력하여 유엔평화유지활동이나 비전투적 군사작전을 수행할 자위대를 해외로 파병하기 시작하였다.

① ㄱ, ㄴ   ② ㄱ, ㄷ
③ ㄴ, ㄹ   ④ ㄷ, ㄹ

정답 및 해설

✅ **선지분석**
ㄱ. 1985년 유엔 예산의 20% 이상을 미국이 부담하지 않도록 하는 '카세바움 수정법안'을 제정하였다.
ㄴ. 1992년 캄보디아에 공병부대 파견하였다.

답 ④

---

034 미국의 대UN외교정책에 대한 설명으로 옳은 것은?

① 미국 카터 대통령은 UN과의 관계 개선보다는 미국 독자적 인권외교 노선을 강조하였다.
② 레이건 대통령은 소련에 대한 공세적 정책을 강화하기 위해 유엔과 같은 다자제도를 적극적으로 활용하고자 하였다.
③ 레이건 대통령은 남북갈등을 겪으면서 1984년 UNESCO로부터 탈퇴하였다.
④ 미국 의회는 1985년 미국이 최소한 유엔 예산의 20%를 부담하도록 하는 '카세바움 수정법안'을 제정하여 유엔을 통한 대소련 압박정책을 강화하였다.

정답 및 해설

✅ **선지분석**
① 도덕성의 회복을 강조하며 UN과의 관계 개선을 모색했다.
② 의회가 승인하지 않는 UN의 프로그램에 대해 재정적 지원을 거부하겠다는 입장을 밝혔다.
④ '카세바움 수정법안'은 미국이 UN 예산의 20% 이상을 부담하지 않도록 하는 법안이다.

답 ③

035 주요 강대국들의 대UN외교에 대한 설명으로 옳지 않은 것은?

① 미국의 대UN외교는 '적극적 다자주의'에 입각한 다자외교라는 비판을 받기도 한다.
② 일본은 1992년 PKO법을 통과시키고 다른 나라들과 협력하여 UN평화유지활동이나 비전투적 군사작전을 수행할 자위대를 해외로 파병하기 시작하였다.
③ 냉전기 중국은 유엔을 포함한 다자외교에 대해 소극적이며 양자외교에 의존한 국익 추구를 중시하였다.
④ 중국은 마케도니아와 과테말라가 친대만적이라는 이유로 1990년대 이들 국가들에 대한 평화유지활동에 대해 거부권을 행사한 바 있다.

정답 및 해설

선별적 다자주의로 비판을 받는다. 선별적 다자주의란 미국의 이익을 위해 UN을 선별적으로 활용하는 전략을 의미한다.

답 ①

036 Global Governance 시대에 UN이 직면한 문제로 옳지 않은 것은?   2006년 외무영사직

① 인권 같은 국내문제에 대해서는 중도적 입장을 보이기 때문에 개입하려 하지 않는다.
② 빈곤, 난민, 지역분쟁, 위생 등 산적한 문제에 대해 개별국가들에 의한 해결보다 UN과 같은 기구에 그 부담을 전가시키려 한다.
③ 미국 같은 주요 국가의 UN 분담금의 미납으로 재정위기를 초래한다.
④ 국제사법재판소의 사법적 판결에 국가들의 태도가 미온적이다.

정답 및 해설

UN헌장은 제2조 제7항에서 '본질적으로 국가의 관할 내에 속하는 사항'에 대한 간섭을 배제한다고 규정하고 있다. 그러나 UN은 인도적 입장에서 국내 문제에 간섭하고 있으며 이러한 인도적 개입의 국제법상의 위법 문제 등이 제기되고 있다. UN은 인도적인 이유로 이라크·소말리아·구(舊)유고연방의 분쟁에 제한적으로 개입했다. 특히 구유고연방에서는 세르비아 군으로부터 회교난민을 보호하기 위해 안전지역 및 비행금지구역을 설정하고, 또 이를 강제하기 위해 NATO군의 공군력 사용이 허용되었고 또 실제로 무력 사용을 통한 위반에 대한 제재가 이루어졌다.

답 ①

037 1992년 유엔이 '평화에의 과제(An Agenda for Peace)'를 공표하면서 강조한 유엔의 평화기능 강화를 위한 5가지 요점으로 옳지 않은 것은?

① 전쟁방지를 위한 자유민주주의 및 시장경제체제의 확장
② 평화활동에 있어 지역적 결정 및 지역적 기구의 적극 활용
③ 분쟁재발방지를 위한 수단으로서의 평화 구축의 중요성
④ 유엔 재정기반의 강화

정답 및 해설

1992년 6월 당시 UN 사무총장 부트로스 갈리는 추후 유엔의 평화유지 활동의 정책의 방향을 담고 있는 중요한 문서인 'An Agenda for Peace'를 발표하였다. 이 문건은 유엔의 분쟁해결 및 평화활동들을 보다 체계화시켰으며, 또한 추후 유엔이 나가야 할 방향과 해결해야 할 문제들을 잘 제시하고 있다. 여기서는 Preventive diplomacy, Peace-making, Peace-keeping, Post-conflict peace-building, Cooperation with regional arrangements and organizations, Safety of personnel, Financing 등의 이슈들이 다루어졌다.

답 ①

038

☐☐☐

냉전 종결 후 UN사무총장 부트로스 갈리는 'An Agenda for Peace'라는 보고서에서 국제연합의 평화와 안보를 위한 새로운 역할을 제시하고 있다. 다음 중 그 의제와 내용의 연결로 옳은 것은?

① 예방외교: 폭력적 분쟁을 방지하기 위해 사회적, 정치적, 경제적 하부구조의 개발
② 평화형성: 적대적 세력 사이의 합의를 평화적 수단을 통해 도출하기 위한 활동
③ 평화유지: 신뢰구축, 실태조사, 이미 승인된 국제연합군 배치 등의 활동
④ 갈등 후 평화구축: 단기적인 처방으로 당사자의 합의에 따라 국제연합 병력을 현장에 배치함

> **정답 및 해설**
>
> ✅ **선지분석**
> ① 갈등 후 평화구축에 대한 내용이다.
> ③ 예방외교에 대한 내용이다.
> ④ 평화유지에 대한 내용이다.
>
> 답 ②

039

☐☐☐

국제환경의 변화와 UN 역할의 한계에 대한 설명으로 옳지 않은 것은?

① 국제연합 형성기의 국가들 간의 힘의 분포도와 현재와는 큰 차이를 보인다.
② 국가들의 수적 팽창 외에도 국가와 국제기구에 대한 수요를 넘어서는 새로운 이슈들이 등장하여 새로운 Governance가 요구된다.
③ 시간이 지속되면서 프로그램과 인원이 비대화하고 그에 따른 투명성과 조직 원리상의 문제가 발생한다.
④ UN 평화유지활동에 대한 헌장상의 근거부족으로 적극적인 활동에 장애를 초래하고 있다.

> **정답 및 해설**
>
> PKO의 헌장상 근거가 불명확한 것은 사실이나, 현재 평화유지활동에 대한 법적 제약이 있다고 보기는 어렵다.
>
> 답 ④

040

☐☐☐

탈냉전 이후 인도적 개입이 증가해왔다. 인도적 개입의 등장배경에 대해 고려할 점으로 옳지 않은 것은?

① 탈냉전으로 인한 국가안보논의의 감소에 따라 기존에 잠재하던 갈등에 직면하게 되었다.
② 미국의 베트남 개입이나 베트남의 캄보디아 개입은 인권남용을 제거하기 위한 목적에 따른 개입이었다.
③ 자유주의적 성향과 민주주의에 대한 인식이 증대하였다.
④ 인도적 간섭을 수행할 수 있는 영향력을 가진 미국의 외교정책이 민주주의를 중시하면서 적극적 개입과 간섭으로 전환되었다.

> **정답 및 해설**
>
> 미국의 베트남 개입이나 베트남의 캄보디아 개입은 국가의 이해에 따른 전략적 개입으로 평가된다.
>
> 답 ②

041 보편적 정례검토(UPR)에 대한 설명으로 옳은 것은 모두 몇 개인가?

□□□

> ㄱ. UN인권위원회(Commission on Human Rights)가 인권이사회(Human Rights Council)로 격상되면서 새롭게 도입된 제도이다.
> ㄴ. 5년 주기로 모든 UN회원국의 인권상황을 검토하며 매년 총 48개국씩 검토한다.
> ㄷ. 실무그룹이 검토를 주관하여 보고서(Working Group Report)를 작성하며 유엔총회에서 최종적으로 채택한다.
> ㄹ. 실무그룹에는 NGO단체도 참여하여 발언할 수 있으나 보고서에 발언을 기록하지는 않는다.
> ㅁ. 최종보고서 작성은 초안 작성을 책임지고 있는 3개 국가(troika)와 유엔인권센터(Centre for Human Rights)가 담당한다.

① 1개　　　　　　　　　　　　　　② 2개
③ 3개　　　　　　　　　　　　　　④ 4개

정답 및 해설

보편적 정례검토(UPR)에 대한 설명으로 옳은 것은 ㄱ으로 1개이다.

✓ 선지분석

ㄴ. 4년 주기로 검토한다.
ㄷ. 인권이사회에서 최종 채택한다.
ㄹ. NGO단체는 발언할 수 없다.
ㅁ. 최종보고서 작성은 인권고등판무관사무실(OHCHR)이 작성한다.

답 ①

---

042 인도주의적 개입(Humanitarian Intervention)에 대해서는 찬반양론이 대립하고 있다. 인도주의적 개입에 대한 찬성론의 입장으로 옳은 것만을 모두 고른 것은?

□□□

> ㄱ. 인권증진이 국제평화와 안보 못지않게 중요하다.
> ㄴ. 국가들은 인도주의 개입 원칙을 선택적으로 적용할 것이다.
> ㄷ. 실패국가(failed state)가 존재한다.
> ㄹ. 국가들은 인도주의 개입의 권한을 국가이익 추구라는 본 의도를 감추는 수단으로 삼아 남용할 것이다.
> ㅁ. 인도주의적 개입은 언제나 강자의 문화적 선호에 기초할 것이다.

① ㄱ, ㄷ　　　　　　　　　　　　② ㄱ, ㅁ
③ ㄴ, ㄷ　　　　　　　　　　　　④ ㄷ, ㅁ

정답 및 해설

인도주의적 개입에 대해 찬성하는 것은 ㄱ, ㄷ이다.
인권증진이 중요하다는 근거는 인도주의적 개입을 찬성하는 입장의 기본이며, 실패한 국가가 존재하기 때문에 국내 문제를 스스로 해결할 수 없는 국가 대신 개입해야 할 필요가 있다고 주장한다.

답 ①

043 인권 관련 유엔 협약을 체결 순으로 바르게 나열한 것은?

> ㄱ. 아동의 권리에 관한 협약
> ㄴ. 모든 형태의 인종차별 철폐에 관한 국제 협약
> ㄷ. 여성에 대한 모든 형태의 차별철폐에 관한 협약
> ㄹ. 장애인의 권리에 관한 협약

① ㄱ → ㄴ → ㄷ → ㄹ
② ㄴ → ㄱ → ㄷ → ㄹ
③ ㄴ → ㄷ → ㄱ → ㄹ
④ ㄷ → ㄱ → ㄹ → ㄴ

정답 및 해설

ㄴ. 모든 형태의 인종차별 철폐에 관한 국제 협약(1965.12.21.) → ㄷ. 여성에 대한 모든 형태의 차별철폐에 관한 협약(1979.12.) → ㄱ. 아동의 권리에 관한 협약(1989) → ㄹ. 장애인의 권리에 관한 협약(2006.12.)순으로 체결되었다.

답 ③

044 국제사회의 인권 동향에 대한 설명으로 옳은 것은?

① '북한인권법'은 미국 → 일본 → 한국 순서로 제정되었다.
② 평등권, 참정권 등의 시민적·정치적 권리를 보호하는 내용은 국제인권 A규약에 해당한다.
③ 인종차별철폐협약 → 고문방지협약 → 여성차별철폐협약 → 아동권리협약 순서로 채택되었다.
④ 한국은 1991년 유엔 인권위원회에 가입한 이후 인종차별철폐협약, 여성차별철폐협약 등 주요 인권협약에 가입하였다.

정답 및 해설

미국은 2004년, 일본은 2006년, 한국은 2016년에 북한인권법을 제정하였다.

⊘ 선지분석
② 평등권, 참정권 등의 시민적·정치적 권리를 보호하는 내용은 국제인권 B규약에 해당한다.
③ 인종차별철폐협약(1965) → 여성차별철폐협약(1979) → 고문방지협약(1984) → 아동권리협약(1989) 순서로 채택되었다.
④ 우리나라는 인종차별철폐협약에는 1978년, 여성차별철폐협약에는 1984년에 가입하였다.

답 ①

045 인권에 관한 설명으로 옳은 것만을 모두 고른 것은?

ㄱ. 세계인권선언(UDHR)을 채택할 당시, 전체 UN회원국 58개국 중 반대표는 없었고, 소련은 기권하였다.

ㄴ. UN에서 여성차별철폐협약이 아동권리협약보다 먼저 채택되었다.

ㄷ. 보편적 정례검토(UPR)에 의해 모든 UN회원국은 4년마다 자국의 인권상황에 대해 심사를 받는다.

ㄹ. 2006년 UN에서 경제사회이사회 산하의 인권위원회가 총회 산하의 인권이사회로 대체되었다.

① ㄱ, ㄷ

② ㄱ, ㄴ, ㄹ

③ ㄴ, ㄷ, ㄹ

④ ㄱ, ㄴ, ㄷ, ㄹ

정답 및 해설

인권에 관한 설명으로 모두 옳다.

ㄱ. UN총회에서 만장일치로 채택되었다.

ㄴ. 여성차별철폐조약(1979)이 아동권리협약(1989)보다 먼저 채택되었다.

ㄷ. 보편적 정례검토는 4년마다 이뤄지며, UN회원국이 제출한 보고서는 인권이사회에서 검토된다.

ㄹ. 인권이사회(Human Rights Council)는 유엔 총회의 보조기관이다.

답 ④

---

046 UN회원국의 지위에 관한 설명으로 옳은 것은?

① 신규 회원국으로 가입하기 위해서는 안전보장이사회의 권고가 필요하고, 총회에서 회원국 과반수의 찬성을 얻어야 한다.

② 회원국에 대한 권리 정지는 안전보장이사회의 권고와 총회의 결정으로 이루어지나, 권리 회복은 안전보장이사회의 결정만으로 가능하다.

③ UN헌장에 포함된 원칙들을 계속해서 위반한 회원국에 대해서는 안전보장이사회의 결의만으로 제명이 가능하다.

④ UN에서 탈퇴하기 위해서는 3개월 전에 안전보장이사회와 총회에 통보하여야 한다.

정답 및 해설

✓ **선지분석**

① 총회에서는 중요문제이므로 출석·투표 2/3 이상의 찬성을 얻어야 한다.

③ 제명은 안전보장이사회의 권고에 기초하여 총회에서 의결하며, 각각 비절차사항 및 중요문제로 다루어진다.

④ 탈퇴에 대한 명시적 규정은 없으나 탈퇴는 허용되는 것으로 본다.

답 ②

047 유엔의 지속가능발전목표(SDGs)에 대한 설명으로 옳지 않은 것은?

① 개발도상국과 선진국 모두가 참여 주체이다.

② 2016년부터 시행하여 2025년까지 실현하기로 하였다.

③ 빈곤 종식, 성평등 달성, 국내 및 국가 간 불평등 감소 등을 목표로 하고 있다.

④ 인간, 지구, 번영, 평화, 파트너십이라는 5개 영역에서 인류가 나아가야 할 방향성을 제시하고 있다.

정답 및 해설

2016년부터 15년간 추진하여 2030년에 목표를 달성할 것을 추구하고 있다.

✅ **선지분석**

① 유엔회원국이 모두 참여하여 유엔 차원에서 추진하는 개발목표이다.

③ 17개의 목표를 제시하였다. 빈곤퇴치, 기아종식, 건강과 웰빙, 양질의 교육, 성평등, 물과 위생, 깨끗한 에너지, 양질의 일자리와 경제성장, 혁신과 사회기반 시설, 불평등 완화, 지속가능한 도시와 공동체, 책임감있는 소비와 생산, 기후변화 대응, 해양생태계, 육상생태계, 평화와의 정의의 제도, 파트너십 등이 목표이다.

④ 17개 목표는 인간, 지구, 번영, 평화, 파트너십이라는 5개 영역으로 나뉘어 인류가 나아갈 방향을 제시하며, 각 목표마다 더 구체적인 내용을 담은 세부 목표(총 169개)로 구성된다.

답 ②

---

048 다음 중 Post-2015 개발어젠다(SDGs)에 해당되는 것은 모두 몇 개인가?

> ㄱ. 식량 안보 및 적절한 영양섭취 달성
> ㄴ. 지속가능한 경제 성장과 양질의 일자리 창출
> ㄷ. 기후변화와 그 영향을 해소하기 위한 조속한 조치 추구
> ㄹ. 초등교육 의무화 달성
> ㅁ. 환경의 지속가능성 보장

① 1개 ② 2개
③ 3개 ④ 4개

정답 및 해설

Post-2015 개발어젠다(SDGs)에 해당되는 것은 ㄱ, ㄴ, ㄷ으로 3개이다.

✅ **선지분석**

ㄹ. 초등교육 의무화 달성, ㅁ. 환경의 지속가능성 보장은 새천년개발목표(MDGs)에 해당된다.

답 ③

049 국제연맹의 분쟁해결방법에 대한 설명으로 옳지 않은 것은?

① 국교단절에 도달할 우려가 있는 분쟁이 연맹국 간 발생한 경우, 연맹국은 이를 국제재판이나 이사회의 심사에 부탁해야 한다.

② 판결이나 이사회 보고가 있은 후 3개월간은 어떤 경우에도 전쟁에 호소할 수 없다.

③ 군사적 제재조치의 경우 침략의 희생이 된 국가에 대한 원조는 연맹국의 자유재량이지만 규약위반 행위의 존부, 발생시기 및 연맹국 전체에 대한 전쟁행위가 있었는지 여부는 연맹이사회가 판단하였다.

④ 전쟁을 포괄적으로 제한하였다.

> **정답 및 해설**
>
> 규약위반의 존부, 발생시기, 전쟁행위의 존부 등에 대한 판단은 연맹국이 한다.
>
> 답 ③

050 국제연맹에 대한 설명으로 옳은 것은 모두 몇 개인가?

> ㄱ. 국제연맹 규약은 파리평화회의에서 베르사유조약 제1편으로 규정되어 채택되었다.
> ㄴ. 국제연맹의 원회원국은 처음부터 가입한 국가들로서 연합국들을 말하며 중립국과 적대국은 제외되었다.
> ㄷ. 국제연합과 달리 국가가 아닌 속령이나 식민지라도 완전한 자치능력이 있는 경우 가입이 허용되었다.
> ㄹ. 연맹국은 2년 전에 예고하여 탈퇴할 수 있었으며, 일본, 독일, 이탈리아, 소련 등이 탈퇴하였다.
> ㅁ. 이사회의 권한 및 의결방법은 총회와 동일하였다.

① 1개   ② 2개
③ 3개   ④ 4개

> **정답 및 해설**
>
> 국제연맹에 대한 설명으로 옳은 것은 ㄱ, ㄷ, ㅁ으로 모두 3개이다.
>
> **⊘ 선지분석**
> ㄴ. 중립국의 가입도 허용한다.
> ㄹ. 소련은 제명되었다.
>
> 답 ③

051

제2차 세계대전의 결과로 생겨난 국제기구 및 제도로 옳지 않은 것은?

① 국제연맹
② 국제통화기금
③ 국제부흥개발은행
④ 관세 및 무역에 관한 일반협정

정답 및 해설

국제연맹은 제1차 세계대전 이후 만들어진 기구이다. 윌슨의 14개 조항에 의해 제시된 집단안보를 위한 기구이나, 미국의 불참으로 실효적으로 기능하기 어려웠다는 평가를 받는다.

✓ 선지분석

② 국제통화기금은 국제통화·금융질서의 확립 및 국제무역의 확대와 균형성장 촉진으로 가맹국의 고용과 실질소득증대, 생산자원의 개발을 목적으로 하여 1947년 발족된 국제금융기구(International Monetary Fund, IMF)이다. 1944년 뉴욕에서 개최된 30개국 전문가회의에서 '국제통화기금설립에 관한 공동성명'이 채택되었다. 같은 해 7월 미국의 브레턴우즈에서 연합국 44개국이 국제통화금융회의를 개최하고, 국제통화기금과 국제부흥개발은행의 설립안을 확정하였다. 1947년 3월 1일 본부를 미국의 워싱턴에 두고 35개 가맹국으로 정식 발족했다.

③ 국제부흥개발은행(IBRD)은 제2차 세계대전 후 전후복구자금과 개발도상국에 대한 경제개발자금을 지원할 목적으로 1945년 12월 27일 창설된 기구로서 세계은행이라고도 하며, 그 본부는 미국 워싱턴에 있다. 1944년 7월 1일 미국의 브레턴우즈(Bretton Woods)에서 설립되고 협정문이 채택되었으며, 1945년 12월 27일 정식으로 발효되어 1946년 6월 25일 업무를 개시하였다. 우리나라는 1955년 8월 26일 가입했다.

④ GATT는 국제무역기구(ITO) 설립과정에서 잠정협정으로 1947년 10월 30일 채택되고 1948년 1월 1일 발효된 협정이다. ITO 설립이 무산되면서 1995년 12월 31일까지 효력을 유지하였다. 현재는 WTO협정인 1994GATT에 편입되었다. 우리나라는 1967년 GATT에 가입하였다.

답 ①

052

국제연맹(League of Nations)에 대한 설명으로 옳은 것은?

① 국제연맹은 인권 보호를 주요 목표로 삼았다.
② 영국은 상원의 파리평화조약 비준 거부로 국제연맹에 참여하지 않았다.
③ 평화애호국만이 국제연맹의 회원국이 될 수 있었다.
④ 국제연맹 총회에서 절차문제는 그 회의에 대표된(represented) 회원국의 과반수로 결정될 수 있었다.

정답 및 해설

국제연맹(LN)은 주요문제를 만장일치로 결정하였으나, 절차문제는 과반수로 결정하기도 하였다.

✓ 선지분석

① 인권보호가 목적으로 규정된 것은 UN헌장이다.
② 영국은 참여하였고, 미국이 불참하였다.
③ 평화애호국을 전제조건으로 하는 것은 국제연합이다.

답 ④

053 국제연맹에 대한 설명으로 옳지 않은 것은?

□□□

① 연맹국은 2년 전에 예고함으로써 탈퇴할 수 있었으며, 연맹규약을 지속적으로 위반한 경우 제명될 수 있었다.

② 국제연맹 총회 의결에 있어서 모든 의제는 만장일치로 의결하였다.

③ 상설사무국은 총회 과반수의 동의로 이사회가 임명하는 1명의 사무총장과 그가 임명하는 사무직원으로 구성되었다.

④ 국교단절에 도달할 우려가 있는 분쟁이 연맹국 간 발생한 경우, 연맹국은 이를 국제재판이나 이사회의 심사에 부탁해야 했다.

정답 및 해설

절차사항은 과반수로 의결하나 그 밖의 사항은 만장일치로 의결하였다.

답 ②

054 국제연맹에 대한 설명으로 옳지 않은 것은?

□□□

① 제1차 세계대전 승전국인 영국, 프랑스, 미국, 일본이 이사회 상임이사국이었다.

② 제1차 세계대전 패전국인 독일은 1926년부터 1933년까지 상임이사국으로 참여하였다.

③ 소련은 1934년부터 1939년까지 상임이사국으로 참여하였다.

④ 총회는 모든 연맹국 대표로써 구성되어 연맹의 행동범위에 속하거나 세계평화에 영향을 미치는 모든 사항을 처리할 수 있었으며, 표결권은 1국 1표였다.

정답 및 해설

영국, 프랑스, 이탈리아, 일본이 이사회 상임이사국이었다. 미국은 국제연맹에 가입하지 않았다.

답 ①

055 유엔 사무총장에 대한 설명으로 옳지 않은 것은?　　　　　2019년 외무영사직

□□□

① 제1대 사무총장은 스웨덴 출신의 하마숄드(Dag Hammarskjöld)이다.

② 임무 수행에 있어서 어떠한 정부로부터 지시를 구하거나 받지 않아야 한다고 유엔 헌장은 규정하고 있다.

③ 국제평화와 안전의 유지를 위협한다고 그 자신이 인정하는 어떠한 사항에 대해서도 안전보장이사회의 주의를 환기할 수 있다.

④ 안전보장이사회 또는 회원국 과반수의 요청에 따라 총회 특별회기를 소집한다.

정답 및 해설

하마숄드(Dag Hammarskjöld)는 제2대 사무총장이다. 1대 사무총장은 트리그베 리(Trygve Halvdan Lie)이다. 1946년 2월 1일 초대 유엔 사무총장으로 선출되었고 1952년 11월 10일에 사임했다. 유엔 사무총장을 역임하는 동안에는 이스라엘, 인도네시아의 독립을 지원했으며 소련군의 이란 철수, 카슈미르 분쟁의 중재를 위해 노력했다. 1950년 한국 전쟁이 발발하자 소련을 규탄하는 성명을 내는 한편 유엔이 대한민국을 지원하는 것을 지지했다.

답 ①

001 유엔 평화유지활동에 대한 설명으로 옳은 것만을 모두 고르면?

ㄱ. 한국은 2010년 「국제연합 평화유지활동 참여에 관한 법률」을 제정하였다.
ㄴ. 동티모르에 파견된 다산부대는 한국이 최초로 파병한 평화유지군이다.
ㄷ. 군사감시단은 유엔의 특별 예산으로 운영되지만, 광범위한 평화유지 활동은 유엔의 정규 일반 예산에서 지원된다.
ㄹ. 평화 강제(peace enforcement)는 중립적 감시자로서 더 이상 평화를 유지하는 것이 불가능한 분쟁 지역에서 강제적인 수단과 방법을 통해 평화를 회복시키는 활동이다.

① ㄱ, ㄴ   ② ㄱ, ㄹ   ③ ㄴ, ㄷ   ④ ㄷ, ㄹ

정답 및 해설

ㄱ. 2010년 이명박정부 시기에 제정하였다.
ㄹ. 평화강제는 원칙적으로 다국적군의 목표이나 헌장 제7장형 PKF의 경우 평화강제임무가 맡겨지기도 하였다.

ⓥ 선지분석

ㄴ. 다산부대는 2003년부터 2007년까지 아프가니스탄에 파병되었던 부대이다. 우리나라 최초의 평화유지군은 1993년 소말리아에 파병된 상록수부대이다.
ㄷ. 평화유지활동은 유엔군이므로 유엔예산으로 운영된다. 그러나 활동 규모가 확대됨에 따라 일반예산과 구분되는 특별예산제도를 신설하여 별도로 예산제도를 운용하고 있다.

답 ②

002 국제연합(UN)의 평화유지활동에 관한 설명으로 옳은 것은?

① 유엔 평화유지군은 사무총장의 결정을 통해 설립되고 유지된다.
② 유엔의 평화유지 활동으로써 예방외교는 1960년 부트로스 갈리(B. Boutros-Ghali) 사무총장이 제안했다.
③ 유엔은 1956년 수에즈 위기에 대처하기 위해 UN 긴급군을 최초로 파견하였다.
④ 유엔의 평화유지활동은 분쟁 당사자의 동의에 의해 진행되었다.

정답 및 해설

ⓥ 선지분석

① 유엔 평화유지군(PKF)에 대해서는 안전보장이사회의 권한만을 인정하는 입장과 안전보장이사회가 기능 수행을 하지 못할 경우 총회에도 권한을 인정해야 한다는 입장이 대립하고 있다. 평화유지군 사령관은 관리·감독 책임을 진 유엔사무총장이 임명한다.
② 예방외교는 부트로스 갈리(B. Boutros-Ghali) 전 사무총장이 1992년 발표한 '평화를 위한 의제(An Agenda for Peace)' 보고서에서 평화조성(Peace-making), 평화유지(Peace-keeping), 평화재건(Peace-building) 등과 함께 유엔의 분쟁예방과 해결을 위한 4가지 수단 중의 하나로 설명되고 있다. 구체적으로 예방외교(Preventive Diplomacy)란 '당사국 사이에서 분규발생을 예방하며, 발생한 분규가 고조되어 분쟁으로 발전되지 않도록 예방하고, 분쟁이 발생했을 때 이러한 분쟁의 확산을 제한하는 활동'으로 정의하고 있다.
④ 유엔 평화유지군(PKF)은 분쟁 당사자 동의에 의해 파견하는 것이 원칙이다. 반면 보기의 '유엔의 평화유지활동'은 PKO만을 뜻하는 것이 아님에 유의해야 한다. 유엔헌장 제24조는 국제평화와 안전의 유지에 관한 일차적 책임을 안전보장이사회에 부여하고 있는데, 안전보장이사회는 헌장 제7장에 의거 강제조치를 취할 수 있다. 즉, 안전보장이사회가 국제평화와 안전의 유지를 위한 활동을 수행함에 있어 반드시 분쟁 당사자의 동의가 필요한 것은 아니다.

답 ③

003 UN의 평화유지활동에 대한 설명으로 옳지 않은 것은?

① 냉전기간 동안 평화유지군은 안전보장이사회 상임이사국을 중심으로 한 강대국들의 병력으로 구성되었다.
② 평화유지활동의 초점이 과거 소극적 평화의 구현에 맞추어져 있었으나 점차 적극적 평화의 영역으로 확대되고 있다.
③ 평화유지활동은 UN 헌장 제6장에 규정된 분쟁의 평화적 해결과 7장에 명기된 군사적 조치의 중간지대에 해당하는 것으로 보아서 UN 헌장 제6.5장이라고도 한다.
④ 탈냉전 시기의 평화유지활동은 지역기구와의 협력으로 확대되고 있다.

정답 및 해설

중립성원칙에 따라 상임이사국 병력은 PKF에서 제외되었다.

✓ 선지분석

② 소극적 평화(Negative Peace)란 국가 간 안전보장을 의미한다. 평화유지활동은 탈냉전기로 들어오면서 인간 안보 등 적극적 평화(Positive Peace) 영역으로 확대되고 있다.
③ PKO에 관해 헌장에 직접 규정이 없다. PKO는 병력을 동원하지만 병력의 적극적 사용보다는 현존하는 평화의 유지에 목적이 있다. 즉, 제7장과 제6장 조치의 성격을 모두 갖고 있다.
④ 지역기구들이 평화유지활동에 참여하는 현상을 설명한 문장이다.

답 ①

004 유엔 평화유지활동(PKO)에 대한 설명으로 옳지 않은 것은 몇 개인가?

ㄱ. 유엔헌장에 명시된 PKO 근거 규정은 없으나 유엔 관행을 통해 확립되었다.
ㄴ. 냉전기 활동한 제1세대 PKO는 유엔 총회 또는 안전보장이사회에 의해 설치되었으며, PKO 구성에 있어서 분쟁의 이해관계 당사국을 배제하는 중립성의 원칙이 인정되었으며, 분쟁의 최종적 해결을 지향하지 않는 잠정적 성격을 띠었다.
ㄷ. 탈냉전 초기 전개된 제2세대 PKO는 1992년 부트로스 갈리 유엔 사무총장 보고서 '평화를 위한 과제(Agenda for Peace)'가 제안한 것의 실현이었으며, 마케도니아의 PKO 사례와 같이 무력분쟁이 발생하기 전에 예방의 목적으로 파견된 것이 특징이다.
ㄹ. 제2세대 PKO는 이른바 '제7장형 PKO'도 존재하였으며, 유엔헌장 제7장에 따라 반드시 분쟁당사국의 동의를 전제하지 않고도 파견되거나, 무력사용권한을 부여받기도 하였다.
ㅁ. 소말리아에서의 PKO가 실패한 이후 부트로스 갈리 사무총장은 1995년 '평화를 위한 과제 - 보완'이라는 보고서를 제출하여 PKO와 강제조치를 명확히 구분해야 하며, PKO는 전통적인 기본원칙을 준수해야 한다고 지적하였다.

① 없음   ② 1개   ③ 2개   ④ 3개

정답 및 해설

유엔 평화유지활동(PKO)에 대한 설명으로 ㄱ, ㄴ, ㄷ, ㄹ, ㅁ 모두 옳은 지문이다. PKO가 예방외교의 실현이라는 점이나, 헌장 제7장형 PKO와 같은 혼합형도 존재했다는 점을 특히 주목해야 한다.

답 ①

005 한국의 PKO참여에 관한 설명으로 옳지 않은 것은?

① 1999년 동티모르에 상록수부대를 파견함으로써 PKO에 최초로 참여하였다.

② 2007년 레바논에 동명부대를 파견하였다.

③ 2010년 국제연합 평화유지활동 참여에 관한 법률이 제정되어 시행중이다.

④ 2011년 아이티에 파견된 단비부대는 현지파병 국가 중 최초로 주민 3만 명을 진료하였다.

정답 및 해설

1993년 250명의 공병을 유엔 PKO미션(소말리아: UNOSOM)에 파견한 것이 최초이다.

답 ①

---

006 다음 중 UN헌장에 명시적으로 규정되어 있지 않은 것은?

2009년 외무영사직

① 분쟁의 평화적 해결

② 지역적 약정

③ 집단적 자위권

④ 평화유지활동

정답 및 해설

평화유지활동(PKO)에 대해서는 헌장에 명문규정을 두지 않았다. 분쟁의 평화적 해결은 유엔헌장 제2조 제3항 및 헌장 제6장 등에, 지역적 약정은 헌장 제53조, 집단적 자위권은 헌장 제51조에 각각 명문규정을 두었다.

답 ④

---

007 국제연합(UN)의 평화유지활동(PKO)에 관한 설명으로 옳지 않은 것은?

① 국제연합은 PKO 경비조달을 위해 특별계정(special account)을 두고 있다.

② 동티모르 사태와 관련하여 먼저 다국적군이 파병되었고 나중에 평화유지군(PKF)으로 대체되었다.

③ 국제연합은 PKO문제를 다루기 위해 'PKO특별위원회'를 두고 있다.

④ 현재 한국정부는 국제연합이 PKO와 관련하여 운영하고 있는 상비약정체제(Stand-by Arrangement System)에 참여하지 않고 있다.

정답 및 해설

한국은 상비약정체제에 가입하고 있다. 상비약정체제는 PKO를 신속하게 전개하기 위해 사전약정을 체결하는 제도이다.

답 ④

008 다음 유엔 평화유지활동(PKO)에 대한 설명으로 옳지 않은 것은?

□□□

> ㄱ. 냉전시기 미·소 양국의 거부권 행사로 유엔의 집단안전보장체제가 마비되면서 이를 보완하기 위해 PKO를 고안하였으나, 유엔헌장 내 명문규정이 있는 것은 아니다.
>
> ㄴ. 제1세대 PKO의 경우, PKF의 파견은 파견수용국의 동의가 없어도 가능하며, 분쟁해결의 최종적 해결을 지향한다.
>
> ㄷ. 1995년 안전보장이사회의 요청에 따라 작성한 유엔사무총장 갈리의 '평화를 위한 과제' 보고서는 소말리아에서의 PKO 성공사례(UNOSOM)를 토대로 작성한 것으로 이를 바탕으로 새로운 형태의 PKO를 만들게 되었다.
>
> ㄹ. 1990년대 후반, 평화재건적 성격과 유엔헌장 제7장에 근거한 강제적 권한이 부여된 복합된 형태의 새로운 PKO가 출현하게 되었다.

① ㄱ, ㄴ

② ㄱ, ㄷ

③ ㄴ, ㄷ

④ ㄷ, ㄹ

정답 및 해설

유엔 평화유지활동(PKO)에 대한 설명으로 옳지 않은 것은 ㄴ, ㄷ이다.

ㄴ. 냉전기에 활동한 PKO를 제1세대 PKO라 한다. 이때의 PKO 활동은 정전협정에 이은 당면의 조치이며, 분쟁의 최종적 해결을 지향한 것은 아닌 잠정적 성격의 활동이다. 또한, PKO의 파견은 파견수용국의 동의를 기초로 하였다.

ㄷ. 1995년 제출된 갈리의 '평화를 위한 과제' 보고서는 소말리아 내전에서의 PKO(UNOSOM)의 실패에 대한 반성의 차원에서 작성된 것이다. 갈리는 본 보고서에서 PKO와 강제조치는 전혀 다른 성격의 활동이며, 양자를 혼동하면 PKO의 가능성이 훼손될 뿐만 아니라 요원들을 위험에 빠트리게 된다면서, PKO가 전통적인 기본원칙을 준수해야 할 것이라고 지적하였다.(참고: Agenda for Peace는 1992년, 1995년 두 차례 제출되었다.)

⊘ 선지분석

ㄹ. 1990년대 후반 제2세대 PKO 가운데 평화재건형과 제7장형이 결합된 새로운 형태의 PKO(제3세대 PKO)가 출현하였다. 이 시기에는 동슬라베니아(크로아티아)의 UNTAES와 동티모르의 UNTAET처럼 잠정통치기구를 통한 평화재건을 주목적으로 하면서도 불측의 사태에 대비하여 헌장 제7장에 따라 설치되는 PKO가 출현하였다.

답 ③

009 국제연합(UN)의 평화유지 활동에 관한 설명으로 옳은 것은?

① 평화유지활동은 UN헌장 제7장에 명시된 규정을 근거로 이루어진다.

② 팔레스타인의 UNTSO, 인도·파키스탄 군사감시단(UNMOGIP), 키프러스 평화유지군(UNFICYP)는 모두 제2세대 PKO 활동의 대표적 사례들이다.

③ UNPKF 창설은 안전보장이사회의 전속권한이다.

④ 유엔 평화유지 활동은 1992년 부트로스 갈리(B. Boutros Ghali) 전 사무총장이 발표한 평화를 위한 의제(An Agenda for Peace)' 보고서에서 제시된 4가지 수단 중 예방외교(Preventive Diplomacy)와 관련된다.

정답 및 해설

예방외교는 부트로스 갈리(B. Boutros Ghali) 전 사무총장이 1992년 발표한 '평화를 위한 의제(An Agenda for Peace)' 보고서에서 평화조성(Peace-making), 평화유지(Peace-keeping), 평화재건(Peace-building) 등과 함께 유엔의 분쟁예방과 해결을 위한 4가지 수단 중의 하나로 설명되고 있다. 구체적으로 예방외교(Preventive Diplomacy)란 '당사국 사이에서 분규발생을 예방하며, 발생한 분규가 고조되어 분쟁으로 발전되지 않도록 예방하고, 분쟁이 발생했을 때 이러한 분쟁의 확산을 제한하는 활동'으로 정의하고 있다.

⊘ 선지분석

① 평화유지활동은 UN헌장 내 명문규정이 없다. 다만, 국제평화를 달성하기 위해 필요할 때마다 총회나 안전보장이사회의 결의에 바탕을 두고 마련되었다.

② 해당사례는 모두 제1세대 PKO 활동의 대표적인 사례들이다. 제2세대 PKO 활동은 냉전 붕괴이후 나타난 활동들로 대표적인 성공사례들로 캄보디아에서의 UN잠정 통치기구(UNTAC), UN나미비아 독립이행자원단(UNTAG) 모잠비크활동(ONUMOZ) 등이 있다.

③ UNPKF는 총회에 의해서도 창설될 수 있으나, 현재 관행상 안전보장이사회가 창설한다. 참고로 평화유지군 사령관은 관리·감독 책임을 진 유엔사무총장이 임명한다.

답 ④

제4절 | UN의 보조기관 및 전문기구

001 UNCTAD에 대한 설명 중 옳지 않은 것은?

① 1964년 개발도상국의 산업화와 국제무역을 지원하고 심화된 남북문제 해결을 목적으로 설치되었다.

② 당시 세계무역을 지배하고 있던 GATT 등 선진국 위주의 경제기구에 대한 반발이 높아지면서 남북문제의 근본적 개선이 요구되었으며, 그 결과 1964년에 국제연합총회의 상설기관으로 설치되었다.

③ 선진국과 선진국, 선진국과 개발도상국 간, 또는 개발도상국 상호간의 무역 증진, 국제무역 및 이에 관련한 경제개발문제에 관한 원칙과 정책의 결정, 국제무역 및 이에 관련한 분야에 있어서 국제연합 조직 내의 타기관이 행하는 여러 활동의 조정 내지 검토를 행한다.

④ UNDP(United Nations Development Program: 국제연합개발계획)의 실행기관으로 기술협력과 정보교환 등의 업무도 맡고 있다.

선진국과 개발도상국 간 또는 개발도상국 상호간 무역 증진 이외에, 선진국과 선진국 간 무역 증진은 UNCTAD의 기능에 속하지 않는다. 최고 정책결정기관인 국제회의는 각료급회담의 성격으로 4년에 한 번씩 열린다. 상설집행기구로 무역개발이사회를 두고 있다.

답 ③

002 다음 중 UNCTAD(유엔무역개발위원회)에 대한 설명 중 옳지 않은 것은?

□□□

① 관세장벽의 철폐, 1차상품의 가격·수요의 안정, 후진국 원조가 주목적이다.
② 이를 위해 4차 UNCTAD회의에서 IPC(1차상품종합계획)와 CF(공동기금)가 만들어졌다.
③ UNCTAD 가입국 수는 UN가입국의 수보다 적다.
④ 16차 UN총회에서 케네디 대통령의 제안에 따라 설립논의가 시작되고 초대 사무총장은 프레비쉬(Prebisch)이다.

UNCTAD의 회원국 수는 현재 194개국으로 현재 UN회원국 수인 193개국보다 많다.

답 ③

003 UN무역개발회의(UNCTAD)에 대한 설명으로 옳지 않은 것은?

□□□

① UN무역개발회의(UNCTAD)는 1961년 제네바에서 열린 제1회 UN무역개발회의 총회에서 논의되고 동년 12월 채택된 UN총회 결의에 의해 설립된 UN산하 상설기구이다.
② UNCTAD는 개발도상국의 경제발전 촉진을 위해 국제무역을 확대하고 무역불균형을 시정하고자 한다.
③ UNCTAD 본부는 제네바에 있고 연락사무소는 뉴욕에 있다.
④ 한국은 UNCTAD에 1965년 1월 가입했다.

1964년 제네바에서 열린 제1회 UN무역개발회의 총회에서 논의가 시작되었고, 1964년 12월 설립되었다.

답 ①

004 IMF가 탄생된 회의(협정)는?

① 덤바튼오크스 회의

② 대서양헌장

③ 카이로 헌장

④ 브레튼우즈 회의(협정)

정답 및 해설

브레튼우즈 협정은 국제적인 통화제도 협정으로 제2차 세계대전 종전 직전인 1944년 미국 뉴햄프셔 주의 브레튼우즈(Bretton Woods)에서 각국 대표들의 협의 하에 탄생되었다. 브레튼우즈 협정으로 국제통화기금(IMF)과 국제부흥개발은행(IBRD)이 설립되었다.

⊘ 선지분석

② 제2차 세계대전 당시인 1941년 8월 미국 F. 루스벨트 대통령과 영국 처칠 수상이 대서양 해상의 영국 군함 프린스 오브 웨일스(Prince of Wales)에서 회담한 후 발표한 공동선언이다. 미국이 참전한 후 이 원칙이 연합국의 공동선언에 채택되어 제2차 세계대전에서의 연합국의 공동 전쟁목표의 기초가 되었을 뿐만 아니라 국제연합의 이념적 기초가 되었다.

③ 1943년 11월 미국 F. 루스벨트 대통령, 영국 처칠 수상, 중화민국 장제스 총통의 세 연합국 수뇌가 이집트의 수도 카이로에서 세계전쟁에 대한 대응 문제로 모임을 가진 것이 카이로 회담이다. 당시 가장 중요한 핵심 사안으로는 대일전(對日戰)에 서로 협력할 것을 협의하였고, 일본이 패전했을 경우를 가정하고 일본의 영토 처리에 대하여 연합국의 기본방침을 결정하였는데 이러한 방침이 '카이로 헌장'으로 발표되었다.

답 ④

005 국제통화기금의 특별인출권(SDR)을 사용할 수 없는 경우는?

2016년 외무영사직

① 국제수지 문제를 해결하기 위해 외국화폐를 확보하려고 할 때

② 달러나 파운드화처럼 대외거래를 직접 결제할 때

③ 다른 국가가 보유한 자국 화폐를 회수할 때

④ 국제통화기금으로부터 빌린 돈을 상환할 때

정답 및 해설

특별인출권(SDR)은 민간인 상호간 거래에서는 사용되지 않는다. 특별인출권(SDR)은 1970년대 금이나 달러화의 위험에 대비하기 위한 보조적 통화의 일종으로 창안되었다. 특별인출권(SDR)은 주요 무역국의 화폐를 기초로 하여 산정된다. 각국이 보유한 특별인출권(SDR)도 외환보유고로 인정되며, 유동성 위기가 발생한 경우 특별인출권(SDR)과 달러, 엔화 등을 교환할 수 있다. 국가 간 거래나 국가와 IMF와의 거래 등에 사용될 수 있으나, 상품의 거래에 대한 직접직 지불수단으로는 사용될 수 없다.

답 ②

006 다음 중 UN의 전문기구만으로 짝지은 것은?

① ILO, FAO, WHO, IMF, UPU

② ILO, UNESCO, IBRD, EEC, NATO

③ WHO, WMO, ITU, EEC, ECSC

④ UNESCO, OAU, EEC, SEATO, NATO

정답 및 해설

유엔 전문기구란 각국 정부 간의 협정에 의해 설치되고, 국제연합과 협조관계를 유지하면서 경제·사회·문화·교육·보건 기타 연관된 분야에서 특정한 목적과 임무를 수행하는 국제기구이다. 협정은 ECOSOC(Economic and Social Council: 유엔경제사회이사회)와 각 전문기구 사이에 체결하여 유엔총회의 승인을 받는다. 전문기구들은 독자적인 회원국제도를 가지며 입법·행정기구, 사무국 및 자체예산을 갖는 자율적인 기구이다. 유엔헌장 제64조에 따라 매년 ECOSOC에 보고서를 제출하며, ECOSOC의 조정기구를 통해 유엔 또는 각 전문기구와 협력한다.

> **관련 이론** 유엔전문기구
>
> • ILO(International Labour Organization: 국제노동기구)
> • FAO(Food and Agriculture Organization: 유엔식량농업기구)
> • UNESCO(United Nations Educational Scientific Cultural Organization: 유엔교육과학문화기구)
> • WHO(World Health Organization: 세계보건기구)
> • IBRD(International Bank for Reconstruction and Development: 국제부흥개발은행)
> • IDA(International Development Association: 국제개발협회)
> • IFC(International Finance Corporation: 국제금융공사
> • IMF(International Monetary Fund: 국제통화기금)
> • ICAO(International Civil Aviation Organization: 국제민간항공기구)
> • UPU(Universal Postal Union: 만국우편연합)
> • ITU(International Telecommunication Union: 국제전기통신연합)
> • WMO(World Meteorological Organization: 세계기상기구)
> • IMO(International Maritime Organization: 국제해사기구)
> • WIPO(World Intellectual Property Organization: 세계지적소유권기구)
> • IFAD(International Fund for Agricultural Development: 국제농업개발기금)
> • UNIDO(United Nations Industrial Development Organization: 국제연합공업개발기구)
> • WTO(World Tourism Organization: 세계관광기구)
> • ICSID(International Centre for Settlement of Investment Dispute: 국제투자분쟁해결센터)
> • MIGA(Multilateral Investment Guarantee Agency: 다자간투자보증기구)
> ※ IAEA(International Atomic Energy Agency: 국제원자력기구)는 국제연합과 긴밀한 협력관계를 유지하고 있으나, UN의 공식 전문기구는 아니다.

답 ①

다음 설명에 해당하는 국제기구는?

□□□

> • 1919년 베르사유조약 제13편을 근거로 창설되었다.
> • 1946년 UN의 전문기구가 되었으며, 스위스 제네바에 본부를 두고 있다.
> • 1969년 노벨평화상을 수상했다.

① 국제노동기구(ILO)
② 국제통화기금(IMF)
③ 만국우편연합(UPU)
④ 북대서양조약기구(NATO)

정답 및 해설

국제노동기구(International Labour Organization)는 산업화 과정에서 발생한 노동문제와 자본주의의 모순을 합리적으로 해결하기 위하여 1919년 4월 체결된 베르사유 평화조약(제13편 노동)에 따라 국제연맹 산하에 설립되었다. 1946년 12월 최초로 국제연합(UN) 전문기구로 편입되었다. ILO의 주요 기능은 국제노동기준 수립 및 이행 감독, 양질의 고용 확산을 위한 회원국 지원, 연구·교육 및 출판 등이다. 1919년 설립 이후 채택한 주요 선언문으로는 1944년 필라델피아 선언문, 1998년 노동기본권 선언문, 2019년 100주년 선언문 등이 있다. 한국은 1991년 12월 9일 152번째로 ILO에 가입했다.

⊘ 선지분석

② 국제통화기금은 국제통화·금융질서의 확립 및 국제무역의 확대와 균형성장 촉진으로 가맹국의 고용과 실질소득증대, 생산자원의 개발을 목적으로 하여 1947년 발족된 국제금융기구(International Monetary Fund, IMF)이다. 1944년 뉴욕에서 개최된 30개국 전문가회의에서 '국제통화기금설립에 관한 공동성명'이 채택되었다. 같은 해 7월 미국의 브레턴우즈에서 연합국 44개국이 국제통화금융회의를 개최하고, 국제통화기금과 국제부흥개발은행의 설립안을 확정하였다. 1947년 3월 1일 본부를 미국의 워싱턴에 두고 35개 가맹국으로 정식 발족했다.

③ 만국우편연합(UPU)은 우편업무의 효과적 운영으로 각국 국민간의 통신연락을 증진하고 문화·사회·경제영역에 있어서 국제협력 달성에 기여할 목적으로 1874년에 창설된 기구로서 본부는 스위스 베른에 있다. 국제 간의 우편물 교류가 증가함에 따라 북독일연방 우정청장 슈테판(Stephan, H.)의 제창으로 1874년 10월 스위스 베른에서 22개 국가의 대표가 모여 「일반우편연합조약」을 체결함으로써 우편에 관한 국제기구가 탄생되었으며, 1878년 제2차 파리 총회에서 만국우편연합(Universal Postal Union, UPU)으로 개칭하였다. 국제연합회원국은 가입선언만 하면 자동적으로 가입되며, 국제연합회원국이 아닌 나라는 국제연합회원국 3분의 2 이상의 동의로써 가입할 수 있다. 우리나라는 1894년(고종 31) 1월 27일 외부대신 조병직이 서명 날인한 가입신청서를 제출하고, 1897년 제5차 워싱턴총회에 대표단을 파견하여 연합조약에 서명하였으며, 그 해 7월 29일 고종의 비준서를 기탁, 1900년 1월 1일 국호 대한국(大韓國)으로 정식가입이 승인되었다. 그러나 일제강점으로 회원국으로서의 활동이 일시 중지되었다가 1947년 제12차 파리총회의 결정에 따라 우리 국호인 '대한민국'으로 가입권이 회복되었다.

④ NATO는 1949년 미국주도로 형성된 방어동맹조약기구이다. 현재 30개국이 회원으로 있다. 우리나라는 2006년부터 NATO의 글로벌 파트너(partner across the globe)로서, 한-NATO 정책협의회 개최, 인사 교류 등을 통해 협력관계를 유지해 오고 있다.

답 ①

008 세계보건기구(WHO)에 대한 설명으로 옳지 않은 것은?

① 모든 국가는 국제연합과 WHO 간의 협정의 조건에 따를 것을 조건으로 하여 회원국이 되기 위해 신청할 수 있고, 이 신청이 보건총회의 3분의 2의 다수로써 승인되었을 경우 회원국으로 인정된다.

② 보건총회는 각 회원국 당 3명을 초과하지 않는 대표로써 대표되며, 동 회원국은 대표 중 1명은 수석대표로써 임명한다.

③ 각 회원국은 보건총회에 있어서 1개의 투표권을 가지며, 중요 문제에 관한 보건총회의 결정은 출석하고 투표하는 회원국의 3분의 2의 다수로써 행한다.

④ 2020년 7월 미국은 탈퇴를 통고하였으며 1년 후 효력이 발생한다.

정답 및 해설

단순 과반수로 승인한다.

답 ①

009 세계보건기구(World Health Organization; WHO)에 대한 설명으로 옳은 것은?

① 현재 194개 회원국이 있으며, 총회는 연 2회 개최한다.

② 사무총장 임기는 5년이며 재선될 수 있다.

③ 집행이사회는 총회에서 선출하는 34개 이사국이 지명하는 전문가로 구성되며 임기는 2년이다.

④ 1946년 7월 22일 61개국이 WHO 헌장(constitution)에 서명하였으며, 1948년 4월 7일 발효되어 공식 출범하였으며, 우리나라는 1953년에 가입하였다.

정답 및 해설

☑ **선지분석**

① 총회는 연 1회 개최한다.
③ 임기는 3년이다.
④ 우리나라는 1949년에 가입하였다.

답 ②

010 세계보건기구(WHO)의 국제보건규제(IHR)에 대한 설명으로 옳지 않은 것은?

① IHR에 의하면 초국경적 감염병이 발생하는 경우 국가는 이를 통지하고, 감염병을 통제할 수 있는 적절한 수준의 공중보건체계를 수립할 의무가 있으나, 법적 구속력을 갖는 의무는 아니다.

② IHR은 국제공중보건에서 국가들의 주권적 권리나 경제적 이익을 중시한다.

③ IHR은 통지의무 대상을 콜레라, 장티푸스, 페스트, 황열병, 천연두, 회귀열에 한정했다.

④ 2005년 개정된 IHR(IHR2005)은 보고의무가 있는 질병의 범위를 확대했다.

정답 및 해설

감염병이 발생하였을 때 통지하고, 적절한 수준의 공중보건체계를 수립하는 것은 법적 의무이다.

답 ①

011
□□□

국제연합(UN)의 보조기관(subsidiary organ)이었다가 국제연합 헌장 제57조와 제63조에 의해 경제사회이사회와 특별협정을 체결하여 전문기구로 지위가 바뀐 국제기구는?

① 세계기상기구(WMO)
② 세계지적재산권기구(WIPO)
③ 국제연합공업개발기구(UNIDO)
④ 국제연합아동기금(UNICEF)

> **정답 및 해설**
>
> 유엔공업개발기구(UNIDO)는 1966년 제21차 유엔총회의 결의로 종래의 유엔공업개발센터를 계승하여 1967년 1월 유엔총회의 보조기구로 발족했다. 1979년 UNIDO 헌장이 채택되고 1985년 그 효력이 발생함에 따라 1986년에 ECOSOC과 특별협정을 체결하여 유엔의 16번째 전문기구가 되었다.
>
> 답 ③

012
□□□

다음 중에서 '가중치 다수결제도(weighted voting system)'를 채택하고 있는 국제기구는?

① 유엔식량농업기구(FAO)
② 세계보건기구(WHO)
③ 국제통화기금(IMF)
④ 유엔교육과학문화기구(UNESCO)

> **정답 및 해설**
>
> IMF는 자금 출자 비율에 따라 의결권을 갖는 '가중치 다수결제도'를 채택하고 있기 때문에 돈을 가장 많이 낸 미국의 입김이 강하게 작용한다. 현재 미국은 전체 기금의 18% 정도를 내고 있고, 따라서 의결권도 18%를 행사한다. 따라서 IMF의 정책이 결정되기 위해서는 83% 이상이 찬성해야 한다는 현실을 감안하면 미국의 영향력은 절대적이다.
>
> 답 ③

013
□□□

UN의 전문기관에 대한 설명으로 옳지 않은 것은?

① UN 전문기관은 UN의 산하에 소속되어 UN산하 모든 기관들과 밀접한 제휴관계를 맺고서 활동하는 기관이다.
② UN 전문기관으로 활동하는 전문기관 수는 총 19개이다.
③ UN 전문기관의 활동영역은 경제협력분야, 문화·과학협력분야, 사회협력분야, 교통체신협력분야, 농업협력분야, 공업개발분야이다.
④ UN총회와 그 권위 하에서 경제사회이사회가 경제·사회·문화 등 각 분야에서 UN전문기관들의 국제협력활동을 조정하고 있다.

> **정답 및 해설**
>
> 국제협력의 개별분야에 걸쳐 독립적으로 존재하면서 UN과 밀접한 제휴를 갖는 중요한 특수적 국제조직이 UN전문기관이다. UN산하 소속기관은 아니다.
>
> 답 ①

014 국제통화기금(International Monetary Fund: IMF)에 대한 설명으로 옳지 않은 것은?

□□□

① 제2차 세계대전 이후 금본위제도가 붕괴되고 전세계적으로 국제유동성 부족과 외환통제의 보편화 현상 등이 나타나게 됨에 따라 국제통화질서가 혼란에 빠지게 되어, 이러한 위기를 극복하기 위해 1947년 IMF가 발족하게 되었다.

② IMF는 국제수지 조정기능의 원활한 수행과 국제 인플레이션의 국내파급효과 경감, 국내통화정책의 효율성 증대 등에 기여하였으나, 선진국 위주의 신자유주의적 처방 등이 거센 비판을 받고 있다.

③ IMF는 1997년 한국을 비롯 태국의 통화위기 등을 성공적으로 진압함에 따라 국제적 위상이 크게 강화되었으며, 한국은 IMF의 도움으로 2001년 상환을 완료하고 2003년부터는 다시 IMF의 자금 공여국으로 활동하고 있다.

④ IMF의 업무 범위로는 가맹국의 환율 및 외환 정책 감시, 국제수지 불균형 국가에게 조정자금 지원 등이 있다.

정답 및 해설

IMF는 태국의 통화위기로 촉발된 아시아 금융위기를 진압하지 못하고 러시아나 남미 등 여타신흥시장으로까지 확산되는 것에 대해서 큰 효용을 발휘하지 못하여, 정보투명성의 제고, 가맹국 금융 감독에 대한 강화 등의 개혁 요구를 받고 있으며 과거에 비해 IMF에 대한 신뢰가 상당 부분 상실된 상태이다.

✅ 선지분석

② 다음은 경제학자 폴 크루그먼(P. Crugman)의 책 일부이다. '…그런데 12년 전 외환위기 당시 국제통화기금(IMF)은 정반대 해법을 제시했다. 재정은 건전해야 한다, 대규모 경기부양책을 펴선 안 된다, 금리는 올려야 한다고. 남미와 아시아의 위기 국가들에게도 똑같은 처방전을 강요했다. 이는 IMF가 외국인 투자자의 신뢰를 중시했기 때문이다. "(위기국)정부가 스스로에게 고통을 가함으로써 진지함을 보여야" 외국인 투자자들이 신뢰할 것이고 따라서 외자 유출을 중단할 것이라는 얘기다. 저자는 이런 주장에 비판한다. "경제학 교과서를 내팽개친", 그럼으로써 "국제경제가 아마추어 심리학의 연습장이 됐다"고 비웃었다. 이와 같이 IMF는 성공적이지 못한 일련의 정책들로 거센 비판을 받고 있다.'

답 ③

---

015 금융협력분야에 관한 국제기구는 다양하게 존재하고 있다. 그 중 1960년 미국의 발의로 저개발국에 대해 특혜적 조건하에서 대출을 해주기 위해 설립한 국제기구는 무엇인가?

□□□

① IMF   ② IBRD   ③ IDA   ④ IFC

정답 및 해설

IDA는 국제개발협회로 저개발국의 경우, IBRD의 대출조건 하에서는 대출을 받을 수 없기 때문에 보다 관대한 조건으로 대출을 해주어야 할 필요성을 느끼게 되었고, 1960년 미국의 발의로 IBRD 회원국들은 특혜적 조건으로 저개발국에 대해 대출을 해주기 위해 IDA를 세계은행의 자매기관으로 설립하였다.

✅ 선지분석

① IMF는 국제통화기금으로 국제수지 불균형을 조정하고 외환으로 인한 무역장애를 배제하여 국제무역의 발전을 이룩하고자 설립한 국제기구이다.

② IBRD는 국제부흥개발은행으로 경제부흥과 후진국의 산업개발을 위한 보증 및 장기자금의 공급을 통해 국제투자를 촉진하고자 설립된 국제기구이다.

④ IFC는 국제금융공사로 1956년 개발도상국의 민간기업을 지원하기 위해 설립되었으며, IBRD를 보조하여 저개발국의 민간기업의 성장을 보조하여 경제적 발전을 지원하는 국제기구이다.

답 ③

016 난민에 대한 설명으로 옳은 것은?

① 난민 발생의 원인이 다양해짐에 따라 가난, 자연재해 등도 협약난민의 정의에 포함되었다.

② 난민협약 체결국이 아닌 곳에 상주 시 난민협약상 보호를 받지 못하지만 유엔난민고등판무관사무소(UNHCR)에서 난민의 지위를 인정받으면 협약난민과 동일한 상주국의 보호와 지원을 받는다.

③ 강제송환금지의 원칙은 난민으로 인정받은 사람에게 적용되고 난민 인정 여부를 심사받고 있는 자에게는 적용되지 않는다.

④ 난민의 지위는 개인을 대상으로 하는 것이나 난민의 인정이나 수용은 발생국과 수용국 간 관계에 따라 영향을 받을 수 있다.

정답 및 해설

✓ 선지분석

① 협약난민이란 제네바협약(1951)에 해당되는 난민을 말한다. 정치적 난민만을 의미한다. 가난, 자연재해로 인한 난민은 협약난민이 아니다.

② UNHCR의 보호를 받는 난민을 '위임난민'이라고 한다. 협약난민과 위임난민은 특별한 상관관계가 없다. 위임난민은 상주국의 동의 하에 UNHCR의 보호를 받는다.

③ 강제송환금지원칙은 난민 판정을 받은 자가 아니라도, 정치적 난민이 될 가능성이 있으면 적용된다고 보는 것이 일반적 견해이다. 따라서 국경에서 입국 거부를 할 때도 강제송환금지원칙이 적용된다.

답 ④

---

017 1948년 세계인권선언에 대한 설명으로 옳은 것만을 모두 고른 것은?

ㄱ. 홀로코스트를 비롯한 제2차 세계대전의 참상은 세계인권선언의 채택으로 이어지는 성찰의 계기가 되었다.

ㄴ. 세계인권선언에는 개인의 인권뿐만 아니라 소수민족의 문화적 권리, 민족자결권 등 집단적 권리도 포함되어 있다.

ㄷ. 세계인권선언의 내용은 1950년대가 되어서야 경제적·사회적·문화적 권리, 시민적·정치적 권리에 대한 양대 국제인권규약으로 채택되었다.

① ㄱ

② ㄱ, ㄴ

③ ㄱ, ㄷ

④ ㄴ, ㄷ

정답 및 해설

세계인권선언에 대한 설명으로 옳은 것은 ㄱ이다.

ㄱ. 세계인권선언은 자유권과 사회권을 모두 규정한 문서로서 1948년 유엔총회에서 만장일치로 채택되었다. 소련은 기권하였다.

✓ 선지분석

ㄴ. 소수민족의 권리나 민족자결권은 규정되지 않았다. 1966년 '시민적·정치적 권리를 위한 국제규약'에는 규정되었다.

ㄷ. '사회적·문화적 권리에 관한 국제규약'도 1966년에 채택되었다.

답 ①

018 유엔인권이사회(Human Rights Council) 자문위원회에 대한 설명으로 옳지 않은 것은?

① 2006년 6월 인권이사회(HRC) 출범 이후 '인권소위원회'는 인권이사회 자문위원회(Advisory Committee)로 대체되어 2008년 신설되었다.

② 독자적인 결의를 채택할 수 없으며 오직 인권이사회의 결의나 지침에 따라서만 활동한다.

③ 총 18명의 전문가로 구성되며, 임기는 3년이고, 1회에 한해 재임할 수 있다.

④ 매년 최대 20일간 두 차례 회의를 개최한다.

> **정답 및 해설**
>
> 매년 최대 10일간 두 차례 회의를 개최한다.
>
> 답 ④

---

019 인권최고대표(High Commissioner for Human Rights)에 대한 설명으로 옳지 않은 것은?

① 유엔의 인권관련 업무 및 활동을 총괄하는 최고 직책으로 1993년 비엔나 세계인권회의의 권고에 따라 같은 해 유엔총회 결의에 의하여 신설되었다.

② 인권최고대표의 임기는 4년이며, 1회 연임할 수 있다.

③ 인권최고대표 선임은 유엔 사무총장의 고유권한으로서, 전적으로 사무총장이 결정할 사항이나, 후보자에 대해 안전보장이사회 상임이사국(P-5) 등 주요국들과 사전 교감을 갖는 것으로 알려져 있다.

④ 인권최고대표 선임에 있어서 총회는 개입하지 않는다.

> **정답 및 해설**
>
> 사무총장은 단일후보를 선정하여 총회에 추천하고, 총회는 이를 승인 또는 거부의 양자택일을 할 수 있다.
>
> 답 ④

제5절 | 지역기구 및 지역협력

001 동남아시아국가연합(ASEAN)의 외교적 행동규범으로 옳지 않은 것은?　　　　2016년 외무영사직

① 독립, 주권, 평등, 영토보전 및 국가적 동일성의 상호존중 원칙

② 상호내정 불간섭 원칙

③ 상설안보기구를 통한 분쟁관리 원칙

④ 힘에 의한 위협 또는 힘의 사용 포기 원칙

> **정답 및 해설**
>
> ASEAN에 상설 안보기구는 없다. ARF와 같은 다자안보체제가 존재하나 이를 '상설적 안보기구'로 보기는 어렵다. 년 1회 개최되기 때문이다.
>
> 답 ③

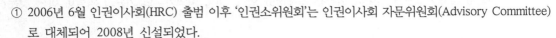

002 미주국가기구(OAS), 아랍연맹(The Arab League), 그리고 동남아국가연합(ASEAN) 등의 지역기구는
□□□ 다목적 국제기구로서 다양한 기능을 수행하고 있다. 이들 지역기구의 기능과 역할이 아닌 것은?

2007년 외무영사직

① 회원국 간의 일반적인 협력과 평화적인 분쟁해결을 추구하며 장래 지역통합을 목표로 한다.
② 회원국들은 이들 기구에 정치 및 안보분야에서의 초국가적 성격의 정책결정권을 부여하는 데 적극적
   인 자세를 견지하고 있다.
③ 회원국 사이에서 폭력적 갈등을 예방하고 해소하는 것을 목표로 삼는다.
④ 경제협력이나 환경보전 등과 같은 어떤 특정영역에서 구체적인 단일목적을 갖고 출범하는 국제기구
   보다 큰 영향력을 행사하는 경우도 있다.

정답 및 해설

각 지역기구의 회원국은 나름대로 입장에 따라 적극적, 소극적 자세를 견지한다.

답 ②

---

003 ASEAN에 대한 설명으로 옳은 것은?
□□□
① 1967년 8월 8일 태국, 필리핀, 싱가포르, 인도네시아, 말레이시아가 서명한 자카르타선언(Jakarta
   Declaration)이 채택됨으로써 동남아시아국가연합(ASEAN)이 탄생하였다.
② 동남아조약기구(SEATO)와 마필린도(MAPHILINDO: Malaysia-Philippines-Indonesia)는 아시아태평
   양위원회(ASPAC)와 동남아연합(ASA)과는 달리 동남아국가들만으로 구성된 최초의 지역협력체였으
   며, 아세안이 출범하게 된 중요한 선례가 되었다.
③ 아세안 창립 30주년이었던 1997년 아세안 각국 정상들은 아세안비전2020을 채택함으로써, 동남아국
   가들의 연합체로서 평화와 안정, 번영을 위해 미래지향적인 발전과 상호의존하는 공동체 정신을 갖고
   강력한 동반자 정신으로 뭉치자는 아세안의 공동 비전에 합의했다.
④ 1978년 12월 베트남이 국경과 주민학살문제를 빌미로 같은 공산국가인 캄보디아를 침공하여, 폴 포트
   의 크메르 루즈 정권을 무너뜨리면서 시작된 캄보디아 사태는 1980년대 동남아 안보와 외교의 핵심적
   인 과제였다. 베트남은 당시 중국의 지원을 받았고, 캄보디아는 소련을 등에 업은 공산국가 간의 대리
   전의 성격까지 있었다.

정답 및 해설

☑ **선지분석**
① 1967년 8월 8일 태국, 필리핀, 싱가포르, 인도네시아, 말레이시아가 서명한 방콕선언(Bangkok Declaration)
   이 채택됨으로써 동남아시아국가연합(ASEAN)이 탄생하였다.
② 동남아연합(ASA)과 마필린도(MAPHILINDO: Malaysia-Philippines-Indonesia)는 아시아태평양위원회(ASPAC)
   와 동남아조약기구(SEATO)와는 달리 동남아국가들만으로 구성된 최초의 지역협력체였으며, 아세안이 출범하
   게 된 중요한 선례가 되었다. SEATO는 1954년 9월 8일 마닐라에서 형성되었으며, 동남아국가뿐 아니라 호주,
   프랑스, 뉴질랜드 등도 참가하였다. 동아시아에서 공산주의 팽창을 저지하기 위한 목적으로 창설되었으나, 참가
   국들의 이질성과 소극성으로 성공적으로 운용되지는 못한 것으로 평가되었다.

답 ③

004 동남아국가연합(ASEAN)에 대한 설명으로 옳은 것은?

2018년 외무영사직

① ASEAN은 1967년 말레이시아, 베트남, 싱가포르, 인도네시아, 태국 등 5개국 외무장관회담에서 'ASEAN 선언'으로 결성되었다.

② 출범 이래 ASEAN 의장국은 태국이 계속 맡아 오고 있다.

③ 동아시아 정상회의(EAS)에는 'ASEAN＋3＋3'인 16개국만이 참여한다.

④ 1994년 방콕에서 첫 아세안지역안보포럼(ARF)이 개최되었다.

정답 및 해설

✅ 선지분석

① 베트남은 1995년에 가입하였다. 당초 5개국에는 베트남이 아니라 필리핀이 참여하였다.

② 의장국은 1년마다 교체된다.

③ EAS에는 미국과 러시아도 참여하여 총 18개국이 참여한다.

답 ④

005 다음 중에서 2005년 현재 ASEAN 가입국이 아닌 나라는?

2005년 외무영사직

① 필리핀   ② 싱가포르

③ 인도   ④ 태국

정답 및 해설

현재 회원국은 필리핀, 말레이시아, 싱가포르, 인도네시아, 태국, 브루나이, 베트남, 라오스, 캄보디아, 미얀마로 총 10개국이다.

답 ③

006 다음 중 동남아시아국가연합(ASEAN)에 대한 설명으로 옳은 것만을 모두 고른 것은?

> ㄱ. 동남아시아국가연합(ASEAN)은 인도네시아, 말레이시아, 필리핀, 싱가포르, 베트남 등 5개국을 원가
>   맹국으로 하여 1967년 5개국 외무장관이 서명한 ASEAN 창립조약으로 발족하였다.
> ㄴ. 1971년에는 동남아시아 평화 - 자유 - 중립지대(ZOPFAN)선언에 의해 지역의 중립화 구상이 발표되
>   었고, 1976년에는 ASEAN 최초의 정상회담이 발리에서 개최되었다.
> ㄷ. 1994년에는 아시아태평양지역의 두 번째 안보기구인 아세안지역포럼(ARF)이 발족되었고, 회원국 수
>   도 증가하여 현재 10개국에 이르고 있다.
> ㄹ. 1997년 12월의 ASEAN 비공식정상회의에서 ASEAN이 목표로 해야 할 미래상으로서 '비전2020'이 채
>   택되었다.

① ㄱ   ② ㄱ, ㄹ
③ ㄴ, ㄷ   ④ ㄴ, ㄹ

정답 및 해설

동남아시아국가연합(ASEAN)에 대한 설명으로 옳은 것은 ㄴ, ㄹ이다.

✅ 선지분석

ㄱ. ASEAN의 원회원국은 인도네시아, 말레이시아, 필리핀, 싱가포르, 태국이다. 창립조약은 따로 없으며, 다만
   1967년 8월 방콕에서 개최된 창립회의에서 5개국 년 외무장관이 서명한 ASEAN 창립선언(방콕선언)이 창립
   조약을 대신한다.
ㄷ. ARF는 아시아태평양지역 최초의 안보대화기구이며, ASEAN의 회원국 수는 현재 총 10개국이다[원회원국 +
   브루나이(84), 베트남(95), 라오스(97), 미얀마(97), 캄보디아(99)].

답 ④

---

007 아세안(ASEAN)에 대한 설명으로 옳지 않은 것은?

① 우리나라는 ASEAN과 FTA를 체결하기 위해 2004년부터 협상을 개시하였으며, 상품분야는 2006년
   타결, 2007년 6월 발효하였다.
② 1995년 12월 <동남아 비핵지대화 조약>을 체결하여 핵무기의 개발, 생산, 획득, 보유, 통제권 보유, 주
   둔, 수송, 실험 및 사용을 금지하고, 핵물질 및 핵폐기물 투기 및 처분을 금지하였다.
③ 의장국은 매년 교체되며, 2023년은 인도네시아가 의장국이다.
④ 1976년 <동남아 우호 협력 조약>은 개방조약으로서 한국은 2002년에, 북한은 2004년에 각각 가입하
   였다.

정답 및 해설

1976년 <동남아 우호 협력 조약>은 개방조약으로서 한국은 2004년에, 북한은 2008년에 각각 가입하였다.

답 ④

008 아시아·태평양경제협력체(APEC)와 아세안지역포럼(ARF) 중 하나에만 회원국으로 가입하고 있는 국가는?

① 미국　　　　　　　　　　　　　　② 중국
③ 한국　　　　　　　　　　　　　　④ 북한

북한은 ARF 회원국에만 해당한다.

> **관련 이론** APEC 회원국과 ARF 회원국
>
> 1. APEC 회원국(21개국): 한국, 미국, 일본, 캐나다, 호주, 뉴질랜드, ASEAN 6개국(태국, 말레이시아, 인도네시아, 싱가포르, 필리핀, 브루나이), 중국, 대만, 홍콩, 멕시코, 파푸아뉴기니, 칠레, 러시아, 베트남, 페루
> 2. ARF 회원국(27개국)
>
> | ASEAN(10개국) | 말레이시아, 필리핀, 싱가포르, 인도네시아, 태국, 브루나이, 베트남, 라오스, 미얀마, 캄보디아 |
> |---|---|
> | 대화상대(10개국) | 한국, 미국, 일본, 중국, 러시아, 캐나다, 호주, 뉴질랜드, 인도, EU |
> | 기타(7개국) | 파푸아누기니, 몽골, 북한, 파키스탄, 동티모르, 방글라데시, 스리랑카 |
>
> ※ 한국은 ARF 창설회원국으로 제1차 회의(1994년)부터 참여해 왔으며, 북한은 제7차 외무장관회의(2000.7, 방콕)부터 참여하였다.

답 ④

---

009 다음 중 ASEAN과 관련이 없는 것은?

① AFTA　　　　　　　　　　　　　② ASEM
③ ASEAN Community　　　　　　　④ 뇌물방지협약

뇌물방지협약은 OECD에서 1999년 채택되었다.

☑️ **선지분석**

① ASEAN은 자유무역지대로서 1992년 추진에 합의하였고, 2002년 1월 사실상 출범하였다.
② 아시아·유럽 정상회의로서 1994년 싱가포르 고촉통 총리가 제안하였으며 1996년 방콕에서 제1차 정상회의를 개최하였다. 아세안도 참여하고 있다.
③ 2003년 10월 제9차 정상회의에서 선언된 것으로서 2020년까지 정치·안보공동체, 경제공동체, 사회·문화공동체 창설을 목표로 한다.

답 ④

010 ASEAN에 대한 설명으로 옳지 않은 것은?

☐☐☐

① ASEAN의 궁극적인 목표는 유럽연합(EU)과 같이 주권일부를 양도하는 지역통합으로서, 동남아를 포괄하는 초국가적 통합체의 건설이다.

② 1997년과 1998년 태국, 인도네시아, 말레이시아 등 동남아 주요 국가들을 강타했던 외환위기와 이에 따른 역내 경제위기 확산, 인도네시아의 삼림화재로 초래된 동남아의 지속적인 연무문제 등에 대한 ASEAN의 대응은 극히 제한적이었다는 비판이 강하다.

③ ASEAN은 안보 공동체(ASC), 경제공동체(AEC), 사회문화공동체(ASCC) 등을 통해 2020년까지 안보 · 경제 · 사회문화의 3대 축을 중심으로 한 ASEAN공동체 창설을 계획하고 있다.

④ 동아시아 공동체 형성문제와 관련하여 ASEAN + 3 중심의 기존 구도를 고수하려는 중국과 EAS(ASEAN + 6: 인도, 호주, 뉴질랜드 포함) 중심의 새로운 구도를 밀어붙여 이를 관철하려는 일본 간 첨예한 전략적 경쟁 양상이 지속되고 있다.

정답 및 해설

ASEAN은 출범 당시부터 지역통합체로서 일정한 한계성을 안고 있었다. 동남아국가들은 ASEAN 초기 형성과정에서부터 자신들의 주권 일부를 양도해야 하는 지역통합에 대해 유보적이었으며 자국의 주권을 유지하는 범위 내에서 역내국가들 간 협력을 모색해 왔기 때문에, ASEAN은 유럽의 EU와 같이 지역통합을 목표로 하는 초국가적 조직체라기보다는 주권국가들로 구성된 지역그룹(regional grouping) 형태로 존속해 왔다.

✅ 선지분석

② ASEAN에 대해서는 상기 열거한 예 이외에도 미얀마의 인권과 민주화 문제에 대한 서방국가들의 제재 및 회원국 확대에 따른 역내국가들 간 경제격차 문제 해소에 있어서도 무력함을 노정하였다는 비판이 거세다.

④ 일본은 중국의 입김이 강한 ASEAN + 3이라는 구도 아래에서는 자국의 영향력을 충분히 발휘하기 어렵다고 판단하고 있다.

답 ①

011 아시아 · 태평양 경제협력체(APEC)의 기본적 특징으로 옳지 않은 것은?

☐☐☐

① 역내 무역 및 투자자유화라는 목표를 설정함
② 참가국 전원일치에 의한 합의형성방식을 채택함
③ 개방적 지역주의를 적극적으로 실천함
④ 역내 국가들의 유사성에 기초하여 설립됨

정답 및 해설

APEC은 미국에서 파푸아뉴기니에 이르는 회원국 구성에서도 보듯 회원국 간 경제발전 격차, 문화 · 역사적 배경의 상이성 등으로 인해 역내 국가들 간 유사성에 기초하여 설립되었다고 보기는 힘들다. APEC을 중심으로 한 아시아 · 태평양 지역에서의 지역협력에서는 미국이 중요한 역할을 하고 있는데, 미국은 자국이 배제된 아시아 국가들만의 지역 협력체의 등장을 저지하고 미국이 주도하는 아시아 · 태평양 지역의 지역협력을 주도함으로써, 한편으로는 빠른 속도로 성장하고 있는 아시아 시장에서의 미국의 입지를 강화하고 다른 한편으로는 유럽지역의 배타적 지역주의를 견제하려는 전략을 펴고 있는 것이다.

답 ④

012 주요국의 대 APEC 전략에 대한 설명으로 옳지 않은 것은?

① 한국은 주요국들과 협력을 강화하고 FTAAP 창설 노력을 주도하는 한편, 한반도의 평화 정착을 추구하고 있다.

② ASEAN은 APEC 프로세스에 적극적으로 참여하고 있으나 강력한 APEC출현에 따른 ASEAN의 약화를 우려하고 있다.

③ 러시아는 APEC을 통해 아태지역 외교의 행동반경의 확대를 모색하는 한편, 미국이 APEC을 주도하는 것을 방지하기 위해 중국, 일본, ASEAN 등과 적극적인 공조체제를 구축하고 있다.

④ 미국은 2001년 9·11 테러 이후 APEC 차원에서 대테러 국제공조를 모색하였다.

정답 및 해설

러시아는 미국이 APEC 프로세스를 주도하는 것은 불가피하다고 인식하고 있으므로, APEC 내에서의 미국 주도권 방지에 적극적이라고 보기는 어렵다.

답 ③

013 아시아태평양경제공동체(APEC)에 대한 설명으로 옳지 않은 것은?

① 개방적 지역주의를 추구하여 역외국에 대해서도 무역장벽 제거의 혜택 부여를 지향한다.

② 회원은 현재 총 21개로서 대만과 홍콩과 같이 국가가 아니어도 가입할 수 있다.

③ 9·11 테러 이후 테러, 보건 등 비경제분야로 활동범위가 확대되고 있으나 재난대응협력 및 식량안보에 대해서는 다루지 않는다.

④ 미국은 창설 초기 소극적으로 참여하였으나 1993년 시애틀 정상회담을 이후로 APEC 프로세스 활성화에 견인차 역할을 하고 있다.

정답 및 해설

재난대응 협력 및 식량안보 문제에 대해서도 적극적으로 다루고 있다.

답 ③

014

APEC에 대한 설명으로 옳은 것만을 모두 고른 것은?

□□□

> ㄱ. 1989년 호크 호주 총리의 제안이 APEC 발족의 직접적인 계기지만, 그 이전부터 한국이 주도적으로 새로운 경제제도에 대한 제안을 끊임없이 해왔다.
> ㄴ. 호주, 뉴질랜드, 미국, 캐나다, 한국, 일본과 당시 ASEAN 가맹국 등 12개국을 최초 가맹국으로 하는 지역협력체로 현재는 21개국에 이르고 있다.
> ㄷ. APEC의 특징 중 하나인 '열린 지역주의'는 APEC 역외에 대해 차별적인 조치를 취하지 않음을 보여 주고 있고, APEC에서의 합의는 법적 구속력이 존재한다.
> ㄹ. 1995년 오사카 APEC에서 채택된 '오사카 행동 지침'에서는 '유연성 원칙'과 '자주적 · 협조적 자유화' 조항이 포함되어 있다.

① ㄷ

② ㄱ, ㄷ

③ ㄴ, ㄹ

④ ㄷ, ㄹ

| 정답 및 해설 |

APEC에 대한 설명으로 옳은 것은 ㄴ, ㄹ이다.
ㄹ. '유연성 원칙'이란 자유화를 추진하는 데 있어 예외 분야를 일시적이라도 인정한다고 하는 것이고, '자주적 · 협조적 자유화' 조항은 각 회원국이 따라야 할 공통 목적을 정할 필요성을 고려하면서 각 회원국의 재량을 존중하고 자유화를 추진한다는 것이다.

 선지분석

ㄱ. 한국이 아니라 일본의 통산성이 주도하였다.
ㄷ. APEC에서의 합의는 법적구속력이 없다.

답 ③

015

아시아태평양 경제협력체(APEC)에 대한 설명으로 옳은 것은?

□□□

① 의사결정은 만장일치 방식에 따르며, 비구속적(non-binding) 이행을 원칙으로 함으로써, 회원국의 자발적 참여 또는 이행을 중시하고 있다.

② 1989년 호주 캔버라에서 우리나라를 포함한 12개국 간 각료회의로 출범하였으나, 미국의 부시(G. H. Bush) 대통령의 제안으로 1993년부터 정상회의로 격상되었다.

③ 현재 회원은 총 21개로서 창설멤버 이외에 중국, 마카오, 대만, 멕시코, 파푸아뉴기니, 칠레, 러시아, 베트남, 페루가 가입하고 있다.

④ 제27차 APEC 정상회의는 2020년 11월 중 쿠알라룸푸르(말레이시아)에서 개최될 예정이다.

| 정답 및 해설 |

 선지분석

① 의사결정은 컨센서스로 한다.
② 클린턴 대통령 제안으로 정상회의로 격상되었다.
③ 마카오 대신 홍콩이 가입하고 있다.

답 ④

016 다음 중 APEC에 대한 설명으로 옳지 않은 것은?

□□□

① 아시아 및 태평양 연안 국가들의 원활한 정책대화와 협의를 목적으로 설립된 경제협력체이다.

② 주요 업무는 무역과 투자의 자유화 및 원활화, 경제기술협력이다.

③ 출범 초기에는 경제 및 통상분야에 집중했으나, 최근에는 사회개발 분야로까지 논의 주제를 확대하고 있다.

④ 현재 21개국의 회원국을 가진 구속력 있는 조약 형태의 협의체이다.

정답 및 해설

APEC은 아시아 - 태평양 경제협력체로서, 1989년 총 12개국으로 출범하였으며 현재 한국을 비롯하여 호주, 캐나다, 브루나이, 칠레, 중국, 홍콩, 인도네시아, 일본, 말레이시아, 멕시코, 뉴질랜드, 파푸아뉴기니, 페루, 필리핀, 러시아, 싱가포르, 대만, 태국, 미국, 베트남 등 총 21개국의 회원국을 가진다. 느슨한 포럼형식의 협의체이기 때문에 정상회의, 각료회의 및 고위관리회의 등 독특한 협의체계를 구축하고 있다.

답 ④

017 아 · 태경제협력체(Asia - Pacific Economic Cooperation; APEC)에 대한 설명으로 옳지 않은 것은?

□□□

① 1980년대 우루과이라운드 협상이 난항에 부딪히고 EU나 NAFTA 등과 같은 지역경제통합이 가속화되면서 이 지역에서도 경제통합의 논의가 시작되어 1989년 APEC이 공식출범하게 되었다.

② APEC은 개방적 지역주의를 추구하며 궁극적으로 경제공동체를 형성하기 위한 것으로, 이를 위해 선진국은 2010년까지, 개도국은 2020년까지 역내외 무역 · 투자자유화를 달성하려는 목표를 지니고 있다.

③ 최근 APEC 각료회의(AMM; APEC Ministerial Meeting)에서는 세계 금융위기, 도하 개발어젠다(DDA) 협상 지원, 아 · 태지역 경제통합 등의 의제를 협의되고 있다.

④ APEC은 기본적으로 무역 및 투자자유화 및 경제 기술협력에 국한되어 있기 때문에 미국은 APEC의 논의를 인간안보 협력 및 대테러 분야 등의 분야에까지 확장시키려 하고 있으나 성공적이지 못하다.

정답 및 해설

APEC의 주요업무는 경제와 기술 분야가 맞지만, 2001년 이후에는 대 테러분야가 부상되었고 최근에는 보건, 환경, 기술 등 비경제적 이슈가 확산되는 추세를 보이고 있다. 이외에도 인간안보 협력, 재무금융 협력, 민간기업 부분 참여 확대 및 심화 등의 활동도 수행하고 있다.

✓ 선지분석

③ 제20차 APEC 각료회의(AMM: APEC Ministerial Meeting)가 2008.11.19~20 페루 리마(Lima)에서 개최되어 세계 금융위기, WTO 도하 개발어젠다(DDA) 협상 지원, 아 · 태지역 경제통합 등의 의제를 협의하였으며, 워싱턴에서 개최된 G20 정상회의 선언에 대한 APEC 차원의 지지를 확인하고, 아 · 태 지역 내 무역 · 투자자유화에 역점을 두어온 APEC이 DDA 세부원칙(modalities) 도출을 위해 중심적 역할을 하여야 한다는 데 인식을 같이하였다.

답 ④

018 아시아유럽정상회의(ASEM; Asia Europe Meeting)에 대한 설명으로 옳지 않은 것은?

① 1994년 10월 싱가포르는 APEC과 같은 경제협력을 위한 동아시아 – EU 정상회의(Europe Asia Summit, EAS) 개최를 제안하였다.

② 1996년 3월 제1차 ASEM 정상회의가 싱가폴에서 개최됨으로써 본격 출범하였다.

③ 제3차 정상회의는 2000년 10월 서울에서 개최되어, 새로운 천년을 맞아 향후 10년간 ASEM의 비전·원칙·목적을 담은 '아시아·유럽 협력 기본 지침서'를 채택하였다.

④ ASEM에서 모든 의사결정은 총의제(consensus)에 의한다.

정답 및 해설

제1차 ASEM 정상회의는 태국에서 개최되었다.

답 ②

---

019 OECD에서 채택된 '원조 효과성 제고를 위한 파리선언'(2005)에 대한 설명으로 옳지 않은 것은?

① 원조의 효과성 제고를 위해 원조 공여국의 공여관행을 개선하기 위한 노력의 일환이다.

② 동 선언은 법적 구속력을 갖지 않으나 연성법규로서 기능을 한다고 볼 수 있다.

③ 동 선언은 단순한 선언에 그치지 않고 이행을 위한 성과측정 지표 등을 구체적으로 제시하고 있다.

④ 동 선언은 공여국 주도의 개발협력, 원조제공자간협력관계 수립, 수원국의 기관과 제도 체계를 사용한 일관된 원조 수행, 성과 중심의 원조관리, 상호책임의 5가지 원칙을 제시하였다.

정답 및 해설

공여국이 아닌 '수원국 주도'의 개발협력원칙을 제시하였다.

답 ④

---

020 다음 중 경제협력개발기구(OECD)에 대한 설명으로 옳지 않은 것은?

① 우리나라는 1992년 12월에 가입하였다.

② 유럽 16개국이 결성한 구주경제협력기구를 모태로 탄생하였다.

③ 뇌물방지협약을 채택하였다.

④ 1961년 9월에 성립되었다.

정답 및 해설

우리나라는 1996년 12월 OECD에 가입하였다.

답 ①

021 유럽지역 내 안보를 담당하는 국제기구는 유럽협력안보기구(OSCE)와 북대서양조약기구(NATO)가 존재한다. 이 두 기구에 대한 설명으로 옳지 않은 것은?

① OSCE는 유럽안보협력회의(CSCE)가 1975년 8월 2일 헬싱키선언을 채택한 후 15년만인 1990년 11월 개최된 회의에서 '신유럽헌장(파리헌장)'을 채택하여 상설기구화됨으로써 발족하였다.

② NATO의 본래 목적은 소련에 대한 집단안전보장이었으나, 소련의 붕괴로 인해 기존의 군사동맹에서 벗어나 유럽의 국제적 안정을 위한 정치기구로 변화를 시도하게 되었다.

③ OSCE는 세계 최대의 다자간 안보협력기구로서 총 55개국이 참여하고 있으며, 1996년 한국과 대만도 상시참가국 지위를 획득하였다.

④ 소련의 붕괴 이후 러시아의 강력한 반대에도 불구하고 1999년 3월 체코, 폴란드, 헝가리 등 동유럽 국가들도 NATO의 회원으로 가입하였다.

정답 및 해설

1996년 12월 한국과 일본은 OSCE 상시참가국의 지위를 획득하였다.

답 ③

---

022 북대서양조약기구(NATO)에 대한 설명으로 옳은 것은?

① 창설회원국은 미국, 캐나다, 영국, 프랑스, 이탈리아, 네덜란드, 벨기에, 룩셈부르크, 덴마크, 노르웨이, 포르투갈, 아일랜드 12개국이다.

② 최고 의결기구는 북대서양정상회의(North Atlantic Summit: NAS)로서 모든 회원국의 대표로 구성되며, NATO사무총장이 회의를 주재한다.

③ 군사위원회 의장은 NATO 회원국들에 의해 선출되며 NATO 사무총장 및 북대서양 위원회의 최고위 군사 자문 역할을 수행한다.

④ NATO 창설에 대응하여 동구 사회주의권은 1955년 바르샤바 조약 기구(WTO)를 출범시킴으로 냉전이 고착화되었다.

정답 및 해설

⊘ 선지분석
① 아일랜드 대신 아이슬란드가 들어간다.
② 최고 의결기구는 북대서양이사회(North Atlantic Council: NAC)이다.
③ 군사위원회 의장은 NATO 회원국 합참 의장들에 의해 선출된다.

답 ④

023 북대서양조약기구(NATO)에 대한 설명으로 옳지 않은 것은?

① 창설회원국은 미국, 캐나다, 영국, 프랑스, 이탈리아, 네덜란드, 벨기에, 룩셈부르크, 덴마크, 노르웨이, 포르투갈, 아이슬란드 12개국이다.

② NATO 창설에 대응하여 동구 사회주의권은 1955년 바르샤바 조약 기구(WTO)를 출범시킴으로 냉전이 고착화되었다.

③ 9 · 11 테러 이후 NATO는 새로운 안보 위협에 대응하는 것에 중점을 두면서 기존의 유럽이라는 지역적 수준이 아닌 지구적 수준에 걸쳐 발생하는 초국가적 · 비대칭 안보 위협에 적극 대응하기 시작하였다.

④ 1992년 NATO에 가입한 터키는 1999년과 2004년 러시아와 가까운 동유럽 국가들의 NATO 가입을 통한 NATO의 동진에 반대하지 않았으나, 최근 스웨덴과 덴마크의 NATO 가입에 반대 의사를 표시한 바 있다.

> **정답 및 해설**

1952년에 가입했다.

답 ④

024 북대서양조약기구(NATO)의 2022년 신전략개념에 대한 설명으로 옳지 않은 것은?

① 2022년 6월 마드리드에서 개최된 북대서양조약기구정상회의에서 채택되었다.

② 러시아가 NATO에 가장 중대하고 직접적인 위협(the most significant and direct threat)임을 지적하고 그 안보 위협이 유럽 - 대서양 지역에 국한되지 않고 국제 안보의 문제라고 지적했다.

③ 우크라이나, 조지아, 보스니아 - 헤르체고비나와 같은 NATO 가입 희망국에 대해 원칙적인 차원에서 NATO의 가입 가능성을 확인했다.

④ 중국과 같은 권위주의적 행위자들이 NATO의 이익, 가치, 민주주의적 삶에 도전하고 있으므로 NATO는 향후 중국에 대해 적극적인 봉쇄정책을 추구할 의지가 있음을 천명하였다.

> **정답 및 해설**

NATO의 안보이익에 부합하다면 NATO는 중국에 대해 건설적인 관여를 할 의지가 있음을 천명하였다.

답 ④

025 다음 중 한국이 참여하지 않은 국제기구는?

① OSCE   ② ASEAN + 3   ③ NATO   ④ APEC

> **정답 및 해설**

NATO는 북대서양조약기구로, 한때 미국과 영국이 한국을 NATO에 '글로벌 파트너'로 참여시키자고 공식 제안한 적은 있으나 직접 참여한 바는 없다.

⊘ 선지분석

① OSCE는 유럽안보협력기구로, 1996년 12월 한국은 일본과 함께 상시참가국 지위를 획득하였다.

② ASEAN+3은 ASEAN 10개국과 한국, 중국, 일본이 참여하여 만든 지역협력체의 하나로, 경제 · 금융 분야에서의 지역적 협력을 요청하고 있다.

④ APEC의 창설에 참여한 국가는 한국, 미국, 일본, 오스트레일리아, 캐나다, 뉴질랜드였다.

답 ③

026 경제협력개발기구(OECD)에 대한 설명으로 옳은 것은?

① 1961년 설립되었으며 우리나라는 1995년 29번째 회원국으로 가입하였다.

② 개방된 시장경제, 다원적 민주주의, 인권존중이라는 3대 가치를 공유하는 국가들에게만 문호를 개방하고 있다.

③ OECD의 기원은 1948년 설립된 유럽경제협력기구(OEEC: Organisation for European Economic Co-operation)로서 OEEC는 영국이 주도한 마셜플랜의 유럽 내 조정기구였다.

④ 의사결정에 있어서 회원국 정부들이 결정주체로서 모든 회원국 간의 상호합의(mutual agreement of all the members)를 의미하는 만장일치에 의해 의사를 결정한다.

> **정답 및 해설**
>
> ✅ **선지분석**
> ① 우리나라는 1996년 가입하였다.
> ③ OEEC는 미국이 주도하였다.
> ④ 총의제로 의결한다.
>
> 답 ②

027 경제협력개발기구(OECD)에 대한 설명으로 옳지 않은 것은?

① OECD 내 서방선진 7개국은 세계정세에 대한 기본인식을 같이 하고, 선진공업국 간의 경제정책조정을 논의하며 자유세계 선진공업국들의 협력과 단결의 강화를 꾀하고 있다.

② OECD의 목적 중 하나는 개발도상국의 건전한 경제발전을 지원하는 것이다.

③ OECD의 회원국 수는 2020년 10월 현재 37개국이며, 한국은 1996년 12월 회원으로 가입하였다.

④ 경제정책회의(EPC)에서 세계경제동향을 연 2회 종합 점검하여 『OECD Economic Outlook』을 발간하고 있다.

> **정답 및 해설**
>
> 서방선진국정상회의(G7 Summit)에 대한 설명이다. G7은 OECD 내 속한 기관이 아닌, 서방선진 7개국이 모여 세계정세에 대한 인식을 같이 하고 경제정책조정을 논의하는 등 선진공업국 간의 협력과 단결을 꾀하는 모임이다. 현재 미국, 영국, 프랑스, 독일, 이탈리아, 일본, 캐나다[1], EU[2] 등 8개국이 회원국이며, 러시아는 G7과는 별도로 참가하여 G8을 탄생시켰다. 현재 G7과 G8은 별도로 개최되고 있다.
> [1] 캐나다는 2회 회의부터 참가하였다.
> [2] EU는 1978년 제4차 회의부터 참가하였다.
>
> 답 ①

028
☐☐☐ 1960년 9월에 설립하였으며, 석유수출국의 이익을 수호하기 위해 석유생산과 공급 및 가격 책정 등에서 공동정책을 추진하기 위해 결성된 국제기구는?

① OPEC

② ITU

③ OAPEC

④ IEA

029
☐☐☐ 아세안(ASEAN)의 외교정책에 관한 설명으로 옳지 않은 것은?   2014년 외무영사직

① 아세안의 설립 목적은 주변 강대국들의 동남아 패권 쟁탈전에 대해 아세안 국가들의 중립을 보장하기 위한 것이다.

② 아세안지역포럼(ARF)은 아세안의 주도로 창설된 다자간 안보대화기구이다.

③ 아세안＋3은 동남아에서 중국, 러시아, 일본의 영향력을 인정하고, 이들과의 협력 관계를 공식화한 것이다.

④ 2005년 개최된 동아시아 정상회의(EAS)는 아세안＋3의 13개국 이외에 호주, 뉴질랜드, 인도가 참여하였다.

030 다자간 투자협정(Multilateral Agreement on Investment: MAI)에 대한 설명으로 옳지 않은 것은?

2014년 외무영사직

① 높은 수준의 투자 자유화를 추진했다.
② 1998년 프랑스의 불참 선언으로 협상이 중단되었다.
③ WTO 차원에서 협상이 이루어졌다.
④ 참여 국가 간의 분쟁 조정을 시도했다.

정답 및 해설

WTO차원에서 무역과 통상 관련 신규 의제로 거론되기도 하였으나, DDA에서는 공식의제로 채택되지 못하였다. 다자간 투자협정은 기존의 양자 간 투자협정 방식(BIA)의 비효율성에 대한 비판에 기초하여 다자간 협정으로 추진되었으나, 선진국과 개도국 간 견해 차이로 협상이 중단되었다.

답 ③

---

031 다음 설명하는 기관에 해당하는 것은?

> 공적개발원조(ODA)에 관한 규범 제정기관으로서 그 동안 원조의 비구속화, 2005년 '원조 효과성에 관한 파리선언', 2008년 '아크라 행동 계획'제정 등 원조제공과 관리 개혁을주도해 온 기관이다.

① UPU   ② DAC
③ IDA   ④ ICAO

정답 및 해설

DAC는 OECD 개발원조위원회(Development Assistance Committee)를 의미한다.

☑ 선지분석
① UPU는 만국우편연합으로 Universal Postal Union을 의미한다.
③ IDA는 국제개발협회로 International Development Association을 의미한다.
④ ICAO는 국제민간항공기구로 International Civil Aviation Organization을 의미한다.

답 ②

032 해외원조를 위한 개발원조위원회(Development Assistance Committee, DAC)에 대한 설명으로 옳은 것은?

2018년 외무영사직

① DAC 회원국은 GNP의 0.7%를 기부하기로 목표를 세웠고 모두 이를 달성하였다.
② DAC 회원국의 정부 원조 가운데 3/4 정도가 양자 간 원조형태로 수혜국으로 제공된다.
③ 미국은 GNP 기준 해외원조 비율 순위가 DAC 회원국 중 상위그룹에 속한다.
④ 한국은 2011년 부산에서 열린 세계개발원조총회를 계기로 DAC 회원국이 되었다.

정답 및 해설

✓ 선지분석
① GNP의 0.7%를 기부하는 것이 권고적 의무이나, 우리나라만 하더라도 약 0.14%에 머물러 있다.
③ 미국은 금액기준으로는 상위권이나, GNP 대비로는 하위권이다.
④ 한국은 2010년 회원국이 되었다.

> **관련 이론** OECD DAC(Development Assistance Committee, 개발원조위원회)
>
> 1. 의의
>   OECD 산하 25개 위원회 중 하나이며, OECD 회원국 중 가입 심사기준을 통과한 회원에게만 자격을 부여한다. DAC은 대(對)개도국 개발협력 활동과 관련된 정보 교류 및 ODA 관련 정책에 대한 공여국 간 협의·조정 기능을 수행한다.
>
> 2. 가입심사기준
>   • 개발협력 조직·전략·정책 보유
>   • 적절한 원조 규모(총액 1억불 이상 또는 ODA/GNI 0.2% 이상)
>   • 원조사업에 대한 모니터링·평가시스템 보유 유무
>
> 3. 회원국
>   현재 30개국이 회원으로 활동 중이며, 한국은 2010년 가입하였다. 회원국은 한국, 일본, 호주, 뉴질랜드, 미국, 캐나다, 영국, 프랑스, 독일, 이탈리아, 스페인, 헝가리, 포르투갈, 덴마크, 네덜란드, 핀란드, 노르웨이, 스웨덴, 벨기에, 스위스, 아일랜드, 오스트리아, 룩셈부르크, 아이슬란드, 그리스, 체코, 슬로바키아, 슬로베니아, 폴란드, EU이다.
>
> 4. 2016년 DAC 회원국 전체 ODA 규모는 명목상 1,426억 달러이다. GNI 대비 ODA 비율은 평균 0.32%이며, 유엔이 제시한 ODA 목표치인 GNI 대비 0.7%를 넘어서는 회원국은 노르웨이, 룩셈부르크, 스웨덴, 덴마크이다. DAC 회원국 중 ODA 지원규모 상위 5개국은 미국(335억 달러), 영국(180억 달러), 독일(246억 달러), 일본(103억 달러), 프랑스(95억 달러) 순이다. DAC 회원국들은 매년 ODA 실적을 DAC에 보고하여 회원국 전체의 ODA 실적을 집계한다. DAC은 ODA 실적파악 외에도 ODA의 효성을 제고하기 위하여 ODA의 양적확대와 질적제고를 위한 다양한 노력을 기울이고 있다. DAC 산하에는 8개의 작업반이 있어서, 개별이슈에 대하여 ODA 효과성 제고를 위하여 회원국 간에 동료평가(Peer Review), 상호학습 및 토론 등을 거쳐 국제적 규범을 정립하고, 3~4년에 한 번씩 개최되는 원조효과성에 관한 고위급포럼(High Level Forum on Aid Effectiveness, HLF)를 계기로 DAC 회원국은 물론 DAC 비회원국, 개도국, 시민사회 등으로 규범 확산 및 공약 이행 촉진의 역할을 하고 있다.

답 ②

033 에너지 관련 대표적 국제 카르텔인 석유수출국기구(OPEC)에 대한 설명으로 옳지 않은 것은?

2020년 외무영사직

① OPEC이 결성되기 전까지는 미국과 유럽의 거대 석유회사들이 국제석유시장을 지배했다.

② OPEC은 아랍 – 이스라엘 전쟁(1973년)에서 이스라엘을 지지한 미국 등 서방국들에 대해 석유 수출을 중단했다.

③ OPEC의 영향력은 대체재가 존재하지 않는 원유의 특성으로 가격이 탄력적이지 못하다는 점에 기인했다.

④ 2000년대 이후 사우디아라비아는 OPEC 내에서 자신들의 영향력이 줄어들게 되자 OPEC 내의 주도권을 놓고 러시아와 경쟁해 왔다.

정답 및 해설

OPEC 내의 주도권을 놓고 사우디아라비아와 러시아가 경쟁했다는 것은 러시아가 OPEC 회원국이라는 것인데, 러시아는 OPEC 회원국이 아니다. OPEC 또는 사우디아라비아와 러시아가 메이저 산유국으로서 경쟁관계에 있는 것은 맞다.

✓ 선지분석

② 제4차 중동전쟁 과정에서 일으킨 제1차 석유위기를 말한다.

③ OPEC은 현재 생산카르텔로서 세계 원유가격을 주도하고 있다.

답 ④

제6절 | WTO

001 국제무역체제에서 법률적 구속력이 있는 분쟁해결기구(Dispute Settlement Body: DSB)를 공식적으로 출범시킨 무역협정은?

2021년 외무영사직

① 도쿄 라운드

② 도하 개발어젠다

③ 케네디 라운드

④ 우루과이 라운드

정답 및 해설

우루과이 라운드는 1986년 개시된 협상으로서 WTO를 출범시켰다. GATT와 달리 서비스무역, 무역관련 지적 재산권 문제 등을 다루었으며 무역정책검토제도(TPRB)나 분쟁해결기구(DSB) 창설에 합의하기도 하였다.

✓ 선지분석

① 도쿄 라운드는 1979년 타결된 다자회담으로서 관세에 있어서는 '공식에 의한 감축'방식을 적용한 점이 특징이며, 9개의 협정도 채택하였다.

② 도하 개발어젠다(DDA)는 2001년 WTO 도하각료회의에서 출범한 다자간협상으로서 현재도 진행중이다.

③ 1960년대 전개된 회담으로 관세감축에 있어서 '일괄감축방식'을 적용하는 한편, 반덤핑에 관한 협정을 채택했다.

답 ④

002
□□□ 하바나 헌장의 미국 의회 비준실패로 국제무역기구(ITO)의 설립이 무위로 돌아가자 이에 대한 대안으로
제2차 세계대전 이후 자유무역질서 관장을 위해 활용된 제도로 옳은 것은?

2010년 외무영사직

① GATT
② IMF
③ IBRD
④ WTO

정답 및 해설

하바나 헌장의 미국 의회 비준실패로 국제무역기구(ITO)의 설립이 무위로 돌아가자 이에 대한 대안으로 제2차 세계대전 이후 자유무역질서 관장을 위해 활용된 제도는 GATT이다.

> **관련 이론** 관세 및 무역에 관한 일반협정(GATT)
>
> 제2차 세계대전 중부터 경제적인 면에서 각국 간의 협력체제를 이루어야 되겠다는 움직임이 구체화되어 1944년 드디어 국제통화기금(IMF)과 세계은행(IBRD)이 창설되기에 이르렀고 이어서 국제무역기구(ITO)의 설립이 예정되었다. 이 국제무역기구는 1945년 미국이 '세계무역 및 고용의 확대에 관한 제안'을 발표한 것이 계기가 되었으며, 그 후 여러 차례의 절충을 거친 결과 1948년 쿠바의 수도 하바나에서 국제무역기구 헌장(하바나 헌장)으로 채택되기에 이르렀다. 이 헌장은 국제무역에 관한 제반사항에 대하여 각국의 정책기준이 될 수 있는 원칙을 정해 놓았으며, 또한 실시기관으로서의 국제무역기구의 설립을 규정하고 있었다. 그러나 이 규정이 관세를 인하하고 무역을 자유화한다는 점에만 너무 치중하고 극히 이상적인 내용으로 된 것이었기 때문에, 당초 53개국이 조인했음에도 불구하고 제안국인 미국 의회에서마저 비준을 거부한 것을 비롯하여 많은 나라들이 이에 거부반응을 일으켜 결국에는 무산되고 말았다. 한편 국제무역기구 헌장의 기초작업과 병행해서 1947년에 제네바에서는 미국이 제안한 관세인하 문제를 토의하기 위하여 23개국 대표가 모여 다각적인 관세교섭을 벌여 모든 참가국에게 평등하고 무차별로 적용될 관세양허표를 작성하였는데, 여기에 국제무역기구 헌장 중에서 관세와 무역에 관계되는 실현 가능한 조항만을 추려내어 이를 다듬어 첨가하여 하나의 조약형식을 만든 것이 '관세 및 무역에 관한 일반협정(GATT)'이다. 당초에는 국제무역기구가 성립될 때까지의 잠정적인 협정으로 만든 것이었으나, 그 후 국제무역기구 헌장의 결렬로 결국에는 관세인하뿐만 아니라 수입제한의 완화, 차별대우의 폐지 등 국제무역기구가 수행하기로 되어 있던 중책을 예상치 않았던 형식으로 짊어져야 할 기관으로 변모하였다. 1993년 우루과이라운드(UR)의 협정으로 제2차 세계대전 이후 국제통상질서를 지배해 온 GATT체제는 막을 내리고 더욱 강력한 세계무역기구(WTO)가 발족되어 새로운 세계통상의 질서를 담당하고 있다.

답 ①

003
□□□ 세계무역기구(WTO)의 기본 원칙에 관한 설명으로 옳지 않은 것은?

2010년 외무영사직

① 최혜국대우 원칙은 특정 국가에 대해 불리한 대우를 해서는 안 된다는 것이다.
② 내국민대우 원칙은 동종의 상품, 서비스, 지적재산권 등 교역권에 대하여 내국인에게 주는 혜택을 외국인에게도 주어야 한다는 것이다.
③ 시장접근보장 원칙은 재화와 용역의 공급에서 관세나 조세의 제한을 철폐해야 한다는 것이다.
④ 호혜주의 원칙은 한 국가가 무역장벽을 낮추면 다른 국가도 이에 상응하는 조치를 취해야 한다는 것이다.

정답 및 해설

시장접근보장 원칙이란 재화·서비스 공급에 대하여 관세나 조세를 제외한 일체의 제한을 철폐해야 한다는 원칙이다. 예를 들어 수량제한(quota) 등이 금지되는 것이다.

답 ③

004 다음 중 WTO에 대한 설명으로 옳은 것은?

□□□

① WTO는 설립협정상 법인격을 갖고 있다.

② 국가 간 구속력 없는 느슨한 계약으로 구성된 것이다.

③ 총회와 일반이사회로 구성되어 있다.

④ ITO를 승계한 것이다.

정답 및 해설

✅ **선지분석**

② WTO는 법적 구속력을 갖는 설립협정 및 부속서에 근거하고 있다.

③ 각료회의, 일반이사회, 사무국, 유럽·미주·동아태 등 6개 지역위원회와 집행위원회로 조직되어 있다.

④ ITO(국제무역기구)가 무산되자 이를 승계한 것은 GATT 1947(관세 및 무역에 관한 일반협정)이다. 1947 GATT는 GATT 1994로 WTO 체제에 편입되었다.

답 ①

---

005 세계무역기구(WTO)의 조직구성에 관한 내용 중 옳지 않은 것은?

□□□

① 최고의사결정기관으로는 2년마다 최소한 1회 소집되는 각료회의가 있다.

② 각료회의의 결정을 집행하는 일반이사회가 있다.

③ 개별국가의 보복조치를 인정하지 않는 강력한 분쟁해결기구를 가지고 있다.

④ 일반이사회 산하에는 상품교역, 서비스교역, 지적재산권이사회 등이 있다.

정답 및 해설

WTO 체제의 분쟁해결제도는 개별국가에 의한 보복조치를 인정하고 있다. 패소국이 패널의 결정에 따른 이행을 해태할 경우 승소국은 보복 조치의 발동을 요청할 수 있는데, 이는 역총의제(reverse consensus)에 의해 사실상 자동 채택된다. 역총의제란 그에 반대하는 컨센서스가 이루어지지 않는 한 채택된 것으로 보는 의사결정절차를 말한다. 보복조치는 대상국에 대한 의무 및 양허의 정지를 뜻하는데, 궁극적으로 문제가 되고 있는 분야와 다른 분야에서의 보복 조치까지 발동 가능하므로 상당히 강력한 것이라고 할 수 있다.

답 ③

---

006 세계무역기구(WTO) 체제에 대한 설명으로 옳지 않은 것은?

□□□

① 다자주의, 최혜국대우, 내국민대우 등을 기본원칙으로 한다.

② 미국의 수퍼301조에 의한 일방적 제재조치는 WTO 정신에 어긋나는 측면이 있다.

③ 일반특혜관세제도(GSP: Generalized System of Preferences)는 개발도상국에게 낮은 관세를 부과하는 것을 목적으로 한다.

④ 중국은 대내외적인 상황으로 인하여 아직까지 가입을 유보하고 있다.

정답 및 해설

중국은 2001년 WTO에 가입하였다.

답 ④

007 세계무역기구(WTO) 체제의 기본원칙만을 모두 고른 것은?

□□□

ㄱ. 다자주의원칙	ㄴ. 시장접근보장원칙
ㄷ. 투명성원칙	ㄹ. 최혜국대우원칙
ㅁ. 내국민대우원칙	

① ㄱ   ② ㄱ, ㄴ   ③ ㄱ, ㄴ, ㄷ, ㅁ   ④ ㄱ, ㄴ, ㄷ, ㄹ, ㅁ

정답 및 해설

ㄱ, ㄴ, ㄷ, ㄹ, ㅁ 모두 세계무역기구(WTO) 체제의 기본원칙에 해당한다.

ㄱ. '다자주의'란 세계 여러 나라가 상호 다변적인 협의·협조정신 하에서 국제경제기구를 설립하고 이 기구의 협정에 따라 무역자유화, 무역확대, 통화가치안정 등을 도모하는 경제적 사고를 뜻한다. 다자주의는 보호주의를 배격하고 자유주의를 신봉한다고 볼 수 있다. 그것은 다자주의가 관세인하, 무역제한조치 철폐 등을 통해 세계무역 자유화를 추구한 데서도 알 수 있다. WTO는 이 같은 다자주의 원칙에 입각해 있다.

ㄴ. WTO의 목표 중에서 가장 중요하게 다루어지는 것이 '시장접근 보장의 원칙'이다. 시장접근이랑 관세양허를 통해 수입량을 늘려가는 것을 말한다. 시장접근 보장의 원칙은 관세나 조세를 제외한 재화·서비스의 공급에 대한 일체의 제한을 철폐해야 한다는 원칙이다.

ㄷ. '투명성의 원칙'이란 각국의 행정·사법기관의 의사결정이나 법령 적용, 제도 운용이 합리적이고 예측가능하여야 하며, 결정에 관한 이유가 고지되어야 하고, 그러한 결정의 기초가 되는 모든 법령 및 자료가 공개되어야 한다는 원칙으로 개방의 실질적 요소라 할 수 있다.

ㄹ. '최혜국대우 원칙'은 특정 국가에 대하여 다른 국가보다 불리한 교역 조건을 부과해서는 안 된다는 원칙으로, WTO체제의 모든 분야에서 요구되는 핵심원칙이라 할 수 있다.

ㅁ. '내국민대우 원칙'은 일단 정해진 관세 등을 지불한 이후에는 국내에 들어와 세금이나 그 밖의 조치에 있어서 국내 동종상품에 비해 불리한 대우를 받지 않아야 한다는 것이다. 최혜국대우 원칙과 함께 WTO체제의 비차별 원칙을 구성하고 있다.

답 ④

---

008 자유무역거래의 확대 및 공정무역거래 규범을 정착시키기 위한 국제조직으로 세계무역기구(WTO)가 존재

□□□ 한다. 이 기구에 대한 설명으로 옳은 것은?

① WTO는 자유무역거래 확대와 공정무역 거래규범의 정착을 위해 실질적 관세인하와 무역상의 비관세 장벽의 감축 및 국제무역관계에 있어 차별적 대우를 제거하는 데 관심을 두고 있다.

② 각료회의는 WTO최고기관으로 WTO의 기능을 수행하기 위해 필요한 조치를 이행하고 다자간 무역 협정의 모든 사항에 대해 결정권을 가지며, 사무총장 및 사무국 직원을 임명한다.

③ WTO 내에는 각료회의 산하에 일반이사회, 상품무역이사회, 무역관련지적재산권이사회, 서비스무역 이사회가 설치되어 있으며 산하에 각종 이사회들이 있다.

④ 사무총장은 일반이사회에서 지명하는데 일반이사회에서는 사무총장의 권한과 의무, 근무 조건 및 임기를 정하게 된다.

정답 및 해설

✓ **선지분석**

② 사무국 직원의 임명과 근무조건은 각료회의에서 정한 규칙에 따라 사무총장이 임명한다.

③ 일반이사회 산하에 상품무역이사회, 무역관련지적재산권이사회, 서비스무역이사회가 설치되어 있으며 그 밑에 각종 이사회가 설치되어 있다. 이 3개 이사회는 일반이사회의 지도에 따라 운영된다.

④ 사무총장은 각료회의에서 지명하는데 각료회의에서는 사무총장의 권한과 의무, 근무 조건 및 임기를 정하게 된다. 사무국 직원의 임명과 근무조건은 각료회의에서 정한 규칙에 따라 사무총장이 임명한다.

답 ①

009

☐☐☐ 세계무역기구(WTO) 상소제도에 대한 설명으로 옳지 않은 것은?

① GATT(관세 무역 일반 협정) 체제의 단심제와 달리, WTO(세계무역기구) 체제에서는 양심제를 도입해 패널 판정에 대해 이의가 있는 회원국은 상소기구(Appellate Body)에 항소, 해당 분쟁의 WTO 협정 위반 여부에 대한 최종 판단을 받을 수 있다.

② 상소기구 작업절차 15(Rule15)는 상소기구 위원 임기 만료 전에 배당된 분쟁은 임기 만료 이후에도 계속 담당하도록 규정하고 있으나, 미국은 상소기구 위원 임기는 분쟁해결기구(DSB) 승인사항이라고 주장하며 상소제도 운영에 비타협적인 입장을 보여주고 있다.

③ WTO협정상 상소기구는 7인의 위원으로 구성되며 위원은 회원국의 역총의(reverse-consensus)로 임명된다.

④ 각 위원에 대해서는 최초 임명 시 4년의 임기가 주어지며, 한 번 재임명이 가능해 재임명이 되면 총 8년 동안 활동을 할 수 있게 된다.

> **정답 및 해설**
>
> 총의로 상소기구의 위원을 임명한다.
>
> 답 ③

010

☐☐☐ 세계무역기구(WTO) 사무총장 선출에 대한 설명으로 옳지 않은 것은?

① 선출은 각료회의 비회기시 각료회의 기능을 대신하는 일반이사회가 절차를 진행하며, 컨센서스로 선출하나 선출 기한까지 컨센서스에 의한 선출이 불가능한 경우 최후 수단으로서 투표에 의한 선출도 고려할 수 있다.

② 일반이사회 의장은 분쟁해결기구 의장 및 무역정책검토기구 의장의 협조하에 회원국들과 협의하여 WTO 사무총장 선출 절차를 진행한다.

③ WTO 사무총장의 임기는 5년이며, 5년을 초과하지 않는 범위 내에서 재임할 수 있다.

④ 현 사무총장 임기 만료 9개월 전에 선출 절차가 개시하며, 현 사무총장 임기 만료 3개월 전 일반이사회 회의에서 신임 사무총장을 결정한다.

> **정답 및 해설**
>
> 사무총장의 임기는 4년이며 4년 내에서 재임할 수 있다.
>
> 답 ③

011 세계무역기구(WTO) 제12차 각료회의(2022년 6월 개최)에 대한 설명으로 옳지 않은 것은?

① 회원국들은 WTO를 명실상부한 다자무역체제의 핵심(core)으로 인정하기로 합의하였다.

② 회원국들은 개발도상국 및 최빈개발도상국 회원국을 위한 특혜대우(special and differential treatment, SDT)의 중요성을 재확인하면서 개발도상국을 위한 무역원활화, 무역원조, 서비스 수출 우대조치 등 다양한 유연성(flexibilities)의 반영 및 기후변화, 자연재해 등 글로벌 환경 문제의 대응에 있어서도 다양한 경제개발 수준을 감안할 것에 합의하였다.

③ 회원국들은 식량안보와 관련하여 회원국 간 원활한 농산물 교역을 위해 식량 및 농산물에 대한 수출금지 및 제한 조치를 금지하고, 식량안보 우려에 대응하기 위한 긴급 조치를 취해야 할 경우 WTO 규범을 준수하는 범위 내에서 이행되도록 무역왜곡을 최소화하고 목적에 최대한 부합하는 일시적인 조치를 도입하고 이를 투명하게 운영할 것을 약속하였다.

④ 당초 지난 21년간 큰 성과 없이 더디게 논의되어왔던 수산보조금 협상이 타결될 것으로 전망되었으나, 미국과 중국의 입장 차이가 좁혀지지 않아 최종 타결은 불발되었다.

정답 및 해설

제11차 각료회의에서 최대 성과는 21년간 큰 성과 없이 더디게 논의되어 왔던 수산보조금 협상이 타결된 것으로 WTO의 입법 기능이 회복될 수 있다는 가능성을 보여준 것으로 평가된다.

답 ④

---

012 WTO 무역원활화협상에 대한 설명으로 옳지 않은 것은?

① 2004년 10월 무역협상위원회가 무역원활화에 대한 협상 그룹을 설립함에 따라 2005년부터 본격적인 무역원활화협정에 대한 협상이 시작되었다.

② 우리나라와 일본 등 무역원활화 규범 제정을 지지하는 콜로라도 그룹(Colorado Group)이 회의를 주도했으며, 미국, 중국 및 유럽연합은 보호주의 전략을 유지하며 무역원활화 규범 제정에는 소극적인 태도를 취함으로써 회원국들의 비판을 받았다.

③ 무역원활화 협상은 2013년 12월 발리에서 개최된 제9차 각료회의에서 발리패키지의 일부로 타결되었다.

④ 2017년 2월 22일 르완다 등이 수락서를 기탁하면서 WTO 164개 회원국 중 2/3 이상에 해당하는 112개국이 수락하여 무역원활화협정이 발효되었다.

정답 및 해설

미국과 EU도 콜로라도 그룹에 속한다.

답 ②

제2장 비정부 간 국제기구(INGO)

제1절 | 총론

001 다음은 UN에서 인정한 비정부기구(NGO)의 원칙과 관련된 내용이다. 옳은 것만을 모두 고른 것은?

2009년 외무영사직

> ㄱ. NGO는 이윤을 추구하는 기관이 될 수 없다.
> ㄴ. NGO는 분명한 본부와 사무원을 갖춘 대표기관이어야 한다.
> ㄷ. UN이 인정하는 NGO의 원칙은 UN 안전보장이사회 정관에 규정되어 있다.
> ㄹ. NGO는 폭력을 사용할 수도 없고, 또 폭력을 지지해서도 안 된다.

① ㄱ, ㄷ   ② ㄱ, ㄹ
③ ㄱ, ㄴ, ㄷ   ④ ㄱ, ㄴ, ㄹ

정답 및 해설

옳은 것은 ㄱ, ㄴ, ㄹ이다.

☑ 선지분석

ㄷ. NGO에 관한 규정은 UN 헌장 제71조에 "경제사회이사회는 NGO와 협의할 수 있다."라고 규정되어 있다.

답 ④

002 다음 중 비정부 간 국제기구(NGO; Non-Governmental Organization)로 볼 수 없는 것은?

① 국제의원연맹(IPU)   ② 국제적십자사(IRC)
③ 세계반공연맹(WACL)   ④ 석유수출국회의(OPEC)

정답 및 해설

OPEC은 1960년 9월 원유가격 하락을 방지하기 위해 이라크 정부의 초청으로 개최된 바그다드회의에서 이라크, 이란, 사우디아라비아, 쿠웨이트, 베네수엘라의 5대 석유 생산·수출국 대표가 모여 결성한 협의체로, NGO가 아니라 정부 간 기구(Inter-Governmental Organization; IGO)이다.

답 ④

003 통상적인 비정부기구(NGOs)의 기능으로 볼 수 없는 것은?

① 운용기능(operational function)

② 교육기능(educational function)

③ 대변기능(advocacy function)

④ 징세기능(taxation function)

정답 및 해설

NGO는 수혜자를 직접 대상으로 하여 물자와 서비스를 제공하는 운용활동 기능을 하는 NGO, 일반 대중을 대상으로 여론 등을 형성하기 위해 교육기능을 하는 NGO, 정부나 정부 간 기구 등의 정책을 비판하고 대안 등을 제시하는 대변 기능을 하는 NGO, 자료나 견해를 수집하고 분석하여 교환 및 전파하는 기능을 하는 NGO, 규범의 실시와 준수를 감시하는 기능을 하는 NGO 등으로 분류된다.

답 ④

---

004 국제비정부기구(INGO)와 관련된 국제정치 이론에 관한 설명으로 옳지 않은 것은?

① 코헤인(R. Keohane)과 나이(J. Nye)는 '초국가론'을 주장하였는데, 이는 각 국가에 속하는 사회들 간의 국경을 넘는 상호작용과 초국가적 행위자의 중요성을 강조함으로써 국가만이 유일한 지배적 행위자라는 현실주의의 가정을 완화시켰다.

② '전지구적 시민사회론'은 전지구적인 규모에서 국경을 넘어 상이한 사회 행위자들 간의 상호 연계에 관심을 두는데, 이는 NGO가 전세계적인 관심사를 국제적인 의제로서 제기하고 이 과정에서 국제적 규범과 가치의 형성에 기여한다고 본다.

③ 로즈노우(J. Rosenau)의 '두 세계론'은 후기 국제정치의 특징으로서 국가 중심적 세계와, 이러한 국가 중심적 세계에 부가적으로 설정되어 있는 비국가행위자들의 세계가 있다고 본다.

④ '전지구적 관리론'은 주권적 권위가 부재한 가운데 국경을 넘어 정부 행위자와 비정부 행위자들이 국제사회의 주요 이슈들을 다루어나가는 협력적 방식들의 총합을 말하는데, NGO는 이에 중요한 행위자로서 인식되고 있다.

정답 및 해설

로즈노우(J. Rosenau)의 두 세계론의 세계들은 서로 종속적, 비종속적 관계에 있는 것이 아니라 두 세계가 서로 동시에 존재하며 서로 경쟁과 협력 등의 상호작용을 하게 된다. 비정부적 행위자들이 국가에 종속적 지위에 있는 것은 현실주의 패러다임적 견해이다.

⊘ 선지분석

④ 전지구적 관리론은 특히 주권국가의 권위가 무용해졌다는 점을 지적하므로, 이에 대한 대안으로서 INGO를 비롯한 여러 국제레짐이 활동해야 한다고 주장한다.

답 ③

005

□□□

국제연합의 경제사회이사회는 그 정관에 NGO에 대한 정의를 내린 바 있다. 이에 관한 설명으로 옳지 않은 것은?

① NGO는 UN의 목적과 사업을 지지해야 한다. 이 조항은 UN이 수행하는 프로그램에 대해 제기되는 비판에 최소한의 제한을 가하기 위한 것으로 해석되어 왔다.

② NGO는 이윤을 추구하는 기관이 될 수 없다. 그렇기 때문에 개별 기업이 NGO가 되기란 현실적으로 불가능하다.

③ 국제 NGO는 정부 간 합의에 의해 만들어지지 않는다. 이것은 NGO가 비정부적 속성을 갖는다는 것을 기술적으로 표현한 법적 표현이다.

④ NGO는 폭력을 사용할 수도 없고, 또 지지해서도 안 된다. 그러나 폭력사용에 대한 지지여부가 NGO의 개념을 정의하는 일과 반드시 일치하는 것은 아니다.

정답 및 해설

NGO는 이윤을 추구하는 기관이 될 수 없다. 즉 개별기업은 공식적 자문 지위를 획득할 가능성이 적다는 조항인데, 그렇다고 하여 이 조항이 개별기업을 UN체제에서 배제시키는 것은 아니다. 국제무역연맹과 같은 기구가 NGO로 인식되는 데에는 별 문제가 없다.

답 ②

006

□□□

UN과 NGO 간의 관계에 대한 설명으로 옳지 않은 것은?

① 경제사회이사회 내에서 특별 협의(special consultation) 지위를 획득한 NGO는 산하 11개 위원회에 대해 의제를 제안하고 회의에 출석하여 발언할 수 있다.

② UN공보국(UNDPI)은 NGO와의 관계를 설정하는 데 있어 NGO의 정보 전파 기능을 이용한다.

③ 총회 주요 위원회들과 산하 위원회들은 NGO들이 비공식적으로 참여할 수 있도록 많은 기회를 제공하고 있다.

④ NGO위원회(CONGO)는 궁극적으로 NGO와 UN의 관계를 향상시키고자 조직되었다.

정답 및 해설

UN헌장 제71조를 통해 ECOSOC으로 하여금 특별협정의 체결을 통해 일정한 자격요건을 갖춘 NGO에게 협의적 지위(consultative status)를 부여하는 권한을 주었다. 이에 따라 '일반 협의(general consultation)' 자격을 가진 NGO들은 잠정적 어젠더 및 ECOSOC 산하 기구들의 어젠더에 대해서도 특정사항을 상정할 권리를 누린다. 산하 11개 위원회에 대해 의제를 제안하고 회의에 출석하여 발언하며 구두로 의견을 진술할 수 있고 국제연합의 문서로써 의견서(written statement)를 제출하는 것이 인정된다. 국제로터리클럽, 표준화기구(ISO)와 최근에는 굿네이버스가 이 지위를 획득했다.

답 ①

007

정부 간 국제기구(IGOs)와 비정부기구(NGOs)의 협력관계에 대한 설명으로 옳지 않은 것은?

2022년 외무영사직

① 비정부기구는 국가들이 국제협약이나 국제규범을 준수하는지를 감시하는 역할을 한다.
② 비정부기구는 정부 간 국제기구로부터 재정지원을 받아 정부 간 국제기구의 프로젝트를 수행하기도 한다.
③ 유엔총회는 비정부기구들에 대해 '일반적 협의 지위,' '특별 협의 지위,' '명부상(roster) 협의 지위'를 부여하여 협력관계를 유지한다.
④ 정부 간 국제기구는 정책 결정 과정에 비정부기구의 대표를 참여시켜 의견을 수렴하고, 결정의 정당성과 투명성을 높인다.

정답 및 해설

유엔 경제사회 이사회에 대한 설명이다.

답 ③

008

다음 중 UN기구와 NGO의 관계에 대한 설명으로 옳은 것은?

① UN무역개발회담(UNCTAD)에서의 NGO와의 협력관계는 1975년 나이로비의 UNCTAD 제4차 총회에서부터 1983년 제6차 총회 전까지 NGO들의 참여가 로비활동, 신문발행 등으로 점차 영향력을 확대해 왔다.
② UN교육과학문화기구(UNESCO)는 필요에 따라 수시로 특수 영역별로 NGO들과 협의를 약정하는 형식을 취해왔다.
③ UN환경계획(UNEP)의 파트너가 되는 NGO들은 환경 NGO에 한정하고 있다.
④ UN개발계획(UNDP)은 약 500여 개에 달하는 NGO들이 직접적 관계를 맺고 있으며, 1994년에는 '행동 파트너십(Partnership in Action)'을 구축하였다.

정답 및 해설

⊘ 선지분석

② UN개발계획(UNDP)은 1965년에 설립된 조직으로서 필요에 따라 수시로 특수 영역별로 NGO들과 협의를 약정하는 형식을 취해왔다.
③ UN환경계획(UNEP) 파트너가 되는 NGO들은 주로 환경 NGO들이지만 비환경 NGO들과 지역사회단체들도 있다.
④ UN난민고등판무관실(UNHCR)은 난민캠프 등의 현장 중심으로 NGO들과 직접적이고 긴밀한 관계를 맺고 있다. 약 500여 개에 달하는 NGO들이 직접적 관계를 맺고 있으며, 1994년에는 UNHCR과의 '행동 파트너십(Partnership in Action)'을 구축해서 기본적인 파트너십 관계의 개념, 필요성에 합의, 난민프로그램의 기획과 집행 등의 가이드라인에 합의하였다.

답 ①

001 국제대인지뢰금지운동에 대한 설명으로 옳지 않은 것은?

□□□ ① 미국, 한국, 러시아 등 주요 국가들이 대인지뢰전면금지협약을 승인하였다.

② 오타와협약을 이끌어 내는 데 중요한 역할을 하였다.

③ 국제 비정부기구들을 주요 구성원으로 하고 있다.

④ 국제대인지뢰금지운동으로 조디 윌리엄스(Jody Williams)는 노벨 평화상을 수상하였다.

정답 및 해설

대인지뢰전면금지협약(오타와협약)은 2015년 1월 기준 미국, 러시아, 중국, 인도, 파키스탄, 이란, 사우디아라비아, 이스라엘, 대한민국, 조선민주주의인민공화국 등 34개국은 이 협약에 가입하지 않았다.

답 ①

002 다음의 국제 시민사회운동이 공통적으로 지향하고 있는 목적은?

□□□
- 채무와 개발에 관한 유럽 네트워크(European Network on Debt and Development)
- 주빌리 2000(Jubilee 2000)

① 개발도상국들의 채무 탕감　　　　　② 개발도상국들의 빈곤과 기아 해결

③ 개발도상국들의 환경친화적 경제발전 지원　　④ 개발도상국들의 양성평등적 경제발전 지원

정답 및 해설

양자 모두 개발도상국들의 부채 탕감을 목표로 하고 있다. 개발도상국들의 부채문제는 장기적으로도 개발도상국들의 발전을 저해하는 것으로 보고, 완전한 부채탕감을 목표로 하여 전개되었다.

답 ①

003 다음 중 지구환경 보호를 위한 NGO가 아닌 것은?

□□□ ① Green Peace　　② IUCN　　③ WWF　　④ FOEI

정답 및 해설

IUCN(International Union for Conservation of Nature and Natural Resources, 세계자연보전연맹)은 전 세계 자원 및 자연보호를 위하여 유엔의 지원을 받아 1948년에 국제기구로 설립하였다.

✅ 선지분석

① 1971년 설립된 국제 환경보호 단체로서 핵실험 반대와 자연보호 운동 등을 통하여 지구의 환경을 보존하고 평화를 증진시키기 위한 활동을 펼치고 있다.

③ WWF(World Wide Fund for Nature, 세계자연보호기금)은 세계의 야생동물 및 원시적 환경을 보호하기 위한 국제 환경단체로 1961년에 설립되었다.

④ 1969년 9월 시에라클럽의 블로워(D. Brower)가 미국 샌프란시스코에서 설립하였다. 1971년 프랑스, 스웨덴, 영국, 미국 4개국의 지구의 벗 조직에 의해 국제 지구의 벗(FoEI; Friends of Earth International)이 결성되었고 세계 각지에 네트워크가 확산되면서, 그린피스, 세계자연보호기금과 함께 세계 3대 민간환경단체가 되었다.

답 ②

004 다음 비정부기구(NGOs) 중 외채탕감을 주된 목표로 하여 활동하는 기구는?

□□□
① 옥스팜(OXFAM)
② 주빌리 2000(Jubilee 2000)
③ 월드비전(World Vision)
④ 케어(CARE)

정답 및 해설

빈곤국의 채무 해결을 위해 노력하고 있는 국제비정부기구(NGO) 연합체이다.

✅ 선지분석
① 1942년 영국에서 결성된 국제적인 빈민구호단체이다.
③ 1950년 한국에서 설립되어 긴급 구호활동과 개발 사업을 하고 있는 기독교 민간구호단체이다.
④ 1945년 미국에서 설립된 대외구제협회이다. 제2차 세계대전의 발발과 함께 미국 정부는 교전 국민의 곤궁을 구제하기 위하여 전시구제국(War Relief Control Board)을 설치하였는데, 한편 민간에서도 구제사업을 벌여 1943년 그 중심기관으로 대외봉사협회(American Council of Voluntary Agencies for Foreign Service)를 설립, 이 협회에 의해 조직된 것의 하나가 케어(CARE)이다.

답 ②

005 1975년 대다수 유럽국가와 미국, 캐나다가 서명하였고, 동구 공산권국가가 지나치게 인권을 탄압하는 것을 막는 데 공헌을 했다고 평가되는 국제법적 노력은?

□□□
① 제네바의정서(Geneva Protocol)
② 로마조약(Treaty of Rome)
③ 베르사유조약(Treaty of Versailles)
④ 헬싱키협약(Helsinki Accords)

정답 및 해설

헬싱키협약(Helsinki Accords)은 1975년 7월 30일부터 3일간 핀란드 헬싱키에서 열린 안보협력회의에서, 미국과 동·서 유럽국가 등 35개국이 주권존중·전쟁방지·인권보호를 핵심으로 체결한 협약이다. 1975년 8월 1일 참가국들은 ⑤ 현 국경선의 존중 및 국가 간에 규정한 기본관계를 10개 원칙으로 한 유럽의 안전보장, ⑥ 경제·과학·기술·환경 분야의 협력, ⑥ 인도 및 그 밖의 분야의 협력, ⑤ 회의결과의 검토 조처 등 4개의 의제로 구성되어 있는 '유럽안보의 기초와 국가 간 관계 원칙에 관한 일반선언'으로 명명된 최종문서에 조인하였다. 이에 따라 제2차 세계대전 후 30년의 유럽 냉전은 끝났으며, 동·서유럽 국경은 안정되고 긴장완화와 동서화해가 이루어지기 시작했다. 헬싱키 협약은 미국과 유럽이 구소련에 대해 안보 분야를 비롯한 경제·인권분야에서 변화를 이끌어 내기 위해 가한 다자적 압박과정을 뜻한다.

답 ④

006 다음이 설명하는 INGO로 옳은 것은?

> • 1991년 11월 미국의 베트남퇴역군인재단과 독일인들이 중심이 된 국제의학협회 등 단체들과 국제 비정부기구(NGO)들이 모여 설립한 비정부 국제조직이다.
> • 2001년 현재 전세계 60여 개국에서 450개가 넘는 단체가 참여하고 있으며, 설립 이후 이 조직의 업무조정 책임자인 윌리엄스(Jody Williams)의 주도 아래 국제적인 방안을 강구하는 한편 각종 ○○ 제거 관련 지원 프로그램을 펼쳐 왔다.
> • 또 1997년 12월 131개국 대표가 캐나다 오타와에서 만나 이 가운데 123개국이 대인 ○○ 전면금지조약에 서명하거나 서명할 뜻이 있음을 밝혔는데, 이 조약을 이끌어낸 주인공 역시 바로 이 단체이다. 1997년 이 단체는 운동의 책임자인 윌리엄스와 함께 ○○ 사용 금지에 앞장선 공로로 노벨평화상을 받았다.

① 국제사면위원회(Amnesty International)
② 국제지뢰금지운동(International Campaign to Ban Landmines)
③ 휴먼라이츠워치(Human rights Watch)
④ 시에라클럽(Sierra Club)

정답 및 해설

○○에 해당하는 단어는 '지뢰'로, 국제지뢰금지운동(International Campaign to Ban Landmines)에 대한 설명에 해당한다.

☑ 선지분석
① 국제사면위원회는 1977년에 노벨평화상을 수상한 단체로, 초기에는 박해받는 정치범들을 위한 단체였으나 점점 확장하여 UN인권선언에 반(反)하는 어떠한 박해에도 반대하는 운동을 벌이고 있다.
③ 미국에서 가장 큰 인권단체로서 여러 지역의 인권실태에 대한 조사를 벌이고 있는 단체이다.
④ 시에라클럽은 설립된 지 100년이 넘는 가장 오래된 환경운동 단체 중 하나이다.

답 ②

007 다음 국제 NGO 중 환경분야에 속하지 않는 것은?

① Greenpeace
② MADRE
③ Sierra Club
④ Wetlands International

정답 및 해설

MADRE는 1983년 미국에서 탄생한 단체로 여성공동체에 기초한 국제적 인권조직으로서 건강, 경제발전 및 다른 인권 관련 쟁점에 접근하고 있는 단체이다.

☑ 선지분석
① 그린피스는 전세계적으로 환경파괴의 현장에서 이를 행동으로 저지함과 동시에 환경문제 해결을 위한 다양한 대안들도 제시해오고 있는 국제환경 관련 NGO이다.
③ Sierra Club은 설립된 지 100년이 넘는 가장 오래된 환경운동 단체의 하나로, 미국에서 금광개발로 서부의 산림지대가 훼손되자 이를 지키기 위해 1892년 미국 국내조직으로 설립한 비영리 단체이다.
④ Wetlands International은 세계적으로 알려진 습지보호단체로서, 습지 및 생물체 보존을 위해 설립된 단체이다.

답 ②

008 그린피스(Greenpeace)에 대한 설명으로 옳지 않은 것은?

① 국제연합 총회에 포괄적 핵실험금지조약(CTBT)이 통과되는 데 크게 기여하였다.
② 프랑스 핵실험을 반대하기 위하여 발족하였고, 고래보호단체로도 유명하다.
③ 1992년 브라질 리우데자네이루에서 열린 유엔환경개발회의(UNCED)를 통해 이들의 활동이 널리 알려지며 지부가 전세계로 확산되었다.
④ 1999년 전세계 환경보전 활동을 증진시킨 이유로 노벨평화상을 받았다.

> **정답 및 해설**
>
> 1999년 노벨평화상을 수상한 단체는 국경없는 의사회이다. 국경없는 의사회(Medecins Sans Frontieres)는 세계 각지의 분쟁·참사 지역에 신속히 들어가 구호활동을 펼침으로써 인도주의를 실현하고 일반 대중의 관심을 촉구한 공로로 1999년 노벨평화상을 받았다.
>
> 답 ④

009 다음 중 국경없는 의사회(Medecins Sans Frontieres)에 대한 설명으로 옳지 않은 것은?

① MSF는 1949년 제네바 협약과 1977년 두 개의 의정서들이 부여한 특별한 지위와 권한을 갖는다.
② 1999년 노벨평화상을 받은 바 있다.
③ 1995년 10월에서 12월까지 NGO로는 처음으로 북한 수해현장에 투입되어 전염병 예방과 의약품·의료장비 지원 활동을 한 바 있다.
④ 본부는 스위스 제네바에 있다.

> **정답 및 해설**
>
> 1949년 제네바 협약과 1977년 두 개의 의정서들이 부여한 특별한 지위와 권한을 갖는 국제 NGO는 국제적십자위원회(International Committee of the Red Cross)이다.
>
> 답 ①

010 국제사면위원회(Amnesty International)에 대한 설명으로 옳지 않은 것은?

① 1961년 5월 28일 영국인 변호사 피터 베넨슨씨에 의해 창설된, 세계최대의 국제인권운동단체이다.
② UN, UNESCO, EU, 미주기구, 아프리카 통합기구 등과 공식적으로 상호협조적인 지위를 가지고 있다.
③ 1998년에는 인권강화 훈련과정인 THREADS(Training for Human Rights Enforcement Advocacy, Documentation and Support to train women)를 만들었다.
④ 1977년에 노벨평화상, 1978년에 유엔인권상을 수상하였다.

> **정답 및 해설**
>
> MADRE는 1998년에는 인권강화 훈련과정인 THREADS(Training for Human Rights Enforcement Advocacy, Documentation and Support to train women)를 만들었다. 이들은 여성공동체에 기초한 국제적 인권조직으로서 건강, 경제발전 및 다른 인권관련 쟁점에 접근하는 것을 목표로 하고 있다.
>
> 답 ③

011

1960년에 소규모의 소비자 단체들에 의해 설립되었고, 제품 표준, 환경, 건강, 그리고 사회정책 등과 같이 다양한 이슈에 대해 세계소비자 운동의 대변자로 인식되고 있는 국제 NGO는 무엇인가?

① ATTAC
② Transparency International
③ Consumer International
④ Jubilee 2000

정답 및 해설

⊘ **선지분석**

① ATTAC는 1998년 6월 프랑스의 진보적 잡지인 「르몽드 디쁠로마띠끄」의 제안에 의해 출발한 단체로 국제적인 반세계화 및 반신자유주의 운동단체이다. 신자유주의적 세계화의 대표적 특징으로 나타난 금융의 국제화가 전세계 국가의 경제적 불안정과 사회적 불평등을 야기하였다고 주장하는 국제 NGO이다.

② 1993년 세계은행에 근무했던 페터 아이겐 박사에 의해 베를린에서 설립되었다. 부정부패를 퇴치하기 위한 목적으로 만들어진 단체로, TI가 매년 발표하는 국가청명도는 그 국가의 신용등급에 영향을 줄 정도로 국제적으로 인정받고 있다.

④ Jubilee 2000은 기아로 인한 극빈국의 사상자 수가 기하급수적으로 증가하고 있음에도 불구하고 외채부담으로 인해 자국의 기아문제조차 해결하지 못하고 있는 극빈국의 상황을 알리고 이들의 외채 탕감을 주장하는 캠페인이다.

답 ③

012

다음 중 국제 NGO에 대한 설명으로 옳지 않은 것은?

① 국경없는의사회(MSF)는 세계 각지의 분쟁·참사 지역에 신속히 들어가 구호활동을 펼침으로써 인도주의를 실현하고 일반 대중의 관심을 촉구한 공로로 1999년 노벨평화상을 받은 바 있다.

② 국제적십자위원회(International Committee of the Red Cross)와 적신월(Red Crescent)은 별개의 조직으로 적십자는 그리스도교의 후원을 받는 나라에서, 적신월은 이슬람교 국가에서 활동한다.

③ Catholic Relief Services는 1943년 미국의 로마 가톨릭 주교들이 미국 밖의 세계의 빈곤층과 소외층의 구호와 생활을 돕기 위해 조직된 인도적 구호기구이다.

④ 제2차 세계대전의 발발 시 미국 민간에서도 구제 사업을 벌여 1943년 그 중심기관으로 대외봉사협회(American Council of Voluntary Agencies for Foreign Service)를 설립, 이 협회에 의해 조직된 것의 하나가 CARE International이다.

정답 및 해설

그리스도교의 후원을 받는 나라에서는 적십자라는 명칭을 사용하지만 이슬람교 국가에서는 1906년 오스만제국의 요청에 따라 적신월(Red Crescent)이라는 명칭을 사용한다.

답 ②

013 다음 중 인권 증진 및 보호를 위해 활동하고 있는 국제 NGO가 아닌 것은?

□□□
① ECPAT International
② CWIS
③ NOVIB
④ CATW

014 INGO와 해당 활동 분야의 연결로 옳지 않은 것은?

□□□
① 세계자연보호기금(WWF) – 환경분야
② 국제사면위원회(AI) – 인권분야
③ 시에라클럽(Sierra Club) – 정보분야
④ World Vision International – 구호분야

015 비국가행위자에 대한 설명으로 옳지 않은 것은?

□□□
① 1948년 창설된 NGO위원회(CONGO)는 UN 총회와의 협의적 지위를 가진 NGO들이 결성한 NGO협의체이며, UN 체계에 공식화된 기구로 활동하고 있다.
② 그린피스는 1971년 시작되었으며, 1989년 암스테르담에 국제본부가 설립되었다.
③ 세계자연보호기금(WWF)은 1960년 영국의 헉슬리가 기고한 글을 계기로 창설되었다.
④ FOE는 1997년 더러운(dirty) 기업 베스트 12를 발표하면서 기후변화의 주범이 다국적기업임을 부각시켰다.

MEMO

MEMO

2024 대비 최신개정판

해커스공무원

패권

국제정치학

기출+적중문제집 | 1권

개정 4판 1쇄 발행 2023년 12월 8일

지은이	이상구 편저
펴낸곳	해커스패스
펴낸이	해커스공무원 출판팀

주소	서울특별시 강남구 강남대로 428 해커스공무원
고객센터	1588-4055
교재 관련 문의	gosi@hackerspass.com
	해커스공무원 사이트(gosi.Hackers.com) 교재 Q&A 게시판
	카카오톡 플러스 친구 [해커스공무원 노량진캠퍼스]
학원 강의 및 동영상강의	gosi.Hackers.com

ISBN	1권: 979-11-6999-690-7 (14340)
	세트: 979-11-6999-689-1 (14340)
Serial Number	04-01-01

공무원 교육 1위,
해커스공무원 gosi.Hackers.com

해커스공무원

· **해커스공무원 학원 및 인강**(교재 내 인강 할인쿠폰 수록)
· 해커스 스타강사의 **공무원 국제정치학 무료 동영상강의**
· 정확한 성적 분석으로 약점 극복이 가능한 **합격예측 모의고사**(교재 내 응시권 및 해설강의 수강권 수록)